ヴローエンガード島
ドル・アリーバ
アラゲイジア
シュノン
セリンスフォード
カーヴァホール
アノラ川
ナーダ
ウトガード山
ヤーズアック
ニノー川
ダレット
イゼンスター湖
マーナ山
ギリエド
シャークトゥース島
トーク川
ウォーダーク湖
ブールリッジ
ラムア川
クアスタ
レオナ湖
ドラス=レオナ
ウルベーン
ヘルグラインド
ベラトーナ
ファーノスト
メリアン
ファインスター
ジエト川
チスリ
ベアランド島
ニエ島
エオーム
ペトロヴヤ
ダウス
サーダ
ライスゴー
アロウ
イリアム島
ウデン島
アベロン
バーリム島
リーヴストーン

ドラゴンライダー 1

ERAGON : INHERITANCE BOOK I

クリストファー・パオリーニ 大嶌双恵=訳

Christopher Paolini translation by Futae Ohshima

エラゴン

遺志を継ぐ者

ソニー・マガジンズ

ERAGON: Inheritance Book 1

by

Christopher Paolini

編集協力
リテラルリンク

ブックデザイン
鈴木成一デザイン室

この世の魔法を教えてくれた母へ、
男というものの姿を、さりげなく見せてくれた父へ、
そして、ぼくが〝ブルー〟だったとき、
元気づけてくれた妹のアンジェラへこの本を捧げる

ERAGON: INHERITANCE BOOK I

目次

00 恐怖《きょうふ》の影《シェイド》……11
01 発見……17
02 パランカー谷……21
03 ドラゴンライダー……34
04 授《さず》かり物《もの》……55
05 目覚め……58
06 ブロム、歴史を語る……69
07 強き者の名前……81
08 ローラン、打ち明ける……86
09 黒マント……90
10 運命の飛行……99
11 罪《つみ》なき者の運命《さだめ》……105
12 重態《じゅうたい》……113
13 この世の闇《やみ》……125
14 名剣《めいけん》ザーロック……127
15 サフィラの鞍《くら》……147

16 セリンスフォード……151
17 稲光《いなずま》……166
18 ヤーズアックの惨劇《さんげき》……173
19 訓戒《くんかい》……180
20 とてもかんたんなこと……190
21 ダレット……202
22 ドラゴンには見えるもの……213
23 別れの歌……223
24 ティールムにて……228
25 古き友……235
26 魔女《まじょ》とネコ……261
27 ある計画……276
28 侵入《しんにゅう》……279
29 失敗……290
30 映《うつ》りしもの……308
31 達人……316

32 ドラス＝レオナ……324
33 油の行方《ゆくえ》を追え……329
34 ヘルグラインド……336
35 報復《ほうふく》……347
36 マータグ……351
37 ライダーの遺産《いさん》……358
38 きらめく墓《はか》……364
39 ギリエド……374
40 影《シェイド》の死……384
41 戦う影《かげ》……392
42 戦士と癒《いや》し手《て》と……404
43 砂漠《さばく》の水……414
44 ラムア川……423
45 ハダラク砂漠《さばく》……431
46 旅路……439
47 衝突《しょうとつ》……452

48 谷を飛ぶ……460
49 板ばさみ……479
50 答えをもとめて……491
51 トロンジヒームの威光《いこう》……509
52 アジハド……520
53 銀の手《アージェトラム》……544
54 マンドレークとイモリ……561
55 山の王の間……569
56 試《ため》しの儀《ぎ》……586
57 長き影……604
58 ファーザン・ドゥアーの戦い……619
59 嘆《なげ》きの賢者《けんじゃ》……635
訳者あとがき……644

カーヴァホール村
スパイン山脈の山間《やまあい》

帝国《ていこく》アラゲイジア
首都ウルベーン

おもな登場人物

エラゴン——物語の主人公（十五歳《さい》）。父を知らず、母セリーナは行方《ゆくえ》が知れない。村はずれの伯父《おじ》の家で暮《く》らしている

ギャロウ——エラゴンの伯父《おじ》。妻を亡《な》くし、息子《むすこ》ローランと身よりのない甥《おい》エラゴンと暮らす

ローラン——エラゴンの従兄《いとこ》（十七歳）

スローン——村の肉屋の主人

カトリーナ——スローンのひとり娘《むすめ》（十六歳）。ローランが思いをよせている

ホースト——村の鍛冶屋《かじや》。エラゴンやローランの理解者《りかいしゃ》

ガートルード——村の治療師《ちりょうし》

ブロム——ライダーの歴史を知る年老いた村の語《かた》り部《べ》。白馬スノーファイアで旅をする

ヴレイル——伝説のドラゴンライダー。かつてアラゲイジアを治めていたころのライダー族の最後の長《おさ》

ガルバトリックス——帝国の支配者《しはいしゃ》。シュルーカンという黒ドラゴンに乗る優秀《ゆうしゅう》なライダーだったが、みずから仲間のライダー族を滅《ほろ》ぼし、アラゲイジアの王として君臨《くんりん》している

モーザン——かつてガルバトリックスにそそのかされ、ライダー族を裏切《うらぎ》った男

ダーザ——シェイド。今はガルバトリックスに仕《つか》える身。幼名《ようみょう》はカーセイブ

〈闇《やみ》〉の生物——悪魔《あくま》シェイド、黒マントのラーザック、怪物《かいぶつ》アーガルとその精鋭部隊《せいえいぶたい》など

旅で出会う人々
セリンスフォード〜ティールム
〜ドラス=レオナ〜ギリエド

マータグ——ラーザックの襲撃《しゅうげき》からエラゴンとブロムを救った男。灰色《はいいろ》の名馬トルナックに乗る
ジョード——港町ティールムの貿易商《ぼうえきしょう》。ブロムの昔なじみ
アンジェラ——ティールムの薬草師《やくそうし》にして占い師《うらなし》。魔法ネコのソレムバンと暮らす

ヴァーデン軍
根拠地《こんきょち》ファーザン・ドゥアー

アジハド——反乱軍《はんらんぐん》〈ヴァーデン〉の指導者《しどうしゃ》。黒い肌《はだ》の人間。ファーザン・ドゥアー峰《ほう》の奥《おく》にひそむ
ナスアダ——指導者《しどうしゃ》アジハドの娘。黒髪《くろかみ》にアーモンド型の目
双子——名前がなく、その頭から、通称《つうしょう》エグラス・カーン（「坊主頭《ぼうずあたま》の主」の意）。魔法を操《あやつ》る
ジョーマンダー——アジハドの右腕
フロスガー——ドワーフ族の王。始祖《しそ》コルガンの紋章《もんしょう》を受《う》け継《つ》ぎ、トロンジヒームを支配している
オリク——ドワーフ族の王フロスガーの甥
オーリン——帝国から分裂《ぶんれつ》した南の小国サーダの王。〈ヴァーデン軍〉をひそかに支援《しえん》

エルフたち

アーリア——黒髪にエメラルド色の目。ドラゴンの卵《たまご》を運ぶ密使《みっし》
イズランザディ——エルフ王国の女王。いずことも知れぬ首都エレズメーラに住むという
オシャト・チェトウェイ——名は「嘆《なげ》きの賢者《けんじゃ》」の意。エラゴンをエルフ王国に誘《さそ》う

エラゴン

遺志《いし》を継《つ》ぐ者

00

恐怖《きょうふ》の影《シェイド》

夜の闇《やみ》をつらぬいて風がうなりをあげる。世の異変のにおいを運んでくる風だった。長身のシェイドは顔をあげ、そのにおいを嗅《か》いだ。深紅《しんく》の髪《かみ》とえび茶の目をのぞけば、姿形《すがたかたち》は人間と変わらない。

シェイドはおどろいたように目をしばたたかせた。伝令はまちがいではない――やつらはこのけもの道を通るはずだ。あるいは、罠《わな》か？　彼はふたつの可能性《かのうせい》をはかりにかけ、冷ややかに命じた。

「散れ。藪《やぶ》にかくれて見はるんだ。アリの子一匹《ぴき》通すな。ぬかると……命はない」

まわりで十二人のアーガルたちが、すり足で動きだした。それぞれに短剣《たんけん》と、黒い紋章《もんしょう》の入った円形の鉄の盾《たて》をもっている。人間に似《に》ているが、その足は弓なりに曲がり、腕《うで》は野獣《やじゅう》のように太く、強い。貧弱《ひんじゃく》な耳の上には、一対のねじれた角《つの》がのびている。異形《いぎょう》の怪物《かいぶつ》たちは不平をたれながら、しかしすばやく、藪のなかに身をひそめた。まもなくガサゴソという葉音はやみ、森はふたたび静寂《せいじゃく》に包まれた。

シェイドは葉の生《お》いしげる木のかげから、けもの道をのぞき見た。人間の目には見通せない闇《やみ》だ。だが、彼にとっては、ほのかな月明かりさえ樹間にさしこむ陽光と同じ――目をこらせば、ありとあらゆるものが鮮明《せんめい》に見える。彼は異様《いよう》なほど静かに待った。手には白刃《しらは》の長い剣《けん》。刀身には、針金《はりがね》ほどの細いキズが弧《こ》を描《えが》いて走っている。あばらを切りさくほど鋭《するど》く、がんじょうな鎧《よろい》をたたき切るほど強靭《きょうじん》な武器《ぶき》だった。

　アーガルたちは、シェイドのように暗がりで目が利《き》くわけではない。盲目《もうもく》の物乞《ものご》いのように、闇《やみ》を手さぐりしながらぎこちなく剣をかまえている。フクロウが静寂《せいじゃく》をつんざいて高く鳴いた。フクロウが飛び去るのを、みな気をはりつめて待った。寒空のもと、怪物《かいぶつ》たちはふるえていた。だれかの重いブーツが小枝《こえだ》をふみつける。シェイドが「シッ」と制《せい》すると、アーガルたちは身をすくめ、ぴたりと凍《こお》りついた。腐《くさ》った肉のような彼らの悪臭《あくしゅう》に、シェイドは吐《は》き気《け》をこらえるように顔をそむけた。こいつらは道具だ。それ以上の何者でもない。

　数分がたち、数時間が流れても、シェイドはいらだちをこらえて待った。においは、その主《ぬし》よりずっと早くここへたどり着くはずだ。アーガルには立ちあがることも暖《だん》をとることもゆるしていない。シェイドは自分もそうした欲求《よっきゅう》をおさえ、木のかげに身をひそめ、けもの道をにらみ続けた。森のなかを、今また一陣《いちじん》の風がふきぬけた。においはさっきよりかなり強い。興奮《こうふん》でシェイドのうすい唇《くちびる》がゆがんだ。

「来たぞ」シェイドはおさえた声でいった。全身がぞくぞくしていた。この瞬間《しゅんかん》をむかえるために、どれほどの策《さく》と骨折《ほねお》りが必要だったことか。今になって自制心《じせいしん》を失ってはいけないのだ。

　アーガルは太い眉《まゆ》の下の目をぎらりと光らせ、武器をにぎり直した。アーガルたちより早く、シェイドは金属が石にあたるような、チャリンという音を聞いた。おぼろげなしみが闇《やみ》のなかから現《あらわ》れ、道をこちらへとむかってきた。

　ぴんと背筋《せすじ》をのばした三人を乗せ、三頭の白馬が待ちぶせの場所へと歩んでくる。月明かりのも

と、身につけた衣《ころも》が銀色の液体《えきたい》のように波打っている。

　一頭めに乗っているのは、とがった耳と形のいい眉をもつ男のエルフだった。体の線は細いが、細身の剣のように強靭そうだ。背には威力《いりょく》を誇《ほこ》る弓。わきには剣を差し、反対わきの矢筒《やづつ》には白鳥の矢羽根の矢が入っている。

　しんがりの騎手《きしゅ》もまた美しい、鋭角的《えいかくてき》な印象の男だった。右手に長い槍《やり》をもち、ベルトに白い短刀を差している。頭にかぶった兜《かぶと》は琥珀《こはく》と黄金でつくられ、精巧《せいこう》な細工《さいく》がほどこされている。

　ふたりのあいだを進む漆黒《しっこく》の髪《かみ》の女エルフは、悠然《ゆうぜん》とあたりを見まわしている。長い黒髪に縁《ふち》どられた顔。その深い瞳《ひとみ》は、なにかに駆《か》られたように爛々《らんらん》と光っている。質素《しっそ》な衣装《いしょう》をまとっていても、その美貌《びぼう》はすこしもそこなわれていない。わきには剣を差し、背に長弓と矢筒をかついでいる。彼女は、まるでそこにあることをたしかめるかのように、ひざの上の巾着《きんちゃく》に何度も目を走らせている。

　エルフのひとりが彼女に小声でなにか話しかけるが、シェイドにはその中身までは聞きとれない。女のエルフが毅然《きぜん》としてこたえ、護衛《ごえい》のふたりが位置を入れかわる。兜のエルフが先頭に立ち、槍をかまえた。やがて彼らはシェイドらの待つ場所まで近づいてきて、なんの疑《うたが》いもなく、数人のアーガルがひそむ藪《やぶ》を通りすぎた。

　風向きが変わり、アーガルの悪臭がエルフのほうへふき流されたとき、シェイドはすでにおのれの勝利に酔《よ》いしれていた。馬たちは殺気を感じて鼻を鳴らし、頭をぐいともちあげた。エルフたちは身をかたくし、左右にあわただしく視線《しせん》を走らせると、馬をまわして一気に駆けだした。

　女エルフの馬は護衛たちを引きはなし、猛烈《もうれつ》な速さで駆けていく。アーガルたちがいっせいに立ちあがり、黒い矢を放ちだした。シェイドは木かげから飛び出し、右手をかざして声をあげた。「ガージラー！」

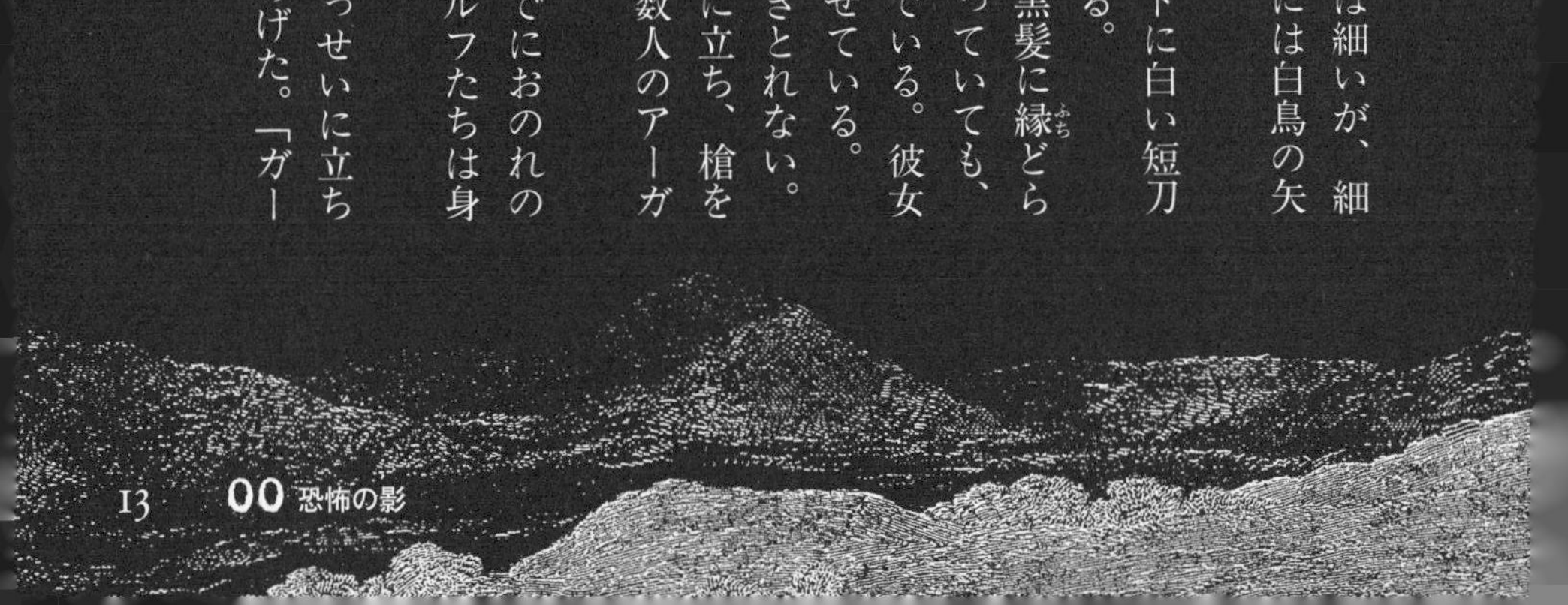

シェイドの掌《てのひら》から、女エルフめがけて赤い閃光《せんこう》が放たれ、木々が血の色の光に染《そ》まった。光におそわれた馬が甲高《かんだか》くいななき、地面に胸《むね》をたたきつけるようにたおれこんだ。女エルフは超人的《ちょうじんてき》な速さで馬から飛びおり、軽やかに着地するや、背後《はいご》の護衛《ごえい》たちをふり返った。

アーガルの死の矢は、あっという間にふたりの男エルフにつきささった。彼らは馬から射落《いお》とされ、地面の血だまりにくずおれた。アーガルたちが、撃《う》ちとったエルフに駆《か》けよったとたん、シェイドの怒声《どせい》が飛んだ。「女を追え！　捕《と》らえるのは女だけだ！」怪物《かいぶつ》たちが不満げにうなりながら、けもの道を走りだす。

仲間の死を目《ま》のあたりにし、女エルフの唇《くちびる》から悲鳴がもれた。彼女は仲間の亡骸《なきがら》に一歩近づき、怪物たちに呪詛《じゅそ》の言葉を吐《は》き、はねるように森へ飛びこんでいった。

アーガルたちが森をがやがやと走りまわるいっぽう、シェイドは花崗岩《かこうがん》の山に駆けのぼった。そこから森じゅうを見わたすことができた。彼は手をあげ、さけんだ。「ボオエットゥク・イスタルリ！」森の一角、四百メートルほどの幅《はば》に、ぱっと火の手があがった。彼は残忍《ざんにん》な表情《ひょうじょう》を浮《う》かべ、一か所、また一か所と火を放っていった。やがて周囲二キロ半が、大きな炎《ほのお》の輪にかこまれた。炎はまるで溶けた王冠《おうかん》のように、森のなかに横たわっている。彼は満足げに、いきおいがおとろえぬよう炎の輪を見まもった。

炎の帯はじわじわと太くなり、アーガルの捜索範囲《そうさくはんい》をせばめていった。とつじょシェイドの耳に、さけび声と不快な悲鳴が聞こえた。木々をぬってのぞくと、三人の怪物が息の根をとめられ、折りかさなってたおれるのが見える。残ったアーガルたちのあいだからエルフが飛び出してきた。

エルフは岩山にむかって、驚異的《きょういてき》な速さで駆けてくる。シェイドは六メートル下の地面に目をやると、すばやく岩山を飛びおり、エルフの目の前に軽々と着地した。エルフは横すべりしながら、それ

でもきびすを返し、けもの道を駆けもどっていく。剣《けん》からしたたるアーガルの黒い血が、にぎりしめた巾着《きんちゃく》に点々としみをつけていた。

有角の怪物アーガルたちが、またもや藪《やぶ》から飛び出してきた。女エルフをとりかこみ、彼女の唯一《ゆいいつ》の逃《に》げ道《みち》に立ちはだかる。逃げ場をもとめて、彼女はすばやく四方を見まわした。逃げ道がないと悟《さと》ったとき、女エルフは傲然《ごうぜん》と胸をはって直立した。シェイドは、彼女の困惑《こんわく》を楽しむかのように歩みより、片手をあげた。

「捕らえろ」

アーガルたちがおしよせてきたとたん、女エルフは巾着をあけ、なかに手を入れた。巾着がするりと地面に落ちる。手に残ったのは、大きなサファイアブルーの石だ。表面に、荒《あ》れくるう炎の光が反《はん》射《しゃ》している。エルフは石を頭上にさしあげた。唇が、とりつかれたようになにかの文句《もんく》をとなえはじめる。シェイドが必死の形相《ぎょうそう》でさけんだ。「ガージラー！」

シェイドの掌から赤い火の玉がふき出し、矢のような速さでエルフに飛びかかった。が、一瞬《いっしゅん》遅《おそ》かった。森じゅうがぱっとエメラルド色の光に照らされ、次の瞬間、石は忽然《こつぜん》と消えていた。赤い火はそのままエルフにつきささり、彼女はばたりとたおれた。

シェイドは怒《いか》りの声をあげながら、剣を木に投げつけた。剣が幹《みき》の中央までつきささり、ぶるるんとふるえる。掌の光を九発放ってアーガルたちを始末すると、シェイドは幹にささった剣を引きぬき、エルフにつかつかと歩みよった。

シェイドの口から、復讐《ふくしゅう》を予言する言葉が朗々《ろうろう》と響《ひび》きわたった。彼にしか理解《りかい》できない忌《い》まわしい言葉だ。そして細い手で拳《こぶし》をにぎり、空をねめつけた。星たちはまたたきもせず冷ややかに、別世界の者たちをにらみ返している。彼は苦々しく唇をゆがめ、意識《いしき》のないエルフをふり返った。

人間の男ならだれもが魅了《みりょう》されるだろう彼女の美貌《びぼう》も、シェイドにとってはなんの意味もない。石が失われたことをもう一度だけたしかめ、シェイドはかくしてあった馬を藪《やぶ》からひいてきた。エルフを鞍《くら》に乗せ、自分もそのうしろにまたがると、森の外へと馬を進めた。行く手の炎《ほのお》だけを消し、あとは燃《も》えるがままにして歩み去った。

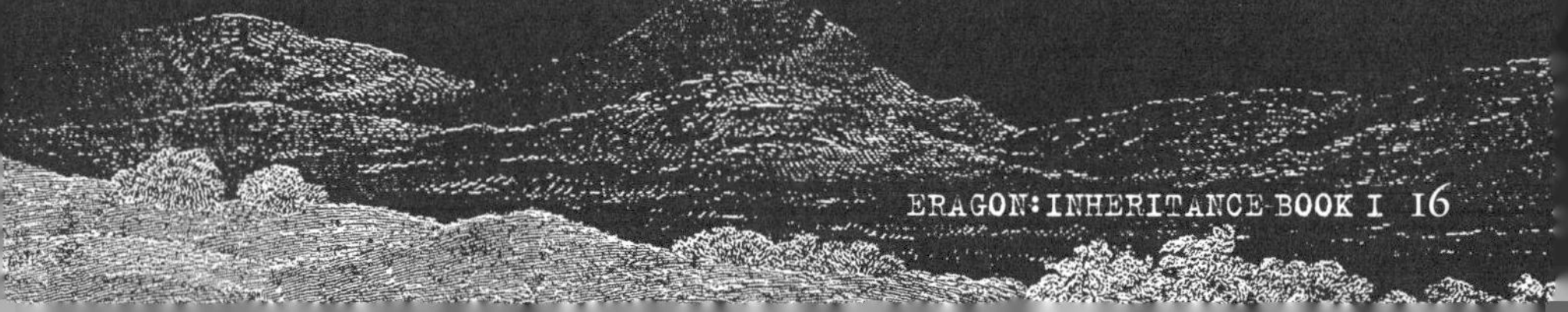

01
発見

エラゴンはアシをつぶした寝床《ねどこ》にひざをつき、よく利《き》く目で道筋《みちすじ》を観察した。足跡《あしあと》を見るかぎり、ほんの三十分ほど前、草地にシカが群《む》れていたようだ。群れはもうじき眠《ねむ》る時間だ。彼がねらっているのは、左の前足を引きずった小さな牝《め》ジカだった。いまだ群れのなかにいるらしい。オオカミやクマに殺《や》られずに、ここまで生きのびているとはおどろきだった。

空は暗く透《す》きとおり、かすかな風が空気をそよがせていた。とりかこむ山々の上空を、銀色の雲が流れていく。ふたつの山に抱《いだ》かれて浮《う》かぶ満月の光に、雲のすそが赤く照らされている。山を流れる川は、かたい氷河《ひょうが》やきらめく雪塊《せっかい》がもたらしたものだ。谷から霧《きり》が流れてきて、足もとがかすむほどだった。

エラゴンは十五歳《さい》。誕生日《たんじょうび》が来れば、大人の仲間入りだ。濃《こ》い茶色の目に、黒々とした眉《まゆ》。毎日の労働ですりきれた服。骨《ほね》の柄《つか》の狩猟《しゅりょう》ナイフを腰《こし》のベルトに差し、イチイ材の弓を、露《つゆ》にぬれないよう鹿革《しかがわ》の筒《つつ》におさめてある。荷物は木枠《きわく》つきの背嚢《はいのう》に入っている。

エラゴンはシカの群れを追って、スパインの奥深《おくふか》くまで分け入っていた。スパインは、アラゲイジアの領土《りょうど》にのびる未開の山脈地帯だ。スパインの山々からはよく、不思議な言い伝えや人間たちがお

りてくる。たいていが不吉《ふきつ》なことの前兆だ。しかし、エラゴンはスパインを恐《おそ》れてはいない。ひたすら獲物《えもの》を追って、どんなにけわしい山へでも入っていく——カーヴァホール周辺ではいちばんの狩人《かりゅうど》だった。

狩《か》りをはじめて三晩《みばん》めになっていた。食糧《しょくりょう》はもう半分しか残っていない。牝《め》ジカを射《い》とめなければ、手ぶらで家に帰ることになる。駆《か》け足《あし》で近づいてくる冬にそなえ、家族にとって肉はどうしても必要なのだ。だが彼の家族には、カーヴァホールでそれを買いそろえるだけのよゆうはない。

ほの暗い月明かりのもと、エラゴンは静かな自信を胸《むね》に、谷間をめざして、森のなかへと歩きだした。シカの群《む》れは、きっと谷間の草地で休んでいるはずだ。木々の梢《こずえ》が空をさえぎり、地面に羽根のような影《かげ》を落としている。彼は足もとをほとんどたしかめることなく歩いた。道筋《みちすじ》はよくわかっている。

谷間に出ると、彼は手ぎわよく弓に弦《つる》をはった。矢を三本とり出し、一本をつがえて、あとの二本は左手ににぎる。月に照らされ、草の上に二十個《こ》あまりの動かないかたまりが見えた。シカが眠《ねむ》っているのだ。彼のねらう牝ジカは、群れのいちばんはずれに、左の前足をぎこちなくのばして横たわっている。

エラゴンは弓を引きながら、そろそろと近づいていった。これまでの三日間は、今この瞬間《しゅんかん》のためにあったのだ。最後にもう一度だけ深呼吸《しんこきゅう》する——と、夜の闇《やみ》を、なにかの爆発音《ばくはつおん》がつんざいた。

シカの群れがいっせいに駆《か》けだした。エラゴンはふいに前へ飛び出し、頬《ほお》にすさまじい風がふきつけるのもかまわず、草地をつっ切って走った。すべりこんで足をとめ、はねまわる牝ジカにむかって矢を射た。矢はわずかの差でそれ、闇のなかへ消えていった。彼は悪態《あくたい》をついた。そして、ふり返りざま本能的《ほんのうてき》に次の矢をつがえた。

背後《はいご》の草や樹木《じゅもく》が、黒くくすぶっている。大きな円を描《えが》くように。ちょうどシカたちがいたあたりだ。松の木はほとんどが葉を落とし、黒こげの円の外側の草も平たくつぶれている。細い煙《けむり》がくるくるとのぼり、こげくさいにおいがただよっている。見ると、円の真ん中に、つるりとした青い石がころがっている。焼けこげた草地に霧《きり》がじわじわと這《は》い、石の上で触角《しょっかく》のようにうねっている。

エラゴンは警戒《けいかい》し、何分間もじっと石を見つめていた。だが、動いているのは霧だけだ。慎重《しんちょう》に弦をゆるめ、前へふみだす。石の手前で足をとめると、月明かりを受けて、自分のぼんやりとした影が落ちた。石を弓でつつき、とっさにうしろへ飛びのいた。なにも起こらない。エラゴンはおそるおそる石をつかみあげた。

自然の力が、石をこれほどつややかにみがくものだろうか。濃《こ》い青色の表面にはキズひとつなく、静脈状《じょうみゃくじょう》の白い筋《すじ》がクモの巣のように走っている。ひんやりとして、絹《きぬ》をかたくしたかのような、なめらかな感触《かんしょく》。三十センチほどの卵型《たまごがた》で、重さは二、三キロ。見た目よりは軽く感じる。

彼の目に石は、美しくも恐《おそ》ろしくも見えた。いったいどこから現《あらわ》れたのだろう？　なにか目的があってここに来たのだろうか？　考えると、さらに不安になった。なにかのまちがいでここへ送られてきたのだろうか？　それとも、ぼくのために送られてきたのだろうか？　古い言い伝えを思い出すかぎり、これは魔法《まほう》と関係があることかもしれない。だとすれば、不注意にあつかってはいけないものなのだ。

では、どうすればいいのか？　もち帰るのはひと苦労だろうし、ましてどんな危険《きけん》があるともかぎらない。このまま放って帰ったほうがいいだろうか。ためらいがよぎり、彼は石を放そうとした。が、ある思いがその手をとめた。もしこの石で食糧が買えるとしたら？　エラゴンは肩《かた》をすくめ、石を荷物のなかにおしこんだ。

谷間の草地はさえぎるものがなく、安心して野宿ができなかった。彼は森にもどり、倒木《とうぼく》のつき出す根のかげに寝袋《ねぶくろ》をひろげた。パンとチーズの冷たい食事をすませると、毛布《もうふ》にくるまり、さっきの出来事を思い返しながら、眠《ねむ》りに落ちた。

02 パランカー谷

翌朝《よくあさ》、あざやかな紅色《くれないいろ》と黄色に燃《も》える太陽がのぼった。空気はあまく、新鮮《しんせん》で、ぴりりと冷たい。小川の縁《ふち》に氷がはり、小さな池は完全に凍《こお》りついている。エラゴンは米粥《こめがゆ》の朝飯を終えると、谷間の焼けこげた草地にもどってみた。朝の光で見ても、とくに目新しいことは見あたらない。彼は家路につくことにした。

道は荒《あ》れて、ところどころでとぎれている。もともとは動物がつくった道だから、あともどりや遠まわりをさせられることも少なくない。そうした欠点を差し引いても、山をくだるにはこれがいちばんの近道なのだ。

スパイン山脈は、ガルバトリックス王がわがものにできない数少ない領域《りょういき》のひとつだった。いまだ人々の口にのぼるのは、かつて王の軍隊がスパインの古い森に分け入り、その半分が忽然《こつぜん》と姿《すがた》を消してしまったという話。スパインには不幸の暗雲がたれこめているようだ。たとえ樹木《じゅもく》がすくすくとのび、太陽がさんさんと輝《かがや》くとしても、スパインの山中に入り、なんの事故《じこ》にもあわずに出てこられる者はめったにいないという。

エラゴンはそのめったにいない人間のひとりだった。彼自身、特別な才能《さいのう》のせいだとは思っていな

い。強《し》いてあげれば、警戒心《けいかいしん》の強さと反射神経《はんしゃしんけい》の良さだろうか。何年も山歩きをしているが、いまだに山をなめてかかることはない。山の秘密《ひみつ》をすべて知った気になると、その認識《にんしき》をくつがえすようななにかが、かならず起きるのだ——あの石のように。

エラゴンは山道を黙々《もくもく》と歩き続け、帰路の距離《きょり》を着実に稼《かせ》いでいった。日の暮《く》れるころ、切り立った崖《がけ》の上にたどり着いた。はるか下にアノラ川が、パランカー谷にむかって流れている。何百もの小さな支流《しりゅう》が流れこむアノラの川の水は、行く手をふさぐ岩や丸石にぶつかってはじけながら流れている。ごうごうという低い音が山の空気を満たしていた。

エラゴンは崖のそばの茂《しげ》みに寝床《ねどこ》をひろげ、月が現《あらわ》れるのを待ってから眠《ねむ》った。

翌日《よくじつ》、翌々日と、寒さがいっそうきびしくなった。彼は足を速めて歩いた。警戒すべきけものはもうほとんど見かけることはない。正午をすこしすぎたころ、あたりをやわらかく包みこむように、イグアルダの滝《たき》の音がぼんやりと響《ひび》いてきた。道を進んでいくと、ぬれた岩棚《いわだな》に出た。わきに急流がおしよせ、空中に激《はげ》しい水しぶきを散らしながら、コケにおおわれた崖を流れ落ちている。

眼下《がんか》にはまるでひろげた地図のように、パランカー谷が横たわっている。一キロほど下の、イグアルダの滝の流れ落ちるところが、この谷の最北端《さいほくたん》にあたる。滝からすこしはなれたところにあるのが、カーヴァホールの茶色の集落だ。家々の煙突《えんとつ》が、未開の原野にいどむかのように白い煙《けむり》を吐《は》き出している。崖の上からのぞむ農地は、指の先ほどの四角いしみにしか見えない。そのほかの土地は黄《おう》褐色《かっしょく》や砂色《すないろ》。枯草《かれくさ》が風にそよいでいる。

アノラ川は、イグアルダの滝つぼからパランカー谷の南端までうねうねと流れる川だ。長々と横たわるその雄大《ゆうだい》な川面《かわも》に、陽光が反射している。川は、はるかむこうのセリンスフォードの村をこえ、

ウトガードの山すそをこえて流れていく。その先は北へ進路を変えて海へ。彼にわかっているのはそれだけだ。

しばらく休むと、エラゴンは岩棚をあとにし、その勾配《こうばい》のきつさに顔をゆがめながら、道をくだった。崖の下までたどり着くころ、あたりはやわらかな夕闇《ゆうやみ》におおわれていた。すべての色や形が、灰《はい》色《いろ》にかすんで見えた。すぐそばでカーヴァホールの灯《あか》りがちらちらとゆれ、家々が道に長い影《かげ》を落としている。パランカー谷には、人の住む場所といえばセリンスフォードとカーヴァホールしかない。カーヴァホールの村はきびしくも美しい自然にかこまれ、ほかの社会から隔離された場所にある。商人や狩人《かりゅうど》以外、訪《おとず》れる者はめったにいない。

カーヴァホールの集落には、がんじょうな丸太の家屋が軒《のき》をならべている。藁《わら》ぶき、板ぶきにかぎらず、屋根はどれも低い。煙突から煙がゆらゆらと流れ、木のくすぶるにおいが立ちこめていた。家々の前にはり出した広いポーチで、人々は集まって歓談《かんだん》したり、店を開いたりしている。窓《まど》にぱらぱらと、ローソクやランプの灯りがともりはじめていた。夕暮《ゆうぐれ》どきの村に、男たちの胴間声《どうまごえ》や、亭主《ていしゅ》をむかえに来た女たちの、帰りが遅《おそ》いとしかる声が響いていた。

エラゴンは建物のあいだをぬって、肉屋へむかった。梁《はり》の太い、堂々とした構《かま》えの店だった。扉《とびら》をおしあけた。なかは広々として暖《あたた》かい。石造りの暖炉《だんろ》で燃《も》える火が、室内を明るく照らしている。奥《おく》のカウンターはがらんとして、床《ゆか》には一面、藁がしきつめられている。主人がひまさえあれば、どんな小さな塵《ちり》も見のがすまじと、そこらじゅうを点検《てんけん》しているのだろう、店内は潔癖《けっぺき》といえるほど清潔《せいけつ》だ。

カウンターの奥にいるのが、店主のスローンだった。小男のスローンは綿《めん》のシャツと血のしみついたスモックを着ている。腰《こし》のベルトに、これ見よがしにずらりとぶらさがる包丁。血色の悪いあばた

面《づら》。黒い、疑《うたぐ》り深《ぶか》そうな目。スローンは、カウンターをぼろ布《ぬの》でせっせとみがいていた。

エラゴンがなかに入ると、スローンの口がゆがんだ。「これはこれは、凄腕《すごうで》の狩人《かりゅうど》どのが、一介《いっかい》の人間の店にお出ましとは。今回は何頭ほど射《う》ちとってきた？」

「一頭も」エラゴンはぶっきらぼうにこたえた。スローンのことは、どうしても好きになれない。まるで不潔《ふけつ》なものをあつかうかのように、いつもエラゴンを見くだした態度《たいど》をとるからだ。妻《つま》を亡《な》くしたスローンの頭のなかには、溺愛《できあい》するひとり娘《むすめ》、カトリーナのことしかないのだ。

「そりゃあ、たまげたね」スローンはわざとらしくおどろいてみせ、すぐに背《せ》をむけて、壁《かべ》のよごれかなにかをこすりだした。「で、ここへ来た理由はそれかね？」

「ええ」エラゴンはたよりなげにいった。

「だったら、金を見せてもらわんとな」エラゴンがだまったまま足をもぞもぞさせていると、スローンはいらいらして指を打ち鳴らした。「なあ、おい――もってるのか、もってないのか？　どっちなんだ？」

「お金はもってないけど、でも――」

「はあ、金がない？」肉屋は彼をさえぎり、声をとがらせた。「それで、肉がほしいだと？　ほかの店は、おまえさんにただで品物をくれてやるのかい？　おれにも金なしで売ってくれってのか？　しかも――」肉屋は無愛想に続ける。「こんな夜遅《おそ》くに。あした、金をもって出直してくるんだな。今日はもう店じまいだ」

エラゴンは肉屋をにらみつけた。「あしたまでは待てないんです。あなたに損《そん》はさせません。お金のかわりになるものを見つけたんです」エラゴンは大仰《おおぎょう》に石を取り出し、キズだらけのカウンターにそろそろとのせた。暖炉《だんろ》で踊《おど》る火の光を受けて、石はきらきらと輝《かがや》いている。

「どこぞでくすねてきたんだろ」スローンはつぶやいて、興味深《きょうみぶか》げに身を乗り出した。

肉屋の言葉は無視《むし》し、エラゴンはたずねた。「これで足りますか」

スローンは石を手にのせ、重さをはかりながら考えこむ。なめらかな表面に手をすべらせ、白い筋《すじ》をしげしげと見た。やがて用心深げな顔つきで石を置いた。「たしかにきれいな石だがな、しかし、これでいくらの金になる?」

「わかりません」エラゴンは正直にこたえた。「だけど、なんの値打《ねう》ちもないものなら、だれもこんなにみがきあげたりはしないと思う」

「なるほどな」さも納得《なっとく》したようにいう。「だが、その値打ちとはいくらだ? わからんのなら、旅商人にでもきいてこい。それまで待てないなら、おれの言い値は、まあ、三クラウンってとこだな」

「そんなのひどすぎる! 少なく見積もっても、その十倍の価値《かち》はあるよ」エラゴンは食ってかかった。三クラウンの金では、一週間分の肉すら買うことができない。

スローンは肩《かた》をすくめる。「おれの言い値が気に食わんなら、旅商《たびあきな》いの連中が現《あらわ》れるのを待つんだな。どっちにしろ、この話はもう仕舞《しま》いだ」

カーヴァホールには毎年春と冬に、旅商人や旅芸人の一団《いちだん》が訪《おとず》れる。村にあまっている物や、農家でとれた物を買いとり、かわりに種子類や家畜《かちく》、織物《おりもの》、砂糖《さとう》、塩のような、生活必需品《ひつじゆひん》を売ってくれるのだ。

しかし、彼らが来るまでにはまだ間がある。エラゴンはそれまで待つわけにいかない。家族には今すぐ肉が必要なのだ。「いいです、その値段《ねだん》で」

「よし、じゃあ肉を売ってやろう。ちなみに、おまえ、これをどこで見つけた?」

「二日前の夜、スパインで――」

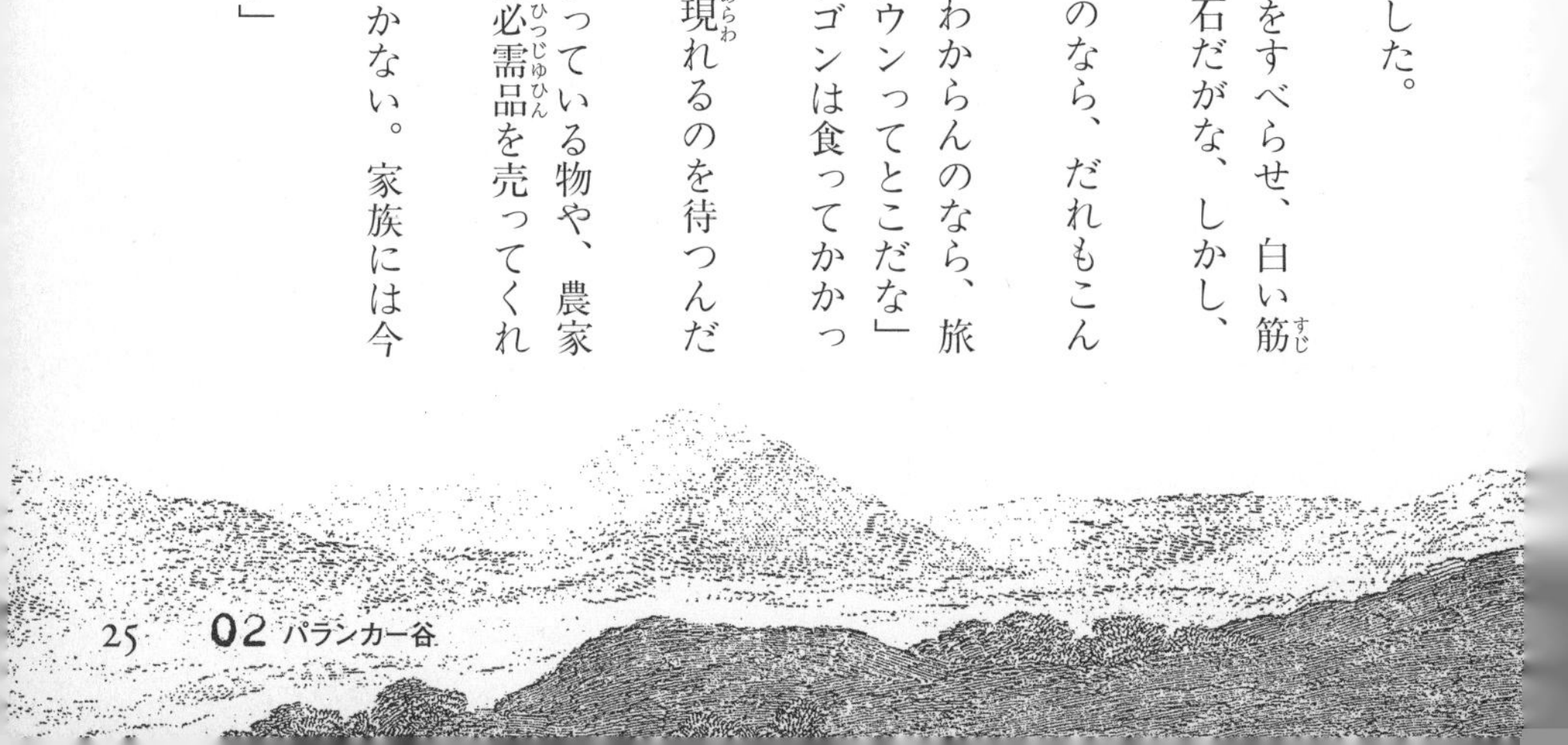

「出てってくれ！」スローンがふいに声を荒《あら》げ、石をおしやった。カウンターのすみへドスドスと歩いていき、血にまみれた包丁を洗《あら》いだす。

「どうしたの？」と、エラゴン。スローンの怒《いか》りから守るかのように、石を引きよせた。

「あの山からもち帰った物なんぞで、肉を売る気はない！　そんな妖《あや》しげな石、とっととどこかへもっていけ」包丁が手からすべり、指先が切れるが、本人は気づいてもいないようだ。スローンはまた、血のついた包丁をごしごし洗いはじめた。

「売れないというの？」

「そうだ！　ちゃんと金を払《はら》わんかぎりな」スローンはうなるようにいい、包丁を手にのせ、横歩きで去ろうとする。「出てけ！　さもないとたたき出すぞ！」

背後《はいご》で扉《とびら》が荒々しく開いた。エラゴンは、またためんどうなことが起きるのではないかと思いながらふりむいた。つかつかと歩みよってきたのは、がっしりとした体格《たいかく》の男、ホーストだった。スローンの十六の娘《むすめ》、長身のカトリーナが、意を決したようにそのあとにひかえている。エラゴンは彼女を見ておどろいた。いつもなら、父親の巻《ま》きおこす口論《こうろん》の場に、現《あらわ》れることなどないからだ。スローンは油断《ゆだん》ない目つきで彼らをちらりと見、エラゴンのことをうったえようとした。「こいつは——」

「だまってろ」ホーストが指をポキポキ鳴らしながら、野太い声で一喝《いっかつ》した。彼はカーヴァホールの鍛冶屋《かじや》だ。太い首とキズだらけの皮のエプロンを見れば、ひと目でそれがわかる。肘《ひじ》までまくりあげたたくましい腕《うで》、開いたえり元からあらわになった筋肉隆々《きんにくりゅうりゅう》の毛深い胸板《むないた》。無頓着《むとんちゃく》に切った黒いあごひげが、筋肉さながらにかたくもつれあっている。「スローン、今日はなにをやらかした？」

「おれはなにもしちゃいないさ」スローンはキッとエラゴンをにらみつけた。「こいつ……この坊主《ぼうず》が店に来て、おれをこまらせるんだ。出ていけというのに、頑《がん》として動かん。おどしてもすかして

も、いうことを聞かんのだ！」ホーストの前で肉屋は、畏縮《いしゅく》して見える。

「そうなのか？」鍛冶屋がたずねる。

「ちがうよ！」エラゴンはいいつのった。「ぼくは、この石と肉を交換《こうかん》してほしいとたのんだんだ。彼はそれでいいといった。なのに、スパインで拾ったといったとたん、石をつき返されたんだ。どうしてそんなふうに、態度《たいど》が変わってしまうの？」

ホーストはものめずらしそうに石を見ると、肉屋に視線《しせん》をもどした。「取り引きしてやらないか、スローン？　おれもスパインは好きじゃないが、この石の価値《かち》が問題だというなら、おれが自腹《じばら》をきってでも保証《ほしょう》する」

彼の言葉がしばし宙《ちゅう》にただよっていた。やがてスローンが唇《くちびる》をなめて話しだした。「ここはおれの店だ。おれのしたいようにする」

ホーストのかげからカトリーナが進み出る。うしろにはらった赤褐色《せきかっしょく》の髪《かみ》が、溶《と》けた銅《どう》のようにぱっとひろがった。「おとうさん、エラゴンはただで肉をもって帰るなんていってないでしょう。彼にお肉を分けてあげて。それで、わたしたちはもう夕食にしましょう」

スローンの目が恐《おそ》ろしいほどに細くなる。「家へもどりなさい。おまえの出る幕《まく》じゃない……もどれといったんだ！」カトリーナは顔をこわばらせ、ぎくしゃくとした足どりで店を出ていった。

エラゴンはそれを不満そうに見ていたが、あえて口出しはしなかった。ホーストはひげをぐいとしごき、非難《ひなん》めいた口調でいった。「よし。じゃあ、おれと取り引きしよう。エラゴンは、なにがほしい？」太い声が店内に響《ひび》きわたった。

「できるだけたくさんの肉」

ホーストはがま口を取り出し、コインを積みあげていく。「ここの最上のロースとステーキ用の肉

を。エラゴンの背嚢《はいのう》がいっぱいになるようにだぞ」肉屋はためらって、ホーストとエラゴンのあいだに視線《しせん》を走らせた。「おれに売らないなんて、あまりいい考えじゃないぞ」ホーストは肉屋を凝視《ぎょうし》した。

いかにも渋《しぶ》い面《つら》がまえで、スローンは奥《おく》へ引っこんでいった。小声で悪態《あくたい》をつきながら、やけくそで肉をぶった切っては包む音が聞こえてくる。居心地《いごこち》の悪い数分間ののち、スローンは肉の包みを腕《うで》いっぱいにかかえてもどってきた。彼は無表情《むひょうじょう》でホーストの金を受けとり、ふたりの存在《そんざい》をまったく無視《むし》して、また包丁を洗《あら》いはじめた。

ホーストは肉をかかえあげ、店を出ていく。エラゴンは背嚢と石をつかみ、急いで彼のあとを追った。むっとする店内にくらべ、顔に触《ふ》れる冷たい夜気がすがすがしく感じられた。

「ありがとう、ホーストのおじさん。ギャロウ伯父《おじ》さんもよろこぶよ」

ホーストは静かに笑った。「礼にはおよばんよ。あの男には、いつかがつんといってやりたかったんだ。底意地の悪いおやじだからな。たまには鼻をへし折ってやったほうがいいのさ。カトリーナがおまえたちのやりとりを聞いて、おれを呼《よ》びに来たんだ。駆《か》けつけてみてよかったよ——おまえたち、殴《なぐ》り合いの寸前《すんぜん》だっただろう。だがあいにく、おまえの家族が次にあの店に行くときは、今日のように行くとは思えんな。金をもって行かないかぎりは」

「でもあの人、どうして急におこりだしたんだろう？　ぼくの家族とはもともと反《そ》りが合わなかったけど、いつも肉はちゃんと売ってくれるのに。それに、カトリーナをあんなふうにどなるのなんて、初めて見たな」エラゴンはそういって、背嚢の口をあけた。

「ギャロウにきくといい。それについては、おれよりくわしいだろうからな」

エラゴンは背嚢に肉をつめた。「うん、じゃあ、なおさら早く帰らなくちゃ……謎《なぞ》を解明《かいめい》するため

にも。さあ、これはおじさんのものだ」彼は石をさし出した。

ホーストはクックッと笑った。「いいや、その不思議な石はおまえがもってなさい。金のことならいい。じつは、春が来たら、アルブレックがファインスターに行くことになったんだ。親方になるための修行《しゅぎょう》さ。だから、おれのところに助手が必要になる。よかったらおまえが時間のあるときうちに来て、肉の代金分だけ働いてくれるといい」

エラゴンはうれしくて思わず頭をさげた。ホーストには、アルブレックとバルドルのふたりの息子《むすこ》がいる。ふたりとも鍛冶屋《かじゃ》を手伝っている。そのひとりの後釜《あとがま》につかせてくれるとは、なんと寛大《かんだい》な申し出だろう。「なにからなにまでありがとう！　仕事、楽しみにしてるよ」エラゴンは、肉の借りを返す方法ができたことがうれしかった。伯父のギャロウは、けっして施《ほどこ》しを受けたがらない人だ。

ふと、狩猟《しゅりょう》に出かけるまぎわ、従兄《いとこ》からたのまれていたことを思い出した。「そういえば、ローランからカトリーナにことづてをたのまれてたんだ。ぼくは会いに行けないから、かわりに彼女に伝えておいてくれるかな？」

「いいとも」

「旅商人の一行が着いたらすぐ、村へ出てくる、そのとき会おうって」

「それだけか？」

エラゴンはもじもじしていった。「ううん。ローランはこうもいってた。カトリーナは、今まで会った女性《じょせい》のなかでいちばんきれいだ、彼女のこと以外考えられないって」

ホーストは顔をほころばせ、ウィンクをしてみせた。「真剣《しんけん》なんだな、やつは」

「うん」エラゴンはニッと笑った。「それと、ぼくが感謝《かんしゃ》してたって伝えてくれる？　彼女、ぼくのためにおとうさんに楯《たて》ついてくれて、うれしかった。あとでしかられなきゃいいけど。彼女をめご

とに巻《ま》きこんだなんて、ローランが知ったら、真っ赤になっておこるよ」

「その心配はいらないよ。あの娘《こ》がおれを呼《よ》びに来たことなど、スローンは知らんだろうからな。そんなにきつくあたったりはしないさ。おまえ、うちで晩飯《ばんめし》を食って帰らないか？」

「ありがとう。でも、今日はやめとくよ。伯父《おじ》さんが帰りを待ってるから」エラゴンはそうこたえ、背嚢《はいのう》の口をしめた。荷物を背《せ》にかつぐと、ホーストに手をふり、道を歩きだした。

　肉の重さでなかなか速く進めないが、エラゴンは早くわが家の農場に帰りたくてたまらなかった。それに今、その足どりはあらたな活力に満ちていた。集落は唐突《とうとつ》にとぎれ、暖《あたた》かな灯《あか》りが背後に遠ざかっていった。山の峰《みね》に真珠色《しんじゅいろ》の月が顔を出し、魂《たましい》のぬけた日光さながらの、おぼろな光が地上をおおっている。あたり一面、色のない、のっぺりとした景色だった。

　旅もいよいよあとひと息。エラゴンは南へむかって道を折れた。腰《こし》の高さほどの草のあいだに、細い道が一本ついている。その先に、楡《にれ》の木のかげにかくれるように、小さな丘《おか》がある。丘にのぼると、わが家のやわらかな灯りが見える。

　板ぶき屋根の家に、レンガの煙突《えんとつ》。水漆喰《みずしっくい》の壁《かべ》の上にひさしがはり出し、地面に影《かげ》を落としている。家の周囲はポーチにかこまれ、片側《かたがわ》には薪用《まきよう》の木、反対側には農具が雑然《ざつぜん》と置かれている。それは、半世紀も廃墟《はいきょ》になっていた家だった。ギャロウが妻《つま》のマリアンを亡《な》くしたあと、家族でここにうつり住んだのだ。カーヴァホールからほぼ十五キロ。どの民家よりも村から遠くはなれている。こんなにはなれて住んでいては、緊急《きんきゅう》のときに助けがなくてこまるだろうと、村の人々は心配する。だが、エラゴンの伯父はけっして耳をかそうとしなかった。

　家の三十メートルほど横に立つ、くすんだ色の建物は納屋《なや》だ。今そこには、二頭の馬、バーカとブルーグと、ニワトリが数羽、牝牛《めうし》が一頭いる。豚《ぶた》を飼《か》うこともあるが、今年はそのよゆうがない。馬《ば》

房《ぼう》には荷馬車が一台。畑のはしにひろがる雑木林《ぞうきばやし》は、アノラ川にそって延々《えんえん》と続いている。

窓《まど》のむこうにゆれる光を見ながら、彼は疲《つか》れた体でポーチに立った。「伯父さん、エラゴンだよ。戸をあけて」小さな鎧戸《よろいど》がすっと開き、扉《とびら》が内側にあけられる。

ギャロウが扉をおさえて立っていた。棒切《ぼうき》れに引っかけたぼろ布《ぬの》のように、くたびれた服が体からぶらさがっている。白髪頭《しらがあたま》の下には、やせ細った顔と、爛々《らんらん》と輝《かがや》く目がある。まるで半ミイラ化して発見された、死にかけの人間のようだ。

「ローランはもう寝《ね》たぞ」エラゴンの問うような視線《しせん》に、ギャロウはこたえた。

ランタンのともる古い木のテーブルは、あまりの古さに、表面の木目が巨大《きょだい》な指紋《しもん》のようにうねうねともりあがっている。薪ストーブのわきにずらりとならぶ台所用品は、どれも手製《てせい》の釘《くぎ》で壁《かべ》にとめられている。二枚《まい》めの扉のむこうには、もうひとつの部屋がある。長い歳月《さいげつ》、人にふまれ続けた床板《ゆかいた》は、みがかれたかのようになめらかだ。

エラゴンは背嚢をおろし、肉を取り出した。

「なんだこれは？　おまえが買ったのか？　金はどうしたんだ？」肉の包みを見るなり、伯父は声を荒《あら》げた。

エラゴンはひと呼吸《こきゅう》おいて、こたえた。「ちがうよ、ホーストが買ってくれたんだ」

「やつに払《はら》わせたのか？　物乞《ものご》いみたいなまねはせんと、前からいってるだろうが。いよいよ食えなくなったら、村に行って暮《く》らせばいいんだ。そうすれば、たちまち村の連中がいらない服をとどけてくれるし、冬をこせるかどうか気にかけてくれる」ギャロウは青ざめた顔で、腹立《はらだ》たしげにいう。

「恵《めぐ》んでもらったわけじゃないよ」エラゴンはいい返した。「春になったら、借りた金の分、ホーストのところで働かせてもらうんだ。アルブレックが家を出ていくから、人手が足りないんだって」

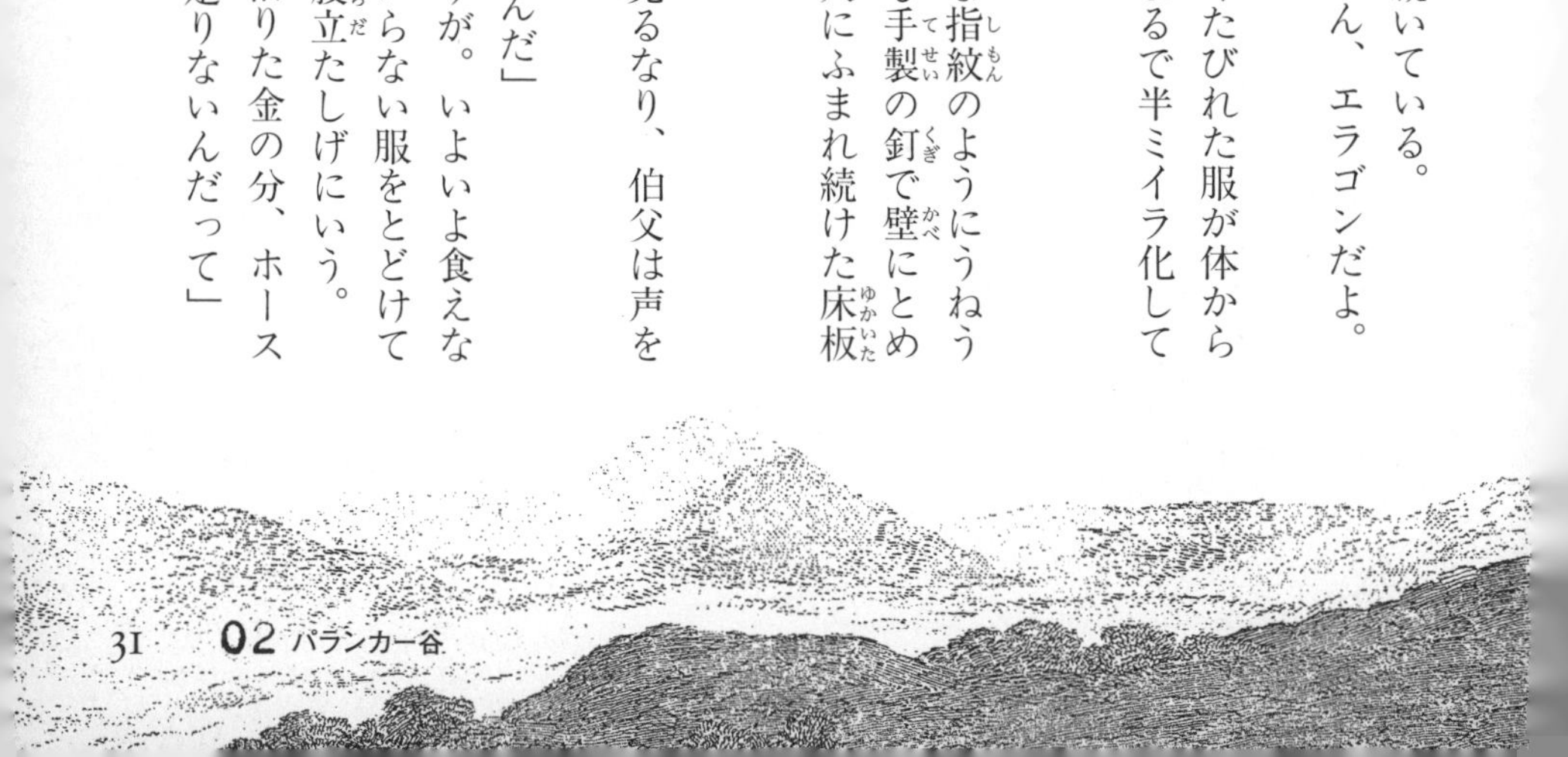

「他人《ひと》のところで働くひまが、どこにあるっていうんだ？　うちの仕事を、全部放っていくつもりか？」ギャロウは声をおさえていった。

エラゴンは扉《とびら》のわきに、弓と矢筒《やづつ》を引っかけた。「そのへんのことは、これから考えるよ」もどかしげにいう。「だけど、金になりそうな物を見つけたんだ」彼は石をテーブルにのせた。

ギャロウが石に顔をよせる。飢《う》えた顔に、貪欲《どんよく》な表情《ひょうじょう》が浮《う》かんだ。石に触《ふ》れようとした指が、びくっとひきつった。「スパインで拾ったのか？」

「うん」エラゴンはそのときの状況《じょうきょう》を話して聞かせた。「しかも、いちばん大事な矢をなくしちゃったんだ。急いで新しいのをつくらなきゃならない」うす暗い部屋で、ふたりはじっと石を見つめている。

「天気はどうだった？」石をかかえ、伯父《おじ》がたずねた。とつじょ消えてしまうことを恐《おそ》れるかのように、その手はがっちりと石をつかんでいる。

「寒かった」エラゴンはこたえた。「雪こそ降《ふ》らなかったけど、毎晩《まいばん》、こごえるほど寒かった」

ギャロウはその報《しら》せに顔をくもらせた。「あしたはローランといっしょに、大麦の刈《か》り入《い》れを終わらせるぞ。あとは、カボチャだな。それで、霜《しも》の心配をせんでよくなる」彼はエラゴンに石をもたせた。「ほら、しまっておけ。どれほどの金になるかは、旅商《たびあきな》いの連中が来たらわかるだろう。いずれにしろ、売っちまうのがいちばんだな。魔法《まほう》みたいなもんには、かかわらんほうがいい……それにしても、なんでまたホーストが、肉の金を払《はら》ってくれることになったんだ？」

スローンとの口論《こうろん》の原因《げんいん》を説明するには、ひと言でじゅうぶんだった。「どうしてあんなにおこったのか、さっぱりわからないよ」

ギャロウは肩《かた》をすくめた。「イズミラっていうスローンのかみさんは、イグアルダの滝《たき》に落ちて死

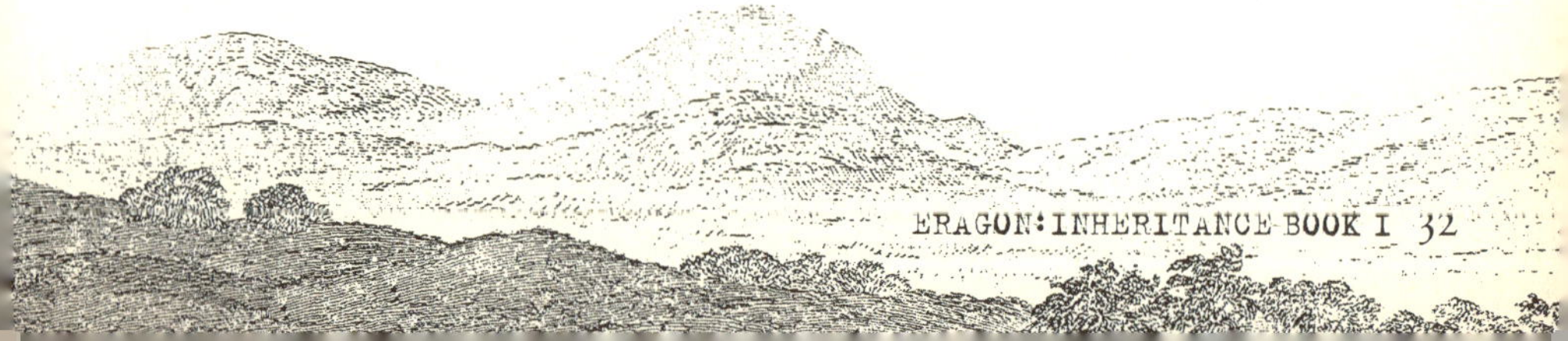

んだんだ。おまえがここに来る前のことだ。以来、やつはスパインに近づこうとしない。いっさい、かかわろうとしないのさ。だがそれにしても、肉を売らないという理由にはならんな。きっとおまえをこまらせたかったんだろう」

エラゴンは疲《つか》れて体がふらついていた。「帰ってこられてほっとしたよ」ギャロウは表情をゆるめ、うなずいた。

エラゴンは自分の部屋にころげるようにもどると、石をベッドの下におしこみ、マットにたおれこんだ。やっと家にもどれた――猟《りょう》へ出て以来ひさしぶりに、しんからくつろいだ気分で眠《ねむ》りについた。

03

ドラゴンライダー

翌朝《よくあさ》、窓《まど》からさしこむ朝日が、エラゴンの顔を暖《あたた》かく照らしていた。目をこすりながら、ベッドの縁《ふち》に起きあがる。松材の床《ゆか》が足の裏《うら》に冷たい。痛《いた》む足をのばし、腰《こし》をさすり、あくびをした。

ベッドのわきの棚《たな》は、あらゆる収集品《しゅうしゅうひん》でびっしり埋《う》まっている。ねじれた木片《もくへん》、かけた貝がら、きらきらした内部がよく見える割《わ》れ石《いし》、かわいた草で編《あ》んだ縄《なわ》。いちばんのお気に入りは、渦巻《うずま》き状《じょう》に巻いた木の根だ。いつまで見ていてもあきない。あとは、小さなたんすと小テーブルがあるだけの、殺風景な部屋だ。

エラゴンは長靴《ながぐつ》をはき、床《ゆか》に目を落とし、思いにふけった。今日は特別な日だ。十六年前の今日、ほぼこの時間、母親のセリーナが身重《みおも》の体で、カーヴァホールにひとり舞《ま》いもどってきたのだ。六年間、遠い町で暮《く》らした末のことだった。もどってきたとき、彼女は高価《こうか》な衣装《いしょう》をまとい、真珠《しんじゅ》をちりばめたネットで髪《かみ》をゆわえていた。赤んぼうが生まれるまでここに置いてほしいと、兄のギャロウをたよって来たのだ。五か月後、男の子が生まれた。ところが彼女は、ギャロウとマリアンに、こどもを育ててほしいと泣いてうったえた。周囲の者は愕然《がくぜん》とした。理由をたずねても、セリーナは「そう

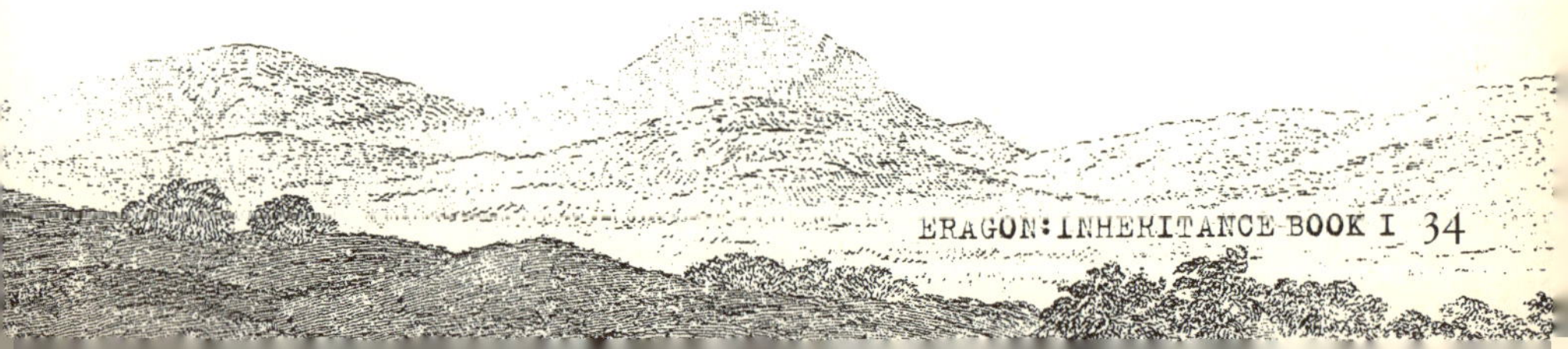

するしかない」と泣くばかりだ。必死の哀願《あいがん》に、ついに兄夫婦《ふうふ》は根負けした。セリーナは息子《むすこ》をエラゴンと名づけ、翌朝《よくあさ》早く家を出て、二度ともどってこなかった。

　マリアンが今際《いまわ》の際《きわ》に、その話を打ちあけてくれた。エラゴンは、そのときの気持ちをいまだに忘《わす》れることができない。ギャロウとマリアンが本当の親ではないと知り、心は激《はげ》しくかきみだされた。永遠《えいえん》に不変で疑《うたが》いようのなかった事実が、とつぜん、不確《ふたし》かなものになってしまったのだ。それでもいつのまにか、あらたな事実とともに生きる術《すべ》を覚えた。しかし、自分は母親に受け入れられないこどもだったという思いが、つねに頭からはなれなかった。いや、きっとなにか、やむにやまれぬ事情《じじょう》があったにちがいない。それがなんなのか、わかればいいのに。

　もうひとつ、彼の心をさいなんでいることがあった。父親はだれなのか？　セリーナはそれをけっして明かさなかったし、父親であるはずの人がエラゴンを訪《たず》ねてきたこともない。名前だけでもいいから、父親のことを知りたかった。せめて自分の血筋《ちすじ》くらい、知っておきたいではないか。

　エラゴンはため息をついて、小テーブルにむかい、たらいの水で顔を洗《あら》った。冷たい水が首筋に流れ、思わず身ぶるいをする。気分がすっきりすると、ベッドの下から石を取り出し、棚の上にのせた。朝の日ざしが石の表面をなで、壁《かべ》にやわらかな影《かげ》を映《うつ》している。彼はもう一度だけ石をなで、台所の家族のもとへ駆《か》けていった。

　ギャロウとローランはすでに起きて、鶏肉《とりにく》を食べていた。エラゴンのおはようの声に、ローランは笑顔《えがお》で立ちあがった。

　ローランはエラゴンより二歳《さい》年上だ。体はがんじょうでたくましく、性格《せいかく》は慎重《しんちょう》。ふたりは本物の兄弟以上に、強い絆《きずな》で結ばれている。

　ローランは笑った。「無事に帰れてよかったな。旅はどうだった？」

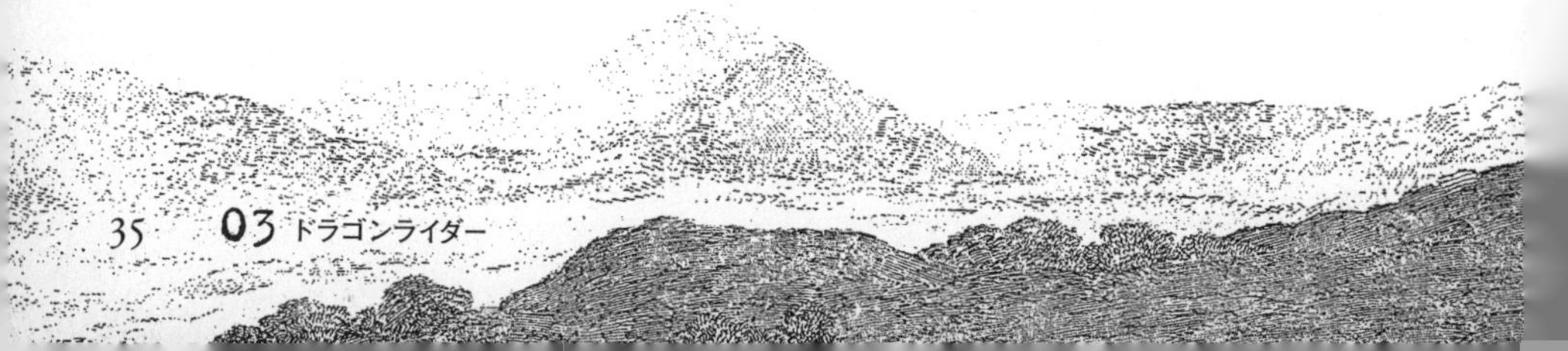

「さんざんさ」エラゴンはこたえた。「なにがあったか、伯父《おじ》さんから聞いてない？」鶏肉《とりにく》をひとつつかみ、猛烈《もうれつ》ないきおいでがっついた。

「いや」と、ローラン。エラゴンはさっそく、ことのあらましを話して聞かせた。ローランにせがまれ、エラゴンは食事を途中《とちゅう》にして、彼に石を見せてやった。ローランはこれ以上ないほどおどろいたあと、なにやらそわそわしはじめた。「カトリーナとは話せたか？」

「いや、スローンとやりあったあとだから、それはできなかった。でも彼女、旅商人たちが着くころ、おまえに会えると思ってるよ。ホーストにことづてをたのんで来たから。だいじょうぶ、ちゃんと伝わるさ」

「ホーストに話したって？」ローランが目を丸くした。「秘密《ひみつ》の話なんだぞ！　たとえ村じゅうに知らせたいとしても、焚《た》き火《び》をたいて、のろしでこっそり合図する。スローンに知れたら、二度と彼女に会わせてもらえないんだからな」

「ホーストなら、うまくやってくれるさ」エラゴンがうけあう。「スローンの食いものになんかしやしない。とくにおまえのことはね」ローランはあまり納得《なっとく》いかないようだが、それ以上は反論《はんろん》しなかった。ふたりは無口なギャロウとの朝食の席にもどった。食べおえると、三人そろって畑仕事に出た。

　日の光は弱くぼんやりとして、あまりにもたよりなかった。その太陽の視線《しせん》を浴びながら、最後の大麦が納屋《なや》に運ばれた。さらに、とげだらけの蔓《つる》になったカボチャ、ルタバガ、ビート、エンドウ、カブ、インゲンを次々ととり入れ、室《むろ》に貯蔵《ちょぞう》した。長時間の労働のあと、彼らはこわばった筋肉《きんにく》をほぐし、収穫《しゅうかく》が無事終わったことをよろこんだ。

　続く数日は、収穫物の皮をむいたり、酢漬《すづ》けや塩漬けにしたり、冬の食糧備蓄《しょくりょうびちく》の作業についやし

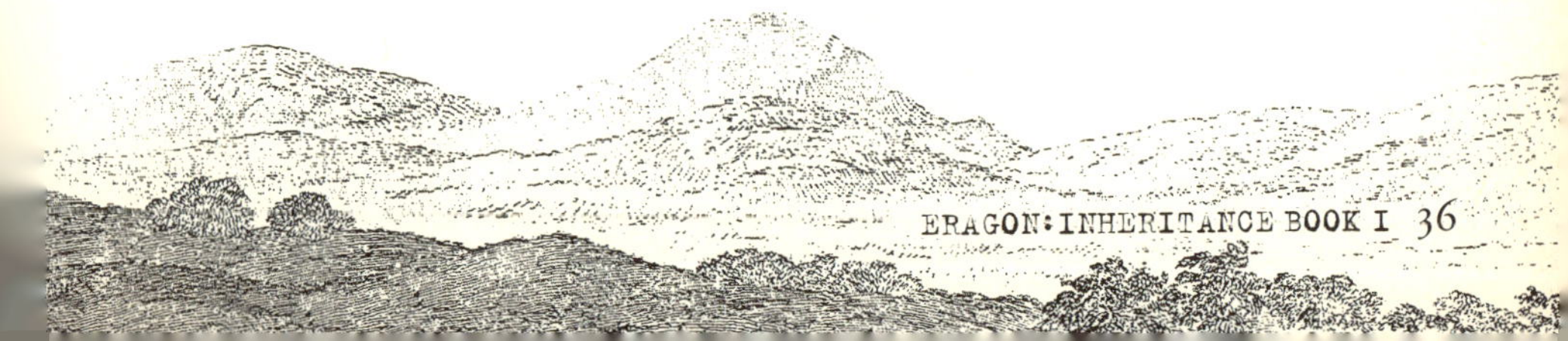

た。

エラゴンがもどって九日め、山脈からふきおろす暴風《ぼうふう》で、谷ふところ一帯が猛吹雪《もうふぶき》におそわれた。雪はいくえにも降《ふ》りつもり、田園地帯を真っ白におおいつくした。うっかり外へ出たら、荒《あ》れくるう強風と、どこまでも白い景色のなか、方向感覚を失ってしまいかねない。彼らはそれを恐《おそ》れ、薪《まき》をとりこむときと、動物に餌《えさ》をやるとき以外は家から出ず、ストーブのまわりにかたまって、窓《まど》にたたきつける風の音を聞いていた。何日かしてようやく吹雪がおさまると、外には、やわらかな白い雪でおおわれた新しい世界がひろがっていた。

「こんなにひどい天気だと、今年は旅商《たびあきな》いの連中は、来られんかもしれんな」ギャロウがつぶやいた。「例年なら、もうとっくに着いてるころだ。カーヴァホールに出ていくのは、もうすこし様子を見てからにしたほうがいい。だが、あまり到着《とうちゃく》がおくれるようなら、村であまってる物を売ってもらうしかないな」彼の顔にはあきらめの色が浮《う》かんでいた。

商人たちの現《あらわ》れる気配のないまま、彼らは不安な気持ちでいく日かをすごした。会話もまばらで、家じゅうに沈鬱《ちんうつ》な空気がたれこめていた。

雪が降って八日めの朝、ローランは街道に出てみたが、やはり旅の一行が通った気配はなかった。その日、彼らはカーヴァホールへの旅の準備《じゅんび》に追われた。三人ともどんよりとした表情《ひょうじょう》で、売り物になりそうな物を物色した。そして夜、エラゴンはなかばやけ気味で、もう一度だけ街道へ出てみた。すると雪の上に、深いわだちと、無数のひづめの跡《あと》がついている。彼は歓声《かんせい》をあげて家へ駆《か》けもどった。一家の旅支度《たびじたく》はようやく活気づいた。

夜明け前、彼らは多めにとれた収穫物を荷馬車に積みこんだ。ギャロウは一年分の金を革《かわ》の小袋《こぶくろ》につめ、腰《こし》のベルトにきっちりしばりつけた。エラゴンは、馬車がゆれてもころがらないよう、石を布《ぬの》

でくるみ、穀物袋《こくもつぶくろ》のあいだにおしこんだ。

あわただしく朝飯をかきこむと、馬を荷馬車につなぎ、雪をかき分けて街道へ出た。旅商《たびあきな》いの馬車が通ったせいで、雪の上にはすでに道がついており、歩みはずいぶん楽だった。正午には、カーヴァホールの村が見えてきた。

明るい日光のもと、田舎《いなか》の小さな村は、にぎやかな呼《よ》び声《ごえ》や笑い声に包まれていた。旅商人たちは村はずれの空き地に野営《やえい》している。馬車やテント、焚《た》き火《び》などがあちこちに散らばり、白い雪が色とりどりに染《そ》まっている。とくに派手《はで》に飾《かざ》り立《た》てられた四はりのテントは、吟遊詩人《ぎんゆうしじん》たちのものだ。村と野営地のあいだには、絶《た》え間《ま》ない人の流れが続いている。

村の大通りにかたまってならぶテントや露店《ろてん》は、とくに大勢《おおぜい》の人でごったがえしていた。馬たちは、あまりの騒《さわ》ぎに鼻を鳴らしている。地面の雪はかたくふみつけられているところも、焚き火でとけているところもある。ローストしたヘーゼルナッツが、あたりに芳《かんば》しい香《かお》りをただよわせていた。

ギャロウは馬車をとめ、馬を杭《くい》につなぎ、小袋からコインを取り出した。「ほら、おまえたちにこづかいだ。ローラン、好きなところへ行ってこい。ただし、夕飯にはホーストの家にもどってくるんだぞ。エラゴンは、石をもっておれについてこい」エラゴンはローランににやりと笑ってみせ、もう使い道の決まっているコインをポケットにしまった。

ローランは覚悟《かくご》を決めたように、さっとどこかへ消えていった。ギャロウはエラゴンを連れて、人だかりを肩《かた》でかき分けながら、ずんずん進んでいった。女たちが衣服を物色するそばで、男たちは新しい錠前《じょうまえ》、かけ金《がね》、工具などを選んでいる。村のこどもたちは楽しげに歓声《かんせい》をあげながら、露地《ろじ》を駆《か》けまわっている。あちらに香辛料《こうしんりょう》、こちらにナイフ類、革《かわ》の馬具の横にはぴかぴかの鍋《なべ》がならんでいる。

エラゴンは旅商人の一行を、不思議な思いで見つめていた。なぜか全体的に、去年よりさびしく感じられるのだ。こどもたちの、おびえるような、警戒《けいかい》するような表情《ひょうじょう》、つぎのあたった服。男たちのやつれた顔、剣《けん》や短刀を帯びた見なれない姿《すがた》。女たちでさえ、腰《こし》に短剣をくくりつけている。いったいなにがあったんだろう？　それに、どうして今年はこんなに遅《おそ》く着いたのか？　彼の覚えている旅商人たちは、いつも活気に満ちあふれていた。なのに、今年はそれがない。ギャロウは、マーロックという、珍品《ちんぴん》や宝石類《ほうせきるい》にくわしい商人をさがして、道をおし進んでいった。

やがて、露店のなかにマーロックの姿《すがた》を見つけた。むらがる女たちにブローチを見せているところだった。宝石をひとつ取り出すごとに、女たちから絶叫《ぜっきょう》にも似《に》た感嘆《かんたん》の声があがっている。あの分じゃ、空《から》っぽになる財布《さいふ》はひとつやふたつじゃないな、とエラゴンは思った。売り物がちやほやされるたびに、彼のふところはどんどん暖《あたた》かくなっていく。あごに長いひげをたくわえ、どこか世の中を見くだしたような、悠然《ゆうぜん》とした雰囲気《ふんいき》の男だった。

興奮《こうふん》する女客たちにはばまれ、ギャロウもエラゴンも店に近づくことができなかった。台に腰《こし》をおろして待つことしばし、客がとぎれたところで、すかさず駆けよった。

「お客さん方は、なにをおさがしで？」マーロックはたずねた。「ご婦人《ふじん》の装身具《そうしんぐ》か、お守りかなにか？」旅商人はさっそうと手をふりながら、繊細《せんさい》な彫刻《ちょうこく》がほどこされた、みごとなバラの銀細工《ぎんざいく》を取り出した。そのつややかな銀の光沢《こうたく》に、エラゴンの目は思わず釘《くぎ》づけになった。旅商人はたたみかける。「ベラトーナで評判《ひょうばん》の職工《しょっこう》の作だが、三クラウンでおつりがきますぞ」

ギャロウが声を低くしていった。「おれたちは買い物に来たんじゃない。売りたい物があるんだ」

マーロックは即座《そくざ》にバラにおおいをかぶせ、またべつの好奇心《こうきしん》でふたりを見た。

「なるほど。値打《ねう》ちいかんでは、ここにある極上《ごくじょう》の品物ひとつふたつと、交換《こうかん》できるかもしれません

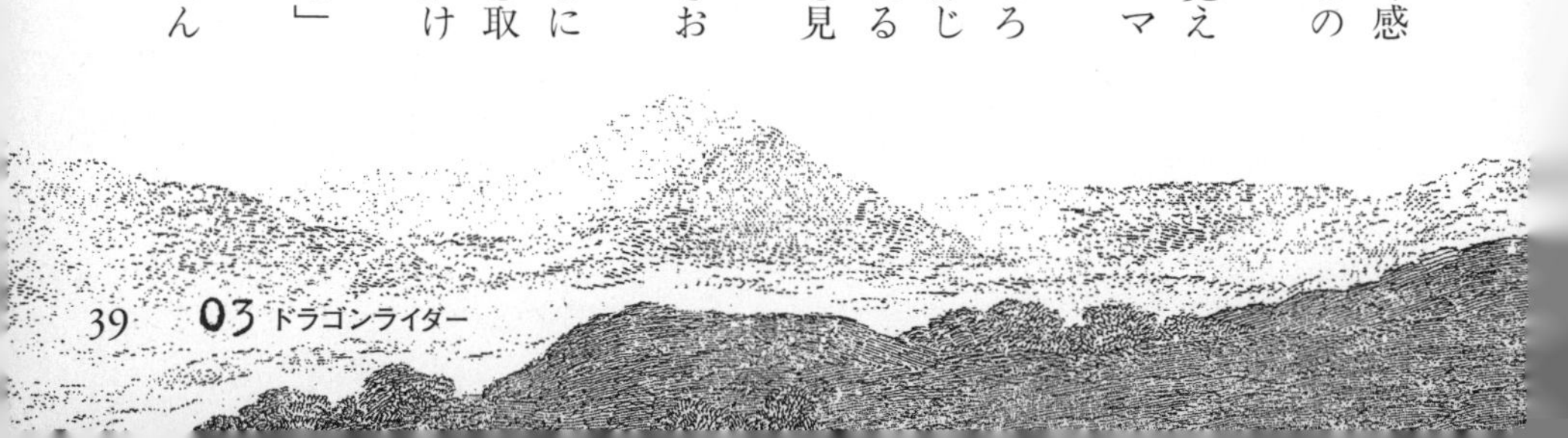

な」旅商人は、エラゴンとギャロウが居心地《いごこち》悪そうにしているのを見て、言葉を継《つ》いだ。「その品物はおもちですかな？」

「もって来てる。だが、べつの場所で見せたいんだ」ギャロウが有無《うむ》をいわせぬ口調でいった。

マーロックは眉《まゆ》をあげながらも、愛想よくいった。「ならば、わたしのテントにおまねきいたしましょう」彼は売り物をかき集め、鉄ばりの箱にそっとしまって、鍵《かぎ》をかけた。そして、ふたりをひきつれて通りを進み、野営地《やえいち》へと入っていった。馬車のあいだをうねうねとぬって、着いたところは、ほかの集団《しゅうだん》からひとつだけはなれたテントだった。上部が深紅《しんく》で、下部が黒色、そのあいだに、色とりどりの細い三角模様《もよう》が描《えが》かれている。マーロックは入口の垂《た》れぶたをほどき、片側《かたがわ》によせた。

テントのなかには、小さな手まわり品のほかに、丸いベッドや木の幹《みき》を彫《ほ》ってつくった三脚《さんきゃく》の椅子《いす》など、風変わりな家具がならんでいた。白いクッションに鎮座《ちんざ》しているのは、柄《つか》にルビーのうめこまれた短剣《たんけん》。なぜか刃《は》が曲がりくねっている。

マーロックは垂れぶたを閉《と》じて、ふたりにむき直った。「どうぞ、おかけくだされ」ふたりが椅子にかけると、彼はいった。「さて、内密《ないみつ》の商談とは、いったいなんでしょうな？」エラゴンは石の包みを開き、ふたりの大人のあいだに置いた。マーロックは目を光らせ、石をつかみかけたが、ふと手をとめてたずねた。「さわってよろしいか？」ギャロウがうなずくと、マーロックは石を取りあげた。

彼は石をひざにのせ、かたわらの平たい箱に手をのばした。箱から出てきたのは銅製《どうせい》の天秤《てんびん》だ。それを地面に置くと、まずは石の重さをはかり、宝石鑑定用《ほうせきかんていよう》のルーペで表面を観察しはじめた。次に表面を木槌《きづち》でそっとたたき、透明《とうめい》の小さなとがった石でこすってみる。幅《はば》や直径をはかり、石盤《せきばん》に数字を書きつける。そしてマーロックは考えこんだ。「どれくらいの値のものか、ごぞんじで？」

「いいや」ギャロウはこたえた。頬《ほお》をひきつらせ、椅子の上でそわそわと体を動かしている。

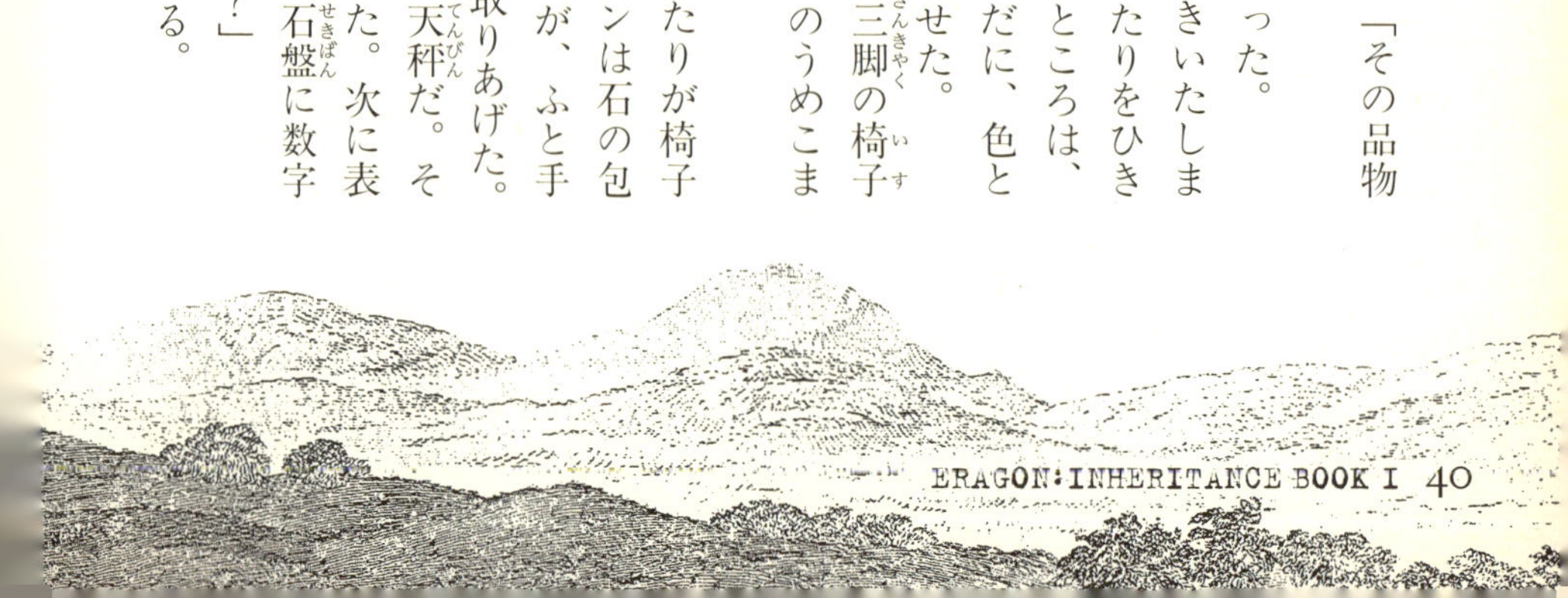

マーロックは顔をしかめた。「残念ながら、わたしにもわからない。いえることはたいしてないが、まず、この白い脈とほかの青い部分は、成分が同じでしょう。色がちがうだけだ。なんの成分かと問われても、わかりかねる。だが、今まで見たどんな石よりもかたい。ダイヤモンドよりもですぞ。これを成型した人間は、わたしの知らない道具を使ったか、あるいは――魔法《まほう》でも使ったんでしょうな。それともうひとつ、なかは空洞《くうどう》になっておる」

「なんだって？」ギャロウが思わずさけんだ。

マーロックはいらだちのまじる声でいう。「こんな石が、世の中にあるとお思いか？」彼はクッションから短剣をつかみとり、刃のひらを石に打ちつけた。澄《す》んだ音が響《ひび》きわたり、すうっと消えていく。エラゴンは、石にキズがついたのではとあわてたが、マーロックはふたりに石をかたむけて見せた。「短剣を打ちつけても、キズひとつつかない。たとえハンマーでたたき割《わ》ろうとしても、びくともせんでしょう」

ギャロウは腕組《うでぐ》みをして、口をつぐんでいる。まるで沈黙《ちんもく》の壁《かべ》をはりめぐらしてしまったかのようだ。エラゴンは困惑《こんわく》した。石がとつじょスパインに現《あらわ》れたのは、魔法の力だろうと感じていた。でも、つくったのも魔法の力なんだろうか？　なぜ、なんのために？　彼は横から口を出した。「それで、値打ちはどれくらいなんですか？」

「なんともいえんのだよ」マーロックは申しわけなさそうにいった。「いくら払《はら》っても手に入れたいという輩《やから》はきっといるだろうが、カーヴァホールでは無理でしょうな。買い手をさがすには、南の町へ行かねばならん。たしかにめずらしい品ではあるが――生活に必要じゃない物に、このへんじゃ、だれも大枚《たいまい》をはたいたりしないでしょう」

ギャロウは、賭《か》け率《りつ》を計算するギャンブラーのように、天井《てんじょう》を見つめた。「あんたは買ってくれる

のか?」

商人は言下にこたえた。「あぶないことはしたくない。ひょっとしたら春の旅で、裕福《ゆうふく》な買い手を見つけられるかもしれんが、しかし、確実《かくじつ》ではない。たとえうまく売れたとしても、来年もどってくるまで、あなたには金を払《はら》えませんよ。いや、やはり、だれかべつの人と取り引きなすったほうがいい。たしかに興味《きょうみ》はあるんだが……ちなみに、なぜ内密《ないみつ》にせねばならなかったのです?」

エラゴンはまず石をかたづけた。「それは……」マーロックをちらりと見て、この男もスローンのように急におこりだすのだろうかと思案する。「拾ったのがスパインだったから。この村の人たちは、あの山を嫌《きら》うんです」

マーロックの顔色が変わった。「今年、われわれ行商の到着《とうちゃく》が、なぜこんなにおくれたかごぞんじか?」

エラゴンは首をふった。

「今回の旅は、災《わざわ》いにとりつかれておりましてな。アラゲイジアという国は、混沌《こんとん》のまっただなかにいる。われわれも、病《やまい》や戦いや、それ以上に呪《のろ》わしい災厄《さいやく》をさけられなかった。それもこれもヴァーデンの攻撃《こうげき》が激《はげ》しさを増《ま》したせいですよ。ガルバトリックスは配下の町々に、次々と兵役《へいえき》を強制《きょうせい》している。国境《こっきょう》でアーガルと戦わせるためです。怪物《かいぶつ》どもはハダラク砂漠《さばく》へむけて、南東方面へ移動《いどう》しているという。なぜなのか、だれも知らないし、そんなのは知ったことではない。問題なのは、連中が人の密集《みっしゅう》する地域《ちいき》をぬけようとしていることなのです。すでに道ばたや町のはずれで、アーガルの姿《すがた》が目撃《もくげき》されている。なかでも最悪なのは、シェイドが現《あらわ》れたという情報《じょうほう》ですよ。確証《かくしょう》はありませんがね。やつと鉢合《はちあ》わせして、生きて帰れる人間はおらんでしょうから」

「そんな大事なこと、どうしてこの村に伝わってないんだろう?」エラゴンは声をあげた。

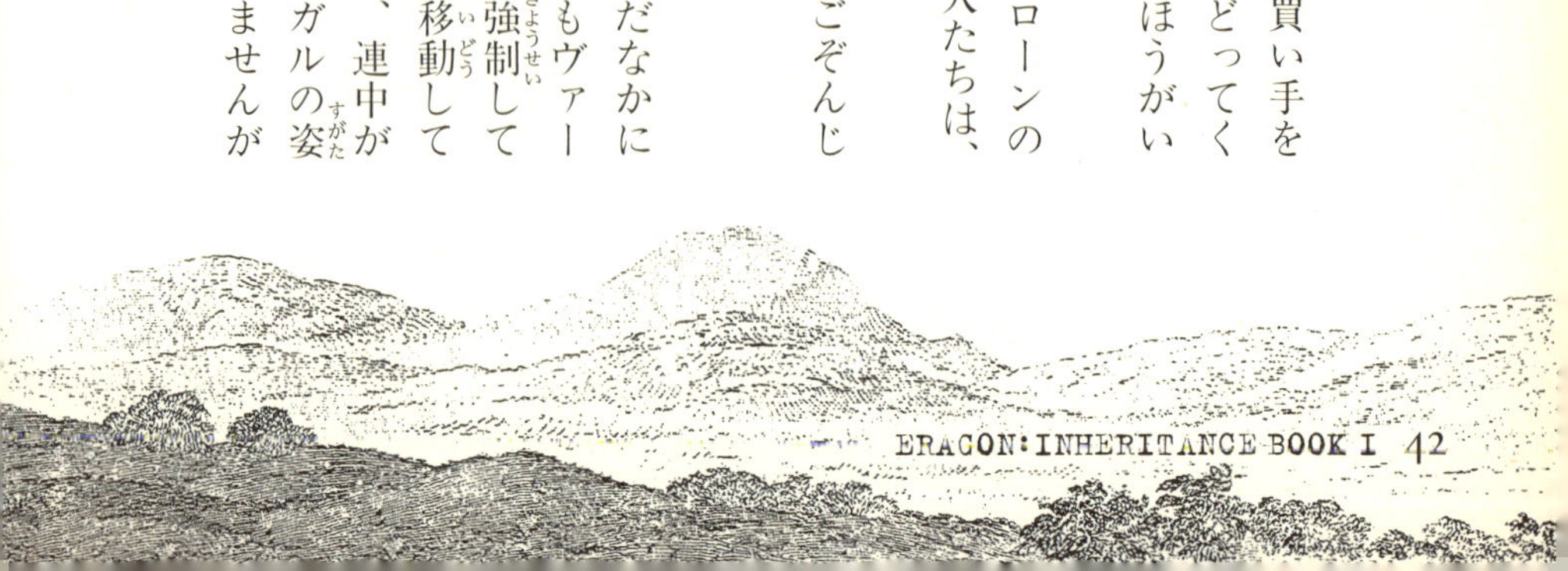

「それは」マーロックがけわしい顔でいう。「はじまったのが、ほんの二、三か月前のことだからだよ。住民たちは町や村を捨《す》てて出ていっている。アーガルに田畑を破壊《はかい》され、飢餓《きが》のおそれが出てきたからだ」

「でたらめだ」ギャロウがうなった。「アーガルなど、だれも見たやつはいない。唯一《ゆいいつ》、見たことがあるとすれば、モーンの酒場に飾《かざ》ってある角《つの》くらいなものだ」

マーロックが眉《まゆ》を丸くつりあげた。「まあ、そうでしょうな。ここは山にかこまれた小さな村だ、今まで気づかずにいるとしても、たいしておどろきませんよ。しかし、それがいつまでも続くとは思えない。わたしがこうやってお話ししたのは、この石をスパインで見つけたと聞いたからですよ。つまり、この村にも、奇怪《きかい》なことが起こりはじめているという証拠《しょうこ》だ」重々しい口調でそういうと、旅商人は頭をさげ、かすかな笑《え》みを浮《う》かべてふたりを送り出した。

ギャロウはエラゴンを連れて、来た道をもどりだした。

「伯父《おじ》さんはどう思う？」エラゴンはたずねた。

「あちこちで情報を集めてからじゃないと、なんともいえんな。石を馬車にしまったら、好きなところへ行ってこい。夕飯のころ、ホーストの家で会おう」

エラゴンは人ごみをかき分け、うきうきとした気分で馬車へ駆《か》けもどった。伯父さんの買い物はたっぷり時間がかかるから、そのあいだ、自由に楽しむことができるだろう。石を荷物の下におしこむと、彼は気どった足どりで、通りへくり出していった。

わずかな軍資金《ぐんしきん》しかなかったが、彼は露店《ろてん》を一軒《いっけん》ずつのぞきながら、品物を値《ね》ぶみして歩いた。商人たちと話をするうちに、マーロックのいうとおり、アラゲイジアの混乱《こんらん》は本当なのだとわかってきた。だれにたずねても、同じ言葉がくり返された――去年のような安全は失われた、あらたな危機《きき》が

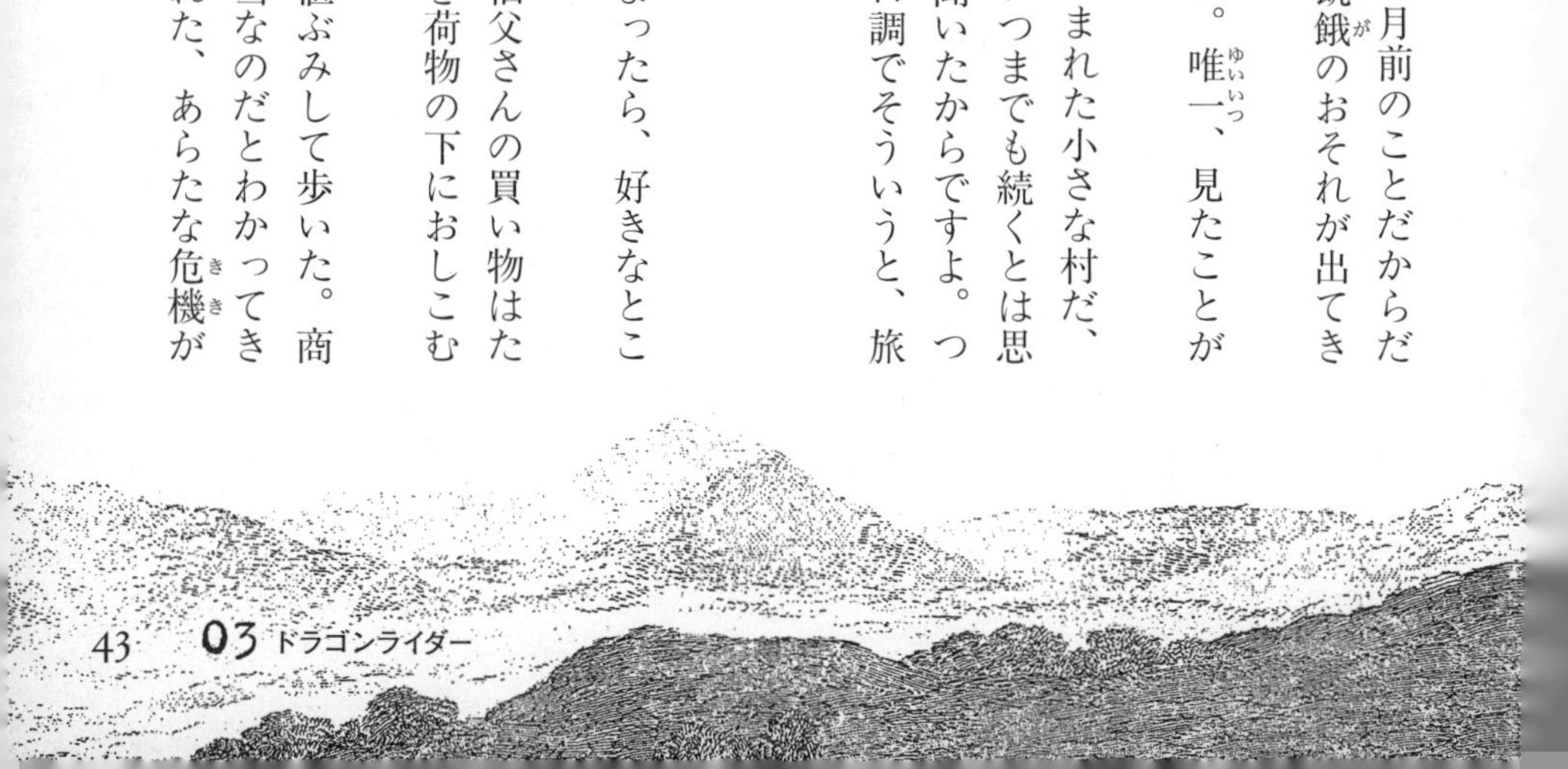

次々と生じている、もはやどこにも平和はない。

しばらく歩きまわった末、エラゴンは麦芽飴《ばくがあめ》を二本と、できたてほやほやのチェリーパイを買った。雪のなかに長時間いたので、温かい食べ物はのどに心地《ここち》よい。もっと食べたいと思いながら、シロップでべとつく指をおしむようになめ、ポーチに腰《こし》をおろし、飴をかじりはじめた。そばで村の少年がふたり、つかみあいをして遊んでいたが、仲間に入れてもらう気分ではなかった。

夕方近くになると、商人たちは村人の家々を訪《たず》ねて商売を続ける。エラゴンは夜が待ちどおしくてしかたなかった。夜は吟遊詩人《ぎんゆうしじん》たちがテントから現《あらわ》れ、物語を語ったり、手品を披露《ひろう》したりしてくれるからだ。エラゴンが好きなのは、魔法《まほう》や神にまつわる話だ。もっと運がよければ、ドラゴンライダーの話が聞けるかもしれない。カーヴァホールにも――エラゴンの友だちで――ブロムという語り部がいるが、彼が語る話は時代とともに古くさくなっている。それにくらべ、吟遊詩人たちはいつも最新の話題を運んできてくれる。エラゴンが聞きたいのはそういう話だ。

たまたまポーチの裏《うら》にさがるつららを折ったとき、エラゴンは近くにスローンの姿《すがた》を認《みと》めた。こちらに気づかれぬよう、身をかがめ、角を曲がってモーンの酒場へ飛びこんだ。

店のなかは熱く、獣脂《じゅうし》ローソクのあぶらくさい煙《けむり》が立ちこめていた。黒光りするアーガルの角《つの》が、扉《とびら》の上につき出している。ねじれた角の全長は、エラゴンののばした腕《うで》ほどの長さだ。低いカウンターが延々《えんえん》とのび、その片《かた》すみに客がひまつぶしに彫《ほ》るための樽板《たるいた》が積んである。腕《うで》まくりをして働いている店主のモーンは、砥石車《といしぐるま》にあごをのせてきたかのように、顔の下半分がひしゃげている。がんじょうな樫《かし》のテーブルのまわりに客が集まり、その真ん中で、早めに店じまいをして一杯《いっぱい》やりに来たふたりの旅商人が話をしていた。

モーンがジョッキをふく手をとめ、顔をあげた。「エラゴン！　よく来たな。ギャロウはどうし

た？」

「買い物してる」エラゴンは肩《かた》をすくめた。「まだしばらくかかりそうだよ」

「ローランもいっしょか？」モーンはたずね、ふきんを次のジョッキにつっこんだ。

「うん。今年は病気の動物がいないから、家に残らずにすんだんだ」

「そりゃあよかった」

エラゴンはふたりの旅商人をさした。「あの人たちは？」

「穀物《こくもつ》の買いつけに来たのさ。村人たちの穀類を、冗談《じょうだん》みたいな安値《やすね》で買いとったんだ。今はあそこで、とんでもない与太《よた》を飛ばしてる。だれも信じるわけがないのにさ」

エラゴンには、モーンのいらだちの理由がわかった。いくら買いたたかれても、彼らには金がいる。それがないと、生きていけないからだ。「どんな与太なの？」

モーンはふんと鼻を鳴らした。「ヴァーデン軍がアーガルと結託《けったく》して、大挙してこの村に攻《せ》めてくるんだとさ。ここがこんなに長く無事でいられたのは、ひとえにガルバトリックス王のおかげらしい。おれたちが焼けこげになったら、王さまが心配でもしてくれるみたいな言い方だ……まあ、行って聞いてこいよ。おれは、連中のほら話の説明をするほどひまじゃないからさ」

商人のひとりは太った男。体が動くたびに、椅子《いす》が抗議《こうぎ》の悲鳴をあげている。顔には産毛《うぶげ》一本なく、丸々とした手は、赤んぼうの肌《はだ》のようにつるりとしている。細口のびんからビールを飲むたび、男のつき出した唇《くちびる》が、すねたように丸くなる。もうひとりの男は赤ら顔だ。あごのまわりの皮膚《ひふ》はかさかさで、でっぷりふくらんでいる。腐《くさ》ったバターさながらの、かたい脂肪《しぼう》がつまっているようだ。首から上にくらべると、胴体《どうたい》は不自然なほどやせていた。

ひとりめの商人は、はみ出したぜい肉を椅子の上に引きもどそうと、ムダな努力をしながらいっ

た。「いや、ちがう、あんたらはわかってない。こうやって能天気《のうてんき》にわしらと口論《こうろん》していられるのは、王があんたらのために、たゆまぬ努力をしてくださってるからなんだ。もし王が、考えぬいた末、そうした尽力《じんりょく》をやめてしまわれたら、あんたらには即《そく》、災《わざわ》いが降《ふ》りかかるだろう！」

だれかが横から口をはさむ。「じゃあ、こういうのはどうだ？　ライダー族がよみがえり、おまえらみんながエルフを百人ずつ殺してきたって話は？　おれたちは、そんな作り話を信じるような、小《こ》僧《ぞう》っ子《こ》じゃないぞ。自分たちのことは自分で心配できるさ」まわりがクスクス笑った。

　太った商人が反論しようとするのを、やせた連れが手をふってとめた。指の上でけばけばしい宝石《ほうせき》が光る。「あんたらは考えちがいをしている。帝国《ていこく》は、あんたらの望むように、民《たみ》の一人ひとりにまで気がまわるわけじゃない。それはわかっているさ。だが帝国のおかげで、アーガルのような邪悪《じゃあく》な者どもに、荒《あ》らされずにすんでいるんだ――」彼は、適当《てきとう》な言葉をさがすような顔をした。「このあたりはな」

　やせた商人は続けた。「あんたらは、帝国が民を公平にあつかわないといって、おこっている。それは当然の怒《いか》りだろう。だが、王はすべての民をよろこばせることはできないんだよ。もめごとや論争が生じるのはさけられない。しかし、われわれのような大多数は、それに対してなんの不満ももっていない。どんな国にも、権力《けんりょく》のバランスに満足できない、小さな不平の族《やから》ってやつが、多少なりともいるものなのさ」

「へえ」ひとりの女がいった。「あんた、ヴァーデン軍が小さいってわけだ！」

　太った商人がため息をついた。「ヴァーデン軍は、あんたらを助けることになんの興味《きょうみ》もないんだよ、さっきもそういったはずだ。それこそ、反逆者《はんぎゃくしゃ》たちによって伝えられてきたでまかせにすぎない。帝国を分裂《ぶんれつ》させ、本物の脅威《きょうい》は帝国の外ではなく、内部にあるのだと、民に信じこませるために

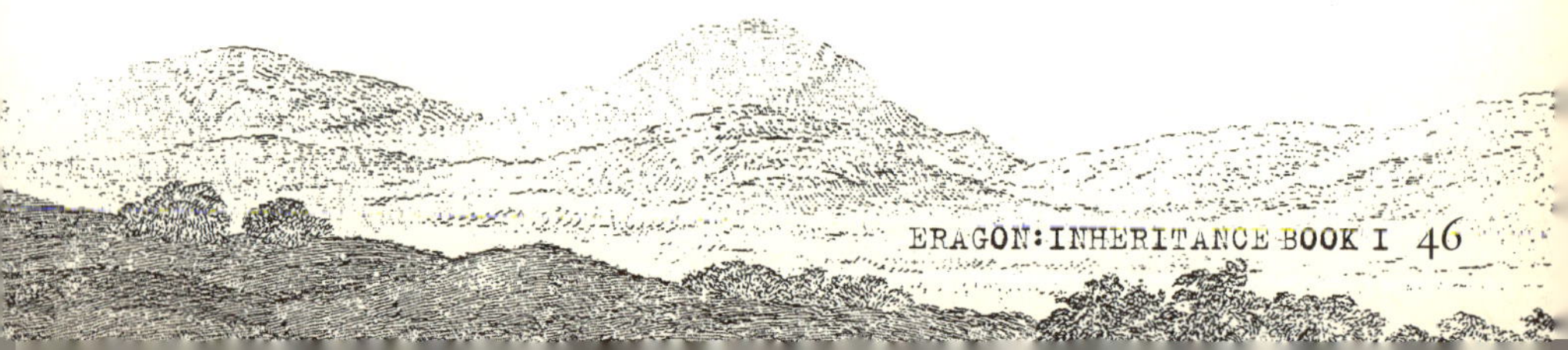

ね。ヴァーデンたちの望みは、王をたおし、われわれの帝国を乗っとること。侵略《しんりゃく》の準備《じゅんび》のため、やつらは国じゅうに密偵《みってい》を送りこんでいる。どこにやつらの手先がひそんでいるか、だれにもわからないんだよ」

旅商人たちの流暢《りゅうちょう》な説明に、ほかの客たちはうなずきはじめているが、エラゴンには納得《なっとく》がいかない。思わず前へ出しゃばって、口出しをした。「どうしてそんなことがわかるんですか？　ぼくだって、雲は緑色だっていえる。本当のことじゃなくたってね。今の話が嘘《うそ》じゃないって証明《しょうめい》できるんですか？」ふたりの商人はエラゴンをにらみつけ、かたや村人たちはしんとして答えを待っている。

先に口を開いたのは、やせた商人だった。彼はエラゴンから視線《しせん》をそらした。「このへんの子は、礼儀《れいぎ》ってものを教わっていないのか？　それとも、いつでも好きなように、大人に食ってかかっていいことになってるのか？」

村人たちがもぞもぞと落ち着かなげにエラゴンを見る。やがて、ひとりがいった。「いいからこたえろよ」

「こたえるまでもない。それが常識《じょうしき》なんだよ」太った商人がいった。上唇《うわくちびる》に汗《あせ》の粒《つぶ》が浮《う》いている。彼の答えは村人たちをおこらせ、また論争のぶり返しとなった。

エラゴンは口のなかに酸《す》っぱい味を感じながら、カウンターにもどった。帝国をほめたたえ、その敵対者《てきたいしゃ》を中傷《ちゅうしょう》する人間になど、今まで会ったことがなかった。カーヴァホールには、ほとんど遺伝《いでん》といっていいくらいに、帝国への憎《にく》しみが根づいているのだ。飢餓寸前《きがすんぜん》にまで追いこまれた苦難《くなん》の時代、王は救いの手をさしのべてくれないばかりか、容赦《ようしゃ》ない税《ぜい》の取り立てで彼らを苦しめた。王を支《し》持《じ》する商人たちに異《い》をとなえたのは、正しいことだとエラゴンは思う。しかし、よくわからないのは、ヴァーデンのことだった。

ヴァーデンは、つねに帝国《ていこく》に刃向《はむ》かい、攻撃《こうげき》をしかけてきた反乱《はんらん》の集団《しゅうだん》である。そのリーダーがだれなのか、また、一世紀以上前、ガルバトリックスが王座《おうざ》にのしあがったとき、数年でその反乱軍を結成したのはだれなのか、いずれも謎《なぞ》とされている。ガルバトリックス王の征圧《せいあつ》の手をのがれるたびに、ヴァーデンたちは民《たみ》の共感を得るようになった。くわしいことはほとんど知られていないが、ヴァーデンは逃《に》げ場所をもとめる者や、帝国を憎《にく》む者の味方だといわれている。ひとつ問題なのは、彼らの居場所《いばしょ》がわからないということだ。

モーンが身を乗り出して、ささやいた。「あきれた連中だろ？　死にかけた動物の上を旋回《せんかい》するハゲタカよりまだ悪い。このまま行くと、ただじゃすまないぞ」

「ぼくらが？　あいつらが？」

「あいつらだよ」モーンはいった。酒場には怒声《どせい》が響《ひび》きわたっている。エラゴンは口論《こうろん》がつかみ合いになりかけたところで、店を出ることにした。うしろ手に扉《とびら》をしめ、店内の喧騒《けんそう》を遮断《しゃだん》した。外はたそがれどき、太陽がみるみるうちにしずんでいく。地面には家々の影《かげ》が長くのびている。通りを歩いていると、路地にたたずむローランとカトリーナの姿《すがた》を見つけた。

言葉は聞きとれないが、ローランが彼女になにか話しかけている。カトリーナが自分の手を見おろし、小声でなにかこたえる。ふいに彼女がつま先立ちになり、ローランにキスをして、さっと駆《か》けだしていった。エラゴンはローランに小走りで近づき、冷やかした。「楽しんだかい？」ローランはぶつぶつあいまいにこたえながら、速足で歩きだした。

「旅商人たちの話を聞いた？」エラゴンはあとを追いつつたずねた。通りにはもう、村人たちの姿はほとんどない。家にもどって商人たちと商談を続けたり、吟遊詩人《ぎんゆうしじん》たちの現《あらわ》れる時刻《じこく》を待ったりしているのだろう。

「聞いたよ」ローランは気もそぞろのようだ。「おまえ、スローンをどう思う」
「きかなくてもわかってると思うけど」
「おれとカトリーナのことが知れたら、きっと血を見るだろうな」ローランはいう。雪がふわりと鼻をかすめ、エラゴンは顔をあげた。空は灰色《はいいろ》に変わっている。どうこたえていいのかわからなかった。ローランのいうとおりだからだ。エラゴンは従兄《いとこ》の肩《かた》を抱《だ》いて、裏道《うらみち》を歩いていった。

ホーストの家の夕食は、なごやかなものだった。部屋は楽しい会話と笑いに満ち、あまいコーディアルや強いビールがふるまわれるごとに、にぎやかさはどんどん増《ま》していった。皿がすっかり空《から》になると、客たちはホーストの家を出て、旅商人たちの野営《やえい》する空き地へ、ぶらぶらとくり出していった。

広い空き地は、ローソクをのせた杭《くい》でぐるりとかこまれていた。正面にはかがり火が焚《た》かれ、地面に絵のような影を躍《おど》らせている。そのまわりに村人たちがじわじわと集まってきて、寒空のもと、余《よ》興《きょう》がはじまるのを今や遅《おそ》しと待っている。

飾《かざ》りぶさつきの衣装《いしょう》をまとった吟遊詩人たち、続いて、彼らより年配で風格《ふうかく》のある吟遊楽人たちが、テントから飛び出してきた。楽人たちが楽器を奏《かな》で、物語を誦《しょう》する横で、若《わか》い詩人たちがそれに合わせて芝居《しばい》する。道化《どうけ》、おふざけ、猥談《わいだん》、バカ話——最初の出し物は、あたりさわりのない娯楽《ごらく》ものだった。やがて、燭台《しょくだい》の上でローソクがプツプツ音を立て、人々が身をよせ合って輪を縮《ちぢ》めだすころ、年老いた語《かた》り部《べ》、ブロムが輪のなかに現れた。胸《むね》の上でなびく白いぼさぼさのあごひげ。丸めた肩《かた》にはおる長い黒ケープが、体形《からだかたち》をおおいかくしている。ブロムは鉤爪《かぎづめ》のような手をひろげ、語りはじめた。

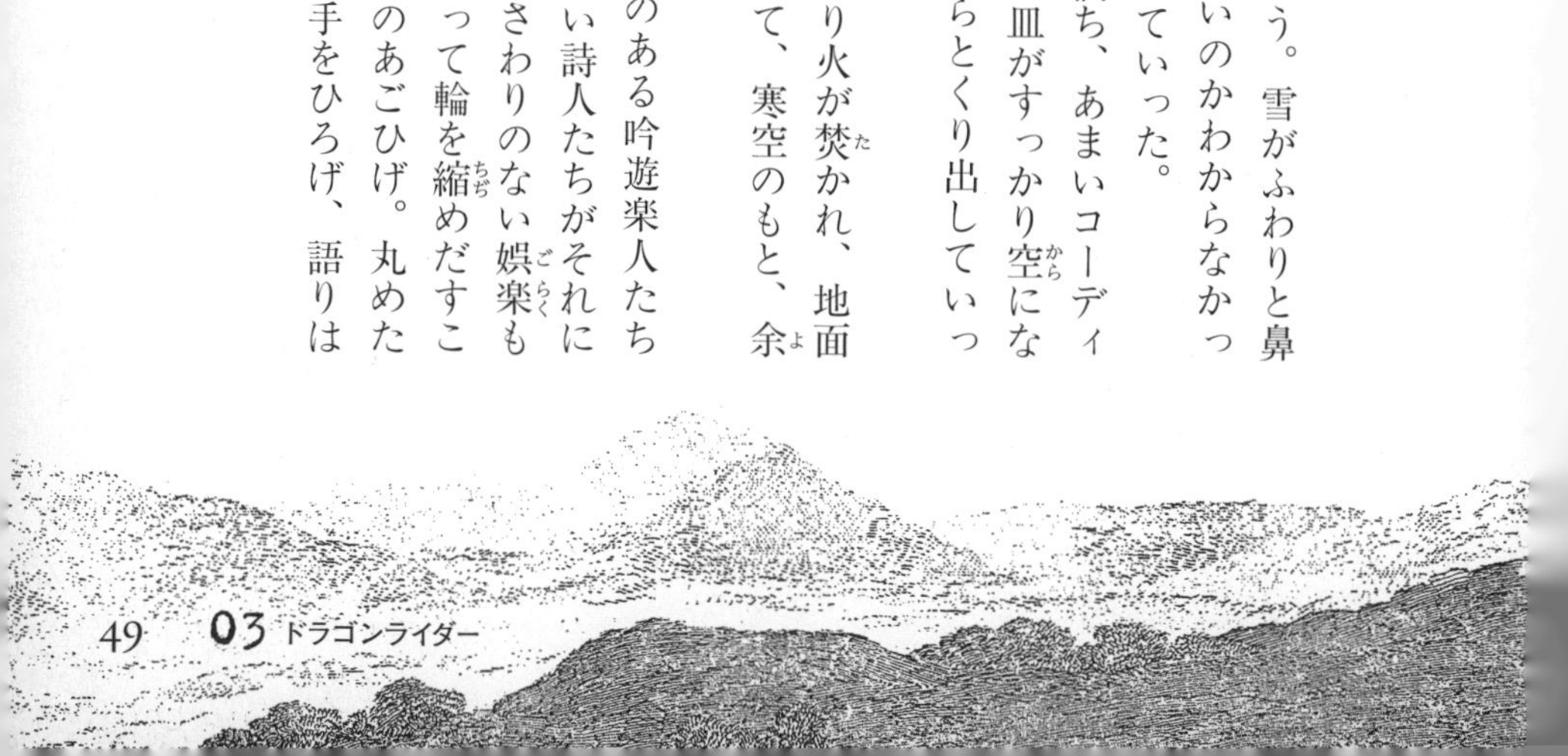

「時間の砂《すな》はとまることがない。好むと好まざるとにかかわらず、歳月《さいげつ》はすぎる……しかし、われわれはそれを記憶《きおく》にとめおくことができる。失ったものは、おのおのの記憶のなかでなおも生き続ける。たとえこれから耳にすることが、ばらばらで形を成していなかったとしても、しっかりと心にとめおくのだ。諸君《しょくん》がおらんことには、成り立たぬ話だからのう。これは、はるか記憶のかなたに遠ざかり、夢幻《むげん》の霞《かすみ》におおわれてしまった物語なのじゃ」

ブロムの鋭《するど》い目が、観衆《かんしゅう》の顔色をうかがう。最後にその視線《しせん》が、エラゴンの上でひたととまった。

「諸君の曾祖父《そうそふ》が生まれる前、いや、そのまた父君《ちちぎみ》が生まれる以前、ドラゴンライダー族が形成された。彼らの使命は、国の守りをかためること。一族は数千年ものあいだ栄えた。彼らは卓越《たくえつ》した武力《ぶりょく》を誇《ほこ》っておった。なにしろ、それぞれが人間十人分の力をもっておったからな。剣《けん》や毒で命をとられぬかぎり、永遠《えいえん》に死ぬことはない。その巨大《きょだい》な力は善《ぜん》のみのためにあった。彼らの保護《ほご》のもと、自然岩で高い塔《とう》や都市が次々ときずかれた。ライダーたちのおかげで平和が守られ、国は栄華《えいが》をきわめた。黄金の時代じゃった。あのころ、エルフ族はわれわれの味方であり、ドワーフ族は友人じゃった。国じゅうに富《とみ》が流れこみ、人々は豊《ゆた》かに暮《く》らしておった。が、悲しくも……それは永遠には続かなかった」

ブロムが静かに目をふせる。その声は、深い悲しみを帯びていた。

「いかなる外敵《がいてき》も彼らをたおせぬとはいえ、内輪の敵から身を守る術《すべ》はなかったのじゃ。ライダー族の力が絶頂《ぜっちょう》に達したころ、インジベスという、今はもうなき田舎町《いなかまち》で、ひとりの男の子が生まれた。名前はガルバトリックス。十歳《さい》になると、ガルバトリックス少年は慣習《かんしゅう》にのっとって試験を受け、そのすばらしい才能《さいのう》を認《みと》められた。ライダー族は、少年を仲間として受け入れた。

修行《しゅぎょう》を受けるにしたがい、ガルバトリックスの技量《ぎりょう》は、仲間たちをどんどん上まわっていった。鋭

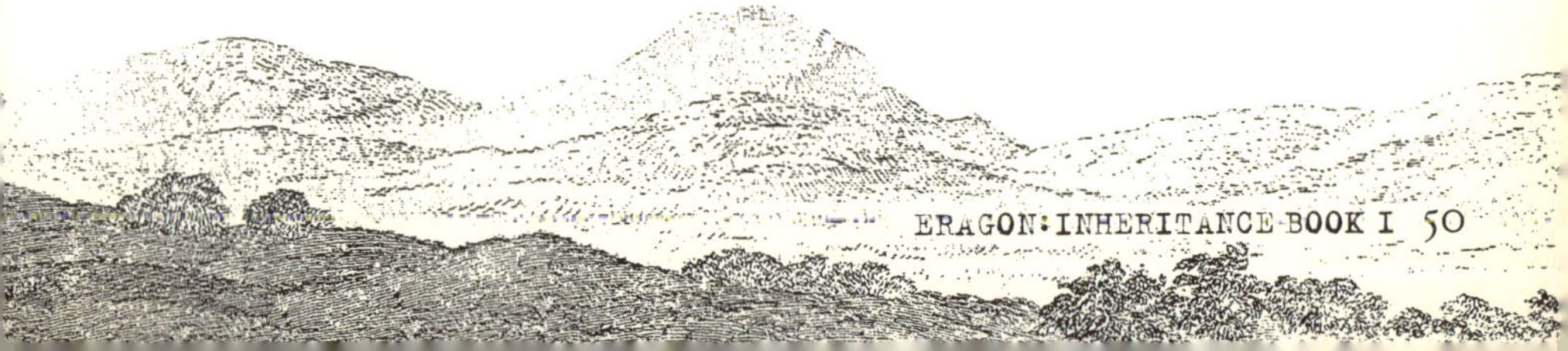

い知能と強靭《きょうじん》な肉体で、ライダー族における地位を一気に駆《か》けのぼった。彼のあまりに早い昇進《しょうしん》に不安を覚え、警告《けいこく》を発する者もおったが、ライダー族は自分たちの力におごるあまり、聞く耳をもたなかった。そう、不幸はそのときすでにはじまっておったのじゃ。

　修行を終えた直後、ガルバトリックスはふたりの友人をともなって、無謀《むぼう》な旅に出かけた。はるか北方へ、昼夜を分かたず飛び続け、なんとアーガルの巣くう領域《りょういき》にふみこんだ。おのれの得た新しい力をもってすれば、この世にこわいものなどないと思ったのじゃな。夏でも厚《あつ》い氷のとけぬその地で、彼らは寝《ね》こみをおそわれた。友人とそのドラゴンはまたたく間に殺され、ガルバトリックスも深手を負った。が、それでもなんとかひとりで、怪物《かいぶつ》たちをひとり残らずかたづけた。いたましいことに、その戦いのさなか、流れ矢が彼のドラゴンの心臓《しんぞう》をつらぬいた。なす術もなく、ドラゴンは彼の腕《うで》のなかで息絶《いきた》えた。そのとき、ついに狂気《きょうき》の種はまかれたのじゃ」

　語り部は両手を組み、周囲をゆっくり見まわした。疲《つか》れた顔に、影《かげ》が映《うつ》ってゆれている。

　次の言葉は、死者を弔《とむら》う鐘《かね》のように悲しげに響《ひび》いた。

「力を使いつくし、喪失感《そうしつかん》で気もくるわんばかりのガルバトリックスは、ただひとり死をもとめて、荒廃《こうはい》の地をさまよい歩いた。なんの警戒《けいかい》もなく、あまたの生き物に身をさらけ出してな。本人はそんなことも考えられんようになっておった。アーガルやら怪物《かいぶつ》どものほうが、彼の亡霊《ぼうれい》のようなありさまを見て、逃《に》げ出してしまったのじゃ。

　歩いているうち、ガルバトリックスは気づいた。ライダー族は、自分に新しいドラゴンを授《さず》けてくれるはずだと。ひたすらこの思いにつき動かされ、彼はスパインをぬける困難《こんなん》な旅を、徒歩でもどりはじめた。ドラゴンの背《せ》に乗って、いともかんたんに天翔《あまが》けた山脈地帯を、数か月もかけてもどったのじゃ。ライダーなら、魔法《まほう》を使えば、狩《か》りで飢《う》えをしのぐことくらいできようが、獲物《えもの》のいない場

所ばかり通ったらしい。山をおりるころ、彼は餓死《がし》寸前《すんぜん》だったという。ぬかるみにたおれているのを、通りかかった農民が見つけ、ライダー族に知らせた。

意識《いしき》のないまま、ガルバトリックスはライダーたちの居所《いどころ》に運ばれた。四日間眠《ねむ》り続け、体はどうにか回復《かいふく》した。目覚めたときには、もう熱に浮《う》かされた様子はなかったという。やがて彼を裁《さば》くための査問会《さもんかい》が開かれた。そこでガルバトリックスは、新しいドラゴンをくれと、必死の形相《ぎょうそう》でうったえた。査問会の面々はそのとき初めて、ガルバトリックスの異常《いじょう》さに気づいた。やつの真の姿《すがた》を知ったのじゃ。

　要求をはねつけられたガルバトリックスは、狂気《きょうき》というゆがんだ鏡でしか、ものごとを見られなくなっておった。おのれのドラゴンが死んだのは、ライダー族のせいだと思うようになったのじゃ。その思いにとりつかれ、復讐《ふくしゅう》の計画を立てはじめた」

　ブロムのささやきは催眠術《さいみんじゅつ》のように響《ひび》いた。

「ガルバトリックスはやがて自分の仲間となるライダーを見つけた。たくみな話術《わじゅつ》と、シェイドから教わった秘密《ひみつ》の魔法《まほう》で、目上のライダーたちへの怒《いか》りをその共犯者《きょうはんしゃ》に植えつけたのじゃ。そしてそいつと共謀《きょうぼう》し、長老をおびき出して亡《な》き者《もの》にした。凶行《きょうこう》のあと、やつは共犯者におそいかかり、ものもいわずに殺害した。ほかのライダーたちは、血まみれの手で立っているガルバトリックスを見つけたが、やつはくるったような絶叫《ぜっきょう》を残し、夜の闇《やみ》に消えていった。狂気に駆《か》られているとはいえ、頭のいいやつだ。ライダーたちは、逃《に》げたガルバトリックスを見つけることができなかった。

　それから何年も、ガルバトリックスは追われる獲物《えもの》のように、ライダー族の追跡《ついせき》をのがれ、ほうぼうの荒《あ》れ地《ち》にかくれ住んだ。あの残虐《ざんぎゃく》な行為《こうい》が忘《わす》れ去られることはなかったが、ときがたつうち、ライダーたちはやつをさがさなくなった。

なんの因縁《いんねん》か、やがてあるとき、ガルバトリックスはモーザンという若《わか》いライダーとめぐり会った。体はがんじょうだが、心の弱い男じゃった。モーザンはガルバトリックスに、イリレア城《じょう》の門の鍵《かぎ》をこっそりあけておくようにとたのまれた。今は、ウルベーンと呼《よ》ばれておる場所じゃ。ガルバトリックスはそこから城《しろ》に忍《しの》びこみ、生まれたばかりのドラゴンをまんまと盗《ぬす》み出した。

ガルバトリックスはモーザンとふたり、ライダー族がけっして足をふみ入れぬ邪悪《じゃあく》な土地へと逃げこんだ。そこでモーザンはガルバトリックスの弟子《でし》となり、禁《きん》じられた魔法のすべてを教えこまれた。下々《しもじも》のライダーには、ぜったいに明かされてはならぬ極秘《ごくひ》の術《じゅつ》だ。モーザンが魔法を身につけたころ、ガルバトリックスの盗んだ黒ドラゴン、シュルーカンは成竜《せいりゅう》になっていた。そしてガルバトリックスはモーザンをしたがえ、人々の前に舞《ま》いもどってきた。ふたりは出会うライダーをかたっぱしから殺し、殺すたびに、その力を増《ま》していった。

そうするうち、十二人のライダーがガルバトリックスの側に寝返《ねがえ》った。力への欲望《よくぼう》と、自分らを軽《けい》視《し》した者たちへの復讐心だな。この十二人にモーザンを加えた十三人が、〈裏切《うらぎ》り者《もの》たち〉となって、残るライダー族を全滅《ぜんめつ》させるべく猛攻《もうこう》をかけた。不意をつかれたライダーたちは、なす術《すべ》もなく皆殺《みなごろ》しにあった。エルフ族も傷《きず》つきながら戦ったが、力およばず、ガルバトリックスに土地を追われた。以来どこに身をひそめているのか、エルフたちの姿を見た者はおらん。

ただひとりだけ、ガルバトリックスに抵抗《ていこう》できる者がおった。ライダー族の長、ヴレイルじゃ。この老練のライダーは、残されたドラゴンの卵《たまご》を敵《てき》の手から守るべく、孤軍奮闘《こぐんふんとう》、必死で戦った。そしてドル・アリーバの門前で、ヴレイルはついにガルバトリックスをおさえこんだ。ところが最後の一瞬《いっしゅん》、彼はとどめをさすのをためらった。そのすきに、ガルバトリックスは猛反撃《もうはんげき》に出た。結局、ヴレイルはぼろぼろに傷《きず》ついた体でウトガード山中に逃《に》げこんだ。そこで傷が癒《い》えるのを待とうとし

たのじゃのう。しかし、傷《きず》が癒《い》えることはなかった。ガルバトリックスに見つけられてな。ガルバトリックスはヴレイルにおそいかかるなり、いきなり股間《こかん》をけりつけた。この卑怯《ひきょう》な一撃《いちげき》のあと、彼の頭を刀剣《とうけん》で切り落としたのじゃ。

ガルバトリックスはついに強大な力を手に入れ、アラゲイジア帝国《ていこく》の王におさまった。以来、今日この日まで、あの男がわしらを支配《しはい》しておる」

語り終わると、ブロムは吟遊詩人《ぎんゆうしじん》たちとともに、足を引きずるように去っていった。エラゴンには、彼の頬《ほお》に涙《なみだ》が光って見えた。聴衆《ちょうしゅう》たちはひそひそ声で話しながら、三々五々に散っていく。ギャロウがエラゴンとローランにいった。「おまえたちは運がいい。おれでさえ、この話を聞いたのはたったの二度めだ。今夜のことを帝国が知ったら、ブロムを生かしてはおかないだろうな」

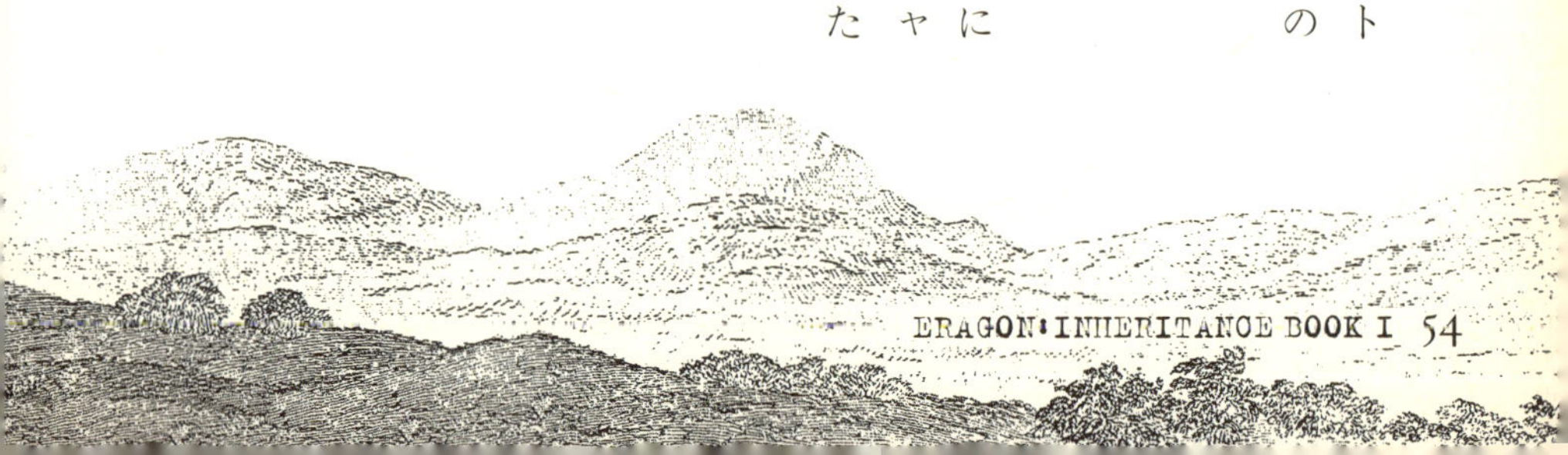

04

授《さず》かり物《もの》

カーヴァホールからもどった日の晩《ばん》、エラゴンはマーロックにならって、石を自分なりに調べてみることにした。部屋でひとり、石をベッドにのせ、その横に三種類の道具を用意した。まずは木槌《きづち》で石を軽くたたいてみる。カツカツと静かな音。うなずいて、今度は大きめのハンマーで打った。やや高い音がものさびしく響《ひび》いた。最後は、小ぶりのノミを打ちつけてみた。表面にはやはりキズひとつつかないが、いちばんはっきりした音を響かせた。最後の残響《ざんきょう》が消えるとき、ほんのかすかに、ミシッという音を聞いたような気がした。

マーロックは、この石が空洞《くうどう》だといっていた。すると、なかに、なにか貴重《きちょう》なものが入っているのだろうか。だとしても、どうやってあければいいのかわからない。とにかく、石をこんな形にしたのは、それなりの理由があったからに決まっている。スパインにこの石を送りこんだ人は、なにか事情《じじょう》があって引き取りに来られないか、ひょっとして、どこに送ったのか自分でもわからないのだろうか。いや、石を瞬間移動《しゅんかんいどう》させられるような力をもつ魔術師《まじゅつし》に、それを見つけられないなんてことはありえない。ということは、このままぼくがもっていろということなのか？　いくら考えても、答えがわからなかった。エラゴンは謎解《なぞと》きをあきらめ、道具をかたづけて石を棚《たな》にもどした。

深夜、彼ははっとして眠《ねむ》りから覚めた。じっと耳を澄《す》ましてみた。しんとしている。不安になり、マットレスの下からナイフをさぐり出した。そのまま数分間様子をうかがってから、おずおずと眠りにもどった。

甲高《かんだか》い音が静けさをやぶった。エラゴンははね起きて、ベッドからころげおり、ナイフを鞘《さや》から引きぬいた。火口箱《ほくちばこ》を手でさぐり、ローソクに火をつけた。部屋の扉《とびら》はしまっている。ネズミがあんなに大きな声で鳴くはずはないが、それでも、いちおうベッドの下をたしかめてみる。なにもいない。マットレスのはしにすわり、眠い目をこすった。またしても甲高い音。彼はぎょっとして飛びあがった。

どこから聞こえたんだ？　床下《ゆかした》や壁《かべ》のむこうには、なにも入りこむはずがない。板はかたくてがんじょうな木材でできているのだ。ベッドもちがう。寝《ね》ているあいだに、藁《わら》のマットになにかが忍《しの》びこめば、いくらなんでも気づくはずだ。ふと、石に目がとまった。彼は石を棚《たな》からとりあげ、ぼんやりと抱《だ》きかかえたまま、部屋のなかに目をこらした。甲高い音が響《ひび》いた。指の下からだ。それは石の発する音だった。

欲求《よっきゅう》不満といらだちのもとでしかない石が、そのうえさらに、人の眠りまでさまたげようというのか！　とがめるような彼の視線《しせん》をよそに、石は微動《びどう》だにせず、ときおりピーピーと音を発している。そしてもう一度、特別甲高い音を発して、それきり静かになった。エラゴンは石をそっと棚にもどし、ふとんのなかにもぐりこんだ。石にどんな秘密《ひみつ》がかくされているにしろ、明日の朝まで待つしかないだろう。

ふたたび起こされたとき、月の光が部屋のなかをぼんやりと照らしていた。石は棚の上で、壁にぶ

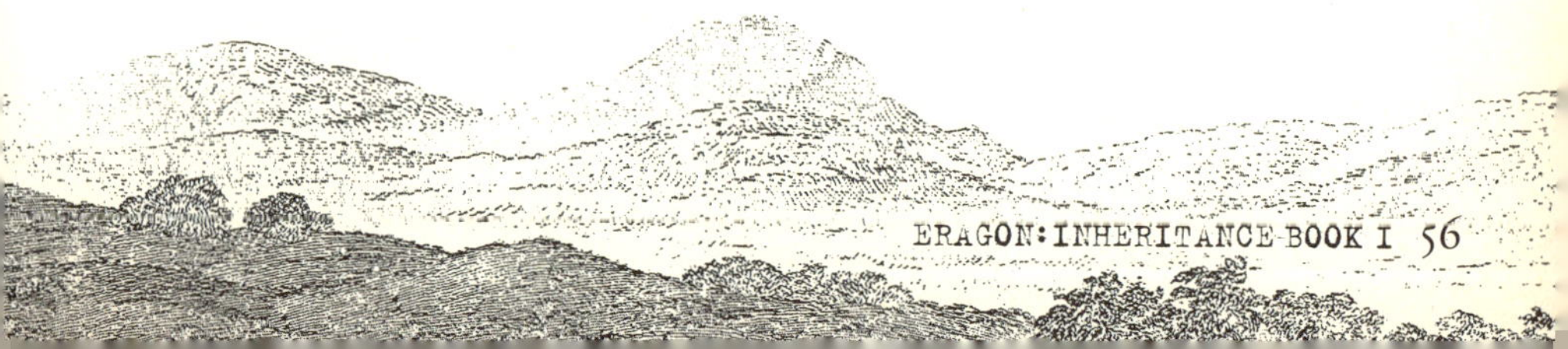

つかりながらガタガタと動いていた。冷たい月明かりを浴びて、表面が白く光っている。エラゴンはナイフをつかんでベッドから飛び出した。石の動きがとまっても、気をはりつめたまま待った。やがてとつぜん、石は奇声《きせい》を発しながら、さっきよりも激《はげ》しく動きだした。

エラゴンは悪態《あくたい》をつき、服を着こんだ。どんなに貴重《きちょう》な石だろうと、もう知ったことではない。どこかへもっていって、土のなかに埋《う》めてしまおう。ふいにゆれがとまり、石が静かになった。と、今度は小刻《こきざ》みにふるえだし、ころがって、床にドスンと落下した。そのままよろよろと彼のほうへころがってくる。エラゴンは危険《きけん》を感じて扉のほうへあとずさった。

とつじょ、石に一本、亀裂《きれつ》が入った。一本、またもう一本。エラゴンはナイフをにぎったまま、すいよせられるように身を乗り出した。石のてっぺんで何本もの亀裂が出会い、一部分がためらうようにカタカタと動きだした。そのひとかけらが浮《う》きあがり、床にぽとりと落ちた。いくたびかの奇声を響かせたあと、やがて石のてっぺんにあいた穴《あな》から黒っぽい小さな頭が、続いて不自然にねじ曲がった体が現《あらわ》れた。エラゴンはナイフをがっちりとにぎりしめ、身じろぎもせずに見守った。まもなく、その生き物は体をすべて石の外に出した。そして、一瞬《いっしゅん》その場にとどまってから、月明かりのもとへとすべり出た。

エラゴンはぎょっとして飛びのいた。彼の目の前で、体の粘膜《ねんまく》をなめてとっているのは、ドラゴンだった。

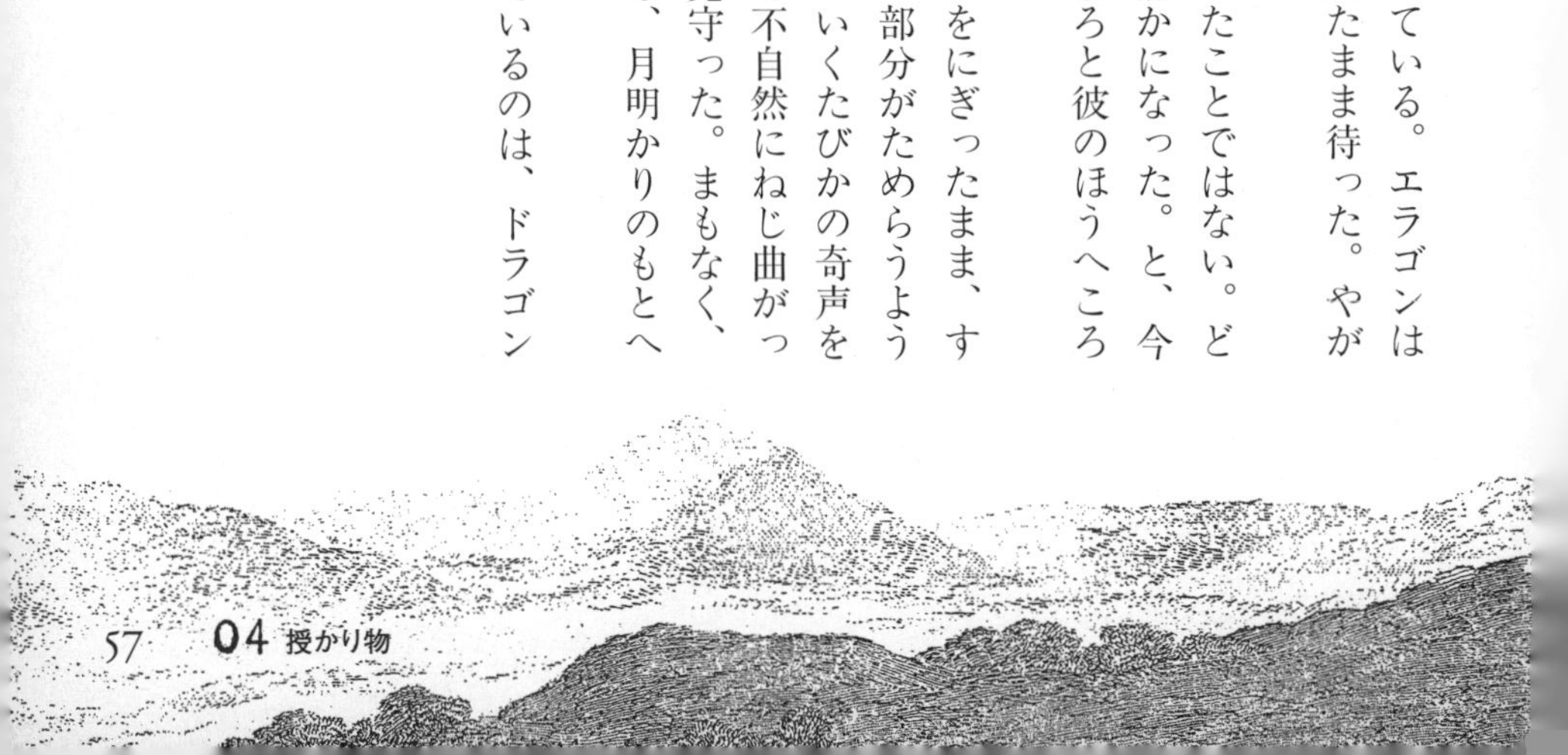

05

目覚め

ドラゴンの体長はエラゴンの腕《うで》ほどもないくらいだが、その姿《すがた》は堂々として、気品さえ感じられる。表皮の鱗《うろこ》は濃《こ》いサファイアブルー。石と同じ色、いや、石ではなく卵《たまご》だったのだと今ようやくわかった。ドラゴンは翼《つばさ》をひろげた。体がねじ曲がって見えたのは、翼のせいだったのだ。翼は胴体《どうたい》より数倍長く、骨格《こっかく》は細い指のよう。骨《ほね》はつけ根から縁《ふち》へとのび、先端《せんたん》で鉤《かぎ》爪状《づめじょう》になってならんでいる。頭はほぼ逆三角形《ぎゃくさんかくけい》。上《うわ》あごから、見るからに鋭《するど》そうな白い小さな牙《きば》が、にょきっとつき出している。鉤爪もまたみがいた象牙《ぞうげ》のように白く、湾曲《わんきょく》したその内側が、こまかいのこぎり状になっている。後頭部から尾《お》の先にかけて、背中《せなか》に小さな角《つの》のようなものがならんでいる。首と肩《かた》のあいだのくぼみは、角の間隔《かんかく》がやや広い。

エラゴンが体を動かすと、ドラゴンの顔がくるりとこちらをむいた。淡青色《たんせいしょく》の鋭い目が、エラゴンをひたと見すえた。彼は身動きができなくなった。いくら小さくても、おそいかかられたら太刀打《たちう》ちできそうにない。

エラゴンをにらむのに飽《あ》きると、ドラゴンは部屋のなかを探険《たんけん》しはじめた。よたよたとぎこちなく歩き、壁《かべ》や家具にぶつかっては奇声《きせい》をあげている。翼をバサリと羽ばたかせてベッドに飛び乗り、枕《まくら》のほうへ近づいてまた奇声をあげる。雛《ひな》のように口をあけると、とがった歯がずらりとのぞいた。エラゴンはベッドのはしにそっと腰《こし》をおろした。ドラゴンは彼の手のにおいを嗅《か》ぎ、袖口《そでぐち》にかじりつく。エラゴンは思わず腕を引っこめた。

　その小さな生き物を見ているうちに、エラゴンは自然と笑《え》みを浮《う》かべていた。ためらうように右手をさし出し、わき腹《ばら》に触《ふ》れてみる。と、氷のように冷たい衝撃《しょうげき》が掌《てのひら》におそいかかった。腕のなかを血《けつ》液《えき》が煮《に》えたぎるような感覚が走りぬける。エラゴンはギャッとさけんでしりもちをついた。耳の奥《おく》で鉄のはじけあう音が響《ひび》き、怒《いか》りに満ちた静かなさけびが聞こえてくる。全身に焼けつくような痛《いた》み。動こうとしても動けない。数時間とも思えるときがすぎ、ようやく四肢《しし》に体温がもどってきた。だが、かすかなうずきは残っている。ふるえながらなんとか体を起こした。手はしびれ、指に感覚がない。おそるおそる目をやると、掌の中央が楕円《だえん》を描《えが》くように、白くちらちらと光っている。毒グモに嚙《か》まれたように、ズキズキ痛い。心臓《しんぞう》がくるったように打っていた。

　エラゴンはまばたきをして、自分の身に起きたことを冷静に考えようとした。その意識《いしき》の上を、指先で皮膚《ひふ》をなでるかのようになにかがかすめていった。もう一度。しかし二度めのそれは、巻《ま》きひげのように意識にかたくからみついてくる。エラゴンはそれが発する強い好奇心《こうきしん》を感じた。彼の心は今、意識をとりかこむ見えない壁《かべ》をはずされたかのように、どこへでもただよっていける状態《じょうたい》にある。なんとか引きもどさなければ、心は体からはなれ、二度ともどれなくなり、永遠《えいえん》に虚空《こくう》をただようことになりそうな気がする。彼は恐怖《きょうふ》に駆《か》られ、巻きひげからはなれた。と、その未知なる感覚は、目を閉《と》じるかのごとく消えた。エラゴンは、動かないドラゴンを、けげんそうににらんだ。

　ふいに、鱗でおおわれた足が彼のわき腹をかすめた。エラゴンはとっさに身を引いた。だが、さっきのような衝撃は感じない。とまどいながらも、もう一度右手で、ドラゴンの頭をなでてみる。軽い

うずきが右腕《みぎうで》に走った。幼竜《ようりゅう》はネコのように背中《せなか》を丸め、彼に鼻をすりよせてくる。エラゴンは翼《つばさ》のうすい膜《まく》を指でそっとさわってみた。古い羊皮紙の手ざわりだ。なめらかで温かく、まだかすかに湿《しめ》っている。翼一面に、無数の細い血管が脈打っているのが見えた。

ふたたび、巻《ま》きひげがエラゴンの心に接触《せっしょく》してきた。だが今度は、そこに感じるのは好奇心《こうきしん》ではなく、とてつもない食欲《しょくよく》だった。彼はため息をついて立ちあがった。こいつは危険《きけん》な生き物だ。それだけはまちがいない。けれど、ベッドの上に這《は》いつくばる姿《すがた》は、ひどくたよりなげにも見える。うちに置いてやるのはまずいだろうか？　ドラゴンは腹《はら》をすかせ、弱々しい鳴き声をあげている。エラゴンは、幼竜をなだめるように頭をなでた。まあ、それはあとで考えることにするか。彼は部屋を出て、注意深く扉《とびら》をしめた。

干《ほ》し肉《にく》を二枚《まい》もって部屋にもどると、ドラゴンは窓《まど》の桟《さん》にすわり、月を見あげていた。エラゴンは肉を小さく四角にちぎり、一枚を口のほうへ近づけてやった。ドラゴンは用心深げににおいを嗅《か》いだあと、ヘビのように頭をつき出し、干し肉をひったくり、頭をふりあげる独特《どくとく》な動きで肉片《にくへん》を丸のみした。そして、すぐにまたおかわりをねだって、エラゴンの手をつついてきた。

エラゴンは自分の指を噛《か》まれないよう気をつけながら、干し肉を次々とあたえた。残りひと切れになるころ、ドラゴンの腹はぱんぱんにふくらんでいた。さし出された最後の干し肉を見て、ドラゴンは一瞬《いっしゅん》ためらってから、めんどうくさそうにかじりついた。すべて食べつくすと、エラゴンの腕を這いのぼり、胸《むね》によりそって丸くなった。ほどなく、荒《あら》い鼻息が聞こえてきた。鼻孔《びこう》から黒っぽい煙《けむり》がフーッフーッとふきあがっている。エラゴンはその様子を、不思議な思いで見つめていた。

ドラゴンは完全に眠《ねむ》ったようだ。のどが振動《しんどう》し、そこからうなりにも似《に》た低い音がもれている。エラゴンは幼竜をベッドに運び、枕《まくら》の横に寝《ね》かせてやった。ドラゴンは目を閉《と》じたまま、ベッドの支柱《しちゅう》

にしっぽを巻きつけ、心地《ここち》よさそうにしている。エラゴンはそのとなりに体を横たえ、暗がりで手の具合をたしかめてみた。

　エラゴンは今、苦しい選択《せんたく》をせまられていた。ドラゴンを育てるということは、すなわちライダーになれるということだ。ライダーになれば、彼もまた、人々のあいだで語《かた》り継《つ》がれるライダー族の神話や伝説の一部になるということなのだ。しかし、もしドラゴンが見つかったら、帝国《ていこく》は彼や家族を生かしてはおかないだろう。エラゴンが王の僕《しもべ》にでもならなければ。彼らを救える者は、いや、救おうとする者などいないのだ。いちばんかんたんなのは、ドラゴンを殺してしまうこと。しかしそんなおぞましいことは、考える気にもならない。彼にとってドラゴンとは、崇敬《すうけい》に値《あたい》する存在《そんざい》なのだ。そもそも、こんなへんぴな場所で人目も引かず暮《く》らしている者のことが、どうして帝国の耳にまでとどくだろう？

　残る問題は、ギャロウとローランをどうやって説得するかということだった。ふたりとも、ドラゴンなどそばに置きたがるわけがない。じゃあ、どこか秘密《ひみつ》の場所で育てようか。一、二か月もすれば、大きくなりすぎて、伯父《おじ》さんだって追い出すこともできなくなる。でも伯父さんはそれで、納得《なっとく》してくれるだろうか？　それに、かくしているあいだ、たくさんの餌《えさ》をどうやって調達すればいい？　今だって子ネコより小さいくらいなのに、あれだけの干し肉を全部たいらげてしまった！　そのうち、自分で獲物《えもの》をとってくるようになるだろうけど、それはいったいいつなんだ？　寒い野外でこごえ死んだりしないだろうか？　それでもやはり、彼はドラゴンを自分のものにしたいと思った。考えれば考えるほど、その気持ちが強くなった。ギャロウがなんといおうと、ドラゴンを全力で守りたかった。決心がつくと、エラゴンは幼竜を抱《だ》いたまま眠りに落ちていった。

　夜があけた。ドラゴンは朝を知らせる古代の歩哨《ほしょう》のように、ベッドの支柱の上にすわっていた。エ

ラゴンはその表皮の色に、思わず息をのんだ。これほど明るい鮮烈《せんれつ》な青を、今まで見たことがない。鱗《うろこ》はまるで、宝石《ほうせき》の原石をちりばめたかのようだ。ふと自分の掌《てのひら》に気づいた。ゆうべドラゴンに触《ふ》れたところが、銀色の光沢《こうたく》を放っている。手をよごすかどうかして、目立たなくするしかなさそうだ。

ドラゴンは支柱《しちゅう》からおり、床《ゆか》をすべるように近づいてきた。エラゴンはそれを慎重《しんちょう》に抱《だ》きあげ、肉と革《かわ》ひもと防寒用《ぼうかんよう》のぼろ布《ぬの》をもてるだけもって、静まりかえった家を出た。農場は一面、新雪におおわれ、さわやかな朝の美しい景色がひろがっている。幼竜《ようりゅう》はエラゴンの腕《うで》にすっぽり抱《だ》かれ、あたりをめずらしそうに見まわしている。彼はその姿《すがた》に顔をほころばせた。足早に畑を横切り、ドラゴンが安全でいられる場所をもとめ、うす暗い森へと入っていった。やがて、小さな丘《おか》の上にぽつんと立つナナカマドの木を見つけた。枝先《えださき》に雪をかぶったその木は、灰色《はいいろ》の指を空につき出しているかのようだ。彼はドラゴンを木の根もとに置き、革ひもを地面にひろげた。

革で手ぎわよく縄《なわ》を編《あ》み、雪のかたまりでじゃれるドラゴンの首に、するりと引っかけた。革はすり切れているが、切れることはないだろう。しかし、雪の上を這《は》いまわるドラゴンをながめているうちに、もしかしたら縄で首がしまるかもしれないと気づいた。すぐに首の縄をほどき、足用のハーネスにつくりかえた。そして両手にいっぱい枝を集めてきて、即席《そくせき》の小屋をつくり、高い枝にすえつけた。小屋のなかには、もってきたぼろ布を重ね、肉を入れてやった。木がゆれて枝の雪が顔に降《ふ》りかかった。最後に、小屋の入口に寒さよけの布をたらしてやった。彼は完成した小屋を満足げにながめた。

「さあ、おまえの家ができたぞ」彼はドラゴンを枝の上にのせてやった。幼竜は逃《に》げようと身をよじらせ、小屋のなかへもぐりこんでいった。そして肉を一枚《まい》たいらげ、丸くなって、とまどうように目をぱちくりさせた。「ここにいれば安全だからな」エラゴンはいった。ドラゴンがまた目をしばたた

かせる。

ドラゴンに、言葉など理解《りかい》できるわけがない。エラゴンは心のなかで手をのばし、なんとかドラゴンの意識《いしき》にたどり着こうとした。するとまたあの、むき出しの空間に放り出されたような感覚がおそってきた。その空間があまりにも広すぎて、その重みでおしつぶされてしまいそうになる。彼はけんめいに精神《せいしん》を集中させ、ドラゴンにむかって思いを伝えようとした。

〔ここを出ちゃいけないよ〕

ドラゴンは動くのをやめ、聞き返すかのように首をかしげている。エラゴンはさらに強く念じた。

〔ここにいろ〕

わかったという、ためらうような返事が、うっすらと伝わってきたように感じた。だが、たしかではない。結局はただの動物だものな。ドラゴンの意識から遠ざかると、自分の心に包みこまれるような安心感がもどってきた。

エラゴンはうしろを何度もふり返りながら、ナナカマドの木をあとにした。ドラゴンは小屋から顔を出し、大きな目で、立ち去る彼の姿《すがた》を見つめていた。

エラゴンは急いで家に帰り、こっそり部屋にもどって卵《たまご》の殻《から》を処分《しょぶん》した。ギャロウとローランは、石がなくなったことに気づきもしないだろう――売り物にならないと知ったとたん、石のことなど頭から消えてしまったはずだ。朝、顔を合わせたとき、ローランが、夜中に変な音を聞いたといいだしたが、さいわいそれ以上追求されることはなかった。

気が高ぶっているせいで、一日があっという間にすぎた。掌の跡《あと》はかんたんにかくせるので、案じる必要はなかった。やがて日を置かず、エラゴンは室《むろ》からくすねたソーセージをもって、森へ出かけていった。不安な思いで、ナナカマドの木に近づいていった。こんな冬に、外にいてだいじょうぶだ

っただろうか？
だが心配にはおよばなかった。ドラゴンは枝《えだ》にとまり、前足を使ってなにかを必死で噛《か》み切ろうとしている。エラゴンの姿《すがた》を見つけると、うれしそうに奇声《きせい》をあげた。ドラゴンが木の上にいてくれてよかった。猛獣《もうじゅう》の餌食《えじき》にならずにすんで、彼は心底ほっとした。ソーセージを根もとに置いてやると、幼竜《ようりゅう》はすぐに木をすべりおりてきた。ドラゴンが餌《えさ》を貪《むさぼ》っているあいだに、小屋のなかをのぞいてみた。置いていった肉はすっかりなくなり、小屋に異状《いじょう》はない。ただ、床《ゆか》におびただしい羽毛《うもう》が散らばっている。よかった。こいつ、自分で獲物《えもの》をしとめられるんだ。

彼はふと、ドラゴンの性別《せいべつ》を知らなかったことに気づいた。いやがって鳴くのもかまわず、ドラゴンをもちあげてひっくり返してみた。だが、とくに見分けがつきそうなものはついていない。そうかんたんに教えてなるものかってわけか。

その日は一日じゅう、ドラゴンとすごした。縄《なわ》をほどき、肩《かた》の上にのせ、森のなかを散策《さんさく》に出かけた。雪をかぶった木々が、荘厳《そうごん》な大聖堂《だいせいどう》の柱のように彼らを見おろしていた。彼はドラゴンに、森のいろいろなことを話して聞かせた。意味がわかってもらえなくてもかまわなかった。ただ同じ時間を分かちあえるだけでよかった。エラゴンは一心に話し続け、ドラゴンはきらきらした目で彼の顔をのぞきこみ、ひとつひとつの言葉に聞き入っていた。途中《とちゅう》、腰《こし》をおろしてひと休みすると、ここ数日に起きたことがいまだに信じられず、エラゴンは自分の腕《うで》にすわるドラゴンを感嘆《かんたん》の思いで見つめた。

日が暮《く》れて家路につくとき、あざやかな青い目が、置いてきぼりにするなとうったえているのを背《せ》中《なか》にひしひしと感じた。

その夜は、無防備《むぼうび》なドラゴンにどんな危険《きけん》が降《ふ》りかかるだろうと思うと、心配で眠《ねむ》れなくなった。とくに吹雪《ふぶき》と、ほかの動物が心配だった。ようやく眠っても、キツネや黒いオオカミの獰猛《どうもう》な牙《きば》が、

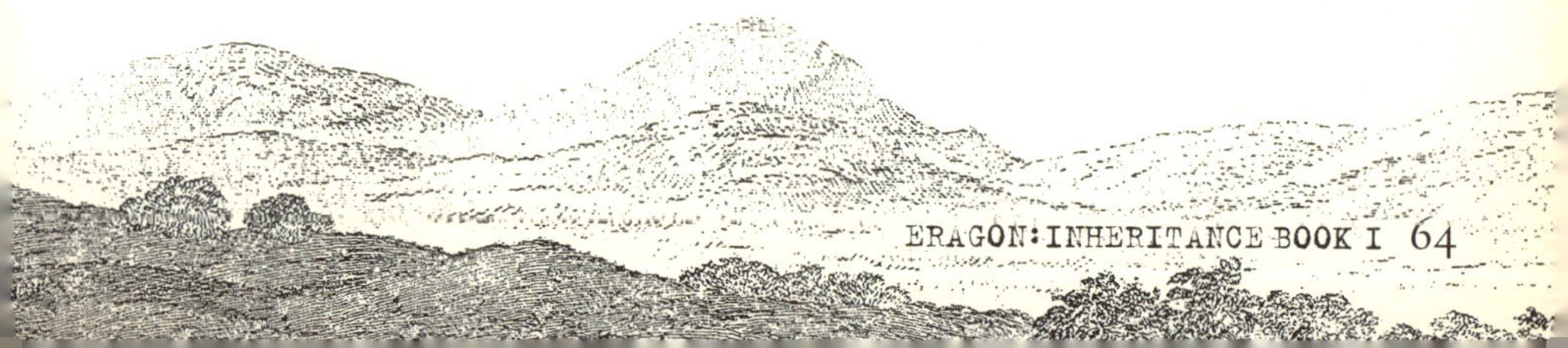

ドラゴンを八《や》つ裂《ざ》きにする夢《ゆめ》を見た。

夜明けとともに、エラゴンは餌をもって家を出た。さらなる寒さにそなえ、ぼろ布《ぬの》も持参した。ドラゴンは無事起き出して、梢《こずえ》で日の出をながめていた。エラゴンはその姿を見るなり、ありとあらゆる神に感謝《かんしゃ》したくなった。

ドラゴンは木をおりて彼に駆《か》けより、飛びのって腕のなかで丸くなった。寒がってはいないが、おびえているようだった。鼻孔《びこう》から黒っぽい煙《けむり》がフーッとふき出された。エラゴンはその頭をなで、やさしくなだめながら、ナナカマドにもたれてすわった。ドラゴンはエラゴンの上着に顔をうずめ、じっと動かずにいた。やがて腕のなかから這《は》い出ると、彼の肩にのぼった。彼はドラゴンに餌を食べさせ、もってきた布を小屋のまわりに巻《ま》いてやった。それからしばらくいっしょに遊んだが、あっという間に帰る時間になった。

こうして、ドラゴンとの生活がはじまった。朝起きると、まずナナカマドの木へ直行し、ドラゴンに朝飯を食べさせ、急いで農場へもどる。日中は、黙々《もくもく》と家の仕事をこなし、ひととおり終えると、またドラゴンのもとへ飛んでいく。ギャロウやローランがそんな行動をいぶかしみ、なぜ外でばかりすごすのかとたずねてきた。エラゴンは肩をすくめるしかなかった。以来、森へ行くときは、あとをつけられていないか、うしろをたしかめるようになった。

最初の数日がすぎると、ドラゴンの身を案じる必要はなくなった。その成長ぶりは目をみはるばかりで、遠からず、たいていの危険《きけん》には対処《たいしょ》できるようになりそうだった。最初の一週間で体長は倍になり、それから四日ほどで、エラゴンのひざの高さまでになった。もはや樹上《じゅじょう》の小屋にはおさまりきらず、隠《かく》れ家《が》は地面につくるしかなくなった。エラゴンはそれを、三日がかりで完成させた。

二週間もたつと、旺盛《おうせい》な食欲《しょくよく》を満たすため、縄《なわ》をほどいておくしかなくなった。最初の日、ドラゴンは帰ろうとするエラゴンのあとを追ってきた。おしとどめるには、心のなかで念じるしかなかった。あと追いをするたびに、心のなかでそれをくり返し、やがてドラゴンは、家やほかの人間たちに近づいてはいけないということを学んだ。

もうひとつ、ドラゴンには、狩《か》りはスパインでしなければならないということを覚えさせた。スパイン山中なら、人目につく可能性《かのうせい》は低い。それに、もしもパランカー谷で野生動物がへれば、農夫たちに気づかれるおそれがある。ドラゴンが遠いスパインまで飛んでいっているときは、安心である半面、落ち着かない気持ちだった。

ドラゴンとの心のなかの交信は、日を追って増《ま》していった。たとえ言葉が理解《りかい》できなくても、ドラゴンとはイメージや感情《かんじょう》でわかり合うことができる。だが、それらは曖昧《あいまい》すぎて、まちがえることもしばしばだった。

心のとどく範囲《はんい》は、急速にひろがっていった。ほどなくエラゴンは、十五キロ以内ならどこにいても、ドラゴンの心にたどり着けるようになった。こちらから接触《せっしょく》をこころみると、その返事として、ドラゴンの心が自分の心にすうっと触《ふ》れてくるのがわかる。この無言の会話は、日中、仕事をしているあいだも続けられた。彼の一部分は、つねにドラゴンとつながっていた。たまに無視《むし》することはあっても、けっしてその存在《そんざい》を忘《わす》れることはなかった。人と話しているとき、ドラゴンからの交信は、耳もとで飛びまわるハエのように騒《さわ》がしく感じられた。

成長するにつれ、ドラゴンの奇声《きせい》は太い咆哮《ほうこう》に変わり、寝息《ねいき》は低いとどろきに変わった。しかし、いまだに火をふくことがなかった。興奮《こうふん》して煙《けむり》を吐《は》くことはあっても、炎《ほのお》はちらりとも見えない。エラゴンはそれだけが気がかりだった。

月の終わりには、ドラゴンの肩《かた》の高さがエラゴンのひじにとどくくらいになった。ほんの短いあいだに、か弱い小動物は、屈強《くっきょう》の野獣《やじゅう》に変わったのだ。今や鱗《うろこ》は鎖帷子《くさりかたびら》のようにがんじょうで、牙《きば》は短刀のように鋭《するど》くなっていた。

日が落ちるころになると、ドラゴンを連れて、遠出をするのが日課になった。広い平地まで出かけていって木かげにすわり、ドラゴンが飛ぶのをながめる。彼は空翔《あまか》けるドラゴンを見るのが好きだった。おしむらくは、まだその背《せ》に乗れないことだ。ドラゴンとならんですわり、その太い腱《けん》や筋肉《きんにく》を手に感じながら、首をなでてやるのも日課になった。

エラゴンの努力にもかかわらず、農場をかこむ森には、ドラゴンの痕跡《こんせき》がそこかしこに残るようになった。雪についた巨大《きょだい》な四つの足跡《あしあと》を、すべて消して歩くのは不可能《ふかのう》だし、用を足す回数が増すごとに、糞《ふん》の山をいちいちかくすこともできなくなる。ドラゴンが木の幹《みき》で体をかくと樹皮《じゅひ》がむけ、倒《とう》木《ぼく》で爪《つめ》を研《と》ぐと深い傷跡《きずあと》がついた。ギャロウやローランが農場のむこうまで足をのばせば、きっとドラゴンを発見してしまうだろう。そんな最悪の事態《じたい》が起きないうちに、彼はふたりにすべてを打ちあけることにした。

しかし、その前にやっておきたいことがある。ドラゴンにぴったりの名前をつけることと、ドラゴンという生き物について学ぶこと。そのためには伝説や叙事詩《じょじし》の語《かた》り部《べ》ブロムの話を聞きに行かなくてはならない――ドラゴンのことを物語るものは、もうそこにしか残っていないのだ。

そんな折り、ローランがカーヴァホールにノミの修理《しゅうり》に出かけることになった。エラゴンはよろこんでついていくことにした。

カーヴァホールへ発《た》つ前夜、エラゴンはすこし開けた場所へ出て、心のなかでドラゴンを呼《よ》んだ。

一瞬《いっしゅん》ののち、うす暗い空に矢のような速さで動く一点が現《あらわ》れた。急降下《きゅうこうか》してきたドラゴンは、地面すれすれでぐいと上昇《じょうしょう》し、梢《こずえ》の上あたりで水平飛行をはじめた。翼《つばさ》が風を切るヒューッという音が聞こえている。ドラゴンはゆっくり体《たい》をかたむけると、エラゴンの左手にむかって、ゆるやかな螺旋《らせん》を描《えが》きながら降下してきた。そして翼を激《はげ》しく動かしてバランスをとりながら、音をおさえてズッと着地した。

あいかわらずその奇妙《きみょう》な感覚にとまどいつつも、エラゴンは自分の心の壁《かべ》をとりはらい、しばらく家を留守《るす》にするのだと、ドラゴンに語りかけた。ドラゴンが不安げに鼻を鳴らしている。心におだやかな情景《じょうけい》を描いてなだめようとするが、ドラゴンは尾《お》をふりあげて不満の意をしめす。エラゴンはドラゴンの肩《かた》に手をのせ、おだやかなイメージを送りこもうとした。やさしく肩をたたくと、手の下で鱗《うろこ》が小刻《こきざ》みにふるえているのがわかった。

そのとき、頭のなかに、太いはっきりとした声が響《ひび》きわたった。

〔エラゴン〕

厳粛《げんしゅく》な誓約《せいやく》の言葉のように、重々しく、悲しげな声だ。ドラゴンに目をやると、腕《うで》にひりひりとしたうずきが走る。

〔エラゴン〕

深遠なサファイアブルーの目が、彼を見つめ返していた。胃にしめつけられるような感覚があった。今初めて、彼はドラゴンを動物として考えられなくなっているのだ。そうではなく、なにか……なにか、ちがうものとして――。

エラゴンはドラゴンをさけるかのように、家へむかって走りだした。ぼくのドラゴン。

〔エラゴン〕

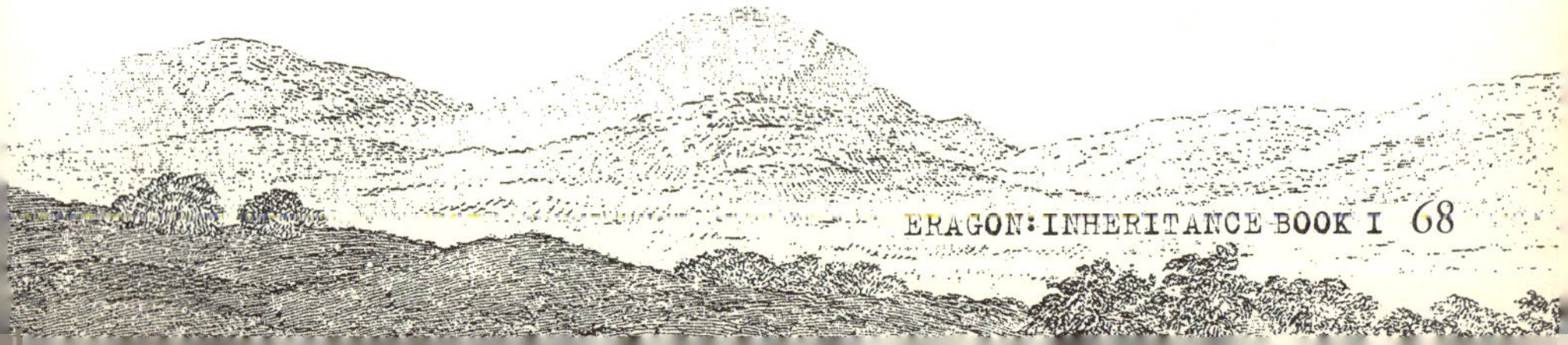

06 ブロム、歴史を語る

エラゴンはローランとカーヴァホールの手前で別れた。深く思いつめたまま、ゆっくりとブロムの家へ歩いていく。戸口の踏《ふ》み段《だん》に立ち、扉《とびら》をたたこうと手をあげた。

しゃがれ声が聞こえた。「なんの用かね？」

エラゴンはうしろをふり返った。そこにはブロムが、奇妙《きみょう》な彫《ほ》り物《もの》のある、ねじれた杖《つえ》をついて立っていた。修道士《しゅうどうし》のようなフードつきの茶のローブをはおり、腰《こし》のすり切れた革《かわ》ベルトに巾着袋《きんちゃくぶくろ》をぶらさげている。白いあごひげの上には、口におおいかぶさりそうな堂々たる鷲鼻《わしばな》がある。落ちくぼんだ目は、もじゃもじゃの眉《まゆ》で暗くかげっている。彼はその目でエラゴンをのぞきこみ、返事を待っていた。

「知りたいことがあって」エラゴンはこたえた。「ローランがノミを直しに来たんだ。そのあいだ時間があるから、あんたに会いに来た。教えてほしいことがあるんだ」

老人はなにやらぶつぶついいながら、扉に手をかけた。右手に金の指輪をはめている。光があたるとサファイアブルーに輝《かがや》き、表面に彫られた不思議な模様《もよう》が浮《う》きあがって見える。

「入りなさい。そのほうがゆっくり話ができる。おまえの質問《しつもん》はいつも長くなるからのう」家のなか

は炭より暗く、えぐいにおいが重く立ちこめている。「今、灯《あか》りを――」老人の動きまわる音と、なにかが床《ゆか》に落ち、小さく悪態《あくたい》をつくのが聞こえる。「ああ、これだ」白い火花が光り、炎《ほのお》がゆらゆらと現《あらわ》れた。

ブロムは石造《いしづく》りの暖炉《だんろ》の前で、ローソクをもって立っていた。暖炉のむかいに、本の山にかこまれるようにして、背《せ》もたれの高い木彫《きぼ》りの椅子《いす》が置かれている。四本の脚《あし》は、まるでワシの足のようだ。腰《こし》かけと背もたれの革《かわ》ばりには、バラ模様《もよう》の浮《う》き彫《ぼ》りがほどこされている。その他のもっと質素《しっそ》な椅子の上には、巻物《まきもの》が積みあげられている。文机《ふみづくえ》の上には、インク壺《つぼ》とペンが置かれている。「適《てき》当《とう》に場所をつくってすわるといい。ただし、滅《ほろ》んだ王関係の物には気をつけとくれよ。貴重《きちょう》な品だからな」

エラゴンはとがったルーン文字のならぶ書物をまたぎ、ひび割《わ》れた巻物を椅子からおろし、床にそっと置いた。椅子に腰かけると、埃《ほこり》が舞《ま》いあがった。彼は息をとめて、くしゃみをこらえた。

ブロムは身をかがめ、ローソクの炎で暖炉に火を入れた。「これでよい！　語り合うなら、暖炉のそばがいちばんじゃ」フードを脱《ぬ》ぐと、白髪《しらが》というより、銀色の髪《かみ》が現れる。老人は火の上にやかんをかけ、背もたれの高い椅子に腰をおろした。

「それで、なにがききたいんじゃ？」ぶっきらぼうだが、冷たい口調ではなかった。

「うん……」どうやって切り出そうか考えながら口を開く。「ドラゴンライダーのことなんだけど。すごい人たちだったってことは知ってるよ。みんな、ライダー族が復活《ふっかつ》してほしいと思ってるんだよね。でも、わからないんだ。彼らがどうやって現れたのか、ドラゴンはどうやって生まれたのか、ライダーたちのどこがそんなに特別だったのか？　ドラゴンに乗れること以外にさ」

「気が遠くなるほど長い話だぞ」ブロムは低くつぶやくと、用心深い目でエラゴンを見た。「すべて

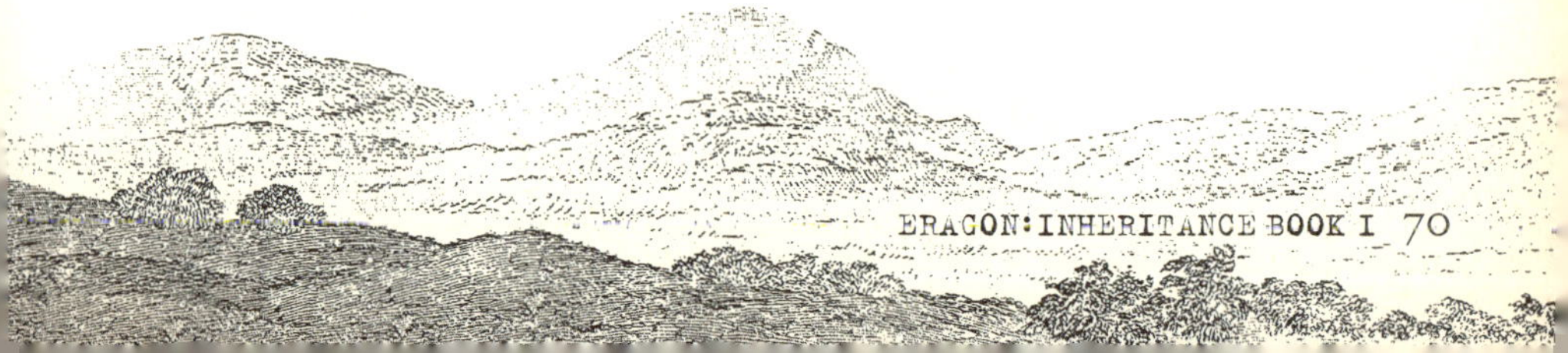

語りつくすとなると、次の冬までかかるじゃろう。適当にはしょって話さねばならん。だがその前にパイプだ」

ブロムがパイプにタバコをつめるのを、エラゴンはしんぼう強く待った。彼はブロムが好きだった。すこし短気なところがあるが、いつもいやがらずに相手をしてくれる。以前、ブロムはどこから来たのかと、たずねたことがある。老人は笑いながらこたえた。「カーヴァホールによく似《に》た村じゃよ。しかし、もっとたいくつな村だった」

エラゴンは気になってギャロウ伯父《おじ》にもたずねてみた。しかし伯父が知っていたのは、ブロムが十五年近く前に、カーヴァホールに家を買ってうつり住んだことだけだった。以来ずっと、この村で静かに暮《く》らしている。

ブロムは、火口箱《ほくちばこ》を使ってパイプに火をつけた。二、三度ふかしてから、おもむろに口を開いた。

「さあ……お待たせした。茶はもうしばらく待っとくれ。さて、ライダー族のことだったな。エルフ族にはシャートゥガルと呼《よ》ばれておったが。どこから話そうか？　ライダー族の栄えた時期は、膨大《ぼうだい》な年月におよぶのだ。全盛期《ぜんせいき》には、今の帝国《ていこく》の二倍の国土を治めておった。彼らにまつわる逸話《いつわ》をあげればきりがないが、そのほとんどが作り話じゃ。それらを全部信じるとしたら、ライダーたちはそこらの神々と変わらんほどの力をもっとることになる。世の学者たちは、そうした絵空言と真実を見分けることに躍起《やっき》になっておるようだが、そうかんたんにはいかんだろうな。しかし、さっきおまえがいった三つに限定《げんてい》するなら、真実を話してやれるぞ。ライダー族の起源《きげん》、なぜ連中があれほど英雄《えいゆう》視《し》されておったか、そして、ドラゴンはどこから来たか。まず、最後の質問《しつもん》からはじめるとしよう」

エラゴンは椅子に深々とすわり、老人の催眠術《さいみんじゅつ》のような声に聞き入った。

「ドラゴンに起源はない。あえていうなら、アラゲイジア創世《そうせい》のときが、それにあたるだろうな。ド

ラゴンに絶滅《ぜつめつ》があるとすれば、それはこの国が滅《ほろ》びるとき。国土とともに、傷《きず》つき、病《や》むのがドラゴンなのじゃ。そもそも、この土地に最初から住んでおったのは、ドワーフ族と、いくつかの小種族だった。頑健《がんけん》で誇《ほこ》り高きドワーフ族は、どの種族よりも先にここに住み、栄華《えいが》をきわめていた。エルフたちが銀の舟《ふね》で海をわたってくるまでは、ドワーフの世はなんの変わりもなく続いておったのじゃ」

「エルフたちはどこから来たの？」エラゴンが口をはさんだ。「どうして美しい人々って呼《よ》ばれてるの？　エルフって本当にいるの？」

ブロムは顔をしかめた。「最初の質問《しつもん》はどうする？　わからんことをすべて解明《かいめい》しようとすれば、どんどん横道にそれていくぞ」

「ごめんなさい」エラゴンは頭を軽くさげて反省の気持ちを表した。

「あやまらんでもいい」ブロムはおかしそうにいうと、やかんの底をなめる炎《ほのお》に目をすえた。「エルフ族はたんなる伝説ではない。美しい人々と呼ばれるのは、どんな種族よりも優美《ゆうび》だからじゃ。アラレアから来たというが、それがなんなのか、どこにあるのか、エルフ以外にはわからない。それでだ――」もう話の腰《こし》は折るなというかのように、ブロムはもじゃもじゃの眉《まゆ》の下からエラゴンをにらんだ。

「エルフ族は気位の高い種族じゃった。魔法《まほう》も得意だったからな。彼らは最初、ドラゴンなど、たんなる動物としか見ていなかった。この思いこみが、エルフたちの致命的《ちめいてき》なあやまちじゃった。あるとき、若《わか》いエルフが軽率《けいそつ》にも、牡《お》ジカでも狩《か》るかのようにドラゴンを追いつめ、殺してしまった。怒《いか》りくるったドラゴンの仲間たちは、その若いエルフを待ちぶせし、血祭りにあげた。不幸にも、流血はそれで終わらなかった。ドラゴンたちが集結し、エルフ族全体を攻撃《こうげき》しはじめたのじゃ。エルフたちは恐《おそ》ろしき誤解《ごかい》にとまどい、自分らへの敵意《てきい》をしずめようとしたが、残念ながら、ドラゴンと通じあ

う術《すべ》を知らなかったのじゃ。

　それからは、血みどろの戦いが長く長く続いた。いろいろなことがありすぎてかんたんには説明できんのだが、どちらもひどく傷ついたことだけはまちがいない。当初、エルフたちは戦争の拡大《かくだい》をさけようとして、自分たちからは手出しをしなかった。自衛《じえい》のためだけに戦っていたのだ。ところが、ドラゴンどもの容赦《ようしゃ》ない攻撃に、種の存亡《そんぼう》をかけ、反撃するしかなくなった。戦いは五年間続いた。もし、エラゴンという名のエルフが、ドラゴンの卵《たまご》を見つけていなかったら、五年では終わらなかったじゃろう」

　エラゴンはおどろいて、目を丸くした。

「おや、おまえさん、自分の名前の由来を知らんかったのか？」ブロムがいった。

「うん」やかんがピーピーと音を立てはじめている。「どうしてぼくの名の由来が、エルフなんだ？」

「ならば、おまえにとっちゃ、よけいに興味《きょうみ》のある話だわのう」ブロムは暖炉《だんろ》からやかんをつかみとり、ふたつのカップに湯を注いだ。ひとつをエラゴンにさし出して念をおす。「この茶葉は、あまりひたしすぎてはいかんのだ。渋《しぶ》くならんうちに飲みなさい」

　エラゴンはひと口すすって舌《した》を火傷《やけど》した。ブロムは自分のカップをかたわらに置き、パイプをふかした。

「なぜエルフの領地《りょうち》で卵が見つかったかは、だれにもわからない。エルフの攻撃で親ドラゴンが殺されたのだという説もあれば、ドラゴンがわざとそこに置いたのだという説もある。いずれにしろエラゴンは、エルフに味方してくれるドラゴンがいれば、きっといつか役に立つと思ったのじゃ。彼はその雄《おす》ドラゴンをひそかに育て、慣習《かんしゅう》にしたがって古代文字からビッドダームと名づけた。ビッドダームが成長したころ、エラゴンは彼に乗って敵地《てきち》へ乗りこんでいった。そして、エルフ族と友好的に暮《く》

らそうではないかと、ドラゴンを説得したのじゃ。こうしてふたつの種族のあいだに協定が結ばれた。このとき、両者のあいだに二度と戦《いくさ》が起こらぬよう、ドラゴン乗り《ライダーズ》の徒を結成することに決めた。

　結成された当初、ライダーたちはたんに、エルフ族とドラゴンのあいだの橋わたしをするだけの存《そん》在《ざい》だった。しかしときがたつうち、その存在価値《かち》が認《みと》められ、ライダー族にもっと大きな権限《けんげん》があたえられるようになった。やがてライダー族は、ヴローエンガード島を領地《りょうち》にして、そこにドル・アリーバという都市をきずいた。以来、ガルバトリックスに滅《ほろ》ぼされるまで、ライダー族はアラゲイジアでもっとも強大な力をもって栄えておったというわけじゃ。さてこれで、ふたつの質問《しつもん》にこたえたことになると思うがな」

「そうだね」エラゴンはぼんやりとこたえた。自分の名が、初代ドラゴンライダーの名にちなんでつけられたとは、なんという偶然《ぐうぜん》だろう。なぜか自分の名前が、今までとはちがった響《ひび》きに感じられた。「エラゴンには、どういう意味があるの？」

「それがわからんのじゃ」ブロムがいった。「ものすごく古い話だからのう。エルフのなかにしか、覚えている者はおらんと思うぞ。よほどの幸運でもなければ、エルフと話す機会などないだろうしな。だが、いい名前であることはまちがいない。おまえさん、誇《ほこ》りに思っていいんだぞ。こんな名誉《めいよ》なことは、ざらにあるものじゃない」

　エラゴンは、それについては頭のすみにおしやり、ブロムの話をもう一度思い返してみた。と、ひとつの疑問《ぎもん》に行きあたった。「わからないことがあるんだ。ライダーたちが現《あらわ》れたとき、ぼくたちはどこにいたの？」

「ぼくたち？」ブロムの眉《まゆ》がぐいとあがる。

「そう、ぼくたちみんな」エラゴンは両手をひろげていった。「一般《いっぱん》の人間たちだよ」

ブロムは笑った。「わしらはエルフ族同様、この土地の先住民ではない。人間の祖先《そせん》がここに現れ、ライダー族に加わるのは、それから三世紀たってからのことじゃ」

「そんなのおかしいよ」エラゴンはつっかかった。「ぼくらの祖先は、ずっと昔からこのパランカー谷に住んでたんだ」

「何世代か前まではたしかにそうだが、それ以前はちがうな。おまえの祖先というなら、なおさらちがうぞ、エラゴン」ブロムは静かにいった。「おまえはギャロウの家系《かけい》のことをいっとるのだろう？ たしかに、おまえの半分はその血筋《ちすじ》だが、父方はこの土地の出ではない。ほかの連中とてそうじゃ。先祖《せんぞ》をたどれば、それほど長くここに住んどる者はおらん。この谷の歴史はあまりにも古い。そのあいだじゅう、人間が住んでいたわけではないのだ」

エラゴンはふくれ面《つら》でお茶をがぶりと飲んだ。まだ、のどが焼けるほど熱い。だれが父親だろうと、ここがぼくの故郷《くに》であることに変わりはないんだ！「ライダー族が滅んだあと、ドワーフたちはどうなったの？」

「それも、だれにもわからない。最初のうちはライダーとともに戦っておったが、ガルバトリックスの勝利が動かしがたくなったとき、トンネルの入り口をすべてふさいで、地面の下にもぐってしまったという。わしの知るかぎり、それ以来、ドワーフを見た者はいないはずじゃ」

「じゃあ、ドラゴンは？」エラゴンはたずねた。「彼らはどうしたの？ 全部殺されちゃったわけじゃないんでしょう？」

ブロムは悲しげにこたえた。「それが今、アラゲイジアでいちばんの謎《なぞ》なのだ。ガルバトリックスの殺戮《さつりく》で、何頭のドラゴンが生き残ったか？ ガルバトリックスは、おのれに忠誠《ちゅうせい》を誓《ちか》うドラゴンだ

けは生かしておこうとしたが、すでに心がゆがんでいた〈裏切《うらぎ》り者《もの》たち〉のドラゴン以外、やつの狂《きょう》気《き》にしたがう者などいなかった。むろん、やつの黒ドラゴン、シュルーカンも生きておるはずじゃ。それ以外にもし生き残りがいるとしたら、おそらく帝国《ていこく》に見つからないよう、どこかに身をひそめておるのだろう」

では、ぼくのドラゴンはどこから来たのだろうか？　エラゴンは考えこんだ。「エルフたちが海をこえてきたとき、アーガルたちはもうアラゲイジアにいたの？」

「いいや。やつらはエルフ族を追って、海をわたってきた。血にまつわりつくダニみたいにな。そのときにアーガルどもを撃退《げきたい》し、国の平和を守ったのが、ライダー族じゃった。そのあっぱれな戦いぶりが、彼らが英雄視《えいゆうし》された理由のひとつなのだ……こうした歴史から、じつに多くのことが学べるんだがな。王のせいで、タブーのようになってしまった。口おしいことじゃ」ブロムはしみじみといった。

「ぼく、このあいだのもちゃんと聞いたよ、あんたの昔話」

「昔話！」ブロムは吠《ほ》えるようにいった。目がきらりと光る。「これをたんなる昔話と呼《よ》ぶなら、逆《ぎゃく》に、わしが死んだという噂《うわさ》が事実ということになるわ。おまえは幽霊《ゆうれい》と話してるわけだな！　過去《かこ》をおろそかに考えるでないぞ——自分に、どんな影響《えいきょう》をおよぼすか知れんのだからな」

エラゴンはブロムの表情《ひょうじょう》がやわらぐのを待ってから、おずおずときいた。「ドラゴンって、どれくらいの大きさ？」

ブロムの頭上に、雷雲《らいうん》のような黒い煙《けむり》が、くるくると立ちのぼっている。「家より大きい。小さいのでも、翼《つばさ》をひろげれば三十メートルにもおよぶ。際限《さいげん》なく成長し続けるんじゃ。帝国に屠《ほふ》られる前には、小高い丘《おか》をこえるほど大きいやつもいたというな」

エラゴンはひどくうろたえた。じゃあ、この先、ドラゴンをどうやってかくせばいいんだ？　内心のいらだちをおさえ、静かな声でたずねた。「どれくらいで大人になるの？」

「そうじゃな」ブロムはあごをかきながらいった。「生まれて五、六か月で、火をふくようになる。そのころから交尾《こうび》もできるようになる。成長すればするほど、長く火をふいていられるようになるんじゃ。何分間もふき続けるやつもいるという」ブロムは煙の輪を吐《は》き出し、天井《てんじょう》にただよっていくのをながめている。

「ドラゴンの鱗《うろこ》って、宝石《ほうせき》の原石みたいだって聞いたんだけど」

ブロムは身を乗り出していった。「そのとおり。色や濃淡《のうたん》はさまざまだがな。きらきらゆれて光って、ドラゴンが集まると、まるで生きた虹《にじ》のように見えるという話だ。だが、そんなこと、だれから聞いた？」

エラゴンは一瞬《いっしゅん》、ぎくっとして、口からでまかせをいった。「旅商人さ」

「名はなんといった？」ブロムの白いもじゃもじゃの眉《まゆ》が一本につながり、額《ひたい》のしわが深くなった。パイプがくすぶっているのに気づいていないようだ。

エラゴンは考えるふりをした。「わからない。モーンの店でしゃべってたんだ。ぼくの知らない人だった」

「名前がわかればいいんだがのう」ブロムがぶつぶついっている。

「その人ね、ライダーにはドラゴンの心の声が聞こえるっていってたよ」架空《かくう》の旅商人に、守ってくれと祈《いの》りながら、エラゴンは早口でいった。

ブロムが目を細めた。ゆっくりと火口箱《ほくちばこ》に手をのばし、火打ち石を打つと、抑揚《よくよう》のない声でいった。「それはどうかな。ドラゴンの話はすべて知っておるが、それは初耳だのう。その男は、ほかになにかいっておったか?」

エラゴンは肩《かた》をすくめた。「なにも」ブロムが旅商人についてあまりにこだわるので、とても嘘《うそ》をつき続ける気になれない。彼はさりげない調子で話を変えた。「ドラゴンって、長生きなの?」

ブロムはすぐにはこたえなかった。胸《むね》にあごをうずめ、指でパイプをたたきながら、じっと考えこんでいる。指輪がきらりと光った。「すまん、ちょっとべつのことを考えておった。そうだ、ドラゴンはものすごく長生きだぞ。不死身といっていい。殺されんかぎり。あるいは、主人のライダーが死なんかぎりな」

「そんなのおかしいよ」エラゴンが不服をとなえた。「ライダーが死ぬときドラゴンもいっしょに死ぬのなら、寿命《じゅみょう》はせいぜい六、七十年なんじゃないの? ライダーは何百年も生きるみたいなこと、あんたはその……語ってたけど、でも、そんなのはとても信じられないよ」家族や友だちがすべて死んだあと、まだずっと生き続けるなど、たえられないと思った。

ブロムは唇《くちびる》にうっすらと笑《え》みを浮《う》かべ、いたずらっぽくいった。「信じるかどうかは個人《こじん》の問題だ。スパイン山脈に入って寝泊《ねと》まりするなど信じられないという者もおる。しかし、おまえにはそれができる。考え方によるのじゃよ。おまえさん、若《わか》いのにそんなに物知りなんだから、それくらい知っててもよさそうなもんだがな」エラゴンが赤くなると、老人はクックッと笑った。

「おこるな。知らんこともあってあたりまえじゃ。だがおまえさん、ドラゴンに魔力《まりょく》があることを忘《わす》れておる。彼らは、なにか不思議な方法で、まわりのものに影響《えいきょう》をあたえることができるのだ。ライダーはドラゴンにいちばん身近な存在《そんざい》だ。だから、この影響をいちばん多く受けるのだな。そのもっとも一般的《いっぱんてき》な効果《こうか》が、生命の延長《えんちょう》なのだ。わしらの王を見れば一目瞭然《いちもくりょうぜん》だろう、あれだけ長生きをしておるんだから。しかし民《たみ》の多くは、それが、王自身の能力《のうりょく》だと思っておる。

ほかにも、小さな影響がいくつもあるぞ。ライダーたちはふつうの人間より強靭《きょうじん》な体と、鋭《するど》い知《ち》性《せい》、よく利《き》く目をもっておる。それと人間のライダーは、耳がすこしずつ、とがってくる。エルフの耳ほどとがっとらんけどな」

エラゴンは耳の先をさわりそうになり、あわてて手を引っこめた。ドラゴンのやつ、あとどれだけぼくの人生を変える気なんだ？　人の頭のなかに侵入《しんにゅう》するだけじゃなく、体まで変えてしまうのか！

「ドラゴンって頭がいいの？」

「さっきわしがいったことを、ちゃんと聞いてなかったな！」ブロムが声高《こわだか》にいった。「相手が愚鈍《ぐどん》な野獣《やじゅう》なら、エルフはそいつをどうやって説きふせ、平和協定を結べると思う？　ドラゴンには、わしやおまえくらいの知能はあるのじゃ」

「だけど動物でしょ」エラゴンはいいつのった。

ブロムがふんと鼻を鳴らした。「彼らが動物だというなら、わしらだって同じだぞ。なぜか人々は、ライダーたちの功績《こうせき》はたたえるが、ドラゴンの功績には無頓着《むとんちゃく》だ。新種の移動手段《いどうしゅだん》くらいにしか考えとらんのだろうが、そうではない。ライダー族の偉大《いだい》な功績は、ドラゴンなしではありえなかったのだ。火をふく巨大《きょだい》な竜《りゅう》が争いごとをとめに飛んでくると知っていたら、だれがわざわざ剣《けん》をぬいて戦おうという気になる？　どうじゃ？」ブロムはまた煙《けむり》を吐《は》き、ただよっていくさまをながめた。

「あんたは見たことがあるの？」

「いや」ブロムはいった。「わしが生まれるずっと前のことじゃ」

あとはドラゴンの名前だ。「前に、ドラゴンの話を聞いたことがあるんだけど、どうしてもその名前が思い出せないんだ。カーヴァホールに来た旅商人が話してたんだと思う。なにかドラゴンの名前、知らない？」

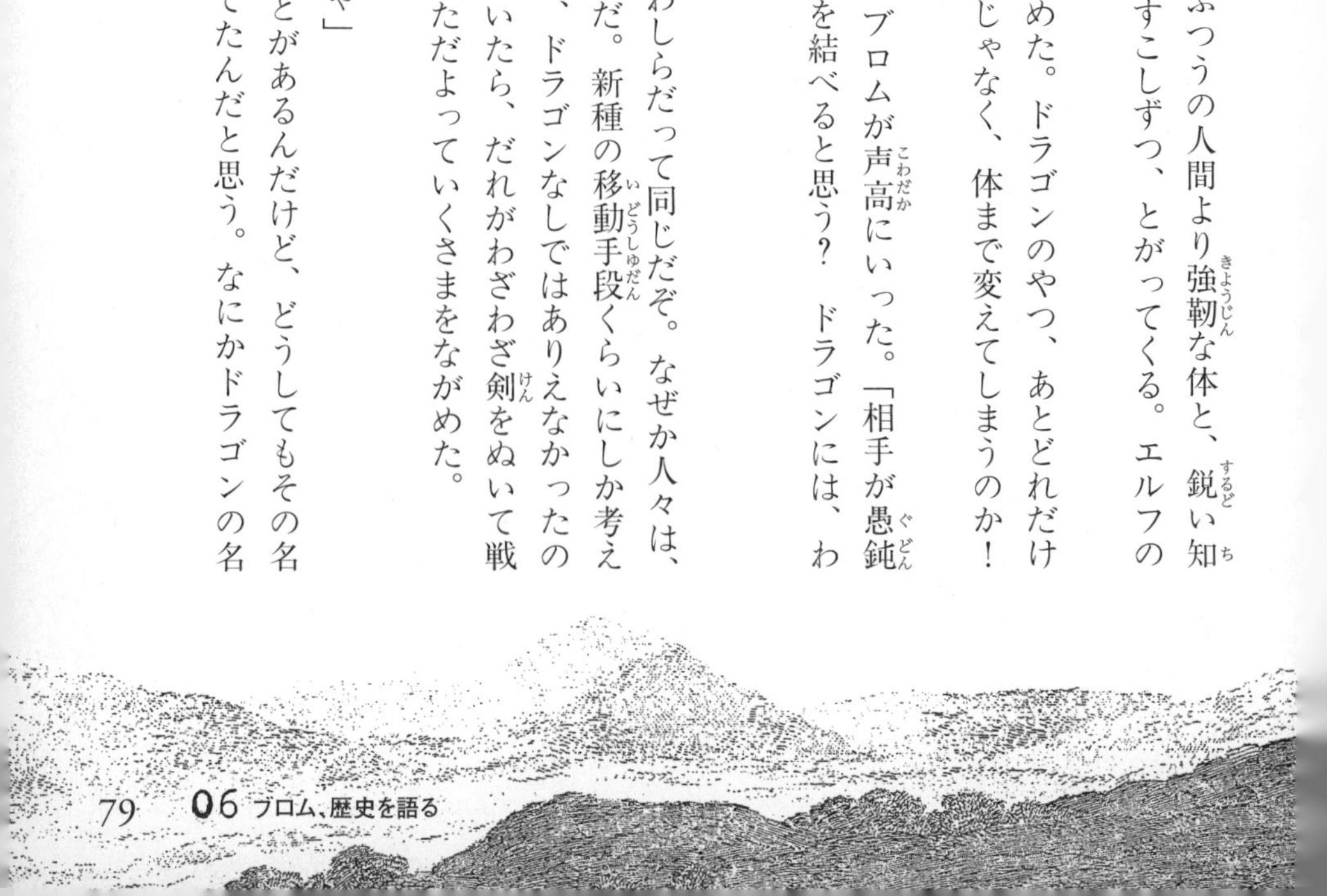

ブロムは肩《かた》をすくめ、すらすらと名前をならべ立てた。「ジュラ、ヒラドール、それにフンドール——巨大《きょだい》なウミヘビと戦ったドラゴンじゃ。ガルズラ、ブライアン、オーヘン・ザ・ストロング、グリーティム、ベローン、ロスラーブ……」まだまだたくさん出てきた。そして最後の最後、ほとんど聞きとれないほど小さな声でいった。「……それと、サフィラ」ブロムは静かにパイプをすいきった。「聞き覚えのある名があったか?」

「いや、なかったよ」エラゴンはすまなそうにこたえた。ブロムの話を聞いたおかげで、考えるべきことが山ほどできた。それに、時間もずいぶんたってしまった。「ローランのノミの修理《しゅうり》が終わったころだから、ぼくもホーストの鍛冶屋《かじや》へ行かなくちゃ。もっといたいのは山々なんだけど」

ブロムが眉《まゆ》をあげた。「おや、そうか? ローランが呼《よ》びに来るまで、話していられると思ったのにのう。ドラゴンの戦闘法《せんとうほう》や、息をのむような空中戦の話は、聞かなくていいのか? もう満足したのか?」

「今日のところは」エラゴンは笑った。「知りたかった以上のことを教えてもらったよ」立ちあがると、ブロムもそれにならう。

「それはよかった」ブロムはエラゴンを戸口まで送り出した。「じゃあ、気をつけてお帰り。それと、旅商人の名を思い出したら、教えておくれよ」

「うん、わかった。今日はありがとう」エラゴンはまばゆい冬の太陽のもとに出ると、目をしばたたかせた。聞いたことのひとつひとつを思い返しながら、すこしずつ歩みを速めた。

07
強き者の名前

エラゴンはローランと家路をたどっていた。「今日、ホーストのところに、セリンスフォードから客が来てたんだ」ローランがいった。

「なんていう人？」エラゴンは凍《こお》った地面をひょいとよけ、足早に歩き続けた。頬《ほお》も目も、寒さでひりひりしている。

「デンプトンという男さ。ホーストに部品を注文に来てたんだ」ローランのたくましい足が雪のふきだまりをかき分け、エラゴンの道筋《みちすじ》をつけて進んでいく。

「セリンスフォードに鍛冶屋はいないの？」

「いるさ。だけど、腕《うで》のいいのがいないらしい」ローランはエラゴンの顔をちらりと見、肩をすくめた。「デンプトンは自分の製粉所《せいふんしょ》で使う機械の部品をたのみに来たんだ。工場を大きくするから、おれにそこで働いてほしいっていうのさ。おれは引き受けた。彼が部品をとりに来るとき、いっしょに発《た》つつもりだ」

　製粉所は年じゅう休みなく動いている。冬は工場にもちこまれるものをかたっぱしから挽《ひ》き、収穫《しゅうかく》期《き》は穀類《こくるい》を買いつけて小麦粉にして売る。やっかいで危険《きけん》な仕事だ。巨大《きょだい》な石臼《いしうす》につぶされて、指や

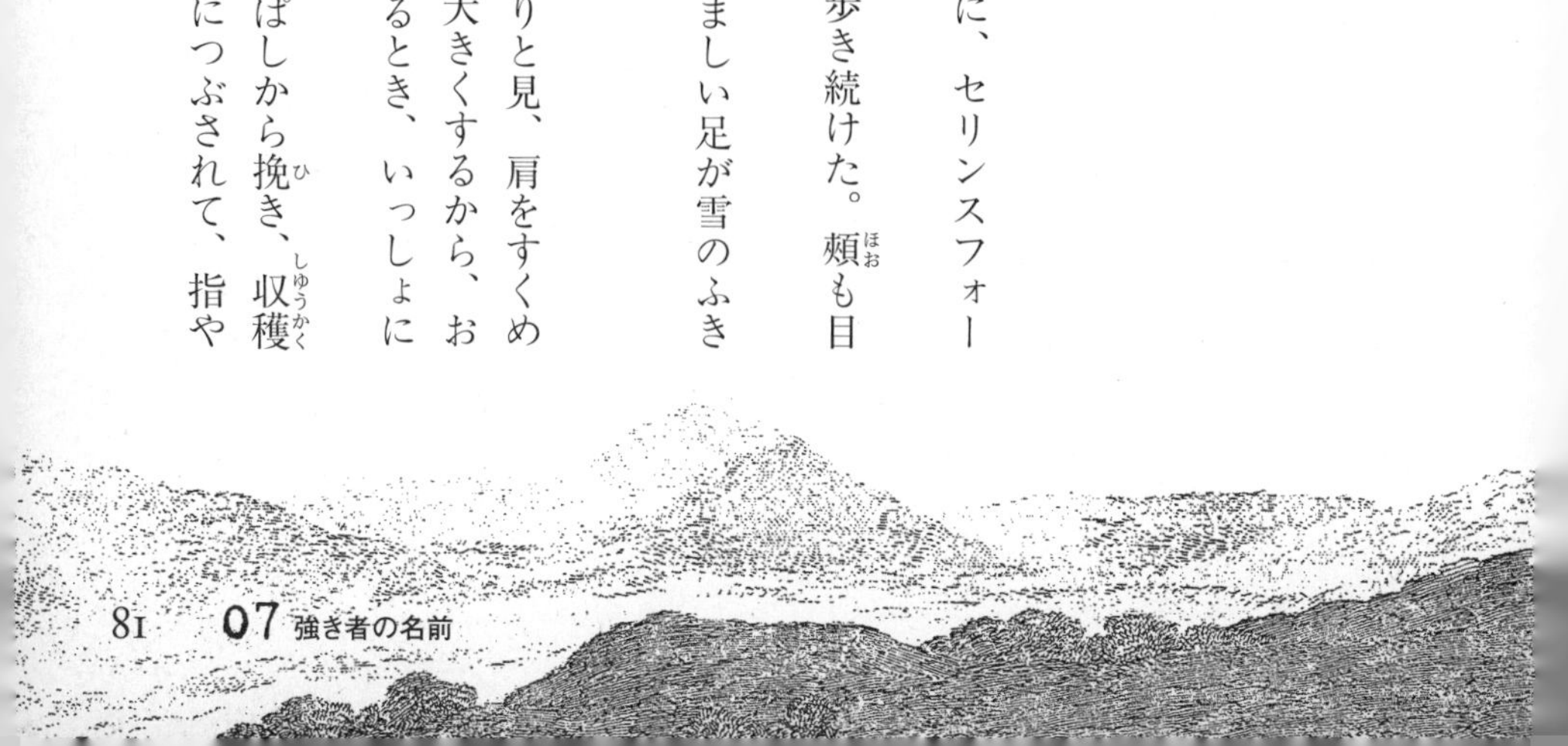

手を失う職工《しょっこう》が少なくないという。「伯父《おじ》さんに話す気か?」エラゴンはきいた。

「ああ」ローランの顔を冷ややかな笑《え》みがよぎった。

「どうして? ぼくらが家を出ることを、伯父さんがどう思ってるかわかってるんだろう? そんなこといい出したら、大騒《おおさわ》ぎになるぞ。バカなことはいわずに、平和な夕飯を食べようよ」

「いやだ。おれは働きに行く」

エラゴンは急に立ちどまった。「どうして?」ふたりは顔を見あわせた。吐《は》く息が白く見える。「たしかにうちにはお金がないけど、それでもなんとかやってきたじゃないか。わざわざ働きに行くことなんかないよ」

「それはわかってるさ。でもおれは、自分の金がほしいんだ」ローランは歩きだそうとするが、エラゴンは動こうとしない。

「なにに使うんだよ?」

ローランがかすかに背中《せなか》をのばす。「結婚《けっこん》したいんだ」

エラゴンは、おどろきととまどいで言葉を失った。カトリーナとローランが路地でキスしていたのは知っている。だが、結婚?「カトリーナと?」たしかめるように、こわごわたずねる。ローランがうなずいた。「彼女にはもう、申しこんだの?」

「まだだけど、春が来て家を建てるめどがついたら、申しこもうと思ってる」

「今おまえにいなくなられたら、畑の人手が足りなくなって大変じゃないか」エラゴンは声をとがらせた。「せめて植えつけの時季まで待ってよ」

「だめだよ」ローランは苦笑した。「春になれば、おれはもっともっとこき使われるだろ。土を起こして、種をまいて、間引きして。家のなかの雑用《ざつよう》だっていくらでもある。だめだ、家を出るなら、今

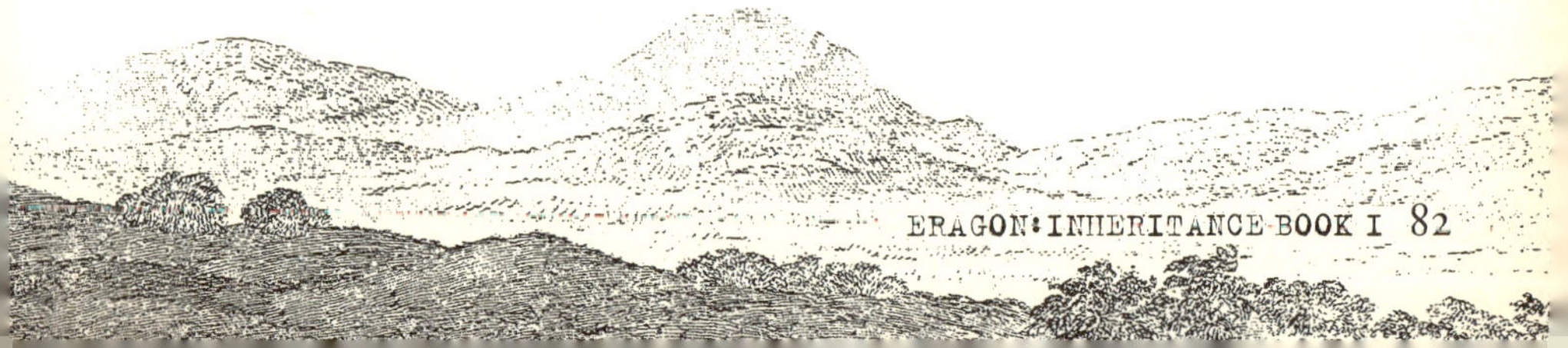

がいちばんいい時季なんだ。家のなかで、暖《あたた》かくなるのをじっと待ってるだけの季節だからな。おまえと父さんだけでなんとかなるさ。むこうの仕事が順調にかたづけば、早めに帰ってきて畑を手伝えるよ。嫁《よめ》さんといっしょに」

　ローランのいうとおりだ。エラゴンは、あきれているのか腹立《はらだ》たしいのかわからないまま、かぶりをふった。「幸運を祈《いの》るっていうしかないんだろうな。だけど、伯父さんは機嫌《きげん》が悪くなると思うよ」

「どうだろうな」

　歩きだすふたりのあいだには、沈黙《ちんもく》の壁《かべ》がはりめぐらされたようだった。エラゴンの心はふさいでいた。本心から賛成《さんせい》できるには、しばらく時間がかかりそうだった。家に帰っても、ローランはすぐにはギャロウに話を切り出さなかった。だが、じきにそのときが来ることはエラゴンにはわかっていた。

　ドラゴンに呼《よ》びかけられて以来、ナナカマドの木に出かけて行くのは初めてだった。自分と対等な生き物であることを心にとめ、エラゴンはおずおずと木に近づいていった。

〔エラゴン〕

「それしかいえないのか！」ぶっきらぼうにいい返した。

〔いかにも〕

　予期せぬ返事に、エラゴンは目を見開き、その場にすわりこんだ。〔ユーモアのセンスもあるってわけか。で、次はなにをいうんだよ〕むしゃくしゃして、枯《か》れ枝《えだ》を足でふみつける。ローランの話を聞いてから、なんとなく気分が晴れない。ドラゴンの、問うような意識《いしき》が伝わってきた。彼はなにがあったかを話した。話しながら、声がしだいに高くなり、だれにともなくどなりはじめていた。思い

のたけを吐《は》き出すまでわめき続けると、意味もなく地面にげんこつを打ちつけた。

「あいつに出ていってほしくない。それだけなんだ」エラゴンは力なくつぶやいた。ドラゴンは冷静に耳をかたむけ、話を咀嚼《そしゃく》しようとしている。エラゴンは一言二言悪態《あくたい》をつくと、目をこすりながら、ドラゴンの顔をじっとのぞきこんだ。「おまえ、名前がほしいだろ。今日、いい名前を教えてもらってきたんだ。気に入るのがあると思うぞ」ブロムが教えてくれた名を、心のなかで暗誦《あんしょう》していった。ふたつばかり、勇ましくて、気品があって、耳ざわりのいい名前があった。「ヴァニラーはどう? その後継者《こうけいしゃ》はエリダーっていうんだ。どちらも偉大《いだい》なドラゴンだったんだぞ」

〔いや〕とドラゴンがいった。エラゴンの苦労をおもしろがるように。〔エラゴン〕

「それはぼくの名前だ。おまえにはやれないよ」あごをなでながらいう。「今のがだめなら、ほかにもあるぞ」いくらならべても、ドラゴンはけっしてうんといわない。なにやらおかしそうにしているが、エラゴンはかまわず名前をあげ続けた。「インゴソールド、彼がたおしたのは……」はっと思いあたり、言葉を切った。〔そうか! 男の名前ばかりいってた。おまえは女なんだ!〕

〔そうよ〕ドラゴンは、しゃなりと翼《つばさ》をたたんだ。

女とわかったところで、あらためて五、六種類の名前をあげた。お薦《すす》めはミレメルだが、茶色のドラゴンの名ということで、却下《きゃっか》された。オフェイラとレノーラも却下。あきらめようとしたところで、ブロムが最後につぶやいた名前を思い出す。なかなかいい名前だと思うが、ドラゴンは気に入ってくれるだろうか?

エラゴンはたずねた。

「おまえはサフィラ?」ドラゴンは、知的なまなざしでエラゴンを見つめた。彼は心の奥深《おくふか》くで、ドラゴンの満足感を感じた。

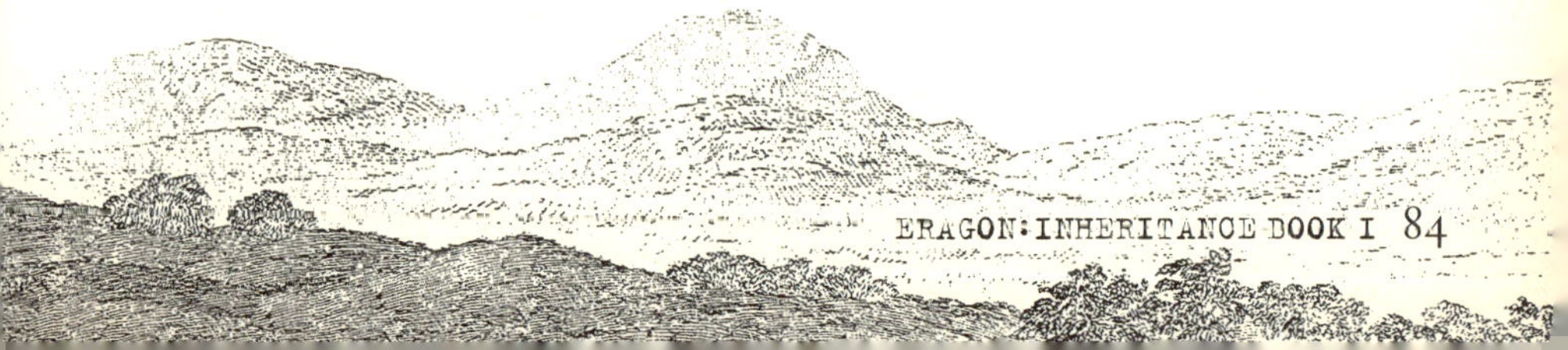

〔いかにも〕

頭のなかでなにかがカチッと音を立て、ドラゴンの声が、まるで果てしない距離《きょり》から聞こえる声のように、響《ひび》きわたった。エラゴンは、返事のかわりににっこり笑った。サフィラがブーンという低い音を響《ひび》かせた。

08

ローラン、打ち明ける

日がすっかり落ちるころ、夕飯の支度《したく》ができた。ふきすさぶ強風が、家をふるわせていた。

エラゴンは何度もローランに目をやりながら、そのときが来るのを待った。やがてついに彼は切り出した。「父さん、じつはおれ、セリンスフォードの製粉所《せいふんしょ》で働かないかっていわれてるんだ……それで、行こうと思ってる」

ギャロウはほおばったものをゆっくりと噛《か》みしめてから、おもむろにフォークを置いた。椅子《いす》にそり返り、頭のうしろで手を組むと、ひと言、そっけなくいった。「どうしてだ？」

ローランが事情《じじょう》を説明する横で、エラゴンはぼんやりと食べ物をつついていた。

ギャロウは「そうか」といったきり、おしだまって、じっと天井《てんじょう》を見つめていた。ふたりは身じろぎもせず、ギャロウの次の言葉を待った。「で、いつ発《た》つんだ？」

「え？」と、ローラン。

ギャロウは身を乗り出した。目がきらりと光っている。「おれが引きとめるとでも思ったのか？おまえには、早く身をかためてほしいと思ってたんだぞ。家族がふえるのは、うれしいことだからな。おまえと結婚《けっこん》できるなんて、カトリーナは幸せ者だ」ローランの顔におどろきの表情《ひょうじょう》が浮《う》かび、

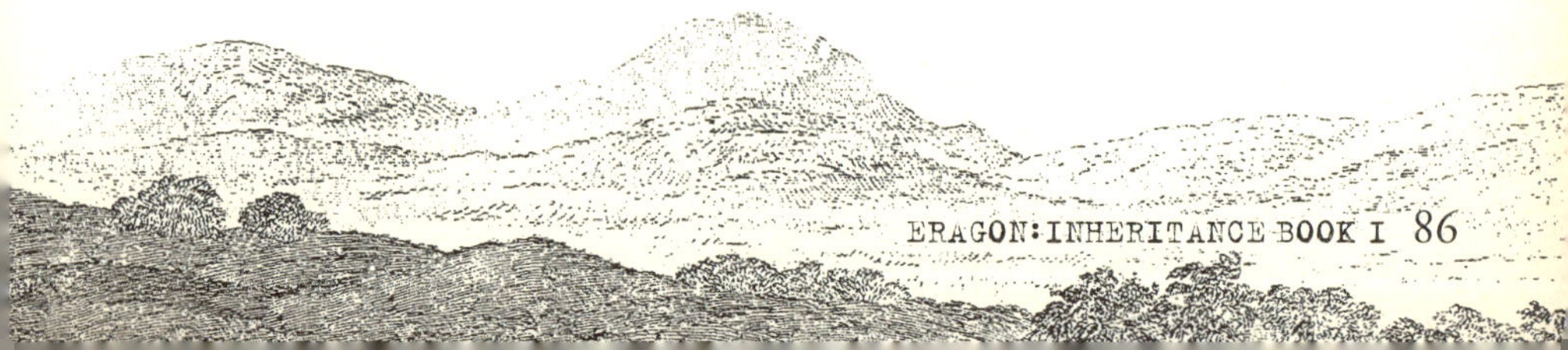

やがてほっとしたようにほほえんだ。「それで、出発はいつなんだ?」ギャロウはたずねた。

ローランは明るくなってこたえた。「デンプトンが部品を引き取りに来たとき、いっしょに行くつもりなんだ」

ギャロウはうなずいた。「というと……?」

「二週間後」

「そうか。それだけあれば準備《じゅんび》はできるだろう。この家もふたりだけになれば、今までとは勝手がちがってくるからな。なに、順調に行けば、そんなにはかからんさ」テーブルごしにエラゴンを見た。

「エラゴン、おまえは知ってたのか?」

彼はしょんぼりと肩《かた》をすくめた。「今日、初めて聞いた……ひどすぎるよ」

ギャロウはエラゴンの頬《ほお》に手を触《ふ》れていった。「これが自然なんだ」椅子から立ちあがる。「すぐになれるさ。すべては時間が解決《かいけつ》する。それより今は、さっさと皿を洗《あら》っちまうことだ」エラゴンとローランは無言のまま、かたづけを手伝った。


それから数日、やるせない日々が続いた。エラゴンの神経《しんけい》はささくれ立っていた。なにかを直接《ちょくせつ》きかれたときだけ、ぞんざいにこたえ、あとはだれとも話そうとしない。家のあちこちにこまごまと、ローランの出発を思い知らせるものがあった。ギャロウが彼のためにつくった荷物、壁《かべ》からものが消えてしまった跡《あと》。家じゅうが、不思議なほど空《から》っぽに見えた。出発の日まであと一週間とせまったとき、エラゴンは、ローランとのあいだに大きな距離《きょり》ができているのを感じた。おたがいに話をしようとしても、うまく言葉にならず、ふたりの会話はぎこちなくなるいっぽうだった。

エラゴンのいらだちのなぐさめとなるのは、サフィラだった。今や彼らは、自由に会話できるよう

になっていた。エラゴンは自分の感情《かんじょう》を完全にさらけ出し、サフィラはだれよりもよく彼の心を理解《りかい》してくれた。ローランが出ていくまでのあいだ、サフィラはまた一段《いちだん》と成長を見せた。肩《かた》が三十センチほど高くなり、エラゴンの肩の高さを追いぬいた。首のつけ根の小さなくぼみは、すわるのにいい按配《あんばい》の大きさになっていた。日暮《ひぐ》れどき、エラゴンはそこにもたれ、サフィラの首をなでながら、いろいろな言葉の意味を教えてやった。ドラゴンはなんでもすぐに理解し、ときにはそれに対して意見するようにもなった。

エラゴンにとって、サフィラとすごす時間だけは満ちたりていた。サフィラは、どんな人間にも負けないほど複雑《ふくざつ》で存在感《そんざいかん》があった。その性格《せいかく》はじつに多様で、ときにまったく未知の一面を見せることもある。それでも、ふたりはたがいに根本的な部分ではわかりあっていた。エラゴンは、その仕草や思考から、日々、新しいサフィラを発見することができた。

あるとき、サフィラは捕《と》らえてきたワシを、食べずに空へ逃《に》がしてこういった。〔空のハンターたるもの、餌食《えじき》となって一生を終えるべきではない。地面におろされて死ぬより、羽ばたきながら死ぬほうがいい〕

家族にサフィラを紹介《しょうかい》しようというエラゴンのもくろみは、ローランの一件《いっけん》で立ち消えとなってしまった。そこには、人に見られるのは気が進まないという、サフィラ自身の慎重《しんちょう》な意見もあった。エラゴンも、なかば自己本位《じこほんい》な理由で、サフィラに同意した。ドラゴンの存在があきらかになれば、人々はおどろき、こわがり、大騒《おおさわ》ぎになり、彼にその非難《ひなん》が集中する……だから、二の足をふんでしまう。彼は自分にいい聞かせた。いい時期が来るまで待とう、いつかその兆《きざ》しがあるはずだから。

ローランが発《た》つ前夜、エラゴンは彼と話をしようと決心し、あけ放した部屋の扉《とびら》へそっと近づいていった。ナイトテーブルの上のオイルランプが、壁《かべ》にやわらかな光の絵を踊《おど》らせていた。天井《てんじょう》までと

どく空《から》の本棚《ほんだな》に、ベッドの支柱《しちゅう》が長い影《かげ》を落としている。ローランは着がえや身のまわりのものを、毛布《もうふ》でくるんでいるところだった。その目もとはかげになり、首のうしろがこわばって見える。彼は手をとめ、枕《まくら》のあたりからなにかをとりあげ、掌《てのひら》でぽんぽんと弾《はず》ませた。何年も前に、エラゴンがあげたみがき石だった。ローランはそれを荷物のなかにおしこもうとして、思い直し、棚《たな》の上にのせた。エラゴンはのどがしめつけられるのを感じ、静かにそこをはなれた。

09 黒マント

朝食は冷えていたが、お茶は温かかった。窓《まど》の氷がコンロの熱気でとけて落ち、板ばりの床《ゆか》に黒いしみをつけている。エラゴンは台所に立ってギャロウとローランをながめながら、こうしてふたりがいっしょにいる光景は、この先何か月も見られないのだとしみじみ思った。

ローランは椅子《いす》にすわり、ブーツのひもをしばっていた。かたわらには、旅支度《たびじたく》一式が置かれている。ギャロウはポケットに手をつっこみ、ふたりのあいだに立っている。シャツのすそはだらりとたれ、顔がひきつって見える。若《わか》いふたりがいくら誘《さそ》っても、ギャロウはカーヴァホールまで見送りに行くとはいわなかった。理由をたずねると、そのほうがいいのだとこたえるだけだった。

「忘《わす》れ物《もの》はないか?」ギャロウはローランにきいた。

「うん」

ギャロウはうなずき、ポケットから小さな布袋《ぬのぶくろ》を取り出した。ローランにさし出すとき、コインの音がチャリンと響《ひび》いた。「おまえのために貯《た》めていたんだ。わずかばかりだが、小間物や安手の装身《そうしん》具《ぐ》くらいは買えるだろう」

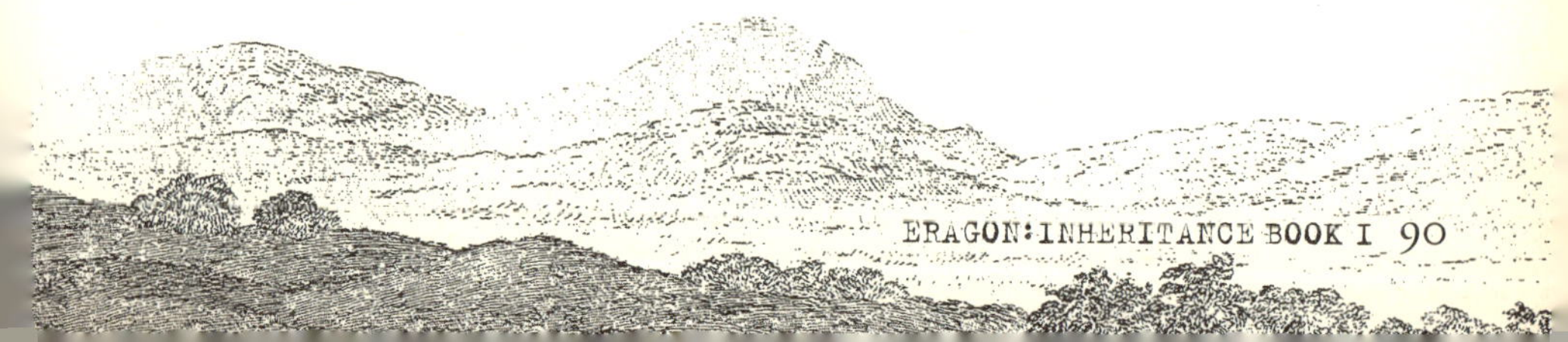

「ありがとう。でも、おれ、そんなつまらないものに金は使わないよ」

「好きなように使え。おまえの金だ」ギャロウはいった。「あとはなにもやれるものがない。あるとしたら、父の祈《いの》りくらいなものだな。たいした値《あたい》はないだろうが、よかったら受けとってくれ」

　ローランの声は感動でくぐもっていた。「つつしんで受けとらせてもらうよ」

「そうか。じゃあ、元気でやってこい」ギャロウは息子《むすこ》の額《ひたい》にキスをした。そしてふり返り、声を高くしていった。「エラゴン、おまえのことを忘《わす》れてるわけじゃないぞ。おまえたちふたりに、いっておきたいことがあるんだ。今、世の中に出ようとしているときに、いわねばならん言葉だ。ちゃんと心にとめておけ。いつかきっと役に立つことがあるだろうからな」ギャロウは真剣《しんけん》なまなざしで、ふたりを見つめた。「自分の体と心は、ほかの何者にも支配《しはい》されるな。いつどんなときも思考を束縛《そくばく》されてはならん。自由だと思っていても、奴隷《どれい》より重いかせでしばられていることもあるからな。耳を貸《か》しても、心まで貸すな。力ある者には敬意《けいい》をしめせ。しかし、むやみに追従《ついじゅう》するな。自分の頭で論《ろん》理的《りてき》に理性的《りせいてき》に判断《はんだん》しろ。が、それをいちいち口にする必要はないぞ。

　どんなに身分や地位の高い者を前にしても、けっしてひるむな。だれに対しても公平に接《せっ》しろ。さもないと、きっと恨《うら》みを買うことになる。金をもったら、じゅうぶん用心しろ。どんなときも信念をつらぬけ。そうすればまわりは聞く耳をもってくれる」ギャロウはすこし口ごもるように続けた。

「色恋《いろこい》にかんしては……正直であれというしかない。心の鍵《かぎ》を開くにも、ゆるしを乞《こ》うにも、それがいちばん強力な道具になるからな。いいたいことは以上だ」彼はすこし照れくさそうに訓示《くんじ》を終えた。

　そして、ローランの荷物をもちあげた。「さあ、もう行ったほうがいい。そろそろ夜が明けるころだ。デンプトンを待たせてしまうぞ」

ローランは荷物を肩《かた》にかけ、ギャロウを抱《だ》きしめた。「できるだけ早く帰ってくるよ」

「わかってるさ！」ギャロウはいった。「早く行け。うちの心配はするな」

ふたりは、名残《なごり》おしそうに体をはなした。エラゴンとローランは外へ出て、ふり返り、手をふった。ギャロウは骨《ほね》ばった手をあげ、歩いていくふたりを静かなまなざしで見送っている。やがてしばらくして、彼は扉《とびら》をしめた。その音が朝の空気をつらぬいてくると、ローランは一瞬《いっしゅん》足をとめた。

エラゴンはふり返って、背後《はいご》の景色を見わたした。ぽつんと建つわが家に目がすいよせられる。哀《あわ》れなほど小さく、はかなげな家。細く立ちのぼる煙《けむり》だけが、雪に閉《と》ざされたその家に、住む人のいることをしめしている。

「ここだけがおれたちの世界だった」ローランは沈鬱《ちんうつ》な声でいった。

エラゴンはもどかしさに体をふるわせた。「いい世界だ」

ローランはうなずいた。そして背筋《せすじ》をのばし、新しい未来へむかって歩きだした。丘《おか》をくだるごとに、わが家は視界《しかい》から消えていった。


カーヴァホールには早朝のうちにたどり着いたが、鍛冶屋《かじや》の扉はすでにあいていた。なかに入ると、心地《ここち》よい暖かさがふたりをむかえてくれた。火の粉を散らす石炭の鍛冶炉《かじろ》の横で、ホーストの息《むす》子《こ》バルドルが、ふたつの大きなふいごをゆっくりと動かしていた。炉の前には黒い鉄床《かなとこ》と、塩水の入った鉄樽《てつだる》が置かれている。壁《かべ》にならんだ長いポールには、鍛冶の道具がずらりとかかっている——巨《きょ》大《だい》な火ばし、やっとこ、さまざまな形や大きさのハンマー、ノミ、アングル材、センターポンチ、やすり、旋盤《せんばん》のまわし金《がね》、形づくる前の鉄の棒《ぼう》、万力、大ばさみ、つるはし、ショベル。長い作業台のそばに、ホーストとデンプトンが立っていた。

派手《はで》な赤い口ひげをたくわえたデンプトンが、笑顔《えがお》で近づいてきた。「ローラン！　来てくれてうれしいよ！　石臼《いしうす》を新しくしたから、どうしても人手が必要なんだ。準備《じゅんび》はできてるのかね？」

ローランは荷物をかかげて見せた。「はい。すぐ出発しますか？」

「ひとつふたつ、かたづける用事があるが、一時間のうちに出かけられる」デンプトンが口ひげのはしをしごきながらふり返る。エラゴンはそわそわと足を動かした。「きみはエラゴンだね。きみにも仕事をやりたかったんだが、ローランが自分ひとりでいいというんだ。あと一、二年したら、どうだね？」

エラゴンはぎこちなく笑いながら、大きく手をふった。デンプトンは愛想のいい男だった。事情《じじょう》がちがっていたら、好感をもっていたかもしれない。だが今のエラゴンは、この男さえカーヴァホールに来なければ……と不愉快《ふゆかい》にしか思えなかった。デンプトンは気を悪くしたようだ。「いいさ。まあ、いいさ」と、ローランにむき直り、製粉所《せいふんしょ》の仕事について講釈《こうしゃく》をはじめた。

「さあ、準備完了《かんりょう》だ」ホーストが作業台にならべた包みをさしていった。「いつもって帰ってもかまいませんよ」彼はデンプトンと握手《あくしゅ》をすると、エラゴンに手まねきをして、作業場を出ていった。

エラゴンは首をかしげつつ、あとを追った。ホーストは腕《うで》を組んで道ばたに立っていた。エラゴンはデンプトンのほうを親指でくいとさし、ホーストにたずねた。「あの人、どんな人なの？」

ホーストがどら声でいう。「いい人さ。ローランによくしてくれるだろうよ」彼はぼんやりとした顔でエプロンの金《かな》くずをはらい、エラゴンの肩《かた》に手をのせた。「おまえ、スローンとやりあったときのこと、覚えてるか？」

「おじさんに肉の代金を借りたことなら、だいじょうぶ、忘《わす》れてないよ」

「いや、そうじゃない。おまえのことは信用してるさ。おれが知りたいのは、あの青い石のことなん

だ。あれをまだもってるのか？」

エラゴンは鼓動《こどう》が速くなるのを感じた。なぜ彼がそんなことを知りたがるんだ？ きっとサフィラがだれかに見られたんだ！ 動揺《どうよう》をおさえながらこたえる。「もってるよ。でも、どうして？」

「帰ったらすぐ、処分《しょぶん》するんだ」その語気の強さに、エラゴンは声をあげることもできなかった。

「昨日、男がふたり訪《たず》ねてきた。黒ずくめの異様《いよう》な恰好《かっこう》でな、剣《けん》をもってた。見たとたん、鳥肌《とりはだ》が立ったよ。そいつらがゆうべ、石を見なかったかと、あちこちでききまわってたんだ。おまえのもってたような石のことをな。おそらく今日もさがしまわるはずだ」エラゴンは真っ青になった。「多少の分別があれば、なにもしゃべらんほうがいいってことくらいわかるさ。見たといえば、めんどうに巻《ま》きこまれるからな。しかし、何人かはしゃべりそうなやつがいる」

心が恐怖《きょうふ》でいっぱいになった。スパインに石を送った者が、ついにそのありかをつきとめたのか、あるいは、帝国《ていこく》がサフィラのことを嗅《か》ぎつけたのか？ どちらが恐《おそ》ろしいことなのか、エラゴンには判断《はんだん》できなかった。考えろ！ 落ち着いて考えろ！ 石はもうないんだ。見つかることはない。でも、もしそいつらが石の正体を知っていたら……サフィラがあぶない！ 彼は精《せい》いっぱいさりげないふうを装《よそお》った。「教えてくれてありがとう。で、その人たち、今どこにいるの？」よくもふるえずに声を出せたものだと思う。

「こうやって忠告《ちゅうこく》してるのは、おまえが連中と出くわしてほしくないからなんだぞ！ カーヴァホールを出ろ。家へもどるんだ」

「はい」エラゴンはおとなしくこたえた。「おじさんがそのほうがいいと思うなら、そうするよ」

「そのほうがいい」ホーストの表情《ひょうじょう》がやわらいだ。「過剰《かじょう》に反応《はんのう》しすぎなのかもしれんがな、胸騒《むなさわ》ぎがしてならんのだ。連中が村から完全にいなくなるまで、家を出ないほうがいいぞ。おまえの農場の

ほうへは、行かないように仕むけるつもりだ。うまく行くかどうかわからんが」

エラゴンは感謝《かんしゃ》のまなざしでホーストを見た。サフィラのことを話せれば、どんなに気が楽だろうと思った。「じゃあ、またね」彼は急いで作業場へもどり、ローランの腕《うで》をつかんで別れのあいさつをした。

「もうすこしいてくれないのか？」ローランはおどろいてたずねる。

エラゴンは笑いだしそうになった。なんだか、その問いかけがとても滑稽《こっけい》に感じられたのだ。「ここにいてもすることがないよ。おまえが出発するまで、ぼんやり待っててもしかたないだろ」

「だけど」ローランは疑《うたぐ》るようにいった。「この先、何か月も会えないかもしれないんだぞ」

「きっとそんなに長くはならないよ」エラゴンは早口でいった。「気をつけて。早く帰ってこいよ」従兄《いとこ》を抱《だ》きしめ、作業場を出た。ホーストはまだ外に立っていた。背中《せなか》に彼の視線《しせん》を感じながら、エラゴンは村はずれの方角へと歩きだした。鍛冶屋《かじや》が視界《しかい》から消えると、民家のかげにひょいと身をかくし、また裏通《うらどお》りをもどりはじめた。

なるべく暗がりを選び、わずかな物音にも耳を澄《す》ましながら、あちこちの通りに視線を走らせていった。こんなとき弓があれば……と、部屋にかけてある弓のことが頭をよぎった。人目をさけながら、村のあちこちをさまよい歩いた。やがて、一軒《いっけん》の建物のほうから、かすれた低い声が聞こえてきた。エラゴンは鋭《するど》い聴覚《ちょうかく》をさらに研《と》ぎすまし、話し声を聞きとろうとした。

「それはいつのことだ？」その声は、油を塗《ぬ》ったガラスのようになめらかに、空中を這《は》い進んでくる。歯のすきまから空気がもれるようなシーッシーッという音が聞こえ、頭皮に鳥肌《とりはだ》が立つのを感じた。

「三月《みつき》ほど前だ」べつの声がこたえる。スローンの声だと、すぐにわかった。

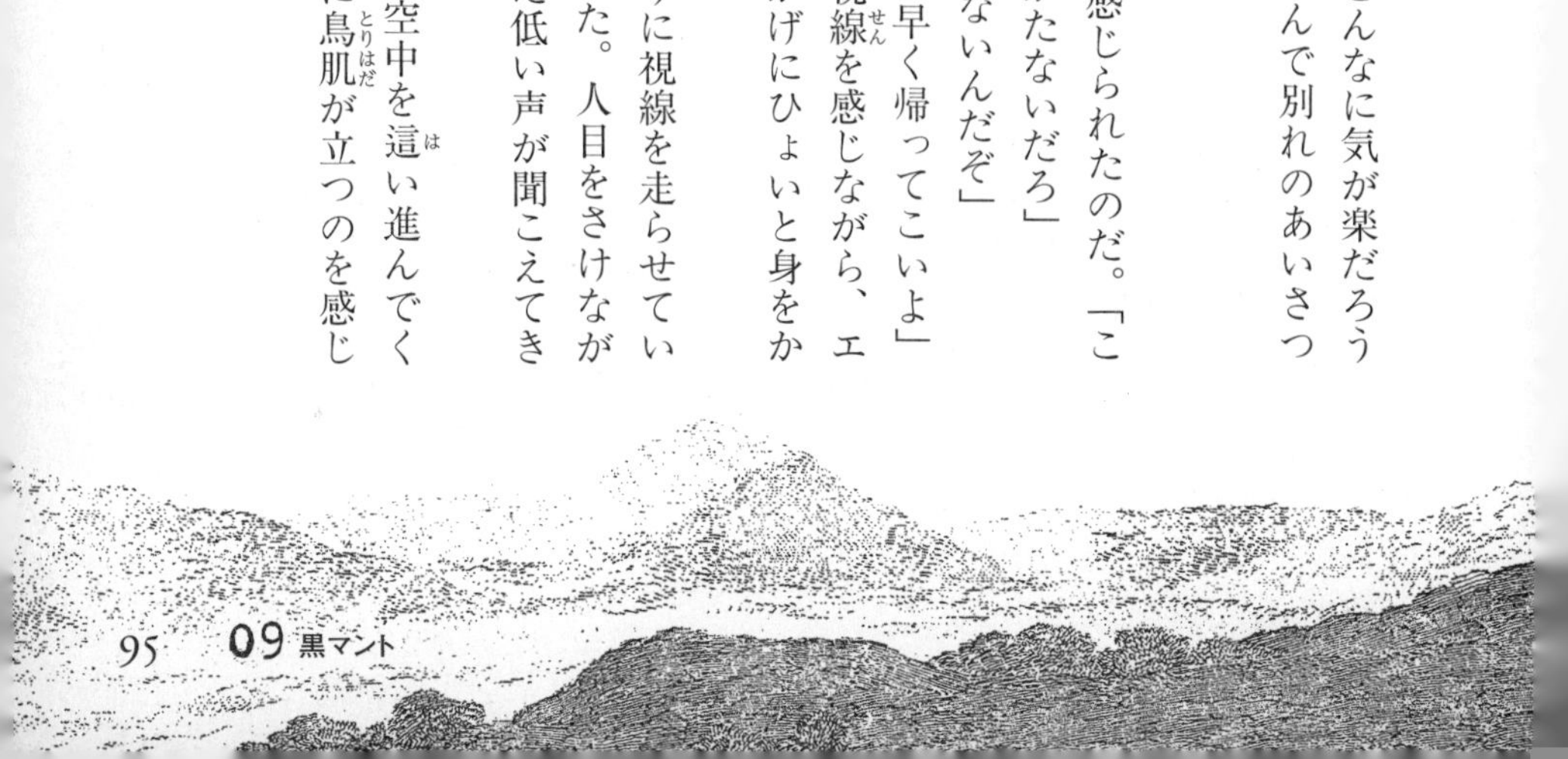

卑劣漢《ひれつかん》め、あいつ、しゃべろうとしている……エラゴンは、今度会ったらかならずスローンを殴《なぐ》ってやろうと決めた。

三人めの声が聞こえた。低い、じっとりとした声。体のほかの部分は正常《せいじょう》で、のどだけが腐敗《ふはい》し、カビが生えている、そんなさまが思い浮《う》かぶ。「それはたしかか？　あとでまちがいだったなんてのはごめんだからな。そうなったときは、かなり……やっかいなことになるぞ」それが、ただのおどしでないことくらい想像《そうぞう》がつく。帝国《ていこく》の手先でなければ、こんなふうに民《たみ》に圧力《あつりょく》をかけられる者がいるだろうか？　いるとは思えない。が、とにかく、それがだれであれ、卵《たまご》をスパインに送ったのは、これほどの権力《けんりょく》を堂々と行使できる大物であるということなのだ。

「ああ、まちがいない。そいつがもってるのを見たんだ。嘘《うそ》じゃない。知ってるやつは大勢《おおぜい》いるさ。みんなにきいてくるといい」スローンの声はふるえていた。まだなにかいっているようだが、聞きとれない。

「ほかの連中は……非協力的《ひきょうりょくてき》でな」あざけるような声。すこしの間があった。「情報《じょうほう》をもらえてよかった。おまえのことは、しっかりと覚えておこう」もちろん、そうだろう。

スローンのぶつぶついう声と、人のあわただしく去っていく足音が聞こえた。エラゴンはものかげから様子をうかがった。背《せ》の高いふたりの男が道ばたに立っていた。ふたりとも長い黒マントをはおり、足の上あたりに剣《けん》の鞘《さや》がつき出している。シャツには入り組んだ模様《もよう》の銀糸の紋章《もんしょう》。顔はフードでかげになり、手は手袋《てぶくろ》でおおわれている。背中は詰《つ》め物《もの》をしたかのように、丸くもりあがっている。

エラゴンは、もっとよく見ようと体をずらした。はたと、ひとりが動きをとめ、奇妙《きみょう》な声で連れになにかを伝えた。ふたりはくるりと体を返し、低くかがみこんだ。エラゴンは息をのんだ。死の恐怖《きょうふ》

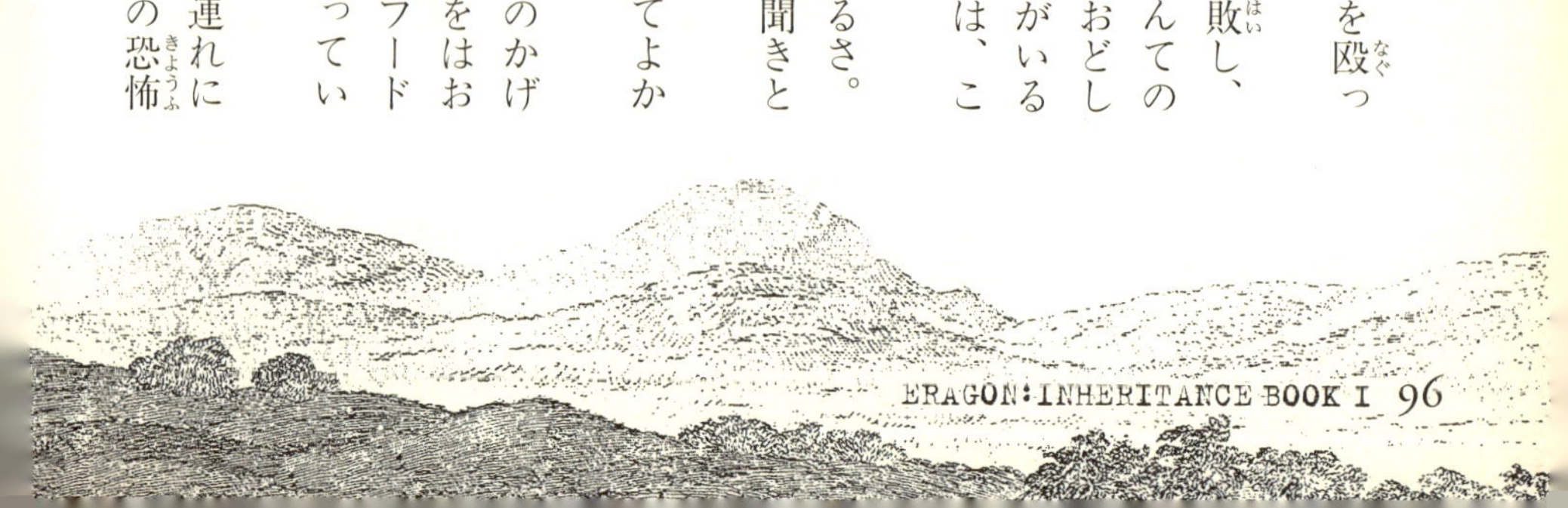

がおそいかかる。フードにかくれた顔に、目が釘《くぎ》づけになった。息苦しいほどの力が心にのしかかり、彼をそこから動けなくした。必死であらがい、心のなかでさけんだ。動け！　しかし、足はぐらつくだけで、まったく進もうとしない。黒マントの男たちが、なめらかな足どりで、音もなく彼のほうへ近づいてくる。もうむこうからは、こちらの顔が見えているにちがいない。男たちは剣に手をかけ、すぐそこまで……。

「エラゴン！」自分の名が呼《よ》ばれて、彼はぐいとふりむいた。マントの男たちは、その場に凍《こお》りつき、シーシーと音を発している。ブロムがフードから頭を出し、杖《つえ》を手にもって、急ぎ足で近づいてきた。マントの男たちは、ブロムの視界《しかい》からはずれたところにいる。エラゴンは警告《けいこく》しようとしたが、舌《した》も腕《うで》もちらとも動かない。「エラゴン！」ブロムがまた声をあげる。男たちは、エラゴンに最後の一瞥《いちべつ》をくれ、建物のあいだへするりと消えていった。

　エラゴンは地面にへたりこみ、ふるえだした。額《ひたい》に玉の汗《あせ》がふき出し、掌《てのひら》にもねっとり汗をかいている。老人はエラゴンに手をさし出し、力強い腕《うで》で引きあげた。「具合が悪そうじゃな。だいじょうぶか？」

　エラゴンは大きく息をすいこみ、無言でうなずいた。あたりをさぐるかのように、目玉がせわしなく動いている。「とつぜんめまいがして……もうだいじょうぶ。おかしいな……なんでこんなふうになったんだろう」

「たいしたことはないじゃろうが」ブロムがいった。「早く家に帰ったほうがよいな」

　そうだ、早く帰らなくちゃ！　あいつらがたどり着かないうちに。「うん、そうみたいだね。病気かもしれないから」

「ではなおさら、わが家にいるのがいちばんじゃ。長い道のりだが、着くころにはずいぶんよくなっ

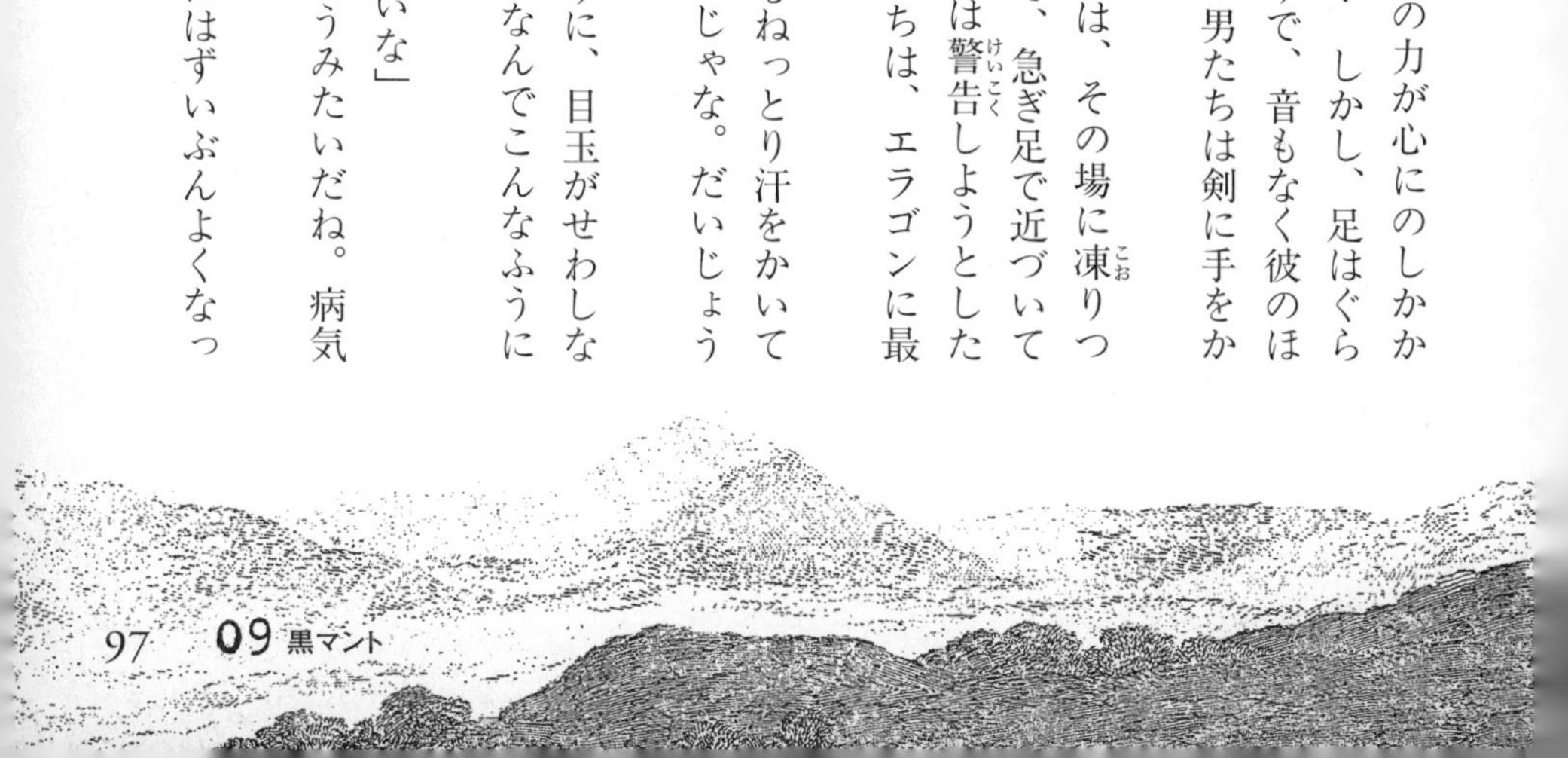

ておるだろう。どれ、そのへんまで送っていこう」エラゴンはおとなしくブロムに腕《うで》を引かれ、歩きだした。ブロムの杖《つえ》が雪にささる音を聞きながら、ふたりは足早に家々の前を通りすぎた。

「どうしてぼくをさがしてたの？」

ブロムは肩《かた》をすくめた。「たんなる好奇心《こうきしん》じゃ。おまえが村に来ると聞いたものでのう、旅商人の名前を思い出したかと思ったのだ」

旅商人？　なんの話？　エラゴンはぽかんとして老人を見た。彼の困惑《こんわく》が、ブロムのさぐるような視線《しせん》につかまった。「いや」といって、いい直す。「残念ながら、まだ思い出してないんだ」

ブロムはなにかを悟《さと》ったかのように荒《あら》いため息をつき、鷲鼻《わしばな》をこすりながらいった。「そうか、では……もし思い出したら、教えに来ておくれ。その旅商人、ドラゴンのことをさもよく知っとるみたいにいってたらしいから、気になってしょうがない」エラゴンは気もそぞろでうなずいた。ふたりはしばらくだまって歩き続けた。「さあ、急いで帰りなさい。途中《とちゅう》、道草など食わんほうがいいぞ」ブロムはそういって、節くれ立った手をさし出した。

エラゴンは老人と握手《あくしゅ》した。手を放す瞬間《しゅんかん》、ブロムの手がエラゴンの手袋《てぶくろ》までいっしょに引っぱってしまった。老人は地面に落ちた手袋を拾いあげ、「そそっかしいのう」とあやまって、エラゴンにさし出した。手袋を受けとろうとしたとき、ブロムは力強い指でエラゴンの手首をつかみ、くるりと上向《うわむ》きにねじった。ふいに、掌《てのひら》の銀色の跡《あと》があらわになった。ブロムはちらっと目をあげたが、なにをいうでもなく、エラゴンが手を引っこめて手袋をはめるのを見ていた。

「それじゃ」エラゴンはうろたえたまま、逃《に》げるようにそこをはなれ、道を歩きだした。うしろから、ブロムのふく楽しげな口笛が聞こえてきた。

10

運命の飛行

帰路を急ぐエラゴンの心は、激《はげ》しくかきみだれていた。どんなに息苦しくなろうと、けっして足をとめず、もてる力をふりしぼって駆《か》けた。冷たい道をひた走りながら、サフィラへむけて思いを投げかけるが、居場所《いばしょ》が遠すぎて接触《せっしょく》することができない。ギャロウになんといおうか考えてみた。もはや迷《まよ》ってなどいられない。サフィラのことを話すしかないのだ。

息を切らし、心臓《しんぞう》を弾《はず》ませながら、なんとか家に帰り着いた。ギャロウは馬といっしょに納屋《なや》のそばに立っていた。エラゴンはためらった。今すぐ話すべきだろうか？　だけど、サフィラを見なければ、伯父《おじ》さんは信じてくれないだろう――まずサフィラを見つけなければ。彼は家の裏手《うらて》にまわり、森へ入った。〔サフィラ！〕心のなかでさけぶ。

〔今行く〕おぼろに返事が聞こえた。その言葉から、サフィラの警戒心《けいかいしん》を感じた。エラゴンはじっと待った。が、長く待つことなく、ドラゴンの翼《つばさ》の音が響《ひび》いてきた。サフィラは土煙《つちけむり》を浴びながら着地した。〔なにがあった？〕

彼はサフィラの肩《かた》に手をのせ、目を閉《と》じた。心を落ち着かせ、なにがあったかを急いで伝えようとした。だが、黒マントの男たちの話をしたところで、サフィラがはっと飛びのいた。うしろ足で立ち

あがり、耳を聾《ろう》さんばかりのうなりをあげ、真上からしっぽをびしびしとふりおろしてくる。エラゴンはぎょっとして、雪にたたきつける尾《お》の下をかいくぐってあとずさった。血への渇望《かつぼう》と恐怖《きょうふ》が、吐《は》き気《け》をもよおすほどのうねりにまみれ、サフィラのなかからおしよせてきた。〔炎《ほのお》！　敵！　死！　殺戮《さつりく》！〕

〔どうしたんだ！〕エラゴンはその言葉を必死で伝えた。しかし、サフィラの心には鉄の壁《かべ》がはりめぐらされ、意識《いしき》を読みとることができない。サフィラはふたたび咆哮《ほうこう》し、凍《こお》った地表に鉤爪《かぎづめ》をつき立て、雪をえぐりとった。〔やめろ！　ギャロウに聞こえる！〕

〔誓《ちか》いはやぶられ、魂《たましい》は消され、卵《たまご》は破壊《はかい》された！　国じゅうに血が！　殺戮が！〕

エラゴンは死にものぐるいでサフィラの感情《かんじょう》をさえぎり、ふりおろされる尾に視線《しせん》をむけた。尾が地面にたたきつけられた瞬間《しゅんかん》、サフィラのわきへ猛然《もうぜん》と駆《か》けだした。背中《せなか》の角《つの》に手をのばし、首のつけ根の小さなくぼみによじのぼる。サフィラがまたうしろ足で立ちあがるのを、角にしがみついてこらえた。

「やめろ、サフィラ！」エラゴンはどなった。サフィラの意識《いしき》の放出がぴたりとやんだ。エラゴンはドラゴンの鱗《うろこ》をさすっていった。「なにも心配しなくていいんだよ」サフィラは頭をかがめると、翼《つばさ》をあげた。そして一瞬ためらってから、翼をバサリとふりおろし、空へ飛び立った。

エラゴンは悲鳴をあげた。たちまち地面が遠くなり、木々の梢《こずえ》までが下へ下へと遠ざかっていく。気流の激《はげ》しさに、空気をすうことさえままならない。サフィラは彼の恐慌《きょうこう》など気にもとめず、スパインへむけて翼をかたむけた。ちらりと目をやると、はるか下方に農場とアノラ川が見える。彼は胃のなかがのたくるのを感じた。サフィラの首にしがみつき、目の前の鱗に視線をこらし、必死で吐《は》き気《け》をこらえる。サフィラはまだ上昇《じょうしょう》を続けていた。やがて水平飛行をはじめると、エラゴンはかろうじ

てあたりに目をやる気になれた。

強烈《きょうれつ》な寒さで、まつげに厚《あつ》い霜《しも》がはりついていた。やがて、エラゴンの予想よりはるかに早く、スパインが見えてきた。上空から見る山々の峰《みね》は、巨大《きょだい》な鋭《するど》い牙《きば》をむいて、彼らを八《や》つ裂《ざ》きにしようと待ちかまえているかのようだ。サフィラがぐらりとゆれると、エラゴンはわき腹《ばら》のほうへ自分の体をずりあげた。口のなかに苦いものがこみあげ、唇《くちびる》をぬぐってふたたびサフィラの首に顔をうずめた。

〔もどらなくちゃならないんだ〕彼はうったえた。〔マントの男たちが農場へやってくる。ギャロウに知らせなくちゃ。だから、もどるんだ！〕答えがない。サフィラの心は恐怖と怒《いか》りの壁でさえぎられ、触《ふ》れることができない。説得したい一心で、その心の鎧《よろい》を乱暴《らんぼう》にぶちやぶろうとした。かたい鎧の下にひそむもろい部分をついて、なんとか話しかけようとした。しかし、できなかった。

まもなく彼らは、花崗岩《かこうがん》の崖《がけ》もあらわな白い巨大な壁にかこまれた。山々の合い間には、青く冷たい川が凍《こお》りついたかのように横たわり、さらにその下には峡谷《きょうこく》がぱっくりと口をあけてのびている。サフィラが上空に現《あらわ》れると、うろたえた鳥たちが甲高《かんだか》い声で騒《さわ》ぎはじめた。岩だらけの崖には、岩棚《いわだな》づたいに移動《いどう》している山羊《やぎ》の群《む》れが見えた。

サフィラの巻《ま》きあげる風がごうごうと体にあたり、首を動かすたびに左右にゆさぶられる。サフィラはまるで疲《つか》れなど知らないかのようだ。エラゴンは、ひと晩《ばん》じゅう飛び続ける気なのだろうかと不安になった。やがて日が落ちるころ、ついにサフィラは翼をかたむけ、軽く降下《こうか》をはじめた。

エラゴンは前方を見おろした。サフィラはおそらく、谷間の開けた場所におりようとしているのだろう。螺旋《らせん》を描《えが》きながら徐々《じょじょ》に下降し、木々の上方へとただようようにおりていく。地面が近づくと、翼に風をたっぷりはらませ、体を引きあげるようにしてうしろ足をおろした。着地の衝撃《しょうげき》をやわらげるために、太い筋肉《きんにく》が力強くうねるのがわかる。四本の足が地面につくと、サフィラはひょいと

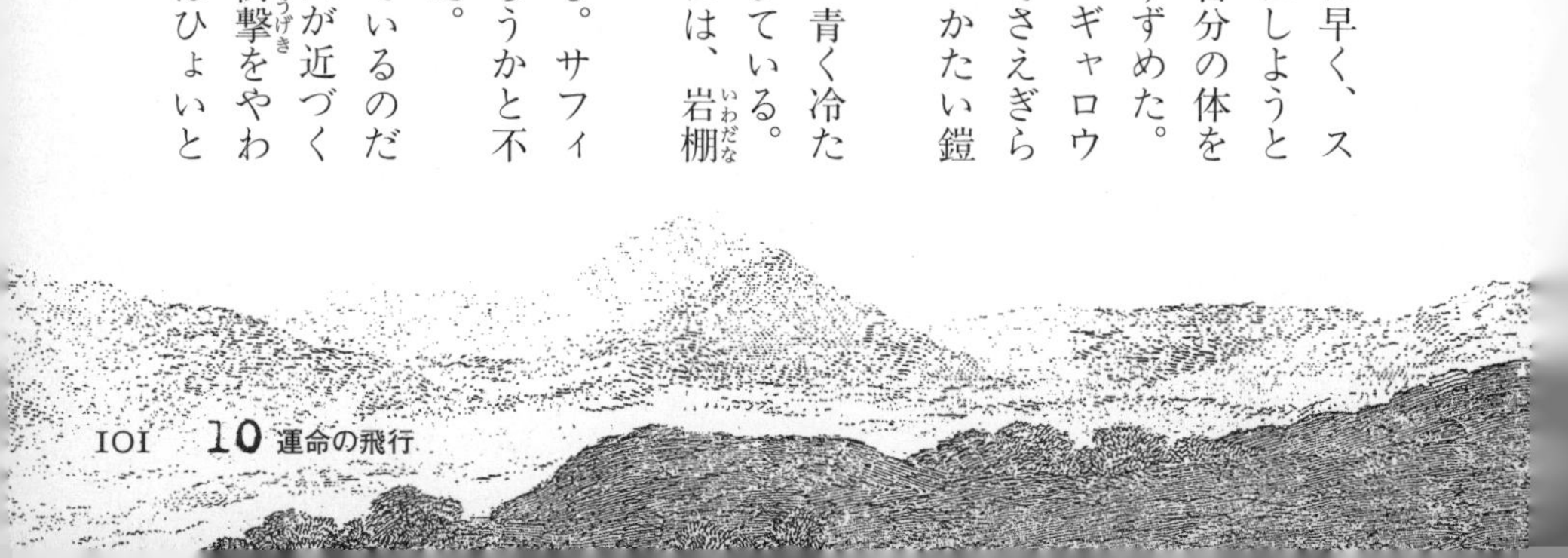

はねてバランスをとった。その翼《つばさ》が閉《と》じるのを待たず、エラゴンは背中《せなか》からすべりおりた。

地面に足をおろしたとたん、ひざの力がぬけ、エラゴンは雪の上に頬《ほお》をついてたおれこんだ。足にたえがたい激痛《げきつう》が走った。息がつまり、目に涙《なみだ》がにじんできた。長いあいだサフィラにしがみついていたので、足の筋肉《きんにく》が激《はげ》しく痙攣《けいれん》している。ふるえながらあおむけになり、力をふりしぼって手足をのばし、なんとか足もとを見おろした。毛織《けおり》のズボンの内ももに、黒っぽいしみがひろがっている。手をおろして触《ふ》れてみた。べっとりとぬれている。あわててズボンをおろし、思わず顔をしかめた。内ももの肉が赤くただれて出血している。サフィラのかたい鱗《うろこ》で、皮膚《ひふ》がむけてしまったのだ。おそるおそる赤むけを手でさわり、その痛《いた》さに縮《ちぢ》みあがった。ズボンをあげると、まぎれこんだ雪粒《ゆきつぶ》が傷《きず》口《ぐち》をこすり、悲鳴をあげた。体を起こそうとしても、足が満足に立ってくれない。

日が暮《く》れて、あたりの景色はうっすらとしか見えなくなっていた。暗くかげる山々は、まるで見なれない景色だ。ここはスパインのどこなんだ？　さっぱりわからない。こんな真冬に、頭のおかしくなったドラゴンとふたりきり。歩くこともできなければ、寒さをしのぐ場所も見つからない。しかも、もう夜。農場へはあした帰るしかない。またドラゴンの背《せ》に乗って帰るしかないが、この傷じゃたえられそうもない。エラゴンは深いため息をついた。あーあ、サフィラが火を吐《は》ければなあ……。

彼は首をまわし、地面にうずくまるサフィラを見た。わき腹《ばら》に手をのせると、そのふるえが伝わってきた。心の壁《かべ》はとりはらわれているのだ。壁がなくなった今、サフィラの強いおびえで、体じゅうがこがされるようだ。エラゴンは、おびえの意識《いしき》をおさえつけ、サフィラをなだめるためにおだやかなイメージを思い浮《う》かべた。

〔なぜ黒マントの男たちをこわがった？〕

〔殺戮者《さつりくしゃ》だから〕サフィラがうなる。

〔じゃあ、ギャロウの身があぶないのに、おまえはぼくをさらって、こんなバカげた旅に連れ出したのか！　おまえ、ぼくを守れないんだろう〕サフィラは太くうなり、ガチリと歯を鳴らした。〔へえ、守れるんなら、なぜ逃《に》げたんだよ〕

〔死は毒だから〕

エラゴンは片肘《かたひじ》によりかかり、いらだちをおさえようとした。〔サフィラ、ここがどこか見てみろよ！　日は暮れるし、おまえの鱗のおかげで、ぼくの足の皮は魚の鱗みたいにかんたんにはがれちまうし。これがおまえの望みなのか？〕

〔ちがう〕

〔じゃあ、なぜなんだ？〕エラゴンは問いつめた。意識の糸を通して、サフィラから、彼の痛みへの反省の念は伝わってくるが、やったことについて悔《く》いてる様子はない。サフィラは顔をそむけ、返事をこばんでいる。氷点下の寒さで、エラゴンの足は感覚がなくなっていた。おかげで痛みをあまり感じずにすむが、ひどい状態《じょうたい》であることに変わりはない。彼は話題を変えてみることにした。〔このままだとぼくはこごえ死んでしまうぞ。寒さから身を守る囲いか穴《あな》でもつくってくれよ。松葉や小枝《こえだ》なんかもあるともっといい〕

きびしい質問《しつもん》が終わり、サフィラはほっとしたようだ。〔その必要はない。わたしの体と翼で、あなたをくるんであげられる——わたしの体内の炎《ほのお》で寒さはふせげるはず〕

エラゴンは雪の上に頭をドンとおろした。〔よし。でも、地面の雪をよけてくれよ。そのほうがもっと暖《あたた》かいから〕返事のかわりに、サフィラはふきだまりに尾《お》をたたきつけ、あっという間に雪をはらいのけた。そして、同じところに尾をもうひとふりし、十センチ残ったかたい雪をこそげとった。

エラゴンはあらわになった土を顔をしかめて見やった。〔そこまでひとりで歩いていけないよ〕彼の

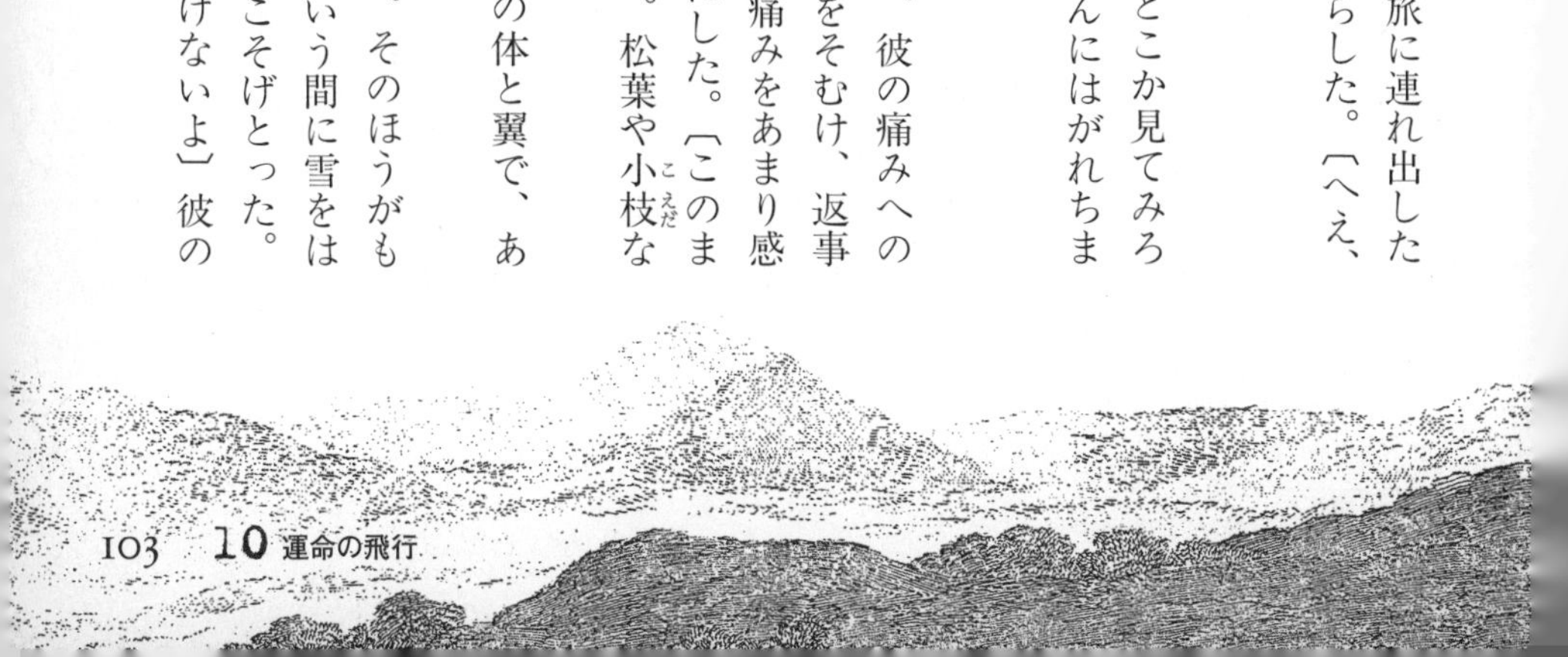

胴体《どうたい》よりも大きいサフィラの頭が、頭上からおりて来て、かたわらにふせた。エラゴンはサファイアブルーの大きな目をにらみ、象牙色《ぞうげいろ》の角《つの》のひとつを両手でつかんだ。サフィラは頭をもたげ、ゆっくりと彼を引きずりはじめた。〔そっと、そーっとだぞ〕途中《とちゅう》、石の上を乗りこえるとき、目の前に星がちらついたが、なんとかたえた。土の上にエラゴンをおろすと、サフィラは温かな腹部《ふくぶ》をさらして、横向きに寝《ね》そべった。エラゴンはそのなめらかな鱗《うろこ》に体をすりよせた。サフィラが翼《つばさ》をひろげ、彼をすっぽりと抱《だ》きこむと、エラゴンは生きたテントのなかで完全な闇《やみ》に包まれた。まもなく、なかの空気が暖《あたた》まりはじめた。

エラゴンはコートの袖《そで》をぬき、マフラーがわりに首に巻《ま》きつけた。そのとき初めて、ひどい空腹感《くうふくかん》に気づいた。だがそれすらも、いちばんの不安を忘《わす》れさせるほどではなかった。黒マントの男たちが行き着く前に、農場へもどれるだろうか？　もどれなかったら、いったいどうなってしまうのか？　たとえまたサフィラに乗って飛べたとしても、帰り着くのは早くてもあしたの午後になる。黒マントたちはそれよりずっと早く着くかもしれない。目を閉《と》じると、頰《ほお》にひと筋《すじ》、涙《なみだ》が伝うのを感じた。ぼくは、なんてことをしてしまったんだろう？

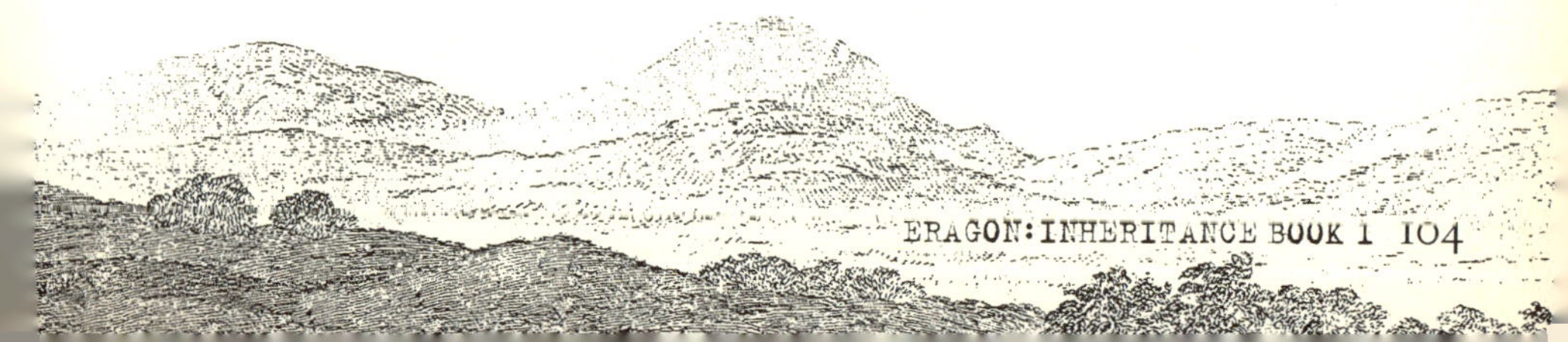

11

罪《つみ》なき者の運命《さだめ》

目をあけたとき、エラゴンは、空が落ちてきたのかと思った。青の平面が頭上いっぱいにひろがり、地面へとゆるやかにおりている。寝《ね》ぼけ半分でそっと手をのばすと、うすい膜《まく》が指に触《ふ》れた。それがなんであるか気づくのに、しばらくかかった。すこしだけ首をかたむけ、自分が頭をのせている鱗だらけの腰骨《こしぼね》をにらみつける。胎児《たいじ》の姿勢《しせい》からそろそろと足をほどくと、かさぶたが割《わ》れるような音がした。痛《いた》みは昨日よりおさまっているものの、歩くことを考えただけで身がすくむ。すさまじい空腹感におそわれ、昨日からなにも食べていないことを思い出した。力をふりしぼるようにして体を動かし、サフィラのわき腹《ばら》を弱々しくたたいた。「おい！　起きろ！」声をはりあげる。

サフィラが目を覚まし、翼をもちあげた。さっと日の光がさしこんでくる。エラゴンは銀世界のまぶしさに目をすがめた。かたわらでは、サフィラがネコのように体をのばし、白い歯をずらりと見せてあくびをしている。雪の白さに目がなれたところで、エラゴンはここがどこなのか考えてみた。まわりには見なれぬ山々が威圧《いあつ》するようにそびえ、谷間に濃《こ》い影《かげ》を落としている。目を転じると、雪の上に一本の筋がついているのが見える。筋は林のなかへとつながっており、その先からゴボゴボとく

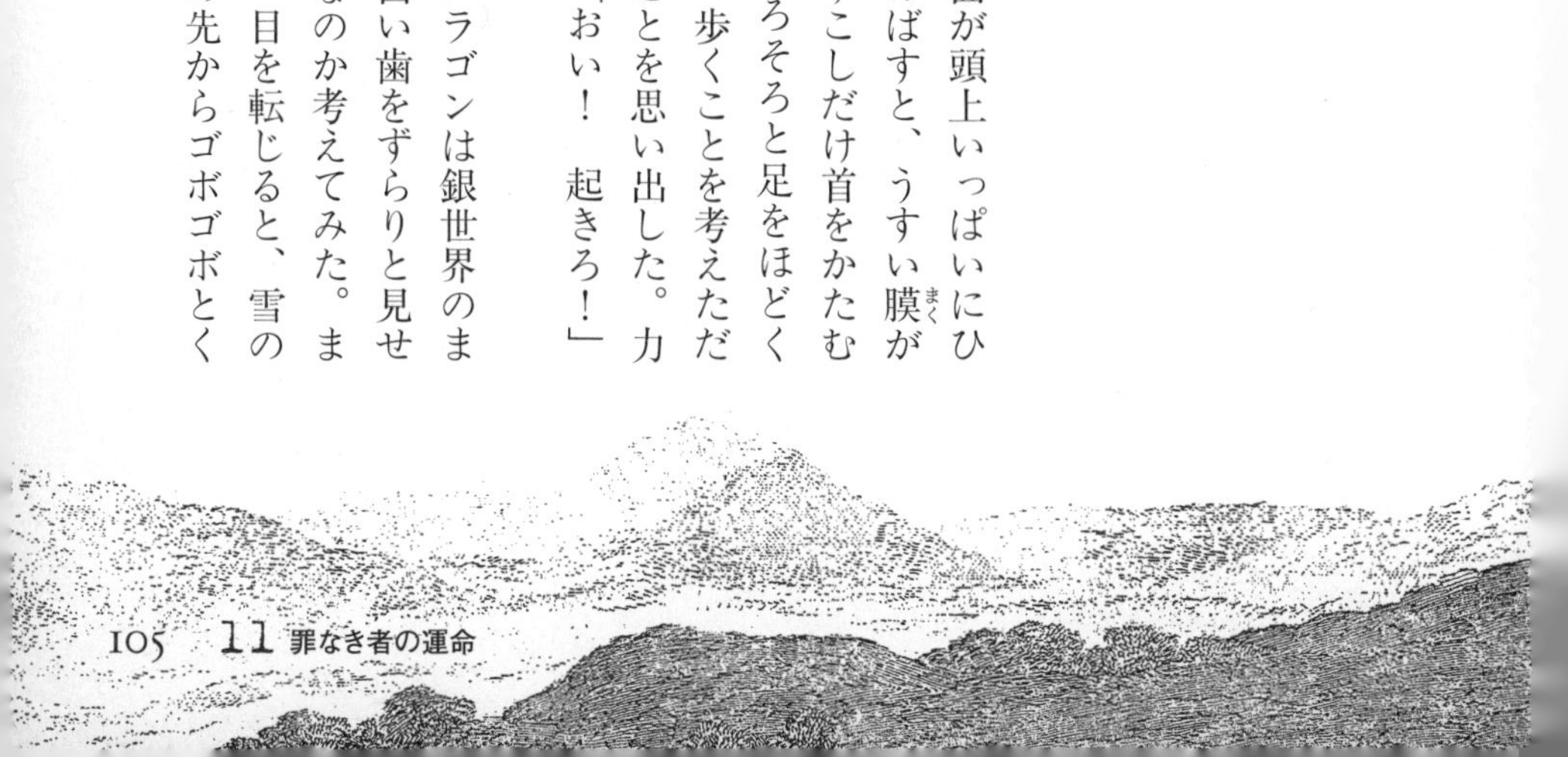

ぐもった川の音が響《ひび》いてくる。

エラゴンはうめきながらよろよろと立ちあがり、ぎこちない足どりで歩きだした。一本の立ち木にたどり着くと、枝《えだ》をつかんでそこに全体重をかけた。枝はしばしもちこたえたあと、大きな音を立てて折れた。こまかい枝をはらい、先端《せんたん》をわきにはさみ、もう片《かた》はしをしっかりと地面につける。即席《そくせき》の松葉杖《まつばづえ》の助けを借りて、エラゴンは氷におおわれた川をめざして、林のなかへのろのろと進んでいった。かたい氷を割《わ》り、さすように冷たい澄《す》んだ水をすくいあげ、ぞんぶんに飲むと、また雪の上をもどりだした。林から出て、目の前の山なみや地形をあらためて見たとき、初めてここがどこであるかに気がついた。

ここは、すさまじい爆音《ばくおん》とともにサフィラの卵《たまご》が現《あらわ》れた場所だ。エラゴンはざらついた木の幹《みき》にへなへなとよりかかった。まちがいなくあの場所だ。爆風の衝撃《しょうげき》で葉を飛ばされた灰色《はいいろ》の松の木もちゃんとある。サフィラにはどうしてここがわかったんだろう？　あのときは、まだ卵のなかにいたのに。ぼくの記憶《きおく》がサフィラにここを教えたんだろうか？　エラゴンはひそかにおどろいて、首をふった。

サフィラはおとなしく彼のことを待っていた。〔サフィラ、ぼくを家へ連れて帰ってくれないか？〕たずねると、ドラゴンは首をかしげた。〔気が進まないのはわかってるよ。だけど、行かなきゃならないんだ。ギャロウ伯父《おじ》さんは、どちらにとっても恩人《おんじん》だろ。ぼくは伯父さんに育てられ、そのぼくに、おまえは育てられたんだからな。おまえは、そういう恩義《おんぎ》を無視《むし》するのか？　今もどらなかったら、将来《しょうらい》なんと語《かた》り継《つ》がれるだろうな？　伯父さんに危険《きけん》がせまっているのに、こそこそかくれてた臆病者《おくびょうもの》たち？　みんなが話す声が聞こえてくるようだよ――ライダーと卑怯《ひきょう》なドラゴンの物語が！　たとえ戦いが待っているとしても、立ちむかわなくちゃ。逃《に》げてちゃだめだよ。おまえはドラゴンな

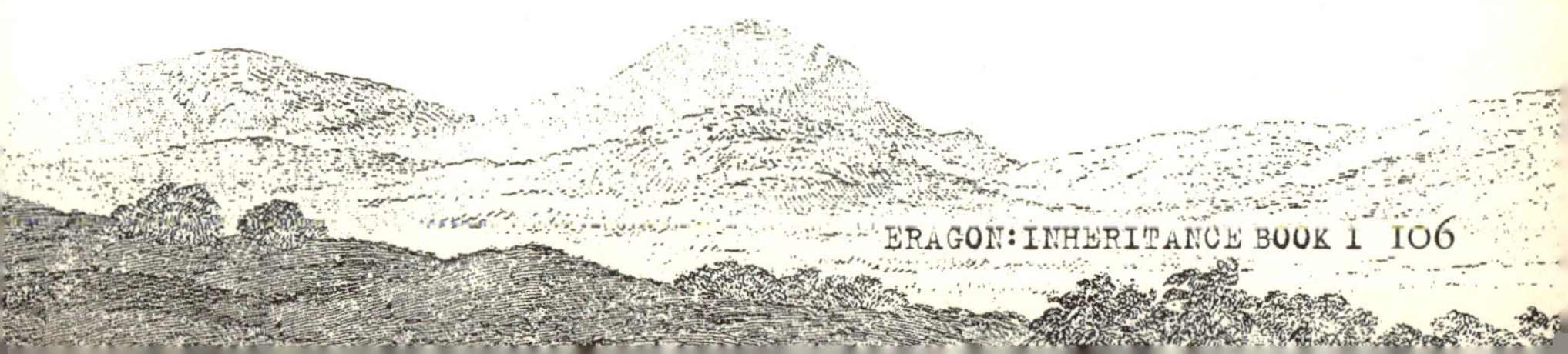

んだ！　シェイドだって恐《おそ》れをなすドラゴンなんだ！　なのにおまえは、こんな山のなかでウサギみたいにうずくまっておびえているのか！」

　サフィラをおこらせようというエラゴンの思惑《おもわく》はあたった。サフィラはのどをふるわせてうなり、エラゴンの顔すれすれのところまで頭をつき出してきた。鼻から煙《けむり》をもらし、牙《きば》をむき出して彼をにらみつけている。いいすぎただろうかとエラゴンは心配になった。サフィラの意識《いしき》が真っ赤な怒《いか》りを帯びて近づいてきた。〔たとえ血で血を洗《あら》うことになろうと、わたしは戦う。それがわれわれのウィアダ——運命《さだめ》だから。でも、それでわたしをしばろうなどとしないで。あなたを連れていくのは、恩義のため。愚《おろ》かなことだとわかっているけれど〕

「愚かだろうとなんだろうと、ほかに道はない！」エラゴンは声をはりあげた。「——行くしかないんだよ」シャツを半分にさき、ズボンの両ももにおしこんだ。サフィラの背《せ》にそろそろとのぼり、首にしがみついた。〔今度は低く、速く飛ぶんだぞ〕彼はサフィラにいった。〔一秒もムダにできないからな〕

〔手を放さないで〕サフィラはそういって舞《ま》いあがった。森の上まであがると、すぐに上昇《じょうしょう》をやめ、木々の梢《こずえ》すれすれのところをまっすぐに飛びはじめた。エラゴンは胃のなかがうねるのを感じ、空腹《くうふく》でよかったと思った。

〔速く、速く〕彼は急《せ》き立てた。サフィラはなにもこたえず、しかし、翼《つばさ》の羽ばたきを一段《いちだん》と速くする。エラゴンは目をつぶり、背中を丸めていた。両ももの詰《つ》め物《もの》が役に立ってくれればいいと思うが、ちょっとした動きにも、もものあいだに激痛《げきつう》が走る。たちまちふくらはぎに温かい血の筋《すじ》が流れてきた。サフィラから心配の念が伝わってきた。今やサフィラは翼をいっぱいにはり、これ以上ないほど速く羽ばたかせている。地上の景色は、まるで引きはがされるかのように速くすぎていく。下か

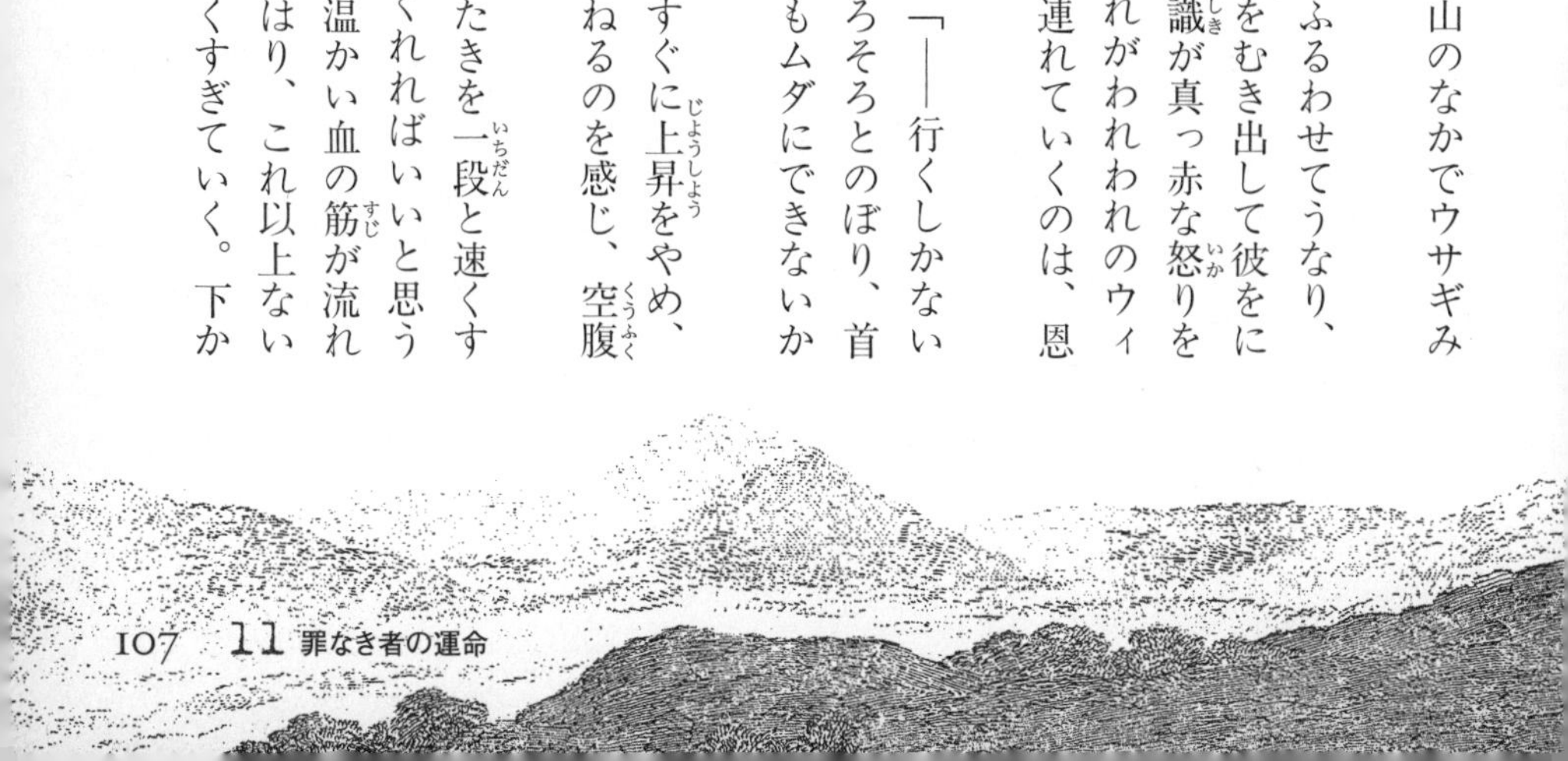

ら見あげれば、自分たちは一瞬《いっしゅん》のしみにしか見えないだろう。

　午前中のうちに、前方にパランカー谷が見えてきた。南は視界《しかい》が雲にさえぎられている。カーヴァホールは北の方角だ。サフィラは高度をさげて飛び、その背《せ》でエラゴンは自分たちの農場をさがした。ついに農場を見つけたとき、エラゴンは恐怖《きょうふ》におののいた。そこに黒々とした煙《けむり》が立ちのぼり、煙の下には朱色《しゅいろ》の炎《ほのお》が見えている。

〔サフィラ！〕エラゴンは指さした。〔あそこだ、おりろ、急いで！〕

　翼《つばさ》をひたと固定すると、サフィラは恐《おそ》ろしいほどの速度で地表へむけて降下《こうか》をはじめた。木々が近づくにつれ、降下の角度が微調整《びちょうせい》される。エラゴンはビュンビュンうなる風に負けじと声をあげた。

「あそこの畑におりるんだ！」さらにしっかりサフィラにしがみつく。地上からほんの三十メートルまで急降下すると、サフィラは翼を数回激《はげ》しく動かし、ずしっと着地した。その衝撃《しょうげき》で手がはずれ、エラゴンは地面にすべり落ちた。よろよろと立ちあがった瞬間《しゅんかん》、唖然《あぜん》として息をのんだ。

　家がこっぱみじんにこわされている。壁《かべ》や屋根だったはずの材木や板があたり一面にふき飛ばされ、しかも、巨大《きょだい》ハンマーでたたきつぶされたように粉々にされている。そこらじゅうにころがるすすだらけの屋根板。ぐにゃりと曲がった金属板《きんぞくばん》のかけらは、かろうじてストーブの残骸《ざんがい》だとわかる。飛び散った陶器《とうき》や煙突《えんとつ》のレンガで、雪に点々と穴《あな》があいている。納屋《なや》はきなくさい強烈《きょうれつ》なにおいを発しながら、いまだに激しく燃《も》えている。動物たちの姿《すがた》は見えない。殺されたのか、恐慌《きょうこう》を来《きた》して逃《に》げたのか。

「伯父《おじ》さーん！」瓦礫《がれき》の山のなかを、ギャロウをさがして駆《か》けずりまわるが、それらしき姿《すがた》はいっこうに見えない。「伯父さーん！」エラゴンは声をふりしぼった。サフィラは家の周囲をまわってもどってきた。

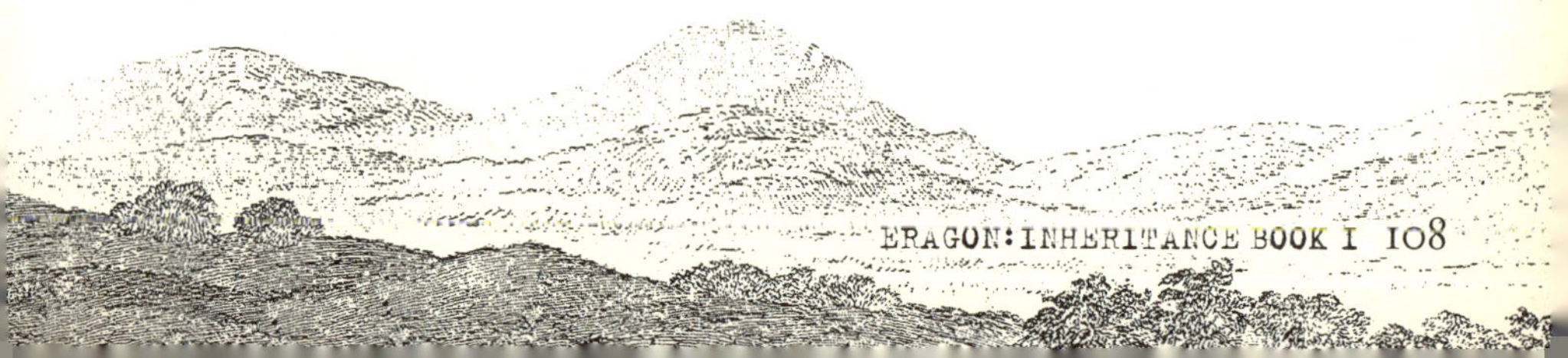

〔悲しいことになった〕サフィラはいった。
「おまえがぼくを乗せて逃《に》げなかったら、こんなことにはならなかったんだぞ！」
〔ここにいたら、あなたは生きてはいられなかった〕
「これを見ろ！」エラゴンはさけんだ。「危険《きけん》だと知らせてやれば助かったんだ！　伯父さんが逃げられなかったのは、おまえのせいだ！」にぎった拳《こぶし》を柱にぶつけると、皮膚《ひふ》が切れた。指から血をたらし、エラゴンは家の残骸からはなれた。街道へつながる小道へ出て、雪の上にかがみこんだ。足跡《あしあと》がついているようだが、視界がぼやけてよく見えない。このまま目が見えなくなるんだろうか？　ふるえる手で頰《ほお》に触《ふ》れ、涙《なみだ》でぬれていたことに気づいた。

　目の前が暗くかげり、サフィラが頭上からのっそりと現《あらわ》れて、彼を翼で包みこんだ。〔希望はある。すべてが失われたとはかぎらない〕エラゴンは期待をこめてサフィラを見あげた。〔足跡を見て。わたしの目にはふた組の足跡しか見えない。ギャロウはここから連れ去られてはいないはず〕

　エラゴンは雪に目をこらした。たしかに、家へむけてふた組の革《かわ》ブーツの足跡がかすかについている。その上に、今度は家からはなれていく同じふた組のブーツの跡。〔おまえのいうとおりだ、伯父さんはここにいる！〕エラゴンは飛びあがり、急いで家へもどった。

〔わたしは建物のまわりと、森のなかをさがしてこよう〕サフィラがいった。

　エラゴンは台所のあった場所を這《は》いまわり、くるったように瓦礫をほりはじめた。ふだんなら動かせないような残骸が、ひとりでに動くかのように軽々とほり出されていく。原形のまま残っていた大きな棚《たな》でさえ、ほんの一瞬てこずっただけでもちあげて放り投げた。板を引きはがしているとき、背《はい》後《ご》でカサッと音がした。とっさにふりむき、身がまえた。

　つぶれた屋根の一部分から、一本の腕《うで》が見えている。エラゴンは弱々しく動くその手に飛びついて

さけんだ。「伯父《おじ》さん、ぼくだよ、聞こえる？」返事はない。木の破片《はへん》が手につきささるのもかまわず屋根板を引きさくと、腕《うで》と肩《かた》が見えてきた。だが重い梁《はり》がじゃまをして、ギャロウを引き出すことができない。肩をおしつけ、全身の力をこめておしてみるが、梁はびくともしない。「サフィラ！　助けてくれ！」

サフィラはすぐに現《あらわ》れた。板をミシミシ響《ひび》かせて、こわれた壁《かべ》の上を歩いてくる。サフィラは無言でエラゴンの横へ進み、わき腹《ばら》を梁におしつけた。床《ゆか》の残骸《ざんがい》に鉤爪《かぎづめ》が食いこみ、筋肉《きんにく》がかたくはりつめる。キリキリと耳ざわりな音を発して梁がもちあがると、エラゴンはすぐさまその下へもぐりこんだ。ギャロウは腹這《はらば》いでたおれていた。衣服はぼろぼろに引きさかれている。エラゴンは瓦礫《がれき》のなかからギャロウを引きずり出した。完全に体が出ると、サフィラは力をゆるめ、梁を床に放り出した。

エラゴンはこわれた家からギャロウを引っぱり出し、地面に寝《ね》かせた。伯父の体をさわりながら、その姿《すがた》に愕然《がくぜん》とする。土気色の皮膚《ひふ》は、高熱で体じゅうの水分が煮《に》えてしまったかのように、ひからびて生気がない。唇《くちびる》はさけ、頬骨《ほおぼね》の上が大きくすりむけている。が、最悪なのはそれらではない。全身のひどい火傷《やけど》だ。焼けただれた皮膚は白変し、透明《とうめい》な液体がしみ出ている。あまったるい、いやなにおいがからみついてくる——腐《くさ》った果実のにおいだ。のどからは、死ぬ間際《まぎわ》のような短い突発的《とっぱつてき》な呼吸《こきゅう》が聞こえてくる。

〔殺戮《さつりく》〕サフィラがうなる。

〔そんなことというな。伯父さんは助かるんだ！　ガートルードのところへ連れていかなくちゃ。だけど、カーヴァホールまで運ぶなんて、ぼくには無理だ〕

サフィラが、ギャロウをつるして飛ぶイメージを送ってきた。

〔ふたりもいっしょに運べるのか？〕

〔たぶん〕

エラゴンは瓦礫をほって、ちょうどいい大きさの板と革《かわ》ひもをさがし出した。板の四すみをサフィラの鉤爪であけさせ、その穴《あな》に革ひもを通し、前足に結びつけた。結び目がほどけないことをたしかめると、ギャロウをころがして板に乗せ、体をしっかりとしばりつける。ふと、ギャロウの手から、黒い布切《ぬのき》れがすべり落ちた。やはり黒マントの男たちだったのだ。エラゴンは憤怒《ふんぬ》に駆《か》られながら、布切れをポケットにおしこんでサフィラにまたがった。そして目を閉《と》じ、足の痛《いた》みが落ち着くのを待った。〔よし！〕

サフィラはうしろ足を地面にめりこませて飛び立った。翼《つばさ》で空気をかきながら、ゆっくりと上昇《じょうしょう》をこころみる。腱《けん》が浮《う》き出るほど翼をはり、必死で重力と闘《たたか》っている。長く苦しげな数秒ののち、サフィラの体は前へ力強く飛び出し、そのまま空高く舞《ま》いあがった。森の上空まで来ると、エラゴンはいった。〔道をたどって飛ぶんだ。おりたくなったらいつでもおりられるように〕

〔姿《すがた》を見られてしまう〕

〔今はそんなことといってられない！〕

サフィラはそれ以上さからわず、道の上空へ向きを変え、カーヴァホールへむかった。下ではギャロウが激《はげ》しくゆれている。落ちないようにささえているのは、細い革ひもだけだ。

ふたり分の体重が、サフィラの飛行速度を遅《おそ》くした。すこし飛んだだけで、首がたれ、口から泡《あわ》がもれてきた。なんとか飛び続けようとしたものの、カーヴァホールまであと五キロというところで、サフィラは羽ばたきをとめ、しずむように道へおりていった。

雪煙《ゆきけむり》とともに、サフィラはうしろ足で着地した。ふり落とされたエラゴンは、痛《いた》めた足をかばいながら横向きで地面にぶつかった。ふんばって起きあがり、前足のひもをほどいた。サフィラの荒《あら》い息

づかいが空気を満たしていた。〔安全な場所をさがして休んでてくれ〕エラゴンはいった。〔どれくらいでもどれるかわからないから、しばらくおまえをひとりにすることになる〕

〔待っている〕サフィラはこたえた。

エラゴンは歯を食いしばり、ギャロウを引きずって道を歩きだした。最初のほんの数歩をふみ出すだけで、とてつもない激痛《げきつう》が走る。「ぼくにはできないよ！」空にむかってさけび、また数歩進む。口はゆがんだままだ。彼はただ地面だけをにらみつけ、けんめいに歩き続けようとした。それは思うようにならないわが身との闘《たたか》いだった――ぜったいに負けてはならない闘いだった。時間は這《は》うようにのろのろとすぎていく。それぞれの距離《きょり》が、いつもの何倍にも長く感じられた。カーヴァホールはまだ存在《そんざい》するのか、黒マントの男たちに焼きはらわれているのではないか、そんな絶望的《ぜつぼうてき》な思いさえ頭をよぎる。やがて痛《いた》みの靄《もや》のなかから、だれかのさけぶ声が聞こえ、顔をあげた。

ブロムの走ってくる姿《すがた》が見えた――目を見開き、髪《かみ》はみだれ、頭の片側《かたがわ》にかわいた血がこびりついている。腕《うで》を大きくふって杖《つえ》を放り出し、エラゴンの肩《かた》をつかんで大声でなにかをまくし立てる。エラゴンはわけがわからずに目をしばたたかせた。と、なんの前ぶれもなく、目前に地面がせまってきた。血の味を感じながら、彼は意識《いしき》を失った。

12 重態《じゅうたい》

エラゴンの頭のなかで、夢《ゆめ》がわがもの顔であばれまわり、好き勝手な情景《じょうけい》をつくり出していた。ものさびしい一本の川へ、りっぱな騎馬《きば》の一団《いちだん》が近づいてくる。騎乗している人々は、ほとんどが銀色の髪《かみ》。それぞれに槍《やり》をたずさえている。川には、月の光に照らされて、美しい風変わりな船が待っている。人々はのろのろと船に乗りこんでいく。まわりより一段《いちだん》と背《せ》の高いふたりが、たがいの腕《うで》を組みあって歩いている。顔はフードでよく見えないが、ひとりは女だとわかる。彼らは船の甲板《かんぱん》に立って岸を見ている。砂利《じゃり》の岸辺に立っているのは、ただひとり船に乗らなかった男だ。男は頭をのけぞらせ、長く悲痛《ひつう》なさけびをもらす。声が消えるころ、船は風もオールもなしに、ゆっくりと川をすべりだしていった。住む人のない平原へむかって――そこで視界《しかい》はぼやける。だがその情景《じょうけい》が消えるまぎわ、エラゴンは空を舞《ま》う二頭のドラゴンを見た。

最初エラゴンは、なにかがきしるような音に気づいた。キーキー、キーキー。鳴りやまないその音に目をあけると、藁《わら》ぶき屋根の裏側《うらがわ》が見えた。自分の裸《はだか》の体には、目のあらい毛布《もうふ》がかけられている。足には包帯が巻《ま》かれ、手の指はきれいな布《ぬの》でおおわれている。

そこは、ひと部屋だけのあばら屋だった。テーブルには茶碗《ちゃわん》や鉢植《はちう》えのほかに、乳鉢《にゅうばち》と乳棒《にゅうぼう》が置かれている。壁《かべ》には乾燥《かんそう》させた草が何束もつるされ、自然の土の香《かお》りが強く立ちこめている。暖炉《だんろ》では炎《ほのお》が踊《おど》り、その前に籐《とう》のゆり椅子《いす》が置かれている。すわっているのは丸々と太った婦人。村の治療《ちりょう》師《し》、ガートルードだ。頭をだらりとたれ、目をつぶっている。ひざの上には二本の編《あ》み針《ばり》と、毛糸の玉がのったままだ。

なけなしの気力をふるい起こし、エラゴンは体を起こした。起きあがると、頭がはっきりしてきた。二日前からの記憶《きおく》をより分けてみる。最初に思い出したのはギャロウのこと、次がサフィラだった。安全な場所にかくれていればいいけど。サフィラに意識《いしき》を送ろうとするが、うまく行かない。いずれにしろ、カーヴァホールからそれほどはなれたところにはいないはずだ。ブロムがなんとかしてぼくをカーヴァホールまで運んでくれたんだ。それにしても、ブロムの身になにがあったんだろう？あんなに血だらけになって――。

ガートルードが目を覚まし、きらきらしたその目でエラゴンを見た。「あらま」彼女はいった。「よかった！ 目が覚めたんだね」潑剌《はつらつ》とした声が響《ひび》く。「気分はどうだい？」

「ずいぶんよくなりました。ギャロウはどこですか？」

ガートルードはベッドのそばに椅子を引きずってきた。「ホーストのところだよ。うちにはふたりも寝《ね》かせる場所がないからね。おかげであたしは、ふたりのめんどうをみるのに、あっちへ行ったりこっちへ来たり、気の休まるひまがなかったよ」

エラゴンは不安をのみこんでたずねた。「伯父《おじ》さんはどうなったんですか？」

ガートルードは自分の手に目を落とし、返事をためらった。「あまりよくないね。熱がいっこうにさがらないし、火傷《やけど》の具合も悪い」

「ぼく、会いに行かなくちゃ」エラゴンは立ちあがろうとした。

「なにか食べてからだよ」ガートルードはぴしゃりといって、彼をおしもどした。「その傷《きず》をまた悪化させるために、今まであんたのそばに付きそってたわけじゃないんだからね。その足は、皮膚《ひふ》の半分がはがれてたんだ。熱もゆうべさがったばかりだし。ギャロウのことは心配しなくていい。きっとよくなるさ。彼は強い男だからね」ガートルードはやかんを暖炉《だんろ》の火にかけ、スープに入れる白人参《パースニップ》をきざみはじめた。

「ぼく、どれくらい眠《ねむ》ってたんですか？」

「丸二日さ」

丸二日！　ということは、丸々四日間なにも食べていないのだ。考えただけで、体の力がぬけていくようだった。二日間ずっと、サフィラはひとりきりだったんだ。無事だといいけれど。

「なにがあったのか、村じゅうが知りたがってる。農場を見に行かせたそうだよ。めちゃめちゃになってたらしいね」エラゴンはうなずいた。いやというほどわかっていることだ。「納屋《なや》は焼かれて……ギャロウの火傷はそのせいかい？」

「それは……わからないんです」エラゴンはいった。「ぼくはその場にいなかったから」

「まあ、いいよ。今にすべてはっきりするさ」ガートルードは編み物の手を動かしながら、スープの煮《に》えるのを待っている。「掌《てのひら》に、すごい傷跡《きずあと》があるんだね」

エラゴンは反射的《はんしゃてき》に手をにぎりしめた。「ええ」

「なんの傷だい？」

もっともらしい答えが、いくつか頭をよぎる。いちばん単純《たんじゅん》なのを使うことにした。「物心ついたときからあったんです。なんの傷か、伯父さんにきいたこともないし」

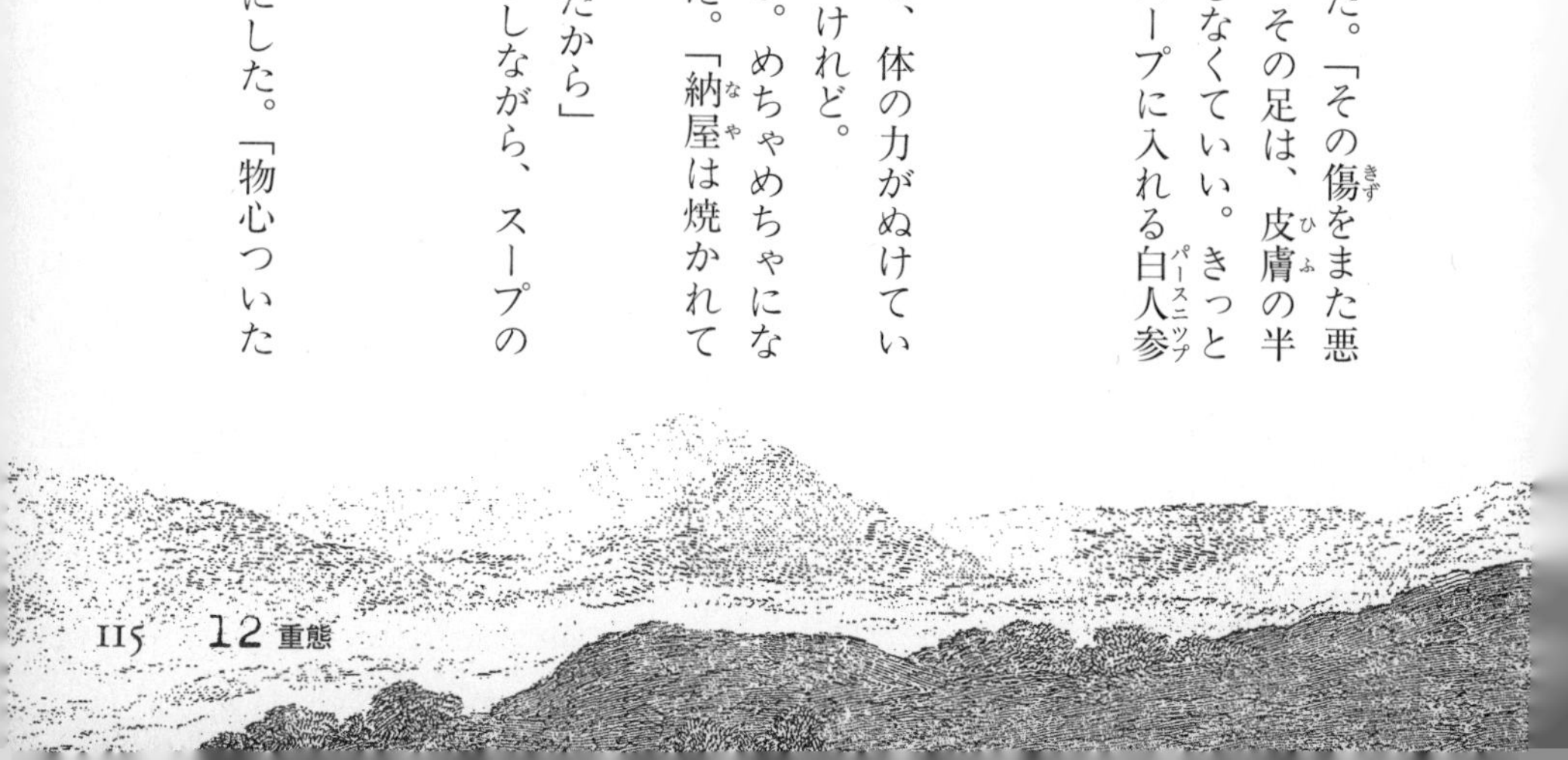

「ふうん」スープがぐらぐら煮立《にた》つまで、しばらく静寂《せいじゃく》が続いた。ガートルードは椀《わん》にスープを注ぎ、スプーンをつけてさし出した。エラゴンは素直《すなお》にそれを受けとり、ひと口ゆっくりとすすった。とてもおいしかった。

飲み終わると、彼はすぐにたずねた。「もう伯父《おじ》さんのところへ行っていいですか?」

ガートルードがため息をつく。「あんた、いいだしたらきかないね。そうかい、そんなに行きたいなら、あたしはとめないよ。服を着たら出かけよう」

ガートルードが背中《せなか》をむけているあいだ、エラゴンは包帯の下の傷《きず》の痛《いた》みに顔をゆがめながらズボンをはき、シャツをはおった。そして彼女の手を借りて立ちあがった。足は弱っているが、最初ほどの痛みはない。

「すこし歩いてごらん」ガートルードはそう指示《しじ》して、冷ややかな目で観察する。「少なくとも、這《は》っていかなくてもすみそうだね」

外へ出ると、荒《あ》れくるう風で、近くの民家の煙《けむり》がまともにふきつけてきた。嵐《あらし》を呼《よ》ぶ雲がスパインをおおいかくし、峡谷《きょうこく》までおりて来ている。山すそをかすませる雪のカーテンが、じわじわとカーヴァホールへ近づいている。エラゴンはガートルードにもたれかかり、村のなかを進んでいった。

ホーストの二階建ての家は、丘《おか》の頂上《ちょうじょう》にある。山の眺望《ちょうぼう》を楽しむためだ。ホーストは技術《ぎじゅつ》のすべてをおしみなくその家につぎこんだ。二階の大きな窓《まど》からバルコニーがはり出し、その上に石屋根が影《かげ》を落としている。それぞれの樋口《ひぐち》は恐《おそ》ろしい形相《ぎょうそう》のガーゴイル、窓や扉《とびら》の枠《わく》はどれも、ヘビや牡《お》ジカ、ワタリガラス、ブドウの蔓《つる》などの彫刻《ちょうこく》がほどこされている。

ホーストの夫人、エレインが扉《とびら》をあけてくれた。小柄《こがら》でほっそりとした女性《じょせい》だ。顔立ちは上品で、つややかな金髪《きんぱつ》をひとつにゆわえている。落ち着いたドレスをまとい、身のこなしはしとやかだ。

「どうぞ、お入りになって」夫人は静かにいった。エラゴンたちは戸口から、明るい灯火《ともしび》のともる大きな部屋へ入った。光沢《こうたく》のある手すりにかこわれた階段《かいだん》が、曲線を描《えが》くようにのびている。壁《かべ》は一面ハチミツ色だ。エレインはエラゴンに悲しげな笑《え》みをむけてから、ガートルードにいった。「あなたを呼《よ》びに行かせようと思ってたのよ。ギャロウがあまりよくないの。早くみてあげて」

「じゃあエレイン、エラゴンに階段をのぼらせてあげて」ガートルードはそういって、階段を一段飛ばしで駆《か》けのぼっていった。

「いいです、ぼくひとりでのぼれるから」

「だいじょうぶなの？」エレインがたずねた。エラゴンはうなずくが、夫人は気づかわしげな顔を見せる。「それじゃあ……終わったらキッチンにおりてらっしゃい。あなたの好きな焼きたてのパイがありますからね」夫人の姿《すがた》が消えると、エラゴンはそこに壁があることに感謝《かんしゃ》しつつ全身をあずけた。そして痛みをこらえて一段ずつ、階段をのぼりはじめた。上までたどり着くと、長い廊下《ろうか》に扉がいくつもならんでいた。いちばん奥《おく》の扉がかすかに開いている。深呼吸《しんこきゅう》をして、足をふみ出した。

部屋のなかでは、暖炉《だんろ》の前でカトリーナが包帯用の布《ぬの》を煮沸《しゃふつ》していた。彼女は顔をあげ、エラゴンになぐさめの言葉をつぶやき、また仕事にもどった。ガートルードはその横で、湿布用《しっぷよう》の薬草をすっている。足もとのバケツには、とけかかった雪が入っている。

ギャロウは何枚《まい》もの毛布《もうふ》をかけられ、ベッドに寝《ね》かされていた。眉《まゆ》に汗《あせ》がたまり、まぶたの下で目の玉が不規則《ふきそく》にゆれている。顔の皮膚《ひふ》は死体のようにしなびている。浅い息づかいがかろうじてわかるだけで、あとはぴくりとも動かない。現実《げんじつ》のこととは思えぬまま、エラゴンは伯父の額《ひたい》に手をのせた。焼けるように熱い。毛布のへりをおそるおそるもちあげると、体じゅうに包帯が巻《ま》かれていた。包帯をとりかえるために、傷口《きずぐち》があらわになっているところを見たが、火傷《やけど》はすこしもよくなってい

なかった。エラゴンは絶望的《ぜつぼうてき》な目でガートルードを見た。「どうにかならないんですか？」

ガートルードは氷水に布《ぬの》をひたし、冷たくなったその布でギャロウの頭部をおおった。「できることはすべてやってるんだよ。膏薬《こうやく》、湿布《しっぷ》、チンキ剤《ざい》。だけど、どれも効《き》かないんだ。せめて傷口《きずぐち》がふさがればいいんだけどねえ。いや、それでも、きっと望みはあるさ。ギャロウはじょうぶで強い男だからね」

エラゴンは部屋のすみに引っこみ、床《ゆか》にすわりこんだ。こんなふうになるはずじゃなかったのに！静かすぎて頭がうまく働かなかった。彼はただぼんやりとベッドをながめていた。やがて、そばにひざまずくカトリーナの姿《すがた》に気づいた。彼女はそっと肩《かた》を抱《だ》いてくれた。しかしエラゴンがだまったままでいると、はにかんだようにはなれていった。

しばらくして扉《とびら》があき、ホーストが入ってきた。彼はガートルードと低い声で話したあと、エラゴンに近づいてきた。「おいで。ここから出たほうがいい」ホーストは有無《うむ》をいわせずエラゴンを立たせ、追い立てるように部屋から出した。

「伯父《おじ》さんのそばにいたいんだ」エラゴンはうったえた。

「すこし休んで、新鮮《しんせん》な空気をすわないといかんぞ。心配するな。またもどってくればいい」ホーストはなだめた。

エラゴンはホーストの手を借りて、しぶしぶ一階のキッチンへおりた。ならべられた皿から、スパイスとハーブのまじった刺激的《しげきてき》な香《かお》りがただよってくる。エレインはキッチンでパンをこねながら、息子《むすこ》のアルブレックとバルドルと話をしていた。エラゴンが入っていくと、息子たちは口をつぐんだが、それがギャロウの話題であることはわかっていた。

「ほら、すわりなさい」ホーストが椅子《いす》をすすめた。

エラゴンは素直《すなお》にしたがった。「ありがとう」手がすこしふるえているのに気づき、ひざをつかんでしずめた。目の前の皿には、いろいろな食べ物がうずたかく積まれている。

「無理に食べなくていいのよ。でも、その気になったら食べてね」エレインはそういって、料理にもどった。エラゴンはフォークをつかんだが、ほんの二口三口しかのどを通らなかった。

「気分はどうだ?」ホーストがたずねる。

「最悪だよ」

ホーストは一拍《いっぱく》置いてからいった。「こんなときにたずねて悪いとは思うが、きいておかねばならないんだ……いったいなにがあった?」

「よく覚えてないんだ」

「エラゴン」ホーストが身を乗り出す。「おれも農場へ行ってみたんだぞ。おまえたちの家はただこわされてたなんて生やさしいもんじゃない——こっぱみじんだった。しかも家の周囲には、今まで見たことも聞いたこともない、巨大《きょだい》な野獣《やじゅう》の足跡《あしあと》がついていた。おれだけじゃなく、ほかの連中も見てるんだ。もし、シェイドや怪物《かいぶつ》がうろついてるなら、村人は知っておかねばならない。それを話せるのは、おまえだけなんだぞ」

エラゴンは嘘《うそ》をつくしかないと思った。「カーヴァホールで……」日にちを数えてみる。「四日前、不審《ふしん》な連中がききまわってた……ぼくの拾った石のことを」彼はホーストをさした。「おじさんにそう教えられて、急いで家に帰ったんだ」全員の目がエラゴンを見ていた。彼は唇《くちびる》をなめた。「その晩《ばん》は……なにも起きなかった。次の朝、家の仕事が終わると、ぼくは森へ出かけていった。するとまもなくだった。爆発音《ばくはつおん》が聞こえて、木立の上に煙《けむり》がのぼって……ぼくはあわてて駆《か》けもどった。だけど、やった連中の姿はもうなかった。それで、瓦礫《がれき》をほりおこして見つけたんだ……伯父さんを」

「それで、伯父《おじ》さんを板に乗せて、村まで引きずってきたのか？」アルブレックがきいた。

「うん」エラゴンはこたえた。「でも、その前に街道へむかう道をたしかめてみた。雪の上にふた組の足跡《あしあと》がついてたんだ。両方とも人間のものらしかった」彼はポケットをさぐり、黒い布切《ぬのき》れを取り出した。「伯父さんの手ににぎられていたんだ。不審《ふしん》な男たちが着てたものなんじゃないだろうか」布切れをテーブルにのせる。

「そうだ」ホーストがいった。その表情《ひょうじょう》は、考えこんでいるようにもおこっているようにも見える。「それで、おまえの足はどうした？　なんでそんなケガをした？」

「よくわからないんだ」エラゴンは首をふった。「伯父さんを助け出しているときに、ケガしたんだと思うけど、あまり覚えてない。足から血がしたたってきて、初めて気がついたんだ」

「なんてこと！」エレインが声をあげる。

「その男たちを追うんだ！」アルブレックが興奮《こうふん》していう。「こんなことをさせて、見のがしておけるものか！　馬で追いかければ、あしたにはつかまえて引っ立ててこれる」

「愚《おろ》かなことは考えるな」ホーストがいった。「おまえなど、赤子のようにつままれて、木に投げつけられて終わりだぞ。エラゴンの家がどうなったか知ってるだろう？　ああいう連中に、下手《へた》に手出しをするものではない。それにやつらは、ほしいものを手に入れたんだろう？」彼はエラゴンを見た。「石をもっていったんだろう？」

「家にはなかったよ」

「石を手に入れたのなら、もうもどってくる理由はないだろう」ホーストは射《い》るような視線《しせん》をエラゴンにむけた。「おまえ、巨大《きょだい》な足跡のことはなにもいわないのだな。どこから現《あらわ》れたか知ってるのか？」

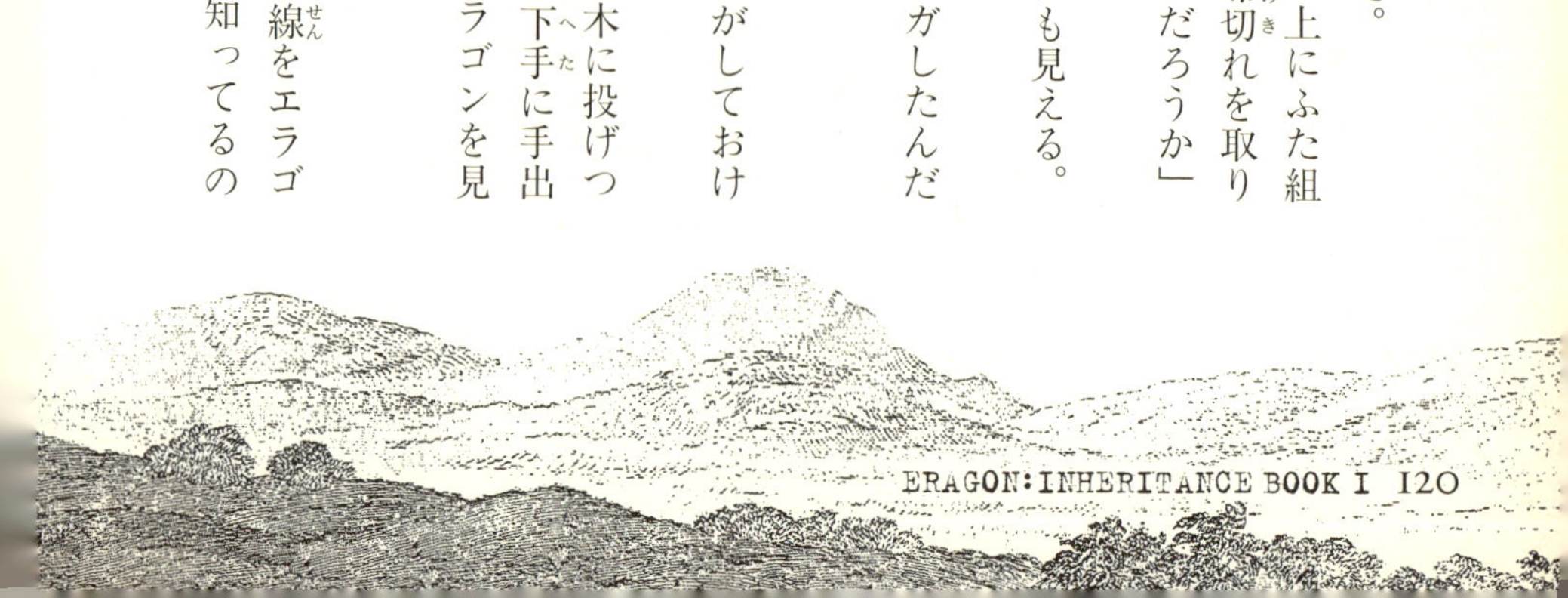

エラゴンはかぶりをふった。「ぼくは見てないんだ」

バルドルがふいに口を開いた。「どうも気に食わない。なにもかも不思議なことだらけだ。その男たちの正体はなんなんだ？　シェイドか？　どうして石なんかほしがったんだろう？　なんであんなふうに家を破壊《はかい》できたんだ？　恐《おそ》ろしい魔法《まほう》でも使ったんだろうか？　父さんのいうとおり、連中の望みは石だけかもしれない。でもおれは、やつらがまた現れそうな気がしてならないんだ」

みんながだまりこんだ。

なにかが心に引っかかっているのに、エラゴンにはそれがなんなのかわからなかった。が、やがて思い出した。エラゴンは重苦しい気持ちで、その言葉を口にした。「このこと、ローランは知らないんだよね？」ローランのことを忘《わす》れるなんて！

ホーストは首をふった。「おまえが出ていってまもなく、ローランとデンプトンが出発したんだ。途中《とちゅう》、立《た》ち往生《おうじょう》でもしていなければ、セリンスフォードには二日前に着いてるはずだ。伝令を送ろうとしたんだが、昨日もおとといも、ひどい天気で出られなかった」

「おまえの目が覚めたら、おれとバルドルで出発しようと思ってたんだ」アルブレックがエラゴンにいった。

ホーストがあごひげをかきながらいう。「今から行ってこい。おれが鞍《くら》をつけるのを手伝ってやろう」

「ローランには、やんわりと伝えてくるからな」バルドルはエラゴンにそう約束し、ホーストとアルブレックを追ってキッチンを出ていった。

エラゴンはそこに残り、テーブルの木目にじっと目をこらしていた。彼の目には、その細部まで、いやになるほどくっきりと見えた――渦《うず》を巻《ま》く年輪、左右対称《さゆうたいしょう》ではないこぶ、すこし色のちがう三つ

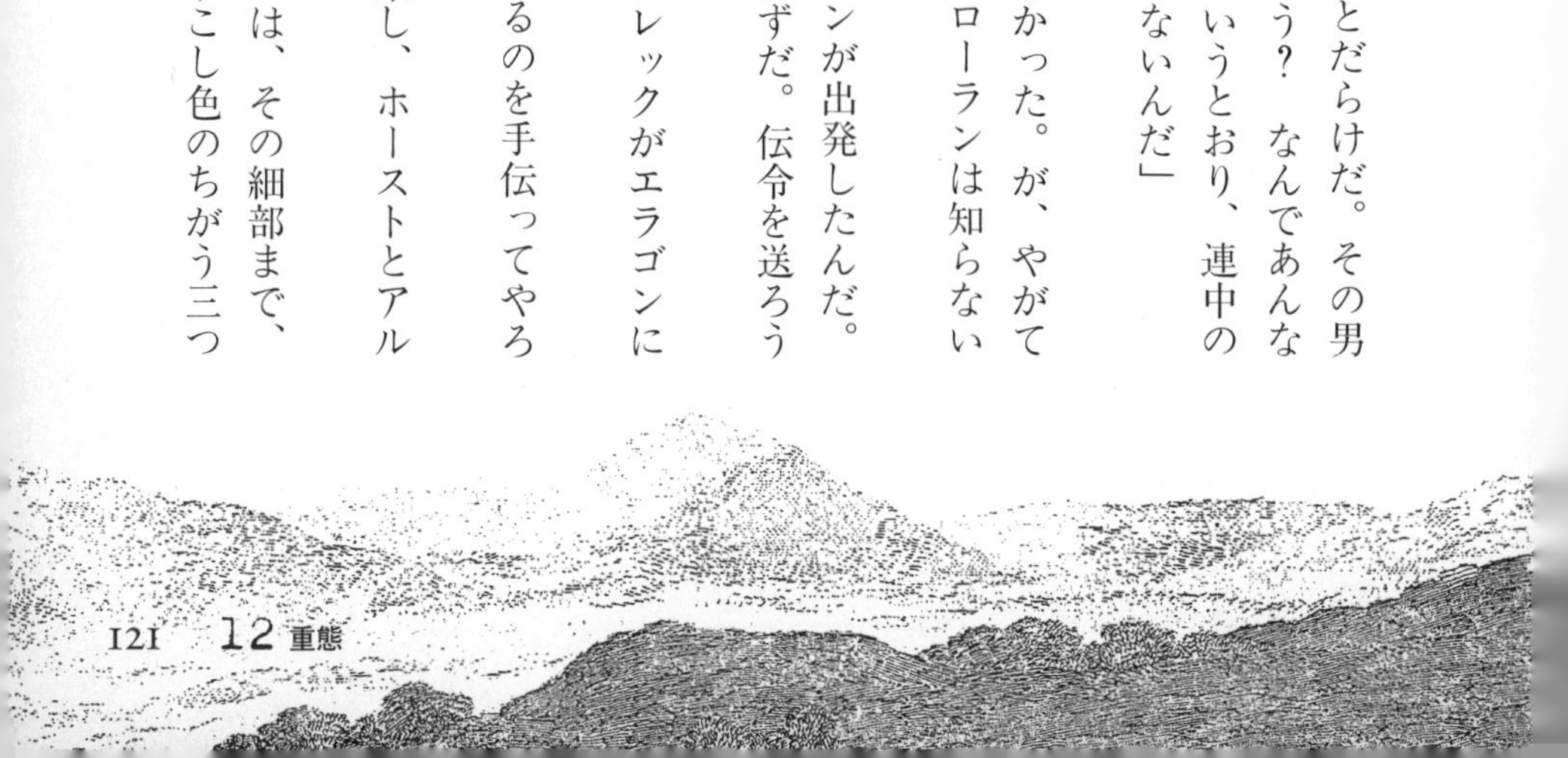

の小さなうね。木目の模様《もよう》はかぎりなく続いている。見ようとすればするほど、目がはなせなくなる。そのなかに答えをさがすが、たとえかくされていたとしても、それは姿《すがた》を見せてくれない。
がんがんする頭のなかに、かすかな声が響《ひび》いた。外でだれかがさけんでいるようだ。エラゴンは放っておいた。きっとほかの人がこたえてくれるだろう。数分後、また聞こえた。さっきよりやかましい。エラゴンはむっとして、耳をふさいだ。どうして静かにしててくれないんだろう？　ギャロウが寝《ね》てるというのに。エレインを見たが、彼女には声が聞こえていないようだ。
〔エラゴン！〕あまりの大音声《だいおんじょう》に、彼は椅子《いす》からすべり落ちそうになった。おどろいてあたりを見まわす。なにも変わった様子はない。そのときようやく、声が自分の頭のなかで響いていることに気づいた。
〔サフィラ？〕彼はおずおずとたずねた。
すこしの間。〔そう。耳が遠いこと〕
エラゴンはほっと胸《むね》をなでおろした。〔どこにいる？〕
サフィラから小さな木立のイメージが送られてきた。〔何度も接触《せっしょく》しようとしたが、あなたはつかまらなかった〕
〔具合が悪かったんだ……でも、もう治った。どうしてもっと早く、おまえに気づかなかったんだろう？〕
〔ふた晩《ばん》も待たされたから、空腹《くうふく》が我慢《がまん》できず、狩《か》りをしてしまった〕
〔なにかしとめたかい？〕
〔若《わか》い牡《お》ジカがいた。地上の敵《てき》に用心はしていても、空からおそわれるとは思ってもいなかったらしい。わたしが噛《か》みついたら、猛烈《もうれつ》にあばれて逃《に》げようとしていた。でももちろん、わたしのほうが強

い。抵抗《ていこう》してもムダとわかると、あきらめて息絶《いきた》えた。ギャロウは死との闘《たたか》いに勝てそうか？〕
〔まだわからない〕エラゴンはくわしく説明した。〔でも、長くかかりそうだ。しばらく農場へは帰れそうもない。少なくともあと二、三日はおまえに会いに行けないよ。しばらくひとりでくつろいでてくれないか〕
サフィラは不満そうにいった。〔まあいいが、あまり長くかからないように〕
ふたりは名残おしげに交信を終わらせた。エラゴンは窓《まど》の外を見て、日が暮《く》れていることにおどろいた。ひどく疲《つか》れを感じ、ミートパイを油布《あぶらぬの》で包んでいるエレインのそばへ、よろよろと歩みよった。「ガートルードの家にもどって寝《ね》てきます」
エレインはパイを包みおえていった。「あなたもうちに泊《と》まったらどうかしら？ そのほうが伯父《おじ》さんのそばにいられるわ。ガートルードだって、一台しかないベッドをあなたに使わせてるんでしょう？」
「ぼくの泊まる部屋まであるんですか？」ためらいがちにたずねる。
「もちろんよ」エレインは手をふきながら歩きだした。「いらっしゃい。部屋を用意してあげるわ」
エラゴンは夫人に連れられて二階の空き部屋へ入り、ベッドのはしに腰《こし》をおろした。「ほかにいるものはないかしら？」エレインにたずねられ、エラゴンは首をふった。「もしなにかあったら、わたしは下にいるから、いつでも声をかけてちょうだいね」階段《かいだん》をおりる夫人の足音が遠ざかると、エラゴンは扉《とびら》をあけ、ギャロウの部屋へと廊下《ろうか》をそろそろと歩いていった。編《あ》み物《もの》をしていたガートルードが、彼を見て小さくほほえんだ。
「どんな具合です？」エラゴンは声をしのばせてたずねた。
ガートルードの声は疲労《ひろう》で嗄《しわが》れていた。「あいかわらずさ。でも熱がちょっとさがって、火傷《やけど》も一

部はよくなってるよ。まだまだ様子を見なくちゃならないけど、これは回復《かいふく》の兆《きざ》しが見えてきたってことだ」

エラゴンはすこし明るい気分になって、部屋へもどった。毛布《もうふ》のなかに体を丸めこむと、闇《やみ》が冷たくせまってくるように感じられた。やがて傷《きず》ついた肉体と心を癒《いや》すために、眠《ねむ》りについた。

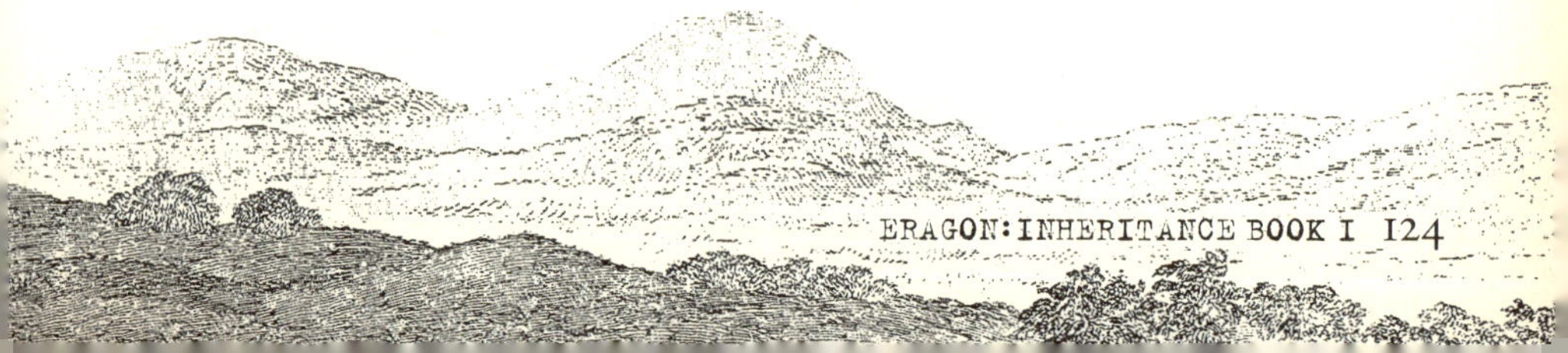

13
この世の闇《やみ》

暗闇のなか、エラゴンは息づかいも荒《あら》くはね起きた。室内は冷えびえとして、腕《うで》と肩《かた》に鳥肌《とりはだ》が立っている。夜明けまでまだ数時間。動くものはなにもなく、すべての生き物たちが朝一番の光の訪《おとず》れをじっと待っている時間だ。

エラゴンは不吉《ふきつ》な予感におそわれ、心臓《しんぞう》が激《はげ》しく打つのを感じていた。黒い帳《とばり》でおおわれた世の中の、もっとも暗い場所がこの自分の部屋であるように思えた。静かにベッドをおりて、服をはおった。不安に駆《か》られながら廊下《ろうか》を急いだ。ギャロウの部屋のあけ放した扉《とびら》と、そこに集まる人々を見たとき、戦慄《せんりつ》が全身を駆けめぐった。

ギャロウはベッドで静かに眠っていた。清潔《せいけつ》な衣装《いしょう》、きれいにとかしつけた髪《かみ》、おだやかな顔。銀色の魔《ま》よけの首輪をかけ、乾燥《かんそう》したヘムロックの小枝《こえだ》を胸《むね》にのせていなければ、眠っているとしか思えない。それらは、死者への、生の世界からの最後の贈《おく》り物《もの》だった。

カトリーナが青白い顔をうつむけ、ベッドの枕《まくら》もとに立っている。彼女のつぶやく声が聞こえた。

「お父さんと呼《よ》ぶ日を楽しみにしていたのに……」

お父さんと呼ぶ……ぼくにだってそんな権利《けんり》はなかったのに。エラゴンは苦々しく思った。体じゅ

うの生気をすいとられ、亡霊《ぼうれい》にでもなったような気分だった。ギャロウの顔以外、なにも現実《げんじつ》のものとは思えない。頬《ほお》に涙《なみだ》が流れてきた。エラゴンはそこに立ったまま、肩《かた》をふるわせ、声をあげずに泣いた。お母さんも、伯母《おば》さんも、伯父《おじ》さんも――みんないなくなってしまった。悲しみの重みで、そのとてつもない力でおしつぶされ、立っていられなくなる。だれかが、よろける彼を部屋へ連れ帰り、なぐさめの言葉をかけてくれた。

エラゴンはベッドにたおれ、頭をかかえこみ、しゃくりあげて泣いた。サフィラの接触《せっしょく》を感じたが、それをこばみ、ひとり悲しみにおし流されるままでいた。彼はギャロウの死を受け入れることができなかった。もし受け入れたら、これからなにを信じて生きればいいのか？　あとに残されたのは、ローソクの火を消す風のように、命の灯《ともしび》をものともしない、無情《むじょう》な世の中だけではないか。絶望《ぜつぼう》と怒《いか》りのなか、エラゴンは涙にぬれる顔を天にむけてさけんだ。

「こんな仕打ちをするのは、どこのどの神だ！　姿《すがた》を現《あらわ》せ！」部屋へ駆《か》けてくる人の足音がするだけで、天からはなんの返事も聞こえてこない。「伯父さんがなにをしたっていうんだ！」

人の手のぬくもりを感じ、見るとエレインがとなりにすわっていた。彼女の腕《うで》のなかで思いきり泣き、やがて疲《つか》れはて、いやおうなしに眠《ねむ》りに落ちていった。

14 名剣《めいけん》ザーロック

苦悩《くのう》に包まれたまま、エラゴンは目覚めた。目を閉《と》じていても、あふれ出る涙をおさえることができない。正気をたもつために、わずかばかりの希望かなにかを見出そうとする。

〔こんなことはたえられない〕彼はうめいた。

〔では、たえなければいい〕サフィラの言葉が頭のなかで反響《はんきょう》した。

〔かんたんにいうな！　伯父さんは逝《い》ってしまったんだ！　ぼくにもそのうち同じ運命がやってくる。愛、家族、栄光――なにもかもずたずたにされて、あとにはなにも残りやしない。生きることにどんな価値《かち》があるっていうんだ？〕

〔価値は行動することにある。立ち直る意欲《いよく》をなくし、生きることをあきらめたら、あなたの価値は地に落ちる。あなたは今、選択《せんたく》しなくてはならない。ひとつを選び、それに身をささげる。行動することで、希望と目的が生まれるのだから〕

〔ぼくがどうやって？〕

〔真の道しるべはあなたの心にしかない。究極《きゅうきょく》の欲求《よっきゅう》こそが、あなたをみちびける〕

サフィラはエラゴンに考える時間をあたえた。エラゴンは自分の感情《かんじょう》をじっと見つめてみた。意外

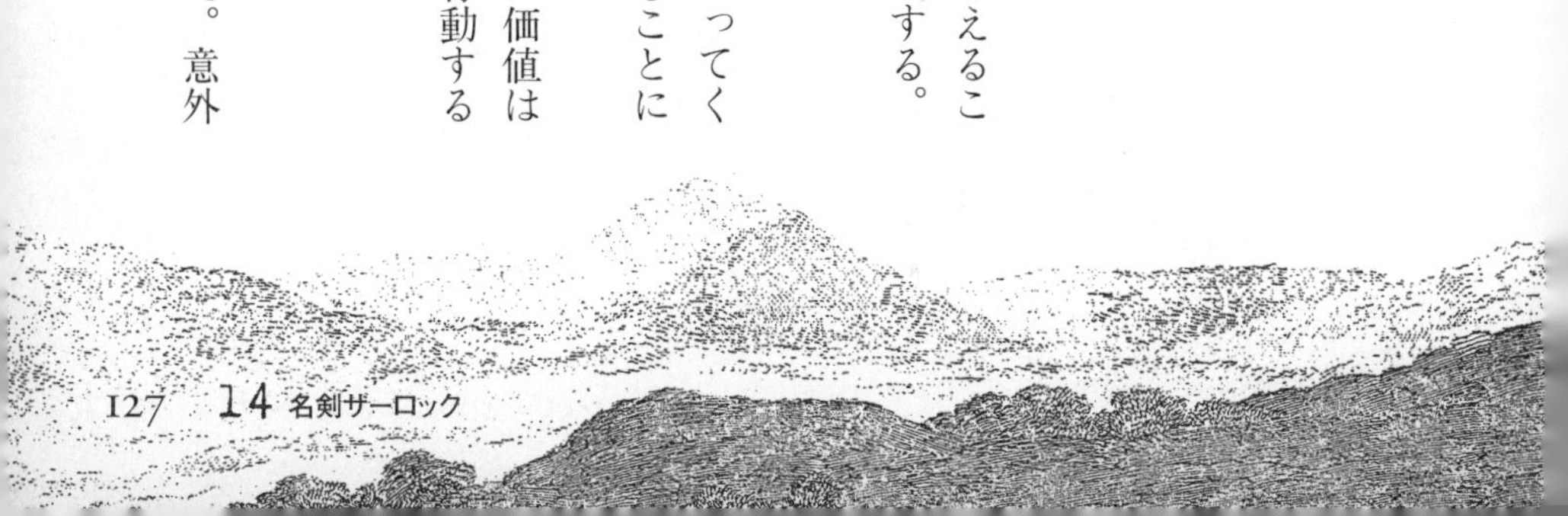

にもそこには、悲しみよりもずっと大きな、燃《も》えたぎるような怒《いか》りが見えた。〔ぼくにどうしろと……黒マントを追えというのか？〕
〔そのとおり〕
ずばりそういわれて、エラゴンは混乱《こんらん》した。深く息をすい、ふるえる息でたずねた。〔なぜだ？〕
〔スパインでわたしにいったことを覚えているか？　あなたは、ドラゴンとしてのつとめを思い出させてくれた。だからわたしは、自分の本能《ほんのう》にそむいてまであなたといっしょにもどった。今、あなたも自分を律《りつ》しなければならない。わたしはここ数日間かけて、じっくり考えてみた。そして、ドラゴンとライダーであることの意味に気づいた――不可能《ふかのう》に立ちむかうのが、わたしたちの運命なのだと。恐怖《きょうふ》をかえりみず、偉業《いぎょう》を成しとげる。それが、わたしたちの責任《せきにん》ではないか？〕
〔知るもんか。そんな理由で、ここを出ていくわけにはいかないんだよ！〕エラゴンはさけんだ。
〔ほかにも理由がある。わたしの足跡《あしあと》が見つかった。人間たちが警戒《けいかい》しはじめている。このままだと、わたしの存在《そんざい》がみんなに知られてしまう。それに、ここにはもうあなたを引きとめるものはなにもない。農場も、家族も、それに――〕
〔ローランは死んでない！〕エラゴンは食ってかかった。
〔でもここにとどまっていると、本当のことを話さねばならなくなる。父親がどうして死んだのか、ローランには知る権利《けんり》があるはず。それで、わたしのことを知れば、彼はどうすると思う？〕
サフィラの言葉が、エラゴンの頭のなかで渦《うず》を巻《ま》いていた。しかしパランカー谷と別れることを思うと、そうかんたんに決心などつくものではない。ここは彼の生まれ故郷《こきょう》なのだ。だがいっぽうで、黒マントの男たちに復讐《ふくしゅう》することを考えると、おどろくほど心がなぐさめられる。〔ぼくの力でそんなことできるんだろうか？〕

〔わたしがついている〕
　あらゆる迷《まよ》いがおしよせていた。復讐するなど、エラゴンにとっては、あまりに無謀《むぼう》で突拍子《とっぴょうし》もない行為《こうい》なのだ。彼は優柔不断《ゆうじゅうふだん》な自分に腹《はら》が立ち、口もとにあざけりの笑《え》みを浮《う》かべた。サフィラのいうとおりだ。行動することこそ大切なのだ。やるしかないんだ！　黒マントの男たちをつかまえる以外に、今の自分にどんなよろこびがあるというのか？　エラゴンは体のなかにすさまじい力がみなぎるのを感じた。その力が彼の感情《かんじょう》のすべてを、怒りという名のかたい鉄棒《てつぼう》につくりかえていた。そこにきざみつけられているのは、復讐の文字だ。がんがんする頭で、彼は確信《かくしん》をもってつぶやいた。ぼくはやる。

　エラゴンはサフィラとの交信を断《た》ち、ベッドからころがり出た。体がコイルばねのように、今にもはじけ飛びそうなほどはりつめている。まだ早朝だった。たった数時間しか眠《ねむ》っていないのだ。失うもののない敵《てき》ほどこわいものはないという。ぼくはそれになるんだ。

　昨日はまっすぐ立つことさえ困難《こんなん》だったのに、今の彼は鉄の意志《いし》にみちびかれたように、自信をもってしっかりと歩くことができた。体の痛《いた》みなどすこしも感じなかった。

　家をぬけ出そうとしたとき、人の話し声が聞こえてきた。エラゴンは気になって足をとめ、耳を澄《す》ました。エレインのもの静かな声が響《ひび》いてくる。「……住んでもらいましょう。お部屋は空いているんだし……」ホーストの返事は、低くて聞きとることができない。「そうね。かわいそうな子」エレインがこたえる。

　今度はホーストの声が聞こえてきた。「ああ……」長い間があった。「エラゴンのいったことをいろいろと考えてみた。だが、あの話がすべてだとは、おれにはどうしても思えないんだ」

「どういうことなの？」エレインの不安を帯びた声が聞こえる。

「農場へむかう道は、ギャロウを乗せた板で雪が平らにならされていた。ところがあるところまで行くと、雪が大きくふみつけられて、ぐちゃぐちゃになっていた。足跡《あしあと》も板の跡も、そこでとぎれてるんだ。そこにも、農場で見たのと同じ巨大《きょだい》なけものの足跡があった。エラゴンの足だ。あれだけ皮膚《ひふ》がはがれていて、気づかなかったなんて信じられん。あまり問いつめるのは気が進まなかったんだが、やはりちゃんときいてみなければならんな」

「きっと、あまりにもこわい思いをしたので、おびえてなにも話せなかったのよ」エレインがとりなす。「あの子、ひどくとりみだしていたでしょう」

「そうであっても、雪の上になんの跡もつけず、ギャロウを運んでくるなんてことはありえない」

サフィラのいったとおりだ、エラゴンは思った。今ここを出なければ、いろんな人から、いろんなことをきかれるだろう。みんなが事実を知るのも時間の問題だ。床《ゆか》のきしむ音に神経《しんけい》をはりつめながら、彼は静かにホーストの家を出た。

通りには人っこひとりいなかった。こんな早い時間に起きている人はほとんどいない。彼は足をとめ、これからどうすべきかをじっと考えてみた。サフィラがいるから馬は必要ない。だけど乗るには鞍《くら》が必要だ。食糧《しょくりょう》はサフィラが捕《と》ってくれるから心配はない。でも、いくらかはもったほうがいいだろう。あとの荷物は、こわれた家の下からほり出していけばいい。

エラゴンはまず、村はずれのゲドリックの革《かわ》なめし小屋へむかった。悪臭《あくしゅう》に顔をしかめながら、丘《おか》の斜面《しゃめん》を小屋へと近づいていく。なかへ入ると、天井《てんじょう》につるされたたくさんの革のなかから、大きな雄牛《おうし》の革を三枚《まい》切りとった。泥棒《どろぼう》のようで気がとがめたが、けっして盗《ぬす》むのではないのだと自分にいい聞かせた。ゲドリックには、いつかちゃんとお返しをする。もちろん、ホーストにも。厚《あつ》い牛の革をひと巻《ま》きにして、村からはなれた木立まで運び、一本の木の枝《えだ》の叉《また》にはさんでカーヴァホールへと

って返した。

次は食糧だ。酒場のほうへ歩きかけたエラゴンは、ふとひきつった笑《え》みを浮《う》かべ、向きを変えた。盗むなら、やはりスローンの店だ。彼は肉屋のほうへ、そろそろと近づいていった。スローンが店にいないので、正面の扉《とびら》にはがっちりとかんぬきがかけられていた。だが裏口《うらぐち》の戸は細い鎖《くさり》がかかっているだけで、かんたんにこじあけることができた。真っ暗な店内を手さぐりしていくと、布《ぬの》に包まれたかたい肉の山が手にあたった。もてるだけの肉をシャツの下におしこみ、急いで外へ出て、そっと戸をしめた。

近くで女の人がエラゴンの名を呼《よ》んでいた。肉が落ちないようシャツのすそをしっかりつかみ、ものかげに身をかくした。二軒《けん》の家のあいだ、ほんの目と鼻の先をホーストが通りすぎていくのを見て、エラゴンはぎょっとした。

ホーストの姿《すがた》が見えなくなるや、エラゴンは駆《か》けだした。路地を全速力で走りぬけ、木立にたどり着くころ、太ももの傷《きず》は焼けるように痛《いた》くなっていた。追ってくる者がいないかどうか、木々のあいだから、様子をうかがってみた。だれもいない。ほっと息をつき、なめし革をはさんだ木へともどっていった。が、革は消えていた。

「どこへ行くのかね?」

エラゴンはふりむいた。ブロムが恐《おそ》ろしい形相《ぎょうそう》でこちらをにらんでいる。頭の片側《かたがわ》にひどい傷。腰《こし》のベルトには、短刀をおさめた茶色の鞘《さや》。なめし革は彼の手のなかにある。

エラゴンはいらだたしげに眉《まゆ》をひそめた。この老人が、どうやって人のあとをつけてきたのか? 今の今までまわりは静かだった。ぜったいにだれもいなかったと断言《だんげん》できる。「それを返して」エラゴンは声を荒《あら》げていった。

「なぜじゃ？　おまえはギャロウの弔《とむら》いも終わらないうちに、逃《に》げ出すのか？」鋭《するど》い口調で責《せ》める。

「あんたには関係ない！」エラゴンはかっとなってどなった。「どうしてぼくを尾《つ》けたんだ！」

「尾けてはいない」ブロムがいう。「ここで待っておったのだ。おまえ、どこへ行くつもりじゃ？」

「べつに」エラゴンは手をのばして、なめし革《がわ》をうばいとった。老人はなんの抵抗《ていこう》もしない。

「ドラゴンに食わせるだけの肉があればいいがのう」

エラゴンは凍《こお》りついた。「なんの話だ？」

ブロムは腕《うで》を組んだ。「とぼけてもムダじゃよ。その掌《てのひら》の跡《あと》、どうしてついたのか、わしはちゃんと知っておる。ゲドウェイ・イグナジア——光る掌。幼竜《ようりゅう》をさわったのじゃろう。わしに根ほり葉ほりききに来た理由も知っておる。それに、今ふたたびライダーがよみがえったことも」

エラゴンの手からなめし革と肉が落ちた。いつかこうなると思ってた……逃《に》げなくちゃ！　でも傷《きず》ついたこの足ではとても逃げきれやしない。だけど、もし……。〈サフィラ！〉

息苦しい数秒間が流れ、ふいにサフィラからの返事が返ってきた。〈はい〉

〈ぼくたちのことがばれた！　早くむかえに来て！〉エラゴンが頭に描《えが》いた場所をめざし、サフィラはすぐに飛び立った。今はとにかく、この場を切りぬけることを考えなければならない。「あんたにどうしてそれがわかったの？」彼はくぐもった声でたずねた。

ブロムは遠くに目をやり、まるでだれかべつの人と話すかのように、静かに唇《くちびる》を動かした。そして、いった。「手がかりなどいくらでもあった。わしはただ注意深くしているだけでよかった。それなりの知識《ちしき》があれば、だれだって同じ結論《けつろん》に行き着くわ。それで、おまえのドラゴンはどうなった？」

「彼女は無事さ」エラゴンはいった。「農場がおそわれたとき、ぼくたちはあそこにいなかったんだ」

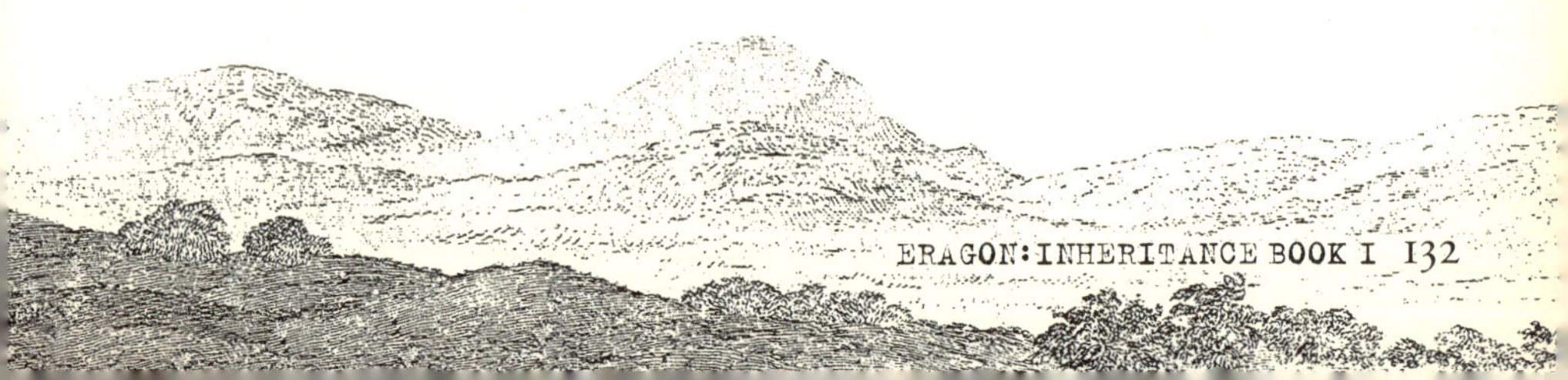

「ほう、その足、さては飛んだな？」
どうしてそんなことまでわかるんだ？　もしブロムが、黒マントの男たちに脅《おど》されてここへ来たとしたら？　ブロムを使ってぼくの行き先をきき出して、どこかで待ちぶせしようとしているのかもしれない。サフィラはまだか？　彼は心の手をのばし、はるか上空で旋回《せんかい》するサフィラを見つけた。
〔早く来い！〕
〔いや。しばらくだまって見ていることにする〕
〔なぜだ！〕
〔ドル・アリーバの殺戮《さつりく》のことを聞いたから〕
〔なんだって？〕
ブロムはかすかな笑《え》みを浮《う》かべ、木によりかかった。「わしが彼女と話したのだ。おまえとの行きちがいを正すまで、上で待っててくれるといった。どうじゃ、わしの質問《しつもん》に正直にこたえるしかないだろう。どこへ行くつもりじゃ？」
エラゴンは困惑《こんわく》して、こめかみをおさえた。ブロムが？　なぜサフィラと話せるんだ？　頭のうしろがズキズキと痛《いた》み、そのなかでいろいろな考えがめまぐるしく駆《か》けめぐっていた。が、いくら考えても結論は同じだった。とにかくなにかこたえるしかない。彼は口を開いた。「傷が治るまで、安全な場所にかくれていようと思う」
「で、そのあとは？」
もう言いのがれはできない。頭痛《ずつう》はひどくなるいっぽうだ。頭がぼうっとしている。なにひとつ考えることができない。彼はただ、この数か月の出来事をだれかに洗《あら》いざらいぶちまけたくてたまらなかった。秘密《ひみつ》にしていたことがギャロウの死をまねいた、そう思うと胸《むね》が引きさかれそうだった。エ

ラゴンは観念し、ふるえる声でこたえた。「黒マントの男たちをつかまえて、殺してやる」

「若造《わかぞう》にはずいぶん骨《ほね》の折れる仕事だわな」ブロムはまるで、エラゴンがごくあたりまえの発言をしたかのように、平然といった。「が、たしかにやってみる価値《かち》はある。やりとげるに値《あたい》する行為《こうい》じゃ。たぶん、助けはいらんとはねつけられるんだろうが」老人は茂《しげ》みのなかから大きな荷物を取り出し、ぶっきらぼうな声で続ける。「なんといわれようと、わしはついていくぞ。おまえさんのようなひよっ子が、ドラゴンを連れてうろつきまわるというんではのう」

ブロムのやつ、本当に助けてくれる気なのか？ それとも敵《てき》のまわし者なのか？ 恐《おそ》ろしいのは、相手がどんな手段《しゅだん》を使うかわからない謎《なぞ》の敵《てき》だということだ。でも、サフィラはブロムのことを信用したようだ。ふたりは心のなかで会話までしたようだし。サフィラが心配していないのなら……エラゴンはこの疑念《ぎねん》を、とりあえずはわきへ置いておくことにした。「助けはいらないけど」といって、しぶしぶつけ加える。「べつについてきてもいいよ」

「では、善《ぜん》は急げじゃな」ブロムがまた一瞬《いっしゅん》、遠くを見るような表情《ひょうじょう》をした。「さあ、ドラゴンと話してみなさい。またちゃんと会話してくれるはずじゃ」

〈サフィラ？〉エラゴンは呼《よ》びかけた。

〈はい〉

ブロムのことをたずねてみたい衝動《しょうどう》をぐっとおさえた。〈農場で落ちあえるかな〉

〈わかった。ふたりは意見がまとまった？〉

〈たぶん〉サフィラは交信を切り、空高く舞《ま》いあがっていった。カーヴァホールに目をやると、家々のあいだを人が駆《か》けているのが見えた。「きっとみんな、ぼくをさがしてるんだ」

ブロムは眉《まゆ》をあげた。「そうだろうな。では、行こうか」

エラゴンはためらった。「ローランに書き置きを残したいんだ。理由もいわずに出ていくのは、よくないと思うから」

「ちゃんと手は打ってきたぞ」ブロムはいった。「ガートルードに手紙をたくしてきた。いろいろと理由を書いてな。それに、まだどんな危険《きけん》があるかもしれん。じゅうぶんに警戒《けいかい》しろとも書いてきた。どうじゃ、満足か？」

エラゴンはうなずき、肉のかたまりをなめし革《がわ》でくるんで歩きだした。街道までは人目につかないよう用心しながら歩き、そこからは歩調を速め、カーヴァホールからぐんぐん遠ざかっていった。太ももはあいかわらず焼けるように痛《いた》かったが、エラゴンは雪の道を断固《だんこ》とした足どりで進んだ。ただひたすら歩き続けるなか、ゆっくりと考えごとができた。家に着いたら、ブロムからもっとしっかりきき出してやろう。じゃなければ、いっしょに旅なんかするものか。きっぱりと自分にいい聞かせる。ライダーのことや、ぼくが戦うべき相手のことを、くわしく教えてもらえればいいんだけど……。

農場の残骸《ざんがい》が見えてくると、ブロムの太い眉《まゆ》が憤《いきどお》りでゆがんだ。自然の力によって、あっという間に姿《すがた》を変えられてしまった農場を前に、エラゴンはうなだれた。瓦礫《がれき》の上には雪や泥《どろ》が積もり、恐ろしい襲撃《しゅうげき》の痕跡《こんせき》などおおいかくされている。すでに腐《くさ》りかけているすすだらけの板だけが、かろうじて納屋《なや》の残骸だとわかる。

木立の上空でサフィラの羽ばたきが聞こえ、ブロムがさっと顔をあげた。サフィラがふたりの頭をかすめるように背後《はいご》から急降下《きゅうこうか》してくる。エラゴンとブロムは風圧《ふうあつ》におされてよろめいた。サフィラは鱗《うろこ》をきらめかせながら農場の上を旋回《せんかい》し、美しく地面におり立った。

ブロムはまじめとも笑っているともつかぬ表情で前へ進み出た。だがその目には涙《なみだ》が光っている。

頬《ほお》にたれたひと筋《すじ》の涙《なみだ》は、そのままひげのなかに消えていった。ブロムはしばしそこに立ちつくし、荒《あら》い息づかいでサフィラを見つめていた。サフィラも老人を見つめていた。ブロムがなにかつぶやくのが聞こえ、エラゴンは近づいて耳を澄《す》ました。

「そうか……またはじまってしまったのじゃな。だが、終わりはいつ、どこに来るのだ？　わしの視《し》界《かい》はぼやけておる。これが悲劇《ひげき》となるか茶番となるか、さっぱり見えん。このふたりがここにいるからには……いずれにしろ、わしの役目は変わらない。それに……」

サフィラが毅然《きぜん》として歩いてくると、ブロムの言葉はしりすぼみにうすれていった。エラゴンはブロムのつぶやきなど聞かなかったふりをして、サフィラをむかえた。サフィラとエラゴンのあいだには、以前とはすこしちがう空気が流れていた。さらに親密《しんみつ》になったような、それでいていまだ知らない者どうしであるような。サフィラの首をさすると、ふたりの意識《いしき》が触《ふ》れあい、掌《てのひら》がピリピリとうずく。サフィラの強い好奇心《こうきしん》を感じた。

〔あなたとギャロウ以外の人間を見るのは初めてだから。それに、ギャロウは瀕死《ひんし》の状態《じょうたい》だったし〕

サフィラがいった。

〔ぼくの目を通して、いろいろな人間を見てるじゃないか〕

〔直接《ちょくせつ》見るのとはわけがちがう〕サフィラは歩みより、長い首をひねって、片方《かたほう》の青い大きな目でブロムをまじまじと見る。〔本当に奇妙《きみょう》な生き物！〕サフィラはそう批評《ひひょう》して、ブロムをさらに観察した。サフィラににおいを嗅《か》がれながら、じっとそこに立っていたブロムが、ふいに手をさし出した。サフィラはゆっくりと頭をたれ、ブロムに額《ひたい》をさわらせた。と、大きく鼻を鳴らして飛びのき、エラゴンのうしろへあとずさった。尾《お》が地面をたたきつける。

〔どうしたんだ？〕エラゴンはきいた。サフィラはこたえない。

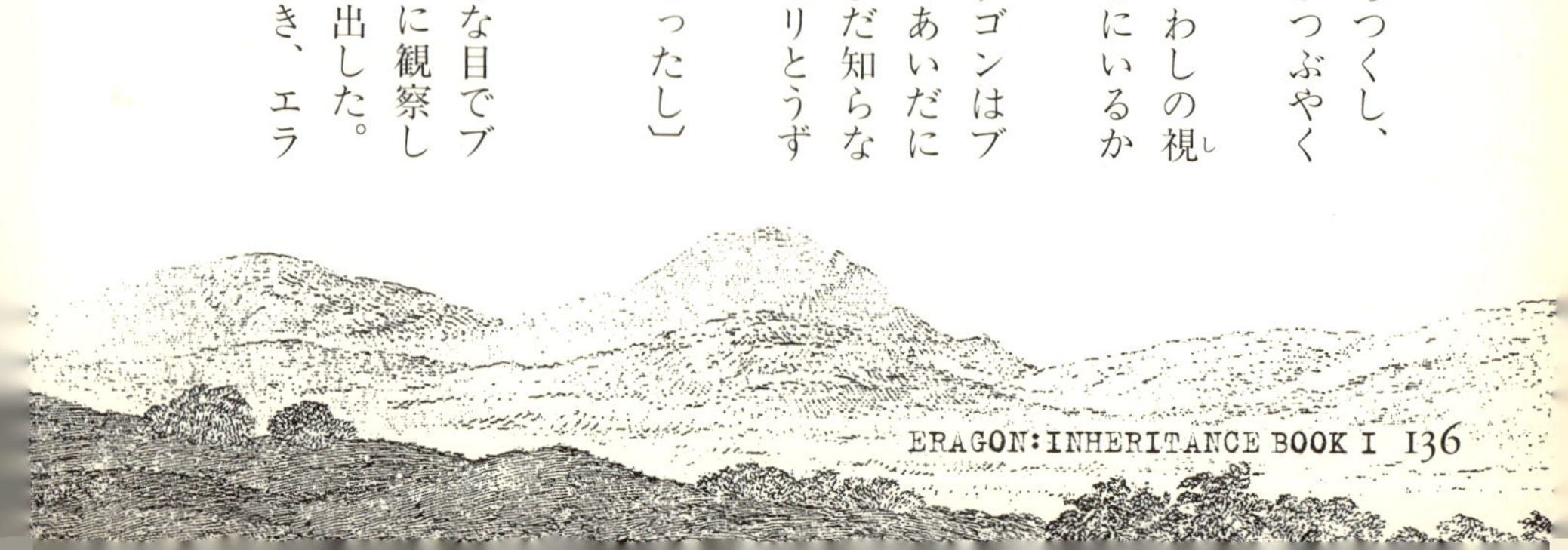

ブロムはエラゴンにむき直り、低い声でたずねた。「名はなんという?」

「サフィラさ」

ブロムが独特《どくとく》の表情《ひょうじょう》を浮《う》かべ、指が白くなるほどの力で、杖《つえ》の先を地面におしつけた。「あんたが教えてくれた名前のなかで、これしか気に入るのがなかったみたいだよ。ぼくもぴったりだと思ったし」あわててつけ加える。

「たしかにぴったりじゃ」ブロムのその声に、いわくいいがたいなにかを感じた。悲しみか、おどろきか、恐《おそ》れか、羨望《せんぼう》か——そのどれでもないのかもしれないが、エラゴンには思いのおよばないことだった。ブロムは声を高くしていった。「よろしく、サフィラ。会えて光栄じゃよ」老人は妙《みよう》な形に手をねじり、会釈《えしゃく》をした。

〔この人、気に入った〕サフィラが静かにいう。

〔そりゃあ、そうだろうね。光栄だなんていわれればさ〕エラゴンはサフィラの肩《かた》をたたき、残骸《ざんがい》のなかへ入っていった。サフィラとブロムもそのあとに続いた。老人は急にいきいきとして元気になったように見えた。

エラゴンは瓦礫《がれき》のなかに分け入り、自分の部屋の戸の下にもぐりこんだ。くだけ散った板切れの山のなかに、かろうじて部屋の痕跡《こんせき》が残っている。記憶《きおく》をたよりに壁《かべ》のあった場所をさぐり、空の背嚢《はいのう》を見つけた。木枠《きわく》の一部はこわれているが、直せばじゅうぶん使えそうだ。さらにほり進んでいくと、鹿革《しかがわ》の筒《つつ》におさまった弓の先端《せんたん》を発見した。

革はさけてぼろぼろになっているものの、油でみがいた木の弓は無傷《むきず》で残っている。よかった。ようやくマシなことがあった。弦《つる》をはり、にぎりを引いてみる。木は折れたりきしんだりせず、なめらかに撓《しな》った。満足して、今度は矢筒をさがしにかかる。矢筒はすぐそばからほり出せたが、矢はほと

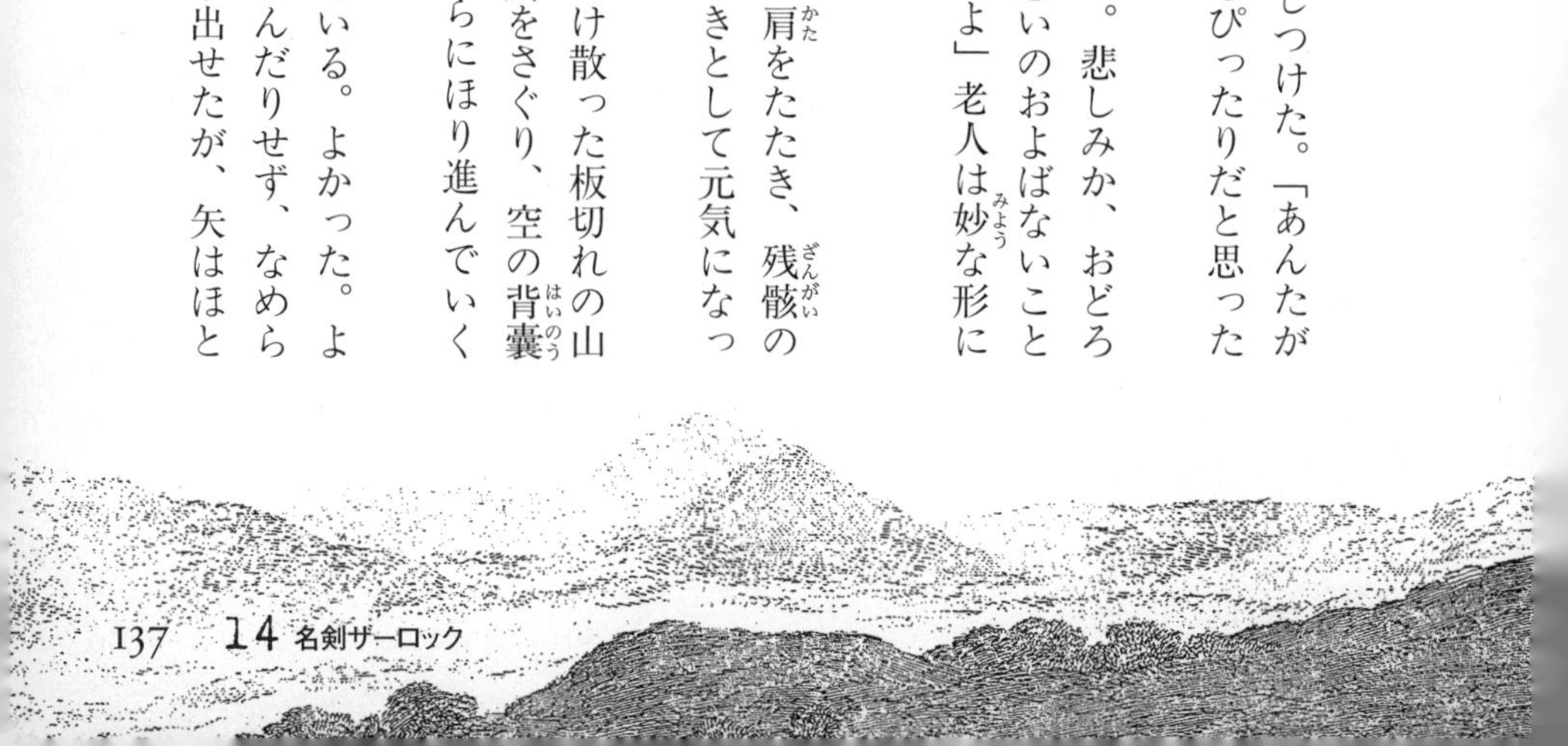

んどが折れていた。

弓の弦《つる》をはずして、矢筒《やづつ》といっしょにブロムに手わたした。「こいつを引くには、相当な力がいるじゃろう」エラゴンはブロムのほめ言葉をだまって受けとめ、引き続き残骸《ざんがい》をほり進み、必要なものをブロムにあずけていった。だが、さんざん集めて歩いても、たいした量にはならなかった。

「で、次はどうする？」ブロムがさぐるような鋭《するど》い視線《しせん》をむける。エラゴンは目をそらした。

「ひとまずどこかにかくれる」

「心あたりはあるのか？」

「あるさ」エラゴンは弓以外の荷物をひとまとめにして、しっかりと包んだ。荷物を背負《せお》い、「こっちだ」といって、森のほうへ歩いていく。〈サフィラ、上からついてこい。おまえの足跡《あしあと》は目立ちすぎるからな〉

〈わかった〉サフィラが背後《はいご》で飛び立った。

めざす場所は遠くないが、追っ手を警戒《けいかい》して、わざと回り道をした。一時間以上も歩きまわり、ようやくたどり着いたのは、イバラにかこまれた荒《あ》れ地《ち》だった。

イバラのなかは、人間ふたりとドラゴンが焚《た》き火《び》をかこめる程度《ていど》の空間がある。赤毛のリスたちがとつぜんの侵入者《しんにゅうしゃ》に抗議《こうぎ》の声をあげながら、木立のなかへ逃《に》げこんでいった。ブロムはからみつく蔓《つる》をはらい、あたりを興味深《きょうみぶか》げに見まわした。「ここを、ほかに知っている者は？」

「いないよ。農場へこしてきたばかりのころに見つけたんだ。真ん中までほり進むのに一週間、枯《か》れ木《き》をどけるのに一週間かかった」サフィラがふたりの横におりてきて、とげがささらないよう注意深く翼《つばさ》をたたんだ。かたい鱗《うろこ》で小枝《こえだ》をふみつぶしながら体を丸め、地面に頭をふせた。なにを思っているのかうかがい知れないが、彼女の瞳《ひとみ》はふたりの姿《すがた》を一心に見つめている。

ブロムは杖《つえ》によりかかり、サフィラに目をすえた。詮索《せんさく》するような視線が、エラゴンにはひどく気がかりだった。

ブロムとサフィラの様子を見まもっていたエラゴンだが、いつしか空腹《くうふく》におそわれ、動かざるをえなくなった。焚き火をつくって、鍋《なべ》に雪を入れ、火にかけて雪をとかす。水が沸騰《ふっとう》したところで、さいた肉と塩をひとかたまり入れる。ひどい飯だな、と顔をしかめる。でも、まあいいさ。こんな飯でも、しばらく続けていればなれるだろう。

シチューが静かに煮《に》え、濃厚《のうこう》な香《かお》りがあたりにただよいはじめた。サフィラがヘビのように舌先《したさき》を出し、においを味わっている。肉がやわらかくなるころ、ブロムが近づいてきて、シチューを受けとった。ふたりはたがいの視線をさけながら無言で食べた。食べ終わると、ブロムはパイプを出して、ゆっくり火をつけた。

「なんでぼくについてきたいの?」エラゴンが口を開いた。

ブロムの唇《くちびる》から吐《は》き出された煙《けむり》が、木々のあいだへくるくると消えていく。「おまえを生かしておくことに、強い関心があるからじゃ」

「それ、どういう意味?」

「かんたんにいえば、わしが語《かた》り部《べ》だからだな。おまえがよい物語を生み出してくれそうだと思ったからじゃ。なにしろおまえは、帝国《ていこく》に支配《しはい》されない百数年ぶりのライダーだからのう。はたしてこれからどうなるか? 殉教者《じゅんきょうしゃ》として非業《ひごう》の死《し》をとげるのか? ヴァーデン軍に加わるのか? あるいはガルバトリックス王の命をうばうのか? 好奇心《こうきしん》をそそられることばかりだ。なんとしてでもその現《げん》場《ば》にいあわせて、この目ですべてを見とどけたいと思ったのじゃ」

エラゴンは胃のなかがしめつけられるように感じた。自分のそんな姿など、想像《そうぞう》すらできない。ま

して殉教者《じゅんきょうしゃ》になるなんて。ぼくは復讐《ふくしゅう》したいだけだ。それ以外には……なんの野望もない。「なるほどね。じゃあ、サフィラと話せたのはなぜだ？」

ブロムはたっぷり時間をかけて、パイプにタバコを足した。火がつくと、パイプをしっかり口にはさんだ。「まあ、知りたいというなら、教えてやるがな。おまえの気に入らん答えになるかもしれんぞ」ブロムは立って、自分の荷物を焚《た》き火《び》の上にもってくると、なかから布《ぬの》に巻《ま》かれた長い棒状《ぼうじょう》のものを取り出した。長さは一メートル半ほど。もっている様子からして、かなり重そうに見える。

ブロムはミイラの包帯をはずすかのように、すこしずつ巻き布をほどいていった。やがて剣《けん》が姿《すがた》を現《あらわ》したとき、エラゴンは思わず目をうばわれた。黄金色の柄頭《つかがしら》は涙《なみだ》のしずくの形。側面の切りこみに卵形《たまごがた》の小さなルビーが埋《う》めこまれている。柄には銀色の針金《はりがね》が巻かれ、星の輝《かがや》きを放つほどみがきあげられている。ブドウ色の鞘《さや》はガラスのようになめらかだ。奇妙《きみょう》な黒い印が彫《ほ》りこまれているだけで、あとはなんの飾《かざ》りけもない。剣とともに革《かわ》のベルトと、がんじょうなバックルが包まれていた。

布をほどき終わると、ブロムは剣をエラゴンにもたせた。

にぎりの部分は、エラゴンのためにあつらえたかのように、しっくりと手におさまった。鞘から音もなく剣がすべり出た。赤みを帯びた平たい刀身は、炎《ほのお》に照らされて玉虫色に光っている。切っ先へむかってしなやかな曲線を描《えが》くうすい刃《は》。その上に一対の黒い印がきざみこまれている。剣をもった感じは完璧《かんぺき》だった。いつもの不恰好《ぶかっこう》な農具とはちがい、自分の腕《うで》の一部のように手になじんでいる。まるで深部におさえきれない強さを秘《ひ》めているかのように、剣には力がみなぎっていた。血で血を洗《あら》う死闘《しとう》のためにつくられた武器《ぶき》。しかし、それは息をのむほど美しかった。

「かつてライダーがもっていたものじゃ」ブロムはおごそかにいった。「修行《しゅぎょう》を終えたライダーに、エルフ族が剣《けん》を贈《おく》る風習があったのだ。エルフたちがどうやってそのような剣をつくるかは、だれも

知らない。だが彼らのつくる剣は永遠《えいえん》に鋭《するど》く、けっして錆《さ》びたりせんのだ。刀身の色は、ドラゴンの色に合わせる慣習《かんしゅう》になっておるが、まあ、例外もあっていいだろう。剣の名はザーロック。意味はわからんが、持ち主のライダー個人《こじん》にかかわることだったのじゃろうな」

エラゴンはブロムの前で剣をふってみた。「これ、どこで手に入れたの？」名残おしげに鞘におさめ、ブロムにさし出すが、ブロムは受けとろうとしない。

「どうでもいいことじゃよ」ブロムはいった。「ただ、危険《きけん》きわまりない冒険《ぼうけん》の数々を経《へ》て、ようやく手に入れたとだけいっておこう。これからはおまえがもっていなさい。わしよりももつ権利《けんり》があるからな。それに、すべてやりとげるには、きっと必要になるだろうから」

エラゴンは肝《きも》をつぶした。「すごい贈り物だ……ありがとう」ほかにいうべき言葉が見つからず、鞘に手をすべらせる。「この印はなんなの？」

「ライダーがそれぞれにもつ紋章《もんしょう》じゃ」エラゴンが口をはさもうとするのを目で制《せい》して、ブロムは続けた。「さて、おまえの知りたがってた話だが、正しい訓練を受ければ、だれでもドラゴンと話せるようになるのだ。それに」彼は強調するように指を立てる。「話せるだけではなんの意味もない。いいかな、わしはこの世にいるだれよりも、ドラゴンの能力《のうりょく》を知っておる。自力で学ぶには、何年もかかることじゃ。その知識《ちしき》を、おまえに短期間で授《さず》けることにしよう。だが、なぜそれだけの知識があるかについては、いわずにおきたい」

ブロムの話が終わったのを潮《しお》に、サフィラが体を起こし、エラゴンのほうへよってきた。エラゴンは剣をぬいて、サフィラに見せた。〔力を感じる〕鼻づらを切っ先にあて、サフィラがつぶやいた。鱗《うろこ》が近づくと、玉虫色の刃が水面《みなも》のようにさざなみを立てる。サフィラは満足げに鼻を鳴らして頭をあげる。剣はまたもとどおりの姿《すがた》にもどった。エラゴンは首をかしげながら剣を鞘におさめた。

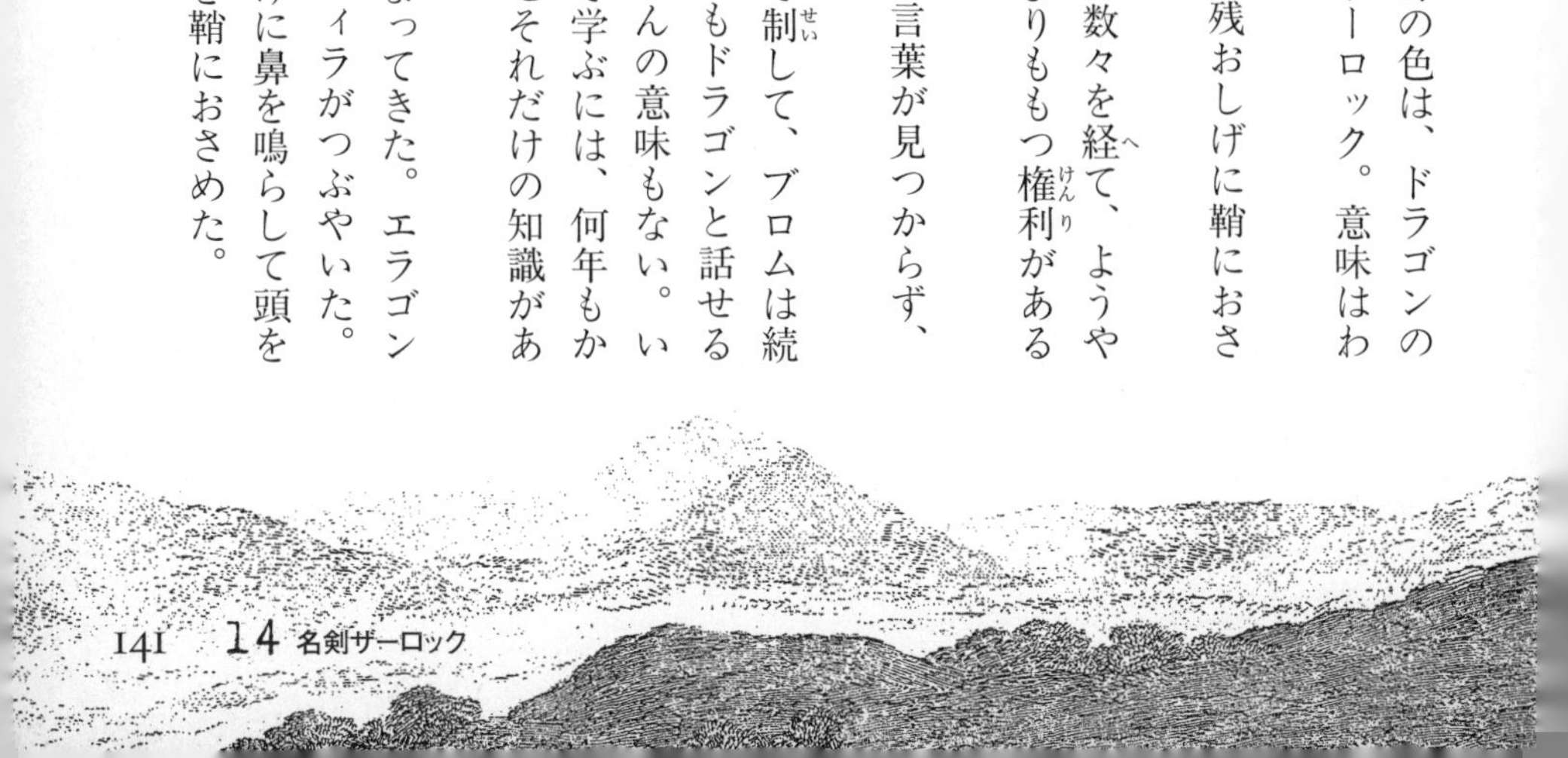

ブロムが眉《まゆ》をあげた。「これこそ、わしのいいたかったことじゃ。ドラゴンにはつねにおどろかされる。ドラゴンといると……あらゆることが起きる。ほかではありえんような不思議なことがな。何世紀も行動をともにしたライダーたちでさえ、ドラゴンの能力《のうりょく》を完全に把握《はあく》できなかった。ドラゴン自身ですら、おのれの力の限度《げんど》を知らないという話もある。ある意味でドラゴンは、この国土と結びついておるのだ。彼らが大きな障害《しょうがい》を乗りこえられるのは、国土がそうさせているからなのだな。今サフィラのやったことを見ればわかるじゃろう——おまえの知らんことはまだまだたくさんある」

長い間があった。「そうかもしれないけど」エラゴンはいった。「これからしっかり覚えるよ。それより、今いちばん知りたいのは、あの黒マントの男たちのことなんだ。あいつらが何者か、心あたりはないの？」

ブロムは大きく息を吐《は》いた。「ラーザックという連中じゃ。それがもともとの種族の名なのか、自分らでそう呼《よ》ぶことに決めただけなのかはわからん。たとえ個々《ここ》の呼び名があったとしても、連中はそれをけっして表には出さんのだ。ラーザックなどという連中は、ガルバトリックスが権力《けんりょく》を手にする前はいなかった。おそらくやつが旅のさなかにどこかで見つけて、配下に引き入れたのだろうな。くわしいことはなにもわかっていないのじゃ。だが、これだけはいえる——やつらは人間ではない。フードのなかに、くちばしみたいなものと、この拳《こぶし》ほどもある真っ黒な目が見えたからな。しかし、どうして人間の言葉を話せるかは定《さだ》かではない。胴体《どうたい》はぐにゃりと曲がっておる。だからどんな天気のときも、あんなマントで体をかくしておるのだ。

やつらの力は、どんな人間よりも強い。信じられんほどの高さまで飛ぶことができるという。だが、魔法《まほう》は使えんのだ。それは本当に幸いしたな。もし魔法まで使えたら、おまえなんぞとっくにつかまっておるだろう。もうひとつわかっとるのは、連中が日の光を極度に嫌《きら》うということじゃ。だ

が、成すべきことがあれば、日の光だろうがなんだろうが、かまわずやりとげる。ラーザックをけっしてあまく見てはいかんぞ。狡猾《こうかつ》で抜《ぬ》け目《め》のない連中だからな」

「数はどれくらいいるの?」エラゴンは、なぜブロムがこんなにもくわしいのか、いぶかしく思いながら質問《しつもん》した。

「わしの知るかぎり、姿《すがた》を見せたのはふたりだけじゃ。ほかにもっといるかもしれんが、そのへんはたしかではない。ひょっとしたら、あのふたりが種族の最後の生き残りなのかもしれん。とにかく、やつらは王の手飼《てが》いのドラゴンハンターなのだ。ドラゴンがいるという噂《うわさ》が耳に入れば、ガルバトリックスは国じゅうどこへでもラーザックを送る。やつらの通った跡《あと》には、かならずといっていいほど死がころがっておる」ブロムは煙《けむり》の輪をぷかぷかと吐き出し、イバラのなかへただよっていくのをながめていた。煙の輪など、エラゴンは最初気にもとめなかったが、よく見ると、それらは色を変え、飛ぶような速さで動きまわっている。ブロムがいたずらっぽくウインクをする。

エラゴンには確信《かくしん》があった。サフィラの姿はだれにも見られていない。では、なぜガルバトリックスの耳に入ったのか? 疑問《ぎもん》を口にすると、ブロムはいった。「そうじゃな。カーヴァホールの人間が王に密告《みっこく》したとは考えにくい。それよりまず、おまえがその卵《たまご》をどこで拾ったのか、サフィラをどうやって育てたのか、話してみなさい――それで、疑問がとけるかもしれん」

エラゴンはすこしためらってから、スパインで卵を見つけて以来のことを、洗《あら》いざらい打ち明けた。心にたまっていたものを吐き出すのは、気分のいいことだった。ブロムはいくつかきき返しただけで、あとはただ真剣《しんけん》に耳をかたむけていた。日がしずむころ、エラゴンの話は終わった。浅紅色《あさべにいろ》に変わる雲を見あげながら、ふたりはしばらく無言のままでいた。「サフィラがどこから来たのかわかればなあ。サフィラ自身も覚えてないんだ」

ブロムも首をかしげる。「さあな……とにかく、おまえの話でいろいろなことがわかったぞ。たしかに、わしらのほかにサフィラを見た者はおらんようじゃ。ラーザックはパランカー谷以外の場所で、情報《じょうほう》をつかんできたのだろう。情報源《じょうほうげん》はもう死んでおるだろうが……おまえ、大変なことをよくひとりでがんばったな。感心したぞ」

エラゴンはぼんやりと遠くを見つめ、ふいにたずねた。「あんたのその頭、どうしたの？　岩にでも衝突《しょうとつ》したのかい？」

「いや。だが、いい読みをしとる」ブロムはパイプを深くふかした。「夜陰《やいん》に乗《じょう》じてラーザックのテントに近づいたのだ。なんとかやつらをとめられんかと思ってな。ところがむこうはかげからわしを見ていた。まんまと待ちぶせされたんじゃよ。それでもやつらはわしをあまく見ていたようで、なんとか逃《に》げおおせると思った――」老人は苦笑する。「だが結局これじゃ。バカをやったものだな。失神して、翌日《よくじつ》まで地面にころがっておった。わしが気づいたころには、やつらはもう農場に着いていたはずじゃ。もはやとめられるはずもない。しかし、ともかくあとを追うしかないと思ったのだ。そのときだ、おまえと道で出くわしたのは」

たったひとりでラーザックに立ちむかおうなんて、この老人はいったい何者なんだ？　しかも暗闇《くらやみ》でおそわれて、失神だけで終わった？　エラゴンはもどかしくて、興奮《こうふん》気味にたずねた。「ゲドウェイ・イグナジアとかいったね、この掌《てのひら》の跡《あと》。これを見たとき、どうしてラーザックの正体を教えてくれなかったんだ？　知ってたら、サフィラのところよりも、まず真っ先に伯父《おじ》さんに危険《きけん》を知らせに行ったのに。そうしたら三人で逃げられたかもしれないのに」

ブロムはため息をついた。「あのときは、どうすべきかまだよくわかっていなかったのだ。ラーザックを農場へ近づけないようにできると、あまく考えておった。サフィラのことは、連中が消えるの

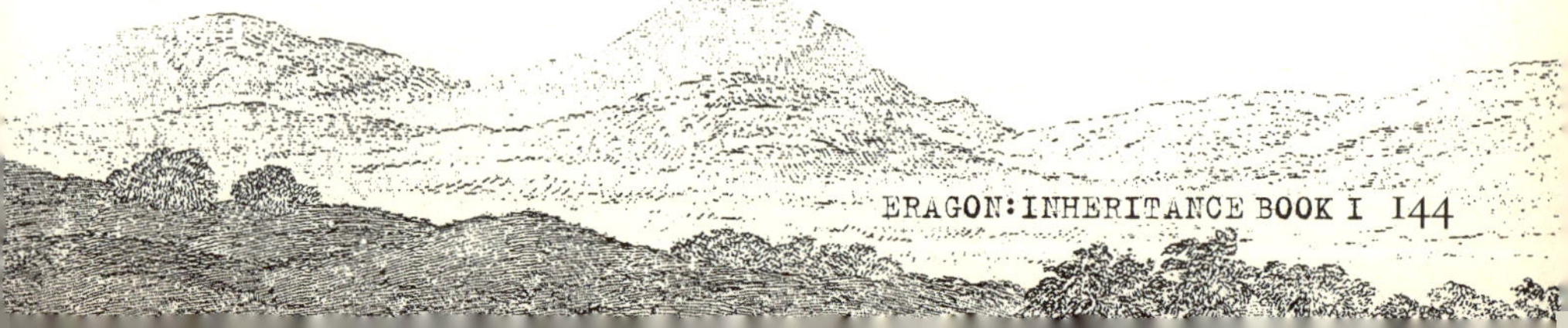

を待ってから、おまえと話そうと思っていた。だが、連中のほうが一枚上手《いちまいうわて》じゃった。悔《く》やんでも悔やみきれんあやまちじゃ。おまえに大変な苦痛《くつう》をあたえてしまった」

「あんたはいったいだれなんだ?」エラゴンはとつじょ声を荒《あら》げていった。「ただの村の語《かた》り部《べ》が、なんでライダーの剣《けん》なんかもってるの? ラーザックのことだって、どうしてそんなにくわしいんだよ?」

ブロムはパイプをたたいた。「話せんこともあるといったつもりじゃがな」

「そのせいでぼくの伯父さんは死んだんだ。死んだんだぞ!」エラゴンは手を激《はげ》しくふりながらさけんだ。「サフィラが敬意《けいい》をしめすから、あんたを信用しようと思ってた。だけど、もうごめんだ! あんたは、ぼくが昔から知ってるカーヴァホールの語り部とはちがう。正体をいってくれよ!」

ブロムは額《ひたい》のしわを深くして、ふたりのあいだにただよう煙《けむり》を長いこと見つめていた。動くのはパイプをふかすときだけだ。やがてようやく口を開いた。「おまえには思いもよらんことかもしれんが、わしは人生のほとんどを、パランカー谷ではない場所で生きてきた。語り部の衣《ころも》を着ておったのは、カーヴァホールにいるときだけじゃ。今まで、あらゆる人々の前でいろいろな役割《やくわり》を演《えん》じてきてな——わしの過去《かこ》は複雑《ふくざつ》なんじゃよ。カーヴァホールに流れてきたのは、そういう過去から逃げるためでもあったのだが。そうだ、たしかにわしはおまえが知っている人間ではない」

「ふん! じゃあ、だれなんだよ」

ブロムはおだやかにほほえんだ。「ここでおまえを助けようとしている者だ。鼻で笑うな——これは、どんな言葉にもまさる真実の言葉だ。しかし、これ以上は明かすわけにいかんのじゃ。今の時点で、おまえはわしの過去を知る必要がないし、まだ正しく理解《りかい》する準備《じゅんび》もできとらんはずだ。そう、わしは語り部ブロムなら知りえないことまで知っておる。ブロム以外にもべつの顔があるということ

じゃ。おまえはその事実も、わしにはけっして明かせない過去《かこ》があるという事実も受け入れるしかないのじゃ！」

エラゴンは仏頂面《ぶっちょうづら》でブロムをにらみつけた。「もう寝《ね》る」と吐《は》きすてるようにいって、焚《た》き火《び》をはなれた。

ブロムはとくにおどろいた様子もないが、その目は悲しみを宿している。エラゴンがサフィラのそばで横になると、ブロムは火の横に寝袋《ねぶくろ》をひろげた。野営地《やえいち》は冷たい静けさに包まれた。

15

サフィラの鞍《くら》

目覚めると、エラゴンの上にギャロウの死の記憶《きおく》が重くのしかかってきた。彼は毛布《もうふ》を頭までかぶり、暖《あたた》かな闇《やみ》のなかで声をひそめて泣いた。外界から隔離《かくり》されて横たわっているだけで、心が安らいだ。いつしか涙《なみだ》はとまった。彼はブロムへの悪態《あくたい》をつぶやき、頰《ほお》の涙をぬぐってしぶしぶ起きあがった。

ブロムは朝飯をつくっていた。「おはよう」ブロムの声に、エラゴンはむっつりとこたえた。冷たい指をわきにはさみ、火の前にかがみこんで食事ができるのを待った。ふたりとも、料理が冷めないうちにと、あわただしく食事を終えた。食べ終わった器《うつわ》を雪で洗《あら》ったあと、エラゴンは盗《ぬす》んだなめし革《がわ》を地面にひろげた。

「それでなにをするつもりじゃ？」ブロムがたずねた。「そんなものはもって歩けんぞ」

「サフィラの鞍《くら》をつくるんだ」

「なるほど」ブロムが近づいてきた。「昔、ドラゴンには二種類の鞍を使ったものだ。ひとつは馬の鞍のようにかたく成型されたもの。だが、それをつくるには時間も道具もいる。両方ともここにはない。もうひとつは、すこしだけ詰《つ》め物《もの》を入れた薄手《うすで》のもの。ライダーとドラゴンのあいだに布《ぬの》を一枚《まい》

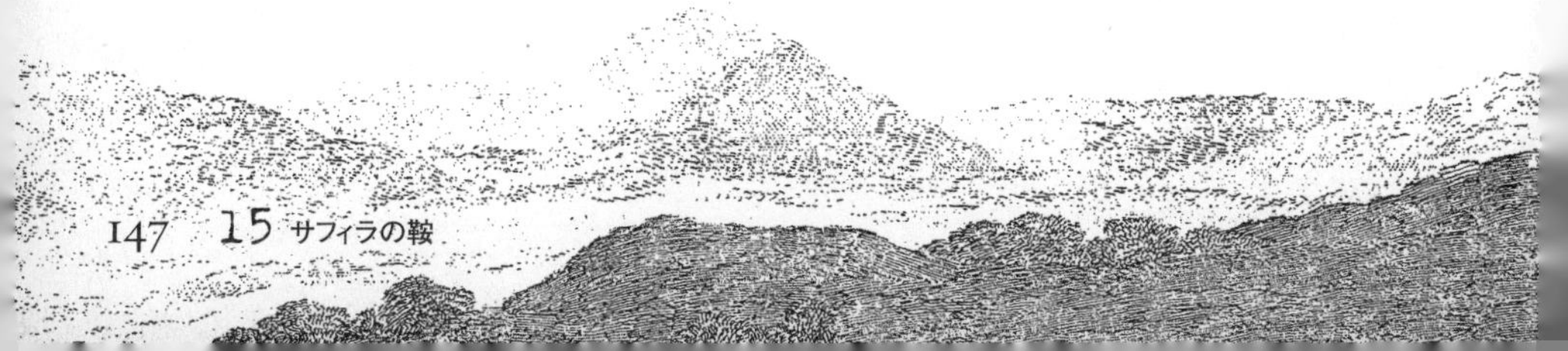

はさむ程度《ていど》のものじゃ。それだとドラゴンは速く飛べるし、動きやすい。成型したものほど乗り心地《ごこち》はよくないがな」

「それって、どんな形か知ってる?」

「ああ。つくり方も知っておる」

「じゃあお願い、つくってよ」といってエラゴンはわきによけた。

「よろしい。だが、よく見ておくんだぞ。いつかはひとりでつくらねばならんのだからな」サフィラにことわって、ブロムは彼女の首まわりと胸《むね》まわりをはかった。なめし革《がわ》を五枚《まい》の帯に切り、そこに十数個《こ》の下絵を描《か》いて、形どおりに切りとっていった。残りの革は細長いひも状《じょう》に切られた。

　細長いひもは各部をぬいあわせるのに使うものだった。縫《ぬ》い目《め》ごとに穴《あな》が二個ずつ必要だというので、エラゴンは革にその穴をあける手伝いをした。バックルがわりに、ひもを複雑《ふくざつ》に結んだものがとりつけられ、各部のストラップはサフィラの成長を見こして長めにつくられた。

　ライダーがまたがる部分は、同じ形の三枚の革に詰《つ》め物《もの》をはさんでぬいあわせる。前部には、サフィラの首の角《つの》にちょうどよく引っかかるように太い輪縄《わなわ》をつけ、両わきには、腹《はら》に巻《ま》きつける幅広《はばびろ》の帯がぬいつけられた。その帯からあぶみがわりの輪縄をつるし、エラゴンが足を入れたときにピンとはるよう長さを決める。最後に、サフィラの二本の前足にまわしてとめる長いストラップがとりつけられた。

　ブロムが鞍《くら》をつくっているあいだ、エラゴンは背嚢《はいのう》を修理《しゅうり》し、なかの荷物を整理した。

　丸一日をついやして、ようやくすべての作業が終わった。ブロムはくたびれた様子で、ストラップの長さを決めるためにサフィラに鞍をとりつけた。多少の調節をすると、満足げに鞍をはずした。

「やるもんだね」エラゴンはそのできばえに感心した。

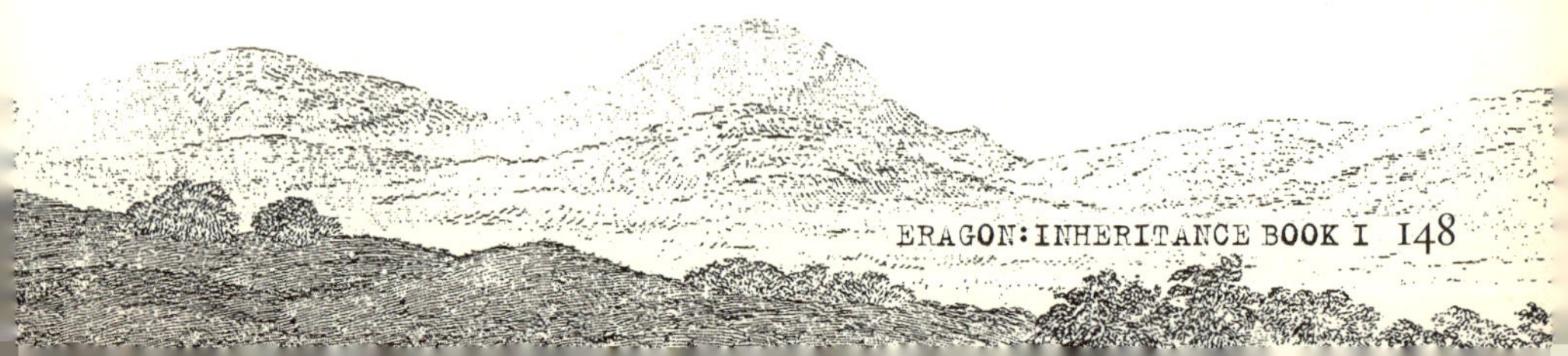

ブロムは首をかたむけた。「やるだけのことはやったさ。これで按配《あんばい》よく乗れるじゃろう。この革はなかなかしっかりしとる」

「ためし乗りはしないのか?」サフィラがたずねる。

「あしたにするよ」鞍を毛布《もうふ》といっしょにかたづけながら、エラゴンはこたえた。「今日はもう遅《おそ》いから」本当のところ、今は飛びたいという気持ちにはなれなかった——前回飛んだときの、悲惨《ひさん》な結末が頭からはなれないからだ。

手早く夕飯がつくられた。かんたんな食事であってもうまかった。ブロムは焚《た》き火《び》の上からエラゴンに目を注いだ。「あした発《た》てそうか?」

「もうここにいる理由はないよ」

「そうじゃな……」ブロムが居《い》ずまいを正す。「エラゴン、こんな結果になったことを、心から詫《わ》びねばならん。まさかこんなことになるとは思わなかった。おまえの家族にあんな悲劇《ひげき》が降《ふ》りかかるはずじゃなかった。やり直す方法があるなら、なんとしてでもそうしたい。つらいのはおまえもわしも同じなのだ」エラゴンはブロムの視線《しせん》をさけ、だまったままでいる。ブロムは続けた。「馬が必要じゃな」

「あんたはそうだろうけど、ぼくにはサフィラがいる」

ブロムは首をふった。「サフィラの速さについていける馬などおらん。かといって、若《わか》いサフィラにふたりも乗るのは無理だ。わしらはいっしょに行動したほうが安全なのじゃ。馬のほうが歩くよりは速い」

「でもそれじゃあ、ラーザックに追いつけないよ」エラゴンはうったえた。「サフィラに乗れば、一日か二日でやつらを見つけることができる。馬ならもっともっとかかる——そもそも地上で追って、

やつらに追いつけるとしたらの話だけどね！」

ブロムはゆっくりと口を開いた。「わしがついていくとしたら、どうしてもそうせねばならんのだ」

エラゴンはしばらくじっと考えた。「わかったよ」むっつりとしていう。「馬を手に入れる。でも、あんたが買ってくれよ。ぼくはお金をもってないし、もう盗《ぬす》むのはいやだ。盗みはいけないことだ」

「おまえの考えにしたがおう」ブロムはそういって、軽くほほえんだ。「この危険《きけん》な旅に出る前に、心しておくんだぞ——おまえの敵《てき》、ラーザックは王の僕《しもべ》であることを。どこへ行こうと王に守られておる。連中を法の力でとめることはできんのだ。町へ入れば、やつらにはありあまるほどの情報源《じょうほうげん》と協力者がいる。それともうひとつ。ガルバトリックスにとって、いちばんの関心事はドラゴンを手に入れた者を殺すことなのだ。そのためなら、いくらでも兵を送りこんでくる——今はまだ、おまえの存在《そんざい》はやつの耳にまでとどいていないだろうがな。おまえがラーザックの手をかわせばかわすほど、ガルバトリックスは血まなこになって捕《と》らえようとするだろう。やつにはわかっておるのじゃ。おまえが日一日と強くなり、今こうしているあいだにも、自分の敵側にくみしてしまうかもしれんということが。おまえはいつなんどき、狩《か》るものから狩られるものに転じてもおかしくはない。それを肝《きも》に銘《めい》じておくことじゃ」

ブロムの強い言葉に、エラゴンは気圧《けお》された。物思いにしずみ、ただ指で小枝《こえだ》をもてあそんでいる。「これくらいにしておこう」ブロムはいった。「今日はもう遅《おそ》い。節々が痛《いた》くなってきたわい。話の続きはあしたじゃ」

エラゴンはうなずいて、火を消した。

16
セリンスフォード

夜が明けるとあたりは灰色《はいいろ》で、身を切るような風がふいていた。森は深閑《しんかん》としている。軽い朝餉《あさげ》のあと、ブロムとエラゴンは焚《た》き火《び》に水をかけ、荷物を背負《せお》い、出発の準備《じゅんび》を整えた。エラゴンは弓と矢筒《やづつ》を、すぐに手がとどくよう背嚢《はいのう》のわきにかけた。サフィラには鞍《くら》をつけた――荷物を乗せる馬が手に入るまで、サフィラにつけていてもらうしかない。そしてエラゴンはおずおずと、ザーロックを背中にしばりつけた。荷物をふやすのは気が重かった。せっかくの剣《けん》も、彼がもっているのでは棍棒《こんぼう》ほどの役にしか立たないのだから。

　イバラのなかでは安心感があったが、外へ出ると、エラゴンの動作は自然と慎重《しんちょう》になった。サフィラは飛び立ち、頭上で旋回《せんかい》している。農場へ近づくにつれ、木々がまばらになってきた。

きっとまたここへもどってくる。破壊《はかい》された農場を見て、エラゴンは自分にいい聞かせた。ぼくは永遠《えいえん》に逃《に》げ続けるわけじゃない。いつか安全になれば、ぜったいにもどってくるんだ……彼は待ち受ける荒々《あらあら》しい未知の世界を見すえるように、南にむかって胸《むね》をはった。

　エラゴンとブロムは歩きだし、サフィラは西へ向きを変え、山脈のほうへ飛び去っていった。サフィラの姿《すがた》が消えるのを、エラゴンは納得《なっとく》のいかない思いで見送った。今はもう気兼《きが》ねするような人も

いないのに、一日じゅうサフィラといることはできない。旅人と遭遇《そうぐう》した場合にそなえて、つねに姿《すがた》をかくしていなければならないのだ。

降《ふ》り積もる雪で、ラーザックの足跡《あしあと》はうすれていたが、エラゴンはさほど気にしなかった。けわしい峡谷《きょうこく》をぬけるのに、一本しかない山道をそれるはずがないからだ。だが峡谷を出れば、道はいくつかに分かれている。ラーザックがどの道をたどるか、判断《はんだん》しにくくなるだろう。

速く進むことだけを考えて、ふたりはただ黙々《もくもく》と歩いた。エラゴンの足はかさぶたがひび割《わ》れて、ずっと血がにじんでいる。痛《いた》みから気をまぎらわすために、ブロムに話しかけた。「じっさい、ドラゴンにはどんなことができるの？　あんた、なんだかドラゴンの能力《のうりょく》にくわしいっていってただろう？」

ブロムは笑った。ふりあげた手のサファイアの指輪が光る。「残念ながら、たいしたことは知らんのだ。もっと知りたいのは山々だがな。おまえのその質問《しつもん》は、人々が何世紀ものあいだ、ずっと問い続けてきたことなのじゃ。だからいっておくが、わしが話すことはそもそもが不十分なことなのだぞ。ドラゴンは昔から謎《なぞ》に満ちておる。べつにドラゴンたちが故意《こい》にそうしていたわけではないのだろうがな。

おまえの問いにこたえる前に、まずはドラゴンの生態《せいたい》について、基礎知識《きそちしき》を教えておかねばならん。基本も知らずに、そうした複雑《ふくざつ》な問題からいきなりはじめると、とてつもなくややこしくなるからな。はじめはドラゴンの生活環《ライフサイクル》についてじゃ。それが終わって、おまえがくたびれていなければ、次に進むことにしよう」

ブロムはドラゴンの交尾《こうび》のことや、卵《たまご》の孵《かえ》る条件《じょうけん》について説明をはじめた。「もちろん、ドラゴンが卵を産めば、なかの幼竜《ようりゅう》は生まれる準備《じゅんび》をはじめる。だがときには、生まれるにふさわしい環境《かんきょう》が

できるまで、卵のなかで何年も待つこともあるのじゃ。ドラゴンが野生だったころは、生まれてくる時期は食糧《しょくりょう》のあるなしに影響《えいきょう》された。ところがエルフと同盟《どうめい》を結んで、毎年ライダー族に卵が一個《いっこ》か二個、贈《おく》られるようになって以来、卵は、いや、幼竜は、自分のライダーにふさわしい者が目の前に現《あらわ》れるまで、卵から孵らんようになったのだ——どうやってそれを感じとるかは、わかっておらん。人々はライダーに選ばれたくて、列をつくって卵をさわりに来たものじゃ」

「じゃあ、もしかしたらサフィラは、ぼくの前でも生まれなかったかもしれないの？」エラゴンはたずねた。

「そうじゃ。おまえを気に入らなかったらな」

エラゴンは光栄に思った。サフィラはアラゲイジアのあらゆる民《たみ》のなかから、自分を選んでくれたのだ。それにしても、どれくらい長いこと卵のなかで待ったのだろう？　暗い殻《から》のなかにずっと閉《と》じこめられていることを想像《そうぞう》すると、ぞっとした。

ブロムは講義《こうぎ》を続けた。ドラゴンがいつ、なにを食べるか？　成長したドラゴンは、じっとすわっているだけなら何か月も餌《えさ》なしですごせるが、交尾の時期になると週に一度は食べなければならない。ドラゴンの病気を治す植物もあれば、ドラゴンに病気を引きおこす植物もある。鉤爪《かぎづめ》の手入れや、鱗《うろこ》を清潔《せいけつ》にたもつために、いろいろな方法がある。

ブロムの話は、ドラゴンに攻撃《こうげき》されたときの戦術《せんじゅつ》へと続いた。地上で、あるいは騎乗《きじょう》して、べつのドラゴンと戦う場合の基本について。ドラゴンの腹《はら》は鎧《よろい》で武装《ぶそう》できるが、わきの下だけはおおえないということ。途中《とちゅう》、エラゴンが何度も話をさえぎって質問するのを、ブロムはよろこんでいるようだった。ときがすぎるのを忘《わす》れて、ふたりは話し続けた。

夜になるころ、彼らはセリンスフォードの近くまでたどり着いた。暗い空のもと、野営《やえい》する場所を

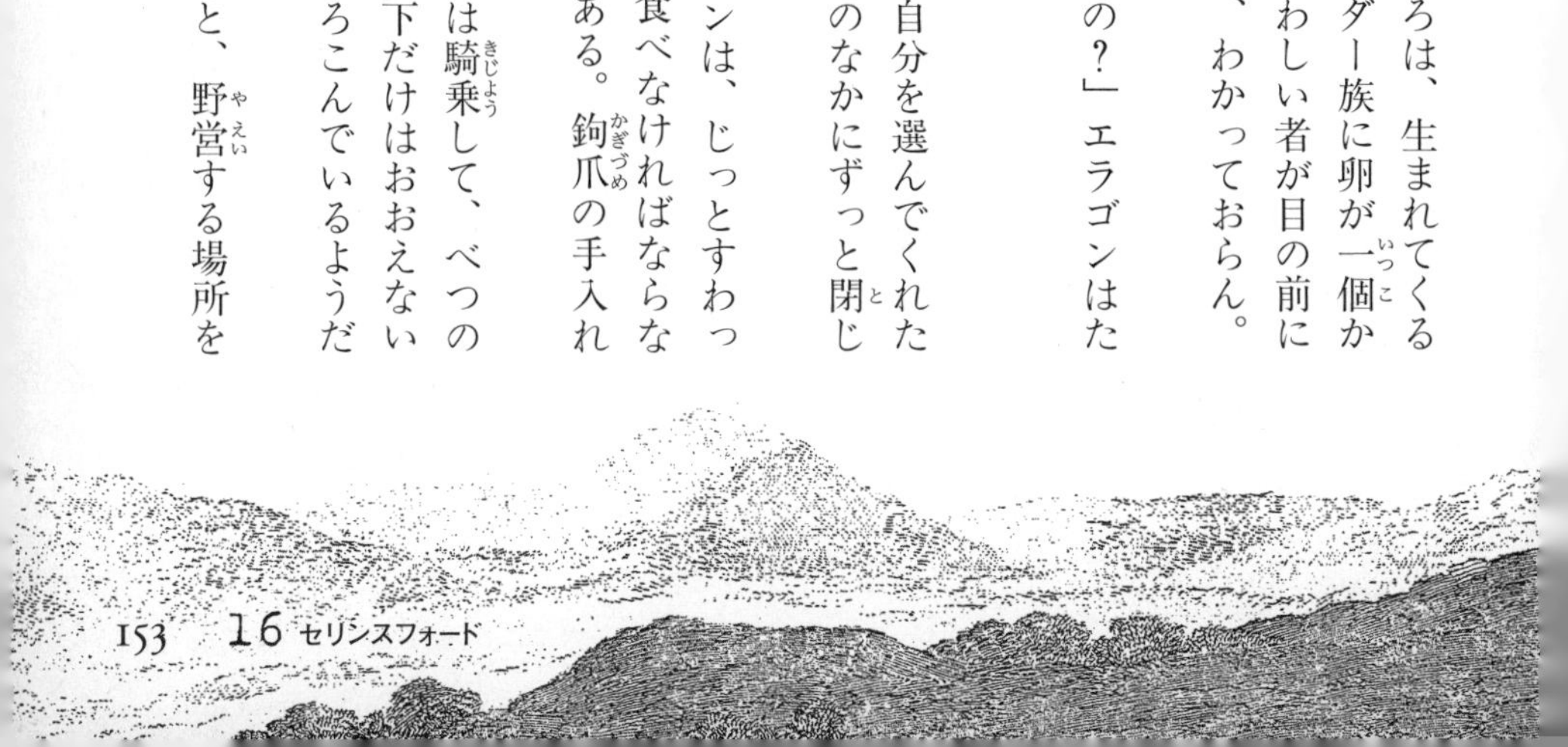

さがしながら、エラゴンはたずねた。「ザーロックをもっていたライダーはだれなの？」

「とても強い戦士じゃった」ブロムはいった。「絶頂期《ぜっちょうき》には偉大《いだい》な力をもち、人々から恐《おそ》れられておった」

「名前は？」

「それはいわんでおこう」エラゴンはせがんだが、ブロムの意志《いし》はかたかった。「出しおしみしているわけではないぞ。断《だん》じてそうではない。だが、わしの知識《ちしき》のなかには、今教えてしまうと、おまえを混乱《こんらん》させ、危険《きけん》をおよぼすおそれのあるものもある。そうしたものに立ちむかえるだけの時間と力を得るまでは、おまえをムダに苦しめる必要はないと思うのだ。わしはな、邪悪《じゃあく》なことに利用しようとする者たちから、おまえを守りたいだけなのじゃ」

エラゴンはブロムをにらんだ。「いっておくけどね、ぼくにはあんたが、謎《なぞ》かけをして遊んでいるようにしか見えないんだ。だから、このままあんたとおさらばして、そういうわずらわしさから逃《に》げたいとさえ思っている。なにかいいたいことがあるなら、もってまわった言い方ばかりしないで、はっきりいってよ！」

「静かに。すべてはいずれ話すことになる」ブロムはおだやかにこたえた。エラゴンは納得《なっとく》のいかないまま、うなるしかなかった。

ふたりは一夜をすごすのによい場所を見つけ、野営《やえい》の準備《じゅんび》をした。夕飯を火にかけるころ、サフィラが合流した。〈獲物《えもの》を捕《と》る時間はあった？〉エラゴンはきいた。

サフィラは愉快《ゆかい》そうに鼻を鳴らした。〈あなたたちの歩みがこれ以上遅《おそ》ければ、わたしは海をひと回りして、それでもおくれをとらずにもどってこられた〉

〈そうやってバカにするな。馬が手に入れば、もっと速く歩けるさ〉

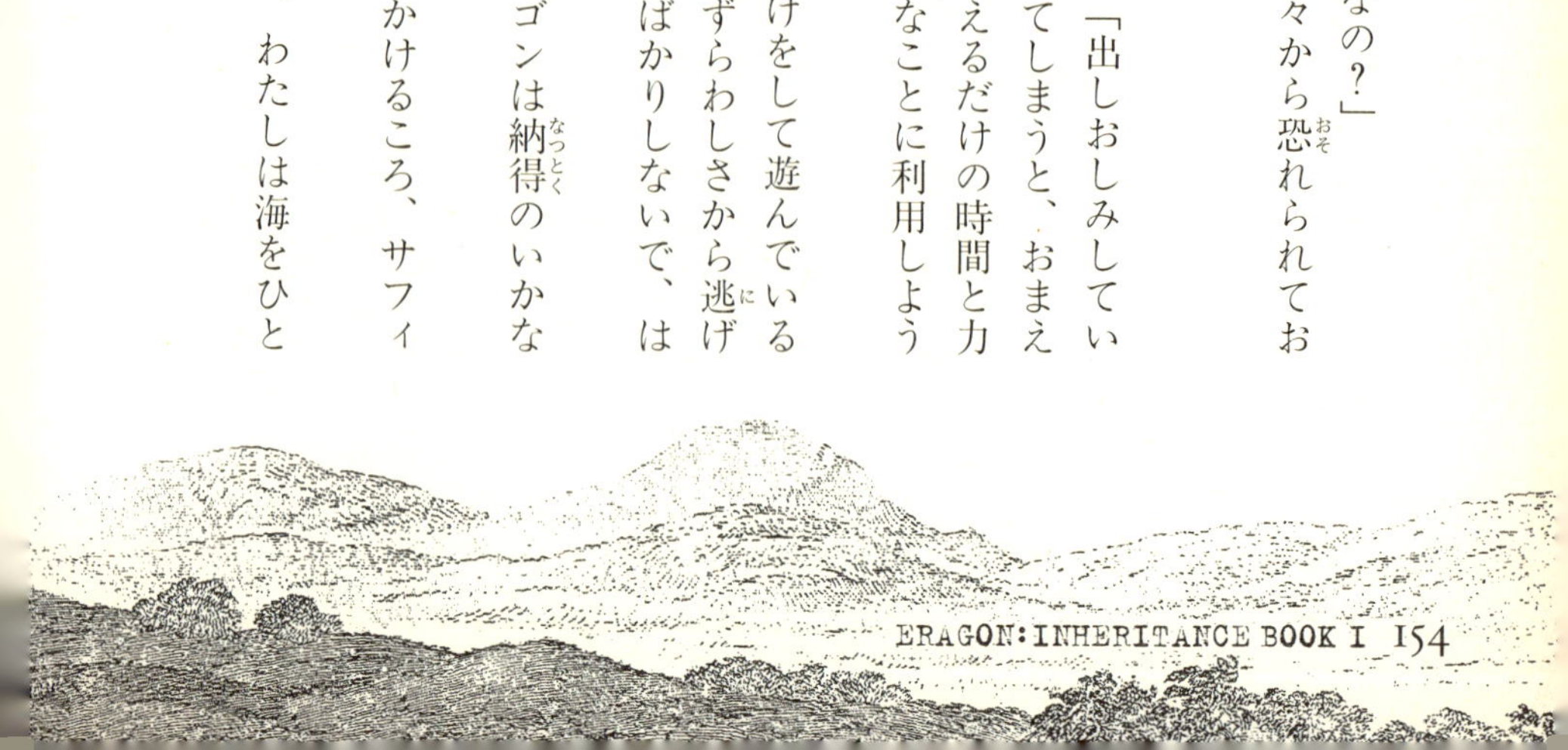

サフィラは煙《けむり》をぷかりと吐《は》き出した。〔そうかもしれない。でも、ラーザックをつかまえるのにじゅうぶんな速さだろうか？　やつらは何日か先に発《た》ち、何キロも先を行っている。それにあいつらは、わたしたちが追ってることを知ってるような気がする。なぜ農場をあれほど派手《はで》に破壊《はかい》しなければならなかったのか？　あなたをわざとおこらせて、あとを追わせたかったからではないのか？〕

〔わからないな〕エラゴンは不安な気持ちでこたえた。サフィラが丸くなって横たわると、エラゴンは温かいその腹《はら》によりかかった。ブロムは焚《た》き火《び》のむこう側にすわって、なにやら長い枝《えだ》をけずっている。やがて急に、その一本が投げつけられた。燃《も》えさかる火の上を飛んでくる枝を、エラゴンは反《はん》射的《しゃてき》につかみとった。

「それで身を守ってみろ！」ブロムがどなって立ちあがった。

手にもった棒《ぼう》を見ると、なんとなく剣《けん》の形に似《に》ている。ブロムはこれで戦おうというのか？　こんな老人になにができるというのか？　勝負したいならやってやるけど、ブロムのやつ、ぼくを負かすつもりなのか？　おどろいても知らないぞ。

ブロムは火のまわりをじりじりと歩きだし、エラゴンは立ちあがった。しばしにらみあったあと、ブロムが棒をふって飛び出してきた。さえぎろうとしたが、エラゴンの動きは遅すぎた。棒であばらをはじかれ、キャッとさけんでしりもちをつく。

エラゴンはなにも考えず、棒を前へつき出した。だがブロムに難《なん》なくかわされてしまう。今度は頭めがけてつくと見せかけ、ふいにひねって、わきへついていった。棒と棒がかちあう音が、野営地に響《ひび》いた。「即興《そっきょう》にしては――まずまずじゃ！」ブロムが目を輝《かがや》かせてさけぶ。その腕《うで》がかすんで見えた瞬間《しゅんかん》、側頭部に割《わ》れるような一撃《いちげき》がおそってきた。エラゴンは目がくらみ、空袋《からぶくろ》のようにたおれた。

いきなり冷水を浴びせられ、飛び起きてつばを吐《は》いた。頭がキンキン痛《いた》み、顔にはかわいた血がこびりついている。ブロムが雪まじりの水の入った鍋《なべ》をかまえ、目の前に立っている。「なんてことするんだよ」エラゴンはむっつりとして立ちあがった。めまいがして、体がふらついた。

　ブロムは眉《まゆ》をつりあげた。「ほう？　本物の敵《てき》は手加減《てかげん》などしてくれんぞ。わしも同じだ。それとも、おまえのその……無能《むのう》ぶりにお世辞をいえばいいのか？　わしはそうは思わんがのう」ブロムはエラゴンの落とした棒《ぼう》をつかみ、ぐっとさし出した。「ほれ、守ってみろ」

　エラゴンはうつろな目で棒切れを見やり、かぶりをふった。「もういい。たくさんだ」顔をそむけ、うしろへ歩きだす。そのとたん、背中《せなか》に棒がたたきつけられた。エラゴンはうなってふり返った。

「敵に背中をむけてはならん！」ブロムはどなり、エラゴンに棒を放ってふたたび攻撃《こうげき》をはじめた。容赦《ようしゃ》ない突《つ》きに圧倒《あっとう》され、エラゴンは火のまわりをあとずさった。「わきをしめて、ひざを曲げるのじゃ」ブロムがさけぶ。しばらく注意を飛ばすと、いったんとまり、じっさいに動き方の手本を見せてくれた。「もう一回やってみて！　今度はもっとゆっくり！」いっしょにゆっくりと動いて型を覚え、また激《はげ》しい打ちあいにもどる。エラゴンは物覚えが速かったが、何度くり返しても、ブロムの突きをかわせたのは、ほんの二、三度ほどだった。

　剣《けん》の稽古《けいこ》が終わると、エラゴンは毛布《もうふ》に寝《ね》そべってうめいた。体じゅうが痛《いた》かった——棒をもったブロムはいつものおだやかさとはほど遠い。サフィラは全部の歯がむき出るほど口をゆがめ、せきこむような声で長々とうなった。

〔なんか文句《もんく》があるのか〕エラゴンは不機嫌《ふきげん》にいった。

〔べつに〕サフィラはこたえた。〔でも、若造《わかぞう》が老人にやられるのを見るのは楽しい〕と、もう一度声をあげる。笑われているのだと気づき、エラゴンは顔を赤らめた。なけなしの威厳《いげん》をたもつには、

横をむいて眠《ねむ》るしかなかった。

翌朝《よくあさ》はもっと気分が悪かった。腕《うで》じゅう傷《きず》だらけで、体は動かすこともできないほど痛い。ブロムが粥《かゆ》をさし出しながら、目をあげてにやりと笑う。「気分はどうじゃ?」エラゴンは不満げにうなり、粥をかきこんだ。

午前中のうちにセリンスフォードへ着くために、ふたりはふたたび道を急いだ。五キロほど歩くと、道幅《みちはば》が広くなり、遠くに煙《けむり》が見えてきた。「サフィラは先に行ってセリンスフォードのむこうで待ったほうがいい。そう伝えなさい」ブロムがいった。「ここは用心せねばならん。人目につきやすい場所だからな」

「自分で伝えればいいだろ」エラゴンはけんか腰《ごし》にいった。

「他人《ひと》のドラゴンに干渉《かんしょう》するのは、礼儀違反《れいぎいはん》とされておる」

「カーヴァホールでは、おかまいなしにやったじゃないか」

ブロムは苦笑いをした。「やむをえなかったからじゃ」

エラゴンはブロムをひとにらみしてから、サフィラに指示《しじ》を伝えた。それにこたえ、サフィラが警《けい》告《こく》してきた。〈気をつけて。帝国《ていこく》の手の者が、どこにかくれているかわからない〉

道路のわだちが深くなるにつれ、人の足跡《あしあと》がふえてきた。農場が見えてきたのだから、そろそろセリンスフォードの村に入るのだろう。セリンスフォードはカーヴァホールより大きな村だが、建物の配置がばらばらで、家々はまるででたらめにならんでいた。

「ひどい村」エラゴンはいった。ざっとながめても、デンプトンの製粉所《せいふんしょ》らしきものは見あたらない。バルドルとアルブレックは、もうローランを連れ帰ってるころだろうな。いずれにしろ、従兄《いとこ》と顔をあわせる気にはなれなかった。

「なにはともあれ、見てくれの悪い村じゃ」ブロムはうなずいた。

ふたりと村のあいだにはアノラ川が流れ、がんじょうそうな橋がかかっている。橋をわたろうとしたとき、藪《やぶ》のかげから脂《あぶら》じみた服の男が現《あらわ》れ、ふたりの行く手をふさいだ。シャツの丈《たけ》が短く、うす黒い腹《はら》の肉が綱《つな》のベルトにかぶさっている。ひび割《わ》れた唇《くちびる》の下に、くずれかけた墓石《はかいし》のような歯が見えた。「おまえら、とまれ。これはおらの橋だ。わたりたきゃ、金払《はら》え」

「いくらだ？」ブロムがしかたなくたずねる。

ブロムが小銭《こぜに》入れを取り出すと、橋守《はしも》りは目を輝《かがや》かせた。「五クラウン」と、にんまり笑う。

エラゴンは法外な値段《ねだん》にかっとして噛《か》みつきそうになったが、ブロムがひとにらみして、それを制《せい》した。無言のまま、小銭がさし出される。橋守りはベルトからさげた袋《ふくろ》に金をしまった。「まいどあり」男は小バカにするようにいって立ち去ろうとした。

その瞬間《しゅんかん》、前へ歩きかけたブロムが、よろめいて橋守りの腕《うで》につかまった。「気いつけろや」うすよごれた男はどなって体をはなした。

「すまんすまん」ブロムはあやまって、エラゴンといっしょに橋をわたった。

「なんでだまって払ったんだよ。あんなのたかりじゃないか！」声のとどかないところまで行くと、エラゴンはうったえた。「橋だってたぶん、あいつのものなんかじゃないよ。おしのけて通ればよかったんだ」

「そうかもしれんな」ブロムがうなずく。

「じゃあ、なんで払ったの？」

「世の中の愚《おろ》か者《もの》すべてと議論《ぎろん》するわけにいかんからじゃよ。そのままいうとおりにして、相手が油《ゆ》断《だん》したすきに策《さく》を講《こう》じたほうが楽だろう？」ブロムは手を開き、光り輝く小銭の山を見せた。

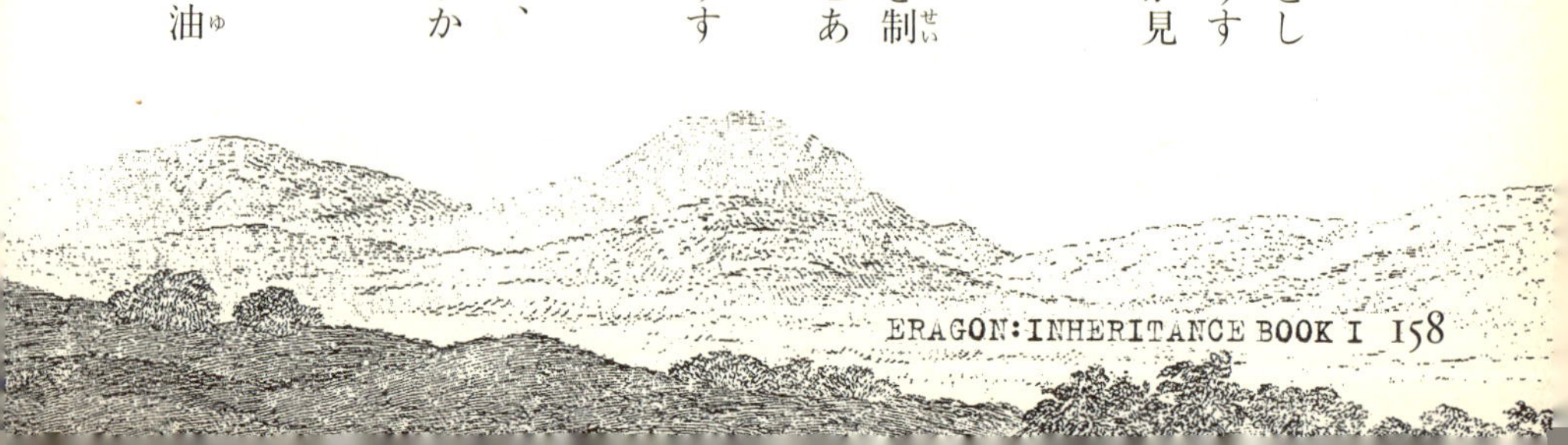

「あいつの金を盗《と》ったのか！」エラゴンは目を疑《うたが》った。

ブロムはウインクをして、金をポケットにしまった。「しかも大量にな。金をひとところにしまっておくものではない。あの男もこれで学んだじゃろう」むこう岸から、男のくやしがる声が響《ひび》いてきた。「どうやらやっこさん、なくしたものに気づいたらしい。いいか、見はられている気がしたら、すぐに知らせるのだぞ」民家のならぶ通りへ入ると、ブロムは走っている少年の肩《かた》をつかんで「馬はどこで買えばいいのかね？」と、たずねた。少年はふたりをじっと見つめ、村境《むらざかい》に近いところに見える大きな納屋《なや》を指さした。「ありがとう」ブロムは少年に小銭を一枚《まい》投げてやった。

納屋の大きな二枚扉《とびら》はあけはなたれ、二列の長い馬房《ばぼう》が見とおせた。奥《おく》の壁《かべ》いっぱいに鞍《くら》や引き具やその他付属品《ふぞくひん》がかけられている。いちばんはしの房で、たくましい腕をした男が白い牡馬《おすうま》にブラシをかけていた。男はふたりを見て手まねきをした。

ブロムは歩みよりながら声をかけた。「美しい馬じゃのう」

「そうだろう。スノーファイアっていうんだ。おれはハバース」ハバースはざらついた手をさし出し、エラゴンとブロムとがっちり握手《あくしゅ》をした。彼はふたりが名乗り返すのを行儀《ぎょうぎ》よく待ち、返事がないと見るとたずねた。「馬がほしいのかい？」

ブロムがうなずいた。「馬二頭と馬具一式。足が速くてじょうぶなのがいい。かなり長旅になるんでのう」

ハバースはすこし考えてからいった。「それほどの馬となると数はかぎられている。値もはるしなあ」牡馬は不安そうに体を動かした。ハバースは馬を何度かなでて、落ち着かせた。

「値段《ねだん》は問題ではない。ここでいちばんいい馬がほしいのじゃ」ブロムがいった。ハバースはうなずいて馬を房につなぐと、奥の壁へ行って、鞍などの馬具を集めはじめた。まもなく二そろいの馬具一

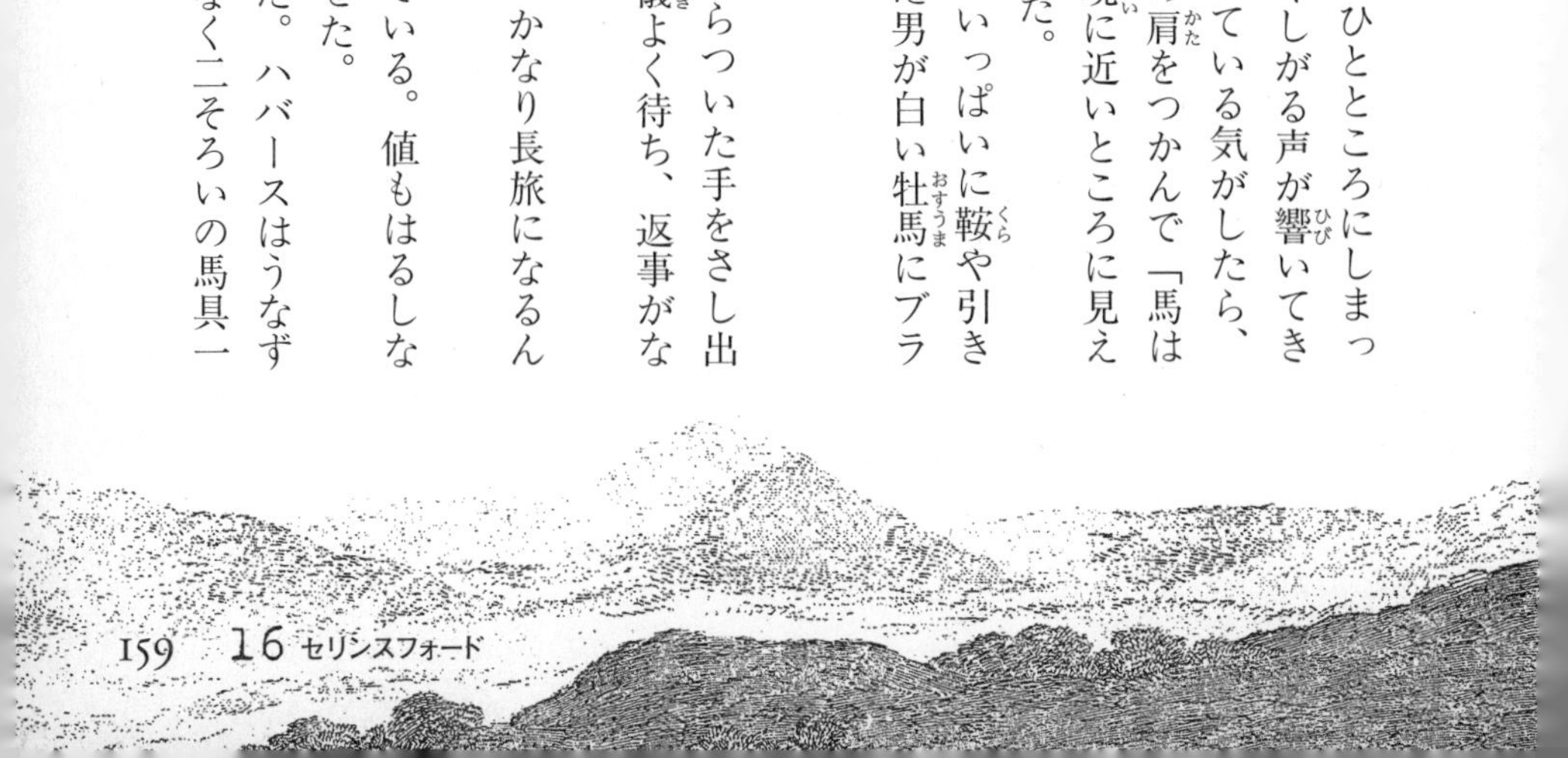

式をかかえてもどってきた。そして房《ぼう》のあいだを歩いていき、二頭の馬を連れてもどってきた。一頭はうすい色の鹿毛《かげ》で、もう一頭はかす毛の馬だ。鹿毛の馬はハバースのにぎった綱《つな》をぐいぐい引いている。

「元気のいいやつでね、でもしっかりにぎっていればだいじょうぶだ」ハバースは鹿毛の綱をブロムにもたせた。

ブロムがだまって手のにおいを嗅《か》がせると、馬はおとなしく彼に首をさわらせた。「こいつはいただいていく」ブロムはそういって、もう一頭のかす毛の馬に目をやった。「だが、こっちはやめておこうかな」

「いい足をしてるんだが」

「ふうん……そっちのスノーファイアは?」

ハバースは白い牡馬《おすうま》を愛《いと》しげに見た。「できればスノーファイアは売りたくないな。今まで繁殖《はんしょく》させたなかでいちばんいい馬でね——種馬にして子をふやそうと思ってるんだ」

「もし手放すとしたら、全部ひっくるめていくらになるだろう?」

エラゴンはブロムをまねて鹿毛をさわろうとしたが、馬はおびえてあとずさってしまう。すると彼は無意識《むいしき》のうちに、馬をなだめようとして、その心に接触《せっしょく》をこころみていた。馬の意識に触《ふ》れた瞬間《しゅんかん》、自分でもおどろいて体がこわばった。接触はサフィラとのときほど明確《めいかく》でも強烈《きょうれつ》でもないが、ある程《てい》度《ど》の意思の疎通《そつう》はできる。彼はおずおずと、自分が友だちであることを馬に伝えてみた。鹿毛はみるみる落ち着いて、澄《す》んだ栗色《くりいろ》の目でエラゴンを見つめ返してきた。

ハバースは指を折って、馬や馬具の代金を見積もっている。「二百クラウン。それ以下では売れんな」馬にこんな大金を出す者はいるまいと、彼は自信満々の笑《え》みを浮《う》かべた。ブロムは無言で財布《さいふ》を

開き、金をかぞえはじめた。

「これでいいかな？」ブロムがいった。

長い沈黙《ちんもく》のなか、ハバースはスノーファイアと金をちらちら見くらべていた。やがてため息をついた。「あんたにゆずろう。名残《なごり》おしいがしかたない」

「伝説の名馬ギルディンドールの子孫だと思って、大切にあつかおう」ブロムはいった。

「そいつはなによりの言葉だ」ハバースは軽く頭をさげ、ふたりが鞍《くら》をつけるのを手伝った。出発の準備《じゅんび》ができると彼はいった。「それじゃあ気をつけて。スノーファイアのためにも、災難《さいなん》に巻《ま》きこまれないよう祈《いの》ってるよ」

「心配せんでもよい。わしがしっかりと守る」ブロムはそういってハバースと別れた。「さて」歩きだすとすぐ、ブロムはエラゴンにスノーファイアの手綱《たづな》をもたせた。「セリンスフォードを出たところで待っとってくれ」

「どうして？」エラゴンがたずねるのも聞かず、ブロムはさっさと遠ざかっていく。エラゴンはむっとしながらも、二頭の馬といっしょにセリンスフォードを出て、路肩《ろかた》でブロムを待つことにした。南方をながめると、峡谷《きょうこく》のはしにぼんやりと、巨大《きょだい》な石柱のようなウトガード山の輪郭《りんかく》が見えた。山頂《さんちょう》は雲をつらぬいてかすみ、周囲の低い山々を見おろすようにそびえている。その暗い不気味な姿《すがた》を見ていると、エラゴンは頭皮がピリピリするのを感じた。

ブロムはほどなくもどってきて、ついてこいと手で指図して歩きだした。セリンスフォードの村が木立のかげになるまで歩くと、ブロムはようやく口を開いた。「ラーザックがここを通ったのはまちがいない。村によって、わしらと同じように馬を調達した。やつらを見たという男から話を聞けたのじゃ。口にするのも恐《おそ》ろしいという様子で話しおった。聖人《せいじん》から逃《に》げる悪魔《あくま》のように、セリンスフォ

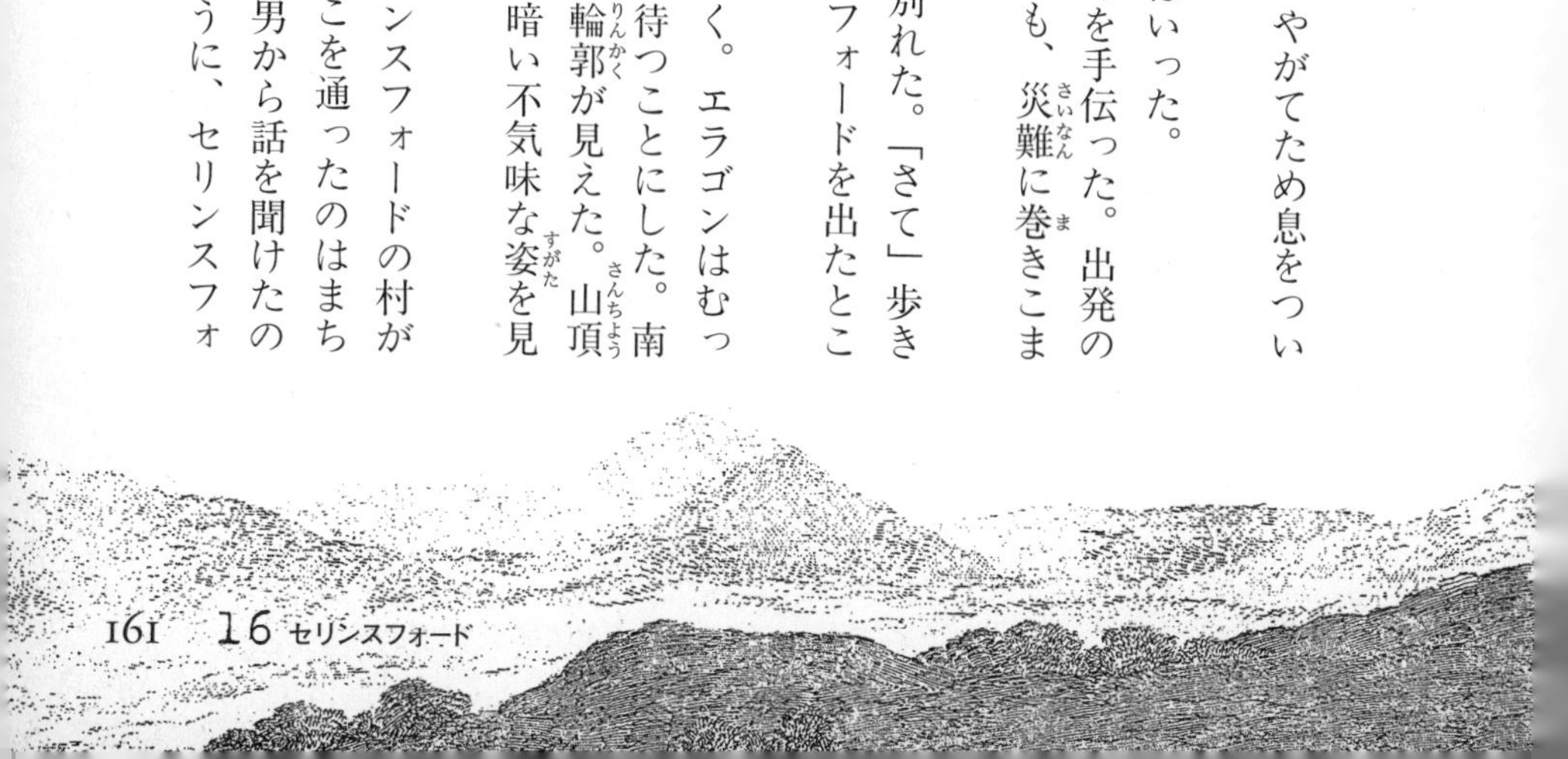

ードから出ていったとな」

「ずいぶん人目《ひとめ》を引いたんだ」

「ずいぶんと」

エラゴンは鹿毛《かげ》の馬をなでた。「さっきの納屋《なや》で偶然《ぐうぜん》、この馬の意識《いしき》に触《ふ》れてしまったんだ。そんなことまでできるなんて、知らなかったよ」

ブロムは眉《まゆ》をひそめた。「おまえのような新米が、そこまでやるのはふつうじゃない。たいていのライダーは、何年もの訓練を積んで、ようやく自分のドラゴン以外の動物と接触《せっしょく》できるようになるものじゃ」老人は物思いにふけるような顔でスノーファイアをながめ、やがていった。「荷物を出して鞍袋《くらぶくろ》に入れなさい。背嚢《はいのう》はその上にくくりつけておくといい」ブロムはスノーファイアに乗り、エラゴンはいわれたとおりにした。

エラゴンは解《げ》せない思いで鹿毛の馬を見つめた。サフィラにくらべると、それはあまりにも小さい。一瞬《いっしゅん》、その馬が自分の体重をささえきれるのかと、くだらないことを思った。ため息をつき、ぎこちなく鞍にまたがった。鞍をつけて馬に乗るのは初めてだし、裸馬《らば》でも遠出などしたことはない。

「サフィラに乗ったときみたいに、足が痛《いた》くなるかな?」

「今はどんな具合じゃ?」

「悪くない。でも、無茶な乗り方をすると傷口《きずぐち》がまた開くかもしれない」

「無理せずに行こう」ブロムはそういって、エラゴンに乗馬のコツをいくつか教えた。ふたりはゆっくりと進みだした。じきにまわりの風景は、耕作地《こうさくち》から未開地へと変わっていった。道ぞいにはイバラや草が生《お》いしげり、育ちすぎたバラの蔓《つる》は服にからみついてくる。背《せ》の高い岩々が、ふたりをのぞきこむかのように、灰色《はいいろ》の体を地面からななめにつき出している。あたりには侵入者《しんにゅうしゃ》に対する敵意《てきい》の

ような、冷えびえとした空気が立ちこめていた。

先へ進むごとに、頭上には巨大《きょだい》なウトガード山がせまってくる。ごつごつとした断崖《だんがい》のあいだに、雪の峡谷《きょうこく》が深いうねをつくっている。山の周囲は、その真っ黒な岩肌《いわはだ》に明るさをすいとられたかのようにうす暗い。ウトガード山とパランカー谷の東側の山脈のあいだは、深い裂け目《さけめ》のような地形になっており、パランカー谷をぬけるにはそこを通るしかない。彼らの進む道もそこへつながっていた。

ひづめの音が砂利《じゃり》にあたってカツカツと響《ひび》く。ウトガード山すそにそって、道はどんどん細くなっていた。エラゴンはウトガードの頂《いただき》を見あげておどろいた。頂上《ちょうじょう》に尖塔《せんとう》が建っている。上部の小塔《タレット》はくずれ、修理《しゅうり》もされていないが、それでもその建物は歩哨《ほしょう》のようにいかめしく峡谷を見おろしている。「あれはなに？」エラゴンは指をさした。

ブロムは顔をあげもせず、無念さのにじむ声でこたえた。「かつてのライダー族の前哨地点だ——彼らが生まれて以来ずっとそうだった。謀反《むほん》のとき、ヴレイルが逃《に》げこんで、ガルバトリックスに見つかり、殺された場所だ。ヴレイルがたおされてから、ここはすっかりすさんでしまった。この山には、征服《せいふく》できないという意味のエドックシルという名がついておったのだ。あまりのけわしさに、空を飛べるものでなければ、山頂にたどり着くことはできんからだ。ヴレイルの死後、一般《いっぱん》の民《たみ》にはウトガードと呼《よ》ばれるようになったがな。だがじつは、この山にはもうひとつ名前がある。リストヴァクベーン——悲しみの地。王に殺される前の最後のライダーたちが、そう呼んだのだ」

エラゴンは畏怖《いふ》の念をもって塔を見あげた。容赦《ようしゃ》ない時間の流れで色あせてしまってはいるが、そこにはライダー族の栄華《えいが》の名残《なごり》が実体として残っているのだ。彼はライダー族の歴史の重みにあらためて気づかされた。遠い昔にきずかれた英雄《えいゆう》伝説の遺産《いさん》に、圧倒《あっとう》される思いだった。

彼らはウトガードのふもとを長い時間かけて歩いた。山脈を分ける裂け目に入ると、ウトガード山

が右手にかたい壁《かべ》のようにそびえ立つ。エラゴンはあぶみに立って背《せ》のびをした。パランカー谷の外にひろがる世界を早く見たくてたまらないが、それはまだはるか遠い先にある。アノラ川にそって、丘《おか》や谷をのぼったりくだったりの坂道が続いた。やがて背中《せなか》の夕日がしずみだすころ、ふたりは丘の上で足をとめ、木立のむこうをながめやった。

エラゴンは息をのんだ。両側には山脈がそびえているが、そのふところには広漠《こうばく》たる平野が延々《えんえん》と続き、はるかかなたの地平線で空と溶《と》けあって消えている。見わたすかぎり黄色い枯《か》れ草《くさ》の色。空には、強風に流された雲が細く長くたなびいている。

エラゴンは、なぜブロムが馬で行くといいはったのか、今になってわかった。この果てしない距離《きょり》を徒歩で行くには、数週間、数か月とかかってしまう。はるか上空、鳥と見まちがえるほど高いところで、サフィラが旋回《せんかい》しているのが見えた。

「くだるのはあしたにするか」ブロムがいった。「丸一日かかりそうだからな。今日はここで休むとしよう」

「あの平原をこえるのに、どれくらいかかるの？」エラゴンはおどろきの冷めやらぬ声でたずねた。

「二、三日。あるいは二週間以上かかることもある。どの方角へむかうかによるな。このあたりは遊牧の種族がいる以外、東のハダラク砂漠《さばく》と同じように無人の土地なのだ。だから、集落らしきものはほとんどない。しかし、南のほうへ行けば、平原の土壌《どじょう》もいくらか肥《こ》え、人がけっこう住んでおる」

ふたりは道からはずれ、アノラ川の岸辺で馬をおりた。鞍《くら》をはずすとき、ブロムが鹿毛《かげ》の馬をさしていった。「そいつに名前をつけんとならんな」

エラゴンは馬を杭《くい》につなぎながら考えてみた。「スノーファイアほど高貴《こうき》な名前は思いつかないけど、これはどうかな」馬に手をのせていった。「おまえはカドック。ぼくのおじいさんの名だからな、

よく覚えとけよ」ブロムはうんうんとうなずいているが、エラゴンはすこし気はずかしくなった。

サフィラがおりてくると、エラゴンはたずねた。〔平原はどんな感じだった？〕

〔たいくつ。低木とウサギしか見えなかった〕

夕飯が終わるなり、ブロムが立ちあがって吠《ほ》えた。「ほれ、つかめ！」手をあげてつかむ間もなく、木の棒《ぼう》がエラゴンの脳天《のうてん》を直撃《ちょくげき》した。またしても即席《そくせき》の剣《けん》。エラゴンはうめいた。

「もういやだ」エラゴンはごねた。ブロムはただにやりと笑って手まねきをする。エラゴンはしぶしぶ立ちあがった。ひとしきり激《はげ》しく打ちあったところで、腕《うで》が痛《いた》みだし、エラゴンはどんどんあとずさっていった。

訓練の時間は一度めより短かったとはいえ、エラゴンにはまた新しい傷《きず》がふえた。打ちあいが終わるや、彼はうんざりして棒を投げすて、焚《た》き火《び》からつかつかとはなれ、ひとり傷の手当てをするのだった。

17

稲光《いなずま》

翌朝《よくあさ》、目覚めると、エラゴンは昨日までのいろいろな出来事は、頭のすみに追いやることにした。思い出しても気がめいるばかりだ。かわりに、ラーザックを見つけて殺す手段《しゅだん》を考えることに精力《せいりょく》をつぎこんだ。弓で殺してやるぞ。マントの体に矢がつきささった姿《すがた》を想《そう》像《ぞう》しながら、そう心に誓《ちか》った。

その朝は、立ちあがるのも容易《ようい》ではなかった。ちょっと動いただけで筋肉《きんにく》は痙攣《けいれん》し、指の一本は腫《は》れて熱をもっている。出かける準備《じゅんび》ができたとき、エラゴンはカドックにまたがり、声をとがらせていった。「こんなことを続けてたら、体がばらばらになってしまう」

「おまえのことを、やわなやつだと思ったら、無理なことはさせんよ」

「なら、やわだと思われたいよ……」エラゴンはぼやいた。

サフィラが近づいてくると、カドックはおびえたように急ぎ足で歩きだした。サフィラはうっとうしいものでも見るような目つきで馬を見た。〔平原にはどうせかくれる場所などないのだから、わざわざ遠くを飛ぶこともないでしょう。これからは、あなたたちの真上を飛ぶことにする〕

サフィラは飛び立ち、エラゴンたちは丘《おか》の急斜面《きゅうしゃめん》をくだりはじめた。あちこちで道がとぎれてしま

っているその丘は、自分で道をつくって歩くしかない。彼らはたびたび馬をおり、足をすべらせないよう低木にしがみつきながら、馬をひいて斜面をくだった。地面には石が散らばっていて、よけいに足場が不安定だった。寒いにもかかわらず、きびしい道程《どうてい》のせいで体はほてり、神経《しんけい》は高ぶるばかりだった。

昼近く、ふもとにたどり着いたところで休憩《きゅうけい》をとることにした。そこからアノラ川は左に向きを変え、北の方角へ流れていく。冷たい風が容赦《ようしゃ》なくふき荒《あ》れ、かわききった地面から目に土埃《つちぼこり》が飛んでくる。

見わたすかぎりの平坦《へいたん》な土地が、エラゴンを落ち着かない気分にさせた。広い平原をさえぎるものは、なだらかな小山くらいしかない。こどものころからずっと、高い山にかこまれた土地で暮《く》らしてきた。山のない場所では、ワシの鋭《するど》い目にさらされたネズミのように、無防備《むぼうび》でたよりない気持ちになる。

平原に入ると、道は三本に分かれていた。一本めの道は北部の大都市のひとつ、シュノンにむかっている。二本めはまっすぐ平原を横切る道。最後の道は、南方へのびている。三本の道にラーザックの痕跡《こんせき》をさがした結果、平原を横切る方向にそれらしき足跡《あしあと》を見つけた。

「どうやらヤーズアックへむかったらしい」ブロムは困惑《こんわく》の表情《ひょうじょう》でいった。

「どこなの、それは？」

「南東へむかって、順調に行っても四日くらいはかかる。ニノー川のそばにある小さな村じゃ」ブロムは北へ流れを変えるアノラ川をさしていった。「これからしばらく水にはありつけんぞ。平原をわたる前に、皮袋《かわぶくろ》にたっぷり入れておかねばならん。ヤーズアックまでは、川も泉《いずみ》もないからな」

エラゴンのなかで、じわじわと狩《か》りの興奮《こうふん》が高まっていた。数日か、少なくとも一週間のうちに、

自分の弓で、ギャロウの仇《あだ》を討《う》てるのだ。そしてそのあとのことは……考えないようにした。

彼らは皮袋《かわぶくろ》に川の水を満たし、馬に水を飲ませ、自分たちも飲めるだけの水を飲んだ。サフィラもおりてきて、がぶがぶとのどに流しこんだ。生気を回復《かいふく》したところで、一行は東へ向きを変え、平原をわたりはじめた。


平原に入って、まず往生《おうじょう》させられたのは風だった。おかげでエラゴンは悲惨《ひさん》な状態《じょうたい》になった——唇《くちびる》がひび割《わ》れたのも、舌《した》がひからびたのも、目がしみるのも、すべては風のせいだ。すさまじい風が、一日じゅう彼らのあとを追ってくる。夜になっても凪《な》ぐどころか、さらに激《はげ》しくふきつけてくる。

身をかくすものなどないので、夜はふきさらしの場所で休まなければならなかった。そんな苛酷《かこく》な環境《かんきょう》でも生《お》いしげる草があった。エラゴンはその短くてたくましい草を引きぬき、ていねいに積みあげて火をつけようとした。だが木質《もくしつ》の茎《くき》は強いにおいを放ちながら、煙《けむり》をくすぶらせるばかりだ。エラゴンはあきらめて、火口箱《ほくちばこ》をブロムに放った。「こんなひどい風じゃ、火なんかつけられない。ためしにあんたがやってみてよ。じゃなきゃ、冷たい飯を食べるしかないよ」

ブロムはひざをついて、積みあげた草をじろりと見やり、数本の茎を積み直した。火打ち石を打つと、草の上に滝《たき》のような火《ひ》の粉《こ》がふりかかる。しかし煙をくゆらせるだけで火はつかない。顔をしかめ、もう一度こころみるが、結果はエラゴンと同じだった。「ブリジンガー（燃《も》えろ）！」ブロムはしかりつけるようにして石を打った。ぱっと炎《ほのお》があがり、彼は満足げにあとずさった。「これでよかろう。すでになかがくすぶっておったのだな」

料理が煮《に》えるのを待つあいだ、彼らはまた棒《ぼう》の剣《けん》で打ちあいをした。ふたりとも腹《はら》がすきすぎて体が思うように動かず、早めに切りあげることになった。食事が終わると、ふたりはサフィラのそばに

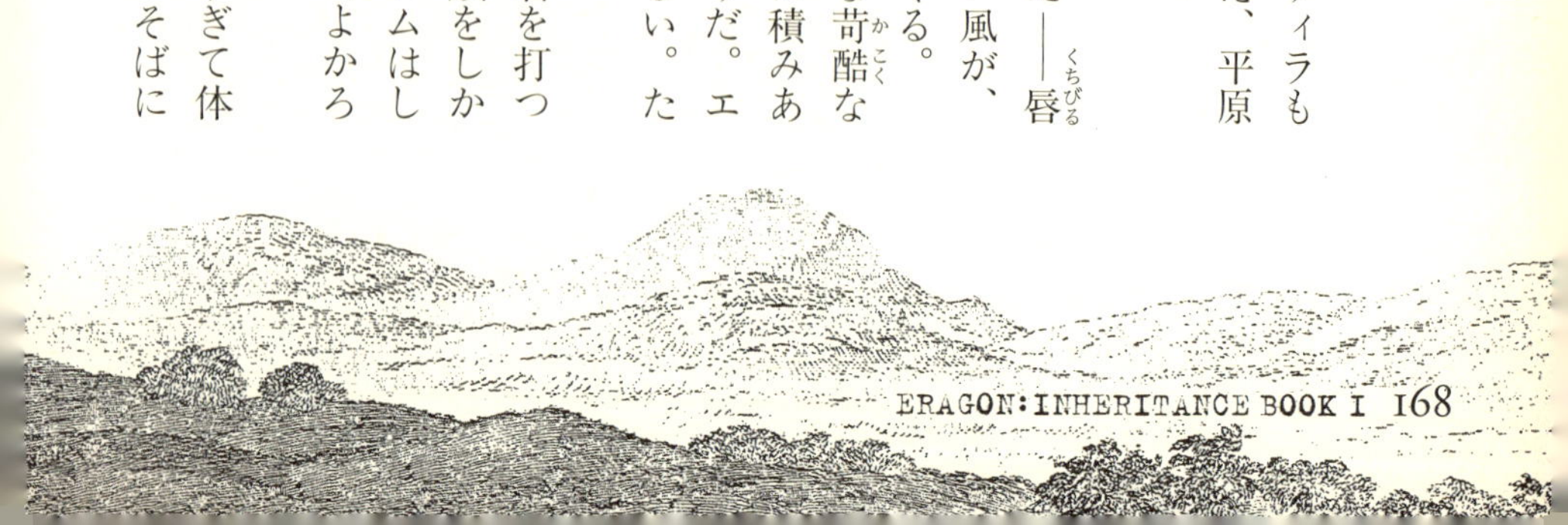

横になり、その体を風よけにして眠《ねむ》った。

翌朝《よくあさ》も、だだっ広い平地を、前日と同じ冷たい風が駆《か》けめぐっていた。エラゴンの唇は夜のうちにひび割れ、話したり笑ったりすると、じんわりと血がにじむようになった。なめたのがよけいに悪かった。ブロムも同じ状態だった。彼らは馬に貴重《きちょう》な水をすこしだけ飲ませ、出発した。その日は、先の見えない単調な道が延々《えんえん》と続いた。

三日め、エラゴンはひさしぶりにぐっすり眠った。風がおさまっていたこともあり、爽快《そうかい》な気分で目覚めることができた。だが、行く手の空が雷雲《らいうん》で真っ暗になっているのを見たとき、その気持ちもそがれてしまった。

ブロムが雲を見て眉《まゆ》をひそめた。「ふつうなら、あのような嵐《あらし》にわざわざ近づいてはいかんのだが、わしらはどのみち試練にむかおうとしておるのだ。進めるだけ進んでおいたほうがよかろう」

暴風雨《ぼうふうう》が来る直前まで、天気はおだやかだった。雲の影《かげ》におおわれて初めて、エラゴンは空を見あげた。そこには、壮大《そうだい》なアーチ状《じょう》の屋根をもつ大聖堂《だいせいどう》のような、魅惑的《みわくてき》な形をした雷雲があった。想像力《そうぞうりょく》をひろげると、柱や窓《まど》やそびえる階段《かいだん》や、歯をむき出すガーゴイルまで見えるような気がする。荒々《あらあら》しいまでの美しさだった。

視線《しせん》をさげたとき、前方から激しい波が、枯《か》れ草《くさ》をなぎたおしながらおしよせてくるのが見えた。次の瞬間《しゅんかん》、それがとてつもない風であることに気づいた。ブロムもとっさに気づき、ふたりは背中《せなか》を丸めて突風《とっぷう》にそなえた。

突風がもうじきおそって来るというとき、エラゴンの脳裏《のうり》に戦慄《せんりつ》が走った。馬の背《せ》で体をひねり、声と意識《いしき》、両方をふりしぼってさけんだ。「サフィラ！　おりてこい！」ブロムの顔も青ざめた。上

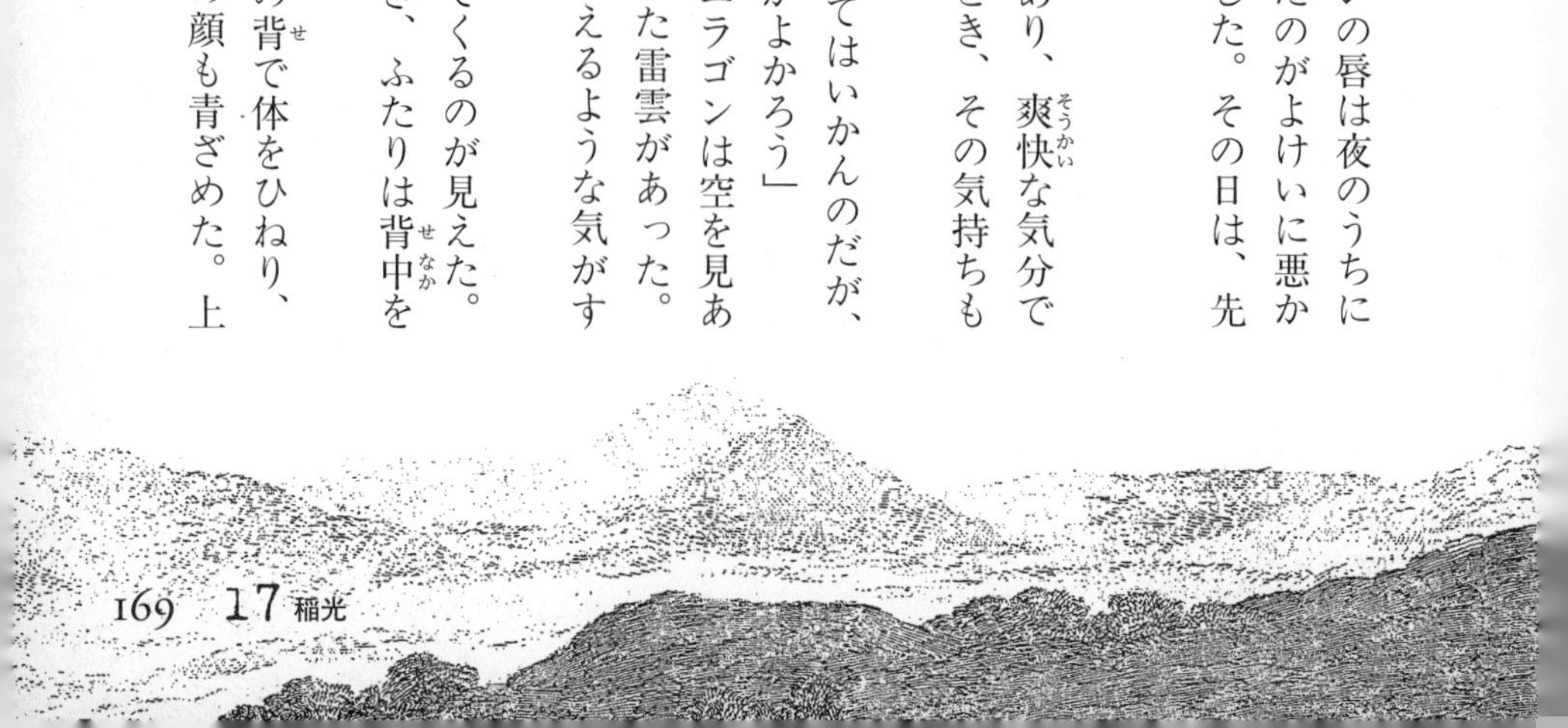

空に、急降下《きゅうこうか》してくるサフィラの姿《すがた》。〔無理だ、間に合わない！〕

サフィラは風の進行方向へ先回りするように降下しながら、なんとか時間を稼《かせ》ごうとしている。その瞬間《しゅんかん》、エラゴンの上に、巨大《きょだい》ハンマーの一撃《いちげき》のような天の怒《いか》りがおそいかかった。猛《たけ》りくるう風の咆哮《ほうこう》を聞きながら、エラゴンはあえぐように息をし、しっかりと鞍《くら》をにぎりしめた。カドックは体をふらつかせながらも、地面にひづめをめりこませ、たてがみをピシピシうならせている。嵐《あらし》の見えない指が、衣服を引きさこうとしていた。もうもうと巻《ま》きあがる土埃《つちぼこり》であたり一面が暗くなった。

エラゴンは薄目《うすめ》をあけ、サフィラの姿をさがした。サフィラは彼らよりずっとうしろのほうで着地し、うずくまって地面にしがみついている。翼《つばさ》をたたみかけたとき、嵐がついにそこに行き着いた。風はすさまじい力で翼を引きはがし、体をすくいあげた。サフィラは風圧《ふうあつ》で宙《ちゅう》に浮《う》き、一瞬ののち、背中《せなか》から地面にたたきつけられた。

エラゴンはカドックの体をまわし、かかとと心の両方でせきたてながら、サフィラのほうへ走った。彼はさけんだ。〔サフィラ！　今行くから、そこにじっとしてろよ！〕サフィラの重苦しい意識《いしき》が返ってくる。彼女に近づいたところで、カドックが急に動かなくなった。エラゴンは飛びおりて猛《もう》然《ぜん》と駆《か》けだした。

背中の弓が頭にガンガンぶつかっていた。うしろから追ってくる強風にあおられ、体がふき飛ばされる。胸《むね》からすべりこんで皮膚《ひふ》がすり切れたが、歯を食いしばって起きあがった。

サフィラまでほんの三メートル。しかし翼の激《はげ》しいはためきで、それ以上近づくことができない。サフィラは強風のなか、必死で翼をたたもうとしている。エラゴンは右の翼に飛びつき、引きおろそうとした。だがそのとたん、風にあおられ、サフィラの体は空中で一回転、エラゴンの頭上すれすれを背中の角《つの》がかすめていく。サフィラは二度と飛ばされまいと地面に鉤爪《かぎづめ》を食いこませた。

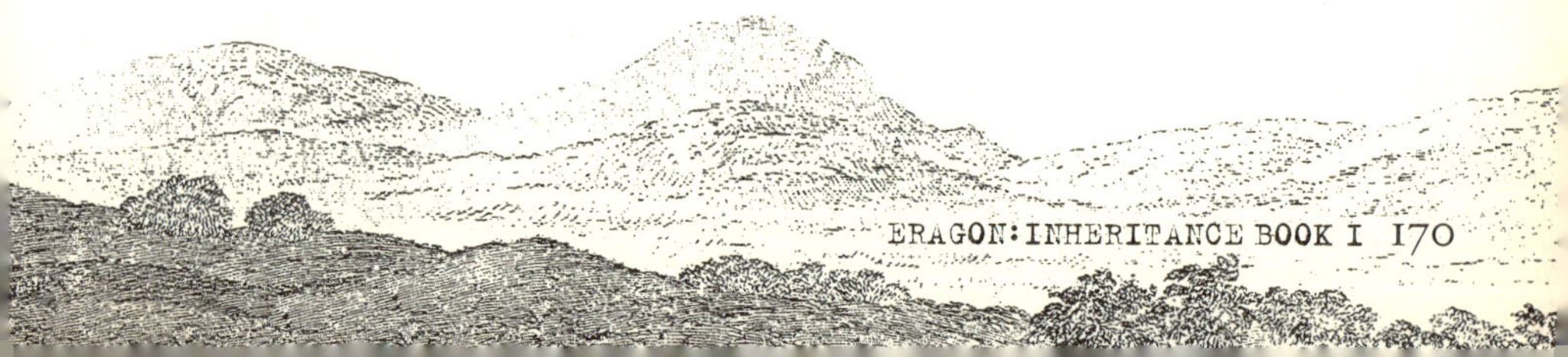

翼がまたしてもひるがえった。しかし、サフィラが飛ばされる寸前《すんぜん》、エラゴンは左の翼に体ごと飛びついた。サフィラがしわのよった翼を、自分の体にしっかりと巻きつける。エラゴンはその背によじのぼり、もういっぽうの翼の上へところがった。と、前ぶれもなく、翼が真上にひるがえり、エラゴンは地面にすべり落ちた。ころがって落下の衝撃《しょうげき》をおさえ、立ちあがってふたたび翼に飛びつく。サフィラの翼を、エラゴンはありったけの力をこめてたたもうとした。風との激しいおしあいの末、最後の大波をやりすごし、彼らはようやく勝った。

エラゴンは息もたえだえでサフィラによりかかった。〔だいじょうぶか?〕体のふるえが伝わってくる。

返事が聞こえるまでに間があった。〔たぶん……だいじょうぶ〕声もふるえていた。〔どこも折れてはいないが——わたしにはなにもできなかった。風にやられっぱなしで、あまりにも無力だった〕身ぶるいし、サフィラはだまりこんだ。

エラゴンは気づかってのぞきこんだ。〔安心しろ。もうだいじょうぶだから〕遠くはなれたところに、風に背をむけて立つカドックの姿が見えた。ブロムのところへもどっているよう、心のなかで馬に命じ、エラゴンはサフィラの背に乗った。サフィラは強風と闘《たたか》いながら道を進み、エラゴンは頭を低くしてその背にしがみついた。

ブロムに近づくと、彼は風に負けない大声で呼《よ》びかけてきた。「サフィラはケガしたのか?」

エラゴンはかぶりをふって地面におりた。カドックがいなないて速足で駆けよってきた。馬の長い頬《ほお》をなでていると、ブロムが前方を指さした。雨の暗幕《あんまく》が、灰色《はいいろ》の表面を波打たせながら近づいてくる。「今度はなんだよ!」エラゴンは悲鳴をあげ、服をしっかりとかきあわせた。まもなく訪《おとず》れた豪《ごう》雨《う》に、彼は身をすくめた。つきささる雨は氷のように冷たく、彼らはまたたく間にずぶぬれになり、

体をがたがたとふるわせた。

空には稲妻《いなずま》が光っては消えていた。一キロ半ほどの高さから、青い稲光が空を切りさいて地平線へおり、続いて、地の底をゆるがす雷鳴《らいめい》がとどろきわたる。美しい。美しいけれど、鬼気《きき》せまる光景だった。雷《かみなり》が落ちるたび、そこここで草が燃《も》え、すぐに雨でかき消されていく。

なかなかおとろえようとしなかった自然の猛威《もうい》も、やがて時間の経過《けいか》とともに四方へそれていった。ふたたび空が現《あらわ》れ、夕日が明るく照りはじめた。光の筋《すじ》が雲を赤々と染《そ》めたとき、あたり一面に――あるものは明るく光り、あるものは暗くかげり――くっきりとしたコントラストがついた。物体が一種独特《どくとく》の立体感をもち、草の茎《くき》までが大理石の柱のようにずっしりとして見える。ごくふつうのものがみな、この世のものとは思えない美しさを帯びている。エラゴンは、自分が一幅《いっぷく》の絵のなかにすわっているような錯覚《さっかく》を起こした。

復活《ふっかつ》した大地は新鮮《しんせん》な香《かお》りがして、彼らの心を浄化《じょうか》し、元気づけた。サフィラがのびをして、首を長々とのばし、気持ちよさそうに吠《ほ》える。馬たちはおどろいて飛びのいたが、エラゴンもブロムも溌《はっ》剌《らつ》としたサフィラを見て笑《え》みを浮《う》かべた。

その晩《ばん》は、日が落ちる前に浅いくぼ地に野営《やえい》した。疲《つか》れはててとても打ちあいなどする気になれず、ふたりともたおれこむように眠《ねむ》った。

18 ヤーズアックの惨劇《さんげき》

嵐《あらし》のときに皮袋《かわぶくろ》の水を多少は補給《ほきゅう》したものの、次の朝にはすべて飲みほしてしまった。「道をまちがえてないといいけどなあ」エラゴンは空の皮袋を噛《か》みながらいった。「だって、今日じゅうにヤーズアックに着けないと、こまったことになるだろ」

ブロムは心配などしていないようだ。「以前ここを通ったことがある。日が暮《く》れる前にヤーズアックが見えてくるじゃろう」

エラゴンが失笑する。「あんたには、ぼくに見えないものが見えるんだね。どこをむいても同じ景色なのに、なんでそんなことがわかるんだよ」

「わしは地上の景色ではなく、星や太陽をたよりに歩いておるのだ。星や太陽が誤《あやま》った方向にみちびくことはない。さあ！　出発だ。いらんことで悩《なや》むのはバカらしい。ヤーズアックはすぐに見えてくるぞ」

彼の言葉は正しかった。サフィラがまず早々に村を発見した。しかしエラゴンたちの目には、それはまだ地平線上の黒いこぶ程度《ていど》にしか見えなかった。ヤーズアックはまだはるか先。平原がどこまでも真っ平らだから、目に入るだけなのだ。先へ進むにつれ、村の両側に黒っぽい線のようなものが見

えてきた。線はうねりながら遠方へのびて消えている。

「ニノー川だ」ブロムは指さしていった。

エラゴンはカドックをとまらせた。「このままいっしょに行動してると、サフィラが人に見られてしまう。ぼくらがヤーズアックによってるあいだ、かくれさせたほうがいいかな?」

ブロムはあごをかきながら村を見やった。「あの川の湾曲部《わんきょくぶ》が見えるか? サフィラにはあそこで待っていてもらうといい。ヤーズアックからはすこしはなれているから、人に見られることはあるまい。わしらとはぐれるほどの距離《きょり》でもないだろう。村のなかを調べて、必要なものを調達したら、また合流しよう」

〔気に食わない〕エラゴンが予定を説明すると、サフィラがいった。〔いつも悪者のようにかくれねばならず、気分が悪い〕

〔ぼくたちのことがバレたらどうなるか、おまえもわかってるだろう?〕

サフィラはぶつぶついいながらもあきらめて、低空で飛んでいった。

もうじきありつける食べ物や飲み物を励《はげ》みに、彼らは足を速めた。やがて集落が見えてきた。民家の煙突《えんとつ》からは煙《けむり》が出ているが、通りにはまったく人影《ひとかげ》がない。村は異常《いじょう》な静けさにおおわれている。

最初の民家の手前で、彼らは申しあわせたように足をとめた。エラゴンがふともらした。「犬一匹《いっぴき》吠《ほ》えてないね」

「うむ」

「でも、気にするほどのことじゃないよね」

「……うむ」

エラゴンが一瞬《いっしゅん》ためらってからいう。「ぼくらのこと、もうだれかが気づいていてもいいはずだ」

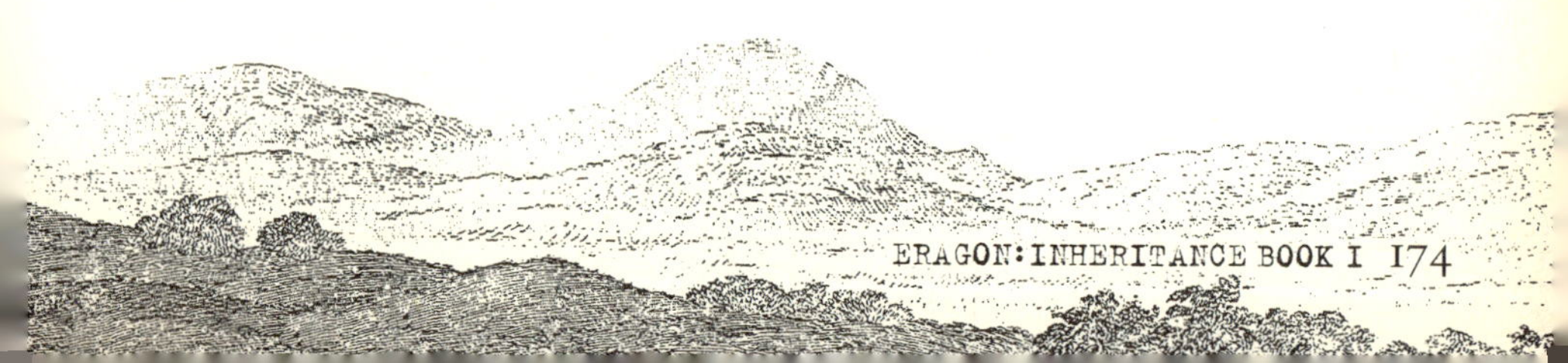

「そうじゃな」

「じゃあ、どうしてだれも出てこないんだろう？」

ブロムは日の光に目を細めた。「用心しておるのだろう」

「そうかもね」エラゴンはしばしだまりこんだ。「でも、もしこれが罠《わな》だったら？　ラーザックが待ちぶせしてたら？」

「食糧《しょくりょう》や水は、どうしても必要だ」

「ニノー川がある」

「それでも、食糧は必要じゃ」

「たしかにね」エラゴンはあたりを見まわした。「じゃあ、行ってみる？」

ブロムが手綱《たづな》を打つ。「しかし、バカなまねはせん。ここは村のいちばん大きな入り口だ。待ちぶせするとしたら、ここしかあるまい。だれもべつの場所から入ってくるとは思わんだろう」

「じゃあ、わきから入るんだね？」エラゴンはいった。ブロムはうなずくと、剣《けん》をぬいて鞍《くら》の上に置いた。エラゴンは弓をはり、矢をつがえた。

彼らは静かにわきへまわり、警戒《けいかい》しながら村へ入った。やはり、どの通りにも人っこひとりいない。彼らの姿《すがた》を見て、子ギツネが一匹あわてて逃《に》げていっただけだ。家々は不気味なほど暗く、窓《まど》はぴったり閉《と》ざされている。多くの家の扉《とびら》が、こわれた蝶番《ちょうつがい》にぶらさがってゆれている。馬が不安げに目をきょろきょろさせた。エラゴンは掌《てのひら》がうずくのを感じ、かきたい気持ちをこらえた。村の中心部にさしかかったとき、彼は思わず弓をにぎる手に力をこめた。「なんてことだ」真っ青な顔でつぶやいた。

硬直《こうちょく》した体、恐怖《きょうふ》にゆがんだ顔、目の前に人間の死体が山のように積みあげられている。衣服は血

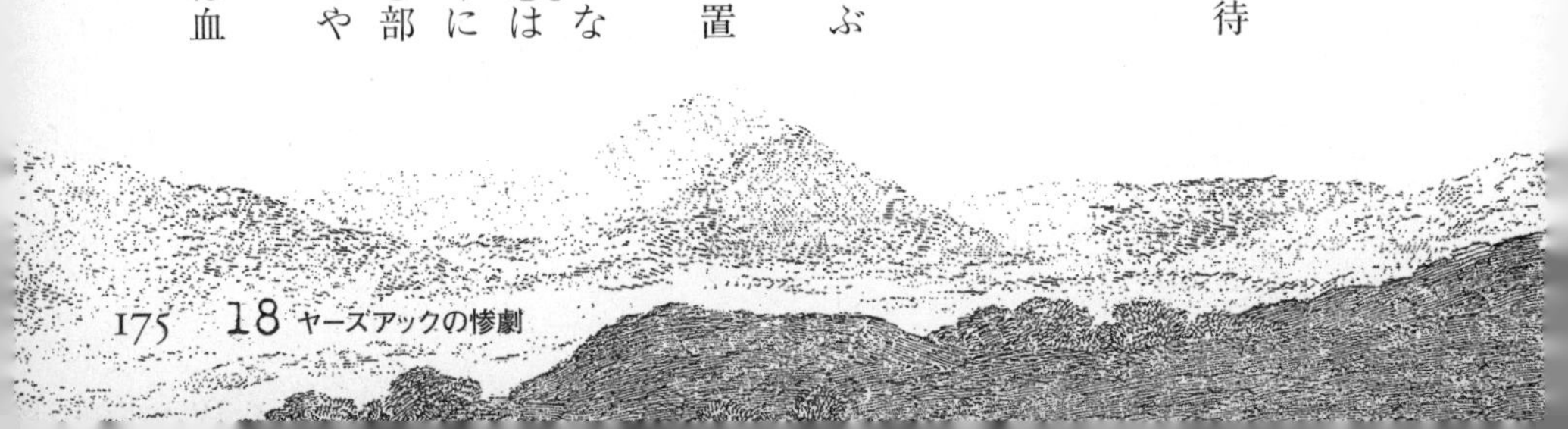

にまみれ、ふみ荒《あ》らされた地面にも血がしみこんでいる。女を守るように重なってたおれる男、こどもを抱《だ》いたままの母親、たがいをかばうように抱《だ》きあって死んでいる恋人《こいびと》たち。どの死体にも黒い矢がささっている。老いも若《わか》いも関係ない。皆殺《みなごろ》しだ。なによりむごいのは、死体の山のいちばん上に積まれた赤んぼうだった。その真っ白な肌《はだ》は、槍《やり》にさしつらぬかれていた。

涙《なみだ》で視界《しかい》がかすみ、エラゴンは顔をそむけようとした。だが死者たちの顔が、彼の目をとらえて放さなかった。命がこんなにもたやすく消えてしまっていいものなのか。見開かれた目を見つめて自問する。こんな死に方をさせられるなら、そもそも生まれてくる意味なんてあったのか？　エラゴンは絶望《ぜつぼう》の波におし流されそうだった。

一羽のカラスが、空から黒い影《かげ》のように舞《ま》いおり、槍の穂先《ほさき》にとまった。カラスは首をかしげ、貪《どん》欲《よく》な目で赤んぼうを品定めしている。「おい、やめろ！」エラゴンはどなるや、弓を引いて矢を放った。羽根を飛び散らせ、カラスはうしろ向きにたおれた。矢はその胸《むね》をつらぬいている。エラゴンはさらに矢を引こうとしたが、こみあげる吐《は》き気《け》にたえきれず、カドックのわき腹《ばら》に嘔吐《おうと》した。

ブロムはエラゴンの背中《せなか》をさすり、吐き気がおさまると静かにたずねた。「おまえは村の外で待っているか？」

「いや……いっしょに行くよ」ふるえる声でこたえ、口をぬぐう。そして惨状《さんじょう》から目をそらした。

「いったいだれがこんなこと……」言葉が続かない。

ブロムが頭をさげた。「他人《ひと》の痛《いた》み苦しみをよろこぶもの。さまざまな顔をもち、さまざまに姿《すがた》を変えるが、そいつらの名はただひとつ——悪魔《あくま》だ。わしらには理解《りかい》などできん。できるのは、犠牲者《ぎせいしゃ》たちを哀《あわ》れみ、敬《うやま》うことだけだ」

ブロムはスノーファイアからおり、ふみ荒《あ》らされた地面を慎重《しんちょう》に見てまわった。「ラーザックが通

ったようだな」ゆっくりと口を開く。「しかし、これはやつらの仕業《しわざ》ではない。アーガルだ。この槍はアーガルのものだ。おそらく、百人あまりの大群《たいぐん》がおしよせたにちがいない。妙《みょう》だな……連中がこれほどいっぺんに集まることなど、今まで二、三度もあったかどうか……」ブロムはひざをつき、足跡《あと》を丹念《たんねん》に調べている。と、ふいに毒づいて、スノーファイアに駆《か》けもどり、飛び乗った。「逃《に》げろ！」ブロムはうわずった声でさけび、スノーファイアの手綱《たづな》を打った。「まだそのへんにアーガルが残っておる！」エラゴンもカドックをかかとでけりつけた。馬は前へ飛び出して、スノーファイアのあとを追った。民家のあいだを疾走《しっそう》し、もうじき村はずれというところで、彼の掌《てのひら》がまたピリピリしはじめた。ふと、右手に動くものが見え、次の瞬間《しゅんかん》、大きな拳《こぶし》がエラゴンの体を鞍《くら》からたたき落とした。本能的《ほんのうてき》に弓をにぎりしめたまま、彼はカドックのうしろへふっ飛び、家の壁《かべ》にたたきつけられた。呆然《ぼうぜん》として、わき腹をおさえながらあえぐように立ちあがる。

アーガルが目の前に立ち、下卑《げび》た目つきで彼を見おろしている。怪物《かいぶつ》は上背《うわぜい》が高く、がっしりとして、肩幅《かたはば》は戸口より広い。皮膚《ひふ》は灰色《はいいろ》で、目は豚《ぶた》のような黄色。腕《うで》と胸の筋肉《きんにく》がもりあがり、胸板《むないた》にひどく小さい胸当てをつけている。湾曲《わんきょく》した羊のような角《つの》がこめかみに二本、その上に鉄兜《てつかぶと》をかぶり、片手《かたて》には円形の盾《たて》をもっている。がんじょうそうな手には、邪悪《じゃあく》な短剣《たんけん》がにぎられている。

背後《はいご》では、スノーファイアの手綱を引いてうしろへもどろうとしたブロムが、斧《おの》をもったふたりめのアーガルに行く手をふさがれていた。「逃げろ、バカ者！」敵《てき》をかわそうとしながら、ブロムがエラゴンにさけぶ。エラゴンの前のアーガルが雄《お》たけびをあげ、すさまじい力で剣をふりおろしてきた。ビュッという音とともに剣が頬《ほお》すれすれをかすめ、エラゴンは悲鳴をあげてうしろへ飛びのいた。そのまま立ちあがり、村の中心へむかって一気に駆けだす。心臓《しんぞう》がくるったように打っていた。

アーガルは重いブーツの音を響《ひび》かせ、すぐさまあとを追ってきた。エラゴンはサフィラの心にむか

って助けてくれと絶叫《ぜっきょう》し、さらに力をふりしぼって走った。けんめいに走っても、アーガルは見る間に差をつめてくる。今や、牙《きば》をむき出す音まで聞こえてくるようだ。怪物《かいぶつ》がいよいよ間近まできたとき、エラゴンは弓を引き、ふりむきざま、ねらいを定めて矢を射《い》た。アーガルは腕《うで》をあげ、飛んでくる矢を盾《たて》でかわし、二本めを放とうとするエラゴンに飛びかかってきた。ふたりはもつれあって地面にころがった。

エラゴンは怪物をふりほどいて立ちあがり、ブロムのほうへ駆《か》けもどった。ブロムはスノーファイアにまたがったまま、敵《てき》と激《はげ》しく打ちあっている。ほかのアーガルどもはどこだ？　エラゴンは必死で考えた。ヤーズアックに残っているのは、このふたりだけなのか？　ズッとなにかがぶつかるような音がした。見ると、スノーファイアが前足をふりあげていなないている。ブロムは鞍《くら》の上で腕《うで》から血を流し、うずくまっている。その前で、斧《おの》をもったアーガルが勝利の雄《お》たけびをあげながら、ブロムに死の一撃《いちげき》をふりおろそうとしていた。

耳をつんざくようなさけびとともに、エラゴンはアーガルに猛然《もうぜん》とつっこんでいった。アーガルは一瞬《いっしゅん》、おどろいて動きをとめたが、すぐにあざけるような顔をエラゴンにむけ、斧をふりおろしてきた。両手でにぎった斧の下をかいくぐり、エラゴンはアーガルのわき腹《ばら》を爪《つめ》で引っかいた。血の筋《すじ》がにじみ、アーガルは怒《いか》りで顔をゆがめる。ふたたびふりおろされた斧をかわし、エラゴンは横っとびで路地へころがった。

エラゴンは、アーガルをブロムから引きはなすことしか考えていなかった。しかし、とっさに飛びこんだ細い路地は行きどまりだった。あわてて足をとめ、引き返そうとするが、ふたりのアーガルがすでに路地の入口に立ちはだかっている。怪物たちはざらついた声で悪態《あくたい》をつきながら、じりじりと近づいてくる。左右を見まわしても、逃《に》げ道《みち》はどこにもない。

アーガルたちとむきあった瞬間、エラゴンの頭のなかにさっきの光景が浮《う》かびあがってきた――積みかさなる村人たちの屍《しかばね》、その中央につき出た槍《やり》、もう大人になることのない、罪《つみ》なき赤んぼうの亡《なき》骸《がら》。彼らの運命を思ったとき、体のすみずみから、燃《も》えたぎる炎《ほのお》のような力がこみあげてきた。それはたんなる正義感《せいぎかん》ではない。死という現実《げんじつ》――自分が存在《そんざい》しなくなるという現実――への、強烈《きょうれつ》な嫌《けん》悪感《おかん》だった。その力は彼のなかでどんどん大きくふくれあがり、爆発寸前《ばくはつすんぜん》にまで達していた。

恐怖《きょうふ》はすべて消え、エラゴンは背中《せなか》をまっすぐにして立った。よどみない動きで、弓をかまえる。アーガルたちはあざ笑いながら、盾をもちあげた。エラゴンは今まで何百回となくやっているように、矢柄《やがら》をさげ、矢じりと標的が一直線になるよう照準《しょうじゅん》をあわせた。体内の炎はもはやたえられないほど熱く燃えさかっていた。今外へ放たなければ、体が焼きつくされてしまう。無意識《むいしき》のうちに、その言葉が、口から飛び出てきた。「ブリジンガー!」彼はさけんで、矢を射た。

矢はパチパチと音を立てながら青い光となり、空気をさいて飛んでいった。矢がひとりめのアーガルの額《ひたい》に命中したとき、あたりに爆発音がとどろいた。怪物の頭からふきあがった青い爆風が、一気にふたりめのアーガルをもしとめた。身動きする間もなく、爆風はエラゴンにもおそいかかり、しかし、彼になんの衝撃《しょうげき》もあたえることなく、そのまま民家にぶつかって消散した。

エラゴンは肩《かた》で息をしながら立ちあがり、冷たい掌《てのひら》を見おろした。熱い白金のように光るゲドウェイ・イグナジアは、見る間にふつうの状態《じょうたい》にもどっていく。手をにぎると、激《はげ》しい疲労《ひろう》の波がおしよせてきた。何日も食べていないかのような、異様《いよう》なだるさを感じた。ひざの力がぬけ、彼は壁《かべ》にがっくりとよりかかった。

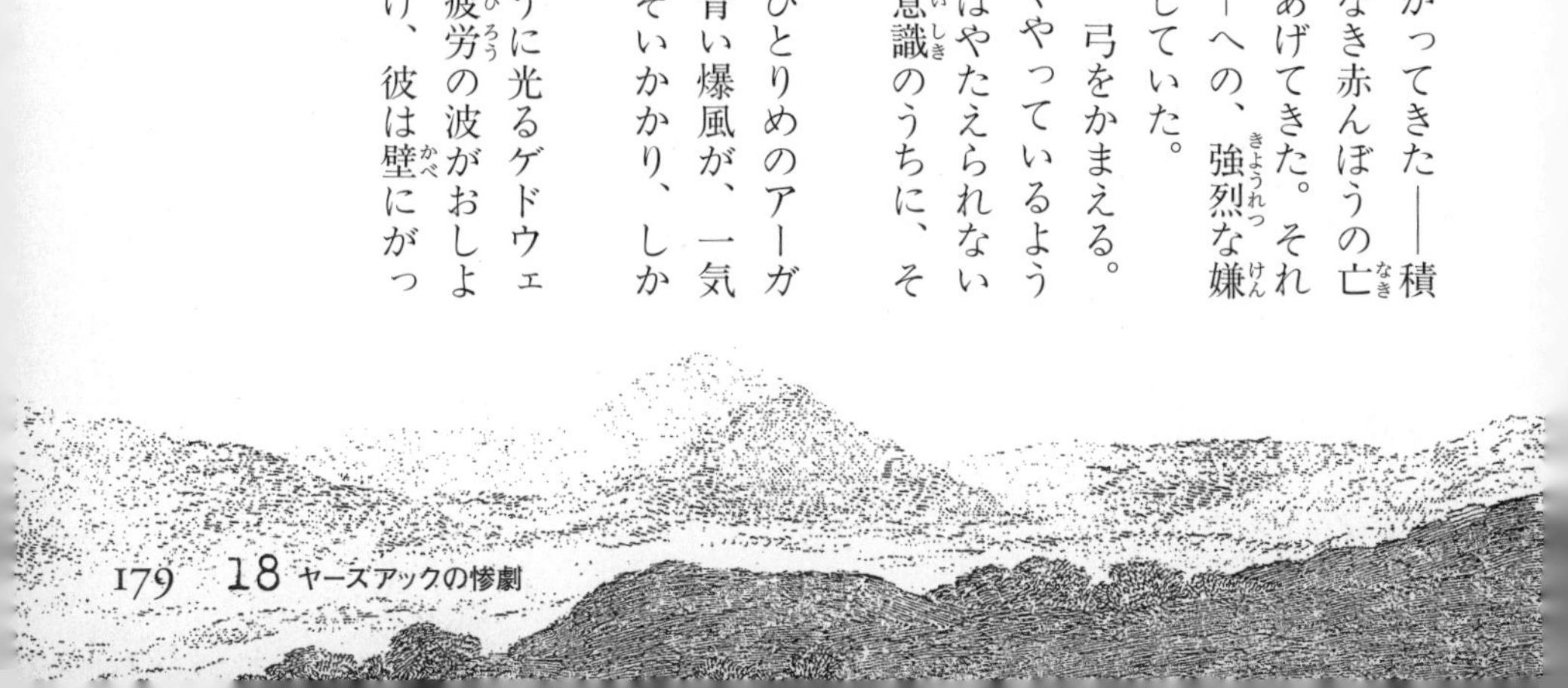

19

訓戒《くんかい》

すこしだけ力が回復《かいふく》すると、エラゴンは怪物《かいぶつ》の死骸《しがい》をよけてふらふらと路地を出た。いくらも歩かないうちに、カドックが駆《か》けてきた。「よかった、おまえはケガしなかったんだな」エラゴンはつぶやいた。手がひどくふるえ、歩き方がぎくしゃくしているのに、それがあまり気にならない。今さっきの出来事が、だれか他人の身に起きたような、どこか冷ややかな自分を感じていた。

一軒《けん》の家の角でスノーファイアの姿《すがた》を見つけた。鼻をふくらませ、耳をぴたりと寝《ね》かせ、今にも駆けだしそうないきおいで歩いている。ブロムはまだその鞍《くら》の上で体を折り、ぴくりともしない。エラゴンは心のなかで語りかけ、馬をなだめた。スノーファイアが落ち着くと、ブロムに近づいた。

老人の右腕《みぎうで》は長い傷《きず》を受け、血に染《そ》まっている。かなりの出血だが深い傷ではなさそうだ。それでも、あまり血を流さないうちに止血しなければならない。エラゴンはスノーファイアをすこしなでてから、ブロムを鞍からおろしにかかった。しかし、その重みをささえきれず、地面に落としてしまった。エラゴンは、自分の力のおとろえに愕然《がくぜん》とした。

すさまじい怒声《どせい》が脳裏《のうり》に響《ひび》きわたった。サフィラが空から現《あらわ》れ、翼《つばさ》を半分あげたままで目前に荒々《あらあら》

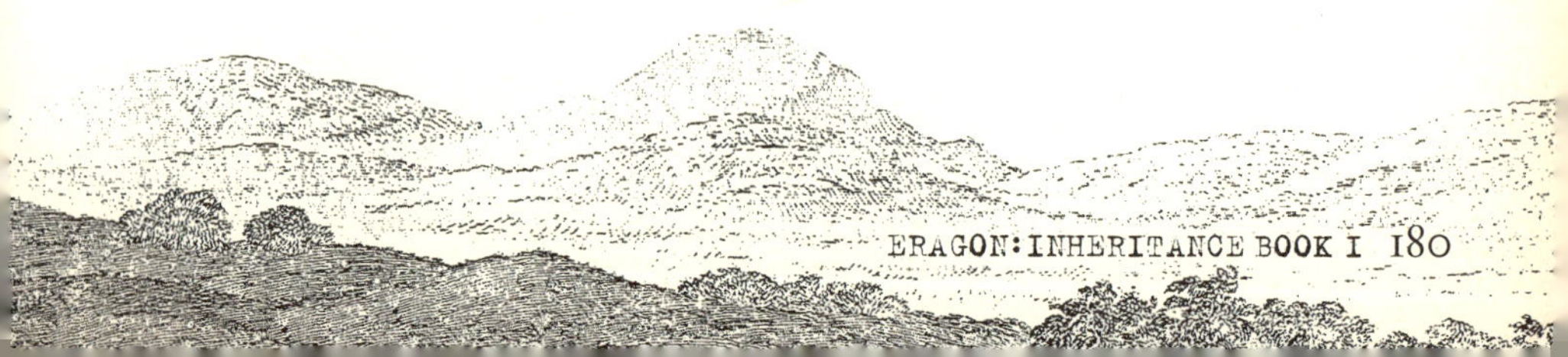

しくおり立った。鼻息は荒く、目は血走っている。ふりあげた尾《お》が頭上でピシッと音を立て、エラゴンは思わず身をすくめた。〔ケガを?〕サフィラの声は怒《いか》りで煮《に》えたぎっている。

〔ぼくはだいじょうぶだ〕エラゴンはこたえ、ブロムをあおむけに寝かせた。

サフィラがうなり、声を荒げる。〔こんなことをしたやつはどこ? わたしが八《や》つ裂《ざ》きにしてくれる!〕

エラゴンは弱々しく路地のほうをさした。「ムダだと思うよ。やつら、もう死んでるから」

〔あなたが殺したのか?〕サフィラはおどろきのにじむ声でいった。

エラゴンはうなずいた。「なんとかね」鞍袋《くらぶくろ》をあけ、ザーロックを包んでいた布《ぬの》をさがしながら、なにがあったかを手短に説明した。

サフィラがしみじみといった。〔あなたもずいぶん成長した……〕

エラゴンがうなる。長い布切れが見つかると、ブロムの袖《そで》を注意深くまくりあげた。数回、手ぎわよく傷口をふき、腕に布をきつく巻《ま》きつけた。〔せめてここがパランカー谷だったらなあ〕エラゴンはサフィラにつぶやいた。〔あそこなら、どの草が傷によく効《き》くかわかったのに。こんなところじゃ、どうやって傷を治せばいいのかわからないよ〕ブロムの剣《けん》を地面から拾いあげ、よごれをぬぐって、ベルトの鞘《さや》にもどしてやった。

〔早く発《た》ったほうがいい〕サフィラがいった。〔どこかにまだアーガルがひそんでいるかもしれないから〕

〔ブロムを運んでくれないか? おまえの鞍なら、彼をしっかりとささえられる。そのほうが、おまえに守ってもらえるし〕

〔それはいいが、あなたをひとりにはしたくない〕

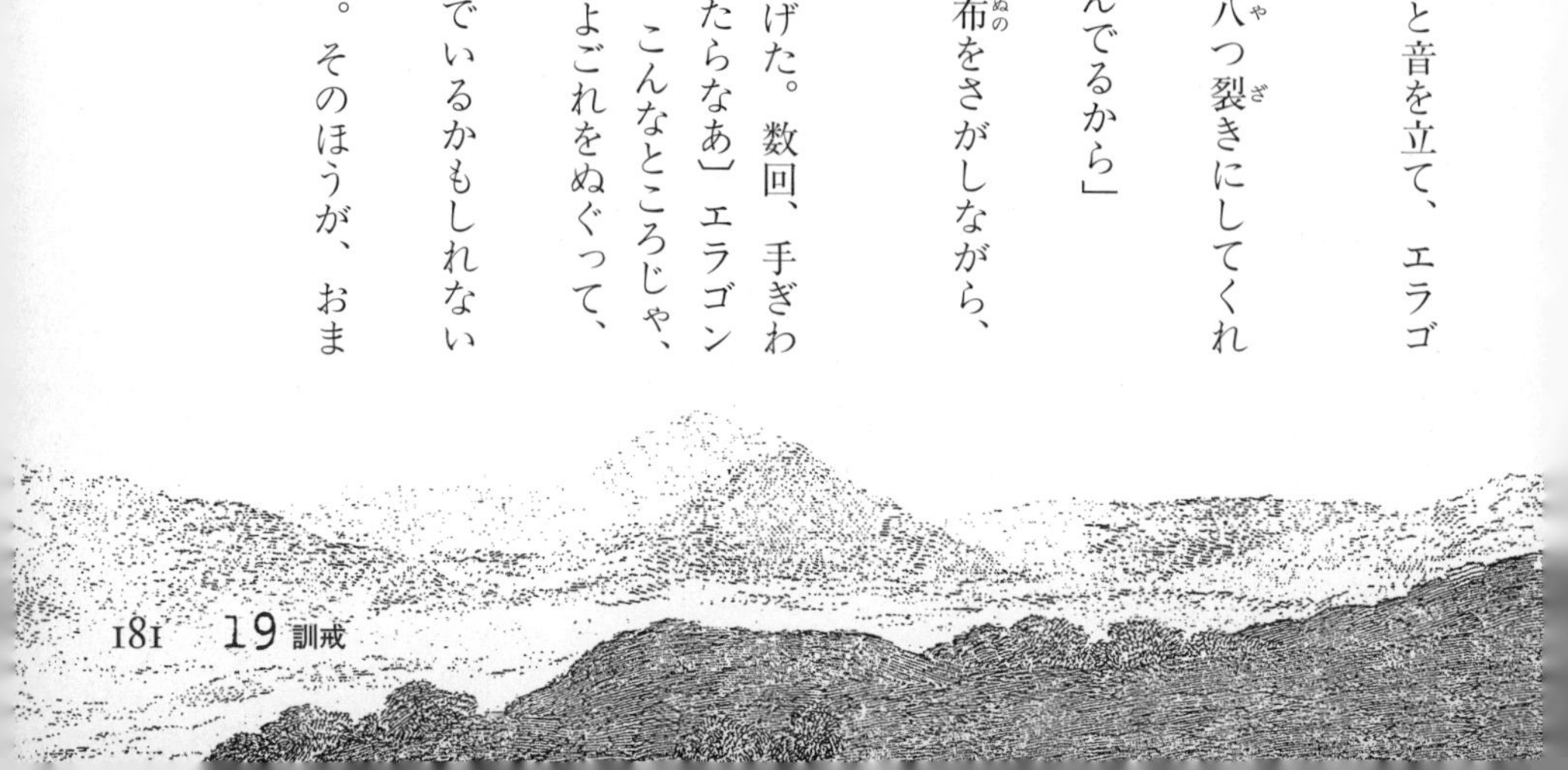

〈だいじょうぶさ。ぼくのすぐそばを飛んでくれればいい。さあ、急ごう〉サフィラに鞍《くら》をつけると、ブロムの体に腕《うで》をまわしてもちあげようとした。が、やはりおとろえた体力ではもちあげられなかった。〈サフィラ、助けてくれ〉

サフィラが首をのばしてきて、ブロムのローブのうしろを歯ではさんだ。首を弓なりにして、母ネコが子ネコにやるように老人をくわえあげ、自分の背《せ》にひょいとのせた。エラゴンはブロムの足をストラップにすべりこませ、きつくしばりつけた。老人がうめいて体をよじらせ、エラゴンは顔をあげた。

ブロムは頭に手をあて、ぼんやりとまばたきをした。下にいるエラゴンを、心配そうに見つめている。「サフィラは間に合ったのか?」

エラゴンは首をふった。「そのことはあとで説明するよ。あんたは腕をケガしてるんだ。いちおう包帯は巻《ま》いたけど、どこか安全な場所で休んだほうがいい」

「そうか」ブロムがおずおずと腕に触《ふ》れてみる。「わしの剣《けん》はどこに……おお、おまえが見つけてくれたのだな」

ストラップを結びおえると、エラゴンはいった。「サフィラがあんたを乗せて、ぼくのあとをついてきてくれる」

「サフィラに乗れというのか?」ブロムがいう。「わしなら、スノーファイアに乗るからいい」

「その腕じゃ無理だよ。このほうが、たとえ気を失ったとしても落ちる心配がない」

「では、ありがたく乗らせてもらおう」ブロムはうなずいて、ケガしていないほうの腕でサフィラの首につかまった。サフィラはあわただしく飛び立ち、空高く舞《ま》いあがっていった。エラゴンは翼《つばさ》の風圧《あつ》にあとずさりながら、すぐに馬のところへもどった。

カドックのうしろにスノーファイアをつないでヤーズアックを出ると、ふたたび足跡《あしあと》をたどって南へむかった。足跡は岩の多い道をぬけて左へ折れたあと、ニノー川の堤《つつみ》にそって続いていた。道の縁《ふち》には、ところどころにシダやコケや小さな低木がはびこっている。木かげの空気がいくら涼《すず》しくて爽《さわ》やかでも、彼はけっして警戒《けいかい》心をゆるめなかった。途中《とちゅう》、足をとめて皮袋《かわぶくろ》の水を満たし、馬に水を飲ませた。地面を見ると、ラーザックの足跡がくっきりとついている。少なくとも道はまちがっていないようだ。サフィラが頭上で旋回《せんかい》し、しっかりと目を光らせていた。

エラゴンは、ヤーズアックにアーガルがふたりしかいなかったことが、ひどく気になっていた。村じゅうを荒《あら》し、村人を皆殺《みなごろ》しにした大群《たいぐん》は、いったいどこへ消えてしまったのか？　自分たちが会ったのは、たんなる後衛隊《こうえいたい》だったのか？　それとも、本隊を追う敵《てき》を捕《と》らえるための待ちぶせだったのか？

エラゴンは、自分がどうやってアーガルを殺したかを考えてみた。心のなかにゆっくりと、ひとつの考えが、おどろくべき発想が、生まれていた。ぼくは——パランカー谷の農場の子エラゴンは——魔法《まほう》を使った。そう、魔法だ！　あそこで起こったことを説明するには、この言葉しかない。信じられないことだが、この目で見たものは否定《ひてい》できない。どうしたわけか、ぼくは魔術師《まじゅつし》か魔法使いになってしまったんだ！　しかし、この新しい力をどうすればもう一度使えるのか、どれほどの力が、またどんな危険《きけん》があるのか、さっぱりわからない。なぜこんな力がついたんだろう？　ライダーならあたりまえのことなのか？　それに、もしブロムが知ってたのなら、なぜ教えてくれなかったんだ？　疑問《ぎもん》やとまどいだらけだ。彼は思わず頭をふった。

サフィラに呼《よ》びかけ、ブロムの様子をたずねてから、いろいろな疑問を投げかけてみたが、サフィラも彼と同じように魔法のことはなにも知らなかった。〈サフィラ、今夜泊《と》まる場所をさがしてくれ

ないか？　下からじゃ、あまり先が見えないんだ〕サフィラが場所をさがしているあいだ、エラゴンはニノー川の縁《ふち》を歩き続けた。

　日が暮《く》れかけるころ、サフィラの呼《よ》ぶ声が聞こえた。〔ここだ〕川のほとりの、木立にかこまれた空間の情景《じょうけい》が送られてきた。エラゴンはそこへむかって、馬たちの進路を変えた。サフィラにみちびかれた場所は、だれにも気づかれることのない完全に遮蔽《しゃへい》された一画だった。

　エラゴンがたどり着いたとき、煙《けむり》も立たないほどの小さな火がすでに燃《も》えていた。ブロムはその前にすわり、腕《うで》をぎこちなくもちあげて傷《きず》の手当てをしていた。サフィラはそのそばで体をこわばらせてうずくまっている。エラゴンの顔をじっとのぞきこんでたずねた。〔本当にケガはない？〕

〔外見はね……でも、ほかの部分はよくわからない〕

〔わたしがもっと早くあの場に行っていれば……〕

〔気にするな。今日は、みんながちょっとずつまちがいをおかした。ぼくのまちがいは、おまえとはなれたことだ〕その言葉への感謝《かんしゃ》の念が、サフィラの心から流れてきた。エラゴンはブロムに目をやった。「傷の具合はどう？」

　老人は腕をちらりと見おろした。「かなり切られておる。痛《いた》みもけっこうなものだが、じきに治るじゃろう。新しい包帯がいるな。こいつはあまり長くもちそうにない」彼らは傷を洗《あら》うために湯をわかした。新しい布《ぬの》を腕に巻《ま》いたあと、ブロムはいった。「なにか食おう。おまえも腹《はら》をすかしておるじゃろう。まず腹ごしらえをして、話はそれからだ」

　腹が満たされ、体が温まると、ブロムはパイプに火をつけた。「さて、そろそろ話を聞かせてもらおうか。わしが意識《いしき》を失っているあいだに、なにが起こったのか。聞きたくてうずうずしておるのだ」ブロムの顔がゆれる炎《ほのお》に照らされ、太い眉毛《まゆげ》が恐《おそ》ろしげに飛び出て見える。

エラゴンは不安げに両手をにぎりしめ、あったことを包みかくさずそのまま話した。ブロムは終始表情《ひょうじょう》を変えず、ひと言も口をはさまなかった。エラゴンの話が終わると、ブロムは地面に目を落とした。唯一《ゆいいつ》聞こえるのは、炎のはじける音だけだ。長い沈黙《ちんもく》のあと、ブロムがようやく口を開いた。

「以前にも、その力を使ったことがあるのか?」

「ない。なにか知ってるの?」

「すこしだけな」ブロムは物思いにしずむ表情でいった。「わしはおまえに命を救われたようだ。いつか、この借りを返したいと思っておる。おまえはたいしたものじゃ——初めてアーガルを殺して、無傷で逃《に》げられる者などめったにおらんのだからな。しかし、おまえの行為《こうい》はひどく危険《きけん》なものだった。自分の身はおろか、村全体をふき飛ばしてしまったかもしれんのだ」

「ほかにどうしようもなかったんだ」エラゴンは言いわけするようにいった。「アーガルたちがおそいかかってくる寸前《すんぜん》だった。あれ以上待ったら、ばらばらにされてたよ」

ブロムはパイプの吸《す》い口《くち》を、歯でしきりにカチカチいわせている。「おまえは自分がなにをやったか、まったくわかっておらんようだな」

「じゃあ教えてよ」エラゴンは食ってかかった。「この謎《なぞ》のことをずっと考えてた。だけど、答えなんか出ないんだ。いったいなにが起きたの? なんでこのぼくが魔法《まほう》なんか使えたの? だれかに教わったわけでも、呪文《じゅもん》を知ってるわけでもないのに」

ブロムの目が光った。「あれはおまえが今教わるようなものではない——まして、いきなり使うとは!」

「ああ、使ったさ。それに、今度戦うときも必要になるかもしれない。だけど、あんたの助けなしには、それができない。魔法を使うことのなにが悪いんだよ。ぼくがもっと大人になって賢《かしこ》くなるま

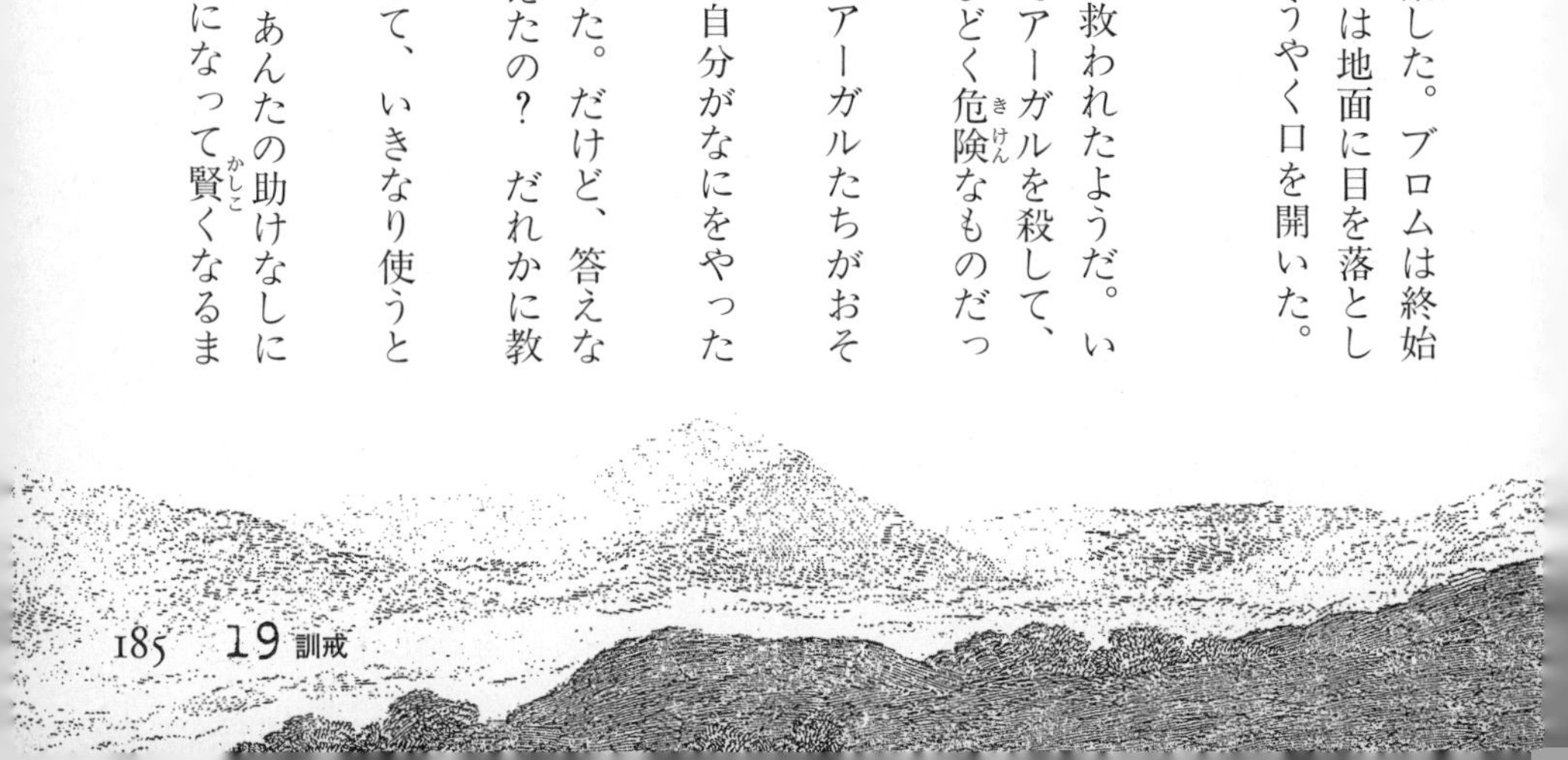

で、知ってはいけない秘密《ひみつ》かなにかがあるの？　それとも、ひょっとしてあんた、魔法《まほう》のことなんかなにも知らないんじゃないの？」

「おい、おまえ！」ブロムが声を荒《あら》げた。「人にものをたずねるのに、そんな横柄《おうへい》な態度《たいど》をとるやつなど見たことがないぞ。自分のたずねていることが本当にわかっとるなら、そのように性急《せいきゅう》にはなれんはずだ。わしをあおるな」老人は言葉を切り、表情《ひょうじょう》をやわらげた。「おまえが知りたがっていることは、おまえが思っている以上に複雑《ふくざつ》なことなのだ」

　エラゴンはむきになって立ちあがった。「これじゃまるで、だれにも説明できない妙《みょう》ちきりんな規《き》則《そく》のある世界へ放りこまれたみたいだ」

「その気持ちはわかる」ブロムは指で草をもてあそびながらいった。「今日はもう遅《おそ》いから、休んだほうがいい。しかし、うるさいおまえのために二、三こたえておこう。ほかの世界と同じように、魔法には――魔法であるがゆえの――規則がある。もしその規則をやぶれば、罰則《ばっそく》は死だ。例外はない。それぞれになにができるかは、その者の力、言葉、想像力《そうぞうりょく》によって変わってくるのだ」

「言葉ってどんなもの？」エラゴンはたずねた。

「また質問《しつもん》か！」ブロムが声をあげる。「てっきりこれで終わりかと思ったのに。しかしまあ、もっともな質問だな。おまえ、アーガルを射《い》たとき、なにかいったか？」

「うん。『ブリジンガー』と」焚《た》き火《び》の炎《ほのお》がゆらめき、エラゴンの体にふるえが走った。その言葉のなにかが、信じられないほど自分を活気づかせるのがわかる。

「やはりそうか。『ブリジンガー』は、その昔、すべての生き物が使った古代語の言葉なのだ。だが、ときの流れとともに忘《わす》れ去られていた。永遠《えいえん》ともいえる長い歳月《さいげつ》、アラゲイジアで話されることはなかった――しかしあるとき、エルフ族が海のむこうからこの言語を運んできた。エルフたちは古代語

をほかの種族に伝え、教わった種族たちはなにか大きな力が必要なときにこれを使うようになった。この言語には――もし、それがわかればの話だが――あらゆる者たちにとって、ふさわしい名前がついておる」

「だけど、それと魔法となにか関係があるの?」エラゴンは口をはさんだ。

「あるとも! 古代語はすべての力の源《みなもと》なのだ。この言語は、目で見える表面的な姿《すがた》ではなく、ものの真の姿を表わす。たとえば炎は『ブリジンガー』。それが、炎の見かけの姿だけでなく、本質を表わす言葉なのだ。じゅうぶんに力のある者が『ブリジンガー』といえば、炎を好きなように動かすことができる。それが、今日起こったことなのじゃ」

エラゴンはふと考えた。「どうして炎は青かったの? 『炎』といっただけで、なぜぼくの思いどおりになったの?」

「炎の色は、さまざまにある。その言葉を使った者によって変わる。なぜ炎がおまえの思いどおりになったかだが、本来ならば、それは修行《しゅぎょう》によるものなのじゃ。初心者はたいてい、自分の起きてほしいと思う言葉をとなえることからはじめる。しかし経験《けいけん》をかさねるうちに、その必要はなくなってくる。真の達人ともなれば、『水』ととなえて、水とまったく関係のないもの、たとえば宝石《ほうせき》などを出したものだ。達人がどのようにそれを出したのかはわからない。おそらく、水と宝石のなかに共通点を見つけたのだろうな。そしてそれを、自分の力の焦点《しょうてん》にした。古代語の修行は、なにものにも勝《まさ》る芸術《げいじゅつ》なのじゃ。おまえが今日やったのは、きわめてむずかしいことじゃった」

サフィラがエラゴンの意識《いしき》に分け入ってきた。〔ブロムは魔術師《まじゅつし》! だから平原で焚き火をおこせた。魔法のことを知っているだけではない。彼は、自分で魔法を使えるにちがいない!〕

エラゴンは目を丸くした。〔そうだったのか!〕

「その力についてよく聞いておきなさい。だが言葉には気をつけること。そういう能力《のうりょく》のある人に、いいかげんな気持ちでのぞんではいけない。そもそも、彼が魔術師《まじゅつし》か妖術師《ようじゅつし》なら、なんの目的でカーヴァホールに住みついたのか？」

エラゴンはサフィラの言葉を頭に置き、慎重《しんちょう》に口を開いた。「サフィラとぼくは、今あることに気づいたんだ。その魔法、あんたも使えるの？　平原での最初の晩《ばん》、そうやって火をおこしたんだね？」

ブロムはかすかに頭をかしげた。「ある程度《ていど》のことはできる」

「じゃあ、どうしてそれを使ってアーガルと戦わなかったの？　それに、今思えばいろいろと役に立つ場面があったはずだ――嵐《あらし》からぼくらの身を守ってくれるとか、目に土埃《つちぼこり》が入らないようにしてくれるとか」

ブロムはパイプにタバコをつめ足してからいった。「理由はかんたんじゃ。わしはおまえとちがってライダーではない。わしの魔力など、おまえがへとへとに消耗《しょうもう》しているときよりも弱いものだ。それに、若《わか》い時代はもうすぎた。わしも昔ほど達者ではないのでな。魔法を使うことが、すこしずつきつくなっておるのだ」

エラゴンはきまり悪さに目をふせた。「ごめん」

「べつにいい」ブロムは腕《うで》の位置を変えた。「だれでもいつかはそうなるものじゃ」

「魔法はどこで教わったの？」

「それもまた、ふせておきたいことじゃ……遠い遠い地で、とてもよい師に教わったとだけいっておこう。少なくともわしは、その師の修行《しゅぎょう》は終えることができたのだ」小さな石でパイプの火を消していう。「まだ質問《しつもん》したいのはわかっとる。むろん、ちゃんとこたえよう。だが、残りはあしたにまわ

すことにするぞ」
目に炎《ほのお》の光を浴び、ブロムは身を乗り出した。「だが、おまえがおかしなこころみをせんよう、これだけはいっておこう。魔法は、両腕と背中《せなか》を一時《いちどき》に使うのと同じだけ体力を消耗する。アーガルをたおしたとき、ひどく体がだるかったのはそのせいなのだ。だからこそ、わしはおこったのだぞ。おまえにとっては、きわめて危険《きけん》なことだからな。体内にある以上の力を魔法に使いでもしたら、命をも失いかねん。魔法は、ふつうのやり方で達成できない場合にしか、使うべきではないのじゃ」
「その魔法が、体力を使いはたすものかどうか、どうすればわかるの？」エラゴンはぞっとしながらいった。
ブロムが両手をふりあげる。「ほとんどの場合、わからん。だからこそ、魔法使いは自分の限界《げんかい》をよく知っておかねばならぬ。たとえ知っていても、用心は必要じゃ。ひとたび魔法を解《と》き放てば、けっしてそれを引きもどすことはできんのだからな。それで自分が死ぬことになってもだ。これは警告《けいこく》だぞ。もっとしっかり学ぶまで、勝手にためしてはならん。さて、今夜はいろいろと話をしすぎたのう」
ふたりが寝床《ねどこ》を用意しはじめると、サフィラの満足そうな声が聞こえてきた。〔エラゴン、わたしたちはふたりとも、もっともっと強くなる。もうじき、行く道に立ちふさがる者などいなくなる〕
〔ああ。でも、ぼくらはどの道を選べばいいんだろう？〕
〔どちらでも、行きたい道を〕サフィラは思わせぶりにこたえ、眠《ねむ》りについた。

20

とてもかんたんなこと

「あのとき、アーガルたちがまだヤーズアックに残ってるって、なぜ思ったの？」エラゴンがブロムにそうたずねたのは、翌日《よくじつ》、歩きだしてしばらくたったころだった。「あのふたりだけどうして村に残っていたんだろう？」

「あのふたりは、本隊からぬけ出して村のものを略奪《りゃくだつ》しておったのだろう。そもそも、アーガルが徒《と》党《とう》を組んで行動することのほうがおかしいのだ。わしの知るかぎりでは、過去《かこ》に二、三度ぐらいしかない。今、なぜそんなことをするのか、気になってしかたがない」

「あの襲撃《しゅうげき》は、ラーザックと関係あるのかな？」

「わからん。とにかく、今いちばん肝心《かんじん》なのは、できるかぎり速くヤーズアックから遠ざかることじゃ。ラーザックも、ここを通って南へむかっておるようだしな」

エラゴンはうなずいた。「だけど食糧《しょくりょう》をまだ確保《かくほ》できてない。近くに町や村はないの？」

ブロムは首をふった。「だが、いよいよになったら、サフィラに獲物《えもの》をとってきてもらって、肉だけで食いつなげばいい。この林は小さく見えるだろうが、なかにはたくさんの動物が棲《す》んでおるのじゃ。周囲何キロにもわたって、この川だけが唯一《ゆいいつ》の水源《すいげん》でな、平原の動物たちがみなここまで飲みに

やってくる。ひもじい思いはせんよ」

エラゴンはその返事に満足して口を休めた。頭上を大きな鳥がせわしなく飛びまわり、川は激《はげ》しく、とめどなく流れている。生命や活気がみなぎるにぎやかな場所だった。エラゴンはまたたずねた。「あのとき、アーガルにどうやってやられたの？　なにもかもあまりにも速くて、見てる間がなかったんだ」

「運が悪かったのじゃ」ブロムは不平がましくいった。「わしのほうが、やつより何枚《なんまい》も上手《うわて》だった。だからやつめ、スノーファイアをけりつけおった。このバカな馬がおどろいて立ちあがったものだから、わしはふり落とされそうになった。アーガルはそのすきをついてきたのだ」老人はあごをかいた。「さては、まだ魔法《まほう》のことを考えておるな。おまえがそれを見つけたことで、めんどうな問題が生じてしまった。ほとんど知られていないことだが、ライダー族は魔法を使うことができた。その力には個人差《こじんさ》があったがな。ライダーたちは全盛期《ぜんせいき》にさえ、この能力《のうりょく》を秘密《ひみつ》にしていた。そのほうが敵《てき》と戦うのに有利だからだ。それに、これがおおっぴらになっていたら、一般《いっぱん》の民《たみ》とはうまくつきあえなかったじゃろう。今でも大衆《たいしゅう》の多くは思っておる。王に魔力があるのは、やつが魔法使いか魔術師《まじゅつし》だからだとな。だがそれはちがう。正確《せいかく》には、やつがライダーだからじゃ」

「どういうちがいがあるんだよ。ぼくは魔法を使った。ということは、ぼくが魔術師だってことじゃないの？」

「そうではない！　たとえばシェイドのような魔術師は、自分の意思をまっとうするために、霊《れい》の力を使う。そこがおまえとはまるきりちがうところだ。霊力やドラゴンにたよらない魔術師もいるが、おまえはそれでもない。まして、呪文《じゅもん》や薬草から力をえる魔法使いなどではけっしてない。

そこで、めんどうな問題が生じたという話にもどる。当時、おまえのような若いライダーは、それ

はそれはきびしい修行《しゅぎょう》を受けねばならなかった。身体能力《しんたいのうりょく》を高め、精神的《せいしんてき》な抑制力《よくせいりょく》を身につけるためだ。魔法《まほう》をあつかう資格《しかく》があると見なされるまで、修行は何か月にも、ことによっては何年にもおよんだ。そしてそのときが来るまで、修行者たちはぜったいに、自分のなかにある力について知らされることはない。もし偶然《ぐうぜん》、それを発見してしまったなら、その者はすぐにほかの者たちから引きはなされ、個人指導《こじんしどう》を受けさせられる。魔法を自分で発見するなど、めったに起こることではなかったのじゃ」ブロムはエラゴンのほうに頭をかたむけた。「まあ、当時の修行者たちは、おまえのように切迫《せっぱく》した状況《じょうきょう》に追いこまれたりはしなかったじゃろうがな」

「それで、資格があると見なされた人は、どうやって魔法の訓練を受けるの？」エラゴンはたずねた。「魔法って、だれかに教わってできるようなもの？　ぼくだって、二日前にこの話を聞いていたら、まるでぴんとこなかったと思うんだ」

「修行者たちはまず、無意味な訓練のくり返しを強《し》いられる。訓練はわざといらだつように仕組まれておってな、たとえば、積みあげられた石をつま先だけで動かせとか、穴《あな》のあいた桶《おけ》に水をいっぱい満たせとか、そういった無理難題《むりなんだい》じゃ。魔法をくり出せるようになるほど頭がかっかするのを待つわけだ。たいていはそれでうまく行く。

わしがいいたいのは、もしこの修行を受けた敵《てき》に遭遇《そうぐう》したら、おまえはあまりにも不利だということだ。そうした古き者たちがいまだに生きておるからな——ガルバトリックス、もちろん、エルフたちもそうじゃ。おまえなど、あっという間に八《や》つ裂《ざ》きにされてしまう」

「じゃあ、ぼくはどうすればいいの？」

「正式な修行をする時間はないが、旅のあいだにある程度《ていど》は習得できるだろう」ブロムはいった。

「わしは、心身をきたえる訓練法をいろいろと知っておる。といっても、ライダーの修行は一夜で終

えられるものではない。おまえはそれを――」老人はおどけた表情《ひょうじょう》でエラゴンを見た。「即席《そくせき》で身につけねばならんのじゃ。最初はつらいかもしれんが、それによる見返りは大きい。ひとつ、おまえをよろこばせてやろう――おまえのような若いライダーで、昨日のように、アーガルふたりを相手に魔法を使った者はいまだかつていない」

　エラゴンはほめられてほほえんだ。「それはどうも。ところでその古代語、名前はついてるの？」

　ブロムは笑った。「ああ、だが、だれも知らんのだ。おそらく驚異的《きょういてき》な力をもった名前だろう。それによって、言語そのものも、それを使う者たちも、すべてを支配《しはい》してしまうような。人々は長いことその名をさがし続けているが、いまだ見つかってはおらんのだ」

「だけど、魔法のあつかい方なんて、やっぱりわからないよ」エラゴンはいった。「ぼくはじっさい、どうすればいいの？」

　ブロムがおどろいた顔をする。「まだわからんか？」

「うん」

　ブロムは深く息をすっていった。「魔法を使うにはまず、その者に先天的な力がなくてはならない――今ではそうした者はめったにおらんがな。次に、その者は、この力をみずからの意志《いし》で呼びおこすことができねばならん。呼びおこせたなら、今度はそれを使ったり、消失させたりしなければならん。わかるか？　それで、じっさいにこの力を用いるときは、その目的にそった古代語を口にする必要がある。たとえば、昨日、おまえが『ブリジンガー』といわなければ、なにごとも起きなかったのじゃ」

「つまり、使える力は、古代語をどれだけ知っているかによって変わってくるんだね？」

「そのとおり」誇《ほこ》らしげにいう。「それから、この言語で話しているとき、他人《ひと》をあざむくことはで

きん」

エラゴンはかぶりをふった。「そんなのありえないよ。人はいつも嘘《うそ》をつく。その言語を使ったって、嘘はいえるさ」

ブロムはくいっと眉《まゆ》をあげた。「フェザブラッカ・エカ・ウェオナタ・ニーエット・ヘイナ・オノ、ブラッカ・イーオム・イエト・ラム」木の枝《えだ》から鳥が一羽飛んできて、ブロムの手の上にとまった。鳥は小さくさえずって、ビーズのような目でふたりを見つめた。ブロムがまた「イサ」というと、鳥は羽ばたいていった。

「どうやったの?」エラゴンは不思議そうにたずねた。

「傷《きず》つけたりしないと約束した。言葉の意味はよくわからなかったとしても、この言語のもつ力によって、わしのいわんとしたことが伝わったのだろう。ほかの動物たちもそうだが、あの鳥はちゃんと知っていたのじゃ。この言語を使う者は、ぜったいに嘘はつかないと。だからわしを信用した」

「エルフもこの言語を使うんだよね?」

「そうじゃ」

「じゃあ、エルフも嘘をつかないの?」

「そうともいえんのだ」ブロムは認《みと》めた。「エルフたち自身は、嘘などつかないといいはるだろう。ある面、それは事実かもしれん。だがじつは彼らは、ひとつのことを語りながら、その言葉に、言外の意味をもたせる術《じゅつ》を身につけておる。だから、真意を推《お》し測《はか》ることはできない。その本当の思いがなんであるのか、わからないのじゃ。たいていの場合、彼らは真実の一部だけを人に見せ、残りは引っこめてしまう。エルフの文化とつきあうには、緻密《ちみつ》で鋭敏《えいびん》な知性《ちせい》が必要なのだ」

エラゴンはふと考えた。「その古代語では、個人《こじん》の名前にどんな意味があるの? 名前が、その人

に力をあたえたりもするんだろうか？」

ブロムの目が満足げに輝《かがや》いた。「そのとおり。この言語を話す者は、ふたつの名前をもつことになる。ひとつめはふだん使うための名で、あまり権威《けんい》がない。本当の名はふたつめのほうで、ごく少数の信頼《しんらい》できる者にしか教えることがない。みなこの真の名をかくそうとしなかった時代もあるが、今はそうではない。おのれの真の名を知った者はみな、とてつもない力を得ることになる。まるで自分の人生を他者の手にゆだねてしまうかのようにな。自分のかくされた名をもっていても、それを知っとる者は少ないのじゃ」

「その本当の名前って、どうすればわかるの？」エラゴンはたずねた。

「エルフは本能的《ほんのうてき》にそれを知るが、ほかの種族にそのような能力《のうりょく》はない。人間のライダーはふつう、自分の真の名をさがす旅に出かけたものじゃ。それを教えてくれるエルフをさがそうとする者もいたが、それはまれだな。エルフ族は、そうした知識《ちしき》を、ほかに分けあたえるようなことはしないからだ」ブロムはこたえた。

「ぼくも自分のが知りたいな」エラゴンはあこがれるようにいった。

ブロムが眉《まゆ》をくもらせた。「早まるものではない。恐《おそ》ろしい事実があきらかになるかもしれんのだ。あまい妄想《もうそう》や郷愁《きょうしゅう》などで、真の自分を知ることなどできん。傷つかずに、そのときをむかえることはできないのだぞ。苛酷《かこく》な事実に直面し、正気を失った者もいる。忘《わす》れようとする者もいる。だが、その名によって力をあたえられる者がいる以上、おまえもまた力を得るかもしれない。もしその真実におしつぶされなければな」

〔おしつぶされないはずだ〕サフィラが力強くいう。

「それでも、やっぱり知りたい」エラゴンはきっぱりといった。

「おまえはガンコなやつだ。まあ、それはいいことではある。本物の自分を見つけられるのは、意志《いし》のかたい者だけだからな。しかし、こればかりはわしも助けることはできん。おのれの力でさがさねばならぬものなのだ」ブロムは傷《きず》ついた腕《うで》を動かし、痛《いた》そうに顔をしかめた。

「なぜあんたもぼくも、その傷を魔法《まほう》で治せないの？」エラゴンはたずねた。

ブロムは目をしばたたかせた。「理由などない——そのようなことは考えてもみないわ。わしの力のおよばぬことじゃ。おまえなら、正しい言葉を使えば治せるかもしれんが、そんなことでおまえを消耗《しょうもう》させたくない」

「でも傷を治せたら、痛みがなくなって楽になる」エラゴンは食いさがった。

「そんなものはたえられる」ブロムはあっさりという。「傷を魔法で治すには、傷がみずから回復《かいふく》するのと同じ力が必要なのだ。しばらくは、おまえにそんな体力を使わせたくない。今そのような困難《こんなん》な仕事をやってはいけないぞ」

「その腕を治すことができるなら、もしかして、死人を生き返らせることもできる？」

ブロムはその質問《しつもん》にぎょっとしながらも、すぐにこたえた。「使い方によっては、命を落とすこともあるといっただろう。それもそのひとつなのじゃ。ライダーは、死人をよみがえらせてはならん。自分の身の安全のためにな。生のむこうには、魔法などなんの役にも立たない奈落《ならく》がある。そんなところにふみ入ろうとしたら、おまえの力は消滅《しょうめつ》し、魂《たましい》は暗黒のなかにすいこまれてしまう。魔法使い、魔術師《まじゅつし》、ライダー、その敷居《しきい》をこえようとした者はみな失敗し、絶命《ぜつめい》した。刀傷《かたなきず》や打ち身、ふつうの骨折《こっせつ》を治すくらいなら、おまえにもできよう。しかし、死者はぜったいにいかん」

エラゴンは眉《まゆ》をひそめた。「思ったよりずっとややこしいんだな」

「そのとおり！」ブロムはいった。「自分のすることをしっかりわきまえておかねば、大それたこと

に手を出して、命を落とすことになるのだぞ」老人は鞍《くら》の上で体をひねり、地面に手をおろして、小石をひとつかみすくいあげた。苦労して体を起こすと、小石一個《こ》だけを残して、あとは捨《す》てた。「この小石が見えるな？」

「うん」

「これをもて」エラゴンはいわれたとおり、なんの変哲《へんてつ》もない小石を手にとった。うすくて黒い、つるりとした、親指の先ほどしかない小石だ。道には似《に》たような石が無数にころがっている。「これがおまえの修行《しゅぎょう》じゃ」

エラゴンは当惑《とうわく》して、ブロムのほうをふり返った。「なんのことかわからない」

「あたりまえじゃ」ブロムはもどかしげにいった。「だからこそ、今こうして教えとる。ほれ、無駄《むだ》口《ぐち》をたたいとると先へ進まんぞ。おまえがやるのは、その小石を掌《てのひら》からもちあげ、できるだけ長く宙《ちゅう》に浮《う》かせておくことだ。使う言葉は『ステンラ・リサ』。いってみなさい」

「ステンラ・リサ」

「よろしい。さあやれ」

エラゴンはしぶしぶ小石に目をこらした。前日のように、体の内側が熱く燃《も》えあがる気配はないだろうかと、自分の心のなかをさぐってみる。いくら見つめても、石は動かぬまま。汗《あせ》がにじみ、いらいらしてくる。いったいどうすればいいんだ？　ついに、たまらず腕組みをしてさけんだ。「無理だよ！」

「いいや」ブロムがどら声でいい返した。「無理かどうかはわしが決める。努力だ！　かんたんにあきらめるでない。さあ、もう一度」

エラゴンは顔をしかめながらも目を閉《と》じ、頭のなかのじゃまな思考をすべてわきによけた。深く息

をすい、意識《いしき》のいちばん遠いところに分け入り、力のひそむ場所をさがそうとする。ありとあらゆる思考や記憶《きおく》をほり続け、やがてなにかちがうものにつきあたった——自分の一部でありながら、自分のものとは思えない、小さなこぶのようなもの。いきおいこんで、こぶをほり進んだ。なにか抵抗《ていこう》を感じた。心の防壁《ぼうへき》だ。だがきっとそのむこうに、自分の力がひそんでいるのだ。けんめいにやぶろうとするが、壁《かべ》はびくともしない。怒《いか》りにまかせ、全身全霊《ぜんしんぜんれい》をこめて壁にぶつかっていった。すると防壁はうすいガラスのようにくだけ、光の川に乗って彼の心がどっと流れてきた。

「ステンラ・リサ」エラゴンは息を弾《はず》ませていった。掌《てのひら》がかすかな光を放ち、その上を小石がふらつくようにして浮《う》きあがっていく。そのまま浮かせておこうとするが、力はすりぬけ、また壁のむこうへ退《ひ》いていってしまう。小石は手の上にストンと落ち、掌はふつうの状態《じょうたい》にもどった。すこし疲《つか》れを感じながらも、彼は満足げににやりとした。

「初めてにしてはまあまあじゃな」ブロムがいった。

「どうして掌があんなふうになったの？　ランタンみたいに光ってた」

「さあな」ブロムはこたえた。「ただライダーたちは、ゲドウェイ・イグナジアのある手のほうへ力を流すことを好んだのだ。べつの手でもできないことはないが、かんたんではない」ブロムはエラゴンを見ていった。「次の村が無事残っておれば、おまえにそこで手袋《てぶくろ》を買ってやろう。掌の印を自分でうまくかくしておるようだが、偶然《ぐうぜん》だれかに見られないともかぎらない。それに、むやみに光って敵《てき》の注意を引くようではこまるだろう」

「あんたの手にも印があるの？」

「いいや。ライダーにしかない」ブロムはいった。「それからもうひとつ、おまえにいっておくぞ。魔法《まほう》の威力《いりょく》は距離《きょり》によって変わってくる。弓矢や槍《やり》と同じだな。一キロはなれたところからものを動

かそうとすれば、近くでやるよりずっと体力を使う。したがって、五キロ後方から敵が追ってきているとしたら、ぎりぎりまで自分に引きよせてから、魔法を使うのだぞ。さあ、稽古《けいこ》を続けて！　もう一回、石をもちあげてみなさい」

「もう一回？」一度めに要した努力を思うと、声に力が入らない。

「そうだ！　今度はもっと敏速《びんそく》に」

　彼らはその日一日じゅう、同じ稽古を何度もくり返した。ようやく終わったとき、エラゴンは疲《つか》れはてて不機嫌《ふきげん》になっていた。小石など見るのもいやだった。ところが石を捨《す》てようとする彼に、ブロムはいった。「捨てるな。とっておけ」エラゴンはブロムをひとにらみして、しかたなく石をポケットにしまった。

「修行《しゅぎょう》は終わっとらんぞ。くつろぐのはまだ早い」老人はそう釘《くぎ》をさすと、小さな植物をさしていった。「これは『デロイス』という」それからは古代語の手ほどきの時間だった。まっすぐな小枝《こえだ》『ヴォンダー』から、明けの明星『エイデイル』まで、ひとつひとつ指をさしてエラゴンに記憶させた。

　その夜、ふたたび焚《た》き火《び》のまわりで打ちあいをした。ブロムは左の手しか使えなかったが、それでもじゅうぶん強かった。

　翌日《よくじつ》も、彼らは同じことを続けた。まずは古代語の学習、次に小石の浮揚《ふよう》、そして夜にはブロムと剣《けん》の特訓。つねに憂鬱《ゆううつ》な気分ではあったが、自分でも気づかぬうちに、エラゴンはすこしずつ変わりはじめていた。ほどなく小石はふらつかずに浮きあがるようになり、ブロムが課した初歩の修行に合《ごう》格《かく》して、さらにむずかしい課題にとり組んでいた。また、古代語の知識もどんどんふえていった。

　剣のほうも、エラゴンは自信と速さをそなえ、ヘビのようにしぶとく攻《せ》められるようになった。突《つ》

きはずっしりと重くなり、剣《けん》をはらうとき腕《うで》がふるえることもなくなった。ブロムの攻《せ》めをかわせばかわすだけ、木刀での打ちあいは延々《えんえん》と続いた。今では、傷《きず》をつくって床《とこ》につくのは、エラゴンひとりではなくなっていた。

サフィラはあいかわらず成長を続けていたが、以前ほどの急激《きゅうげき》な変化は見られなくなった。定期的に出かける狩《か》りなどで飛行の範囲《はんい》がひろがるにつれ、その体はたくましく健康になっていった。すでに背丈《せたけ》は馬よりも高く、体長もずっと長い。その大きな体と光り輝《かがや》く鱗《うろこ》で、ますます人目につきやすくなっている。ブロムもエラゴンもそれが心配で、光る表皮に泥《どろ》を塗《ぬ》って目立たなくしたかったが、サフィラは断固《だんこ》として受け入れなかった。

彼らはラーザックのあとを追って、ひたすら南へとむかっていた。いくら速く進んでも、敵《てき》がつねに数日分先を行っていることが、エラゴンには歯がゆくてならなかった。ときとしてあきらめそうになり、そのたびにラーザックの痕跡《こんせき》や足跡《あしあと》を見つけ、望みを新たにするのだった。

ニノー川ぞいにも平原にも人の住む気配はまったくなく、一行は何日間も平穏《へいおん》無事な旅を続けた。やがて、ヤーズアックを出て以来初めての村、ダレットが近づいていた。

村に入る前の晩《ばん》、エラゴンは鮮烈《せんれつ》な夢《ゆめ》を見た。

ギャロウとローランが、こわれた家の台所にすわっていた。ふたりはエラゴンに、農場を建て直すのを手伝ってくれという。しかし彼は、胸《むね》にたえがたい郷愁《きょうしゅう》を覚えながらも、ただ首をふり、伯父《おじ》にむかってつぶやく。「ぼくは伯父さんを殺したやつを追ってるんだ」

ギャロウは彼を横目でにらみ、「おれが死んでるように見えるか?」とたずねる。

「手伝えないんだ」エラゴンは涙《なみだ》をにじませながら、静かにこたえる。

とつじょ、咆哮《ほうこう》が聞こえ、ギャロウの姿《すがた》がラーザックに変わった。「では、死ね」彼は耳ざわりな声をあげ、エラゴンに飛びかかってきた。

エラゴンは不快《ふかい》な思いで目覚め、空をめぐる星を見あげた。

〔エラゴン、心配しないで〕サファイラがやさしくささやいた。

21 ダレット

ダレットはニノー川の堤《つつみ》にある——なにごともなければ、あるはずだ。まるでだれも住んでいないかのような、小さな村の荒涼《こうりょう》とした景色が見えてきた。エラゴンとブロムは細心の注意をはらいつつ、村に近づいていった。サフィラは、なにかあれば瞬時《しゅんじ》に飛んでこられるよう、村の近くの木立にかくれている。

　彼らはできるだけ静かに、村のなかに入った。ブロムはいいほうの手で剣《けん》をにぎり、あたりにくまなく目を光らせている。エラゴンは弓をなかば引いて、ひっそりとした民家のあいだを進んでいく。ふたりはたがいを気づかうように、ちらちらと目をあわせていた。〔どうもいやな気配を感じる〕エラゴンはサフィラに伝えた。返事はないが、サフィラが飛び立とうとしているのがわかる。エラゴンは地面にこどもの足跡《あしあと》があるのを見て、いくらかほっとした。だけど、どこにいるんだ？

　ダレットの中心にさしかかったが、そこにも人気《ひとけ》がない。ブロムは体をこわばらせた。がらんとした通りに風がふきぬけ、ときおり砂塵《さじん》が巻《ま》きあがっている。ブロムがスノーファイアの体《たい》をまわしていった。「出よう。いやな予感がする」ブロムがスノーファイアを走らせると、エラゴンもカドックを駆《か》り立ててあとを追った。

走りだしてまもなく、彼らの行く手をふさぐように、民家のかげから何台かの荷馬車がころがるように飛び出してきた。カドックが鼻息も荒《あら》く足をつっぱり、スノーファイアのとなりに横すべりしてとまった。日に焼けた男が馬車を乗りこえてきて、目の前に立ちはだかった。わきに幅広《はばびろ》の剣を差し、手には弓をかまえている。エラゴンは現《あらわ》れた男にむかって弓をふりあげた。男はどなった。「とまれ！　武器《ぶき》をおろせ！　おまえたちは六十人の射手《しゃしゅ》に包囲されている。動くと射《う》つぞ」それが合図であったかのように、周囲の家々の屋根の上で男たちがずらりと立ちあがった。

〈サフィラ、来るな！〉エラゴンはさけんだ。〈人数が多すぎる。おまえが飛んできたら、射ち落とされてしまう。はなれてろ！〉声はサフィラにとどいているはずだが、いうことを聞いてくれるかどうかはわからない。エラゴンは魔法《まほう》を使う準備《じゅんび》をした。〈ぼくやブロムが射たれる前に、矢をとめなければ！〉

「わしらをどうしたいのだ？」ブロムがおだやかにたずねた。

「なんのためにここへ来た？」男が凄《すご》む。

「買い物をして、多少の情報《じょうほう》を仕入れるため。それだけだ。ドラス＝レオナの従兄《いとこ》の家を訪《たず》ねる途中《とちゅう》でな」

「それにしては重装備《じゅうそうび》だな」

「おまえさんたちも同じだろう」ブロムがいった。「物騒《ぶっそう》な世の中じゃからな」

「そうだな」男はエラゴンたちを注意深く観察している。「あんたらに悪意はないようだが、最近アーガルや山賊《さんぞく》どもが頻繁《ひんぱん》に現れるのでな、言葉だけじゃなかなか信用できんようになっているんだ」

「さしつかえなかったら、くわしく話してくれんか？」ブロムは逆《ぎゃく》に問いかけた。屋根の上の男たちは身動きひとつしない。あれだけぴたりと静止していられるのは、よほどよく訓練されているか……

あるいは、怖《お》じ気《け》づいて動けないかのどちらかだろう。エラゴンは後者であることを願った。

「買い物がしたいだけといったな。おれたちが必要なものを用意するあいだ、ここで待っていてくれないか。それで、金を払《はら》ったらすぐに出ていってほしい」

「わかった」

「よし」男は弓をかまえたまま、下にむけた。屋根のほうに合図すると、射手《しゃしゅ》のひとりが地面におりて駆《か》けてきた。「ほしいものをこの男にいってくれ」

ブロムはいくつかの品物をあげてから、最後につけ加えた。「それと、この甥《おい》にちょうどいい手袋《てぶくろ》があれば、買っていきたい」射手はうなずいて走っていった。

「おれの名はトレヴァー」目の前の男がいった。「ふつうなら握手《あくしゅ》をするところだが、こういう状況《じょうきょう》だから、失礼願いたい。それで、どちらから来られた？」

「北のほうから」ブロムがこたえた。「だが、ひとところには長く居着《いつ》かない生活なのでな、故郷《こきょう》と呼《よ》べる場所はないんじゃよ。これだけの厳重《げんじゅう》な警戒《けいかい》は、アーガルのせいなのかね？」

「そうだ」トレヴァーはこたえた。「それに、もっと質《たち》の悪いやつもいる。あんたがたは、ほかの村でなにか噂《うわさ》を聞かなかったか？　よその情報《じょうほう》はほとんど流れてこないんだが、ほかの村もやはりやつらの出没《しゅつぼつ》に悩《なや》まされているらしい」

ブロムが神妙《しんみょう》な顔つきでいった。「できれば、こんな便りを伝えたくはないのだが――何日か前、ヤーズアックを通ったら、村が略奪《りゃくだつ》されていた。村人たちは皆殺《みなごろ》しにされ、死体が積みあげられていた。きちんと埋葬《まいそう》してやりたかったのだが、わしらもアーガルふたりにおそわれたのだ」

衝撃《しょうげき》を受けたトレヴァーは、ふらふらとあとずさり、涙《なみだ》にぬれる顔をうつむけた。「ああ、なんと恐《おそ》ろしいことに。しかし、たったふたりのアーガルで村人を皆殺しになどできるものなのか？　ヤー

ズアックにはいい戦士がいたはず――おれの友人も何人かそこに……」

「痕跡《こんせき》を見ると、どうやら大群《たいぐん》で村をおそったらしい」ブロムがいった。「わしらが遭遇《そうぐう》したのは脱《だっ》走兵《そうへい》だろう」

「どれくらいの大群だった?」

ブロムは鞍袋《くらぶくろ》を手でいじりながらいった。「ヤーズアックを全滅《ぜんめつ》させ、しかも、田舎道《いなかみち》を目立たずに移動《いどう》できるくらいの規模《きぼ》。百人を上回らず、五十人を下回らない程度《ていど》か。どちらにしろ、わしの予想が正しければ、この村はまちがいなく壊滅《かいめつ》するだろう」トレヴァーは弱々しくうなずいた。「逃《に》げることを考えたほうがいい」ブロムは続けた。「このあたりは危険《きけん》すぎる。平和になど暮《く》らせなくなっておる」

「わかっている。でも、村人たちが村をはなれたがらないんだ。彼らにとってこの村は故郷だからな――ここへ来て二年たらずのおれだって、その気持ちは同じだが。彼らは故郷というものの価値《かち》を、自分たちの命よりも重く考えている」トレヴァーは真剣《しんけん》なまなざしでブロムを見つめた。「じつはおれたちは、数人で現《あらわ》れたアーガルを何度か撃退《げきたい》しているんだ。だから、村人たちは自分の力よりはるかにでかい自信をつけてしまった。おれはこわいんだ。ある朝起きたら、村じゅうの人間がのどをかっ切られてたなんてことになりゃしないかと」

さっきの射手が、注文した品物を腕《うで》にかかえて家から飛び出してきた。彼はそれらを馬の横に置き、ブロムは代金を払った。射手がいなくなると、ブロムはたずねた。「なぜ彼らはダレットの警護《けいご》にあんたを選んだのだ?」

トレヴァーは肩《かた》をすくめた。「何年間か王の軍にいたんだよ」

ブロムは買った品物のなかから手袋をさぐってエラゴンにわたし、残りは鞍袋につめた。エラゴン

は掌《てのひら》を下にむけるよう気をつけながら、手袋《てぶくろ》をはめた。使い古しの手袋だが、革《かわ》はじょうぶそうで肌《はだ》に心地《ここち》いい。「さて」ブロムはいった。「約束どおり、もう失礼しよう」

　トレヴァーはうなずいた。「ドラス＝レオナに着いたら、ひとつたのまれてほしいことがある。ここやまわりの村の窮状《きゅうじょう》を帝国《ていこく》に伝えてくれないか？　このことがまだ王の耳に入っていないとしたら問題だ。すでに耳に入っていて、それでも手を打とうとしないのだとしたら、なお問題だが」

「かならず伝えよう。では、くれぐれも気をつけて」ブロムはいった。

「あんたたちも」

　道をふさいでいた馬車が引っこむと、エラゴンたちはダレットを出て、ニノー川のそばの木立へむかった。エラゴンは心のなかでサフィラに伝えた。〔今そっちへむかってる。すべて丸くおさまった〕サフィラから返ってきたのは、今にも爆発《ばくはつ》しそうな怒《いか》りの感情《かんじょう》だけだった。

　ブロムがあごひげをしごきながらいった。「帝国は、思っていたよりはるかにひどい状態《じょうたい》らしい。カーヴァホールに来た旅商人たちから不穏《ふおん》な状況《じょうきょう》は聞かされていたが、これほどまでに腐敗《ふはい》がひろがっておるとはな。これだけアーガルが跋扈《ばっこ》しとるということは、政権《せいけん》そのものが脅《おびや》かされているはずなのに、軍隊もなにも送られてこない。まるで王が領地《りょうち》を守ることに、なんの関心もないかのようじゃ」

「たしかに変だ」エラゴンもうなずいた。

　ブロムは頭をさげて低い枝《えだ》をよけた。「ダレットにいたとき、おまえ、なにか力を使ったか？」

「その必要はなかっただろ」

「ちがうな」ブロムはいった。「トレヴァーの意図を感じとれたはずだ。わしのかぎられた能力《のうりょく》でも、それくらいのことはできたぞ。村人たちがわしらを殺すつもりだと感じたら、ああしてただすわって

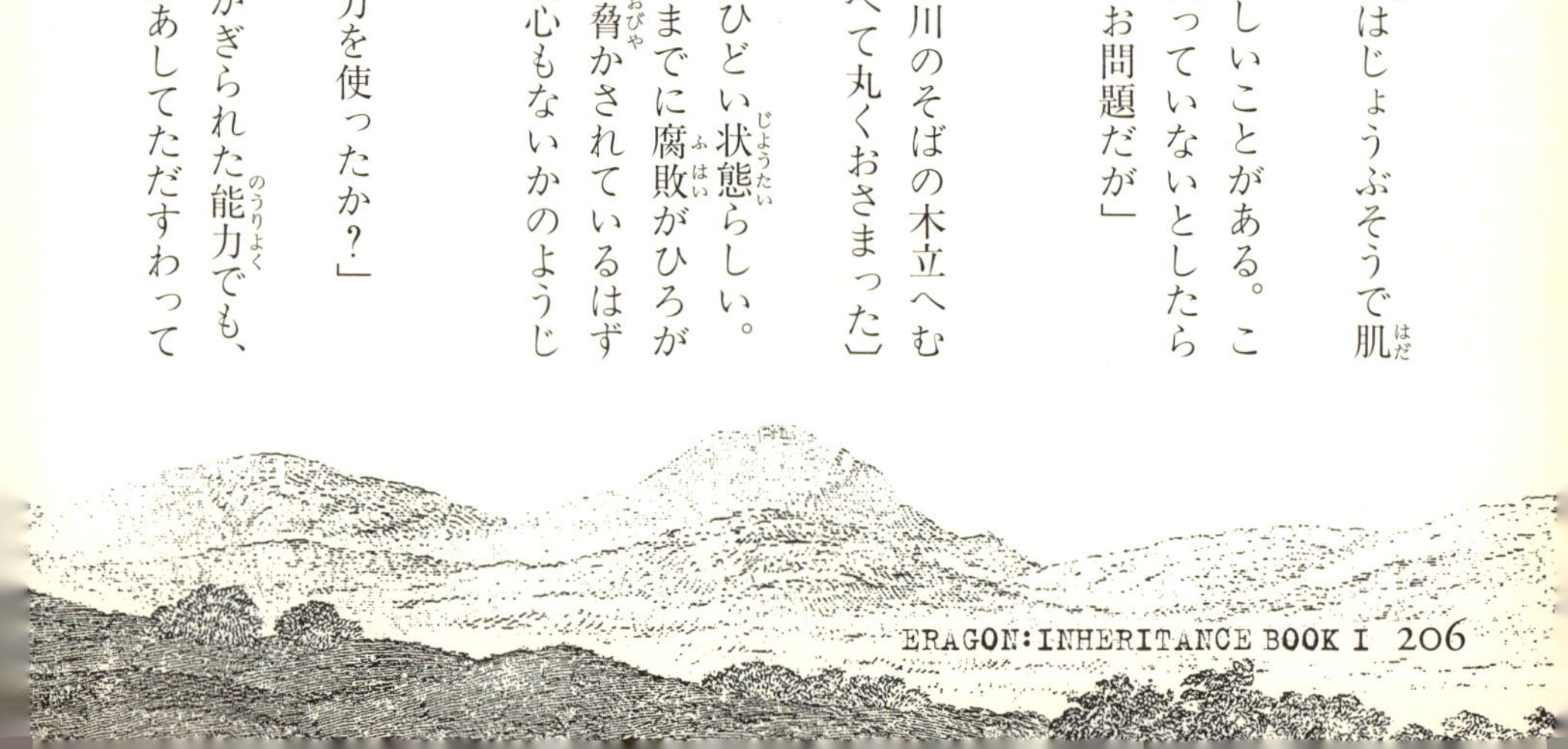

などいなかった。しかし、話せば切りぬけられるという、それなりの成算があったから、わしはそうしたのじゃ」

「トレヴァーの考えてることが、どうしてわかるんだよ」エラゴンはいった。「ぼくに他人《ひと》の心を読めっていうの？」

「いいかね」ブロムは彼をたしなめた。「その答えを教えてやろう。おまえは、カドックやスノーファイアの心と接触《せっしょく》したのと同じように、トレヴァーの意図を読むことができたのじゃ。人間の心も、じつはドラゴンや馬とたいして変わりはない。それ自体はかんたんなことだが、しかし、その力を多用してはならん。使うときは細心の注意が必要なのだ。心というのは、人間の究極《きゅうきょく》の聖域《せいいき》だからな。やむをえん状況にならんかぎり、侵《おか》すべきものではない。ライダーには、このことにかんしてきびしい掟《おきて》があった。もしこれが正当な理由なしにやぶられれば、厳罰《げんばつ》が科せられた」

「それで、あんたはライダーじゃないのに、それができるの？」

「以前にもいったとおり、正しい指導《しどう》を受ければ、だれでも心で会話することができる。どれくらいできるかは個人差《こじんさ》がある。だが、それが魔法《まほう》かどうかと問われれば、こたえるのはむずかしいな。たしかに、魔法の力がその能力《のうりょく》を引き出す――あるいはドラゴンの心と結びつく――きっかけにはなるじゃろう。しかしわしは、その技《わざ》を自分で学んだ者も大勢《おおぜい》知っとるぞ。いいか、それが明瞭《めいりょう》かどうかはさておき、おまえは感覚をもつ生き物となら、なにとでも会話できるのだ。一日じゅう鳥の心を聞いてすごすこともできるし、大嵐《おおあらし》のときミミズがどんな気持ちでいるかもわかってやれる。しかし、鳥の声は聞いてもあまりおもしろくないな。聞くならネコじゃ。連中は並《なみ》はずれた個性《こせい》をもっておる」

エラゴンはカドックの手綱《たづな》をひねりながら、ブロムの言葉の意味を考えた。「だけど、ぼくが他人

の心を読めるということは、ほかの人もぼくの心に入ってこれるということだよね？　だれかに心をさぐられているかどうか、どうすればわかるの？　拒絶《きょぜつ》する方法はないの？」今だって、ブロムがぼくの心をさぐっていないと、どうしていえるだろう？

「おお、あるとも。サフィラが心を封《ふう》じたことはないか？」

「ときどき」エラゴンは打ち明けた。「スパインに連れていかれたときなんか、まったく話せなかった。でも、サフィラが無視《むし》してたわけじゃないんだ。ぼくの声が聞こえてもいなかったんだと思う。心に壁《かべ》がはりめぐらされていて、なかに入れなかった」

　ブロムは腕《うで》の包帯を上にずらしてからいった。「他者が心に侵入《しんにゅう》したことを察知できる者は少ない。そして、そのなかのほんのひとにぎりの者にしか、それをふせぐことはできんのじゃ。要は訓練と、集中力の問題だな。おまえには魔法《まほう》の力があるから、他者が侵入したかどうかはすぐにわかるようになるじゃろう。それができれば、ふせぐことなどかんたんだ。すべての思考を排除《はいじょ》して、ただひとつのことに集中すればよいのだ。たとえば、おまえがレンガの壁のことだけを考えておれば、侵入者にはレンガの壁しか見えん。しかし、それを長いあいだ持続するには、はかり知れんほどの忍耐力《にんたいりょく》と鍛《たん》錬《れん》が必要じゃ。もしわずかでも気をそらしたら、壁はぐらつき、そのすきまから敵《てき》が入りこんでくる」

「どうすればできるようになるの？」

「それはただひとつ、訓練、訓練、訓練だな。心になにかを思い描《えが》き、ほかのいっさいの思考をとりのぞいて、できるだけ長い時間それだけに集中する。きわめて高度な技《わざ》でな、ひとにぎりの者しか習得できない」

「ぼくはべつに技をきわめたいわけじゃない。安全がほしいんだ」もし他人《ひと》の心に侵入できるなら、

その人の心を変えられたりもするんだろうか? エラゴンは、魔法のことを知れば知るほど疑心暗鬼《ぎしんあんき》になる自分を感じていた。

やがて木立にたどり着いたとき、サフィラがいきなり彼らに頭突《ずつ》きを食らわせようとした。エラゴンたちは仰天《ぎょうてん》し、馬たちはおびえてあとずさった。サフィラはエラゴンをなめるように見て、シューッと低く鳴いた。ひどく冷ややかな目をしている。こんなにも激怒《げきど》したサフィラは見たことがない――エラゴンはブロムに不安げな視線《しせん》を投げ、心のなかで問いかけた。〔いったいどうしたんだ?〕

〔まったく〕サフィラがうなった。〔あなたという人は!〕

エラゴンは眉《まゆ》をひそめ、カドックからおりた。地面に足がつくなり、サフィラが尾《お》でその足をすくいあげ、体を足でおさえつけた。「なにをするんだ」わめいて、立ちあがろうともがくが、サフィラはエラゴンのかなう相手ではない。ブロムはスノーファイアの上から、じっとその様子を見つめている。

サフィラは頭をエラゴンの上にふりおろし、目と目をあわせた。エラゴンは彼女のゆるぎない視線《しせん》のもとで、じたばたとあがくしかない。〔あなたは! わたしの目のとどかないところに行くたび、危険《きけん》な目にあっている。まるで生まれたての雛《ひな》みたいに、いろんなことに首をつっこんで! 嚙《か》みつかれたらどうする? どうやって無事に生きのびる? 遠くはなれていたら、わたしには助けることができない。今までは人目につかないようにかくれていたが、もうたえられない! あなたの命がかかっているのに、かくれていることなどできない〕

〔おまえの気持ちはよくわかるよ〕エラゴンはいった。〔だけど、ぼくはおまえよりずっと年上なんだし、自分のめんどうくらい自分でみられる。むしろ、守られなきゃならないのは、おまえのほうなんだ〕

サフィラがうなり声をあげ、エラゴンの耳もとで歯を打ち鳴らす。〈あなたは本気でそんなことを思っているのか?〉サフィラはたずねた。〈あしたは、馬とかいうあのみすぼらしい哺乳《ほにゅう》動物ではなく、わたしの背《せ》に乗りなさい。いやだというなら、この爪《つめ》に引っかけてでもさらっていく。あなたはドラゴンライダーではないのか? わたしのことを想ってくれないのか?〉

その問いかけに体がかっと熱くなり、エラゴンは目をふせた。サフィラの言い分はもっともだとわかっているが、彼女に乗ることがこわいのだ。サフィラとの飛行は、彼にとって、今まで味わったどんな試練よりつらい体験だったからだ。

「それで?」ブロムがたずねた。

「あした、サフィラに乗れってさ」力なくこたえる。

ブロムが目を輝《かがや》かせた。「そうか。今度は鞍《くら》もあることだしな。わしはおまえたちの姿《すがた》が見えなくても、べつにこまりはせんぞ」サフィラがブロムを見やり、またエラゴンに目をもどす。

「だけど、あんたひとりでおそわれたり、事故《じこ》が起きたりしたらどうする? はなれてたらすぐに飛んでこられないし――」

サフィラはエラゴンの胸《むね》を強くおさえつけ、その言葉をさえぎった。〈エラゴン、それがまさにわたしのいいたかったこと〉

ブロムは笑いをこらえているようだ。「悪いことばかりでもないだろう。どのみち、サフィラに乗ることも覚えねばならんしな。ものは考えようじゃ、おまえたちが先に飛んで地上を偵察《ていさつ》してくれれば、罠《わな》やら待ちぶせやら、ありがたくない不意打ちのたぐいを前もって見つけられる」

エラゴンはサフィラを見あげていった。〈わかった、そうするよ。だから、もう放して〉

〈きちんと約束しなさい〉

〔そこまでさせるのか?〕エラゴンはいった。サフィラはだまって目をしばたたかせる。〔いいよ、わかったよ。あした、おまえに乗って飛ぶと約束します。これでいいだろ?〕

〔よろしい〕

サフィラはエラゴンを放すと、地面をけって飛び立っていった。空をぬうようにあがっていくその姿《すがた》を見て、エラゴンのなかに軽いふるえが走った。ぶつぶつ文句《もんく》をいいながら、カドックの背《せ》にもどり、ブロムのうしろを歩きだした。

日没《にちぼつ》のころ、馬をとめ、荷物をおろした。エラゴンとブロムはいつものように、夕飯の前に剣《けん》の稽《けい》古《こ》をした。打ちあいのさなか、エラゴンのくり出した強い一撃《いちげき》が、ふたりの棒《ぼう》を小枝《こえだ》のように打ち砕《くだ》いた。粉々になった木片《もくへん》が、鋭《するど》い音とともに闇の奥《おく》へ散っていった。ブロムは手に残った棒を焚《た》き火《び》に放った。「これはもういい。おまえのも燃《も》やしてしまいなさい。おまえはずいぶん腕《うで》をあげた。木刀の稽古はもう終わりじゃ。やれることはすべてやりつくしたからな。これから先は真剣《しんけん》を使うぞ」

老人はエラゴンの荷物からザーロックを取り出し、彼にもたせた。

「ふたりとも、こま切れになってしまうよ」エラゴンは反対した。

「そうでもないぞ。おまえ、また魔法《まほう》を忘《わす》れておるな」ブロムは自分の剣をもちあげて、角度を変え、炎《ほのお》の光が刃《は》にあたるようにした。刃の片側《かたがわ》に指をのせ、眉間《みけん》に深いしわをよせ、精神《せいしん》を集中させる。なにも起きないまま数秒がすぎ、彼はふいに「ゲウロス・ドゥ・ニファ!」と声をあげた。と、その指のあいだから、小さな赤い火花が立ちはじめた。火花を飛び散らしたまま、ブロムは刃のはしまで指をすべらせた。剣を裏返《うらがえ》し、反対側の刃にも同じことをする。鋼《はがね》から指を放すと、火花は自然に消えた。

ブロムは手をのばし、掌《てのひら》を上にむけ、いきなり剣で切りつけた。エラゴンはとっさに飛び出した

が、とめる間もなかった。ブロムが笑顔《えがお》で無傷《むきず》の手をかかげるのを見て、彼は目を見はった。「どうやってやったの？」

「刃《は》をさわってみなさい」ブロムはいった。エラゴンが刃をさわろうとすると、指が透明《とうめい》の壁《かべ》にあたった。幅《はば》五ミリほどの透明のバリアだ。つるりとしてすべりがいい。「さあ、ザーロックにもやってみなさい」ブロムは命じた。「おまえの壁はわしのとはすこしちがうだろうが、効果《こうか》は同じだ」

老人はエラゴンに、魔法《まほう》に使う言葉と手順を教えた。エラゴンは二、三度失敗しただけで、無事ザーロックにバリアをはることができた。彼は安心して剣《けん》をかまえた。「これで切れなくはなったが、骨《ほね》を折ることはある。そうはなりたくないのでな、今までのようにふりまわすでないぞ。首にあたると命にかかわるからな」ブロムはそう注意した。

エラゴンはうなずくやいなや、前へ飛び出した。火花を散らしてつき出す彼の剣を、ブロムの剣がかわし、鋼《はがね》のぶつかりあう音があたりに響《ひび》きわたる。今まで棒《ぼう》でばかり戦ってきたせいで、真剣はひどく重く、動きがのろく感じられた。ザーロックを思うように動かせず、エラゴンはひざにこっぴどい一撃《いちげき》を食らった。

稽古《けいこ》が終わるころ、ふたりはあちこちに太いみみず腫《ば》れをこしらえていた。とくにひどかったのはエラゴンだ。それだけ激《はげ》しく打ちあったにもかかわらず、ザーロックに傷《きず》もへこみもないのは、おどろくべきことだった。

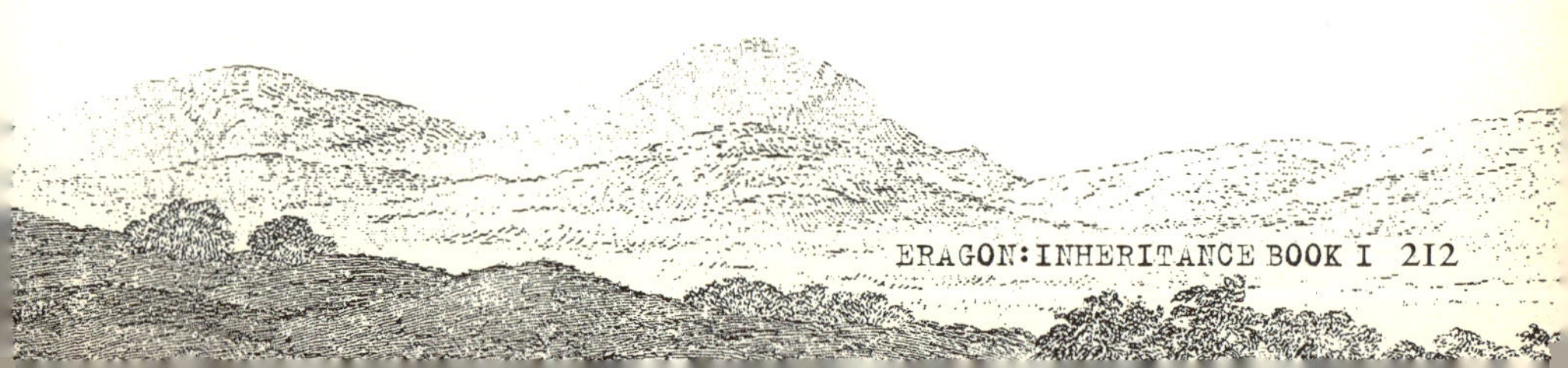

22 ドラゴンには見えるもの

翌朝《よくあさ》目覚めると、エラゴンの体は紫色《むらさきいろ》のアザだらけで、手足はこわばっていた。ブロムはサフィラに鞍《くら》をつけ、エラゴンが乗りやすいように調節してくれている。朝食の支度《したく》ができるころ、ブロムは鞍のストラップをしめ終わり、そこにエラゴンの鞍袋《くらぶくろ》をぶらさげた。

朝飯を食べ終えたエラゴンは、だまって弓をつかみ、サフィラのほうへ歩いていった。ブロムはいった。「いいかな、ひざをしっかりしめて乗るのだぞ。進む方向は頭のなかでサフィラに伝える。体はできるかぎり水平にたもつこと。うろたえなければ、なにもあぶないことはない」エラゴンはうなずくと、弦《つる》のはられていない弓を革《かわ》の筒《つつ》に入れ、ブロムにしりをおされて鞍にすわった。

エラゴンが足のバンドをしめるのを、サフィラはもどかしそうに待っている。〈用意はいい？〉サフィラはたずねた。

エラゴンはさわやかな朝の空気を思いきりすいこんだ。〈よくないけど、飛ぼう！〉サフィラは溌《はっ》剌《らつ》と返事をし、体をかがめた。エラゴンも身がまえた。サフィラのたくましい足の筋肉《きんにく》が大きくうねった。翼《つばさ》の巻《ま》きおこす風が、エラゴンの吐《は》く息をもぎとっていく。しなやかに三度羽ばたいて、サフィラは空に舞《ま》いあがり、ぐんぐん上昇《じょうしょう》していった。

以前乗ったときは、サフィラの翼《つばさ》の腱《けん》はすべてがぴんとはりつめていた。しかし今のサフィラは、無理なくゆうゆうと飛んでいる。翼をかたむけて方向転換《てんかん》すると、エラゴンはがっちりと首にしがみついた。眼下《がんか》で川が灰色《はいいろ》のかぼそい線になっていく。まわりには雲がただよっていた。

平原のはるか上空で水平飛行にうつるころ、地上の木々はただのしみにしか見えなくなった。空気はうすく、ひんやりとして、文句《もんく》なく澄《す》みきっている。「こんなにすごい——」その言葉がふいにかき消えた。サフィラが体をかたむけ、ぐるりと一回転したからだ。地面がめくるめく速さでまわり、エラゴンはめまいを覚えた。「やめろよ！」彼はさけんだ。「落ちたらどうするんだ」

〔なれてもらわなくては。上空で攻撃《こうげき》されたとき、今のようにして逃《に》げるのがいちばんかんたんだから〕サフィラはこたえた。反論《はんろん》もできず、エラゴンは胃を落ち着かせることに気持ちを集中した。サフィラは頭を軽く下にむけ、ゆっくりと高度をさげている。

サフィラがゆれるたびに胃にむかつきを覚えながらも、エラゴンはしだいに飛行を楽しみはじめていた。すこしだけ腕《うで》の力をゆるめ、首をうしろにのばし、あたりをながめるよゆうもできた。エラゴンにそうやってしばらく景色を楽しませたあと、サフィラはいった。〔空を飛ぶのがどういうものか、味わわせてあげよう〕

〔どうやって？〕エラゴンはたずねた。

〔気を楽にして。こわがらなくてもいい〕

サフィラの意識《いしき》がエラゴンの意識をつかみ、体から引き放そうとしていた。エラゴンは一瞬《いっしゅん》あらがったが、あきらめて身をまかせた。目の前がぼやけてきて、彼は自分がサフィラの目で景色を見ているのだと気づいた。なにもかもがゆがんでいた。今まで見たこともないような独特《どくとく》の色合い。青はいつもよりあざやかで、緑や赤はくすんで見える。うしろをふりむこうとするが、頭も体も動かない。

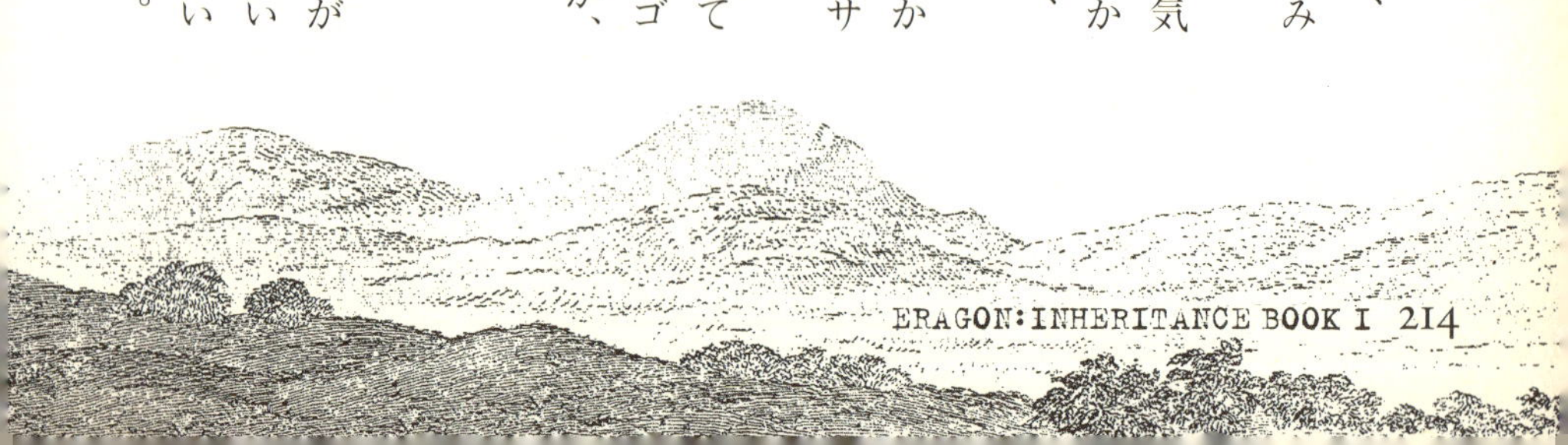

まるで天空からこっそりぬけ出てきた亡霊《ぼうれい》のような気分だ。

サフィラは全身からよろこびを発散させながら、ふたたび空高く上昇《じょうしょう》をはじめた。どこへでも飛んでいける自由を、心から楽しんでいるのだ。はるか上空までのぼると、サフィラはエラゴンをふり返って見た。エラゴンも彼女の目を通して、サフィラの首にしがみつくうつろな表情《ひょうじょう》の自分を見ていた。風を受けてサフィラの体がはりつめ、上昇気流に乗って高くのぼろうとするのがわかる。サフィラの筋肉《きんにく》すべてが、自分の筋肉のようだ。尾《お》が左右にふれながら、巨大《きょだい》な舵《かじ》さながらに針路《しんろ》を調整している。サフィラがこれほど尾にたよっていたのかと、あらためておどろきを感じる。

サフィラとエラゴンの結合はさらに強くなり、やがてその境目《さかいめ》がわからないほどになった。たがいの翼をぴたりとあわせ、投《な》げ槍《やり》のように急降下《きゅうこうか》する。サフィラの高揚感《こうようかん》に包まれ、落下の不安はまったく感じない。顔をたたくように風がふきつける。尾が空を切ってうなる。サフィラとエラゴンの合体した意識は、この体験を満喫《まんきつ》していた。

急降下しても、地面に衝突《しょうとつ》するこわさは感じなかった。頃合《ころあい》をはかって翼をあげ、たがいの力をあわせて上昇する。体を上向きにして、大きな輪を描《えが》きながらまた空高く翔《か》けあがっていく。

水平飛行にもどると、ふたりの意識が徐々《じょじょ》に分かれ、個々《ここ》の存在《そんざい》へもどりはじめた。そのさなか、エラゴンが自分の体とサフィラの体、両方をいっぺんに感じる瞬間《しゅんかん》があった。次の瞬間、視界《しかい》がぼやけ、彼はもとどおりサフィラの背《せ》にすわっていた。あえぐように息をして、鞍《くら》の上にしずみこんだ。心臓《しんぞう》の高鳴りがおさまり、呼吸《こきゅう》が整うのにしばらくかかった。落ち着くと、エラゴンは声をあげた。

〔すごいじゃないか！　飛ぶのがこんなに楽しいなんて、おまえ、地面になんかおりたくなくなるだろう？〕

〔食べないといけない〕サフィラはおもしろそうにこたえた。〔でも、楽しさをわかってくれてうれ

しい」

「そんな言葉じゃ表しきれないや。もっと早く乗ってやれなくてごめんよ。こんなに楽しいなんて思わなかったんだ。おまえはいつも、あんなに青い色ばかり見ているの?」

「それがわたし。これからは、もっと乗るか?」

「もちろん! 乗れるだけ乗るよ」

「よかった」サファイラは満足そうにこたえた。

飛びながら彼らは、会話の少なかった数週間を埋《う》めあわせるかのように、いろいろなことを語りあった。サファイラはエラゴンに、丘《おか》や木立に身をかくす方法や、雲のかげにまぎれて飛ぶ方法を教えた。ブロムのために地上を偵察《ていさつ》するというのは、エラゴンが思っていたほど容易《ようい》なことではなかった。細い道を見きわめるには、人目につく危険《きけん》をおかして、地上すれすれを飛ばなければならないからだ。

正午ごろ、エラゴンの耳にざわざわとした音が聞こえてきた。意識《いしき》の上に不思議な圧力《あつりょく》がかかるのを感じた。頭をふって追いはらおうとするが、圧力はさらに強くなるばかりだ。ブロムの言葉が頭をよぎった。人はどのようにして他人《ひと》の心に侵入《しんにゅう》するか。エラゴンは頭のなかを空《から》っぽにしようともがいた。サファイラの鱗《うろこ》のひとつに意識を集中し、それ以外のことを考えないようにした。圧力は一瞬《いっしゅん》弱まったものの、またすぐにもり返し、さっきより強い力でおしつけてきた。と、突風《とっぷう》でサファイラの体がゆれ、そのとたんに集中力が切れた。あわてて守りをかためようとするが、そこへ力が割《わ》りこんでくる。しかし、彼が感じたのは侵入者の心の存在《そんざい》ではなく、ただの言葉だった。「おまえ、なにをしとる! 見てほしいものがある。早くおりてきなさい」

「ブロム?」エラゴンは問いかけた。

〔そうじゃ〕老人はいらだたしげにこたえる。〔その特大トカゲに、さっさとおりろといいなさい。わしのいる場所は……〕ブロムは居場所《いばしょ》のイメージを送ってきた。エラゴンが急いで行く先を伝えると、サフィラは川にむかって体をかたむけた。エラゴンは弓に弦《つる》をはり、何本か矢を用意した。

〔なにかあったのなら、いつでも戦ってやる〕

〔わたしも〕サフィラがこたえる。

目的地におりていくと、ブロムが開けた場所に立って手をふっているのが見えた。エラゴンは着地と同時にサフィラから飛びおり、あたりに目を走らせた。馬たちが空き地のはしの木につながれているだけで、あとはブロムの姿《すがた》しかない。エラゴンは駆《か》けよってたずねた。「なにがあったの?」

ブロムはあごをかきながら、文句《もんく》をたれた。「二度とあんなふうに、わしを追い出そうとするな。おまえをつかまえて言葉を聞かせるだけでも、わしにとっては大変な労力がいるのだからな」

「ごめんよ」

ブロムが鼻息も荒《あら》くいった。「川をかなりくだったころ、ラーザックの足跡《あしあと》がなくなっていることに気づいたのじゃ。どこで消えたのかさがそうと、道を引き返してみたのだが……地面を見てみなさい。どう思うかの?」

エラゴンはひざをついて地面に目をこらしたが、それはただのぐちゃぐちゃな土にしか見えず、なにをどう説明していいのかわからない。どうやらラーザックの靴跡《くつあと》が幾重《いくえ》にもかさなりあっているようだ。靴跡はほんの二、三日前のものだとわかる。それらの上に長くて太い溝《みぞ》が食いこんでいる。見なれたもののように感じるが、なぜそう感じるのかわからない。

エラゴンは立ちあがってかぶりをふった。「どういうことなのかさっぱり……」そのとき、サフィラの姿が目に入った。そして、地面にあるものがなんの溝であるか気がついた。サフィラが飛び立つ

たび、うしろ足の爪《つめ》が地面に食いこみ、こうして土をえぐりとるのだ。「わけがわからないんだけど、これを見るかぎり、ラーザックがドラゴンに乗って飛んでいったとしか思えない。じゃなければ、巨《きょ》大《だい》な鳥に乗って天空へ消えていった？　いったいどういうこと？」

　ブロムは肩《かた》をすくめた。「ラーザックがものすごい速度で移動《いどう》するという話は、聞いたことがある。しかし、その証拠《しょうこ》をこの目で見たのは初めてじゃ。連中がもし、空飛ぶ馬などに乗っとるとしたら、さがしあてるのは不可能《ふかのう》に近いな。だが、これはドラゴンではない――それだけはわかる。ドラゴンが、ラーザックを乗せることなどありえんからだ」

「それで、ぼくらはどうするの？　サフィラだって空飛ぶ連中を追跡《ついせき》なんかできないよ。もしできたとしても、あんたを置いて、どんどん先まで飛んでいかなきゃならない」

「そうじゃな……」ブロムはいった。「とりあえず昼飯でも食いながら考えるとしよう。そのあいだに、なにかひらめくかもしれん」エラゴンはすっきりしない気分で、鞍袋《くらぶくろ》の食糧《しょくりょう》をとりに行った。彼らは虚空《こくう》をながめながら、無言のまま食べ物を口に運んだ。

　エラゴンはまたもや故郷《ふるさと》のことを思っていた。今ごろローランはなにをしているだろう？　焼けこげた農場の様子が脳裏《のうり》に浮《う》かび、悲しみにおしつぶされそうになる。ラーザックを見つけられなかったら、ぼくはどうすればいいんだろう？　この先、なにを目的にすればいいんだろう？　カーヴァホールにもどるか――地面から小枝《こえだ》を拾いあげ、二本の指でポキリと折る――それとも、このままブロムと旅をして、訓練を続けるか。エラゴンは頭のなかの声をしずめたくて、平原に目をやった。

　ブロムが昼飯を食べ終え、立ちあがってフードをぬいだ。「わしもいろいろと考えてみた。知っているかぎりの技《わざ》、使えるかぎりの言葉、魔法《まほう》。しかしどう考えても、ラーザックを見つける方法は思い浮《う》かばんのだ」エラゴンは力がぬけ、サフィラにもたれかかった。「町や村でサフィラの姿《すがた》をさら

すことも考えた。蜜《みつ》に群《むら》がるハエのごとく、ラーザックがよってくるじゃろう。しかし、それはあまりにも危険《きけん》すぎる。ラーザックは兵を引き連れておしよせてくるだろうし、王みずからが関心をもって乗り出してくるかもしれん。それはすなわち、わしとおまえの死を意味することだ」

「じゃあ、どうすればいいんだよ？」エラゴンは両手をふりあげた。〔サフィラ、なにかいい考えはない？〕

〔ない……〕

「おまえが決めるのだ」ブロムはいった。「これはおまえの聖戦《せいせん》じゃからな」

エラゴンはくやしさに歯噛《はが》みしながら、ブロムとサフィラからはなれていった。木立のなかに入りかけたとき、足になにかかたいものがあたった。地面に落ちていたのは、金属製《きんぞくせい》の酒びんだ。肩《かた》にかけられるくらいの革《かわ》ひもがついている。打ちこまれた銀色の紋章《もんしょう》には、見覚えがあった。ラーザックのものだ。

いきおいこんで酒びんをつかみあげ、ふたをまわした。あまったるい、いやなにおい――瓦礫《がれき》から救い出したときの伯父《おじ》のにおいと同じだ。酒びんをかたむけ、てらてらと光る透明《とうめい》な液体《えきたい》を指に一滴《いってき》たらしてみた。その瞬間《しゅんかん》、指に火がついたような熱さを感じた。ギャッとさけんで地面に手をこすりつける。鋭《するど》い痛《いた》みはすぐに引き、鈍《にぶ》いうずきだけが残った。皮膚《ひふ》の一点が焼けただれている。

エラゴンはけわしい表情《ひょうじょう》で、ブロムのもとへ駆《か》けもどった。「こんなものを見つけたんだ」ブロムは酒びんを手にとってながめまわしたあと、ふたに液体をたらしてみた。エラゴンが横から呼《よ》びかけた。「気をつけて！　さわったら――」

「そう、火傷《やけど》をする」ブロムがいった。「そして、おまえはこれを手にふりかけたのか？　指か？　そうか、少なくとも飲まないだけの分別はあったらしい。飲んでいたら、溶《と》けてただの水たまりにな

るところだったぞ」

「なんなの、それ？」

「シーザーという植物の花びらからとれる油じゃ。はるか北の海に浮《う》かぶ、小さな極寒《ごっかん》の島で育つ花でな、ふつうは真珠《しんじゅ》を保護《ほご》するために使われるのだ。光沢《こうたく》をたもち、強度を高めるためにな。しかし、ある特別な言葉をとなえ、血の生け贄《いにえ》を捧《ささ》げれば、どんな肉でも腐食《ふしょく》させるという特性《とくせい》を帯びる。それだけなら特段《とくだん》めずらしいことではない。筋肉《きんにく》や骨《ほね》まで溶《と》かしてしまう酸性《さんせい》の薬なら、いくらでもあるからな。めずらしいのは、この油が、特定のものにしか害をあたえんことだ。動物や人間の一部でないかぎり、なにをひたしても傷《きず》ひとつつかんのじゃ。そのせいで、拷問《ごうもん》や暗殺の武器《ぶき》に利用されるようになった。木製《もくせい》の容器《ようき》にたくわえておいて、槍《やり》の先に塗《ぬ》りつけることも、シーツにたらして、そこに寝《ね》る者を火傷《やけど》させることもできる。工夫《くふう》さえすれば、使い道は無数にあるじゃろう。この油によって負った傷は、ひどく治りが遅《おそ》いといわれておる。いずれにしろ、こうやって特性を変えられたものはとくに、ひじょうに高価《こうか》で手に入れるのがむずかしいはずなのだ」

エラゴンは恐《おそ》ろしい火傷におおわれたギャロウの体を思い出した。やつらはこれを伯父《おじ》さんに使ったんだ。そう思って身ぶるいした。「そんなに貴重《きちょう》なものなら、ラーザックのやつ、なんでこんなところに置いていったんだろう？」

「飛ぶときにでも落としたのだろう」

「じゃあ、なぜとりにもどらないの？　なくしたことが知れたら、王の機嫌《きげん》をそこねるんじゃないの？」

「だろうな」ブロムはいった。「しかし、卵《たまご》を拾った人間の情報《じょうほう》を早くとどけねば、王はもっと機嫌をそこねることになる。じっさい、ラーザックが王のもとにたどり着いているなら、おまえの名前は

とっくに報告《ほうこく》されておるだろう。つまり町に入ったら、わしらは今まで以上に警戒《けいかい》を強めねばならんということだ。おまえにかんするビラや貼《は》り紙《がみ》が、帝国《ていこく》じゅうにはられておるじゃろうからな」

エラゴンはすこし考えてからいった。「この油、そんなにめずらしいの?」

「豚《ぶた》の飼《か》い葉桶《ばおけ》からダイヤを見つけ出すくらいめずらしいな」ブロムはこたえ、一拍《いっぱく》置いていい直した。「ふつうの油ならば、宝石商《ほうせきしょう》がもっておる。ただし、よゆうがある者にしか買えんだろうな」

「ということは、これを商売にしてる人がいるんだね?」

「ひとり、あるいはふたりくらい」

「そうか」エラゴンはいった。「じゃあ、海ぞいの町に行けば、船荷の記録が残っているよね?」

ブロムの目が輝《かがや》いた。「そりゃあそうだ。その記録を調べれば、だれが油を南に運んだか、どこからどこへ売られていったかが克明《こくめい》にわかる」

「そして、帝国の購入《こうにゅう》記録をたどれば、ラーザックの居場所《いばしょ》がつきとめられる!」エラゴンが結論《けつろん》を出した。「どれくらいの人がこの油を買うのか知らないけど、帝国の息がかかってるかどうか、見きわめるのはそんなにむずかしくないと思うんだ」

「でかした!」ブロムが笑顔《えがお》でさけんだ。「わしがこのことにもっと早く気づいておれば、あんなに頭を痛《いた》めんですんだものを。沿岸《えんがん》には、船の着く町や村がかぞえきれんほどあるが、まずはティールムからあたってみるのがよかろう。交易《こうえき》の中心となっておる町だからな」ブロムはすこしためらってから続けた。「風の便りによると、ジョードというわしの古い友人がそこで暮《く》らしているらしい。何年も会っていないが、きっとこころよく手を貸《か》してくれるはずだ。彼は商人だから、船荷記録も楽に入手できるじゃろう」

「ティールムにはどうやって行けばいいの?」

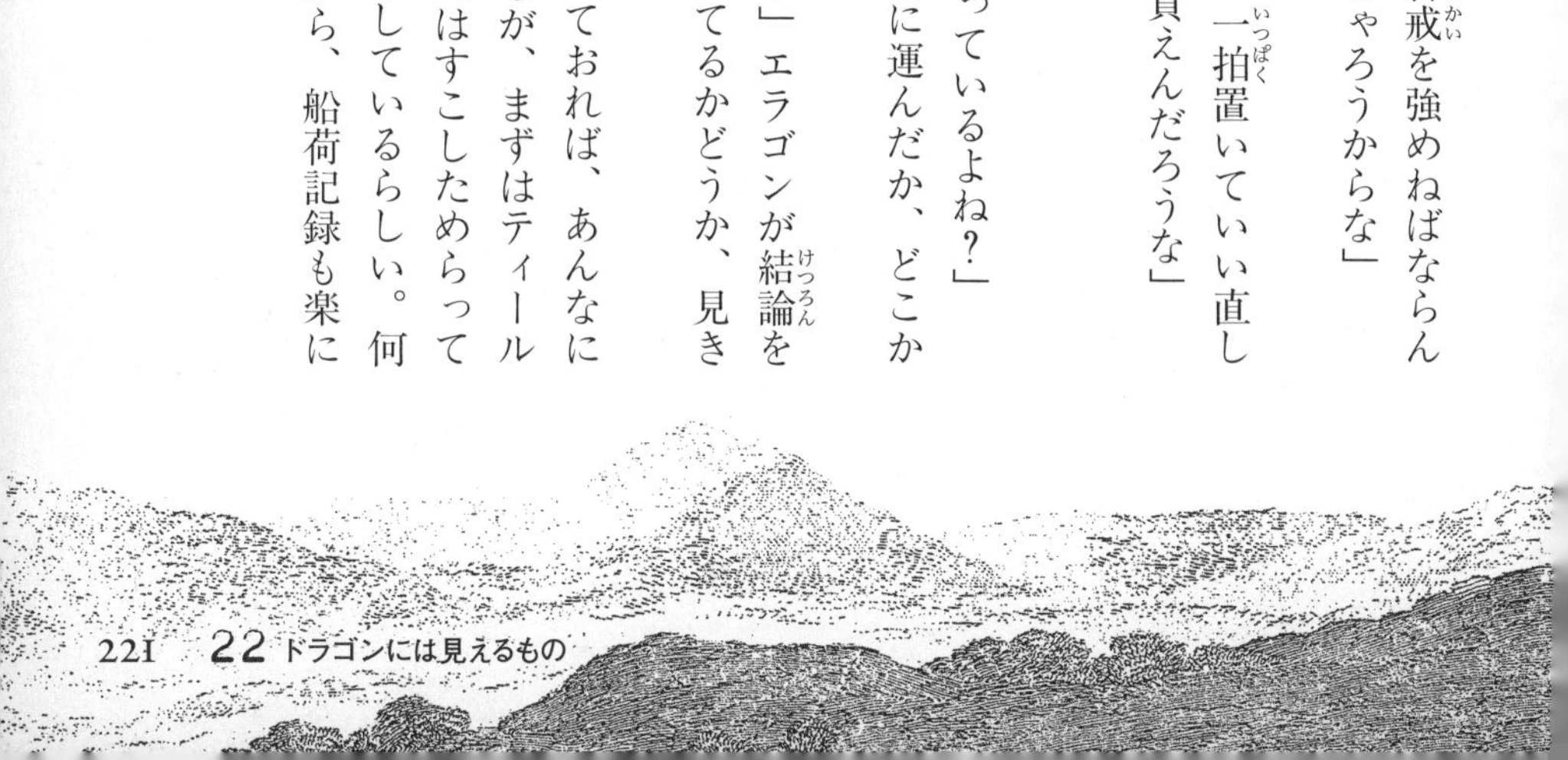

「南西へしばらく行くと、スパイン山間の隘路《あいろ》にたどり着く。スパインをこえ、海ぞいへ進んだところにあるのがティールムの町だ」ブロムがいった。やわらかな風が、老人の髪《かみ》をそよがせている。
「その隘路には、一週間あれば行けるかな？」
「じゅうぶん行けるとも。ニノー川からはなれて右手へむかえば、明日には山脈が見えてくる」
　エラゴンはサフィラの背《せ》に乗った。「じゃあブロム、夕飯のときに会おう」上空まであがると、エラゴンはサフィラにいった。〔あしたはカドックに乗るよ。おまえは不満かもしれないけど、どうしてもブロムと話がしたいんだ〕
〔馬とわたし、一日置きに乗ればいい。そうすればあなたはブロムの訓練を受けられるし、わたしは狩《か》りができる〕
〔それで文句《もんく》はないの？〕
〔そうしたほうがいい〕
　その日地面におりたとき、うれしいことに、太ももがすこしも痛《いた》まないことに気づいた。鞍《くら》がサフィラの鱗《うろこ》から足を守ってくれたのだ。
　エラゴンとブロムはその晩《ばん》も剣《けん》の稽古《けいこ》をしたが、ふたりとも、先行きのことで頭がいっぱいで身が入らなかった。稽古を終えるころ、エラゴンの腕《うで》は、ザーロックの重みで熱をもってうずいていた。

23
別れの歌

次の日、馬に乗って道を進んでいるとき、エラゴンはブロムにたずねた。「海ってどんなふうなの？」

「どんなものか、話には聞いたことがあるじゃろう？」

「うん。でも、本物はどんな感じ？」

ブロムは秘密《ひみつ》の情景《じょうけい》をながめるかのように、遠い目をした。「海は感情《かんじょう》の化身なのじゃ。愛も、憎《にく》しみも、嘆《なげ》きもあってな。どんな言葉でもとらえることができんし、どんな束縛《そくばく》も受けようとせん。海にはいつも、語ろうとしても語りつくせぬなにかがあるのだ。エルフたちが海をわたってきたという話を覚えておるか？」

「うん」

「エルフは沿岸《えんがん》から遠くはなれた地に住む種族だが、海に対して強いあこがれと情熱《じょうねつ》をもっておった。波の砕《くだ》ける音や、潮《しお》の香《かお》りに触発《しょくはつ》され、美しい歌をたくさんつくったものじゃ。おまえが聴《き》きたいというなら、彼らのつくった愛の歌をひとつ聴かせてやるが」

「聴きたい」エラゴンは声を弾《はず》ませた。

ブロムは咳《せき》ばらいをしていった。「では、古代語をなんとか翻訳《ほんやく》してみよう。完璧《かんぺき》にはできんが、もとの詩がどんなものだったか、想像《そうぞう》はできるだろう」老人はスノーファイアをとめ、目を閉《と》じた。しばし沈黙《ちんもく》し、やがて静かな声で詠《えい》じた。

おお、碧空《へきくう》のもと、水の妖婦《ようふ》よ
そなたの茫洋《ぼうよう》たる金色《こんじき》、われを呼《よ》ぶ　われを呼ぶ
もしエルフの乙女《おとめ》がいなければ
永遠《えいえん》にそなたのうえを旅するだろう
乙女、われを呼ぶ　われを呼ぶ
わが心、白百合色《しらゆりいろ》のひもでしばられ
海よりほかに、ほどいてくれるものはおらず
われ永久《とこしえ》に、木々と波のあいだで引き裂《さ》かれん

詩がエラゴンの頭のなかでいつまでも鳴り響《ひび》いていた。「『ドゥ・シルベーナ・ダティア（歎息《たんそく》の霧《きり》）』というこの歌は、本当はもっともっと長いものでな、今のはほんの一節だ。恋人《こいびと》たちの悲しい話を綴《つづ》っておる。アカラムとヌアダという、海を思いこがれるあまりに別れた者たちの歌だ。エルフ族にとって、深い意味のある歌なのだ」

「きれいな歌だ」エラゴンは素直《すなお》にそういった。

その夜、馬をおりるころ、地平線上にスパインの稜線《りょうせん》がうっすらと浮《う》かびあがっていた。

スパインの山すそまで行くと、彼らは進路を南に変えて山岳《さんがく》地帯をたどりはじめた。エラゴンはまた山のそばにもどれたことがうれしかった。境界線《きょうかいせん》のようにそびえる山脈が、広い世界のなかの安全地帯のように思える。スパインに入って三日後、彼らは馬車のわだちのある太い道へ出た。「ここが、首都ウルベーンとティールムを結ぶいちばん大きな道だ」ブロムがいった。「人々にひろく利用される。商人たちも好んで通る道だ。じゅうぶんに警戒《けいかい》せねばならんぞ。今はあまり人の通る時期ではないが、それでも多少の往来《おうらい》はあるじゃろう」

スパインの山間を進んでいると、あっという間に数日がすぎた。めざす隘路《あいろ》はまだ先だが、エラゴンにはたいくつなどと文句《もんく》をいっているひまがない。古代語の勉強をしていないときは、ドラゴンの世話のしかたを学んだり、魔法《まほう》の練習をしたり。魔法で獲物《えもの》を捕《と》らえることも覚え、狩《か》りの時間がぐんと短縮《たんしゅく》された。方法は、手にのせた石を獲物めがけて飛ばすだけ。ぜったいにはずすことはない。その努力の成果を、毎晩《まいばん》、焚《た》き火《び》の上であぶって食べる。夕飯が終わると、ブロムと剣《けん》の稽古《けいこ》。ときには素手《すで》で戦うこともある。

長い旅と精力的《せいりょくてき》な訓練が、エラゴンの体からよぶんな脂肪《しぼう》をすっかりそぎ落としていた。腕《うで》は引きしまり、日に焼けた皮膚《ひふ》の下で細い筋肉《きんにく》がうねっている。いろいろときついことばかりだからな。彼は冷ややかにそう思う。

ようやく隘路にたどり着くと、道を横切るように川がごうごうと流れていた。「トーク川だ」ブロムが教えてくれた。「この川にそって進むと、海へ出られる」

「まさか」エラゴンは笑った。「スパインのこっちにむかって流れてるのに？途中《とちゅう》で引き返してでもこないかぎり、あっちの海へ流れるはずないじゃないか」ブロムは指輪をひねりながらいった。

「それはだな、山脈の真ん中にウォーダークという湖があるからじゃ。湖の両はしから川が流れ出し

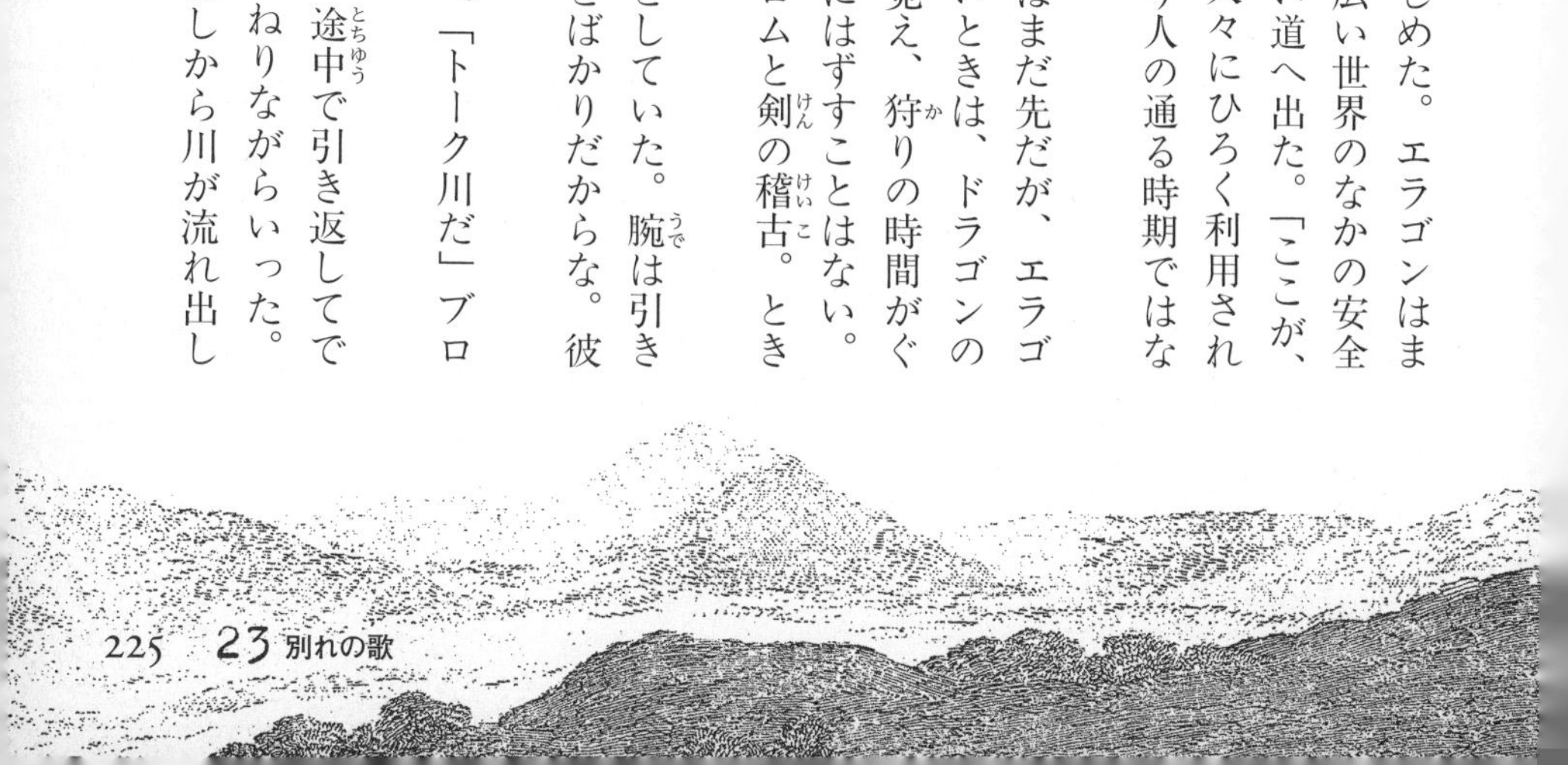

ておる。両方ともトーク川と呼《よ》ばれておってな、今見えているのは東側のトーク川だ。これがこのまま南へくだり、低木林をぬけてレオナ湖へと流れこむ。いっぽう、反対側のトーク川は海へ流れこむ」

スパイン山中の隘路《あいろ》を歩いて二日め、岩棚《いわだな》に立つと、山のむこうがようやくくっきりと見通せるようになった。かなたにひろがる土地はあまりにも平坦《へいたん》だった。エラゴンは、この先まだ何キロも延々《えんえん》と続く道程《どうてい》を見て、思わずうめいた。ブロムが指をさした。「ここをくだった北にあるのがティールムじゃ。古い町でな、エルフがアラゲイジアの地を初めてふんだのが、この町だという説もある。町には陥落《かんらく》知らずの城砦《じょうさい》がある。兵士たちも負け知らずの強者《つわもの》ぞろいなのだ」ブロムはスノーファイアを進め、岩棚をあとにした。

翌日《よくじつ》の午後、最後の丘陵《きゅうりょう》をくだり、スパインの反対側に出た。森林におおわれた土地は、そこからみるみる平坦になっていく。身をかくす山がない今、サフィラはなるべくくぼんだ土地を選びながら、地面すれすれを飛ぶようにしていた。

森林をぬけると、あたりの景色が一変した。一面、足もとが埋《う》まるほどのやわらかな芝《しば》やヒースの野原。網《あみ》の目のように流れるいくつもの小川。その岸辺を、コケにおおわれた石や木々の枝《えだ》が縁《ふち》どっている。ぬかるんだ道を、馬が泥《どろ》をはね散らしながら通っていく。いくらも歩かないうちに、ブロムもエラゴンも泥だらけになった。

「どうして、こんなに緑が多いの？」エラゴンは不思議に思った。「ここには冬がないの？」

「あるにはあるが、たいして寒くはならんのじゃ。海から流れこむ霧《きり》が、この土地に活気をもたらしておる。こういう気候を好む者もおるが、わしはうんざりじゃ。気がめいってくるわい」

やがて日が落ち、彼らはできるだけかわいた場所を選んで野営《やえい》の用意をした。食事をとっているとき、ブロムがいった。「ティールムに着くまで、おまえにはカドックに乗っていてほしい。スパインを出た以上、これから先は旅人と行きあうこともあるじゃろう。そのとき、おまえがいてくれたほうがいい。老人のひとり旅は疑惑《ぎわく》をまねくからな。おまえがいっしょなら、だれも不審《ふしん》に思わんだろう。それに、町ではあまり目立ちたくない。道中ひとりだったのに、どうして急におまえが現《あらわ》れたのかと、不思議に思われるとこまる」

「町では本当の名前を使う?」エラゴンがたずねた。

ブロムは考えた。「ジョードはわしの名を知っとるから、だますことはできんな。彼の前ではおまえも本名でだいじょうぶだろう。しかしそのほかの人間の前では、わしはニール、おまえは甥《おい》のエヴアンだ。口がすべって本当の名をいったとしても、大きな問題はないだろうが、できれば人々の記憶《きおく》には残したくない。人間には、思い出すべきでないことを思い出すという、やっかいな習性《しゅうせい》があるのでな」

24 ティールムにて

海にむかって北へさらに二日、サフィラがついにティールムの町を見つけた。地上近くにはりつく濃《こ》い霧《きり》でブロムやエラゴンの視界《しかい》はさえぎられていたが、やがてその霧も、西からの海風がすっかりふき飛ばしてくれた。きらきらと輝《かがや》く海の縁《ふち》にティールムが忽然《こつぜん》と姿《すがた》を現《あらわ》したとき、エラゴンは息をのんだ。海には帆《ほ》をたたんだ気品あふれる船が、そこここに停泊《ていはく》している。遠くから、打ちよせる波の鈍《にぶ》い音が聞こえてくるようだ。

ティールムは白い塀《へい》にかこまれた町だった。塀といっても、高さは三十メートルほど、厚《あつ》さもかなりありそうだ。弓用の矩形《くけい》の穴《あな》が一列にあけられ、塀の上には兵士や夜番のための歩道がついている。なめらかな塀の表面には、二か所、落とし格子《ごうし》の門があけられている。一か所は西の海、もう一か所は南の街道に面している。塀のむこうには――北東の塀を背《せ》にして――石造《いしづく》りの巨大《きょだい》な城砦《じょうさい》と小《タレ》塔《ツト》がそびえ、いちばん高い塔《とう》の頂《いただき》で、灯台のランタンが煌々《こうこう》と光っている。堅固《けんご》な要塞《ようさい》のなかに目を引くものは、城《しろ》くらいしかない。

南門には矛《ほこ》をもった門衛《もんえい》たちが立っていたが、あまり緊張感《きんちょうかん》も見られない。「これが最初の運だめしだ」ブロムがいった。「帝国《ていこく》からの報告《ほうこく》が来てなければいいが。門衛たちにとめられんことを祈《いの》ろ

う。なにがあっても、あわてたり、あやしい行動をとったりするでないぞ」
エラゴンはサフィラにいった。〔どこかにおりて、かくれててくれ。ぼくらはこれから町に入る〕
〔また、あぶないことに首をつっこもうとしている〕サフィラは不機嫌《ふきげん》にいった。
〔わかってるよ。だけどブロムやぼくには、ふつうの人にはない強みがあるから、きっとうまく行くさ〕
〔もしなにかあったら、この背中《せなか》にしばりつけて、二度とおろさない〕
〔それはありがたいね〕
〔身動きすらできないように、強くしばりつけてやる……〕
エラゴンとブロムは馬を進め、できるだけさりげない様子で門に近づいていった。門の上でひるがえる旗には、咆哮《ほうこう》するライオンと、ユリの花をもつ腕《うで》の絵が、線でざっと描《えが》かれている。塀にむかって進みながら、エラゴンは驚嘆《きょうたん》の思いでたずねた。「この町、どれくらい大きいの?」
「今までおまえが見たなかで、いちばん大きいじゃろうな」ブロムがこたえる。
ティールムの門に着くと、門衛たちが急に姿勢《しせい》を正し、矛で入り口をふさいだ。「名前は?」ひとりが気のない口調で問いかけてきた。
「おらはニール」ブロムがぜいぜい息を吐《は》きながらこたえた。体をだらしなくななめにかたむけ、頭の弱い老人という顔でにやついてみせる。
「で、そっちは?」門衛がたずねる。
「今いおうと思ってただ。これは甥《おい》っ子のエヴァン。妹んとこの子でよ、ほんとは……」
門衛はいらだたしげにうなずいた。「わかった、わかった。で、ここへはなんの用で来た?」
「伯父《おじ》さんは、昔の友だちを訪《たず》ねてきただ」今度はエラゴンがひどい訛《なま》りでこたえた。「おいらは、

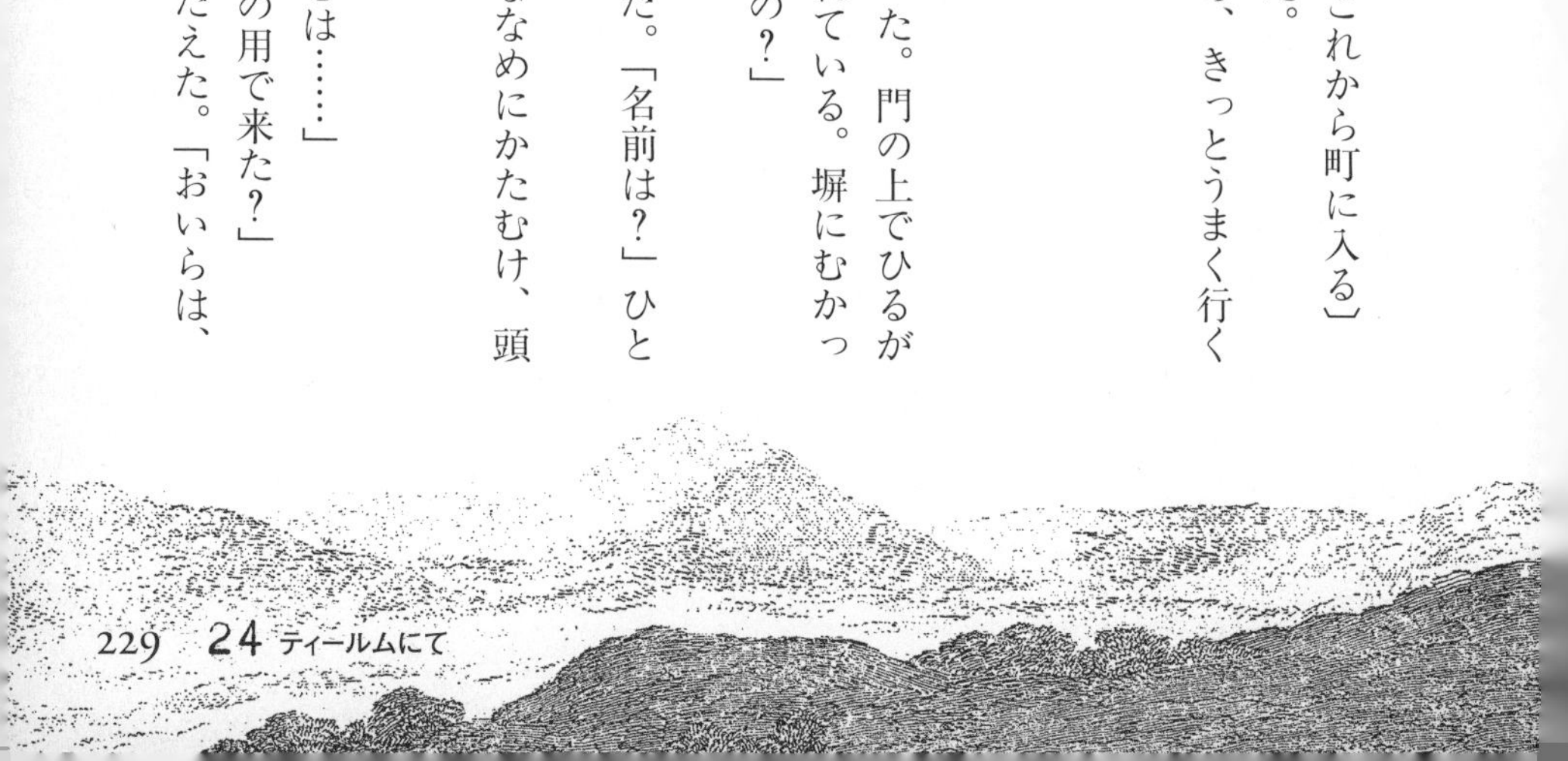

伯父《おじ》さんが迷子《まいご》にならんようついてきた。伯父さんは昔みてえに若《わか》くねえし――じつは若えとき、ちょっとばかしお日さんにあたりすぎて、頭をやられちまってよ」ブロムは機嫌《きげん》よく首をぴょこぴょこふっている。

「わかった。通ってよし」門衛《もんえい》が矛《ほこ》をおろし、手をふっていった。「ただし、伯父さんがめんどう起こさんように、気をつけるんだぞ」

「ああ、だいじょうぶさ」エラゴンはこたえ、カドックを前へ進めてティールムの町へ入った。ひづめが玉石をふむ音が響《ひび》きわたる。

門衛が見えなくなると、ブロムは体をまっすぐにもどし、うなるようにいった。「頭をやられちまっただと?」

「あんただけ楽しむなんてずるいだろ」エラゴンはからかった。

ブロムはわざとらしく咳《せき》ばらいをして、顔をそらした。

町のなかには、陰気《いんき》で不気味な感じの家々がならんでいた。光などほとんどさしこみそうにない、落ちくぼんだ小さな窓《まど》。建物の奥《おく》まったところについた細い扉《とびら》。屋根はどれも石板ぶきで、金属《きんぞく》の欄《らん》干《かん》がついている以外、一様に真っ平らだ。エラゴンは気がついた。町の外塀《そとべい》に近い家は平屋ばかりなのに、中央に行くにしたがって、どんどん階数が多くなっている。いちばん高いのは、城砦《じょうさい》のまわりの建物だ。とはいえ、城《しろ》の巨大《きょだい》さとは、くらべものにはならない。

「戦《いくさ》にそなえてるみたいな町だ」エラゴンはいった。

ブロムはうなずいた。「ティールムには、海賊《かいぞく》やアーガルなどにおそわれ続けた歴史がある。昔から交易《こうえき》の中心地だったのでな。金持ち連中がこれほど多く住んでおると、どうしてもややこしいことが起きる。この町の人々は、外部からの侵入《しんにゅう》をふせぐため、万全《ばんぜん》の対策《たいさく》を講《こう》じなければならなかった

のだ。ガルバトリックスが町に兵を置いたことも、防衛《ぼうえい》の役には立っておるようだ」

「どうして低い家と高い家があるの？」

「あの城砦を見なさい」ブロムは指をさした。「あそこからなら、さえぎることなくティールムの町を見わたせる。外塀が侵害《しんがい》されたときは、町じゅうの屋根に弓矢隊が配置される。前衛《ぜんえい》、つまり外塀よりの建物のほうが低いじゃろう？　だから、後衛の射手《しゃしゅ》は仲間にあてる心配をせずに、弓を射《う》つことができるのだ。それに、外側の家が占拠《せんきょ》され、そこに敵《てき》の弓矢隊が置かれたとしても、高いところからなら、容易《ようい》に射ち落とすことができるというわけじゃ」

「こんな町、初めて見たよ」エラゴンはおどろきの声でいった。

「うむ。しかし、こうなったのも、過去《かこ》に海賊の急襲《きゅうしゅう》で、町がほとんど焼きはらわれたからなのじゃ」ブロムはいった。

通りを歩いていくふたりに、町の人々はさぐるような視線《しせん》をむけるが、必要以上の関心をしめす者はいない。

ダレットでのあつかいにくらべると、まずまずの歓迎《かんげい》ぶりか。ティールムはまだ、アーガルの注目を浴びていないんだな。エラゴンは思った。

それがまちがいだと感じたのは、腰《こし》に剣《けん》をさげた大男が、彼らを肩《かた》でおしのけて通っていったときだった。よく見ると、最初の印象をくつがえすかすかな徴候《ちょうこう》があちこちにあった。通りにはこどもの遊ぶ姿《すがた》がまったく見えず、すれちがう人々の表情《ひょうじょう》はかたい。多くの家が空《あ》き家《や》になっているらしく、石じきの庭には雑草《ざっそう》がぼうぼうとのびている。「なにかあったらしいな」エラゴンはいった。

「いずこも同じというわけか」ブロムは顔をゆがめた。「まずはジョードをさがさねばな」ふたりは通りをわたって酒場の前でとまり、馬を杭《くい》につないだ。「〈グリーン・チェスナッツ〉……しゃれた名

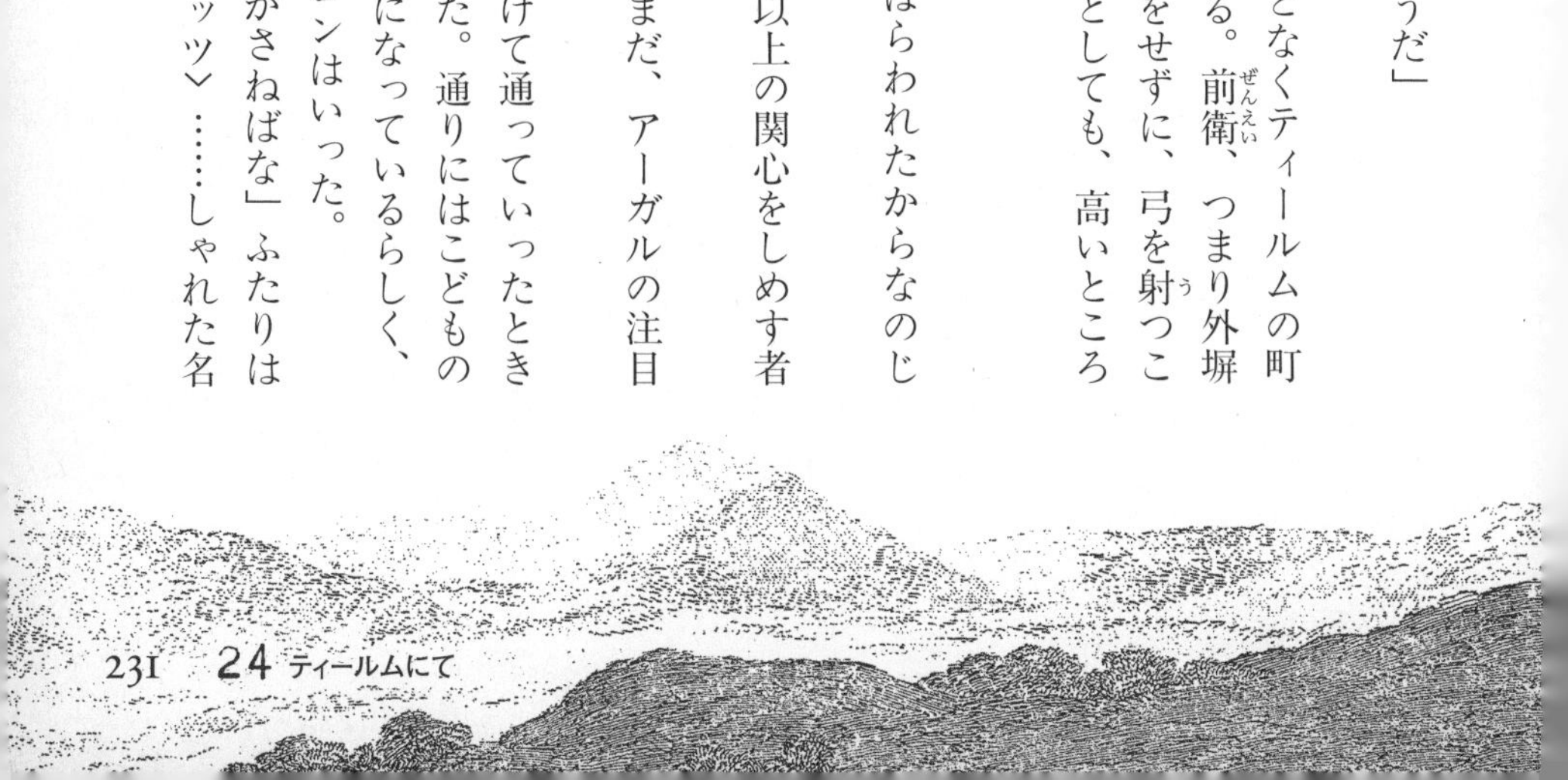

をつけおって」頭上の古ぼけた看板《かんばん》を見てブロムはつぶやき、エラゴンといっしょに店に入った。うすよごれた店内には、不穏《ふおん》な雰囲気《ふんいき》がただよっていた。暖炉《だんろ》の火は消えかけているのに、薪《まき》を足そうとする者はいない。すみのほうで数人の客が、それぞれに陰気《いんき》な顔で酒をすすっている。奥《おく》のテーブルには指の二本ない男がいて、痙攣《けいれん》する足の具合を気にしている。口もとにうすら笑いを浮《う》かべたバーテンは、欠けたグラスをひたすらみがいている。

ブロムはカウンターに身を乗り出した。「ジョードという男を知らんかね?」かたわらに立つエラゴンは、腰《こし》のあたりで弓の先をもぞもぞとさわりながら、背中《せなか》からおろしてかまえたい衝動《しょうどう》をおさえていた。

バーテンはやけに大きな声でいった。「おい、なんでおれがそんなことを知ってると思うんだ? このさびれた店のきたならしい客のことを、おれがなんでも知ってなきゃなんねえのかい?」店じゅうの視線《しせん》がむけられたのを感じ、エラゴンは顔をけわしくした。

ブロムは平然と話し続ける。「どうか思い出してもらえんかね?」カウンターにコインを数枚《すうまい》置いた。

男は目を輝《かがや》かせ、グラスを下に置いた。「できんことはないが」声を落としてこたえる。「思い出すには、かなりかかりそうだぜ」ブロムは顔をしかめながらも、さらにコインを足した。バーテンはもったいぶった様子で、頬《ほお》の片側《かたがわ》をすう仕草をする。「いいだろう」男はようやくこたえ、コインに手をのばそうとした。

コインをつかむ寸前《すんぜん》に、指の二本欠けた男が、テーブルから声をはりあげた。「ギャレス、おまえいったいなんのつもりだ? ジョードの家がどこかなんて、町じゅうだれでも知っている。そんなことで金をとるつもりか?」

ブロムは財布《さいふ》にコインをもどした。ギャレスはテーブルの男を険悪《いんけん》な目でにらむと、背をむけてまたグラスをみがきはじめた。ブロムはその見知らぬ男のテーブルに行って、声をかけた。「ありがとう。わしはニール、こっちはエヴァンだ」

男はふたりにむけてジョッキをかたむけた。「おれはマーティン、それからあいつはギャレス。もう知ってるだろうが」太い濁声《だみごえ》でいう。マーティンはあいている椅子《いす》をさした。「すわってくれ。かまわんよ」エラゴンは壁《かべ》ぎわに椅子をずらし、入り口が見えるようにしてすわった。マーティンは片《かた》眉《まゆ》をちらっとあげたが、なにもいわなかった。

「おかげで数クラウン節約できた」ブロムがいった。

「礼にはおよばんよ。だが、ギャレスを責《せ》めないでくれ――近ごろ、景気が悪いもんでね」マーティンはあごをかいた。「ジョードは町の西地区に住んでいる。薬草師《やくそうし》のアンジェラの店のとなりだ。商売のことで来たのかい？」

「そんなところじゃ」ブロムはこたえた。

「でも、ジョードはなにも買いたがらんと思うよ。二、三日前、彼の船がまたやられたんだ」

ブロムは新しい情報《じょうほう》に強い関心をしめした。「なにがあったのかね？　まさかアーガルではあるまい？」

「ちがう」マーティンはいった。「アーガルはこのあたりから消えた。もう一年近く、やつらを見た者はいない。どうやらそろって南や東のほうへ移動《いどう》したらしい。だが、問題はやつらじゃないんだ。知ってのとおり、この町じゃ、商売のほとんどが海上の貿易《ぼうえき》にたよってるだろ。ところが――」彼はジョッキをもつ手をとめた。「数か月前から、船が何者かにおそわれるようになった。それがふつうの海賊行為《かいぞくこうい》とはちがってね、特定の商人の荷を積んだ船にかぎって狙《ねら》い撃《う》ちされるんだ。ジョードも

そのうちのひとりさ。悪いことに、どの船の船長も、そういう商人たちの荷をのせたがらなくなった。となると、この町の連中にとっちゃ死活問題だ。なかには、帝国《ていこく》で一、二を争うでかい商売をやってる者もいるからさ。となると、荷物を陸路で運ぶしかないわけだが、それじゃあ途方《とほう》もない金がかかるし、目的地までたどり着けずに終わることもある」

「おそってくるのはどんなやつらなんだね？　目撃《もくげき》した者がいるんじゃろう？」ブロムがいった。

マーティンは首をふった。「おそわれて生き残ったやつはひとりもいない。船は出ていったきり、帰ってこない。あとかたもなく消えてしまうんだ」身を乗り出し、声をひそめていう。「船乗りたちは、魔法《まほう》じゃないかっていってる」彼はうなずいてウィンクをすると、また体を起こした。

ブロムは彼の言葉が気にかかったようだ。「どうしてそう思うのだ？」

マーティンはぞんざいに肩《かた》をすくめた。「わからんね。これから先もわからんだろう。自分の乗る船にそういう災難《さいなん》がおそってこないかぎりはさ」

「あなたも船乗りなんですか？」エラゴンはきいた。

「いや」マーティンが鼻息を荒《あら》くする。「そんなふうに見えるか？　おれは海賊《かいぞく》から船を守るために、船長たちにやとわれる男さ。海の盗《ぬす》っ人《と》野郎《やろう》どもは、最近ずっとなりをひそめてるがね。まあ、いい商売さ」

「だが、危険《きけん》な仕事じゃな」ブロムはいった。マーティンはまた肩をすくめ、ビールを飲みほした。

ブロムとエラゴンはいとまを告げ、町の西へむかった。そこはティールムのなかでも裕福《ゆうふく》な地域《ちいき》なのか、きれいに飾《かざ》り立てられた大きな家がならんでいた。通りをすれちがう人々は華美《かび》な衣装《いしょう》を身にまとい、あたりをはらうようにして歩いていく。エラゴンは自分たちがあまりにも場ちがいで、目立つような気がしてならなかった。

25
古き友

明るい看板《かんばん》のかかった薬草師《やくそうし》の店は、すぐに見つけることができた。背《せ》の低い、巻《ま》き毛《げ》の女《じょ》性《せい》が戸口のそばにすわっている。カエルを手にもって、もういっぽうの手でなにやら書きものをしている。薬草師のアンジェラだろう、とエラゴンは思った。店の両どなりに家が建っていた。「どっちがジョードの家?」彼はたずねた。

ブロムはしばらく考えてからいった。「きいてみよう」薬草師に近づき、慇懃《いんぎん》に声をかける。「おたずねしますが、どちらがジョードの家かごぞんじですか?」

「ごぞんじよ」彼女は書きものの手をとめずにいった。

「教えていただけますか?」

「いいわよ」それだけいって、さらにペンの動きを速くする。手の上のカエルがゲロゲロと鳴き、ふたりをにらみつける。ブロムとエラゴンは気まずい思いで待ったが、彼女はなにもいってくれない。エラゴンがたまらず口を開きかけたとき、アンジェラが顔をあげた。「もちろん、教えてあげるけどね。ずばりたずねてくれればいいのよ。ひとつめの質問《しつもん》は、あたしが知っているかどうか、ふたつめの質問は、あたしに教える気があるかということだった。本当にききたいことは質問していないでし

よう」

「では、正しく質問《しつもん》させていただこう」ブロムは笑顔《えがお》でいった。「どちらの家がジョードの家ですかな？　それと、あんたはカエルをもってなにをしとるのかな？」

「おや、うまくいえたわねえ！」アンジェラは軽口をたたく。「ジョードの家は右よ。それからカエルのことだけど、正確《せいかく》にいうとこれはガマガエル。あたしは今、ガマガエルが存在《そんざい》しないということを証明《しょうめい》しようとしてるの――カエルの仲間はカエルだけだとね」

「今、それがガマガエルだっていったのに、どうして存在しないなんていうんですか？」エラゴンが口をはさんだ。「それに、そんなことを証明して、なにかいいことでもあるの？」

薬草師《やくそうし》は黒い巻き毛《まげ》を弾《はず》ませて、元気よく首をふった。「だめね、あんた、わかってない。もしガマガエルが存在しないと証明できれば、これはガマガエルじゃなく、カエルになる。つまり、あんたが今見てるガマガエルは存在しなくなるの。それから――」彼女は短い指を立てた。「もし、世の中にカエルしかいないと証明できれば、ガマガエルは悪さをはたらけなくなる――人の歯をボロボロにしたり、いぼをつくったり、毒をもったり殺したりできなくなる。それに、魔女《まじょ》たちはもう邪悪《じゃあく》な呪《じゅ》文《もん》を使えなくなる。なぜなら、ガマガエルがそばにいないんだものね」

「なるほど」ブロムはやさしく相槌《あいづち》を打った。「なかなかおもしろそうですな。もっと聞いていたいのだが、われわれはジョードに会わねばならんので」

「そうだったわね」アンジェラは手をふって、また書きものにもどった。

薬草師の店からはなれるとすぐ、エラゴンはいった。「あの人、頭がおかしいよ！」

「そうかもな」ブロムがこたえる。「だが、わからんぞ。案外、役に立つことを発見するかもしれん。まあ、悪くいうな。ガマガエルはただのカエルだと？　ありえんこともない！」

「じゃあ、ぼくの靴《くつ》は黄金製《おうごんせい》だっていってやるよ」エラゴンは切り返した。

ふたりは大理石の踏《ふ》み段《だん》をのぼり、錬鉄製《れんてつせい》のノッカーのついた扉《とびら》の前に立った。ブロムがノッカーを三度たたいた。だれも出てこない。エラゴンはふと、一杯《いっぱい》食わされたと思った。「きっとこっちじゃないんだよ。もう一軒《いっけん》のほうへ行ってみよう」ブロムは彼を無視《むし》して、さっきより強くノッカーを鳴らした。

やはりだれも出てこない。エラゴンが憤慨《ふんがい》して立ち去りかけたとき、人の駆《か》けてくる足音が聞こえた。扉をあけたのは、青白い顔をした金髪《きんぱつ》の若《わか》い女だった。ずっと泣いていたかのように目を腫《は》らしている。だが、完璧《かんぺき》なまでに落ち着いた声でいった。「なんのご用？」

「ジョードはここにおいでかな？」ブロムは愛想よくたずねた。

女はかすかにうなずいた。「わたしの夫よ。夫と会う約束でも？」

「いや、約束はしていないが、会って話したいことがある」

「夫はとても忙《いそが》しいわ」

「遠いところから来た。大事な話があるから、どうしても会いたいのだ」

女の顔がこわばった。「とても忙しいの」

ブロムはいらだちをおさえ、おだやかな声で続けた。「本人が出てこられんのなら、奥《おく》さんに伝言をたのみたいのだが？」女は口をひきつらせたが、いやだとはいわない。「ギリエドの友人が表で待っていると、伝えてほしい」

女はいぶかしげな顔をしながらも、こたえた。「いいわ」扉がとうとつにしまり、遠ざかっていく女の足音が聞こえた。

「感じの悪い人だ」エラゴンが批評《ひひょう》した。

「よけいなことはいわんでいい」ブロムがぴしゃりといった。「いいか、おまえは口をはさむでない。話はわしがする」ブロムは腕組《うでぐ》みをして、落ち着かなく指を動かしている。エラゴンは口を結んでそっぽをむいた。

ふいに、扉《とびら》がいきおいよくあいて、長身の男が飛び出してきた。高級そうな衣服はしわだらけで、愁《うれ》いを帯びた顔に短い眉《まゆ》がついている。白髪《しらが》がまばらに生えた頭から額《ひたい》にかけて長い傷跡《きずあと》が走っている。

ふたりを見るなり、男は目を大きく見開き、言葉もなく戸枠《とわく》にもたれかかった。空気をもとめる魚のように、口をぱくぱくさせ、やがて低い、疑《うたぐ》るような声でいった。「ブロム……?」

ブロムは唇《くちびる》に指をあて、歩みよって男の腕をつかんだ。「ジョード、会えてよかった! わしを忘《わす》れんでいてくれてうれしいが、その名前は使わんでくれ。ここにいることがだれかに知れたら、やっかいなことになるのでな」

ジョードはせわしなくあたりを見まわした。衝撃《しょうげき》をかくせない様子だ。「おまえ……てっきり死んだものと……」彼はつぶやいた。「なにがあった? なぜもっと早く会いに来てくれなかった?」

「すべて話そう。安心して話せる場所はないか?」

ジョードは返事をためらい、つかみどころのない表情《ひょうじょう》で、エラゴンとブロムを何度も見くらべた。

「ここでは話せない。だがちょっと待っててくれ。話ができるところへ案内する」

「わかった」ブロムはいった。ジョードはうなずいて、扉の奥《おく》へ消えていった。

これで、ブロムの過去《かこ》がすこしわかるようになればいいけどな。エラゴンは思った。

ふたたび現《あらわ》れたジョードは、わきに細身の長剣《ちょうけん》を差していた。刺繡《ししゅう》入りの上着を肩《かた》にかけ、そろいの羽毛《うもう》の帽子《ぼうし》をかぶっている。ブロムがその華美《かび》な衣装《いしょう》に物言いたげな一瞥《いちべつ》をくれると、ジョードは

はずかしそうに肩をすくめた。

ジョードはティールムの町を城砦《じょうさい》へむかって歩きだした。エラゴンは馬をひいて、ふたりの男のあとをついていく。めざす場所をさしてジョードがいった。「ティールムの城主リスタートが、商《あきな》いを行う者すべてに、仕事の本拠《ほんきょ》を城《しろ》に置くよう命令をくだした。みんなそれぞれべつの場所でじっさいの商売をしているのに、わざわざ金を払《はら》って城の部屋を借りている。バカらしいとは思いながらも、城主の機嫌《きげん》をそこねぬようにだまってしたがっているのだ。そこなら壁《かべ》が厚《あつ》いから、盗《ぬす》み聞《ぎ》きされる心配はない」

彼らは城門から砦《とりで》のなかへと入った。ジョードは横手の扉へつかつかと歩みより、鉄の輪をしめしていった。「馬はここにつないでおくといい。だれも悪さはしないから安心だ」スノーファイアとカドックをつなぐと、ジョードは鉄の鍵《かぎ》を使って扉をあけ、ふたりをなかに案内した。

なかにはがらんとした長い廊下《ろうか》が続き、壁にはトーチの火がともっている。エラゴンはあまりの寒さと湿気《しっけ》におどろいた。壁をさわると、どろっとした粘液《ねんえき》で指がすべる。思わず身ぶるいをした。

ジョードは壁の腕木からトーチをつかみとり、彼らを案内して廊下を進んでいった。足をとめたのは、ずっしりとした木の扉の前だ。鍵をはずし、熊皮《くまがわ》の敷物《しきもの》とソファの置かれた部屋にふたりをまねき入れた。革《かわ》ばりの大きな本がつまった本棚《ほんだな》が、壁じゅうをおおっている。

ジョードは暖炉《だんろ》に薪《まき》を積み、その下にトーチをさし入れた。たちまち炎《ほのお》が音を立てて燃《も》えあがる。

「さて、じいさま、説明してもらおうか」

ブロムは顔をしわくちゃにして笑った。「人のことをじいさまと呼《よ》べるか？ 最後に会ったとき、おまえの頭には白髪一本なかったじゃろう。それが今はどうだ、朽《く》ちはてる寸前《すんぜん》のようではないか」

「そしておまえは、二十年前と同じだな。ときを経《へ》ても、若《わか》い者たちに知識《ちしき》をおしつけたがる偏屈《へんくつ》じ

じいぶりは、すこしも変わっていない。さあ、これくらいにして、肝心《かんじん》の話だ！　それがおまえの十八番《おはこ》だったろう」ジョードがやきもきしていった。エラゴンも耳をそばだて、ブロムの言葉を興味《きょうみ》津々《しんしん》で待った。

ブロムは椅子《いす》に深々とすわり、パイプを取り出した。ゆっくりと吐《は》き出された煙《けむり》の輪が、緑色に変わり、暖炉《だんろ》に飛びこんで、煙突《えんとつ》へのぼっていった。「わしらがギリエドでやったことを覚えておるな？」

「もちろんだ」ジョードはこたえた。「ああいうことは、なかなか忘《わす》れられるものではない」

「ひかえめな言い方だが、まあ、それは事実だな」ブロムはそっけなくいった。「あのとき……わしはおまえの姿《すがた》を見失った。そして混乱《こんらん》のさなか、ある小部屋に迷《まよ》いこんだのじゃ。ただ木枠《きわく》や箱が置いてあるだけの、どこといって特徴《とくちょう》のない部屋だった。たまたま気がむいて、あたりを物色してみようと思った。すると、なんと幸運にも、さがしていたものがそこにあったのじゃ」ジョードの表情《ひょうじょう》に驚愕《きょうがく》の色が走った。「それを手に入れたからには、おまえを待つことができなくなった。いつなんどき連中に発見されるや知れぬ。そうなったらすべて水《みず》の泡《あわ》だからな。わしはできるかぎり変装《へんそう》して町をぬけ出し、その足で……」ブロムは口ごもり、エラゴンをちらっと見てから続けた。「友人たちのもとへ走った。友人たちはそれを金庫に厳重《げんじゅう》に保管《ほかん》し、わしにこういった。これを受けとる者をさがし、しっかりめんどうをみるようにと。わしは自分の技術《ぎじゅつ》が必要とされる日まで、姿《すがた》を消しているしかなくなったのじゃ。しかも、生きておることをだれにも知られずに——おまえにさえもな——おまえを無用に悲しませるのは、胸《むね》が痛《いた》んだのだが。それで結局、そのまま北へむかい、カーヴァホールにかくれ住むことになった」

エラゴンはこみあげる怒《いか》りに歯を噛《か》みしめた。ブロムは彼を計画的に、この暗黒へと引きこんだの

だ。

ジョードが眉《まゆ》をひそめた。「では、その……友人たちは、おまえが生きていることを、ずっと知っていたのか？」

「そうじゃ」

ジョードはため息をついた。「そうするしかなかったのだろうが、せめてわたしには教えてほしかったな。カーヴァホールというのは、はるか北の果ての村か？　スパインのむこう側の？」ブロムはうなずいた。このとき初めて、ジョードがエラゴンに関心をしめした。灰色《はいいろ》の目で彼をまじまじと見ると、眉《まゆ》をつりあげた。「それで、ついに任務《にんむ》を遂行《すいこう》できたというわけだな」

ブロムはかぶりをふった。「いいや、ことはそれほど単純《たんじゅん》ではないのじゃ。しばらく前、それが盗《ぬす》まれたらしい。少なくとも、わしはそう推測《すいそく》しておる——なにしろ、友人たちからはなんの連絡《れんらく》もとどかないのだ。彼らの送った密使《みっし》が、途中《とちゅう》でおそわれたにちがいない。こうなった以上、わしもじっとしてはおられないと思った。エラゴンはたまたま、同じ方向へ旅する用事ができたのでな。しばらくは行動をともにすることにしたのじゃ」

ジョードは首をひねった。「しかし、使者の伝令がとどかなかったのなら、おまえはどうしてそれが——」

ブロムが話をさえぎるようにしていった。「じつは、エラゴンの伯父上《おじうえ》がラーザックに惨殺《ざんさつ》されたのだ。家は破壊《はかい》され、この子自身もあやうくつかまるところだった。エラゴンはラーザックに復讐《ふくしゅう》せねばならん。だが、その足どりはぷっつりとぎれてしまった。やつらを見つけるために、手を貸《か》してほしいのだ」

ジョードの顔がおだやかになった。「なるほど……しかし、なぜわたしのところへ来た？　ラーザ

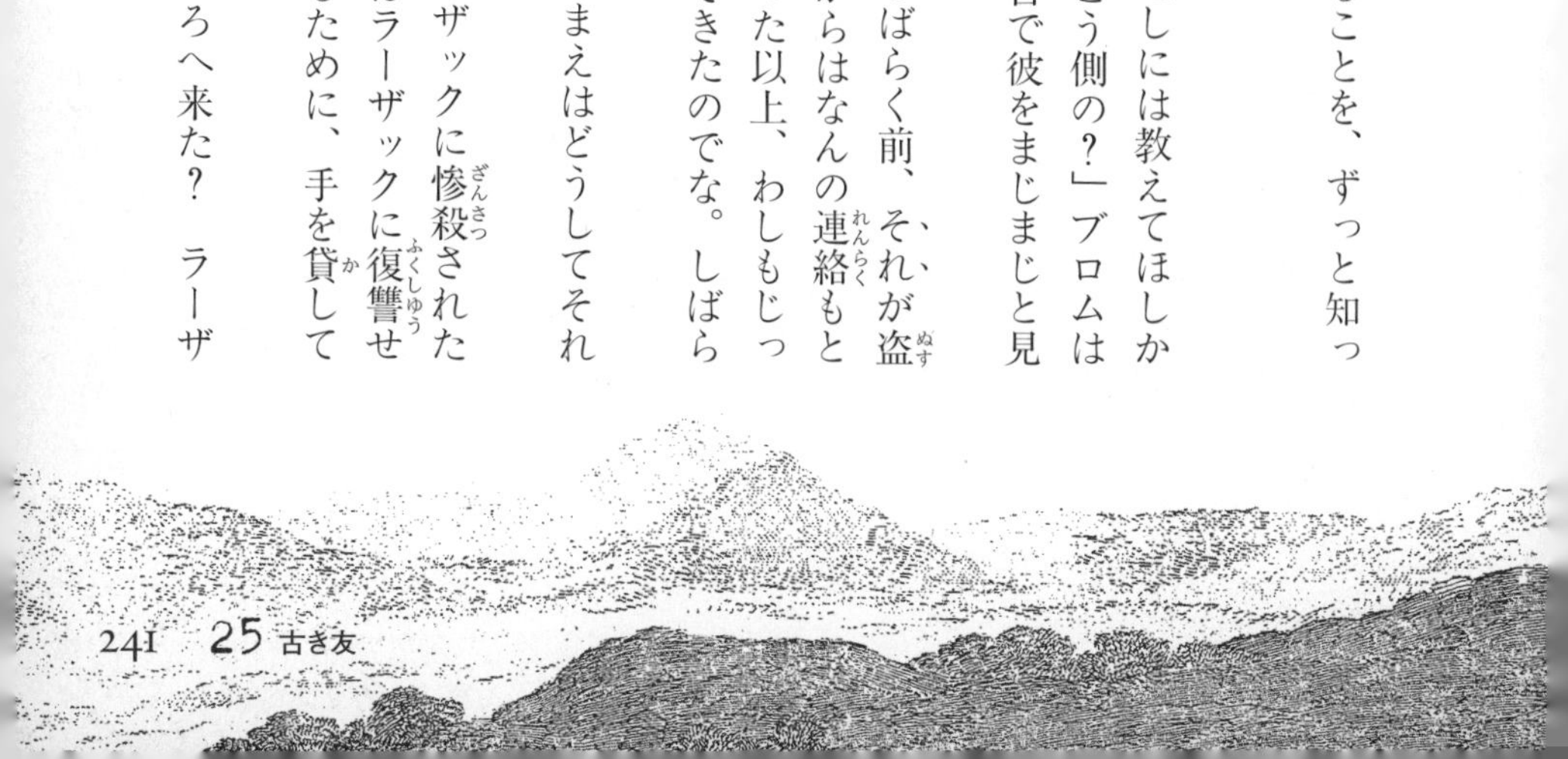

ックの隠《かく》れ家《が》など、わたしには見当もつかないし、知っている者がいても口を割《わ》るわけがない」

ブロムは立ちあがってローブのなかをさぐり、ラーザックの酒びんを取り出すと、それをジョードの手に放った。「シーザー油――危険な形になっている。ラーザックが途中《とちゅう》で落としたのを、偶然《ぐうぜん》拾ってな。それで、ティールムの船積み台帳を調べることを思いついた。帝国《ていこく》の油の購入《こうにゅう》記録を見つければ、ラーザックの潜伏先《せんぷくさき》がわかると思ったのじゃ」

ジョードは眉間《みけん》にしわをよせ、考えこんだ。そして棚《たな》にずらりとならんだ文書を指さした。「あれを見ろ。あれが、わたしの商売の記録だ。ひとりぶんの商売で、あれだけあるのだぞ。それを丸々調べるとなると、延々《えんえん》何か月もかかるだろう。それに、もっと深刻《しんこく》な問題がある。おまえがさがしている文書はこの城《しろ》のなかにあるが、それを見ることができるのは、リスタートの家臣の、ブランドという貿易執行官《ぼうえきしっこうかん》だけなのだ。わたしのような商人が、手を触《ふ》れることはゆるされない。文書を偽造《ぎぞう》して、帝国の貴重《きちょう》な税《ぜい》をごまかすようなことがあってはこまるからだ」

「まあ、いよいよになれば、なんとかなるじゃろう」ブロムはいった。「そうした段《だん》どりを考える前に、二、三日体を休めたいと思っておる」

ジョードはほほえんだ。「それならわたしにも手助けできる。うちを宿に使ってくれ。滞在中《たいざいちゅう》はなにかべつの名を使うのか？」

「ああ」ブロムがこたえる。「わしはニールで、この子はエヴァンじゃ」

「エラゴン」ジョードは感慨深《かんがいぶか》げにいった。「めずらしい名前がついたものだな。初代ライダーから名をとった者など、めったにいない。わたしは今まで、三人しか会ったことがないぞ」エラゴンはジョードが名前の由来を知っていたことにおどろいた。

ブロムがエラゴンを見た。「おまえ、馬たちの様子を見て来てくれんか？　スノーファイアをあま

りしっかり留《と》めてこなかったような気がするのじゃ」

きっとぼくにかくしたいことがあるんだ。ぼくがいないすきに、話すつもりなんだ。エラゴンは立ちあがって部屋を出て、乱暴《らんぼう》に扉《とびら》をしめた。スノーファイアはなんの異常《いじょう》もなくそこにいた。結び目もしっかりとしていた。エラゴンは馬の首をなでながら、仏頂面《ぶっちょうづら》で城《しろ》の壁《かべ》によりかかった。

　こんなの、ずるいや。エラゴンはひとりでぼやいた。ふたりの話をもっと聞きたかったのに……はっとして背中《せなか》をのばした。ブロムが以前、聴力《ちょうりょく》を高める言葉を教えてくれたことを思い出したのだ。聴力を高めたいわけじゃないけど……あの言葉をとなえればなんとかはるはずだ。なんたって、『ブリジンガー』であれだけのことができたんだから。

　エラゴンは精神《せいしん》を集中し、心のなかの力をさぐった。力を見つけたところで、「フェラー・ステンラ・ウン・アトラ・エカ・ホールナ！（石のむこうの音を聞かせよ）」ととなえ、その言葉に自分の意《い》志《し》をしみこませようとした。力が引いていくとき、耳にかすかなささやきが響《ひび》いたが、それきりだった。がっかりしてすわりこんだ。と、その瞬間《しゅんかん》、おどろいて飛びあがった。「――もう八年近くにもなる」ジョードの声だった。

　エラゴンはあたりを見まわした。はるか遠くの壁《かべ》に数人の警護兵《けいごへい》が立っているが、ほかにはだれもいない。にやりとして、中庭に腰《こし》をおろし、目を閉《と》じた。

「おまえが商人になるとは思いもよらなかったぞ」ブロムがいった。「なにしろ、年じゅう本ばかり読んでおったじゃろう。それで、あの通路も見つかった！　いったいどういうわけで、学者をやめて商人になったのだ？」

「ギリエドのことがあってから、カビくさい部屋で巻物《まきもの》をひもとくばかりの生活がいやになった。できるかぎりアジハドの助けになりたいと思ったが、しょせん、わたしは戦士ではない。覚えているだ

ろうが、父が商人だったのでな、商《あきな》いをはじめるにあたって力を貸《か》してくれたのだ。だがじっさい、わたしの商売の大半は、サーダに物資《ぶっし》を入れるためのかくれみのでしかなかった」

「しかしその商売が今、やっかいなことになっておるそうだな」ブロムがいう。

「そうだ。船荷がまったくとどかなくなった。トロンジヒームでは物資が底をつきかけている。トロンジヒームを支援《しえん》しているのがわれわれだと、帝国《ていこく》がつきとめたのかもしれない――いや、帝国の仕《し》業《わざ》だとは思いながらも、納得《なっとく》できない部分もある。だれも帝国の兵士を見かけた者がいないのだ。それがわたしには解《げ》せない。ガルバトリックスは、われわれをおそうのに傭兵《ようへい》をやとったのかもしれない」

「最近、船を失ったらしいな」

「わたしの最後の船だった」ジョードはつらそうな声でこたえた。「みな忠実《ちゅうじつ》で勇敢《ゆうかん》な乗組員たちばかりだった。彼らに会うことは、二度とないだろうな……残された手段《しゅだん》は、サーダかギリエドへ陸路で荷を運ぶことだが、いくら警護《けいご》をやとっても、これはうまく行くとは思えない。あるいは、べつの商人の船を借りて物資を運ぶか――しかし、もはや引き受けてくれる者はいないだろう」

「ほかにどれくらいの商人が手伝っていた？」ブロムがたずねた。

「ああ、沿岸《えんがん》地方のかなりの商人が力を貸してくれていた。みな、同じ災厄《さいやく》にとりつかれている。おまえがなにをいいたいかはわかるぞ。わたしもそのことを考えない日はない。しかし、それほどの情《じょう》報《ほう》や力をもつ反逆者《はんぎゃくしゃ》がいるなどと、考えるのも恐《おそ》ろしい。もし本当に裏切《うらぎ》り者《もの》がいるとしたら、われわれにとっては致命的《ちめいてき》だ。おまえは早くトロンジヒームへもどったほうがいい」

「エラゴンも連れていけと？」ブロムがさえぎった。「あんなところへ連れていけば、あの子とサフイラはばらばらにされてしまうぞ。あそこは、今エラゴンがぜったいに行ってはいけない場所だ。何

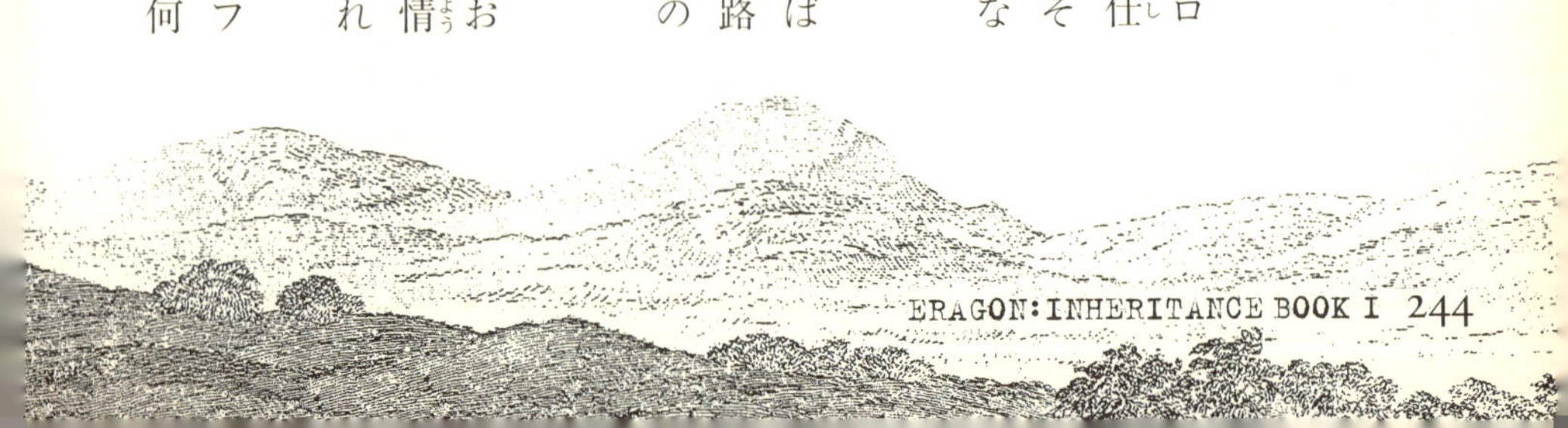

か月か、いや、何年か待ったほうがいい。ドワーフたちがどんな反応《はんのう》をしめすか、想像《そうぞう》できるじゃろう？　みなこぞって、あの子をいじろうとする。それにイズランザディのこともある。少なくともツアサ・ドゥ・オロスリム（愚者《ぐしゃ》の知恵《ちえ》を調節する）までは、あの子とサフィラをトロンジヒームには近づけたくないのじゃ」

ドワーフだって！　エラゴンは興奮《こうふん》した。トロンジヒームってどこだ？　それに、どうしてサフィラの名前を出したんだ？　ぼくの了解《りょうかい》もなく、しゃべっていいと思ってるのか！

「それでも、彼らは、おまえの力と知恵を必要としているのではないか？」

「知恵！」ブロムは鼻を鳴らした。「わしはさっきおまえがいったとおりの、ただの偏屈《へんくつ》じじいじゃ」

「多くの者が、そうは思っていないぞ」

「好きに思わせておけ。わしには弁明《べんめい》をすることなどない。アジハドは人にたよらず、自分でなんとかせねばならんのだ。それに、わしは今もっと重要なことをやろうとしている。だが、もし反逆者がいるとしたら、それはやっかいな問題だな。そうか、だから帝国はどこに……」ブロムの声がかすれて消える。

「それに、どうしてこのことを、わたしは知らせてもらえなかったのか？」ジョードがいった。

「知らせようとしたのかもしれん。だが、もし身内に反逆者がいるなら……」ブロムが口をつぐんだ。「なんとかしてアジハドに伝言をとどけねば。信頼《しんらい》できる使者はいるだろうか？」

「そうだな」ジョードがこたえる。「とどけ方にもよるだろうが」

「とどけ方か」ブロムはいった。「長いこと隠居《いんきょ》していたから、わしのつてはみなすでに死んでおるか、あるいは、生きていてもわしのことなど忘《わす》れておるだろう。だれでもいい、いつもおまえの船荷を受けとっている者に、伝言をとどけてもらえんだろうか？」

「それはいいが、かなり危険《きけん》だな」

「この節、危険でないことなどあるか？　いつ、行けそうじゃ？」

「明日の朝には。ギリエドまで行ってもらうことにしよう。きっとそのほうが速いだろうから」ジョードがいった。「アジハドには、伝令がおまえからのものだと、どうやって信用させる？」

「ほら、使者の男にこの指輪をもたせるといい。もしなくしたら、わしが肝《きも》を引っこぬきに行くといっておくのだぞ。女王から賜《たまわ》った大事な指輪だ」

「あいかわらず威勢《いせい》がいいな」ジョードはしみじみといった。

ブロムがうなった。長い沈黙《ちんもく》のあと、彼はいった。「そろそろエラゴンのところへもどろう。ひとりにしておくのは心配だ。あいつはすぐにめんどうに巻《ま》きこまれるという、めずらしい性分《しょうぶん》の持ち主だからな」

「意外なことか？」

「いや、それほどでもない」

椅子《いす》の動く音が聞こえた。エラゴンは急いで意識《いしき》を引きもどし、目をあけた。「なにがどうなってるんだ？」ひとりつぶやく。ジョードや仲間の商人たちが災難《さいなん》にみまわれたのは、帝国《ていこく》の敵《てき》を助けてたからなんだ。ブロムはギリエドでなにかを見つけて、カーヴァホールに身をかくしたといってた。親友に二十年間も死んだと思わせておくほど大切なことって、いったいなんなんだ？　それに、女王だって？　今はどの国にも女王なんていないはずなのに。ドワーフ？　ずっと昔地下にもぐってしまったって、ブロムのやつ、自分でいってたじゃないか。

疑問《ぎもん》ばかりだ！　だが、今ブロムと角《つの》をつきあわせて、せっかくの計画に支障《ししょう》をきたすようではこまる。だめだ、ティールムを出るまで待とう。それから彼を問いつめて、秘密《ひみつ》を白状《はくじょう》させる。扉《とびら》が開

いたとき、エラゴンはまだあれこれ思案していた。

「馬は変わりなかったか?」ブロムがたずねた。

「うん」エラゴンはこたえた。彼らは馬の綱《つな》をほどいて、城《しろ》を出た。

ふたたびティールムの中心部に出たあたりで、ブロムがいった。「ジョード、おまえ、ついに結婚《けっこん》したんじゃな。しかも」冷やかすようにウィンクをする。「若《わか》いきれいなご婦人《ふじん》と。めでたいことじゃ」

ジョードはほめられても、うれしそうな顔をしない。肩《かた》を丸め、通りに目をこらした。「めでたいという言葉がふさわしいかどうか、今は疑問だよ。ヘレンはあまり幸せじゃないんだ」

「なぜじゃ? 奥《おく》さんはなにをもとめておるのだ?」

「ありふれたものさ」ジョードはあきらめたように肩をすくめた。「よい家庭、かわいいこどもたち、山もりの食べ物、好ましい友人たち。あれは富裕《ふゆう》な家で育った娘《むすめ》だからな。実家の父親は、わたしの商売に多大な金を投じてくれているのだ。今のような損害《そんがい》が続けば、妻《つま》にこれまでのような暮《く》らしをさせてやれなくなる」

ジョードは続けた。「だが、おい、これはわたしの問題で、おまえの問題ではないからな。主人は客人に自分のことで心配をかけるものではない。おまえたちがわが家にいるあいだは、腹《はら》がきつくてこまったという心配しかさせないぞ」

「ありがたい」ブロムはいった。「その言葉にあまえさせてもらうぞ。旅をはじめて以来、くつろげるようなことなど皆無《かいむ》だったからな。おまえ、どこか安い店を知らんか? 長旅で服がもうボロボロだ」

「知ってるさ。まかせておけ」ジョードの顔が明るくなり、あちこちの店や値段《ねだん》について、ひとしき

り話して聞かせてくれた。やがて家が見えてくると、彼はいった。「今日のところは、どこか外で食事をしないか？　このまま家へ入ってもらったら、気まずい思いをさせるかもしれない」

「おまえのいいようにしてくれ」ブロムはいった。

ジョードは安堵《あんど》の表情《ひょうじょう》を浮《う》かべた。「悪いな。馬はうちの馬屋に入れてくれ」

馬を馬屋につないだあと、ジョードに連れられていったのは、町の大きな酒場だった。グリーン・チェスナッツとちがい、店内は広く清潔《せいけつ》で、大勢《おおぜい》の客たちでこみあっている。運ばれてきた主菜の仔《こ》豚《ぶた》の詰《つ》め物《もの》料理を、エラゴンは夢中《むちゅう》でほおばった。とくにうれしかったのは、肉にそえられていたジャガイモ、ニンジン、カブ、あまいリンゴなどだ。野生のけもの以外のものを思うぞんぶん食べられたのは、ひさしぶりだった。

彼らは酒場で何時間も食事を楽しんだ。ブロムとジョードはふたりで話しこんでいたが、エラゴンは気にしなかった。店内は暖《あたた》かく、ジャンジャンと陽気な音楽が流れ、ありあまるほどのごちそうがある。にぎやかな話し声までが耳に心地《ここち》よかった。

酒場を出るころ、太陽は地平線に近づきかけていた。「ふたりは先に帰ってて。ぼくは用事をすませてくるから」エラゴンはいった。サフィラに会って、無事かくれるところを見つけたかどうかたしかめたかったのだ。

ブロムはぼんやりとうなずいた。「気をつけるのだぞ。遅《おそ》くならんようにな」

「待ってくれ」ジョードが声をかける。「ティールムの外へ出るつもりか？」エラゴンはすこしためらってから、しかたなくうなずいた。「暗くなる前に、かならず塀《へい》のなかにもどってくるんだぞ。門がしめられて、朝まで入れてもらえなくなるからな」

「遅くならないようにします」エラゴンは約束した。きびすを返し、わき道をぬけ、軽《かろ》やかな足どりで外塀へむかった。ティールムの外へ出ると、新鮮《しんせん》な空気を胸《むね》いっぱいにすいこんだ。〈サフィラ！〉心のなかで呼《よ》びかける。〈どこにいるの？〉サフィラにみちびかれて道をはずれ、たどり着いたのは、楓《かえで》の木々にかこまれた、崖《がけ》の下のコケだらけの場所だった。梢《こずえ》の先にサフィラの頭が見え、エラゴンは手をふった。〈そんなところへ、どうやってのぼれっていうんだよ？〉

〈開けた場所を見つけてくれれば、あなたを拾いにおりていく〉

〈いや〉エラゴンは崖を見あげていった。〈いいよ。ぼくがのぼっていく〉

〈危険《きけん》すぎる〉

〈おまえは心配しすぎる。すこしは好きにさせてくれよ〉

エラゴンは手袋《てぶくろ》を脱《ぬ》ぎ、崖をのぼりはじめた。自分の体力をためせることがうれしかった。岩には手がかりがたくさんあって、のぼること自体はかんたんだった。あっという間に木々の梢は下になった。半分ほどのぼると岩棚《いわだな》でひと休みして、呼吸《こきゅう》を整えた。

力が回復《かいふく》して、またのぼりはじめようとしたとき、次の手がかりが遠すぎて手がとどかないことに気づいた。ほかに裂《さ》け目《め》やこぶがないかとさがしてみたが、てきとうなものが見あたらない。引き返そうにも、すぐ下の足がかりまで足がとどかない。サフィラがまばたきひとつせず、のぞきこんでいる。エラゴンは降参《こうさん》した。〈助けてほしいんだけど〉

〈自分が悪い〉

〈そうさ！　わかってるよ。助けてくれるの、くれないの？〉

〈わたしがそばにいなかったら、あなたはとてもこまった状況《じょうきょう》になっていた〉

エラゴンは目玉をぐるりとまわした。〈そんなこと、いわれなくてもわかってる〉

〈そう。結局のところ、しがないドラゴンは、人間に指図などできない。あなたたち人間はみな、い

つも最後には行きづまるという輝《かがや》かしい才能《さいのう》に、せいぜいみがきをかければいい。ほう、もうすこし右か左だったら、うまくのぼれていたな〕サフィラは目をきらきらさせ、首をかたむけた。

〔わかったよ！　ぼくがまちがってた。たのむから、ここからおろしてくれ〕エラゴンはうったえかけた。サフィラが崖《がけ》の縁《ふち》から頭を引っこめた。エラゴンはあわてて呼《よ》びかけた。「サフィラ？」頭上では木々がそよいでいるだけだ。「サフィラ！　もどってこい！」エラゴンは声をふりしぼった。

バリバリという音とともに、サフィラが崖っぷちから飛び出してきた。巨大《きょだい》なコウモリのように宙《ちゅう》をおりてきて、鉤爪《かぎづめ》でエラゴンの背中《せなか》を引っかき、シャツをつまみあげた。エラゴンは岩から手を放し、空中へつりあげられていく。崖の上まであがると、サフィラはエラゴンを静かにおろし、シャツから鉤爪をはずした。

〔愚《おろ》か者《もの》〕サフィラがおだやかにいった。

エラゴンは顔をそむけ、あたりを見まわした。崖の上からの眺望《ちょうぼう》は――とくに泡立《あわだ》つ海が――すばらしかった。しかもここなら、よけいな視線《しせん》にさらされる心配がない。サフィラの姿《すがた》を見ることができるのは鳥たちだけだ。申し分のない隠《かく》れ家《が》だった。

〔ブロムの友人は信用できそうか？〕サフィラがたずねた。

〔どうかな〕エラゴンはその日のことをくわしく話して聞かせた。〔知らないうちに、ぼくらは大きな力にとりかこまれていたんだ。ときどき思うよ。まわりの人たちの本当の目的なんて、この先ずっとわからないんじゃないかって。だって、みんながなにかしら秘密《ひみつ》をもっているんだ〕

〔それが世のならいというもの。策略《さくりゃく》などに気をとられず、人それぞれの本当の姿を見て判断《はんだん》しなさい。ブロムはだいじょうぶ。わたしたちに危害《きがい》をおよぼす人ではない。彼の立てた計画は、信じていいと思う〕

〔だといいけど〕エラゴンは両手に目を落とした。
〔ラーザックを書き物のなかからさがし出すとは、奇妙《きみょう》な追跡法《ついせきほう》だが……〕サフィラはいった。〔部屋に入らずに、文書をのぞく魔法《まほう》はないのか？〕
〔わからない。たぶん、『見る』ための言葉と『距離《きょり》』にかかわる言葉を組みあわせて……いや、『光』もいるかもしれない。どっちにしろ、かなりむずかしそうだ。ブロムにきいてみるよ〕
〔それがいい〕おだやかな沈黙《ちんもく》が続いた。
〔そんなわけで、しばらくここにとどまらなければならない〕
サフィラはあてつけがましくこたえた。〔そしてわたしは、いつものように外で待たされる〕
〔ぼくだって本意じゃないんだ。またすぐに、いっしょに旅できるようになるよ〕
〔早くその日が来てほしい〕
エラゴンはほほえんでサフィラを抱《だ》きしめた。あっという間に日没《にちぼつ》の時間になっていた。〔もう行かなくちゃ。ティールムからしめ出されてしまう。あしたは狩《か》りをするといい。また夕方会いに来るよ〕
サフィラは翼《つばさ》をひろげた。〔乗りなさい。下まで送っていく〕エラゴンが鱗《うろこ》の背《せ》に乗ってしがみつくと、サフィラは崖を飛び立って木々の上を滑空《かっくう》し、小さな丘《おか》に舞《ま》いおりた。エラゴンはサフィラに礼をいって、ティールムへ駆《か》けだした。
門が見えてきたとき、落《お》とし格子《ごうし》はすでにしまりかけていた。待ってくれとさけびながら、全速力で走り、格子戸が完全におりる寸前《すんぜん》になかへすべりこんだ。「しめ出しを食らいたいのか」門衛《もんえい》のひとりがいった。
「これからは気をつけます」エラゴンは前かがみになって息を整えた。ジョードの家をめざし、暮《く》れ

てゆく町なみをくねくねと歩いた。ジョードの家の外には、ランタンが標識《ひょうしき》のようにぶらさがっていた。

ノックをすると、丸々と太った執事《しつじ》が現《あらわ》れ、無言のままエラゴンをなかにまねき入れた。邸内《ていない》は、タペストリーのかかる石壁《いしかべ》でかこまれていた。きれいにみがかれた床《ゆか》には、凝《こ》ったラグが点々としかれ、天井《てんじょう》からさがる金色の三つのシャンデリアに明るく照らされている。天井付近に煙《けむり》がただよっていた。

「こちらへどうぞ。ご友人は書斎《しょさい》でお待ちです」

いくつもの戸口を通りぬけ、ようやく書斎の扉《とびら》があけられた。壁一面に本がならんでいるが、城《しろ》の仕事場とちがって、ここの書物は形や大きさがまちまちだった。暖炉《だんろ》の薪《まき》が赤々と燃《も》え、室内を暖《あたた》かくしている。ブロムとジョードは、楕円形《だえんけい》の書き物机《づくえ》の前にすわって歓談《かんだん》していた。

ブロムがパイプをあげ、陽気な声でいう。「おお、帰ったな。遅《おそ》いから心配していたのだぞ。散歩はどうだった?」

ブロムはなんでこんなに上機嫌《じょうきげん》なんだ? なんではっきり「サフィラはどうだった」ときかないんだろう? 「楽しかったよ。だけど、もうすこしで門衛《もんえい》にしめ出されるところだった。それに、ティールムは広すぎる。家をさがすのに苦労したよ」

ジョードがクックッと笑った。「ドラス=レオナやギリエドやクアスタを目にしたら、こんなちっぽけな海辺の町などでは、おどろいたりしなくなるだろうよ。わたしはここが好きだがね。雨が降《ふ》らなければ、ティールムは本当に美しい町だ」

エラゴンはブロムに目をやった。「ここに、どれくらいいることになるかな?」

ブロムは両手を上にひろげた。「今こたえるのはむずかしい。船積み台帳を見られるかどうか、目

当てのものがどれくらいで見つかるかによるじゃろう。とにかく、総力《そうりょく》をあげてかからねばならん。膨大《ぼうだい》な作業になりそうだからな。明日、ブランドに会って、台帳を見せてもらえるようたのんでみるつもりじゃ」

「ぼくには手伝えそうもないよ」エラゴンはきまり悪そうにいった。

「なぜじゃ？」ブロムがたずねる。「仕事は山ほどあるのだぞ」

エラゴンはうなだれた。「字が読めないんだ」

ブロムは体を起こし、信じられないという顔をした。「それは、ギャロウが教えてくれなかったということか？」

「伯父《おじ》さんは読めたの？」エラゴンは困惑《こんわく》していた。ジョードはふたりの様子をおもしろそうにながめている。

「むろん、読めたさ」ブロムが鼻息を荒《あら》くする。「ギャロウめ――いったいどういうつもりだ？　おまえが字を教わっていないことくらい、わしも気づくべきだったな。きっとギャロウは、読み書きなど、おまえには必要のない贅沢品《ぜいたくひん》と見たのじゃろう」ブロムは渋《しぶ》い顔で、あごひげをむんずとつかんだ。「こんなことで足を引っぱられるとは。いや、しかし、とり返しのつかんことではない。わしがおまえに字を教えよう。身を入れてやれば、すぐに覚えるさ」

エラゴンはたじろいだ。ブロムの教え方はつねにきびしく、情《なさ》け容赦《ようしゃ》ないからだ。いっぺんにどれだけのことを覚えればいいんだよ？「そうだね、教えてもらうよ」エラゴンはしょんぼりといった。

「楽しいぞ。本や巻物《まきもの》には、あらゆる知識《ちしき》がつまっているからな」ジョードはいった。「ここにある本は、わたしの友であり、話し相手なんだ。こいつたちには、笑わされたり泣かされたり、人生の意《い》義《ぎ》を教えてもらったりしているよ」

「なんだか興味《きょうみ》がわいてきたなあ」エラゴンはすなおにいった。

「やはり学者だわな、おまえは」ブロムが口をはさむ。

ジョードは肩《かた》をすくめた。「そうでもない。残念ながら、今はただの蔵書《ぞうしょ》道楽の男だよ」

「蔵書……なに？」エラゴンはたずねた。

「本好きということだ」ジョードはこたえ、ブロムとの会話にもどった。たいくつしたエラゴンは、本棚《ほんだな》を見て歩いた。目を引かれたのは、金色の飾《かざ》り鋲《びょう》のついたひときわ美しい本だった。本を棚から取り出し、しげしげとながめてみる。

　黒い革《かわ》の装丁《そうてい》には、謎《なぞ》めいたルーン文字が彫《ほ》られていた。エラゴンは表紙に指をすべらせ、なめらかな冷たい感触《かんしょく》を味わった。なかを開くと、光沢《こうたく》のある赤みがかったインクの文字がならんでいる。指でページをめくっていった。ふと、本文とはべつの場所にある、手書きの囲み文字に目がとまった。優雅《ゆうが》な線と鋭《するど》い点で、流れるように綴《つづ》られた長い単語だった。

　エラゴンはブロムに本を見せた。「これはなに？」不思議な文字をさしてたずねる。

　ブロムはページに顔を近づけ、おどろいたように眉《まゆ》をあげた。「ジョード、ずいぶん手広く本を集めたものだな。これをどこで手に入れた？　ひさしぶりにお目にかかったぞ」

　ジョードは首をのばして本を見た。「ああ、これか。『ドミア・アバ・ウィアダ』。何年か前、どこかから来た男が、波止場の商人に売ろうとしていた。運よくそこに居合《いあ》わせて、この本と男の首をすくってやることができたんだ。彼は、これがなんなのか、まったく知らなかったのさ」

「エラゴン、これをたまたま手にとるとは、不思議なものだ。『運命の支配《しはい》』」ブロムはいった。「おそらく、この家にあるなによりも価値《かち》のあるものじゃろう。アラゲイジアの歴史が――エルフがこの地にわたって来るはるか以前から、ほんの数十年前のことまで――完璧《かんぺき》なまでにしるされておる。と

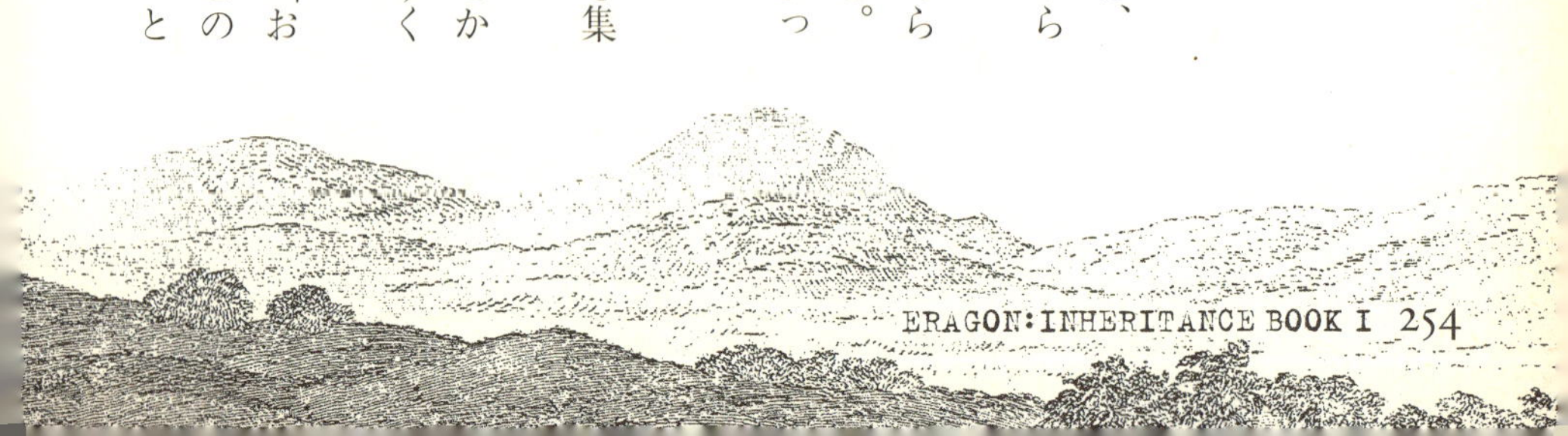

ても貴重《きちょう》な代物《しろもの》で、ほかに類のない優《すぐ》れた歴史書じゃ。しかし書かれた当時、帝国《ていこく》はこれを神への冒《ぼう》瀆《とく》として、著者《ちょしゃ》の修道士《しゅうどうし》へスラントを火あぶりの刑《けい》にしたのだ。まさかその本がまだ存在《そんざい》していたとはのう。おまえのいうこれは、古代語から来ている言葉だ」

「なんて書いてあるの？」エラゴンはきいた。

ブロムはすこし考えてからいった。「エルフの詩の一節だ。ドラゴンと戦っていた時代のことをうたっておる。これは、エルフの王セランサーが馬に乗って出陣《しゅつじん》する部分じゃな。エルフたちはこの詩をこよなく愛し、日ごろから口ずさんでおる――すべて詠唱《えいしょう》するには、三日もかかるがな。そうすることで、過去《かこ》のあやまちを二度とくり返さぬよう肝《きも》に銘《めい》じているのじゃ。そのあまりの美しい詠唱に、ときには岩までが涙《なみだ》を流すといわれておる」

エラゴンは本を大事そうにかかえて椅子《いす》にすわった。本を通して、この世にいない人が生きている人に語りかけられるなんて、すごいことだ。この本が存在するかぎり、著者の思いは生き続けるってことだものな。ひょっとして、ラーザックのことがなにか書かれていないだろうか？

ブロムとジョードが話しこんでいるあいだ、エラゴンは本をぺらぺらとながめていたが、時間がたつうちにうたた寝《ね》をはじめていた。疲《つか》れたのだろうと気づかって、ジョードがそろそろ休もうと声をかけてくれた。「執事《しつじ》に部屋を用意させよう」

ふたりを上の階へ案内すると、執事はいった。「ご用のときは、ベッドわきの呼《よ》び鈴《りん》のひもをお引きください」彼は、三枚《まい》ならんだ扉《とびら》の前でとまり、会釈《えしゃく》して引きあげていった。

右側の部屋に入りかけたブロムを、エラゴンは引きとめた。「ちょっと話していい？」

「もう話しとるではないか。まあいい、入りなさい」

エラゴンは部屋に入って扉をしめた。「サフィラとぼくとで考えたんだ。じつは――」

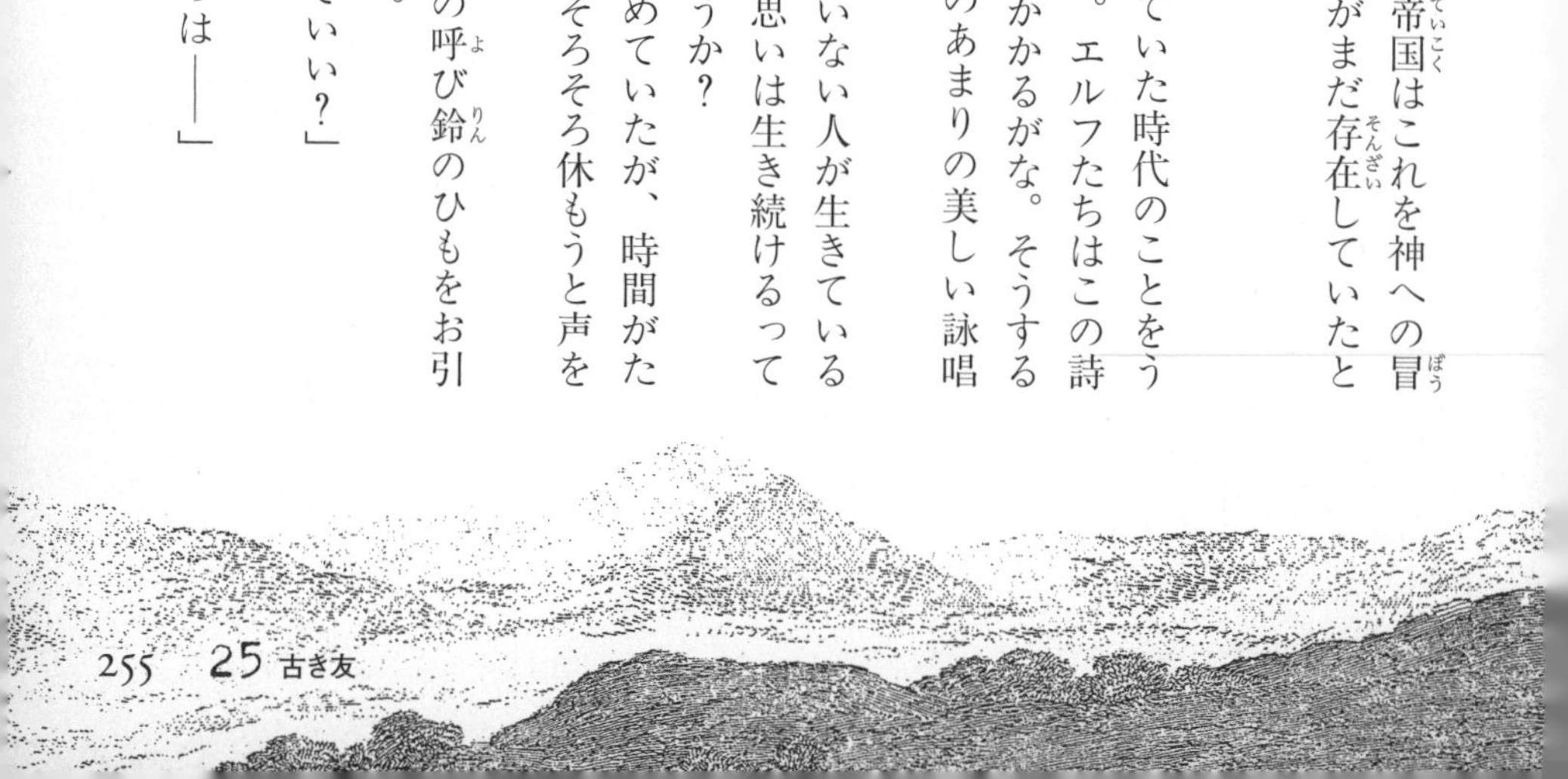

ブロムは片手《かたて》をあげて話をさえぎり、窓《まど》のカーテンをしめた。「そのようなことは、まわりによけいな耳がないかどうかたしかめてから話すものじゃ」

「ごめん」エラゴンは自分のうかつさを反省した。「それで、ききたかったのは、見えないものの姿《すがた》を魔法《まほう》で呼《よ》び出せないかってことなんだ」

ブロムはベッドのはしに腰《こし》をおろした。「おまえがいっとるのは、透視《とうし》と呼ばれるものだな。場合によってはとても役に立つ方法だが、じつは大きな難点《なんてん》がある。透視では、自分がすでに見たことのある人、もの、場所しか見えんのじゃ。おまえがラーザックを透視しようとすれば、やつらの姿は見えるだろう。だが、まわりの景色はいっさい見えん。難点はもうひとつある。たとえば、一度見たことのある書物の一ページを見ようとする。その場合、本のそのページが開かれておらねばならんのだ。本が閉《と》じられていれば、いくら透視しても、真っ黒なページしか見ることができん」

「どうして、見たことのないものは透視できないの？」エラゴンはたずねた。たとえそうした制限《せいげん》があるにしろ、透視ができればいろいろなことに役立つだろうと思った。何キロも先の情景《じょうけい》が見えたら、そこで起きていることに魔法を使えたりするんじゃないだろうか？

「それはじゃな」ブロムはしんぼう強く説明する。「透視をするときは、自分がなににに目をむけるべきか、なにに力をむけるべきか、知っておかねばならんからじゃ。いくらその特徴《とくちょう》を教えられていても、見知らぬものを透視するのは不可能《ふかのう》に近い。まわりの状況《じょうきょう》や景色などはいわずもがなだ。なにを透視するかわかっていなければ、透視はできんということ。これで答えになったか？」

エラゴンはすこし考えてからいった。「だけどそれ、どうやってやるの？　この空気中に像《ぞう》を呼び出すの？」

「そうともかぎらん」ブロムは白髪《しらが》の頭をふった。「空気中に呼び出すのは、水面《みなも》や鏡に投影《とうえい》するよ

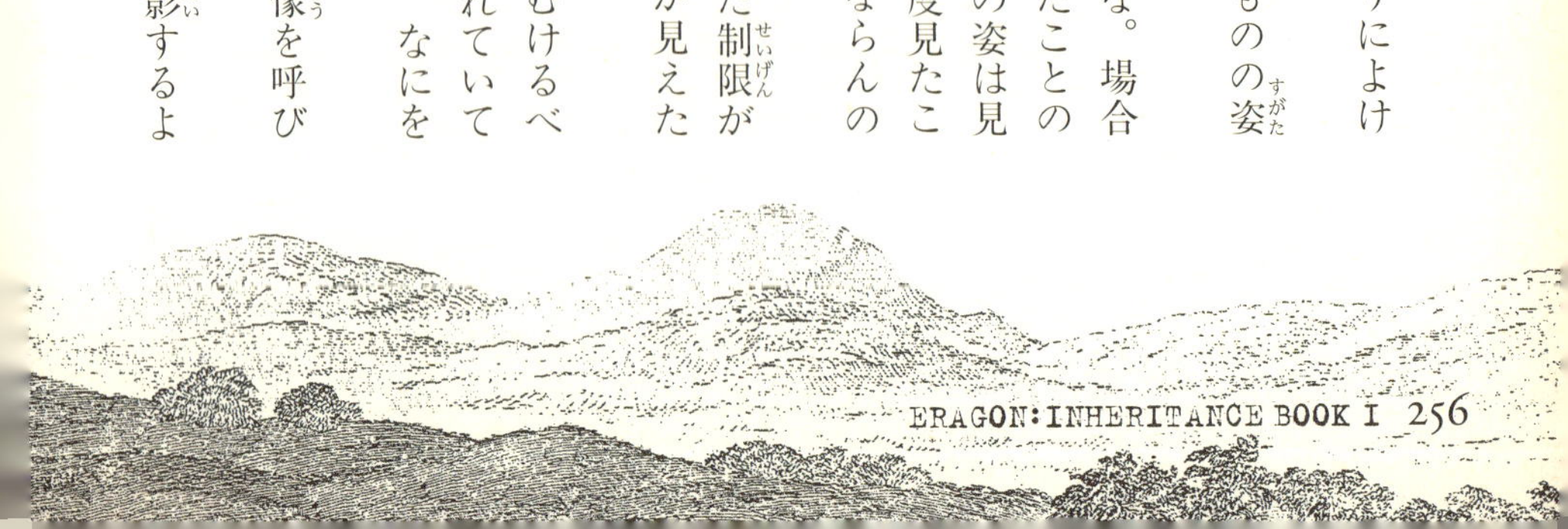

り数倍も力を消耗《しょうもう》するんじゃよ。そういえば昔は、できるだけ多くのものを目にしておこうと、国じゅうを旅してまわるライダーがいたものだ。ひとたび戦《いくさ》などの災厄《さいやく》が起きたとき、アラゲイジアのすみずみまで見ることができるからな」

「ぼくもやってみていいかな?」

ブロムはエラゴンをまじまじと見た。「いや、今はだめじゃ。おまえは疲《つか》れておる。透視はひどく体力を消耗するのだ。言葉は教えてやる。しかし、今夜はやらないと約束しなさい。できればティールムを出るまで待ったほうがいい。その前にまだまだ教えることがあるのでな」

エラゴンはほほえんだ。「約束するよ」

「よろしい」ブロムは腰《こし》をかがめ、エラゴンの耳もとでそっとささやいた。「ドラウマ・コパ(夢視《むし》)」

エラゴンは言葉を記憶《きおく》にとどめた。「ティールムを出たら、ローランを透視してみるよ。無事でいるかどうか知りたいんだ。ラーザックが彼をねらってるんじゃないかと心配だから」

「不安がらせるつもりはないが、その可能性《かのうせい》は大いにあるだろうな」ブロムはいった。「ラーザックがカーヴァホールに現《あらわ》れたとき、ローランはすれちがいで村を出ていった。だが、おそらくやつらはローランのこともききまわっていたじゃろう。セリンスフォードで遭遇《そうぐう》しているということも考えられる。いずれにしろ、連中はローランへの関心を失っていないじゃろう。なんといっても、おまえはこうして野放しのままだからな。ラーザックは、おまえを発見できねば恐《おそ》ろしい処罰《しょばつ》を受ける。王にそう脅《おど》されているにちがいない。いよいよ切羽つまれば、村へもどってローランを問いつめる。時間の問題だろう」

「それが本当なら、ローランの身を守る手段《しゅだん》は、ラーザックにぼくの居場所《いばしょ》を知らせるしかない。ローランじゃなく、ぼくを追うようしむけるために」

「いや、それもうまくはいかんじゃろう。まだまだ考えが足りんな」ブロムはいった。「敵《てき》を理解《りかい》できずに、どうして敵の動きを予測《よそく》できる？　たとえおまえの居場所《いばしょ》を知らせても、ラーザックはやはりローランをねらうだろう。なぜかわかるか？」

エラゴンは背筋《せすじ》をのばし、いくつかの可能性《かのうせい》を考えてみた。「まず、ぼくがいつまでも出ていかなかったら、やつらは業《ごう》を煮《に》やしてローランをつかまえ、ぼくをおびきよせようとする。それがうまくいかなかったら、ぼくを傷《きず》つけるために彼を殺す。たとえ帝国《ていこく》にぼくの居場所を知らせたとしても、ローランはぼくを手っとり早くつかまえるための餌《えさ》にされる。あと、もしぼくがローランに会いに行って、そのことがバレたら、やつらはローランをつるしあげて、ぼくの居どころを吐《は》かせようとするだろう」

「よろしい。とてもよく推理《すいり》できておる」

「じゃあ、なにか打つ手はないの？　ローランを死なせるわけにはいかないよ！」

ブロムは両手を軽くあわせた。「打つ手は、きわめてはっきりしておる。ローランはわが身を守る術《すべ》を、自分で学ぶしかない。冷たく聞こえるじゃろうが、おまえのいうように、本人に会いに行く危《き》険《けん》はおかせないのだ。覚えていないかもしれんが——あのときのおまえは、まだ錯乱《さくらん》しておったからな——カーヴァホールを去るとき、わしはローランに警告《けいこく》の手紙を残してきた。だから彼は、危険に対してなんの身がまえもないわけではない。ローランにすこしでも分別があれば、ラーザックがカーヴァホールに引き返すころには、わしの忠告《ちゅうこく》を受けて、村から逃《に》げ出しておるじゃろう」

「こんなのってないよ」エラゴンはつらそうにいった。

「ああ、それからひとつ忘《わす》れていた」

「なに？」

「すこしは救われる話だ。ガルバトリックス王は、自分の配下にないライダーを野放しにしておくわけにはいかない。しかし、おまえをのぞけば、現存《げんそん》するライダーはガルバトリックス本人しかおらん。やつはきっと、自分の意のままになるライダーがもうひとり、のどから手が出るほどほしいはずだ。したがっておまえやローランを殺す前、おまえにたずねるにちがいない。王に仕える気があるかと。残念ながら、そのような状況《じょうきょう》では、それをこばんで、なおも生きのびることなど不可能《ふかのう》だろうがな」

「それが救われる話？」

「ローランを守るという意味ではそうじゃ。おまえがどちらにつくかはっきりしないうちは、王は下《へ》手《た》に従兄《いとこ》を傷つけて、おまえのうらみを買うようなことはしないはずだ。そのことをしかと心にとめておけ。ラーザックはギャロウを殺したが、あれはやつらにしては軽率《けいそつ》な行動だったと思う。わしの知っとるガルバトリックスなら、なんの見返りもないようなやり方をよろこびはしないだろう」

「それで、死かどちらか選べと脅《おど》されたとき、どうやって王の申し出をことわればいいんだよ？」エラゴンはつっかかるようにいった。

ブロムはため息をついた。ベッドわきのテーブルに歩みより、たらいのなかのバラ香水《こうすい》の水に指をひたす。「ガルバトリックスは、おまえがみずからの意志で彼にくみすることを望んでおる。そうでなければ、むしろいないほうがましだ。そこで、こういう問いが生じる——おまえはその選択《せんたく》をせまられたとき、みずからの信念のためによろこんで死ねるか？　それだけが唯一《ゆいいつ》、王の申し出をこばむ道だからな」

その問いかけが宙《ちゅう》に浮《う》いた。

最後にブロムはいった。「じっさいに直面してみなければ、こたえられんむずかしい質問《しつもん》じゃな。

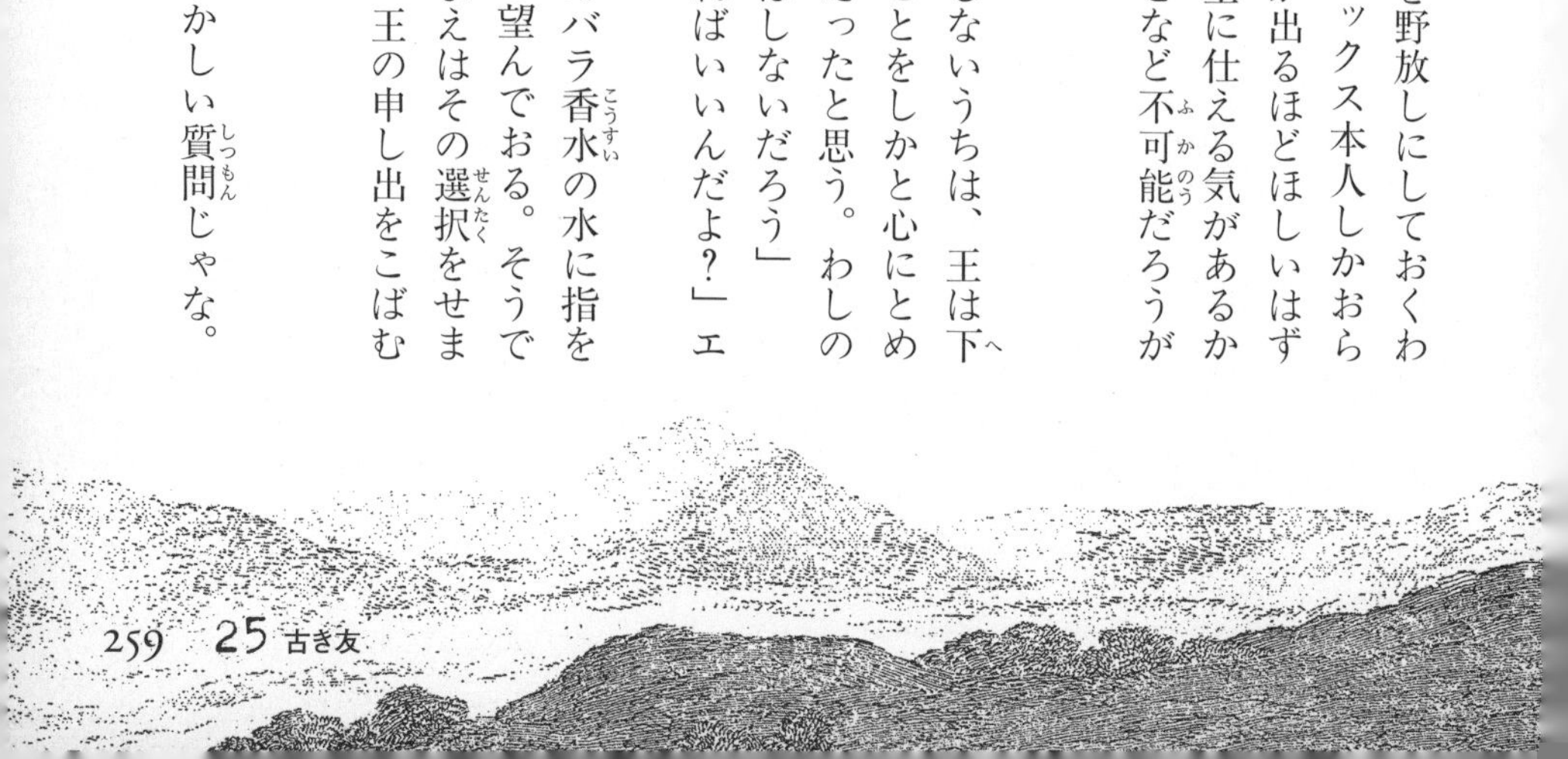

ただ、これだけはいっておく。今まで多くの者たちが、その信念のために死を選んだのだ。ごくあたりまえのように。しかし真の勇気とは、自分の信念のために、生きながら苦しむことだと思うぞ」

26
魔女《まじょ》とネコ

エラゴンが目覚めたのは、翌朝《よくあさ》ずいぶん遅《おそ》くだった。身支度《みじたく》をして、たらいの水で顔を洗《あら》い、鏡をもって髪《かみ》のみだれを整えた。ふと彼は、そこに映《うつ》ったものにはっとして、鏡を引きよせた。ついこのあいだカーヴァホールをはなれて以来、彼の顔は変わってしまっていた。旅と剣《けん》の稽古《けいこ》とあらゆる訓練で、こどもっぽい肉はそげ落ち、頬骨《ほおぼね》だけが飛び出て、あごの線が鋭角的《えいかくてき》になっている。やぶにらみ気味の目が、近くで見ると殺気を感じさせ、まるで他人を見ているかのようだ。腕《うで》をのばして鏡をもつと、またいつもの顔にもどる――が、それでも、どこか自分の顔ではないように見える。

軽いとまどいを感じたまま、エラゴンは弓と矢筒《やづつ》を背負《せお》い、部屋を出た。廊下《ろうか》をつきあたる手前で、執事《しつじ》が追いかけてきた。「ニールさまと旦那《だんな》さまは、早くに城《しろ》へおいでになりました。あなたは今日、ご自由にすごされますようにとのこと。おふたりは夕方までもどられないそうですので」

エラゴンは執事に礼をいうと、ティールムの町へ意気揚々《ようよう》とくりだしていった。何時間も通りを歩きまわり、あちこちの店に立ちより、いろいろな人と世間話をした。いつしか空腹《くうふく》になって小銭《こぜに》も底をつき、家へもどらざるをえなくなった。

ジョードの家の通りに入ると、となりの薬草師《やくそうし》の店の前で足をとめた。このあたりに店があるのはそぐわない感じだった。ほとんどの店はこのような富裕《ふゆう》な地区ではなく、町の外塀《そとべい》ぎわに集まっているからだ。なかをのぞこうとしても、窓《まど》が植物に鬱蒼《うっそう》とおおわれていて見ることができない。エラゴンは好奇心《こうきしん》に駆《か》られ、なかに入ってみた。

店内は暗く、最初はなにも見えなかったが、じきに、窓《まど》からもれる緑色のほのかな光に目がなれてきた。窓ぎわの鳥かごのなかから、幅広《はばびろ》の尾羽根《おばね》と鋭《するど》いがんじょうそうなくちばしをもった色あざやかな鳥が、ものめずらしそうにこちらを見ている。壁《かべ》はどこも植物だらけ。天井《てんじょう》には蔓《つる》がはりつき、かろうじて古いシャンデリアだけが顔をのぞかせている。床《ゆか》には黄色い花をつけた鉢植《はちう》えがどんと置いてある。長いカウンターに、乳鉢《にゅうばち》や乳棒《にゅうぼう》、金属《きんぞく》の椀《わん》、エラゴンの頭ほどもある透明《とうめい》な水晶球《すいしょうだま》がのせられていた。

ややこしそうな機械類、石のつまったかご、巻物《まきもの》の山、そうしたわけのわからないものを慎重《しんちょう》によけながら、エラゴンはカウンターに近づいていった。カウンターのむこうの壁には、あらゆる大きさのひきだしがならんでいる。小指ほどの大きさのものもあれば、樽《たる》が入りそうな特大のものもある。いちばん上のひきだしのあいだに、幅《はば》三十センチほどのすきまがあった。

ふいにその暗いすきまで赤い目が光り、カウンターめがけて大きなネコが荒々《あらあら》しく飛びおりてきた。ひきしまった体にたくましい肩《かた》、異様《いよう》に大きな足。骨《ほね》ばった顔はたてがみのような毛でおおわれ、耳の先に黒いふさがついている。口もとに白い牙《きば》がにょきっと見える。どこをとっても、今まで見たこともないようなネコだった。ネコは鋭い目でエラゴンを観察すると、尊大《そんだい》な様子でしっぽをふり動かした。

ほんの気まぐれで、エラゴンはネコの意識《いしき》に近づいてみた。その心をそっとつつき、自分が友だち

であることを伝えようとした。

〈そんなことをいう必要はない〉

エラゴンはびくっとしてあたりを見まわした。ネコは素知《そし》らぬ顔で前足をなめている。〈サフィラ? どこにいる?〉エラゴンはたずねた。答えがない。首をひねりつつ、カウンターに身を乗り出し、木の杖《つえ》のようなものに手をのばした。

〈それはやめたほうがいい〉

〈お遊びは終わりだ、サフィラ〉エラゴンはいい放ち、杖をつかんだ。と、とつじょ全身にビリビリと電流のような衝撃《しょうげき》が走り、彼は床《ゆか》にたおれて身もだえた。あえぐように息をするうち、痛《いた》みがゆっくりとおさまってきた。ネコが飛びおりてきて、彼を見つめた。

〈ドラゴンライダーにしては、賢《かしこ》くないな。ちゃんと注意しただろう?〉

〈おまえだったのか!〉エラゴンはさけんだ。ネコはあくびをしてのびをすると、荷物のあいだをぬうようにして床《ゆか》の上を歩いていく。

〈ほかにだれがいる?〉

〈だけど、ただのネコじゃないか!〉エラゴンは反発した。

ネコは不満をうったえるように鳴き、こちらへもどってきた。エラゴンの胸《むね》に飛び乗り、うずくまって、ぎらつく目で彼を見おろした。エラゴンが起きあがろうとすると、ネコは牙をむき出してうなった。〈わが輩《はい》がほかのネコと同じに見えるか?〉

〈いや……〉

〈では、どうしてただのネコだと?〉エラゴンが口を開きかけると、ネコは胸に爪《つめ》をつき立ててくる。〈おまえの知識《ちしき》とはそんなものか。わが輩は——まちがいを訂正《ていせい》させてもらうが——魔法《まほう》のネコ

だ。仲間連中はほとんど残っちゃいないが、農場の子といえど、われわれの話を聞いたことぐらいはあると思ったがな〕
〔本当にいるなんて知らなかった〕エラゴンはすっかり心をうばわれていた。魔法《まほう》のネコ！　なんという幸運だろう。いつも物語のかたすみに現《あらわ》れ、ひとり超然《ちょうぜん》として、ところどころで忠告《ちゅうこく》めいた言葉を吐《は》く魔法のネコ。伝説のなかの彼らは、魔力をもち、人間より長生きで、知っていることを全部口に出さないといわれている。

魔法のネコはだるそうにまばたきをした。〔知っていることと現実《げんじつ》とは無関係さ。わが輩《はい》は、おまえに昼寝《ひるね》をじゃまされるまで、おまえが存在《そんざい》するとは知らなかった。だからといって、おまえがわが輩を起こす前、おまえが現実に存在しなかったわけではないだろう〕

エラゴンはネコの理屈《りくつ》に当惑《とうわく》した。〔じゃまして悪かったよ〕
〔どのみち起きるところだった〕魔法のネコはそういってカウンターに飛び乗り、また手をなめだした。〔わが輩がおまえなら、いつまでもそんな杖《つえ》をつかんでいないね。あと何秒かしたら、またビリビリする〕

エラゴンはあわてて杖をあったところにもどした。〔なんなの、これ？〕
〔どこにでもあるたいくつな造《つく》り物《もの》さ。わが輩とちがって〕
〔だけど、なんのためのもの？〕
〔わからないのか？〕魔法のネコは手をなめるのをやめ、もう一度のびをして、ひょいひょいと寝床《ねどこ》にもどっていった。手足を胸《むね》の下にしまってうずくまり、のどを鳴らしながら目を閉《と》じた。
〔待ってよ〕エラゴンがいう。〔きみ、名前はなんていうの？〕

魔法のネコはつりあがった目を片方《かたほう》あけた。〔いろいろな名で通っている。正しい名が知りたいな

ら、どこかよそをさがしな〕目は閉じられた。エラゴンはあきらめて立ち去りかけた。〔だが、ソレムバンと呼《よ》んでもいいぞ〕

〔ありがとう〕エラゴンはかしこまっていった。ソレムバンがのどを大きく鳴らす。

店の扉《とびら》が開き、太陽の光がさしこんできた。アンジェラが植物をつめこんだ布袋《ぬのぶくろ》を手に、なかに入ってきた。ソレムバンにちらりと目をやり、おどろいたような表情《ひょうじょう》をした。「彼と話したんですって？」

「あなたも彼と話せるんですか？」エラゴンはきいた。

アンジェラは頭をつんとそらせた。「もちろんよ。口でしゃべり返してくるわけじゃないけどね」植物をカウンターに置き、そのむこう側にまわってエラゴンとむきあった。「ソレムバンはあんたが好きみたい。めずらしいことよ。いつもは客の前に姿《すがた》さえ現さないんだから。それどころか、あんたの数年先が楽しみだといってる。見どころがあるって」

「それはどうも」

「ソレムバンはほめてるのよ。ここに来て、彼と話せたのは、まだ三人めだからね。ひとりめは女。何年も前のことよ。ふたりめは盲目《もうもく》の物乞《ものご》い。次があんた。でもね、あたしはムダ話をするために店を開いてるんじゃないの。あんた、なにか買いたいものないの？　それとも、ちょっとのぞきに来ただけ？」

「のぞきに来ただけ」エラゴンはまだ魔法のネコのことを考えていた。「それにぼく、薬草は必要ないし」

「あたしのやってるのは、それだけじゃないのよ」アンジェラはにやりと笑った。「お金持ちのまぬけな領主《りょうしゅ》たちが、ほれ薬やらなにやらをほしがるの。あたしは効《き》くなんてひと言もいってないんだけ

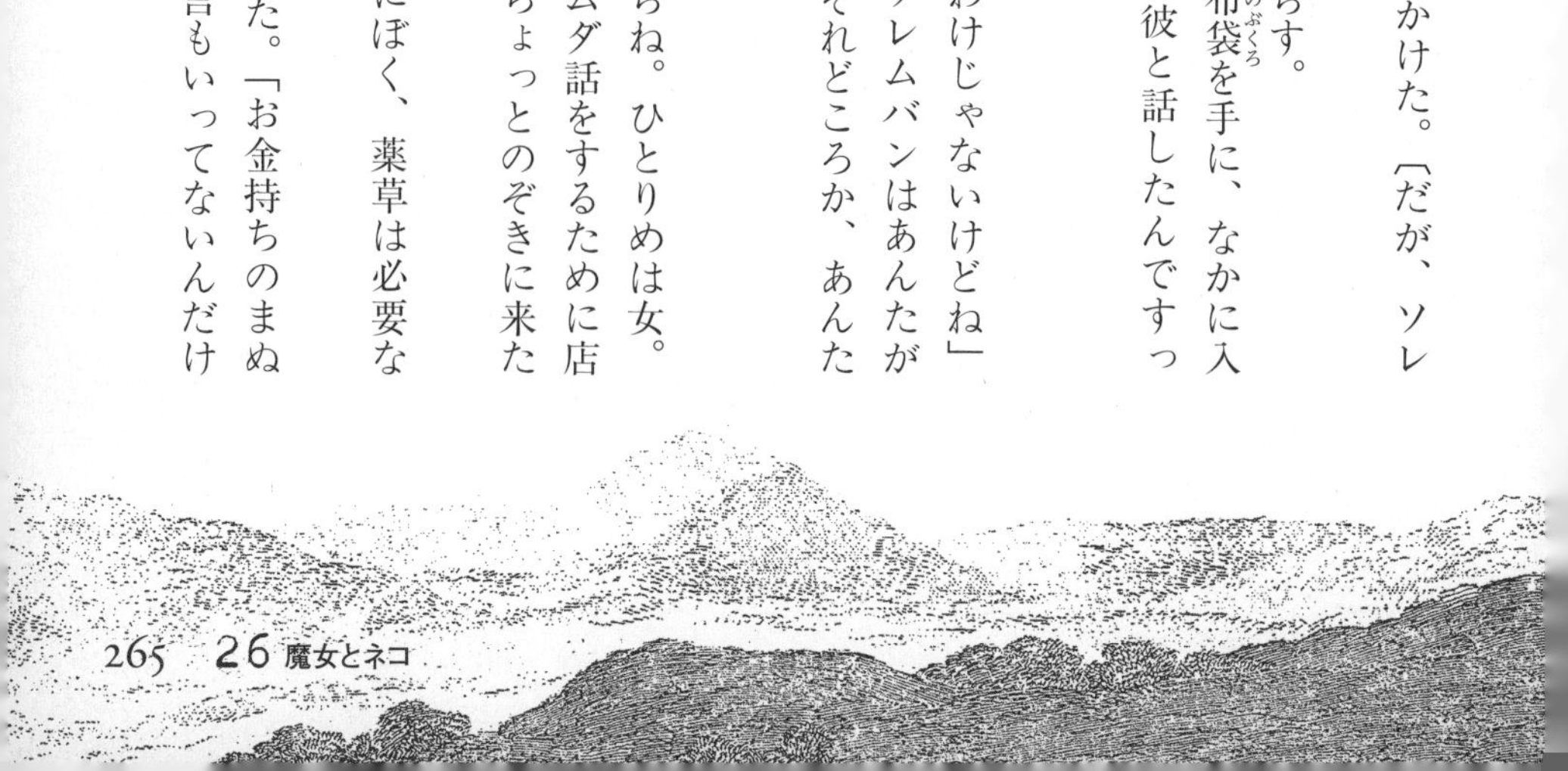

どね、なぜか何度も買いに来る。だけど、あんたにはそんな嘘薬《うそぐすり》は必要ないようね。ねえ、自分の運《うん》勢《せい》を占《うらな》ってほしくない？　お金持ちのまぬけなご婦人《ふじん》たちにね、そういうこともやってるの」

　エラゴンは笑った。「いいえ、残念だけど、ぼくの運勢はすごく読みにくいから。それに、お金もないし」

　アンジェラはソレムバンを興味深《きょうみぶか》げに見やった。「じつをいうと……」カウンターの上の水晶球《すいしょうだま》をさす。「これはただの見せ物――なにも見えないのよ。でも……ちょっと待ってて。すぐもどるから」アンジェラはそそくさと奥《おく》の部屋へ入っていった。

　やがて息を切らしてもどってくると、もってきた革《かわ》の巾着《きんちゃく》をカウンターにのせた。「ずいぶん長いこと使ってなかった。どこにしまったか忘《わす》れてたわ。ほら、あたしの前におすわり。なんでわざわざこんなものをもってきたか、教えてあげる」エラゴンはスツールを見つけ、腰《こし》をおろした。棚《たな》のすきまでソレムバンの目がきらりと光っている。

　アンジェラはカウンターに厚《あつ》い布《ぬの》をしき、その上に巾着のなかみをひろげた。すべすべしたひとにぎりの骨《ほね》。人の指よりわずかに長く、側面にルーン文字と記号のようなものがきざまれている。「これは」アンジェラは骨をそっとさわっていった。「ドラゴンの指関節の骨。どこで手に入れたかはきかないで。ぜったいにいえない秘密《ひみつ》なんだ。でもね、お茶の葉や水晶球や占いカードとちがって、これには本物の力がある。嘘いつわりはいわないの。だけど、これの言葉を解説《かいせつ》するのはかなり……むずかしいけどね。よかったら、あんたのためにひとふりしてあげるわ。でも運命を知るのは、ときに残酷《ざんこく》なこともある。覚悟《かくご》がなくちゃできないわよ」

　エラゴンはやりきれない思いで骨を見つめた。サフィラの一族だったものの骨だ。運命を知るなんて……そんな覚悟はできないよ。この先なにが待ちかまえているか、それがいいものかどうかもわか

らないんだから。知らないほうがよほど幸せだ。「どうしてぼくにそんなことを?」エラゴンはたずねた。

「ソレムバンよ。彼は無愛想かもしれないけど、あんたとしゃべったんだから、あんたは特別ってこと。なんたって魔法《まほう》のネコと話せたんだからね。前にソレムバンと話したふたりにも、同じことをすすめてみたんだけどね、女のほうだけよ、やるといったのは。セリーナという名だった。ああ、でもやっぱり後悔《こうかい》してたわね。彼女の運命は暗く、つらいものと出たから。彼女は信じてなかったでしょうね――あのときは」

エラゴンの胸《むね》に熱いものがこみあげ、目に涙《なみだ》があふれてきた。「セリーナ」ひとりつぶやく。母の名前と同じだ。お母さんだろうか? 苛酷《かこく》すぎる運命のせいで、ぼくを捨《す》てなくてはならなかったのだろうか?「その人の運命のこと、もっと覚えてない?」エラゴンは胸が悪くなるのを感じた。

アンジェラは首をふり、ため息をついた。「ずっと昔のことだからねえ。くわしいことは、ほかのいろんな記憶《きおく》とまじってしまった。思い出したくもないようなことばかりよ。それに、覚えてることがあっても、話すつもりはない。あれは彼女の運命。彼女だけのものだからね。でも、とても悲しいものだった――あのときの彼女の表情《ひょうじょう》だけは忘《わす》れないわ」

エラゴンは目を閉《と》じて、こみあげる感情を必死でおさえようとした。「ずっと昔とか、いろんな記憶とかいっても」自分の気をまぎらわすためにいう。「あなたはそんなに年よりじゃないでしょう?」

アンジェラの頬《ほお》にえくぼが浮《う》かんだ。「そういってくれるとうれしいけど、惑《まど》わされちゃだめ。あたしは見た目よりずっと年なの。若《わか》く見えるのは、景気が悪くなるたびに、自分の薬草ばかり食べてるからよ」

エラゴンはほほえんで、深く息をすった。もし、その人がぼくのお母さんで、自分の運命を知るこ

とにたえられたのなら、ぼくだってたえられる。「その骨《ほね》を、ぼくのためにふって」エラゴンは真剣《しんけん》な口調でいった。

アンジェラは表情《ひょうじょう》をあらため、両方の手で骨をつかんだ。目を閉《と》じ、口のなかでひとしきりぶつぶつつぶやくと、とつじょ力強い声で「マニン！　ウィアダ！　フギン！」とさけび、骨を放った。淡《あわ》い光に照らされながら、骨は布《ぬの》の上にばらばらになって落ちた。

アンジェラの言葉が、エラゴンの耳のなかに響《ひび》きわたった――聞き覚えのある言葉。古代語で、しかも魔法《まほう》を使うときの言葉――アンジェラは魔女なのかもしれない。彼女のいったとおり、これはきっと本物の運勢占《うんせいうらな》いなのだ。アンジェラが骨をにらみ続けるあいだ、時間はのろのろと流れた。

やがて彼女は体を起こし、深々とため息をついた。眉《まゆ》の汗《あせ》をふき、カウンターの下からブドウ酒の皮袋《かわぶくろ》を取り出す。「あんたも飲む？」エラゴンは首をふった。アンジェラは肩《かた》をすくめ、酒をのどに流しこんだ。「これは」彼女は口をぬぐいながらいった。「今まででいちばんの難問《なんもん》だわ。あんたのいうとおり。読みとるのは至難《しなん》の業《わざ》ね。これほど複雑《ふくざつ》に入り組んだ運勢は見たことがない。まあでも、いくつかの答えはひねり出せた」

ソレムバンが上から飛びおりてきて、カウンターの上でふたりを見守った。アンジェラが一本の骨をさすと、エラゴンは手をにぎりしめた。「これからはじめるわ」彼女はゆっくりと口を開いた。「これがいちばんわかりやすい」

その骨には、長い横線と、その上に丸い模様《もよう》がきざまれている。「無限《むげん》、あるいは長い長い命」アンジェラが静かに語る。「人の未来にこんなものが出たのは初めて。たいていはポプラか楡《にれ》か、人の命としては標準的《ひょうじゅんてき》な寿命《じゅみょう》が現《あらわ》れるものだから。これは、あんたが永遠《えいえん》に生き続けるか、とてつもなく長生きするってこと。どっちなのかよくわからない。なにしろ、あんたの未来には、果てしない歳月《さいげつ》

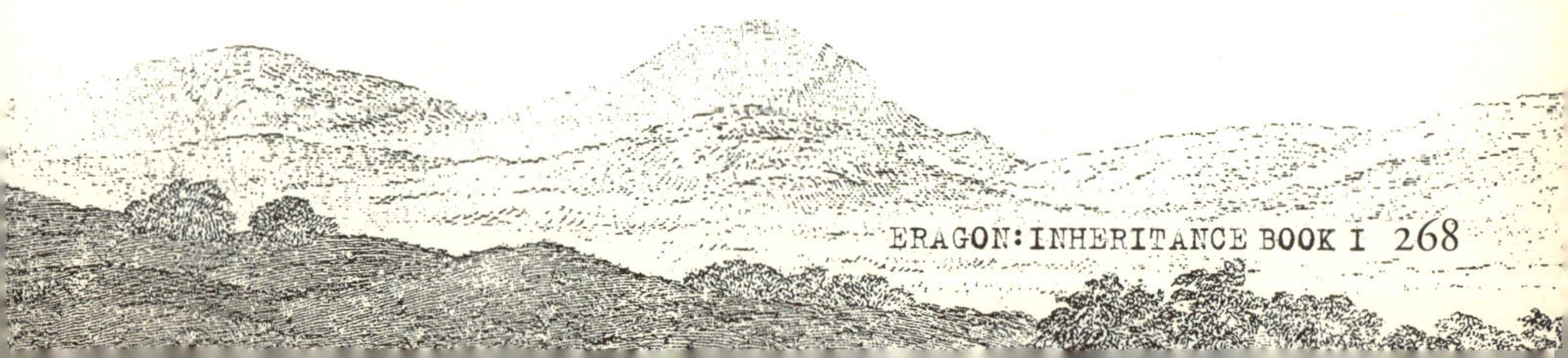

が待ち受けているということね」

べつにおどろかないよ。ぼくはライダーだから。エラゴンは思った。アンジェラは、ぼくがすでに知っていることをいうだけなんだろうか？

「さて、残りの骨はこんなに複雑にかさなっている。読みとるのがむずかしいわね」アンジェラは三本の骨に手を触《ふ》れた。「この三本は、さまよえる道と光る稲妻《いなずま》と航海する船——聞いたことはあるけど、こんなかさなりを見るのは初めて。さまよえる道は、未来に多くの選択肢《せんたくし》があることをしめしている。そのうちのひとつは、あんたがすでに直面していることだわ。まわりには熾烈《しれつ》な戦いが巻《ま》きおこっている。あんたのために戦っている者もいる。この国の強大な力が、あんたの意志《いし》と運命を意のままにしようと必死になっているんだわ。あんたの未来にはいく通りもの可能性《かのうせい》がある——どれもこれも血と争いに満ちたものばかりだけど、ただひとつだけ、幸せと平和をもたらすものがある。道を見失わないようにするのよ。あんたは、自分の運命を自由に選択できる数少ない者のひとりなんだから。この自由は天賦《てんぷ》のものだけど、鎖《くさり》でしばられるよりきつい責任《せきにん》でもある」

そこで、アンジェラの顔がかげった。「そして、これをさまたげるかのように、ここに光る稲妻がある。恐《おそ》ろしく不吉《ふきつ》なもの。悲しい運命がのしかかっているのが見える。具体的なことはあたしにもわからないけど、そのひとつは死——あっという間に訪《おとず》れ、あんたにはかり知れない悲しみをもたらす。でも、残りの悲運は長い旅のなかにある。ほら、この骨をよく見なさい。先端《せんたん》がこんなふうに、航海する船の上にのっている。これは読みちがえようのないことだわ。あんたはこの国を永遠に去る運命になっている。どこへ流れていくかは知らないけれど、二度とアラゲイジアの地に立つことはない。これはのがれられない運命よ。いくらさけようとしても、こうなることになっている」

エラゴンは彼女の言葉におののいた。また死だって……今度はだれが？　とっさに思い浮《う》かんだの

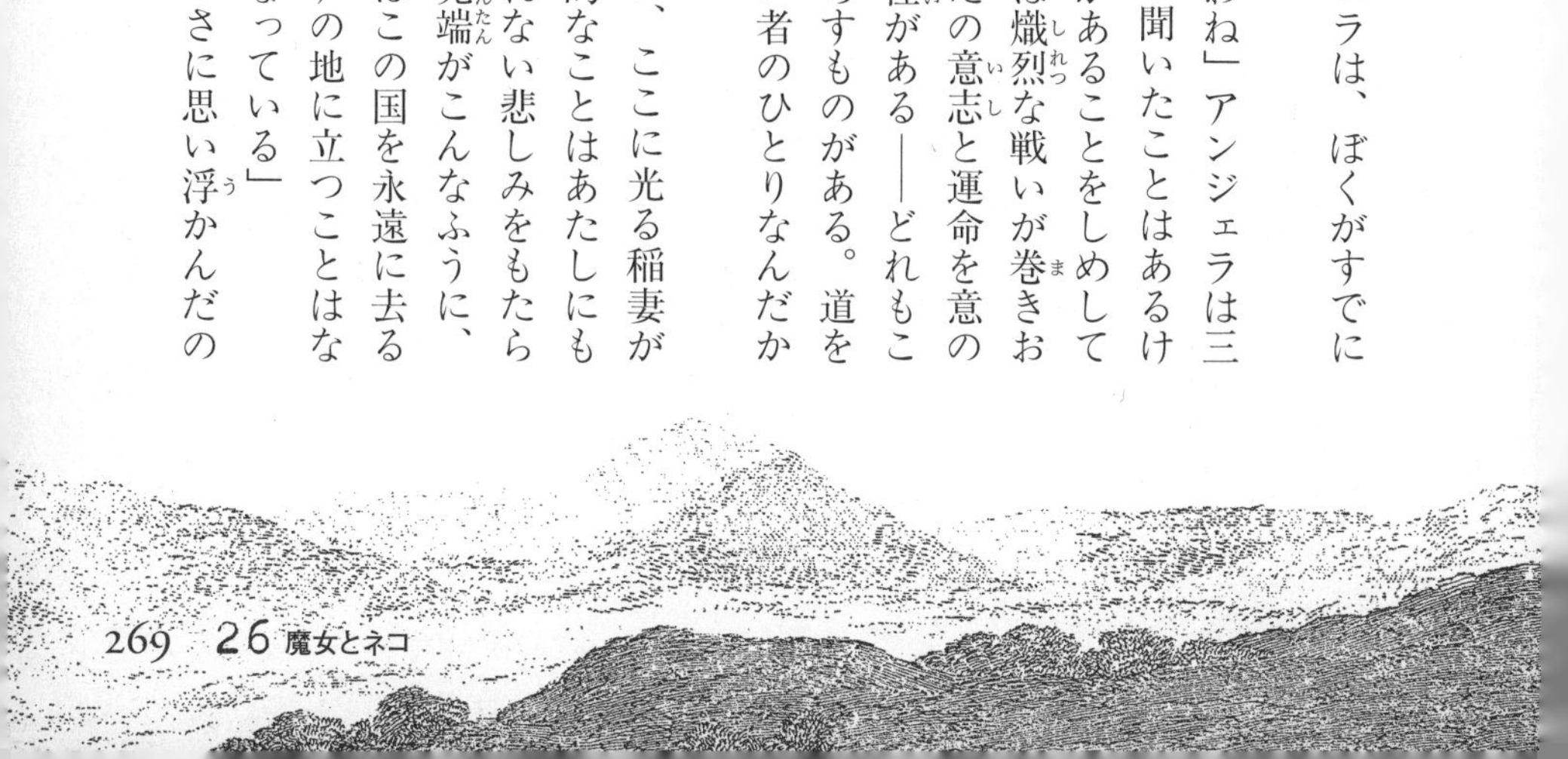

はローランだった。そして次に、故国《ここく》のことを思った。永遠《えいえん》に去るなんて、なぜだ？　どこに行けっていうんだ？　海のむこうか東の果てに国があるとしたら、そんな地はエルフしか知らないはず。

アンジェラはこめかみをさすり、深呼吸《しんこきゅう》をした。「次の骨《ほね》は読みやすいわ。それにちょっとうれしいことでもある」骨に目をこらすと、三日月型の角《つの》のあいだに、バラの花の模様《もよう》がきざまれている。

アンジェラは笑《え》みを浮《う》かべた。「あんたの未来には、叙事詩《じょじし》に残るような壮大《そうだい》なロマンスが待っている。三日月がそうしめしている——これは魔法《まほう》の記号だから。帝国《ていこく》が滅《ほろ》びても失《う》せないほど激《はげ》しい恋《こい》よ。ただし、結末が幸せかどうかは定かではない。あんたの愛する人は、先祖《せんぞ》代々続く高貴《こうき》な生まれの人。比類《ひるい》なき強さと、賢《かしこ》さと、美しさをもった人だわ」

　高貴な生まれ？　エラゴンはあっけにとられた。そんな人といったいどうやって？　ぼくなんて、貧《まず》しい農場の子でしかないのに。

「あとは残り二本の骨ね。木とさんざしの根がしっかりと交差している。さらに問題をふやすだけだから、こんなことはいいたくないんだけど——ここに、あきらかに裏切《うらぎ》りが見える。しかも、それはあんたの家族のなかにある」

「ローランはそんなことしない！」エラゴンはとっさにいい返した。

「あたしにはわからないわよ」アンジェラは慎重《しんちょう》にいった。「でも、骨はけっして嘘《うそ》をつかない。骨がそういってるの」

　エラゴンは心に忍《しの》びよる疑惑《ぎわく》をふりはらおうとした。いったいどんな理由があって、ローランが自分の敵《てき》になりうるというのか？　アンジェラはエラゴンの肩《かた》になぐさめの手をのせ、またブドウ酒をすすめた。それを飲むと、いくらか気持ちが落ち着いた。

「結局のところ、死ぬのがいちばんましってことかな」彼は吐《は》きすてるように冗談《じょうだん》をいった。ローラ

ンの裏切り？　まさか！　ぜったいにありえない！

「かもしれないわね」アンジェラはまじめな顔でこたえ、かすかに笑った。「でも、まだ起きてもいないことで悩《なや》む必要はない。未来があたしたちを苦しめる唯一《ゆいいつ》の方法は、不安をあおることよ。お日さまの下に出たら、きっと気分が晴れる。保証《ほしょう》するわ」

「そうだね」エラゴンは皮肉をこめて思った。残念ながら、じっさいに起きてからじゃないと、彼女のいっていることは理解《りかい》できない――いや、じっさいに起きるとしたらだ。エラゴンは心のなかでいい直した。「さっき、古代の言葉を使ったよね」エラゴンは静かにいった。

アンジェラの目が光った。「あんたの人生がどうなるのかを見るために、それについては内緒《ないしょ》にしておくわ。魔法のネコと話せて、古代語を知っていて、世にもめずらしい未来が待っていて、文無しでぼろ服をまとった旅の若者《わかもの》が、高貴な女性《じょせい》から愛される？　そんなの、ざらにあることじゃない。あんた、いったいだれ？」

エラゴンは気づいた。魔法のネコは、彼がライダーであることをアンジェラに話していないのだ。

「エヴァン」といいかけて思い直し、正直にこたえる。「エラゴン」

アンジェラは眉《まゆ》をつりあげた。「それはあんたの正体？　それともたんなる名前？」

「どちらでもあるんだ」初代ライダーという名前の由来を思い出し、エラゴンは軽くほほえんだ。

「あんたの人生がどうなっていくか、ますます気になってきたわ。昨日いっしょだったみすぼらしいおじいさんはだれ？」

これもまた、正直にこたえてもかまわないだろうと思った。「ブロムっていうんだ」

とつじょ、アンジェラがゲラゲラと笑いだした。腹《はら》をかかえ、あごがはずれるほど笑いころげると、涙《なみだ》をふいてブドウ酒をひと飲みし、またこみあげる笑いをこらえる。やがて、息もたえだえに声

をしぼり出した。「ああ……あの人が！　ちっとも気づかなかった！」

「なんのこと？」エラゴンはせっついた。

「いえ、あわてないで」アンジェラが笑いをおし殺していう。「なんてことはないのよ――ただね、あの彼は、あたしの同業者仲間ではよく知られた人なのよ。こういっちゃなんだけど、あの哀《あわ》れな老人の悲運――いえ、運命は、あたしらのあいだじゃ、ちょっとした笑い話になってってね」

「侮辱《ぶじょく》するな！　彼はあんたの知ってるだれよりもりっぱな人なんだ！」エラゴンはいい放った。

「シーッ、落ち着いて」アンジェラが愉快《ゆかい》そうに彼をたしなめる。「わかってるわ。いずれ時期が来てまた会えたら、ちゃんと話してあげる。だけどそれまでは――」アンジェラは、ソレムバンがふたりのあいだに歩いてきたのを見て、口を閉《と》じた。魔法《まほう》のネコはまばたきもせず、エラゴンをじっと見すえた。

〈なんなの？〉エラゴンはいらいらしてたずねた。

〈今から話すふたつのことを、しっかりと頭に入れておけ。いつの日か武器《ぶき》が必要になるときが来たら、メノアの木の下をさがすこと。なにもかも失い、おまえの力が足りないと感じたときは、〈クシアンの岩〉へ行って、自分の名をとなえ、〈魂《たましい》の部屋〉をあけること〉

意味を問いただす間もなく、ソレムバンはしなやかに尾《お》をふりながら、歩み去っていった。アンジェラが小首をかしげる。豊《ゆた》かな巻《ま》き毛《げ》で額《ひたい》が暗くかげった。「ソレムバンがなにをいったのか、あたしは知らないし、知りたくもない。彼はあんただけに話したんだからね。だれにもいってはいけないよ」

「そろそろ帰らなくちゃ」エラゴンは悄然《しょうぜん》としていった。

「そうね」アンジェラは笑《え》みを浮《う》かべた。「あんたさえよかったら、好きなだけここにいてもかまわ

ないのよ——店のものを買ってくれるなら、もっといいんだけど。でも、帰りたいならどうぞお帰り。いろんなことを聞かせすぎたから、ひとりでじっくり考えたいでしょう」

「うん」エラゴンは足早に扉《とびら》へむかった。「運勢《うんせい》を読んでくれたこと、どうもありがとう」そういうべきなんだろう?

「どういたしまして」アンジェラは笑顔のままこたえた。

店を出たエラゴンは、道の真ん中で足をとめ、目を細くして明るさに目がなれるのを待った。聞かされたことを落ち着いて考える気になるには、しばらくかかりそうだった。歩きだすと足は無意識《むいしき》のうちに速くなり、ティールムの外へ走りだし、サフィラの隠《かく》れ家《が》に近づくころには全速力で駆《か》けていた。

崖《がけ》の下でサフィラに呼《よ》びかけた。一分ほどして舞《ま》いおりてきたサフィラは、エラゴンを崖の上まで運びあげた。安全な場所に落ち着くと、エラゴンはサフィラに昨日からの出来事を話して聞かせた。

〔やっぱり〕彼は最後にいった。〔ブロムのいうとおりだよ。ぼくはいつもめんどうなことに巻きこまれてしまう〕

〔魔法のネコがいったことは、しっかり覚えておいたほうがいい。大切なことだから〕

〔どうしてそう思うの?〕エラゴンは気になってたずねた。

〔よくわからないが、ネコのいった名前には力を感じる〕サフィラは、クシアンという言葉を、心のなかで響《ひび》かせた。〔そう、あの言葉はぜったいに忘《わす》れてはいけない〕

〔ブロムにも教えたほうがいいかな?〕

〔それはあなたが決めること。でも、これだけはいえる——ブロムにはあなたの未来を知る権利《けんり》はない。ソレムバンのことや彼のいった言葉を伝えれば、あなたがこたえたくないことまでたずねられる

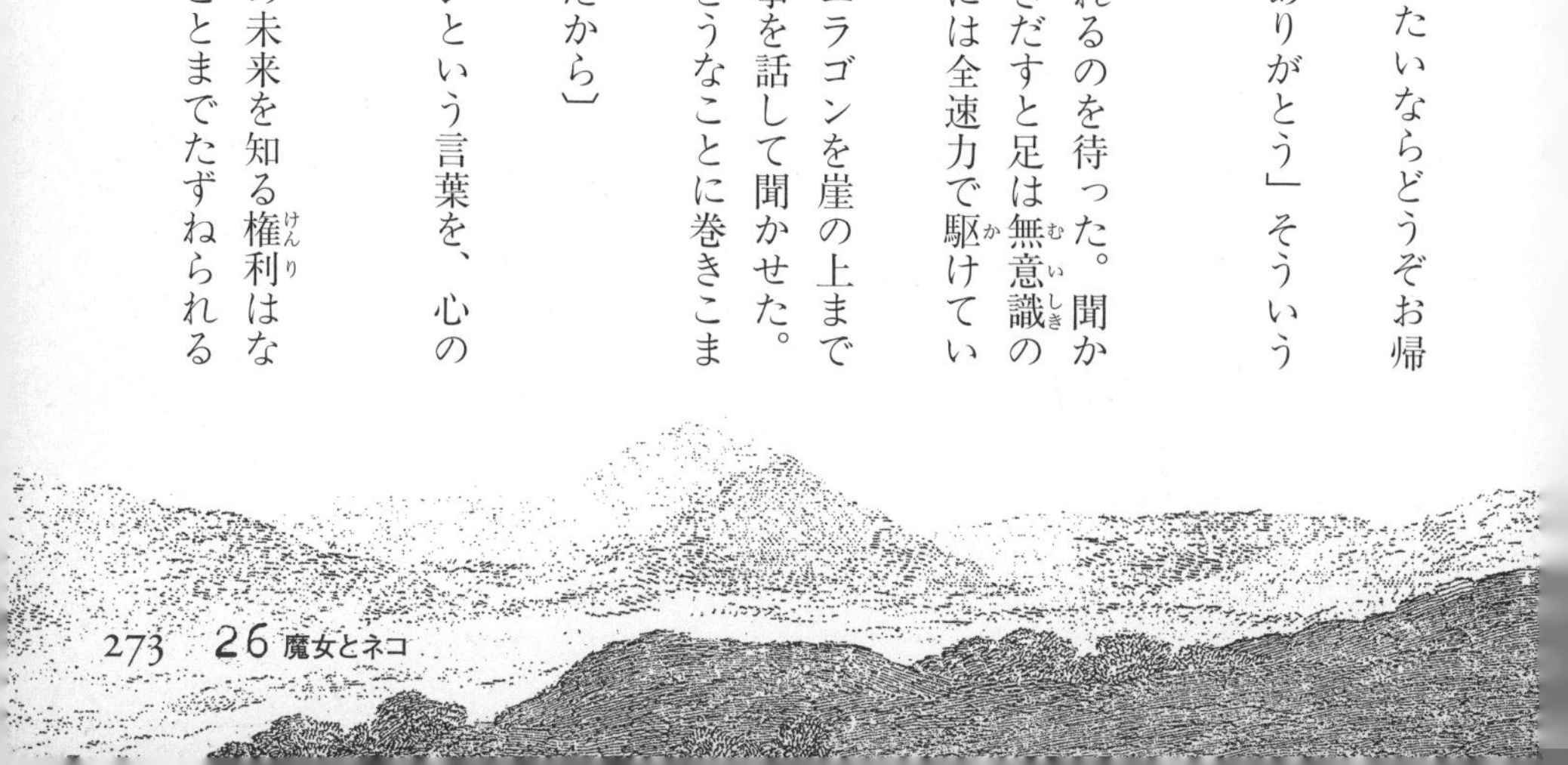

ことになる。言葉の意味だけたずねても、そんなことをどこで知ったのかと、ブロムは問いただすにちがいない。彼を納得《なっとく》させられるような嘘《うそ》がつけるか?」

〔無理だ〕エラゴンは認《みと》めた。〔きっとなにもいえないよ。でも、こんな重大なこと、本当にかくしておいていいんだろうか〕ふたりはたがいの気持ちをとことん話しあうと、仲良く腰《こし》をおろし、日が暮《く》れるまでただ木立をながめていた。

　エラゴンは急いでティールムにもどり、ほどなくジョードの家の扉《とびら》をたたいた。「ニールは帰ってますか?」執事《しつじ》にたずねる。

「はい。書斎《しょさい》にいらっしゃるはずです」

「ありがとう」エラゴンは足早に書斎へむかい、なかをのぞいた。ブロムは暖炉《だんろ》の前にすわり、タバコをくゆらせている。「どうだった?」エラゴンはきいた。

「どうもこうもないわい!」ブロムはパイプをもったまま、うなった。

「ブランドと話したんだね?」

「なんの収穫《しゅうかく》もなかったがな。この貿易執行官《ぼうえきしっこうかん》というやつが、役人の典型のような最悪の男だった。なにがなんでも規則《きそく》を曲げられんというのじゃ。民《たみ》にどんなに不便をかけようと、よろこんで我《が》を通そうとする。しかも、それが正しいことだと信じておる」

「じゃあ、記録を見せてくれないって?」

「そうじゃ」ブロムは憤懣《ふんまん》やるかたない。「どうなだめすかしても、頑《がん》としてゆずらんのだ。わいろさえつっぱねたのだぞ!　相当な額《がく》をちらつかせたんだがな。まったく買収《ばいしゅう》も効《き》かんとは、あれほど高潔《こうけつ》なやつにはお目にかかったことがない。ああいう人物に会って初めて、欲深《よくふか》な相手のほうが、よほどあつかいやすいということがわかる」鼻息も荒《あら》くパイプをふかしながら、しばらくぶつぶつ文句《もんく》

をいい続けた。

ブロムの怒《いか》りが多少おさまると、エラゴンはためらうようにきいた。「それで、どうするつもり？」

「来週いっぱいかけて、おまえに読み方を教える」

「で、そのあとは？」

ブロムがにやりと笑う。「そのあとは、ブランドのやつを、あっといわせてやるわ」エラゴンはくわしく知りたいとせがんだが、ブロムは教えてくれなかった。

その日の夕食は、豪華《ごうか》なダイニングルームでとった。テーブルのはしにジョード、冷たい目をしたヘレンが反対はし、ブロムとエラゴンはそのあいだにむかいあってすわっている。きわめて具合の悪い位置関係だと、エラゴンは感じた。両わきの椅子《いす》はあえて空けてある。そのほうが、いくらかでも女主人の険悪《けんあく》な視線《しせん》からのがれられる。

料理が静かに運ばれてくると、ジョードとヘレンは無言のまま食べはじめた。エラゴンはふたりにならって食べながら思った。葬式《そうしき》の食事だってもっと明るいや。今まで、カーヴァホールでいくつもの葬式に出たことがある。思い出すと、どれも暗い雰囲気《ふんいき》だったが、これほどひどくはなかった。この雰囲気は異様《いよう》だった。エラゴンは食事のあいだじゅう、ヘレンのなかからふきこぼれる怒りを感じていた。

27 ある計画

ブロムは羊皮紙に木炭でルーン文字を書き、エラゴンにしめした。「これはaにあたる文字じゃ。覚えなさい」

こうして、エラゴンの読み方の勉強がはじまった。こんなに頭を使ったことなど初めての経験《けいけん》だが、彼はそれが楽しかった。ほかにすることもなく——ときに短気を起こすとはいえ——よい教師《きょうし》がいるおかげで、覚えはとても早かった。

やがて毎日の流れが決まってきた。朝目覚めると、厨房《ちゅうぼう》で朝食をとって書斎《しょさい》にこもり、アルファベットとルーン文字の発音を記憶《きおく》することに没頭《ぼっとう》する。目を閉《と》じると、心のなかで文字や言葉が踊《おど》りだすほどになった。勉強をしているとき、ほかのことはほとんど考えなかった。

夕食の前は、家の裏手《うらて》でブロムと剣《けん》の稽古《けいこ》をする。ジョードの家の使用人ばかりか、近所のこどもたちまでやってきて、目を丸くして打ちあいを見物した。そのあと時間があれば、部屋にこもってカーテンをぴたりとしめ、魔法《まほう》の練習をした。

唯一《ゆいいつ》の心配は、サフィラのことだった。毎夕会いに行っているとはいえ、ふたりがいっしょにいられる時間はかぎられている。日中ほとんどの時間、サフィラは何キロもはなれた場所で獲物《えもの》をさがし

ている。ティールムの近くで狩《か》りをすれば、どうしても人目を引いてしまうからだ。エラゴンはサフィラのためにできるだけのことをしていたが、彼女の空腹《くうふく》と孤独《こどく》をいっぺんに晴らすには、町を遠くはなれるしかないことはわかっていた。

ティールムの町には、不気味な情報《じょうほう》が流れこんでいた。町を訪《おとず》れた商人たちの話によると、沿岸《えんがん》一帯の町で恐《おそ》ろしい襲撃事件《しゅうげきじけん》が続発しているらしい。影響力《えいきょうりょく》のある人物たちが深夜、自宅《じたく》から消え、翌《よく》朝《あさ》めった切りの遺体《いたい》で発見されているというのだ。ブロムとジョードは声をひそめてよく事件のことを話しているが、エラゴンが近づくと急に口をつぐんでしまうのだった。

あっという間に日がたち、一週間がすぎた。まだ初歩の段階《だんかい》とはいえ、エラゴンはブロムの助けなしに、本一冊《さつ》を読みとおせるようになった。読み方は遅《おそ》いが、それは日を追うごとに速くなるはずだ。ブロムは太鼓判《たいこばん》をおした。「かまわんさ。これならば、わしの計画にじゅうぶん役に立つ」

午後、ブロムはジョードとエラゴンを書斎《しょさい》に呼《よ》びよせた。「おまえもわしらの手助けができるようになったことだし、そろそろ実行にうつそうと思う」彼はエラゴンをさしていった。

「なにを考えてるの？」

ブロムの顔に不敵《ふてき》な笑《え》みが浮《う》かんだ。ジョードはうめいた。「その顔——忘《わす》れもしない、われわれをめんどうに引きずりこんだときの顔だ」

「やや誇張《こちょう》の感はあるが」ブロムはいった。「あながちまちがってもいない。まあ、聞いてくれ。わしらはこれから……」

〔今夜かあした、町を出ることになったよ〕エラゴンは自分の部屋から、サフィラに伝えた。

〔ずいぶん急なこと。それで、あなたに危険《きけん》はないのか？〕

エラゴンは肩《かた》をすくめた。〔さあね。兵隊たちに追われながら、町を逃《に》げ出すことになるかもしれない〕サフィラから不安感が伝わってくる。彼は安心させようとしていった。〔だいじょうぶだよ。ブロムもぼくも魔法《まほう》が使えるし、剣《けん》も強いんだから〕

ベッドにころがり、天井《てんじょう》を見つめると、手がかすかにふるえ、のどの奥《おく》がしめつけられるような気がした。眠《ねむ》りにすいこまれながら、混乱《こんらん》の波がおしよせてくるのを感じた。ぼくはティールムを出たくないんだ。ふいに気づく。ここの生活はとっても——まともだった。毎日移動《いどう》して歩かずにすむって、こんなにいいことだったのか。ティールムに住んで、ほかの人たちと同じように暮《く》らせたら、どんなにすばらしいか。そしてまた、べつの考えが割《わ》りこんでくる。でも、サフィラがいるかぎり、ぼくはみんなと同じにはなれない。ぜったいに。

夢《ゆめ》がエラゴンの意識《いしき》を支配《しはい》し、勝手な方向へねじ曲げ、みちびこうとしていた。彼はいくたびか恐《きょう》怖《ふ》におののき、またときには楽しげに笑った。が、やがてなにかが変わった——まるで、生まれて初めて目が開かれたかのように——かつて見たことのないほど、あざやかな夢が目前に現《あらわ》れた。

若《わか》い女の人がいる。冷たくてかたい檻《おり》のなか、鎖《くさり》でつながれ、悲しげにうずくまっている。壁《かべ》の高いところに柵《さく》のついた窓《まど》がある。そこから月明かりがさしこんで、女の人の顔を照らしている。涙《なみだ》がひと筋《すじ》、頬《ほお》を伝う。まるでダイヤモンドのしずくのように。

エラゴンははっと飛び起きた。わけもわからずひとしきり泣いたあと、また短い眠りに落ちていった。

28
侵入《しんにゅう》

昼寝《ひるね》から覚めると、黄金色《こがねいろ》の夕焼けが輝《かがや》いていた。部屋には赤や朱色《しゅいろ》の光線がさしこみ、ベッドの上を横切っている。背中《せなか》を暖《あたた》める光が心地《ここち》よく、なかなか動く気になれない。うとうとしているうちに、日の光はベッドをはなれ、体が寒くなってきた。太陽は海と空を赤々と染《そ》めながら、水平線にしずんだ。さあ、時間だ！

弓と矢筒《やづつ》は背負い、ザーロックは部屋に置いていくことにした。剣《けん》をもつと、動きが鈍《にぶ》くなるし、もっていたとしても使うのは気が進まない。相手の動きをとめたいときは、魔法か弓を使えばいい。シャツの上に胴着《どうぎ》をつけ、しっかりと結んだ。

エラゴンは部屋のなかで、光が消えていくのをじりじりと待った。やがて廊下《ろうか》に出ると、肩《かた》を上下させて背中の矢筒の位置を整え、歩きだした。剣と杖《つえ》をもったブロムも加わった。

家の外で、黒い胴衣とタイツ姿《すがた》のジョードが待っていた。腰《こし》には細身の美しい長剣と革《かわ》の巾着袋《きんちゃくぶくろ》をさげている。ブロムがその長剣に目をやった。「その剣じゃ、実戦ではたよりないな。幅《はば》の広い段平《だんびら》や、フェンシング用の長いフランベルジュでかかってこられたら、どうする？」

「現実的《げんじつてき》じゃないな」ジョードがいった。「衛兵《えいへい》がフランベルジュをもっているわけがないだろう。

それに、この剣《けん》は段平《だんびら》より動きが速い」

ブロムは肩《かた》をすくめた。「しょせんおまえの首じゃ」

三人は夜警《やけい》や兵士たちの目にとまらぬよう、さりげない様子で歩きだした。エラゴンの心臓《しんぞう》は緊張《きんちょう》感《かん》で高鳴っていた。アンジェラの店の前を通るとき、屋根の上で一瞬《いっしゅん》、なにかが動く気配を感じた。見ると、なにもいない。掌《てのひら》がピリピリうずきだす。もう一度屋根に目をやったが、やはりなにも見えなかった。

ブロムはふたりを引き連れ、ティールムの外塀《そとべい》ぞいを進んだ。城《しろ》にたどり着くころには、空は真っ暗になっていた。ぴたりと閉《と》ざされた城砦《じょうさい》を見て、エラゴンは身ぶるいをした。こんなところに閉じこめられるなんて真っ平だと思った。ジョードは無言でふたりをみちびき、なに食わぬ顔で門へ歩いていった。

ジョードが門扉《もんぴ》をたたくと、小さな格子窓《こうしまど》があき、不機嫌《ふきげん》そうな門衛《もんえい》が顔をのぞかせた。「なんだ?」無愛想にうなる。吐《は》く息がラム酒くさかった。

「なかに入れてほしい」ジョードはいった。

門衛はジョードをじろじろとながめた。「なんでだ?」

「この子が、わたしの仕事場にとても大事なものを忘《わす》れてきた。すぐに必要なものなのだ」エラゴンはしおらしく頭をさげた。

門衛は顔をしかめた。早く酒にもどりたいのが見え見えだ。「どうでもいいが」腕《うで》をふっていう。「そいつにびしっと仕置きしとけよ」

「そうするよ」ジョードがこたえ、門衛は門の小さな扉《とびら》をあけてくれた。なかに入ると、ブロムは門衛にコインを数枚《すうまい》つかませた。

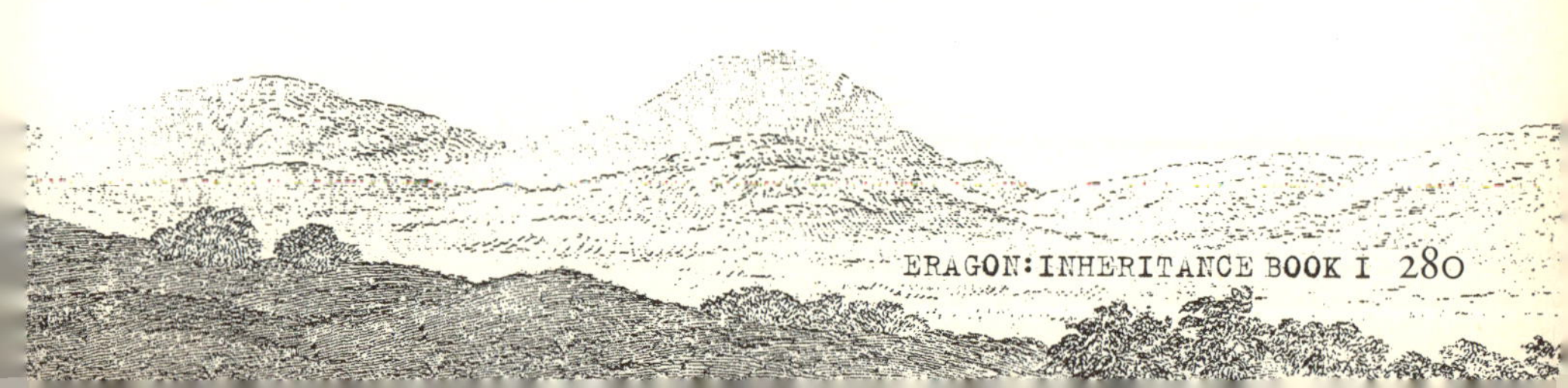

「ありがとよ」門衛はそういって、ふらふらと歩いていった。その姿《すがた》が見えなくなるとすぐ、エラゴンは筒《つつ》から弓を出して弦《つる》をはった。ジョードは足早にふたりを城の本丸へ案内していく。警備兵《けいびへい》の足音に耳をそばたてながら、目的の場所へと急いだ。記録台帳が保管《ほかん》されている部屋に着くと、ブロムは扉をおし、鍵《かぎ》がかかっているのをたしかめた。そして扉に手をのせ、エラゴンの知らない言葉をぶつぶつつぶやいた。カチッと小さな音を立て、扉は開いた。ブロムは壁《かべ》のトーチを取り、三人で部屋に入り、静かに扉をしめた。

広い部屋は木製《もくせい》の棚《たな》で占《し》められ、その上に巻物《まきもの》がうずたかく積みあげられている。ジョードはめざす巻物をもとめ、棚のあいだをぬって進んだ。やがて奥《おく》のほうで立ちどまった。「これだ」彼はいった。「ここにあるのが過去《かこ》五年間の船荷記録だ。すみの封印《ふういん》を見れば、日付けがわかる」

「それで、これからどうするの？」エラゴンは、ここまで見つからずに入ってこられたことに安堵《あんど》しつつたずねた。

「上から下へ順に調べていく」ジョードはいった。「なかには、税金《ぜいきん》の記録しかのっていないものがあるから、そういうのは飛ばしていこう。とにかくシーザー油と書かれてあるものを、かたっぱしから拾っていく」彼は巾着《きんちゃく》から長い羊皮紙を取り出して床《ゆか》にひろげ、インクつぼと羽根ペンを横にならべた。「見つけたものは、すべて書きとめておく」

ブロムはいちばん上の棚から巻物を腕でかかえとり、床に積みあげた。すわって一巻《いっかん》めを開いた。エラゴンは扉が見える位置にすわり、同じように巻物を開いていった。巻物のなかの手書き文字は、ブロムに教わったときの活字とはちがって読みにくい。エラゴンは、この単調な作業にことのほか手こずらされた。

全部の巻物のなかから北方地域《ちいき》の船だけにしぼって見ることにして、そうでないものはどんどんよ

けていった。それでも、シーザー油の記録をすべて書きとめるとなると、作業はなかなかはかどらない。

部屋の外は、ときどき夜警《やけい》の足音がするだけで、しんと静まりかえっている。ふいに、エラゴンは首筋《くびすじ》にチクチクと痛《いた》みを感じた。作業を続けようとしても、不快感《ふかいかん》はなくならない。いらだたしげに顔をあげたとたん、ぎょっとして身を引いた――窓《まど》の敷居《しきい》に小さな少年がうずくまっている。つりあがった目、ぼさぼさの黒髪《くろかみ》にささった柊《ひいらぎ》の小枝《こえだ》。

〔助けてほしいか？〕頭のなかで声が響《ひび》いた。エラゴンはおどろいて目を丸くした。ソレムバンの声にそっくりだ。

〔きみなの？〕エラゴンは信じられない思いでたずねた。

〔ほかのものに見えるか？〕

エラゴンは巻物《まきもの》に集中しようとして、息をぐっとのみこんだ。〔うん。ぼくの目がまちがっていなければ〕

少年がとがった歯を見せて、かすかにほほえむ。〔外見がどうなろうと、中身が変わるわけではない。わかってるだろうが、わが輩《はい》はだてに魔法《まほう》のネコと呼《よ》ばれているわけではないからな〕

〔こんなところでなにしてるの？〕エラゴンはたずねた。

魔法のネコは小首をかしげ、その問いがこたえるに値《あたい》するかどうか、考えている。〔それは、おまえがなにをしているかによるな。もし、その巻物をお遊びで見ているだけなら、わが輩がここにやってくる理由はないだろう。しかし、もしそれが非合法的《ひごうほうてき》なことで、だれにも見つかりたくないのなら、おまえに警告してやる必要がある。おまえたちが買収《ばいしゅう》した門衛《もんえい》は、交代の門衛におまえたちのことを伝え、帝国《ていこく》役人であるこの交代要員は、たった今、兵士たちにおまえたちをさがしに行かせた〕

〔教えてくれてありがとう〕エラゴンはいった。

〔なにか教えたか？　まあ、教えたんだろうな。あとは、それをうまく役立てるようすすめておく〕

少年は立ちあがり、ぼさぼさの髪をうしろにはらった。エラゴンはあわててたずねた。〔このあいだの木と部屋って、どういう意味だったの？〕

〔いったとおりの意味だ〕

もっとききたかったが、魔法のネコは窓《まど》のむこうへ消えていった。エラゴンはとうとつにいった。

「兵士たちがぼくらをさがしに来る」

「なぜわかる？」ブロムがきびしい口調でたずねる。

「門衛の話を盗《ぬす》み聞《ぎ》きした。交代の門衛がぼくらをさがすために兵士を出したんだ。早くここから逃《に》げなきゃ。今ごろもうジョードの仕事場に行って、空《から》だって気づいてるよ」

「本当なのか？」ジョードが問いかけた。

「本当さ！」エラゴンはやきもきしていた。「もうこっちへむかってる」

ブロムは棚《たな》から巻物をつかみとった。「かまわん。どうしても終わらせねば！」三人は猛烈《もうれつ》ないきおいで巻物を開き、記録を書きとめていった。最後の一巻《いっかん》が終わると、ブロムはそれを棚に放りあげ、ジョードは羊皮紙とインクとペンを巾着《きんちゃく》にもどし、エラゴンはトーチをもった。

大急ぎで部屋を飛び出し、扉《とびら》をしめたとき、廊下《ろうか》のはしから兵士たちの重いブーツの音が響《ひび》いてきた。三人は逃《に》げ出そうとした。と、ブロムが憤然《ふんぜん》としてうなる。「だめだ！　鍵《かぎ》をかけてない」扉に手をのせる。鍵がカチャリとかかったちょうどそのとき、武装《ぶそう》した三人の兵士の姿《すがた》が見えた。

「おい！　その扉からはなれろ！」ひとりがどなる。ブロムはおどろいた表情《ひょうじょう》を見せて、あとずさった。三人の兵士たちはつかつかと歩みよってきた。いちばん上背《うわぜい》のある兵士が大声でせまる。「保管《ほかん》

室《しつ》になんの用だ？」エラゴンは弓をにぎり直し、駆《か》けだせるよう身がまえた。

「あいにく、道に迷《まよ》ってしまった」ジョードの声から緊張感《きんちょうかん》が伝わってくる。首筋《くびすじ》に汗《あせ》の玉が流れている。

兵士はうさんくさそうに三人をにらみつけた。「部屋のなかを調べろ」べつの兵士に命じる。

エラゴンが息をつめて見守るなか、兵士は扉《とびら》に歩みよった。あくかどうかたしかめてから、鎧《よろい》をつけた拳《こぶし》でコツコツとたたく。「鍵《かぎ》がかかってます」

隊長があごをかきながらいう。「そうか。なんの用でここにいるのか知らんが、扉に鍵がかかってるなら、捕《と》らえることもないだろう。さあ、行くぞ」兵士たちは三人をとりかこみ、門のほうへ誘導《ゆうどう》しはじめた。

信じられない。エラゴンは思った。あっさり逃《に》がしてくれるなんて！

正門まで来ると、兵士は指をさしていった。「さあ、そこから出ていくんだ。ここでちゃんと見はってるから、おかしなまねはしないほうがいい。まだ用事があるなら、あしたの朝出直してくるんだな」

「そうするよ」ジョードはこたえた。

エラゴンは兵士たちのさすような視線《しせん》を背中《せなか》に感じながら、ブロムやジョードと足早に城砦《じょうさい》を立ち去った。うしろで門扉《もんぴ》がしまったとたん、彼は勝利の笑《え》みを浮《う》かべ、飛びあがってよろこんだ。ブロムはいましめの視線《しせん》をむけ、うなった。「ふつうに歩きなさい。祝うのは家に帰ってからだ」

しかられてまじめな表情《ひょうじょう》を装《よそお》ったが、エラゴンの心のなかはわきかえっていた。家へもどり、書斎《しょさい》へ入ると、エラゴンは大声でさけんだ。「大成功だ！」

「ああ。しかし、骨《ほね》を折った甲斐《かい》があるかどうか、わかるのはこれからじゃ」ブロムはいった。ジョ

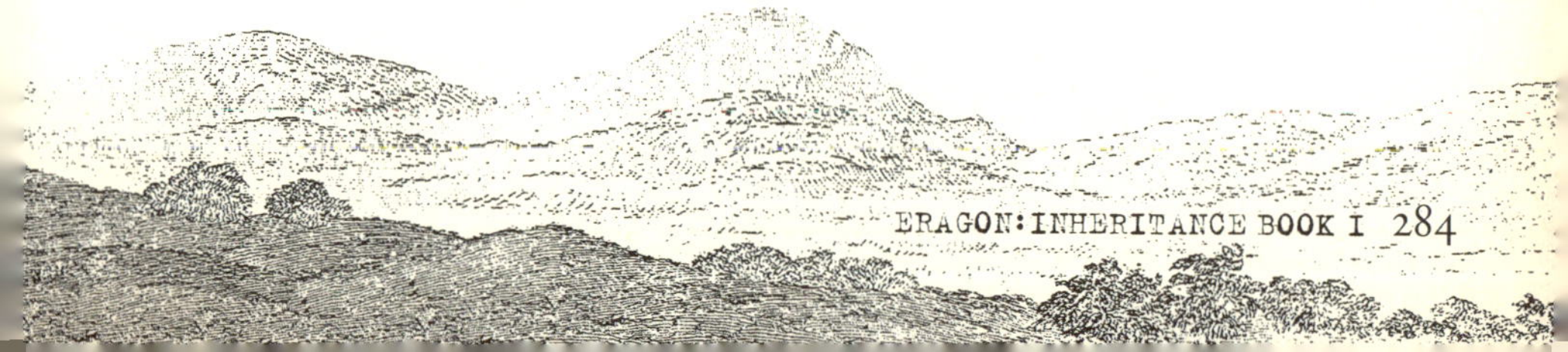

ードは本棚《ほんだな》からアラゲイジアの地図を取り出し、机《つくえ》の上にひろげた。

地図の左側には、大海が未知なる西方へとひろがっている。海岸ぞいに延々《えんえん》とのびるのはスパイン山脈。中央にはハダラク砂漠《さばく》——東側は白紙のままだ。その空白のどこかに、ヴァーデンたちが身をかくしているのだ。南端《なんたん》にあるサーダは、ライダーが滅《ほろ》びたあと、帝国《ていこく》から分かれた小国だ。サーダ国がひそかにヴァーデンを支援《しえん》していると、エラゴンは聞いている。

サーダの東境《ひがしさかい》に近いところから、ビオアという名の山脈がつらなっている。この山脈については、いろいろと聞いたことがある。スパインの十倍の高さがあるというが、エラゴンは内心、それはあまりにも誇張《こちょう》にすぎるだろうと思っている。ビオア山脈の東端は、やはり空白だ。

サーダぞいの海には、五つの島が浮《う》かんでいる。ニエ、パーリム、ウデン、イリアム、ベアランド。ニエ島はつき出た岩ほどの大きさしかないが、いちばん大きなベアランド島には、小さな町がある。五島のはるか上、ティールムの沖《おき》にあるのはシャークトゥース島。さらに北には、こぶだらけの手のような形をした巨大《きょだい》な島がある。エラゴンは地図を見なくても、その島の名を知っていた。ヴローエンガード島。ライダーの先祖たちの故郷《ふるさと》だ。かつて栄えたその島は今すっかり荒《あ》れはて、不気味なけものたちに占領《せんりょう》され、空《から》っぽの貝のように海に浮かんでいる。ヴローエンガードの中心にあるのが、廃墟《はいきょ》と化したドル・アリーバの町だ。

カーヴァホールはパランカー谷の先に、小さな点のようにのっている。その真横に、平原をはさんでひろがるのがドゥ・ウェルデンヴァーデンの森だ。ビオア山脈と同じく、その東端は地図にない。森の西の一部は開拓《かいたく》されているが、深部は手つかずで未知のまま残っている。スパインよりさらにきびしい野生の森である。ごくまれに深部へ分け入ろうとする猛者《もさ》がいても、ほとんど狂人《きょうじん》、もしくはそれに近い状態《じょうたい》で帰ってくるという。

帝国《ていこく》の中央に位置するウルベーンを見て、エラゴンは悪寒《おかん》を覚えた。ガルバトリックス王は黒ドラゴンのシュルーカンをかたわらに置き、ここから国を統《す》べているのだ。エラゴンはウルベーンに指を置いた。「ラーザックはきっとこの町に隠《かく》れ家《が》をもっているはずだ」

「やつらの聖域《せいいき》が、そこだけでないことを祈《いの》ることだな」ブロムは抑揚《よくよう》のない声でいった。「さもなければ、おまえにはとても近づくことなどできん」地図をガサガサいわせながら、しわだらけの手でまっすぐにのばした。

ジョードは巾着《きんちゃく》から羊皮紙を出した。「船荷記録によると、この五年間、シーザー油は帝国の主要な町にまんべんなく運ばれている。わたしにいえるのは、どれも金まわりのいい宝石商《ほうせきしょう》の注文だということくらいだ。これだけの情報《じょうほう》では、ここからどうやって候補《こうほ》をしぼっていけばいいのか見当がつかない」

ブロムは地図の上を手でさっとなでた。「いくつか消去できる町があるじゃろう。ラーザックは王の望みとあらば、どんな土地へでも出向かねばならん。だとしたら、動くのに便利な町にいたほうがいい。国じゅうどこへでも容易《ようい》に移動《いどう》できるように」ブロムは興奮《こうふん》し、部屋のなかを歩きだした。「そこには、ラーザックが目立たずに行動できるくらいの大きな道が通っているはずだ。しかも、適《てき》度《ど》に商人の行き来する道でなければならん――乗り物に食わせる餌《えさ》など、妙《みょう》なものを買っても目立たぬようにな」

「たしかにそうだ」ジョードはうなずいた。「その条件《じょうけん》で行くと、北方の町は排除《はいじょ》してよさそうだな。ほかに大きな町はティールムにギリエド、シユノン。ティールムじゃないのはわかっているし、それより北にシーザー油が送られるとは考えにくい。ナーダの町など、小さすぎる。シユノンはあまりに遠すぎるし……残るはギリエドだけだ」

「ギリエドか」ブロムは認《みと》めた。「だとしたら皮肉なことじゃな」

「まあそうだな」ジョードがやんわりと相槌《あいづち》を打った。

「南方の町はどうなの？」エラゴンが口をはさんだ。

「南か」と、ジョード。「まずはウルベーンだが、いくらなんでもあそこはちがうだろう。ガルバトリックスの庭でシーザー油の犠牲者《ぎせいしゃ》が出れば、帝国が大量の油を購入《こうにゅう》したことが、伯爵《はくしゃく》やほかの貴族《きぞく》たちに容易《ようい》に気づかれるからな。まだほかにも候補地はあるか……どれもこれもそれらしく見えてきたな」

「うん」エラゴンはこたえた。「でも、油はそういう町すべてに送られているわけじゃないよ。その紙に書いてあるのは、クアスタ、ドラス＝レオナ、アロウ、ベラトーナだけだ。クアスタはラーザックが動くのにむいていない。沿岸《えんがん》にあるし、山にかこまれてるしね。アロウは貿易《ぼうえき》の中心だというけど、北のシユノンと同じで孤立《こりつ》しすぎている。残るはベラトーナとドラス＝レオナ。距離的《きょりてき》に近い町だ。このふたつのうちなら、ぼくはドラス＝レオナだと思う。大きいし場所もちょうどいい」

「そして、帝国の購入物資《ぶっし》がしばしば通過《つうか》する町でもある。ティールムからの荷もふくめて」ジョードはいった。「ラーザックが潜伏《せんぷく》するには最適《さいてき》な場所だ」

「では……ドラス＝レオナだとすると」ブロムはすわってパイプに火をつけた。「船荷記録はどうなっておる？」

ジョードは羊皮紙を見た。「ここだ。今年初め、ドラス＝レオナへのシーザー油の輸送《ゆそう》が三回ある。間隔《かんかく》が二週間ずつしか空いていない。すべて同じ商人から船積みされている。去年もその前の年も、同じことが起きている。ひとりの宝石商が、いや、たとえそれがある程度《ていど》の団体《だんたい》だったとしても、これほど大量の油を買うような巨額《きょがく》の金をもっているはずがない」

「ギリエドはどうじゃ？」ブロムが眉《まゆ》をあげる。

「ドラス＝レオナのほかに、このような形で船荷が送られている町はない。ギリエドには――」ジョードは羊皮紙をたたいた。「ここ数年、たった二回しかシーザー油は運ばれていない」彼はすこし考えてから言葉を継《つ》いだ。「それに、わたしたちは大事なことを忘《わす》れていた――ドラス＝レオナにはヘルグラインドがある」

ブロムはうなずいた。「おう、〈暗黒の門〉か。〈死の門〉ともいう。ずいぶん長いことその名を忘《わす》れておった。たしかにそうじゃな。ドラス＝レオナこそ、ラーザックにとって完璧《かんぺき》な地だ。よし、これで決まりだ。めざす場所はそこじゃ」

エラゴンはぱったりとすわりこんだ。精神的《せいしんてき》に疲《つか》れはて、ヘルグラインドがなにかさえきく気になれなかった。また追跡《ついせき》にもどれるんだから、よろこぶべきなんだろうな。それにしても、目の前に奈《な》落《らく》が口をあけて待ってるかのようだ。ドラス＝レオナ！　遠すぎるよ……。

カサカサと音を立て、ジョードが地図をゆっくりと丸めていく。彼はそれをブロムにわたした。

「これが必要になるだろう。おまえはこれから、わけのわからない地にまで旅しなければならないんだ」ブロムはうなずいて地図を受けとった。ジョードは友人の肩《かた》をたたいていった。「いっしょに行けなくて申しわけない。心のなかでは、ついていきたいと願っている。しかしそれ以外の自分が、年《ねん》齢《れい》や義務《ぎむ》を考えろといっているのだ」

「わかっておる」ブロムはいった。「おまえにはティールムでの生活がある。これからのことは、次の世代の者たちにまかせればいい。おまえはもう自分の役割《やくわり》を果たしたのだ。幸せに暮《く》らせ」

「おまえはどうなんだ？」ジョードがたずねる。「おまえの道に終わりはないのか？」

ブロムの口からうつろな笑いがもれた。「そりゃあるだろうが、まだしばらくは無理じゃな」パイ

プの火を消すと、彼らは疲れた体でそれぞれの部屋へもどった。エラゴンは眠《ねむ》る前、サフィラと交信し、その夜の冒険談《ぼうけんだん》を話して聞かせた。

29

失敗

翌朝《よくあさ》、エラゴンとブロムは馬屋から鞍袋《くらぶくろ》を出し、旅の支度《したく》を整えた。ヘレンは、ジョードとブロムが別れのあいさつをするのを、戸口で見つめていた。ふたりの男は厳粛《げんしゅく》な顔つきで手をにぎりあった。「元気でな、じいさま」

「おまえさんもな」ブロムがしゃがれた声でいう。彼は白髪《しらが》の頭をさげ、ヘレンにむき直った。「ご親切を感謝《かんしゃ》します。とても温かいもてなしだった」ヘレンが顔を赤くした。平手打ちでも食らわしそうだ、とエラゴンは思った。ブロムは落ち着いた様子で続けた。「あなたはいいご亭主《ていしゅ》をおもちだ。大事にしてやっていただきたい。彼ほど勇敢《ゆうかん》で意志《いし》の強い男は、ざらにいませんからな。だがそんな彼であっても、愛する人のささえなしには、大きな困難《こんなん》を切りぬけることができない」ブロムはもう一度頭をさげ、そっとつけ足した。「ほんの老婆心《ろうばしん》ですよ、奥《おく》さん」

ヘレンの顔を憤慨《ふんがい》と傷心《しょうしん》の色がよぎった。目を血走らせ、ぞんざいに扉《とびら》をしめた。ジョードはため息をついて、髪《かみ》に指をすべらせた。エラゴンはジョードの力ぞえに感謝の言葉を告げ、カドックに乗った。最後のあいさつをして、ブロムと彼は出発した。

ティールムの南門に着くと、門衛《もんえい》はちらりと見ただけでふたりをかんたんに通してくれた。巨大《きょだい》な

外塀《そとべい》をくぐるとき、エラゴンはなにかが動く影《かげ》に気づいた。ソレムバンだった。しっぽをピンとあげ、地面にうずくまっている。魔法《まほう》のネコは謎《なぞ》めいた視線《しせん》で、ふたりを見送った。町が背後《はいご》に消えるころ、エラゴンはブロムに問いかけた。「魔法のネコってなに?」

ブロムはおどろきの表情《ひょうじょう》を浮《う》かべた。「なぜとつぜんそんなことをきく?」

「ティールムで人が話してるのを聞いたんだ。現実《げんじつ》にいるわけじゃないんでしょう?」エラゴンは無知をよそおってたずねた。

「いや、現実にいる。ライダーが栄えていたころは、ドラゴンと同じくらい有名だった。諸国《しょこく》の王やエルフたちは、魔法のネコを友としてそばに置いたものじゃ——といっても、どこでなにをしようと彼らの自由だったがな。しかし、多くのことは知られておらん。残念ながら、今は子孫はあまり残っていない」

「魔法は使えるのかな?」

「よくはわからないが、たしかに変わった能力《のうりょく》をもっておる。いつも世の中の出来事に通じておるらしく、どうしたわけか、そこにみずからかかわろうとするのじゃ」ブロムは寒風をふせぐためにフードをかぶった。

「ヘルグラインドってどんなところ?」一瞬《いっしゅん》考えたあと、質問《しつもん》をした。

「ドラス=レオナに着いたらわかる」

ティールムが見えなくなると、エラゴンは意識《いしき》の手をのばして呼《よ》びかけた。〈サフィラ!〉心のなかの声があまりにも大きかったので、カドックがうるさそうに耳をぴくぴくさせた。

サフィラはこたえ、全速力で空を翔《か》けてくる。エラゴンとブロムは、雲間から飛び出す黒いしみを認《みと》めた。やがて翼《つばさ》を大きく羽ばたかせる低いうなりが聞こえてきた。輝《かがや》く太陽を背《せ》に受けて、翼のう

すい膜《まく》が透《す》きとおり、黒い血管の影《かげ》がくっきりと見えている。サフィラは一陣《いちじん》の風を巻《ま》きあげ、着地した。

エラゴンはカドックの手綱《たづな》をブロムにわたした。「昼飯のとき落ち合おう」

ブロムはどこか上《うわ》の空《そら》でうなずいた。「楽しんでおいで」サフィラを見て笑《え》みを浮《う》かべる。「また会えてうれしいよ」

〈わたしも〉

エラゴンはサフィラの肩《かた》に飛び乗り、しがみついた。サフィラは弾《はず》むように飛び立ち、尾《お》で風を切りながら上空へ翔《か》けのぼっていった。〈しっかりつかまって〉サフィラはそう声をかけると、筋肉《きんにく》を隆々《りゅうりゅう》とふくらませ、大きな輪を描《えが》いて宙返《ちゅうがえ》りをはじめた。エラゴンは興奮《こうふん》の雄《お》たけびをあげ、両手を放し、足だけでサフィラにしがみついた。

〈鞍《くら》に体をしばりつけずにこんな芸当ができるなんて、思ってもみなかったよ〉エラゴンは豪快《ごうかい》に笑っていった。

〈わたしも〉サフィラも、彼女なりに笑いながらいった。エラゴンはサフィラにしっかり抱《だ》きつき、ふたりは空の支配者《しはいしゃ》のように、自由に翔けまわった。

昼ごろになると、鞍をつけずに乗っていたせいで足がひりひりし、寒気で手や顔がかじかんできた。サフィラの鱗《うろこ》は温かいが、さすがに寒さから守ってもらうことはできない。昼飯どきに地上へおりると、エラゴンは両手をふところにおしこみ、日のあたる暖《あたた》かい場所を選んですわった。ブロムと食事をしているとき、エラゴンはサフィラにたずねた。〈昼からカドックに乗ってもいいか？〉ブロムの過去《かこ》について、くわしく問いただそうと決めていたのだ。

〈どうぞ。でも彼から聞いた話を、あとで教えること〉サフィラに計画を読まれていたことは、べつ

におどろきはしなかった。心的につながっている以上、かくしごとをするのは不可能《ふかのう》に近い。食事が終わると、サフィラは空へ飛び立ち、エラゴンはブロムとともに道を歩きだした。しばらくたったころ、カドックの歩調をゆるめ、話を切り出した。「話したいことがあるんだ。ティールムに着いたときからききたかったんだけど、今まで我慢《がまん》してきた」

「なんのことじゃ？」ブロムはいった。

エラゴンは一拍《いっぱく》間を置いた。「ぼくのまわりで知らないことがたくさん起きている。たとえば、〝友人〟ってだれなの？　あんたはどうしてカーヴァホールにかくれてたの？　ぼくはあんたを心から信用してる――だからこそいっしょに旅をしてるんだ。だけど、あんたが本当は何者なのか、なにをやろうとしているのか、どうしても知りたいんだ。いったいギリエドでなにを盗《ぬす》み出したの？　ぼくがしなければならないツアサ・ドゥ・オロスリムってなんなの？　ここまで来てしまったからには、ぼくだって知る権利《けんり》があるはずだ」

「おまえ、盗み聞きをしたな」

「たった一回だよ」

「まだまだ正しい作法を学ばねばならんようじゃな」ブロムはきびしい顔つきで、ひげをしごいた。

「自分にかかわりがあると決めつける根拠《こんきょ》はなんじゃ？」

「それは、とくにないけど」エラゴンは肩《かた》をすくめた。「ただ偶然《ぐうぜん》にしては、あまりにも妙《みょう》だなと思った。あんたがカーヴァホールに身をひそめているとき、ぼくがサフィラの卵《たまご》を見つけたこと、しかもあんたがドラゴン伝説にやたらとくわしかったこと。考えれば考えるほど、偶然じゃないような気がしてきた。前に見のがしていたことも、今になって思い返せば、はっきりと見えてくることがある。たとえば、あんたがどうしてラーザックのことを最初から知っていたか、あんたが近づいてきた

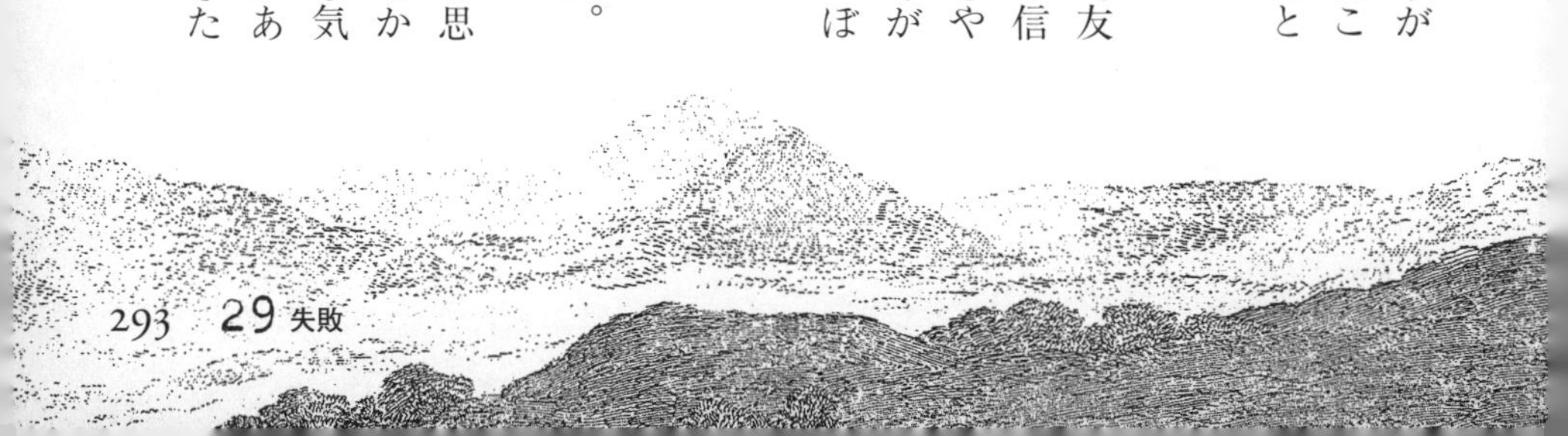

とき、なぜやつらがさっと逃《に》げていったか。そして、こう思えてきたんだ。サフィラの卵《たまご》がとつぜん現《あらわ》れたのも、あんたと関係があるんじゃないかって。とにかく、話してくれてないことが多すぎるんだよ。これからどんな危険《きけん》が待ってるかわからないんだ。サフィラもぼくも、知らないままじゃすまされないんだよ」

ブロムは手綱《たづな》を引いてスノーファイアをとめた。額《ひたい》に暗いしわがきざまれている。「もうすこし待てないのか？」エラゴンは断固《だんこ》として首をふった。ブロムがため息をつく。「おまえがそれほど疑問《ぎもん》を抱《いだ》かねば、事はもっとかんたんだったのだが。しかし、おまえがそういうやつでなければ、こうしてともに旅をする価値《かち》もなかったかもしれんな」エラゴンはほめられているのかどうか、はかりかねた。ブロムはパイプに火をつけ、羽毛のような煙《けむり》を空中に吐《は》き出した。「では、話そう」老人はいった。「しかしいっておくが、すべてを明かすわけにはいかんのだぞ」エラゴンは抗議《こうぎ》しかけたが、ブロムはそれを制《せい》した。「さしひかえるのは、わしの都合ではない。わし以外の者の秘密《ひみつ》を、勝手にあばくわけにはいかん。この物語には、ほかにもいろいろな話が織《お》りこまれておるのじゃ。残りを知りたかったら、それにかかわる者たちと話すしかないということだ」

「わかったよ。あんたが話せるところまで話して」エラゴンはいった。

「本当にいいのか？」ブロムはたしかめるようにいった。「わしのことをかくしてきたのには、それなりの理由があるのだぞ。おまえが強大な力によって引きさかれぬよう、わしが盾《たて》となって守りたかった。ひとたびその秘密を知り、やつらの目的を知ったとき、おまえにはもう平穏《へいおん》に生きる道はない。どちらにくみし、どちらと戦うか、選択《せんたく》せねばならんのだ。それでも、知りたいというのか？」

「知らないままでは、自分らしく生きられない」エラゴンは静かにいった。

「りっぱな志《こころざし》だな……よろしい、話そう。アラゲイジアでは今、ヴァーデンと帝国《ていこく》による熾烈《しれつ》をきわ

めた戦いがくりひろげられておる。しかもその戦いは、偶発的《ぐうはつてき》な武力衝突《ぶりょくしょうとつ》の域《いき》をこえ、すさまじく巨《きょ》大《だい》な闘争《とうそう》に……おまえをめぐっての権力《けんりょく》闘争に発展《はってん》してしまった」

「ぼく？」エラゴンはあっけにとられていった。「ありえないよ。ぼくはどちらとも、まったくかかわりがないんだ」

「今のところはな」ブロムが続ける。「じつは、おまえの存在《そんざい》そのものが、彼らの争いの対象となっておるのだ。ヴァーデンも帝国も、国土や民《たみ》を支配《しはい》するために争っているのではない。双方《そうほう》とも目的は、次の世代のライダーたちを支配すること。そのひとりめがおまえというわけじゃ。次世代のライダー族を制する者が、アラゲイジアの支配者になるのは明白な事実だからな」

　エラゴンはブロムの説明をなんとかのみこもうとした。が、自分やサフィラがそのように多くの者たちの関心を集めているとは、とうてい信じられなかった。だいいち、自分のことをこんなに重要視《じゅうようし》している者など、ブロム以外にいないではないか。帝国とヴァーデンが自分をめぐって争っているという考え自体、抽象的《ちゅうしょうてき》すぎて、まともに受けとめることなどできない。「でも、ガルバトリックスの味方の〈十三人の裏切《うらぎ》り者《もの》たち〉以外、ライダーたちはみんな殺されてしまったんだろう？　たしか、その連中でさえ、もう死に絶《た》えたはずだ。あんただってカーヴァホールでいってたじゃないか。ドラゴンがいまだアラゲイジアにいることを、知る者はいないって」

「ドラゴンのことは嘘《うそ》をついたのじゃ」ブロムは平然といった。「ライダー族が絶えても、ドラゴンの卵は三つ残っていた。すべてがガルバトリックスの手中にあったものだ――サフィラが孵《かえ》ったから、今はふたつだがな。ライダー族との最後の死闘のとき、その三つを王が救い出した」

「つまり、もうすぐ王に忠誠《ちゅうせい》を誓《ちか》う新しいライダーがふたり、生まれるということ？」エラゴンは重くしずんだ気持ちできいた。

「そのとおりだ」ブロムはこたえる。「それはそれはすさまじい競争《きょうそう》だ。ガルバトリックスは、卵《たまご》を孵《かえ》す人物を死にものぐるいでさがし出そうとし、いっぽうのヴァーデンはあらゆる手段《しゅだん》を使って、その候補者《こうほしゃ》を抹殺《まっさつ》し、あるいは卵を盗《ぬす》み出そうとしておる」

「だけど、サフィラの卵はどこから来たの？　だれがどうやって王のもとからもち出したの？　それに、どうしてあんたはそういうことを全部知ってるの？」エラゴンは途方《とほう》に暮《く》れていた。

「質問《しつもん》が多すぎるな」ブロムは苦々しげに笑った。「これらについては、もうひとつ別の物語があるのじゃ。おまえが生まれるはるか昔に起きた出来事だ。あのころ、わしはまだちょっとばかり若《わか》くてな、あまり利口ではなかった。じつは、ある明かせない理由があって、わしは帝国《ていこく》を心底憎《にく》んでおった。いかなる手を使ってでも、帝国に傷《きず》をつけたいと思っていた。そうした熱い思いに駆《か》られ、学者であるジョードのもとへむかったのだ。ジョードが、ガルバトリックスの城《しろ》への極秘《ごくひ》通路がしるされた本を見つけたからだ。わしはジョードを説きふせ、ヴァーデンのところへ連れていった。そして、わしの〝友人たち〟ヴァーデンは、卵を盗み出すことを実行にうつしたのじゃ」

〔ヴァーデンだったのか！〕

「ところが、なにかのまちがいが生じ、ヴァーデンが送った盗《ぬす》っ人《と》は卵を一個しか盗み出さなかった。しかも、なぜかその者は卵をもったまま逃亡《とうぼう》し、ヴァーデンにはもどってこなかった。それで、その男をさがして卵をとりもどすよう、ジョードとわしが送り出されたのじゃ」ブロムのまなざしが遠くを見るようになり、声色《こわいろ》が微妙《びみょう》に変わった。「というわけで、史上まれに見る大捜索《だいそうさく》合戦がはじまった。わしらの競争《きょうそう》相手は、ラーザックとモーザン――そう、王の忠実《ちゅうじつ》な僕《しもべ》であり、〈裏切《うらぎ》り者《もの》たち〉の生き残りだった男だ」

「モーザン！」エラゴンが口をはさんだ。「ライダー族をガルバトリックスに売りわたしたやつじゃ

ないか！」しかも、それは大昔の話だろ！　モーザンは古代の人物じゃなかったのか？　エラゴンはふと、ライダーが永《なが》く生き続けることを思い出し、あらためて当惑《とうわく》した。

「だから？」ブロムは眉《まゆ》をつりあげた。「むろん、やつはうんと年をとっていたが、凶暴《きょうぼう》で残酷《ざんこく》だった。最初に王につきしたがった男であり、その忠誠心《ちゅうせいしん》たるや、ほかにくらべる者がいなかった。わしらはかつて血を流しあった間柄《あいだがら》でもあり、卵の争奪戦《そうだつせん》は、個人的な戦《いくさ》の様相を呈《てい》していった。やがて卵がギリエドで見つかるや、わしらはすぐにそこへ飛んでいった。そこでモーザンとの戦いがはじまったのじゃ。恐《おそ》ろしく苛酷《かこく》な戦いだったが、結局わしはやつの息の根をとめた。戦いのさなか、ジョードとははぐれてしまった。さがしている時間などなく、卵をヴァーデンのもとへと運んだ。そこでわしはヴァーデンから、新しいライダーとなる者を教育するようたのまれたのだ。わしは承諾《しょうだく》し、以前、何度か訪《おとず》れたことのあるカーヴァホールにかくれることを決め、そこでヴァーデンからの連絡《れんらく》を待つことにした。しかし連絡が来ることはなかった」

「じゃあ、サフィラの卵がスパインに現《あらわ》れたのはなぜ？　王から別の卵が盗まれたの？」

ブロムは憮然《ぶぜん》としていった。「そんなことは不可能《ふかのう》だな。王は常時《じょうじ》、ふたりも警備《けいび》を置いて卵を守らせておる。盗み出すなど自殺行為《こうい》だわ。サフィラの卵はヴァーデンからもち出されたもの。どのような方法かは想像《そうぞう》できる。卵を運んでいた者は、それを守るため、魔法《まほう》によってわしのもとへ送ろうとしたにちがいない。

彼らがなぜ卵を失ったのか、それを説明する者はヴァーデンから来ておらん。おそらく、帝国に勘《かん》づかれ、彼らの密使《みっし》はラーザックに捕《と》らえられたにちがいない。ラーザックが必死でわしをさがそうとしていたから、こっちは次々と連中の裏《うら》をかくことを考えねばならなかった」

「じゃあ、ラーザックがカーヴァホールに来たのは、ぼくをさがすためじゃなかったの？」エラゴン

はおどろきの声でいった。

「そうじゃ」ブロムはこたえた。「スローンのくそったれが口を閉《と》じとれば、連中はおまえのことなど知るよしもなかった。そうなると、成り行きはずいぶん変わっておったじゃろう。まあ、おまえがいたおかげで、わしは命拾いしたんだがな。ラーザックがあんなふうにおまえに気をとられておらねば、わしは不意打ちを食らっていたにちがいない。語《かた》り部《べ》ブロムの最期《さいご》というわけじゃ。連中があわてて逃《に》げたのは、わしがあのふたりより強いとわかっとるからじゃろう。若《わか》いころはたしかに強かったからのう。だから、夜中に忍《しの》びこんでわしに薬でも飲ませ、卵《たまご》のことを吐《は》かせるつもりだったのだ」

「ヴァーデンには伝令を送ったの？　ぼくのことを知らせるために？」

「ああ。彼らはできるかぎり早く、おまえを連れて来てほしいと思うはずじゃ」

「だけど、あんたにその気は？」

　ブロムは首をふった。「ない」

「どうして？　ヴァーデンといっしょにいるほうが、ラーザックを追うより安全なんじゃないの？　ぼくが新しいライダーならなおさらそうだろう？」

　ブロムは鼻を鳴らし、いつくしむような目でエラゴンを見た。「ヴァーデン軍は危険《きけん》な集団《しゅうだん》でもある。彼らのところへ行けば、おまえはたちまちヴァーデンの政《まつりごと》や、謀略《ぼうりゃく》にからめとられてしまう。指《し》導者《どうしゃ》たちは、目的を達成するため、おまえに指令をあたえて送り出そうとするだろう。おまえにまだそこまでの力がそなわっていないとしてもだ。ヴァーデンに近づく前に、おまえにはしっかりとその下準備《したじゅんび》をさせておきたいのじゃ。少なくともこうしてラーザックを追っているあいだは、おまえの水に毒を入れられるのではないかという心配をせんですむからのう。同じ危険でも、こっちのほうがまだましじゃ。それに――」ブロムは顔をほころばせた。「わしの修行《しゅぎょう》を受けとるあいだ、おまえは楽しんでいられる……ツアザ・ド・オロスリムというのは、たんなる訓練の一段階《だんかい》じゃ。わしは、おまえがラーザックを見つけ出し――しかも、おそらくは殺すまで――手を貸《か》すつもりでおる。おまえの敵《てき》であるのと同様、やつらはわしにとっても憎《にく》き敵だからな。だがそうなったとき、おまえはいよいよ選択《せんたく》をせまられるのだ」

「それはつまり……?」エラゴンはおずおずときいた。

「ヴァーデンに加わるか否《いな》かだ」ブロムはいった。「ラーザックを討《う》ちとった時点で、おまえがガルバトリックスの逆鱗《げきりん》からのがれる道は、ヴァーデンの庇護《ひご》をもとめてサーダに飛ぶか、王の慈悲《じひ》にすがり、みずから帝国軍《ていこくぐん》に加わるか、どちらかしかない。たとえラーザックを殺さずとも、いつかはかならずこの選択に直面するときが来るだろうがな」

自分が聖域《せいいき》を得るとしたら、最善《さいぜん》の道はヴァーデンに加わることだろう。エラゴンにはそれがわかっていた。だが、ヴァーデンたちのように、一生帝国と戦い続ける人生など送りたくはない。エラゴンはブロムの言葉を噛《か》みしめつつ、あらゆる角度から思いめぐらしてみた。「ドラゴンのこと、あんたがどうしてそんなにくわしいか、まだ聞いてなかったよね」

「お、そうだったか?」ブロムが顔をゆがめて苦笑する。「それはまたの機会ということにしよう」

それにしても、どうしてぼくなんだろう? エラゴンは自問した。自分のどこがどう特別で、ライダーなどになってしまったのか? 「ぼくのお母さんに会ったことある?」彼はとうとつに問いかけていた。

ブロムは重苦しい顔つきになった。「ああ、ある」

「どんな人だった?」

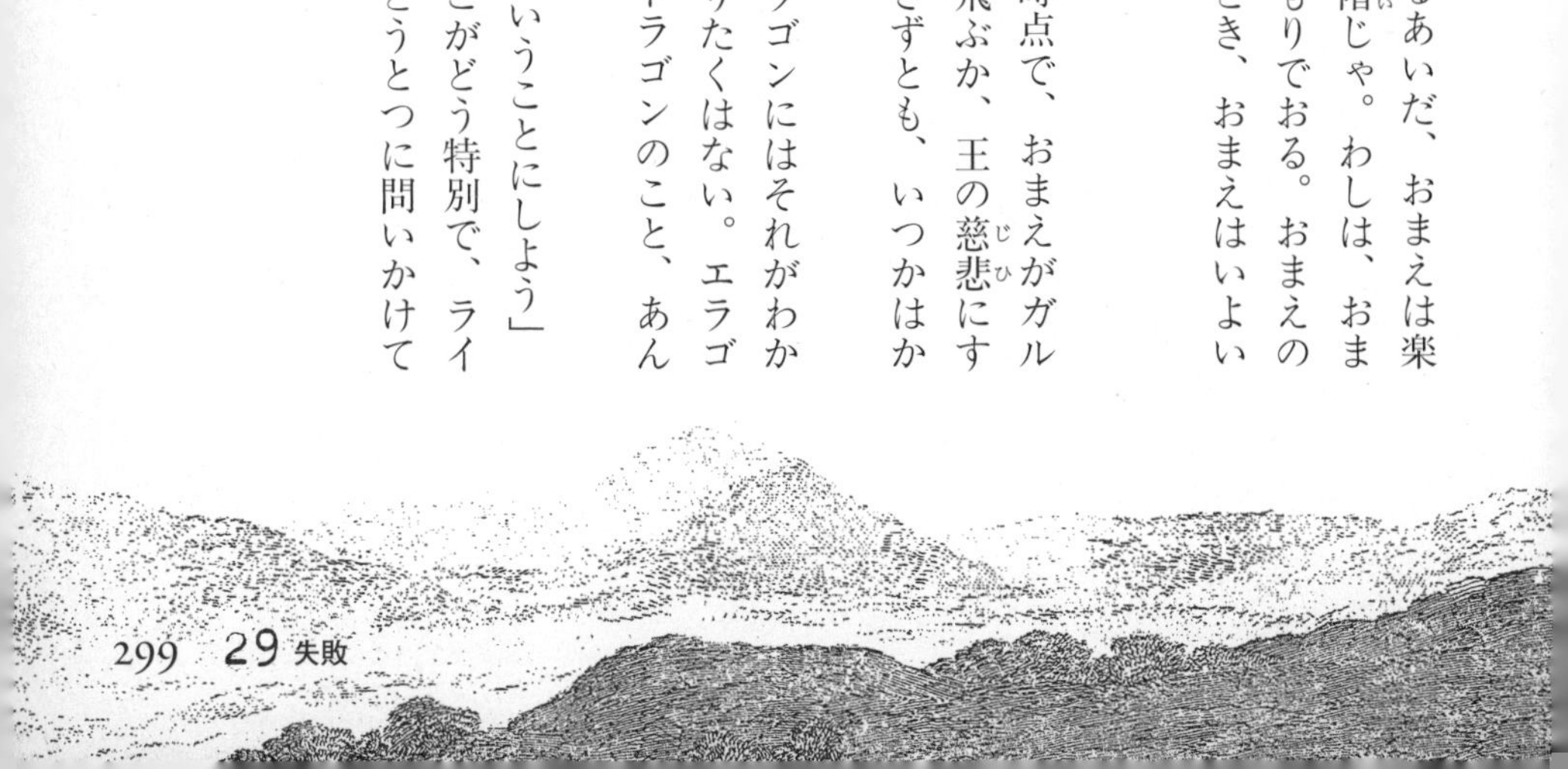

老人はため息をついた。「つねに威厳《いげん》と誇《ほこ》りを失わない人だった。ギャロウと同じようにな。結局、そのせいで彼女はつまずいてしまったのだが、しかし同時に、それが彼女の偉大《いだい》なる資質《ししつ》でもあった……たとえ自分がどんな身に置かれても、貧《まず》しい者や不幸な者たちをけんめいに助けようとしていた」

「お母さんのこと、よく知ってるの？」エラゴンはおどろいたようにたずねた。

「ああ。いなくなったとき、さびしく思うくらいにな」

エラゴンはカドックをゆっくり進めながら、物語を語るだけのみすぼらしい老人だったはずのブロムの姿《すがた》を思い出そうとした。そして、あのころの自分がなんと無知だったことかと、初めて思い知らされた。

エラゴンはサフィラに今日知ったことを話した。サフィラはブロムの告白に関心をよせながらも、ガルバトリックスの走狗《そうく》となるという考えには、強い拒絶反応《きょぜつはんのう》をしめした。最後にサフィラはいった。〈カーヴァホールに残らなくてよかったではないか。残っていたら、いろいろとおもしろい体験をしそこなうところだった！〉エラゴンは苦しげにうなってみせた。

その日の野営地《やえいち》でのこと。ブロムは夕飯の用意をはじめ、エラゴンは水をさがしに出かけた。寒さのなか両手をこすりあわせ、小川や泉《いずみ》の水の音をもとめて、周囲をぐるりと歩いていた。木々のあいだは陰気《いんき》で湿《しめ》っぽかった。

野営地からかなりはなれたところで小川を見つけた。岸にしゃがみこんで、岩にぶつかる水しぶきをながめながら指先を水にひたした。しびれるほど冷たい山の水が、指のまわりで渦《うず》を巻《ま》く。ぼくらがどうなろうと、いや、だれがどうなろうと、大自然はまったくおかまいなしだ。エラゴンはぶるっ

とふるえ、立ちあがった。
ふと見ると、むこう岸に見なれない足跡《あしあと》がついていた。奇妙《きみよう》な形、異様《いよう》な大きさ。エラゴンは気になって、反対側の岩場めがけて小川を飛びこえた。と、足をついたのが、ちょうど湿ったコケの上だった。あわてて近くの枝《えだ》をつかんだがあっさり折れ、転倒《てんとう》の衝撃《しょうげき》をおさえようと、とっさに手をつき出した。ころんだ瞬間《しゅんかん》、右の手首がポキッというのを感じた。鋭《するど》い痛《いた》みが腕《うで》をつきあがった。
大声をあげないよう、食いしばった歯の下で、延々《えんえん》と自分をののしり続けた。視界《しかい》がうすれるほどの痛みのなか、エラゴンは腕を抱《だ》きかかえ、地面に丸くなった。〔エラゴン!〕サフィラのうろたえた声が聞こえる。〔なにかあった?〕
〔手首を折った……ちょっとバカなことをして……ころんだんだ〕
〔今行く〕サフィラはいった。
〔だめだ、自分でなんとかできる。ここへは……来るな。木がこみあっていて、翼《つばさ》が……あぶない〕
サフィラから一瞬のイメージが送られてきた。森をつきぬけて彼のもとへむかってくる姿だ。彼女はいった。〔すぐに行く〕
エラゴンはうめいて、必死で体を起こした。足跡は一メートルほど先の地面に、くっきりときざまれている。太い飾《かざ》り釘《くぎ》つきのブーツ。とっさに彼は、ヤーズアックの遺体《いたい》の山のまわりに散乱《さんらん》していた足跡を思い出した。「アーガルだ」吐《は》きすてるようにいい、手もとにザーロックがないことを悔《く》やんだ。片手《かたて》だけでは、弓を引くことができない。ふいに顔をあげ、心のなかでさけんだ。〔サフィラ! アーガルがいる! ブロムを守ってくれ〕
エラゴンはふたたび小川を飛びこえ、狩猟《しゅりょう》ナイフを取り出して、野営地へむかって全力で駆《か》けだした。木々や藪《やぶ》のかげに敵《てき》がひそんでいないか、あたりに目を光らせながら。アーガルめ、ひとりであ

ってくれ。やがて野営地《やえいち》へ飛びこんだ。頭上にサフィラの尾《お》がふりあがり、おどろいて頭をさげる。

「やめろ、ぼくだ!」

〈あら、失礼〉サフィラがいう。その翼《つばさ》は、胸《むね》の前で壁《かべ》のように折りたたまれている。

「あら、失礼だと?」エラゴンはうなって、サフィラに突進《とっしん》した。「おまえ、ぼくを殺すところだったんだぞ!　ブロムはどこだ?」

「ここじゃ」ブロムの声が、サフィラの翼の下からはじけ出た。「おまえのいかれドラゴンに、早く放せといってくれ。わしのいうことでは聞かんのだ」

「放してやれ!」エラゴンは腹立《はらだ》ちまぎれにいった。「ブロムに話してないのか?」

〈話してない〉サフィラは弱々しくこたえた。〈あなたが、彼を守れとしかいわなかったから〉翼をもちあげると、ブロムがかっかして飛び出してきた。

「アーガルの足跡《あしあと》を見つけたんだ。まだ新しいものだった」

ブロムの顔がたちまち引きしまる。「馬に鞍《くら》をつけろ。ここを出るぞ」焚《た》き火《び》を消すブロムの横で、エラゴンは動こうとしない。「その腕《うで》、どうした?」

「手首を折った」体をふらつかせ、こたえた。

ブロムは悪態《あくたい》をつきつつ、エラゴンのかわりにカドックに鞍をつけた。馬に乗るのを手伝ったあと、彼はいった。「早くその腕に添《そ》え木《ぎ》をあてねばな。それまではなるべく動かさんようにするのだぞ」エラゴンは左手で手綱《たづな》をにぎりしめた。ブロムはサフィラにむかっていった。「もうすぐ暗くなる。おまえにはわしらの真上を飛んでほしい。たとえアーガルがおそいかかろうとしても、おまえの姿《すがた》を見れば躊躇《ちゅうちょ》するだろう」

〈それが賢明《けんめい》だろう。さもないと、やつらめ、躊躇すらできなくしてやる〉サフィラはそうこたえ、

飛び立っていった。

みるみるうちにあたりは暗くなった。馬は疲《つか》れていたが、休むことなく歩かせた。エラゴンの手首は赤く腫《は》れ、ズキズキ痛《いた》んでいた。野営した場所から一キロほどはなれたころ、ブロムが急に馬をとめた。「聞こえるか」彼はいった。

後方からかすかに、角笛《つのぶえ》の音が聞こえてきた。それがやむと、エラゴンは恐慌《きょうこう》におそわれた。「どうやらわしらのいた場所を見つけたようだな」ブロムがいった。「おそらくサフィラの足跡も見つかっただろう。やつらめ、すぐに追ってくる。獲物《えもの》を見すごすなど、やつらがするはずないからな」今度は、ふたつの角笛がふき鳴らされた。アーガルは間近にせまっているのだ。エラゴンは悪寒《おかん》が走るのを感じた。「こうなったら逃《に》げるしかあるまい」ブロムはいった。空をふりあおぎ、無表情《むひょうじょう》でサフィラに呼《よ》びかけている。

サフィラが暗い空から現《あらわ》れ、さっと地面におり立った。「カドックを置いて、サフィラといっしょに行け。そのほうが安全じゃ」ブロムが指示《しじ》をした。

「あんたはどうするんだよ？」エラゴンがいい返す。

「わしはだいじょうぶだ。さあ、行け！」口答えをする気力もなく、エラゴンはサフィラにまたがった。ブロムはスノーファイアにむち打ち、カドックを連れて走り去っていく。サフィラはあとを追い、駆《か》けていく馬たちの頭上を飛んだ。

エラゴンはできるだけ強くサフィラにしがみつき、そのゆれが手首に響《ひび》くたび、顔をしかめた。角笛が間近でとどろくと、新たな戦慄《せんりつ》がおしよせる。ブロムは限界《げんかい》まで馬をせきたて、低木のなかをつっ切っていく。すぐ近くで角笛がいっせいに鳴りわたり、次の瞬間《しゅんかん》、ぴたりとやんだ。

何分かがすぎた。アーガルのやつら、どこだ？　角笛が鳴った。が、さっきより遠くから聞こえて

くる。エラゴンはほっとしてため息をつき、サフィラの首によりかかった。地上ではブロムが全力疾《しっ》走《そう》をやめている。〔あれで終わりだったんだ〕エラゴンはいった。
〔でも、まだ油断《ゆだん》はでき――〕サフィラの言葉は、真下で大きくふき鳴らされる角笛《つのぶえ》の音にかき消された。エラゴンはぎょっとして体を起こし、ブロムはふたたびくるったように駆《か》けだしていった。
有角のアーガルたちは、野蛮《やばん》なさけび声をあげながら猛然《もうぜん》と馬を走らせ、ブロムの馬との距離《きょり》をつめている。老ブロムは連中に走り勝つことができない――発見されるのは時間の問題だ。〔なんとかしなきゃ！〕エラゴンはさけんだ。
〔なんとか？〕
〔アーガルたちの真ん前におりるんだ！〕
〔気はたしか？〕サフィラがきき返す。
〔おりるんだ！　自分がなにをしようとしてるかくらい、わかっている〕エラゴンはいった。〔だけど、ぐずぐずしちゃいられないんだ。あいつら、もうブロムに追いついてしまう！〕
〔わかった〕サフィラはアーガルたちの前方へ飛び、そこで向きを変え、地上へおりる体勢《たいせい》をとった。エラゴンは内なる力に意識《いしき》の手をのばし、いつもの抵抗《ていこう》を感じとった。彼自身と魔法《まほう》をへだてている心のなかの防壁《ぼうへき》だ。今はまだそれをつきやぶらずにおく。首の筋肉《きんにく》がピクピクと痙攣《けいれん》していた。
眼下《がんか》に突進《とっしん》してくるアーガルたちを見て、エラゴンは声をあげた。「今だ！」サフィラはとっさに翼《つばさ》をたたみ、木々の上空からまっすぐ急降下《きゅうこうか》、泥《どろ》や石を散らして道の真ん中に着地した。
アーガルたちはおどろきの声をあげ、乗っていた馬の手綱《たづな》を乱暴《らんぼう》に引いた。馬たちは足をつっぱり、ぶつかりあいながら急停止する。アーガルたちは即座《そくざ》にたがいの馬を引きはがし、武器《ぶき》をぬいてサフィラとむかいあった。そして嫌悪《けんお》の色をよぎらせ、サフィラをねめつけた。全部で十二人。醜《みにく》い

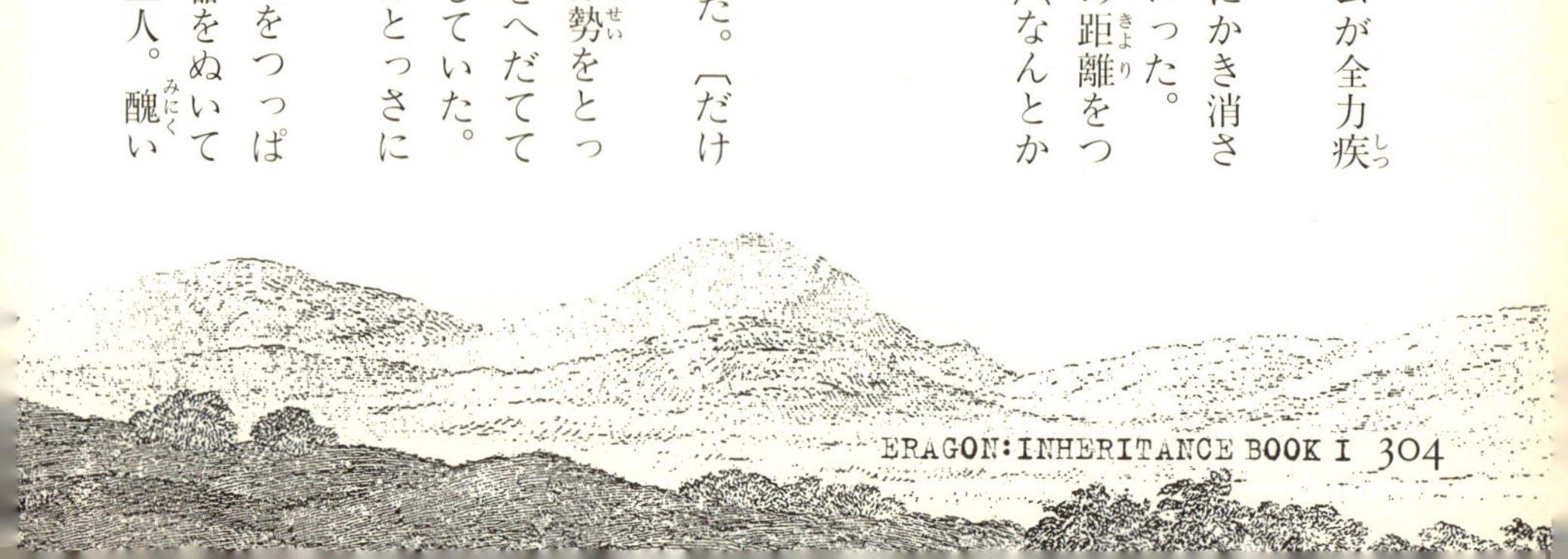

野獣《やじゅう》たちは、どれもみなあざけりの表情《ひょうじょう》を浮《う》かべている。連中はなぜ逃《に》げずにいるのか、エラゴンは不可解《ふかかい》に思った。サフィラの姿《すがた》を見たとたん、しっぽを巻《ま》いて逃げ出すと思っていたのだ。こいつら、なんでじっとしてるんだ？　おそってくるつもりなのか、そうじゃないのか？

　そのとき、いちばん図体《ずうたい》の大きいアーガルが前へ進み出た。エラゴンはぎょっとした。「おい人間！　ご主人さまがおまえと話したがっている」怪物《かいぶつ》はのどの奥《おく》から低い声をとどろかせた。

〈罠《わな》だ〉エラゴンがこたえる前に、サフィラが警告《けいこく》を発する。〈相手にしてはだめ〉

〈なにをいうつもりなのか、聞いてみたほうがいい〉エラゴンはそう理由づけると、好奇心《こうきしん》と、最大《さいだい》限《げん》の警戒心《けいかいしん》をもって問いかけた。「主人とはだれのことだ？」

　アーガルが冷笑する。「おまえのような卑《いや》しい者には、もったいなくて名前など口にできんわ。空を支配《しはい》し、地上でいちばんの権力《けんりょく》をふるうお方さ。ご主人にとっちゃ、おまえなど迷《まよ》えるアリでしかない。なのに、おまえを引き連れてこいと命ぜられた。生かしたままでな。それほど注目される身になったってことだ、ありがたく思いやがれ！」

「おまえらみたいな連中となんか、いっしょに行くものか！」ヤーズアックの惨劇《さんげき》を思いながら、エラゴンはきっぱりといった。「その主人ってやつがシェイドでもアーガルでも、聞いたことのない不気味な悪魔でも、話すつもりはない」

「それは重大なあやまちだ」アーガルは牙《きば》をむいてうなる。「あの方から逃げる道などない。どうあがいても、おまえはいつかはご主人さまの前に立たねばならんのさ。刃向《はむ》かえば、一生もがき苦しむことになる」

　アーガルにこうまでいわせるほどの権力者とは、いったいだれなのか？　エラゴンは考えた。帝国《ていこく》やヴァーデンに加え、第三の巨大《きょだい》な勢力《せいりょく》が解《と》き放《はな》たれたというのか？「とにかく、申し出は受けられ

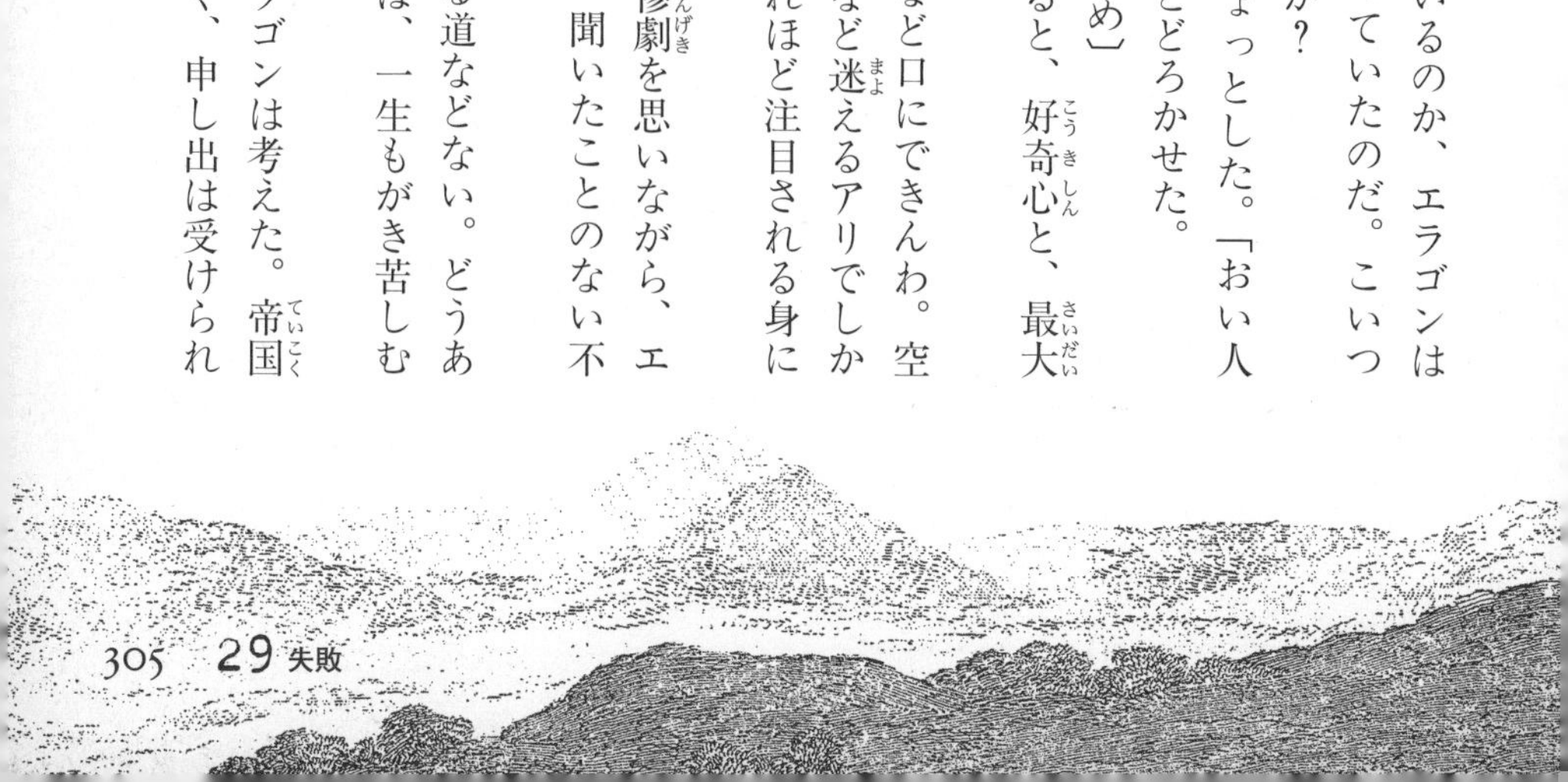

ない。きさまらの主人がカラスにはらわたを食われようが、知ったことじゃない、そう伝えておけ！」

アーガルたちのあいだに憤怒《ふんぬ》の波が走った。頭《かしら》のアーガルが歯ぎしりをして吠《ほ》え立てる。「じゃあ、引っ立てていくまでだ！」頭が腕《うで》をふって合図すると、アーガルたちはいっせいにサフィラに飛びかかってきた。エラゴンは右手をふりあげ、声をふりしぼった。「ジェルダ！」

〔だめ！〕サフィラはさけんだが、遅《おそ》すぎた。

エラゴンの掌《てのひら》が光ると、怪物《かいぶつ》たちはうろたえた。掌から放たれた光線が、アーガルたちの腹部《ふくぶ》につきささる。アーガルたちは空中へ投げ出され、木の幹《みき》にぶちあたって、ばたばたとたおれていった。

とつじょ、激《はげ》しい疲労《ひろう》におそわれ、エラゴンはサフィラからころがり落ちた。頭のなかが靄《もや》のようにかすんでいる。かがみこむサフィラの姿《すがた》を見て、自分がやりすぎてしまったことに気づいた。十二人のアーガルを宙《ちゅう》にもちあげて投げ飛ばすには、とてつもない体力が必要だったのだ。エラゴンは恐《きょう》怖《ふ》にのみこまれながら、なんとか気を失わずにいようとつとめた。

視界《しかい》のはしに、アーガルたちが剣《けん》をもってよろよろと立ちあがるのが見えた。サフィラに注意しなければならないのに、それだけの力が出ない。〔だめだ……〕エラゴンは弱々しく念じた。アーガルがじわじわと忍《しの》びよってくる。サフィラの尾《お》からじゅうぶんはなれた位置まで来ると、その首をねらって剣をふりあげる。〔あぶない……！〕サフィラがふり返り、獰猛《どうもう》なうなりをあげた。目にもとまらぬ速さで、サフィラの鉤爪《かぎづめ》が怪物を切りさいた。そこらじゅうに血をふき出し、アーガルの体はまっぷたつにちぎれた。

サフィラはとどめに歯を打ち鳴らしてから、エラゴンにむき直った。血にぬれた前足でやさしく彼をつかみ、空へ舞《ま》いあがった。いつしか夜の闇《やみ》は、痛《いた》みに満ちた色に変わっていった。催眠術《さいみんじゅつ》のよう

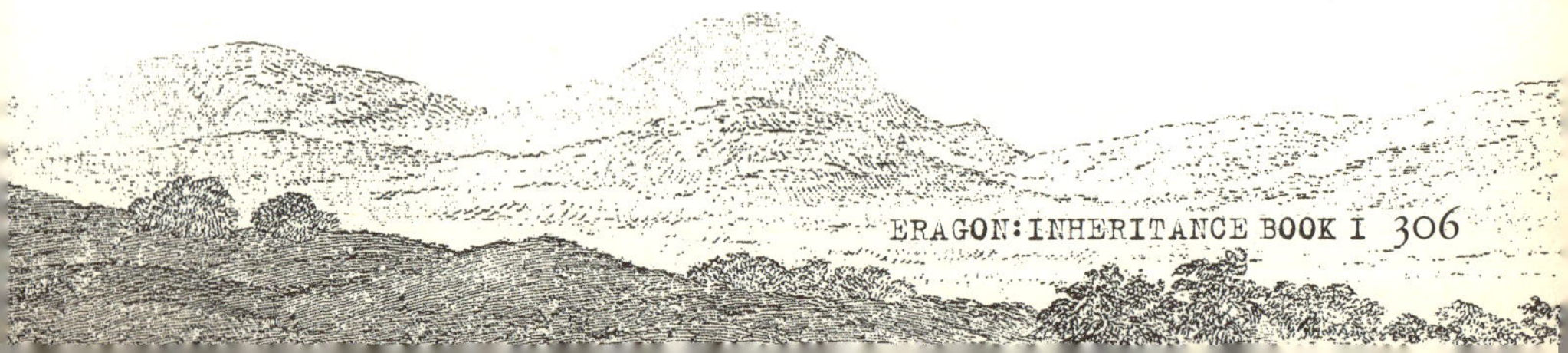

なサフィラの羽ばたきが、彼を夢《ゆめ》うつつの状態《じょうたい》へいざなっていく。上へ下へ、上へ下へ……

やがて地上におりたとき、エラゴンはおぼろな意識《いしき》のなかで、サフィラとブロムの話し声を聞いた。なんの話かはわからないが、なにかの結論《けつろん》がくだされたのだろう、サフィラはふたたび飛び立っていった。

夢うつつが本物の眠《ねむ》りへと変わり、エラゴンを毛布《もうふ》のようにやわらかく包みこんでいった。

30
映《うつ》りしもの

エラゴンは毛布《もうふ》の下で身をよじり、いやいやながら目をあけた。まどろみのなか、心のなかにうつろな思考が入りこんできた……こんなところへ、どうやって来たんだ？　頭が混乱《こんらん》し、毛布を強く引きよせる。ふと、右腕《みぎうで》になにかかたいものを感じた。動かそうとする手首に、強烈《きょうれつ》な痛《いた》みが走る。アーガル！　彼はとっさにはね起きた。

　エラゴンが横たわっていたのは、こぢんまりとした空き地だった。シチューの鍋《なべ》をかけた小さな焚《た》き火《び》があるだけで、あとはなにもない。枝《えだ》の上でリスがさわいでいるだけだ。弓と矢筒《やづつ》は毛布の横にならべられている。彼は立ちあがろうとして顔をしかめた。筋肉《きんにく》が痛み、力が入らない。骨折《こっせつ》した手首には、がんじょうな添《そ》え木《ぎ》があてられている。

　みんなはどこに行ったんだ？　彼はわびしさを覚えた。サフィラに呼《よ》びかけても、その心を感じとれないことが不安だった。すさまじい空腹感《くうふくかん》におそわれ、シチューをむさぼった。それでも空腹はおさまらず、パンのかけらでもないかと鞍袋《くらぶくろ》をさがした。だが空き地には鞍袋も馬も見あたらない。なにか理由があるに決まってる。不安の波をおしとどめるかのように、自分にそういい聞かせた。

　空き地をうろうろ歩いたあと、もとの場所にもどって毛布を丸めた。なにをすればいいのか思いつ

かず、ただ木にもたれてすわり、頭上の雲をながめていた。数時間がすぎても、ブロムとサフィラは現《あらわ》れなかった。悪いことが起きてないといいけど……。

　午後がゆっくりと過《す》ぎていき、たいくつになったエラゴンは、周囲の森へふらふらと探索《たんさく》に出た。やがて疲《つか》れを感じ、巨岩《きょがん》のわきによりかかるように立つモミの木の下で腰《こし》をおろした。岩石には器《うつわ》のようなくぼみがあり、そこに透《す》きとおった露《つゆ》がたまっていた。

　エラゴンはその水を見て、ブロムに教わった透視《とうし》のことを思い出した。サフィラがどこにいるか、見えるかもしれない。透視にはものすごいエネルギーを使うといっていたけど、ぼくはブロムより体力がある……エラゴンは深く息をすい、目を閉《と》じた。心のなかで、できるだけ実物に近くなるようサフィラを思い描《えが》く。思っていたよりずっとむずかしい作業だ。やがて声をあげ、水面《みなも》を見つめた。

「ドラウマ・コパ！」

　水面は見えない力によって凍《こお》りつき、まったくむらのない平面になった。ものの影《かげ》などはすべて消え、水はただの無色透明《とうめい》になっている。そこに、サフィラの姿《すがた》がちらちらと現れた。まわりの景色は白一色。だが飛んでいるところだとわかる。その背《せ》に乗っているのはブロム。あごひげをなびかせ、剣《けん》をひざにのせている。

　エラゴンは疲労《ひろう》を覚えながら映像《えいぞう》を消した。少なくとも、ふたりとも無事ってことか。数分間、力が回復《かいふく》するのを待ち、それからまた水面にかがみこんだ。ローラン、おまえはどうしてる？　心のなかに、従兄《いとこ》の姿がありありと見えた。エラゴンは衝動的《しょうどうてき》にさっきと同じ言葉を発していた。

　水はぴたりとかたまり、その表面に映像が現れてきた。ローランが、見えない椅子《いす》にすわっている。サフィラのときと同じく背景《はいけい》は真っ白だ。その顔には、以前にはなかったしわがきざまれている――ギャロウと似《に》てきている。エラゴンはできるかぎり、映像をそこにとどめておこうとした。ロー

ランはセリンスフォードにいるんだろうか？　ぼくの知らない場所だってことはたしかだけど。
魔法《まほう》を使った疲労《ひろう》で、額《ひたい》には玉の汗《あせ》がふき出していた。彼はため息をつき、長いあいだ、ただすわったままでいた。そのうちふと、ある他愛ない発想がひらめいた。想像《そうぞう》で描《えが》いたものや、夢《ゆめ》で見たものを透視《とうし》したら、どうなるんだろう？　エラゴンはほほえんだ。きっと自分の意識《いしき》にあるものがどんな感じか、見えるんだろうなあ。

それは、とてもやりすごすことのできない、興味《きょうみ》をそそられる発想だった。エラゴンはもう一度水の前にひざまずいた。でも、なにを見ようか？　いくつかの候補《こうほ》は浮《う》かんだが、それらはすべて却下《きゃっか》した。檻《おり》のなかの女性《じょせい》の夢を思い出したからだ。

心にその場面を思い描き、古代語をとなえ、一心に水をのぞきこんだ。しばらく待ったが、なにも見えてこなかった。がっかりして魔法を解《と》きかけたとき、水面《みなも》でインクのような黒色が渦《うず》を巻《ま》いた。水はたちまち黒くおおわれ、そこに描き出されたのは、暗闇《くらやみ》にゆれる一本のローソクと、その光に照らされる石の牢獄《ろうごく》だ。夢で見たあの女の人が、簡素《かんそ》なベッドの上で体を丸めている。黒髪《くろかみ》をすべらせながら頭をもたげ、彼女はひたとエラゴンを見つめた。エラゴンは凍《こお》りついた。その視線《しせん》の強さが、彼を捕《と》らえて放さないのだ。ふたりの目があったとき、エラゴンは背筋《せすじ》に悪寒《おかん》が走るのを感じた。女性は小刻《こきざ》みにふるえ、力なくそこにくずおれた。

水は透明《とうめい》にもどった。エラゴンは度肝《どぎも》をぬかれていた。「そんなバカな！」現実《げんじつ》の人であるわけがない。彼女は夢で見ただけの人だ！　だけど、ぼくが見ていると、どうして彼女にわかったんだろう？　それに、見たこともない地下牢をなぜ透視できたんだ？　エラゴンは頭をふり、ほかの夢にも、あのようにはっきりとした映像《えいぞう》があったかどうか思い出そうとした。

と、サフィラの翼《つばさ》の規則的《きそくてき》な羽ばたきの音に、思考がさまたげられた。急いで空き地へ引き返す

と、同時にサフィラが空からおりてきた。エラゴンが透視したとおり、その背にはブロムが乗っている。が、剣《けん》は血にまみれている。ブロムは顔をゆがめている。あごひげのすそも血に染《そ》まっている。

「いったいどうしたの？」エラゴンはブロムのケガを案じてきいた。

「どうしただと？」老人は怒声《どせい》を発した。「おまえのあとしまつに決まっとるだろうが！」ブロムは剣をビュンとふり、刀身についた血を落とした。「あのこどもじみた小細工《こざいく》で、自分がなにをしでかしたかわかっとるのか？　え？」

「あんたがアーガルにつかまらないようにと思って」エラゴンは胃に穴《あな》があくような思いだった。

「そうじゃな」ブロムがうなる。「だが、あの魔法であわやおまえは死ぬところだった！　丸二日も眠《ねむ》り続けたのだぞ。アーガルは十二人もいた。十二人だ！　なのにおまえは、なんの躊躇《ちゅうちょ》もせず、やつらをひとまとめにしてティールムまで投げ飛ばそうとした。ちがうか？　いったいなにを考えておった？　脳天《のうてん》にひとつずつ石をぶちかましてやるほうが、よっぽど賢《かしこ》いやり方だったじゃろう。ところがおまえは、やつらを卒倒《そっとう》させただけだ。あとで目を覚まして逃《に》げられるとわかっているのにな。わしはこの二日間、躍起《やっき》になって連中をさがしまわったのだぞ。サフィラの力を借りても、三人はとりのがしたがな！」

「殺すのがいやだったんだ」エラゴンは情《なさ》けない気持ちでこたえた。

「ヤーズアックでは、やってのけたではないか」

「あのときは、ほかにやりようがなかった。魔法をおさえることも知らなかったし。今回はそこまでするのは……やりすぎだって感じたんだ」

「やりすぎだと！」ブロムが嘆《なげ》いた。「連中がおまえに、同じ情けをかけてくれるとでも思っとるのか？　それにそもそも、なぜ、なぜ連中に姿《すがた》を見せた？」

「だって、あんたいってただろ、連中はサファイラの足跡《あしあと》を見つけてるって。ぼくが姿《すがた》を現《あらわ》しても、たいして変わりはなかったよ」エラゴンは弁解《べんかい》するようにいった。

ブロムは土に剣《けん》をつき立て、ぴしゃりといった。「わしは、おそらくといったのだ。断言《だんげん》したわけではない。ひょっとしたら、ただの迷《まよ》える旅人だと思われていたかもしれないではないか。ところが、今はなんと思っとるか？　なにしろ、おまえはご丁寧《ていねい》にやつらの目の前におり立ったのだからな！　しかも生かしたまま放ってきた。やつらめ、見たことをあれこれといいふらすために、われ先にと田舎道《いなかみち》を馳《は》せていた！　きっと今に帝国《ていこく》じゅうに伝わるにちがいない！」ブロムは両手をふりあげた。「こんなことでは、おまえはライダーと呼《よ》ばれる資格《しかく》もないわ、なあぼうや」ブロムは地面から剣を引きぬき、焚《た》き火《び》のほうへどかどかと歩いていった。ローブからぼろ布《ぬの》を出し、鼻息も荒《あら》く、刃《は》を拭《ふ》きはじめる。

エラゴンは呆然《ぼうぜん》としていた。サフィラに意見をもとめたが、返事はひと言だけ。〈ブロムと話しなさい〉

エラゴンはためらいながら火に近づき、ブロムに声をかけた。「反省してるっていえば、なんとかなるかな？」

ブロムはため息をついて、剣を鞘《さや》におさめた。「いいや、どうにもならん。おまえの気持ちがどうだろうと、起きたことは変えられんのだ」エラゴンの胸《むね》を指でつく。「おまえはな、深刻《しんこく》なしっぺ返しをまねきかねない、ひどくまずい選択《せんたく》をしたのじゃ。なによりもまず、自分の命を落としかけた。死にかけたのだぞ、エラゴン！　これからは、ちゃんと考えねばならん。人間の頭には、そのために石ころではなく、脳《のう》みそが入っとるんじゃろうが」

エラゴンは赤くなってうなずいた。「だけど、あんたの思ってるほどまずいことでもないよ。アー

ガルは最初からぼくのことを知ってたんだ。ぼくをつかまえろという指令を受けていた」

ブロムの目がおどろきで見開かれた。火のついていないパイプを口につっこんでいう。「わしの思ってるほどどころか、もっとまずいことになっておるではないか！　おまえがアーガルと話したことは、サフィラから聞いたが、そいつは初めて聞いた」エラゴンは口からこぼれ出るままに、アーガルとの対峙《たいじ》の場面を説明した。「では、やつらには今、なんらかの親玉がいるということだな？」ブロムがきき返す。

エラゴンはうなずいた。

「そしておまえは、そいつの申し出を平然とけり、侮辱《ぶじょく》したうえ、部下を痛《いた》めつけた？」ブロムはかぶりをふった。「ここまでまずくなっとるとは思わなかった。せめてアーガルを殺しておけば、おまえの傍若無人《ぼうじゃくぶじん》ぶりは、だれにも気づかれずにすんだのだが、こうなるともはや無視《むし》はできんな。おめでとう！　おまえはアラゲイジアでもっとも強大な勢力《せいりょく》のひとつと、晴れて敵《てき》どうしになったわけじゃ」

「ああ、へまをやったよ」エラゴンはむっつりとしていった。

「そう、そのとおりじゃ」ブロムはこたえ、目をきらりと光らせた。「しかし、いちばんの気がかりは、そのアーガルの親玉ってやつがだれかということじゃ」

エラゴンは身ぶるいし、そっとたずねた。「それで、これからどうする？」

気まずい間があった。「その手首が癒《い》えるのに、少なくとも二週間はかかるじゃろう。その期間は、おまえの頭に分別をたたきこむことについやす。今回のことは、わしの失態《しったい》でもあるからな。わしは今までおまえに、ものごとのやり方は教えてきた。しかし、いつやるべきかは教えなかった。それを見きわめるには思慮深《しりょぶか》さが必要だ——あきらかに、おまえには欠如《けつじょ》しとるものだな。アラゲイジアじ

ゆうの魔法《まほう》を集めても、いつそれを使うべきかわきまえておらねば、なんの助けにもならないのだぞ」

「だけど、ドラス＝レオナに行くのはやめないよね？」エラゴンが問いかける。

ブロムは目をぐるりとまわした。「むろん、ラーザックを追うのはやめないが、たとえさがしあてたとしても、その手首が治らんことにはどうにもならんじゃろう」老人はサフィラの鞍《くら》をはずしはじめた。「もう馬には乗れそうか？」

「うん、たぶん」

「よろしい。では今日のうちに数キロ進んでおこう」

「カドックとスノーファイアは？」

ブロムは空き地の外を指さした。「すこし行った先の、草地につないである」エラゴンは出発の準《じゅ》備《んび》をして、ブロムといっしょに馬のところへむかった。

サフィラはあてつけがましくいった。〈あなたがもし自分の計画を話してくれていたら、こんなことにはならなかった。アーガルを処分《しょぶん》しないのはまずいと、わたしなら助言してあげられた。わたしはあなたの言いつけどおりにしたが、それは、あなたの言い分が途中《とちゅう》までは理にかなっていたから〉

〈もうその話はしたくない〉

〈勝手にすればいい〉サフィラはふんと鼻を鳴らした。

馬に乗って歩きだすと、道のこぶやくぼみをふむたびに、エラゴンは歯を食いしばって痛《いた》みにたえた。自分ひとりだけなら、とっくに休んでいただろう。だがブロムがいるから、泣き言をいうわけにはいかなかった。それにブロムはすでに、アーガルや魔法やサフィラをからめたむずかしい筋書《すじが》きをつくり、エラゴンの教育をはじめていた。想定される戦いはあらゆる種類におよんだ。エラゴンはこの分だと、体ばかりか神経《しんけい》までまいってしまうだろうと思った。出される問題にほとんど満足にこたえられず、いらだちは強くなるばかりだった。

夜、馬をおりたあと、ブロムはぶっきらぼうにいった。「今日のはまだほんの序《じょ》の口《くち》だからな」

エラゴンは、彼を失望させたのだと感じた。

31
達人

翌日《よくじつ》は、ふたりにとっていくらかおだやかな一日だった。エラゴンは体調もよくなり、ブロムの問題に正しくこたえられるようになった。とびきりむずかしい問題をこなしたあと、エラゴンはブロムに、透視《とうし》で見た女の人のことをうちあけてみた。ブロムはひげを引っぱっていった。「その女性《じょせい》、投獄《とうごく》されていたというのか？」

「うん」

「顔は見たか？」ブロムが熱心にたずねる。

「はっきりとは。灯《あか》りが弱かったから。でも、すごくきれいな人だってわかるんだ。不思議だけど。彼女の目だけは、ちゃんと見ることができた。むこうもぼくを見つめ返していたんだ」

ブロムがかぶりをふった。「透視されていると察知することなど、ふつうはできんはずじゃがな」

「彼女がだれか、心あたりはある？」エラゴンは自分の熱のこもった声におどろきながら、問いかけた。

「ないな」ブロムはこたえた。「どうしてもというなら、いくつか推測《すいそく》できんこともないが、どれも可能性《かのうせい》は乏《とぼ》しい。そもそも、おまえのその夢《ゆめ》というのが奇妙《きみょう》じゃ。眠《ねむ》っとるあいだに、自分で見たこ

ともないものを透視したということか——しかも魔法《まほう》の言葉を使わずに。夢がときに魂《たましい》の領域《りょういき》にまで触《ふ》れることはあるが、それはきわめてむずかしいことなのだ」

「解明《かいめい》するには、国じゅうの監獄《かんごく》や地下牢《ちかろう》を調べて歩かなくちゃならないね」エラゴンは冗談《じょうだん》めかしていった。本当はいい考えだと思ったのだが。ブロムは笑いとばし、馬を進めた。

ブロムのきびしい教育が休みなく続くなか、這《は》うように数日がすぎ、数週間がすぎていった。エラゴンは添《そ》え木《ぎ》をしているせいで、剣《けん》の稽古《けいこ》は左手でやらなくてはならなかった。さほどたたないうちに、左手でも右手と遜色《そんしょく》なく戦えるようになった。

スパインをこえて平原にもどるころ、アラゲイジアにじわじわと春が近づいていた。花々はいっせいにつぼみを開き、はだかの落葉樹《らくようじゅ》は小豆色《あずきいろ》の新芽をつけ、地面では去年の枯《か》れ草《くさ》のあいだから若草《わかくさ》が顔を出している。鳥たちは冬の隠《かく》れ家《が》からもどり、交尾《こうび》や巣づくりの準備《じゅんび》をはじめている。

スパインのはしを南東に流れるトーク川ぞいに出ると、旅人の姿《すがた》が目立ちはじめた。川が支流《しりゅう》とぶつかって流れの幅《はば》が広くなるにつれて、旅人たちの数も着実にふえていった。川幅が五キロをこえたころ、ブロムが水面《みなも》に顔を出す沈泥《ちんでい》の島をさした。「もうじきレオナ湖に着く。あと十キロたらずだろう」

「夜までに着けるかな？」エラゴンがきいた。

「努力しよう」

日暮《ひぐ》れとともに足もとは見えにくくなったが、わきを流れる川の音が道案内をしてくれた。盆《ぼん》のような月がのぼるころ、その光に照らされて、前方に横たわるものが見えてきた。

レオナ湖はまるで、地上に打ちのばされた銀の薄板《うすいた》のように見えた。湖面は波も立たずおだやか

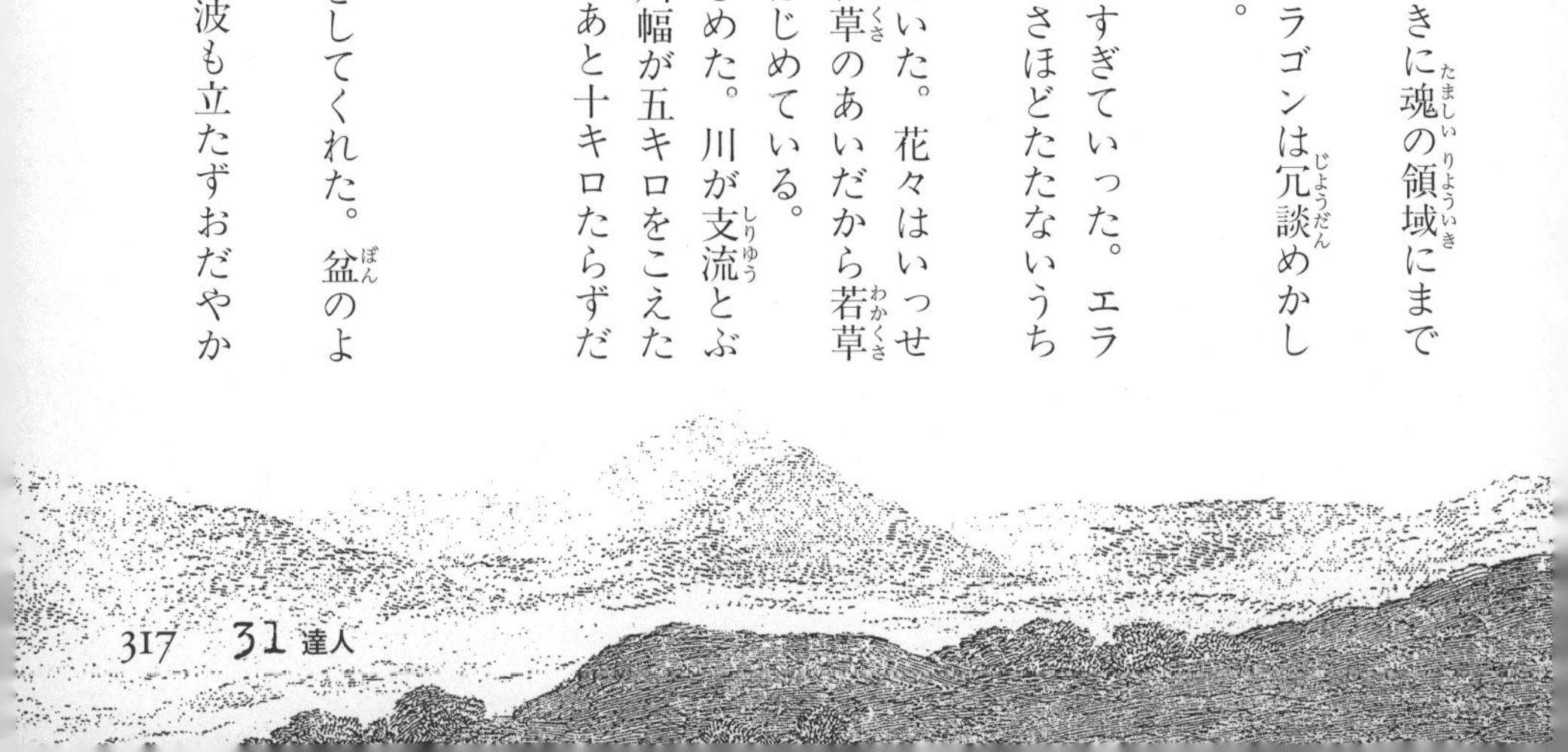

で、液体《えきたい》であるとは思えない。明るい月の光が映《うつ》っていなければ、地面との区別がつかないほどだ。サフィラは岸の岩場におりて、翼《つばさ》をあおいでかわかしている。エラゴンの呼《よ》びかけにこたえてサフィラはいった。〔水がきれい——深くて、冷たくて、透《す》きとおっている〕
〔あした、泳いでみようかな〕エラゴンはいった。一行は木立の下に荷物をおろし、早々に床《とこ》についた。

　夜が明けると、エラゴンは明るい湖を見ようと勇んで駆《か》けていった。一面にひろがる白い湖は、風になでられ、扇《おうぎ》のようなさざなみを立てている。エラゴンは、とにかくその壮大《そうだい》さがうれしかった。歓声《かんせい》をあげて、水辺に走りだした。〔サフィラ、どこにいる？　ひとっ飛びしようよ！〕

　エラゴンを背《せ》に乗せたとたん、サフィラは水の上へと飛び出していった。空へ舞《ま》いあがり、湖上を旋回《せんかい》しはじめた。が、その高さからでも、むこう岸を見とおすことはできない。〔水浴びしたくないか？〕エラゴンはなにげなくたずねた。

　サフィラが荒々《あらあら》しく笑った。〔しっかりつかまって！〕翼をぴたりとかためて波間に着水し、鉤爪《かぎづめ》で波頭を切るようにして泳ぎだした。水面が太陽の光できらきらと輝《かがや》いていた。エラゴンはふたたび歓声をあげた。やがてサフィラは翼をたたみ、頭と首を槍《やり》のようにまっすぐにして、水中へもぐっていった。

　氷の壁《かべ》のような水面にぶちあたった瞬間《しゅんかん》、エラゴンはぎょっとして息がつまり、サフィラから引きはがされそうになった。水面へあがろうとするサフィラに、彼は必死でしがみついた。サフィラは足で三回水をけり、きらめく水しぶきを散らしながら水上へ踊《おど》り出た。尾《お》を舵《かじ》にして湖上をゆうゆうと泳ぐサフィラの背で、エラゴンは息を弾《はず》ませ、髪《かみ》の水をふりはらった。

〔用意はいい?〕
エラゴンはうなずき、大きく息をすって腕《うで》に力をこめた。今度はゆったりとすべるように水中へもぐっていった。澄《す》んだ水のなかは、はるか先まで見とおすことができる。サフィラは奇怪《きかい》な形に体をねじったり曲げたりしながら、うなぎのようにくねくねと水中を泳ぎまわる。エラゴンは、空想の怪《かい》物《ぶつ》、大海蛇《おおうみへび》に乗っているような錯覚《さっかく》を起こした。
エラゴンの肺《はい》が空気をもとめて悲鳴をあげそうになると、サフィラは背を弓なりにして、頭を上へつきあげた。おびただしい水しぶきの輪にかこまれながら、サフィラは水上へ飛び出し、翼をバサリとひろげた。二度、力強く羽ばたいて、湖から飛び立った。
〔ヤッホー! 最高だ〕エラゴンはさけんだ。
〔本当に〕サフィラも楽しそうにこたえる。〔でも、あなたの息が長く続かないのが残念〕
〔それはどうにもならないよ〕エラゴンはぬれた髪をぬぐっていった。ずぶぬれの服でサフィラの翼の風を浴びるのは、こごえるほど寒い。手首のむずがゆさに、添《そ》え木《ぎ》をかきむしった。
体がかわくと、エラゴンとブロムは馬に鞍《くら》をつけ、レオナ湖の岸辺を意気揚々《いきようよう》と進みだした。サフィラはその横で、湖にもぐったり飛び出したり無邪気《むじゃき》に遊んでいた。

夕飯の前、エラゴンはザーロックの刃《は》にバリアをはり、日課の剣《けん》の稽古《けいこ》にのぞんだ。彼とブロムは剣をかまえたまま、相手が先に打ちこんでくるのを待った。なにか利用できるものはないかと、エラゴンはあたりに目を走らせた。焚《た》き火《び》のそばの木切れが目に入った。
すばやくかがんで木切れをすくいあげ、ブロムにむかって投げつける。が、投げるのに添え木がじゃまになり、ブロムに軽々とよけられてしまう。老人はそのすきに剣をふって飛び出してきた。エラ

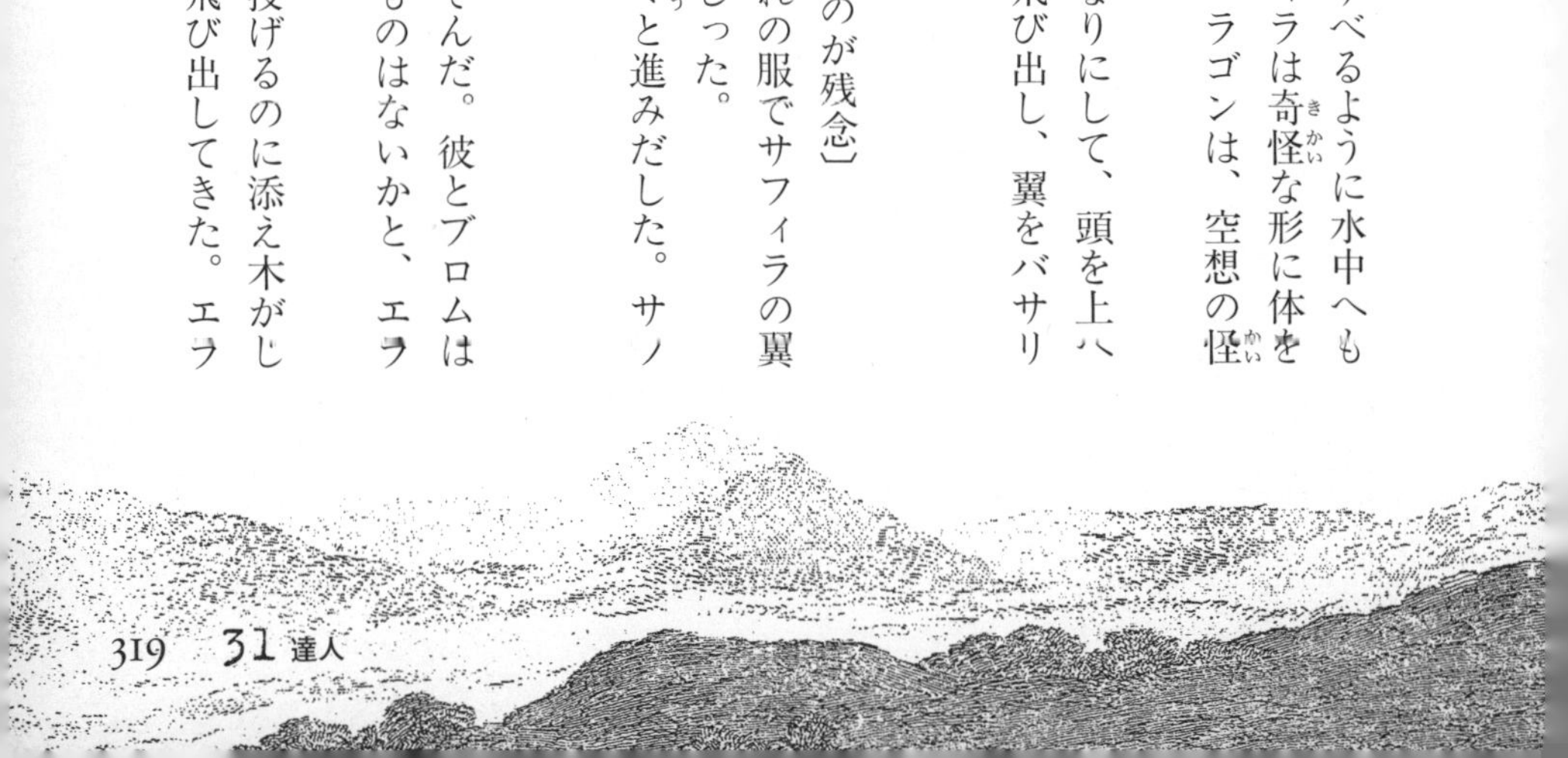

ゴンは頭上でビュンと鳴る刃《は》の下をかいくぐり、うなりながら猛然《もうぜん》と飛びかかっていった。

ふたりはそのまま地面にたおれこみ、たがいに相手を組みふせようともみあった。横向きになったエラゴンは、ブロムのむこうずねめがけ、地面でザーロックをすべらせた。ブロムが剣《けん》の柄《つか》でそれをかわし、ひょいと立ちあがる。エラゴンも立ちあがりざま攻撃態勢《こうげきたいせい》にもどり、さまざまな型を組みあわせて打ちこんでいった。ふたりの刃は火花を舞《ま》い散らせながら、何度も何度もぶつかりあった。ブロムは顔を引きしめ、くり出される剣を次々とかわしている。しかしエラゴンには、彼が疲《つか》れているのがわかった。両者とも相手の一瞬《いっしゅん》のすきをつくべく、激《はげ》しい打ちあいを続けた。

やがてエラゴンは激闘《げきとう》の様相が変わったのを感じた。自分のくり出す一刀一刀が効果《こうか》を見せはじめたのだ。ブロムのかわしは遅《おそ》くなり、体は後退《こうたい》しはじめている。反対にエラゴンは、ブロムの突《つ》きをゆうゆうとかわせるようになっていた。老剣士《ろうけんし》の額《ひたい》には血管が浮《う》き、首の腱《けん》は太くもりあがっている。

急に自信を覚えたエラゴンは、かつてないほどの速技《はやわざ》でザーロックを打ちつけていった。ブロムの剣の動きは、鉄のクモの巣にかかったかのように鈍《にぶ》く見える。エラゴンは彼の刀のつばに、剣の平を猛烈《もうれつ》ないきおいで打ちつけた。ブロムの剣は地面にたたき落とされた。ブロムが次の動きに転じる間もなく、エラゴンはそののどにザーロックをつきつけた。

赤い剣先をブロムの鎖骨《さこつ》にあて、ふたりは肩《かた》で息をして立っていた。やがてエラゴンは静かに腕《うで》をおろし、あとずさった。彼がなんの小細工《こざいく》もなしにブロムをたおしたのは、これが初めてだった。ブロムは剣を拾って鞘《さや》におさめると、荒《あら》い息づかいのまままいった。「今日はこれくらいにしよう」

「でも、まだはじめたばかりだよ」エラゴンはおどろいていった。

ブロムは首をふった。「剣については、もうわしに教えるべきことはない。今まで出会った戦士た

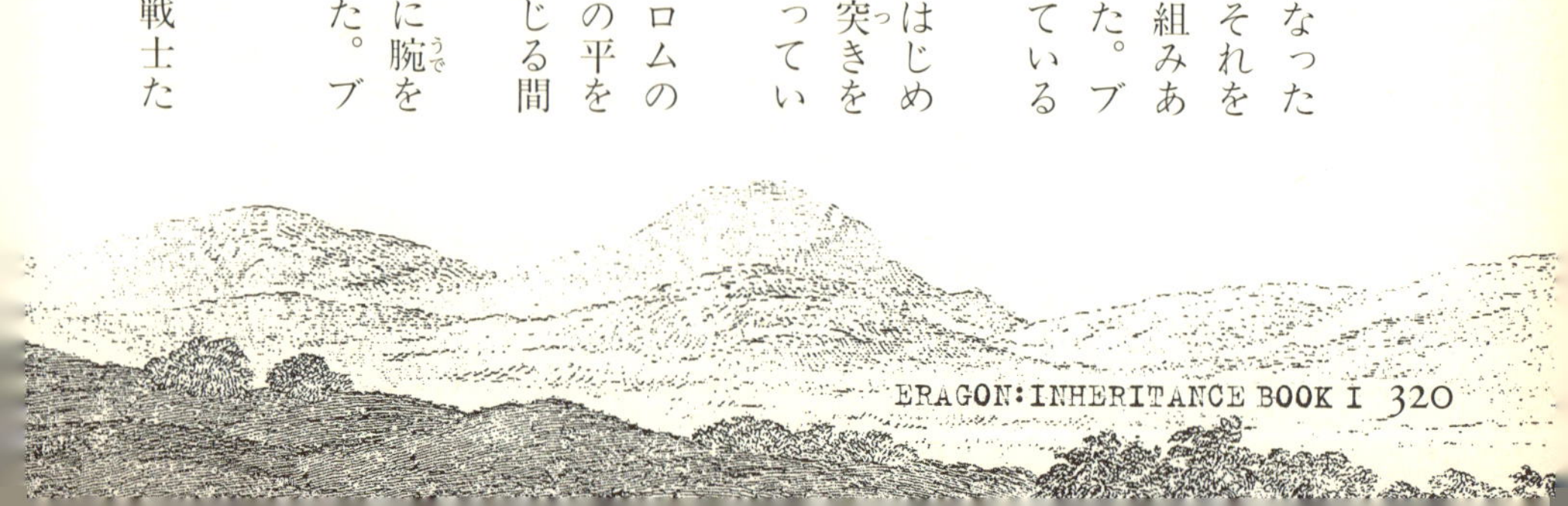

ちのなかで、こうしてわしを負かしたのはたった三人。左腕《さわん》でそれを成しとげた者はいなかったはずじゃ」老人は悲しげに笑った。「たしかにわしも、若《わか》いころのようなわけにはいかんかもしれないが、だとしても、おまえはたぐいまれな才能《さいのう》をもった剣士だといっていいだろう」

「じゃあ、もう毎晩《まいばん》の稽古《けいこ》はしないってこと?」

「いやいや、そういうわけにはいかん」ブロムは笑った。「しかしこれからは、もっと気楽にやればいい。ひと晩くらいぬかしてもかまわんだろう」彼は眉《まゆ》をぬぐった。「だがこれだけは覚えておけ。不幸にも、もしエルフと戦うようなことがあれば、相手が戦いなれていようがいまいが、女だろうが男だろうが、おまえはまず勝てないだろう。エルフは――ドラゴンやその他の魔力《まりょく》をもった者たちがそうであるように――本来の自然界の生き物より何倍も強く生まれついておる。弱小のエルフであっても、おまえの力を軽々とうわまわる。ラーザックも同じこと。やつらは人間ではない。わしら人間のように、かんたんに消耗《しょうもう》したりはしないのだ」

「彼らと対等に戦う方法はないの?」エラゴンはサフィラの横に足を組んですわった。

〔あなたもじゅうぶん強い〕サフィラがいった。エラゴンはほほえんだ。

ブロムは肩をすくめて腰《こし》をおろした。「ないこともないが、今のおまえが使えるような方法はない。本当に手ごわい敵《てき》でなければ、魔法でたおすこともできるだろう。しかし最強の敵と相対したときは、サフィラの助けと、あとの大部分は幸運にたよるしかないな。いいか、魔力をもつ生き物が本気で魔法で攻撃《こうげき》してくれれば、そのとてつもない能力で、ふつうの人間などかんたんに命をとられてしまうのじゃ」

「相手の魔法とはどうやって戦えばいいの?」エラゴンが疑問《ぎもん》を投げかける。

「どういう意味じゃ?」

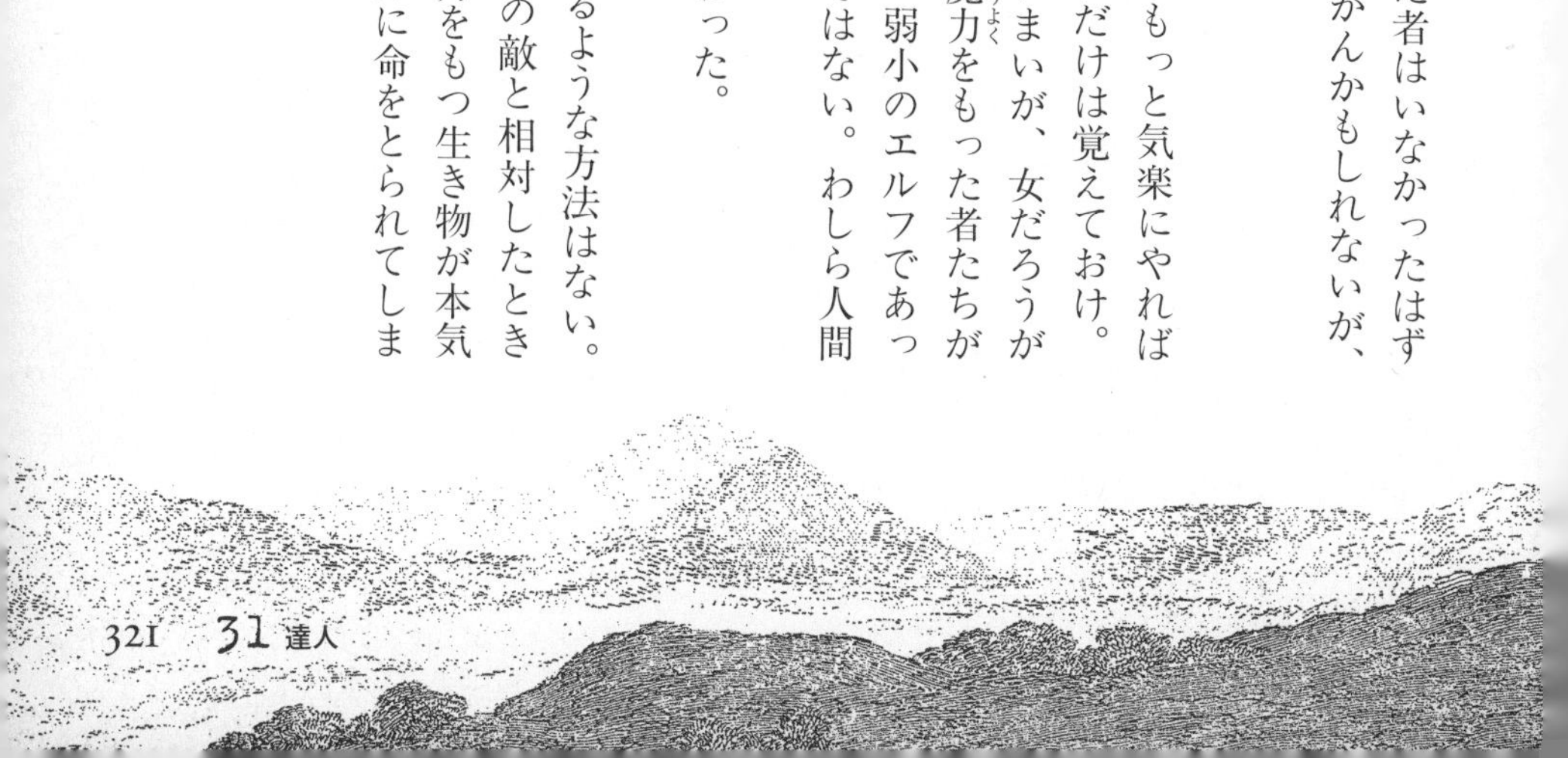

「たとえば」エラゴンはひじをついて身を乗り出した。「シェイドと戦うと仮定《かてい》する。どうすればシェイドの魔法《まほう》をふせぐことができるの？　一瞬《いっしゅん》のうちに呪文《じゅもん》をとなえられたら、ぼくには反応《はんのう》する間がない。もし反応できたとしても、どうすれば敵《てき》の魔法を打破《だは》できるんだろう？　相手がなにかしようとする前に、その意図を察知するしかないんじゃないだろうか」彼はそこで間を置いた。「そんなことができるとは思えない。つまりは、先に攻撃《こうげき》をしかけたほうが勝つということになるよね」

ブロムはため息をついた。「おまえのいっていることは——いうなれば魔術師《まじゅつし》どうしの決闘《けっとう》は——きわめて危険《きけん》な行いだ。おまえ、不思議に思わなかったか？　ガルバトリックスがなぜ、十人やそこらの援護《えんご》を得ただけで、ライダー族を丸ごと滅《ほろ》ぼすことができたのか？」

「そういえば、考えたことがなかった」エラゴンは正直にこたえた。

「理由はいくつかある。こまかいことはあとで知るだろう。しかしいちばん大きな理由は、ガルバトリックスは昔も今も、他者の心に侵入《しんにゅう》する達人であるということなのじゃ。いいか、魔術師の決闘には、かならず守るべき鉄則《てっそく》がある。守らねば両者ともに死ぬことになるからな。まず、最初に相手の心に侵入を果たすまで、攻撃をしかけてはならないということじゃ」

エラゴンに尾《お》を巻《ま》きつけて心地《ここち》よくすわっていたサフィラが、横からたずねてきた。〔どうして？　相手がなにかしてくる前に、さっさと攻撃をしかけたほうがいいのでは？〕エラゴンは彼女の問いを声に出していった。

ブロムは首をふった。「いや、それがちがうのだ。わしが今とつぜん、魔法で攻撃すれば、エラゴン、おまえはまちがいなく死ぬだろう。しかし、こときれる一瞬前に、おまえには反撃する間がある。その間に、わしもやられてしまうのだ。だから決闘者たちは——自殺をのぞんでいるのでないかぎり——相手の心の壁《かべ》をやぶるまで、ぜったいに攻撃をしかけたりしないものなのじゃ」

「で、そのあとは？」エラゴンはさらにたずねた。

ブロムは肩《かた》をすくめた。「いったん相手の心に侵入してしまえば、相手がどんな手を使ってくるかかんたんに予測《よそく》し、それをふせぐことができる。しかし、たとえ優位《ゆうい》に立ったところで、防御《ぼうぎょ》のための呪文を知らねば、やはりやられてしまうがな」

ブロムはタバコをつめ、パイプに火をつけた。「それともうひとつ不可欠《ふかけつ》なのは、とっさの判断力《はんだんりょく》だ。攻撃をふせぐにはまず、自分にむかってくる力がどのような性質《せいしつ》のものなのか、瞬時につかみとる必要がある。たとえば熱による攻撃を受けた場合、それがなにを通して伝わってくるのか？　空気か、火か、光か、はたまたほかの媒体《ばいたい》か、即座《そくざ》に判断しなければならん。それがつかめて初めて、対《たい》抗《こう》する魔法をしかけることができるのだ。熱をもった物体なら、それを冷やす魔法じゃな」

「すごくむずかしそうだ」

「とてつもなくむずかしい」ブロムは断言《だんげん》した。パイプからふわふわと煙《けむり》があがっていく。「ほとんどが数秒ともちこたえられん。そういう決闘だ。相手の息の根を一瞬のうちにとめるには、途方《とほう》もない努力と熟練《じゅくれん》の技《わざ》が必要なのだ。おまえがもっと上達したら、そのための方法を伝授《でんじゅ》しよう。それまでは、もし魔術師と戦わねばならん場面に遭遇《そうぐう》したら、まあ、全速力で逃《に》げるのがいちばんじゃな」

32 ドラス=レオナ

翌日《よくじつ》は、ファサロフトという、湖畔《こはん》のにぎやかな村で昼食をとることにした。湖をのぞむ高台に位置する美しい村だった。宿場の休憩室《きゅうけいしつ》で食事をしながら、エラゴンは周囲の人々の会話に耳をそばだて、自分やサフィラの噂《うわさ》が流れていないことにほっとした。

踏《ふ》み分《わ》け道はいつしか太い街道に変わったものの、二日前からしだいに歩きにくくなっていた。頻《ひん》繁《ぱん》に行き来する馬車の車輪や蹄鉄《ていてつ》の跡《あと》で、地面がひび割《わ》れを起こし、いたるところ通行不能《ふのう》になっている。行きかう旅人がふえたせいで、サフィラは昼間は身をかくし、夜ふたりに追いつくという日課をよぎなくされている。

彼らは何日間も、広大なレオナ湖の沿岸《えんがん》を歩き続けた。このまま永遠《えいえん》にたどり着けないのではないかと思いはじめた矢先、馬であと一日も歩けばドラス=レオナに着くと、通りすがりの人に聞かされ、すっかり元気になった。

エラゴンは翌朝早く目が覚めた。ついにラーザックを見つけ出せると思うと、指がひくひくと痙攣《けいれん》した。〔ふたりとも、じゅうぶんに用心して〕サフィラはいった。〔ラーザックが、あなたの人相に一《いっ》

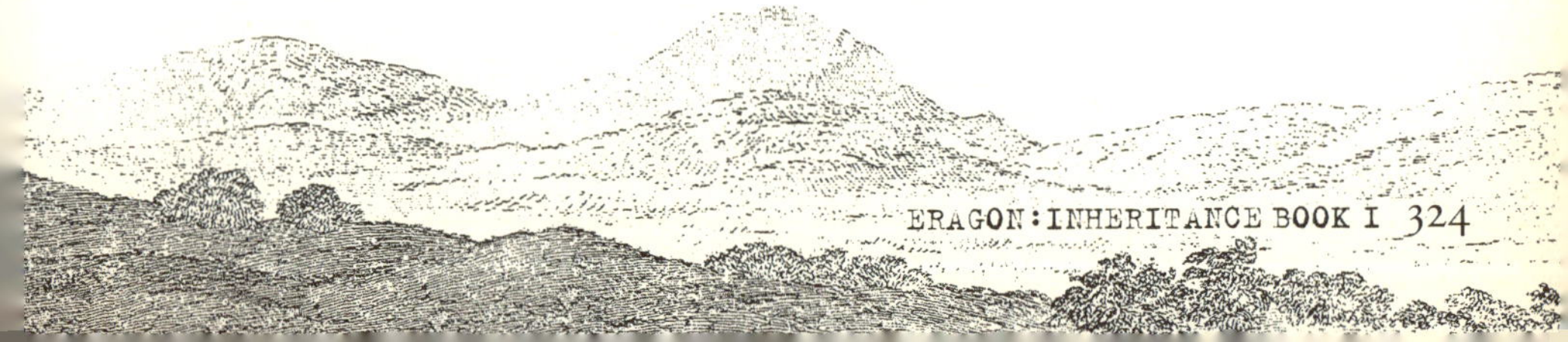

致《ち》する旅人を、ひそかにさがしているかもしれない〕
〔目立たないようにじゅうぶん注意するよ〕エラゴンがこたえる。
サフィラは頭をさげ、彼と目をあわせた。〔それでも覚えていてほしい。わたしは、アーガルとやりあったときのように、あなたを守ることはできない。助けに飛んでいくには遠すぎるし、あなたたちの通る細い道には、うまくおりられないかもしれない。追跡《ついせき》するときは、かならずブロムの指示《しじ》にしたがうこと。彼はもののわかった人だから〕
〔わかってる〕エラゴンはまじめにこたえた。
〔あなたは、ブロムとともにヴァーデンの地へ行く気はあるのか？ ラーザックをしとめたあと、ブロムはそうしたがるはず。ラーザックの死によるガルバトリックスの怒《いか》りからのがれるには、それがいちばん安全な道かもしれない〕
エラゴンは腕《うで》をさすった。〔ぼくはヴァーデン軍のように、帝国《ていこく》とずっと戦い続けるのはいやなんだ。人生って、戦うためにあるものじゃないから。そのことはラーザックを始末してから、あらためて考えてみるよ〕
〔よく考えて〕サフィラはそういって、夜までの隠《かく》れ家《が》へ飛び立っていった。
街道は、ドラス＝レオナへ収穫物《しゅうかくぶつ》を運ぶ農民たちでこみあっていた。エラゴンたちは前方を馬車の列にふさがれ、歩調を落とさねばならなかった。
昼前から遠方に煙《けむり》が見えはじめていたが、それから五キロほど進んで、ようやく町の姿《すがた》がはっきりと見えてきた。計画的にきずかれたティールムとちがい、ドラス＝レオナはレオナ湖のほとりになんの秩序《ちつじょ》もなく雑然《ざつぜん》とひろがる町だった。折れ曲がった道にかたむきかけた民家がならび、町の中心部は黄ばんだきたならしい泥塀《どろべい》でかこまれている。

数キロ東をのぞむと、むき出しの岩壁《いわかべ》が空にむかってそびえ立っていた。小塔《しょうとう》や円柱をそなえたその陰鬱《いんうつ》たる姿《すがた》は、悪夢《あくむ》のなかの船を見ているかのようだ。岩壁は地面からほぼ垂直《すいちょく》に、地表の骨《ほね》のようにぎざぎざとつき出している。

ブロムは指をさした。「あれがヘルグラインドじゃ。そもそもあれのせいで、ドラス＝レオナという町ができたのじゃ。いくら有害で邪悪《じゃあく》なものであっても、人々はあの地に魅了《みりょう》された」彼は町の塀《へい》の内側をしめしていった。「まずは町の中心部へ入ろう」

町への道を進んでいると、塀のむこうに大きな建物がぬっと現《あらわ》れてきた。ドラス＝レオナでいちばん背《せ》の高いその建物は、どうやら大聖堂《だいせいどう》らしい。太陽を浴びてそびえる姿は、おどろくほどヘルグラインドに似《に》ている。とくにアーチ型の構造《こうぞう》や縁《ふち》どりつきの尖塔《せんとう》がそっくりだ。「ここにはなにが祭られているの？」エラゴンはたずねた。

ブロムは不快《ふかい》げに顔をしかめた。「ここの信者たちが、ヘルグラインドへ通っておるのだ。信仰《しんこう》するのは、とんでもない邪悪《じゃあく》な宗教《しゅうきょう》じゃ。人間の生き血を飲み、生肉を貢《みつ》ぎ物《もの》にする。司祭たちには体の一部がない者が多い。自分の肉や骨を引きわたせば、その分だけ死の運命が遠ざかると信じておるからだ。彼らの話題といえば、ほとんどこれしかない——ヘルグラインドの高い三塔のうち、どの塔がいちばん高く、どれをいちばん尊《とうと》ぶべきであるか？ そして、いちばん低い四つめの塔は、崇拝《すうはい》に値《あたい》するかどうか？」

「気味が悪いや」エラゴンは身ぶるいをした。

「そうじゃな」ブロムはいかめしい顔でいった。「だが、信者の前ではけっして口にしてはならんぞ。罪《つみ》の償《つぐな》いとして、その場で腕《うで》を一本切り落とされてしまうからな」

ドラス＝レオナの巨大《きょだい》な門に着くと、彼らは混雑《こんざつ》する人の波にまぎれて馬を進めた。門の両側に兵

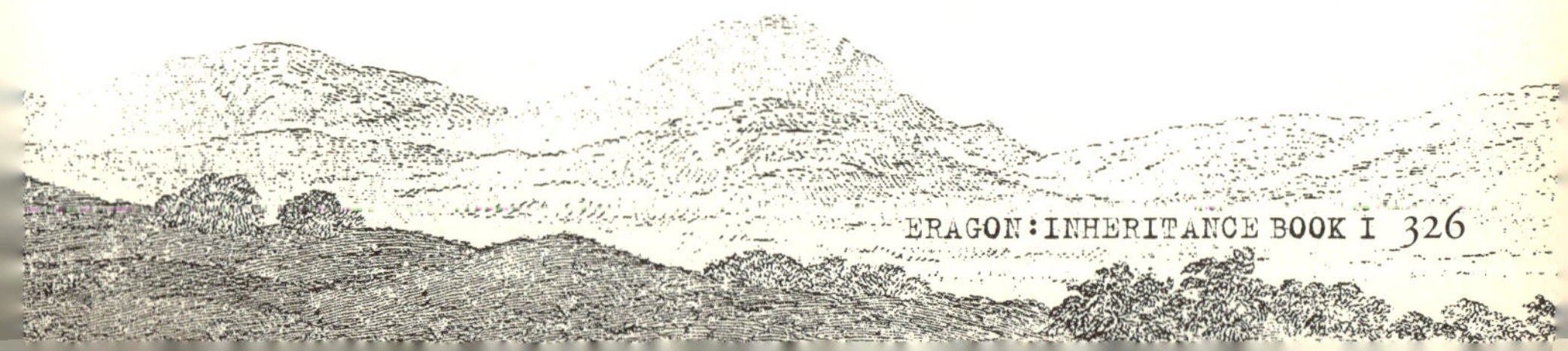

士たちが十人立って、行きかう人々をさりげなく観察している。エラゴンとブロムはなにごともなく、町に入ることができた。

塀の内側の建物は、せまい空間をおぎなうためなのか、背だけが高く厚《あつ》みがない。いちばんはしの家屋はどれも、塀につっぱるかのようにして建っている。ほとんどの家がせまい曲がりくねった道にかぶさるようにならび、昼か夜かさえわからないほど空をおおいかくしている。町の景色をいっそう暗くしているのは、それら家々のざらついた木製《もくせい》の茶色の壁《かべ》だ。通りはごみごみして、汚水《おすい》のにおいが立ちこめている。

ぼろをまとったこどもたちが、パンのかけらをうばいあいながら、建物のあいだをどっと駆《か》けていった。門の横には、体の不自由な物乞《ものご》いたちがうずくまっている。救いをもとめる彼らのさけびは、のろいのコーラスのようだ。ぼくらなら、動物にだってあんなあつかいをしないのに。エラゴンは怒《いか》りに目をむいた。「ここには長居《ながい》したくない」目前の光景に嫌悪《けんお》を覚えていった。

「奥《おく》へ行けば、ましになる」ブロムはいった。「とりあえず宿を見つけて、そこで対策《たいさく》を立てるとしよう。ドラス=レオナはありったけの用心をしていても、どんな危険《きけん》があるかわからん町だ。あまり長いこと道ばたにぐずぐずしていたくない」

ふたりはすさんだ門の光景をあとにして、町の奥へ進んだ。恵《めぐ》まれた地域《ちいき》に入ると、エラゴンは理《り》不尽《ふじん》に思った。さっきみたいに苦しんでいる人たちがいるのに、どうしてこの人たちは平気な顔で暮《く》らしていられるんだ？

彼らは〈ゴールデングローブ〉という、値段《ねだん》のわりに古くなさそうな宿を見つけた。部屋には、壁におしつけられたせまいベッドと、そのわきに脚《あし》のぐらついたテーブルとたらいが置かれている。エラゴンはマットレスを一瞥《いちべつ》していった。「ぼくは床《ゆか》で寝《ね》るよ。そんなところに寝たら、大量の虫の餌《え》

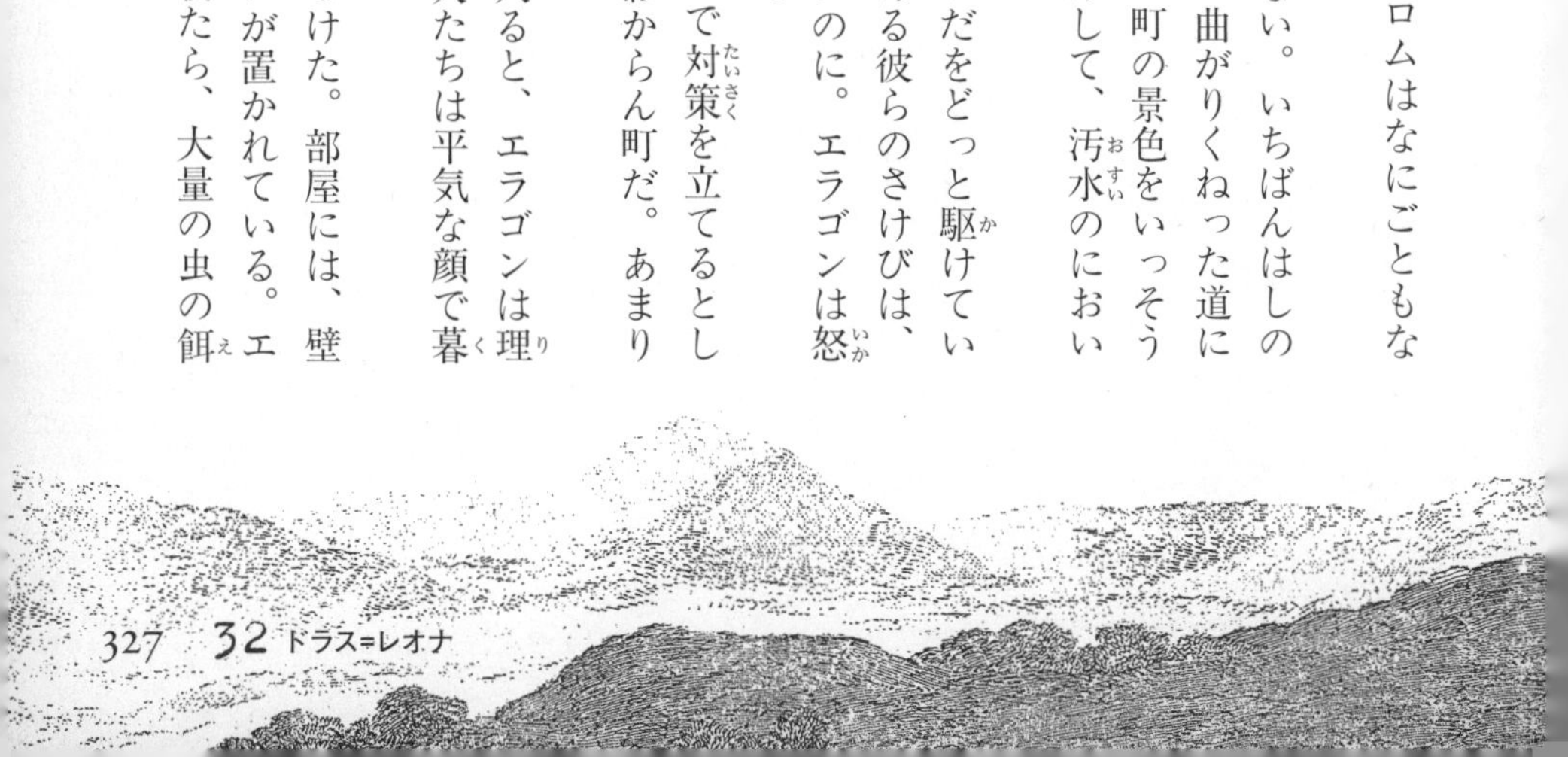

食《じき》にされそうだ」

「ふん、わしは虫どもの餌《えさ》をとりあげたくないんでな」ブロムは荷物をマットレスの上にのせた。エラゴンは自分の荷物を床《ゆか》に置き、弓を取り出した。

「これからどうする?」エラゴンはきいた。

「食べ物とビールを調達して、あとは眠《ねむ》る。ラーザックさがしはあしたからにしよう」部屋を出る前、ブロムは念をおした。「どんなことがあっても、口はかたく結んでおくのだぞ。素性《すじょう》がバレたら、たちまち町を逃《に》げ出さねばならなくなるからな」

　宿の食事はとても満足のいくものではなかったが、ビールの味は格別《かくべつ》だった。部屋にもどるころ、エラゴンの頭はぼうっとして心地《ここち》よくなっていた。床に毛布《もうふ》をひろげてもぐりこみ、ブロムはベッドにころがった。

　眠りに落ちる直前、エラゴンはサフィラと交信した。〈ここに何日か泊《と》まることになりそうだ。でも、ティールムのように長くはならない。ラーザックの居場所《いばしょ》をつきとめたら、つかまえるときは、おまえにも手伝ってもらうよ。あとは、あしたの朝話そう。今はあまり頭がはたらかないんだ〉

〈酔《よ》っているのか〉とがめるような声がとどく。エラゴンはすこし考えたものの、肯定《こうてい》せざるをえなかった。サフィラはあきらかに非難《ひなん》したいようだが、ひと言しかいわなかった。〈朝になれば、きっと後悔《こうかい》する〉

〈そんなことはないさ〉エラゴンはうなった。〈だけど、ブロムはするだろうな。ぼくの倍は飲んだから〉

33
油の行方《ゆくえ》を追え

いったいなにを考えてたんだ？　翌朝《よくあさ》、エラゴンは心のなかでぼやいた。頭はがんがんするし、舌《した》は腫《は》れて麻痺《まひ》しているように感じる。ネズミが床《ゆか》を走りぬけただけで、その騒《さわ》がしさに顔をしかめるほどだ。

〈気分はどう？〉サフィラがすましてたずねる。

エラゴンは無視《むし》した。

ほどなくして、ブロムがうめきながらベッドからころがり出た。たらいの水に頭をつっこむと、よろよろと部屋を出ていく。エラゴンもあとを追って廊下《ろうか》に出た。「なにしに行くの？」

「酔い覚ましじゃ」

「ぼくも行くよ」バーについていってわかったブロムの酔い覚ましとは、大量の熱い茶と冷水でブランデーを流しこむことだった。部屋へもどるころ、エラゴンはだいぶふつうに動けるようになっていた。

ブロムは剣《けん》を腰《こし》につけ、ローブのしわを手でのばした。「まず、せねばならんことは、慎重《しんちょう》なききこみだ。シーザー油がドラス＝レオナのどこへ運ばれたか、そこからどこへ向かったかをさぐりた

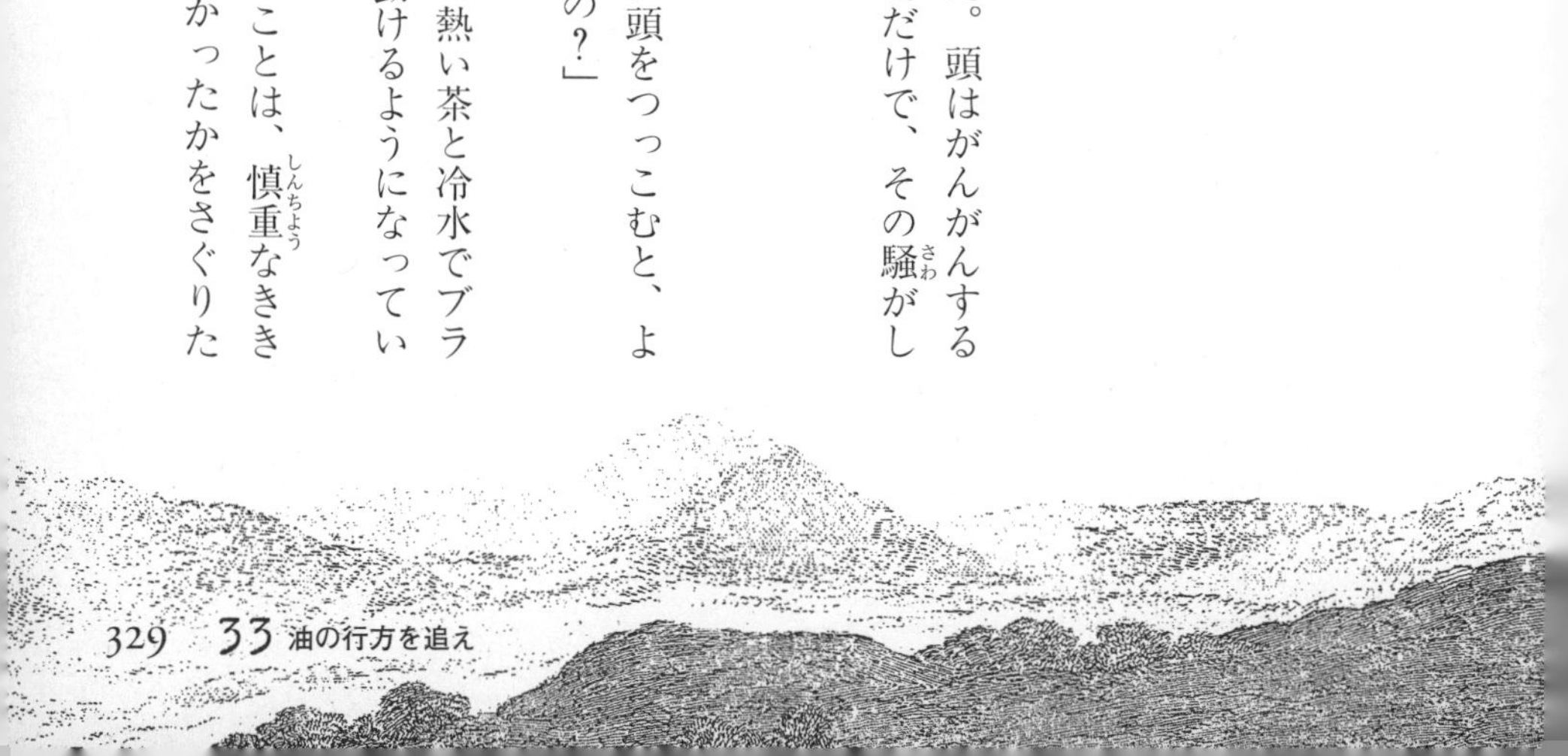

い。輸送《ゆそう》にはきっと、兵士や職人《しょくにん》たちもかかわっているにちがいない。そういう者を見つけて、なんとか話をきき出すのじゃ」

ゴールデングローブを出たふたりはまず、シーザー油が運びこまれそうな倉庫をさがして歩いた。町の中心にさしかかると、道はのぼり坂になり、その先につややかな大理石の宮殿《きゅうでん》が見えてきた。宮殿は小高いところに、大聖堂《だいせいどう》以外のすべての建物を見おろすようにそびえ立っていた。

宮殿の中庭をかこむ建物は、真珠貝《しんじゅがい》のモザイク模様《もよう》。壁《かべ》の一部に金がはめこまれている。アルコーブには黒い彫像《ちょうぞう》がならび、それらの冷たい手ににぎられた線香《せんこう》が煙《けむり》をくゆらせている。五メートルごとに兵士が配置され、通行人たちににらみを利《き》かせている。

「だれが住んでるの?」エラゴンはすっかり圧倒《あっとう》されてたずねた。

「マーカス・タボア、この町の統治者《とうちしゃ》だ。ガルバトリックス王と、自分の良心のいうことしか聞かないといわれておる——まあどちらも、近ごろとんと現《あらわ》れないようだがな」ブロムはいった。彼らは宮殿の外をめぐりながら、そこにならぶ門扉《もんぴ》つきの華美《かび》な家々を見て歩いた。

昼近くになり、とりたてて収穫《しゅうかく》のないまま、ふたりは昼食に立ちよった。「この町はあまりにも広すぎて、いっしょに動いていてははかがいかんな」ブロムがいった。「昼からは分かれて行動するぞ。夕方ゴールデングローブで落ちあうことにしよう」ブロムはぼさぼさの眉毛《まゆげ》の下からエラゴンをにらんだ。「バカなことはしないと信じとるぞ」

「しないよ」エラゴンはきっぱりといった。ブロムは彼にいくらかコインをあずけ、反対方向へすたすたと歩いていった。

エラゴンは午後からずっと、できるかぎり愛想をよくして、いろいろな店の主人や労働者たちと話をしてまわった。町のはずれまでたどり着くと、また折り返してききこみを続けた。だが油のことを

知っている者はなかなか見つからなかった。町じゅうどこへ行こうと、大聖堂に見おろされている気がした。この町では、そびえ立つ尖塔《せんとう》の視線《しせん》からのがれることは不可能《ふかのう》なのだ。

ようやく、シーザー油の輸送を手伝ったという男が見つかった。運ばれた先の倉庫を教えてもらうと、エラゴンは勇躍《ゆうやく》その場所へ飛んでいき、建物を確認《かくにん》して、ゴールデングローブへもどった。彼より一時間以上おくれて、ブロムがぐったり疲《つか》れて帰ってきた。「なにかわかった？」エラゴンはたずねた。

ブロムは白髪《はくはつ》をうしろにはらった。「興味深《きょうみぶか》い話をたくさん仕入れてきたぞ。なかでもいちばんは、一週間のうちにガルバトリックスがドラス＝レオナにやってくるという話じゃ」

「なんだって？」エラゴンは声をあげた。

ブロムは壁《かべ》にだらりともたれかかった。額《ひたい》のしわが深くなっている。「マーカス・タボアがこのごろわが物顔に権力《けんりょく》をふるいすぎとるもので、ガルバトリックスがわざわざ出向いて指導《しどう》するらしい。王がウルベーンをはなれるなど、十年以上なかったことじゃ」

「王はぼくたちのことを知ってるのかな？」エラゴンはいった。

「むろん、知ってはおる。だが居場所《いばしょ》まではつきとめとらんだろう。そうでなければ、わしらはとっくにラーザックにつかまっとるはずだ。しかしこうなると、ラーザックを始末するにしてもなんにしても、ガルバトリックスが来る前にかたづけねばならん。やつとは百キロだって近づきたくない。ひとつ、わしらにとっての朗報《ろうほう》は、ラーザックがこの町で王の到着《とうちゃく》を待っているとはっきりしたことじゃ」

「ラーザックはつかまえたいけど」エラゴンは拳《こぶし》をにぎりしめた。「それで王と戦うことになるならいやだ。ぼくなんか、軽く八《や》つ裂《ざ》きにされてしまう」

ブロムは愉快《ゆかい》そうな表情《ひょうじょう》を浮《う》かべた。「その慎重《しんちょう》さ、大いにけっこう。おまえのいうとおりだ。ガルバトリックスを相手に、勝てる見こみなどない。それで、おまえの聞いてきた話をしてみなさい。わしの話を裏《うら》づけることか？」

エラゴンは肩《かた》をすくめた。「ほとんどがムダ話だったけど、油の運ばれる先を知ってる人がいたんだ。ただの古い倉庫だった。それ以外は、なんの収穫《しゅうかく》もなかったよ」

「わしのほうが、おまえよりすこしだけ実りがあったようじゃな。わしもおまえと同じ話を耳にして、その倉庫へ行って人夫たちと話をしてみた。ちょっとおだてたら、かんたんに口を割《わ》ってくれたぞ。倉庫のシーザー油の行き先は、いつも宮殿《きゅうでん》なのだとな」

「それで、ここへもどってきたんだね」エラゴンが結論《けつろん》を急ぐ。

「ちがう、そう早まるな。わしはその足で宮殿へむかい、吟遊詩人《ぎんゆうしじん》として使用人たちの居住区《きょじゅうく》に入れてもらったのだ。そこでメイドなどを歌や詩で楽しませながら、何時間かうろうろした——そのあいだに、いろいろときききまわってきた」ブロムはパイプにゆっくりとタバコをつめた。「召《め》し使《つか》いたちの話はじつにおもしろいものばかりだったぞ。ある伯爵《はくしゃく》など三人も妾《めかけ》がいて、三人とも宮殿の同じ棟《むね》に住んでおるそうじゃ。信じられるか？」ブロムはあきれたように首をふり、パイプに火をつけた。

「まあ、そうした楽しげな噂話《うわさばなし》の合間に、偶然《ぐうぜん》、油が宮殿からどこへ行くかを聞き出すことができた」

「で、そこは……？」エラゴンはじりじりしてたずねた。

ブロムはパイプをふかし、煙《けむり》の輪を吐《は》き出した。「むろん、町の外だ。満月の夜ごとかならず、奴《ど》隷《れい》がふたり、ヘルグラインドのふもとに貢《みつ》ぎ物《もの》としてとどけられるそうじゃ。ドラス＝レオナにシーザー油が運ばれたときはいつも、貢ぎ物とともに油が送られる。奴隷はそれきりもどってくることはない。あとをつけた者がいるらしいが、やはり姿《すがた》を消してしまったそうじゃ」

「奴隷の売買なんて、ライダー族が廃止《はいし》したんじゃなかったの？」エラゴンはいった。

「残念ながら、ガルバトリックスが君臨《くんりん》してから復活《ふっかつ》したのだ」

「じゃあ、ラーザックはヘルグラインドにいるのか」エラゴンは切り立った岩山を思い出した。

「あるいは、その近辺か」

「ヘルグラインドだとしたら、岩山のふもとでもがんじょうな石の扉《とびら》に守られているし、頂上《ちょうじょう》ならやつらの空飛ぶ生き物か、サフィラぐらいしか近づくことができない。どっちにしろ、完璧《かんぺき》な隠《かく》れ家《が》であることにはちがいないな」エラゴンは一瞬《いっしゅん》考えた。「もしサフィラとぼくがヘルグラインドのまわりを飛んだら、ドラス＝レオナじゅうに見られるのはもちろんのこと、まちがいなくラーザックに見つかってしまうよね」

「それはまずい」ブロムもいった。

エラゴンは眉《まゆ》をひそめた。「じゃあ、ぼくとあんたで奴隷のかわりになるっていうのはどうだろう？　もうじき満月だ。ラーザックに近づける絶好《ぜっこう》のチャンスかもしれない」

ブロムはあごひげをしごきながら考えこんだ。「どう考えても危険《きけん》すぎる。奴隷の処刑《しょけい》が遠距離《えんきょり》から行われているのだとしたら、こまったことになる。見えるところにラーザックがいなければ、どうにも手出しができんからな」

「奴隷たちが殺されてるかどうかだって、わからないんだよ」エラゴンが指摘《してき》する。

「まちがいなく殺されておる」ブロムは神妙《しんみょう》な面持《おもも》ちでいいながらも、次の瞬間、目を輝《かがや》かせ、煙の輪を吐き出した。「そうであっても、その手は捨《す》てがたいな。たとえばサフィラを近くに待機させて決行するとすれば……」声が小さくなる。「うまく行くかもしれん。だが、やるとしたら急がねば。王がやってくるから、時間があまりない」

「ヘルグラインド周辺を下見してこなくていいかな？　明るいうちに見ておいたほうが、どこになにがひそんでいるかたしかめておける」エラゴンはいった。

　ブロムは杖《つえ》を指でいじりながらいった。「それはあとでいい。とりあえずあした、もう一度宮殿《きゅうでん》へ出向いて、奴隷《どれい》のすりかえが可能《かのう》かどうか調べてくる。疑惑《ぎわく》をもたれないよう、用心してかからねばならん――ラーザックと通じとる密偵《みってい》や廷臣《ていしん》なら、たちまちぴんと来るじゃろうからな」

「信じられない――ぼくたち、本当にやつらを見つけたんだね」エラゴンは静かにいった。死んだ伯《お》父《じ》や焼きはらわれた農場の映像《えいぞう》が、心のなかを駆《か》けめぐった。彼はあごをぐっと引きしめた。

「最大の難関《なんかん》はまだ終わっとらんが、そうだ、ついにここまで来たのだ」ブロムはいった。「あとは幸運の女神《めがみ》がほほえんでくれれば、おまえは復讐《ふくしゅう》を果たし、ヴァーデン軍はもっとも危険《きけん》な敵《てき》を排除《はいじょ》することができる。その後どうするかは、おまえしだいだ」

　エラゴンは心を開き、サフィラに歓喜《かんき》の思いを報告《ほうこく》した。〔ついにラーザックの隠《かく》れ家《が》を見つけたぞ！〕

〔どこ？〕エラゴンは自分たちが知ったことをすばやく伝えた。〔ヘルグラインド……〕サフィラがしみじみという。〔やつらにとっては恰好《かっこう》の隠れ家かもしれない〕

　エラゴンもうなずいた。〔これが終わったら、カーヴァホールに行ってみようか〕

〔なんのために？〕サフィラは急に不機嫌《ふきげん》になった。〔以前の生活にもどりたいのか？　そんなことは無理とわかっているはず。いつまでもぐずぐず考えるのはおやめなさい。あなたはどこかの時点で、自分の進むべき道を決めなければならない。残りの人生、ずっとかくれて生きるか、それともヴァーデンの力になるか。あなたの選択肢《せんたくし》はそれしかない。ガルバトリックスの軍に加わらないかぎりは。でも、それだけは、わたしはぜったいに受け入れられない〕

エラゴンはおだやかにいった。〔選択しなければならないとしたら、ぼくはヴァーデンに運命を投じるさ。おまえもよくわかってるはずだ〕

〔わかっている。でも、そういっている自分の声をじっくり聞いてみることも、ときには必要だ〕サフィラは深い言葉を残して消えていった。

34

ヘルグラインド

エラゴンが目を覚ましたとき、部屋にはだれもいなかった。壁《かべ》に木炭の木切れで走り書きがしてある――

エラゴンへ
今夜は遅《おそ》くまでもどらない。食べ物を買う金はマットレスの下。町を探索《たんさく》するといい、楽しんでおいで。ただし、目立たぬように！

ブロム

追伸――宮殿《きゅうでん》には足をむけないこと。
どこへ行くにも弓を忘《わす》れるな！　つねに弦《つる》をはっておけ。

エラゴンは壁の文字を消し、ベッドの下から小銭《こぜに》をとりだした。弓を背中《せなか》にかけながら思った。こ

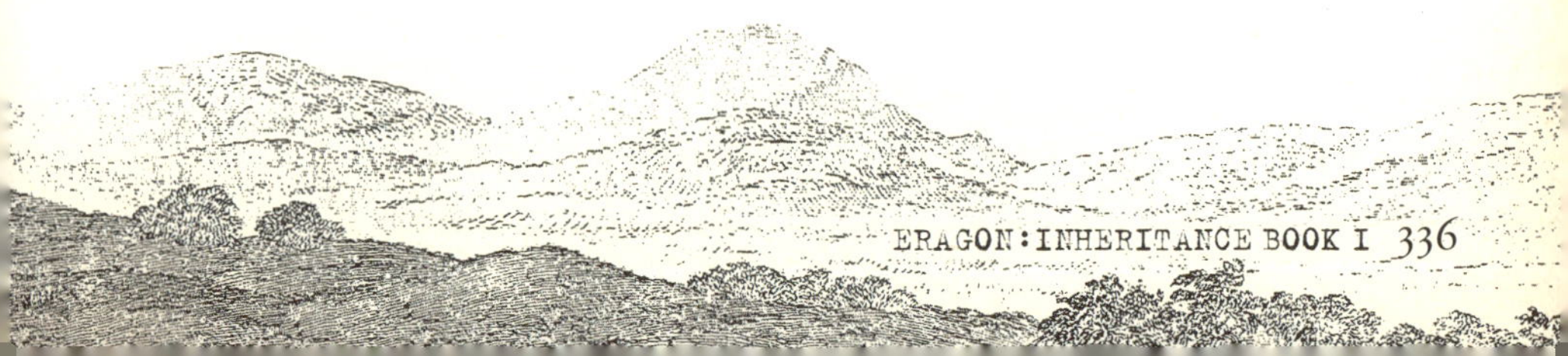

んな武装《ぶそう》なしに外を歩ければいいのにな。

ゴールデングローブを出て、気になる店に足をとめながら通りをぶらぶらと歩いた。おもしろそうな店もあるにはあるが、アンジェラの薬草店ほど興味《きょうみ》を引かれることはない。暗くてせま苦しい建物をのぞきこみ、こんな町から早くのがれたいとも感じた。腹《はら》がへるとチーズをひと切れと、パンを一個《こ》買って縁石《えんせき》に腰《こし》をおろして食べた。

町のはずれまで歩いたあたりで、早口で値段《ねだん》を読みあげる競《せ》り売《う》り人《にん》の声が聞こえてきた。声に引かれて歩いていくと、ふたつの建物のあいだに広い空き地があった。腰の高さほどの台の上に、男が十人ほどずらりとならんでいる。台の前には、色とりどりの高価《こうか》な服に身を包んだにぎやかな客たちが人垣《ひとがき》をつくっている。いったい何を売っているんだろう？　エラゴンは思った。

競り売り人は値段表を最後まで読み終わると、台のかげにひかえていたひとりの若《わか》い男に合図を送った。男はぎこちない足どりで台の上にあがっていく。両手と両足についた鎖《くさり》が引きずられる。「さあ、本日の目玉」競り売り人が聴衆《ちょうしゅう》に告げた。「健康でぴんぴんした男だよ。ハダラク砂漠《さばく》でつい先月つかまえたばかり。最高の代物《しろもの》だ。見てくれ、この腕《うで》や足を。雄牛《おうし》のように強靭《きょうじん》で、恰好《かっこう》の盾持《たても》ちになる！　それがいやだとおっしゃるなら、いくらでも力仕事をさせるがいい。しかし紳士淑女諸《しんししゅくじょしょ》君《くん》、いっておくが、それではもったいないよ。こいつはすこぶる頭もいい。いや、まともな言葉を教えられればの話だが！」

群衆《ぐんしゅう》が声をあげて笑った。エラゴンは激《はげ》しい怒《いか》りを覚えて歯ぎしりをした。あの奴隷《どれい》を自由にしてやりたい。魔法《まほう》の言葉をとなえるべく唇《くちびる》を動かしかけ、添《そ》え木《ぎ》がとれたばかりの腕をもちあげた。掌《てのひら》の銀の跡《あと》がちらちらと光を放つ。が、まさにその言葉を吐《は》き出そうとした瞬間《しゅんかん》、はたと思った。あの奴隷は逃《に》げおおせない！　町の外塀《そとべい》までたどり着かないうちに、またつかまってしまうだろう。今こ

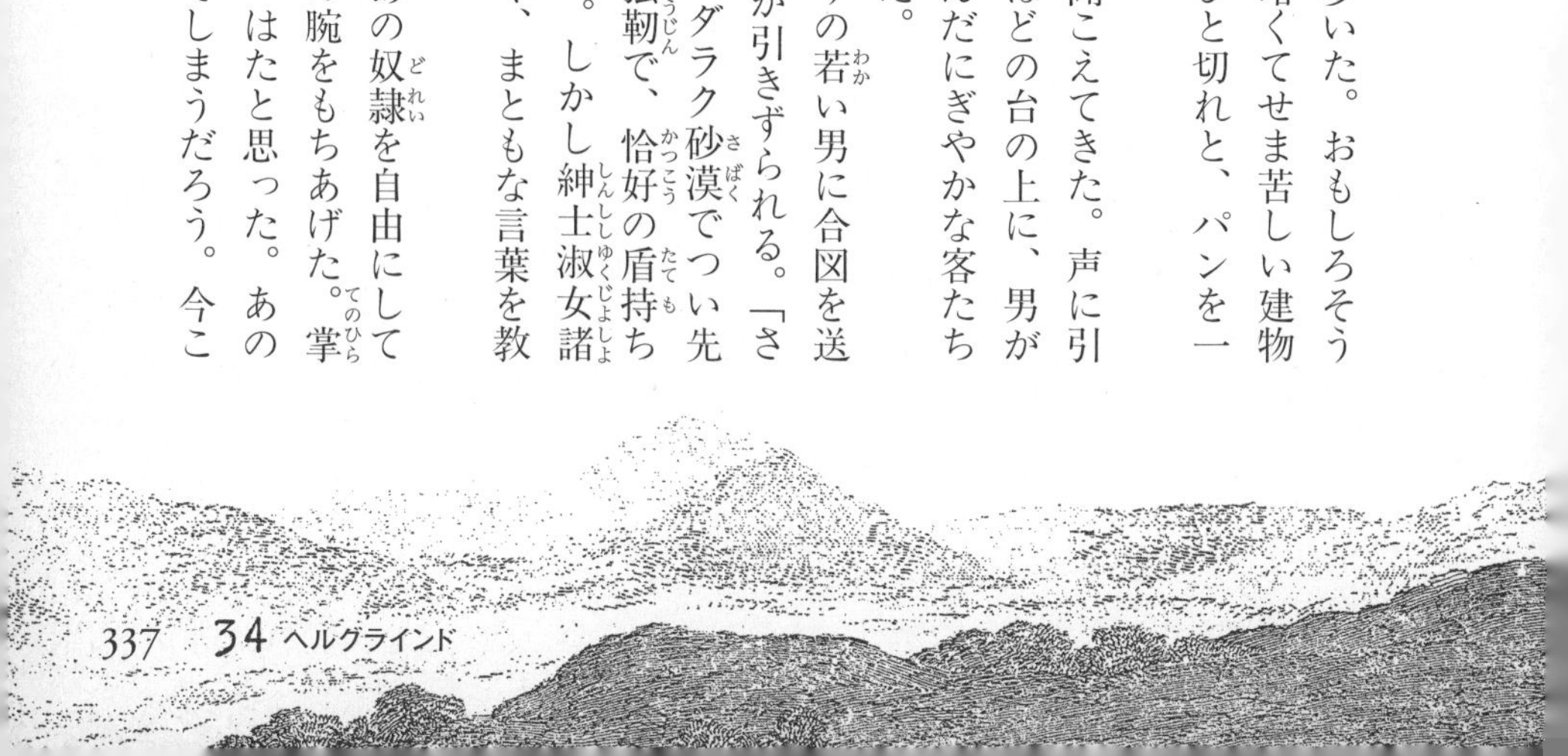

こで助ければ、かえって状況《じょうきょう》をまずくするだけなのだ。エラゴンは腕《うで》をおろし、自分にむかってそっと毒づいた。よく考えろ！　アーガルの一件《いっけん》だって、自分のこういう浅はかさがまねいたんじゃないか。

　エラゴンはどうすることもできずに、奴隷《どれい》が背《せ》の高い鷲鼻《わしばな》の男に売られていくのを見まもっていた。続いて、まだ六歳《さい》にも満たないような幼《おさな》い少女が、泣きさけぶ母親の腕からもぎとられてくる。競《せ》り売《う》り人《にん》が入札をはじめると、エラゴンは怒《いか》りと悲しみにこわばる体を引きはがすようにして、その場をはなれた。

　泣き声が聞こえなくなるまで、何ブロックも歩かなければならなかった。財布《さいふ》でもスリに来るようなバカがどこかにいないか、と苦々しく思う。怒りをおさえきれず、近くの壁《かべ》に、血がにじむほど拳《こぶし》をたたきつけた。

　ぼくが帝国《ていこく》と戦えば、こんなとんでもない風習を廃止《はいし》できるんだ、エラゴンは気がついた。サフィラがそばにいれば、ぼくが奴隷を解放《かいほう》してやれる。ぼくには特別な力があるんだ。それをほかの人のために使わないなんて、身勝手だ。そんなやつがドラゴンライダーなんていえるか？

　あたりに目をやるゆとりができたころ、ふと、自分が大聖堂《だいせいどう》の目の前にいることに気づいておどろいた。大聖堂のねじれた尖塔《せんとう》は、たくさんの彫像《ちょうぞう》や渦巻《うずま》き装飾《そうしょく》でおおわれていた。ひさしには、歯をむいてうずくまるガーゴイル。壁《かべ》の上のそこここでのたうつ奇怪《きかい》なけだものたち。下方の冷たい大理石には、勇者や王が、行進するかのようにならんでいる。聖堂の側面には、アーチ型の枠石《わくいし》でかこまれた背《せ》の高いステンドグラスの窓《まど》や、さまざまな大きさの円柱が配されている。ぽつんとひとつだけ建つ小塔は、聖堂全体の舵《かじ》とりをするマストのようだ。

　正面奥《おく》の暗がりには鉄ばりの扉《とびら》があり、銀色の文字がはめこまれていた。それは古代語だった。エ

ラゴンはなんとか解読してみた——この扉の内に足をふみ入れしもの、わが身のはかなさを知り、愛する者のあることを忘《わす》れたまえ。

聖堂全体を見わたしたとき、背筋《せすじ》に悪寒《おかん》が走った。その姿《すがた》には、次の獲物《えもの》をねらって町の真ん中で身がまえる捕食《ほしょく》動物のような、なんともいえない威圧感《いあつかん》があった。

幅《はば》の広い階段《かいだん》が聖堂の入口に続いている。エラゴンはおごそかな気持ちで、それをのぼり、扉の前でとまった。ぼくが入っていいものだろうか？　罪悪感《ざいあくかん》めいたものを覚えながら、扉をおした。油をさした蝶番《ちょうつがい》が動き、扉はすうっとあいた。エラゴンは聖堂のなかに足をふみ入れた。

忘《わす》れ去られた墓地《ぼち》のような静寂《せいじゃく》が、がらんとした聖堂のなかにも満ちていた。空気はひんやりと冷たく、かわいている。丸天井《まるてんじょう》へと続くむき出しの壁。その天井のあまりの高さに、自分の背丈《せたけ》がアリほどもないように思える。壁にはめこまれたステンドグラスの窓には、怒りや憎《にく》しみや悲しみの絵が描《えが》かれ、御影石《みかげいし》の信徒席を色とりどりの透明《とうめい》な光の束で染《そ》めている。それ以外の場所は暗い。エラゴンの手には濃《こ》い青色の影《かげ》が落ちていた。

窓と窓のあいだには、うすい色のいかめしい目をした彫像が立っている。エラゴンはそれらをきびしい目つきでにらみ返しながら、信徒席のなかほどへとゆっくり進んでいった。静けさをやぶらないよう、みがかれた石の床《ゆか》を革《かわ》のブーツでそっと歩いていく。

祭壇《さいだん》は、なんの装飾もない大きな石板でできていた。一条《いちじょう》の光がその上に注がれ、宙《ちゅう》に舞《ま》う埃《ほこり》を金粉のように光らせている。祭壇のうしろに置かれたウインド・オルガンのパイプが、天井をつらぬいて外気へと達している。それが音楽を奏《かな》でるのは、ドラス＝レオナの町を強風がふきつけるときだけだ。

エラゴンは祭壇の前にひざまずき、頭をたれた。祈《いの》るというよりも、聖堂そのものに対する畏怖《いふ》の

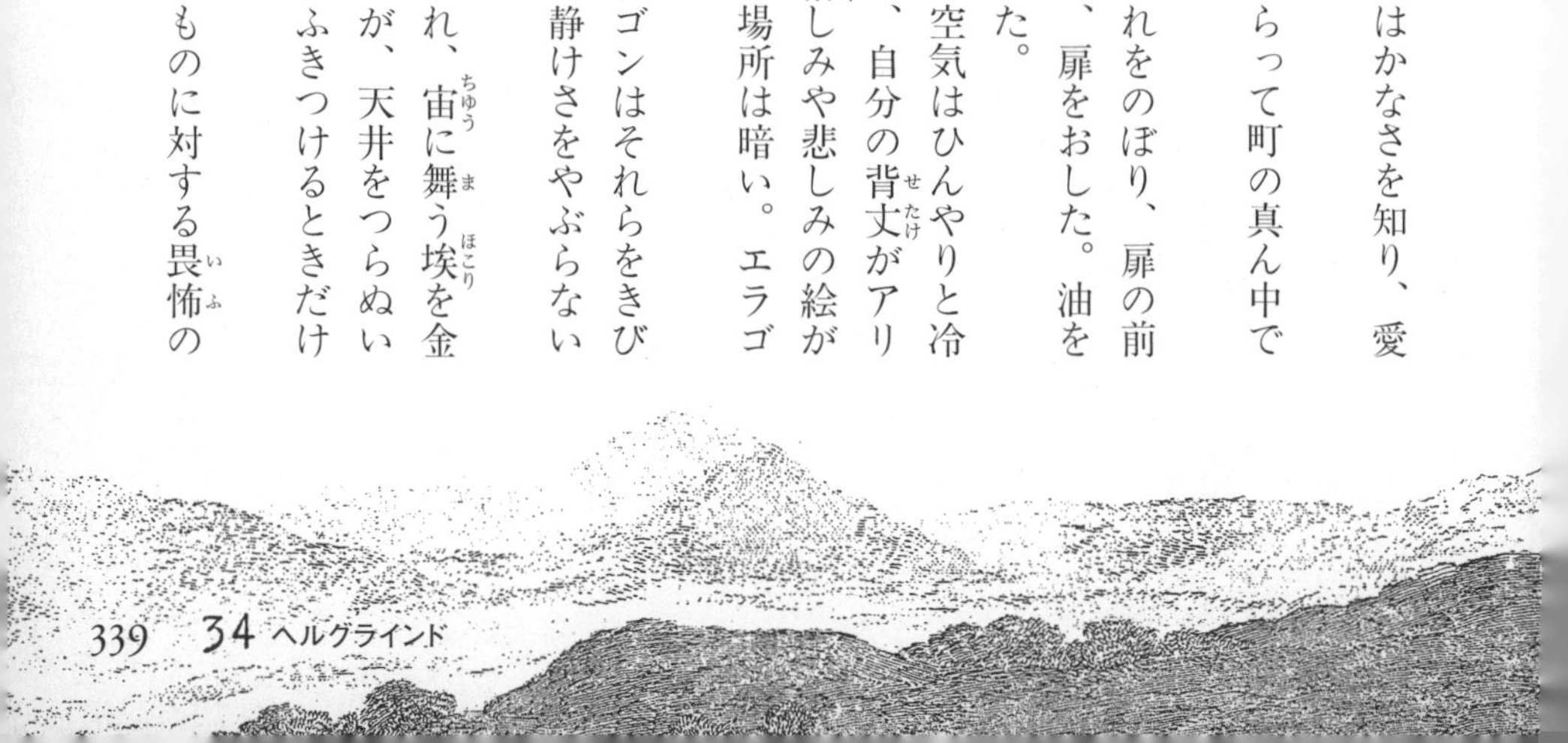

念だった。建物のなかで行われてきたことへの不快感《ふかいかん》や、聖堂《せいどう》が見まもってきた命の悲しさが、石のあいだからにじみ出ているような気がした。人をよせつけない、むき出しの寒々とした空間。しかしその冷えびえとしたなかから、永遠《えいえん》のときと、権力《けんりょく》の澱《おり》のようなものがほの見えてくる。

やがて頭をさげて立ちあがった。静かにおごそかに古代の言葉をつぶやきながら、立ち去ろうとふり返った。が、その瞬間《しゅんかん》、凍《こお》りついた。心臓《しんぞう》が飛びはね、太鼓《たいこ》のように激《はげ》しく胸《むね》を打った。

ラーザックたちが聖堂の入り口に立って、こちらをじっとにらんでいる。すでに剣《けん》がぬかれ、深紅《しんく》の光でその鋭《するど》い刃《は》が血の色に染《そ》まって見える。小さいほうのラーザックがシューッと歯のあいだから息を吐《は》く。どちらも動こうとしない。

エラゴンの胸に怒《いか》りがふつふつとこみあげてきた。ラーザックを追ってすでに数週間。やつらの凶《きょう》行《こう》によって受けた痛《いた》みは、彼のなかでしだいに鈍《にぶ》くなりはじめていた。しかし今、復讐《ふくしゅう》相手を目の前にして、怒りがまた火山のようにふきあがってきた。奴隷《どれい》の悲運を見たときにおしこめていたものが、その炎《ほのお》をさらにあおり立てている。唇《くちびる》からもれるうなりが雷雨《らいう》のようにとどろき、エラゴンは背《せ》中《なか》からさっと弓をつかみとった。手ぎわよく矢をつがえ、射《う》ち放った。続けざまに、もう二本。

ラーザックは人間にはまねのできないすばやさで飛びあがり、放たれた矢をよけた。シューッという音を立てながら、マントをカラスの羽根のようにはためかせて信徒席のあいだを駆《か》けぬけていく。エラゴンはもう一本の矢をつかみかけ、その手をとめた。やつらがぼくの居場所《いばしょ》を知ったということは、ブロムもあぶないということだ！　危険《きけん》を知らせなければ！　そのとき、なんと兵士たちが隊列をつくって聖堂におしよせてきた。エラゴンは入り口にむらがる制服《せいふく》の一団《いちだん》に目をやった。

せまりくるラーザックをくやしげににらむと、エラゴンは身をひるがえして逃《に》げ道《みち》をさがした。祭《さい》壇《だん》の左手に通路が見えた。アーチ型の通路に飛びこみ、続く回廊《かいろう》を、鐘楼《しょうろう》のある小修道院《しゅうどういん》へと駆けぬ

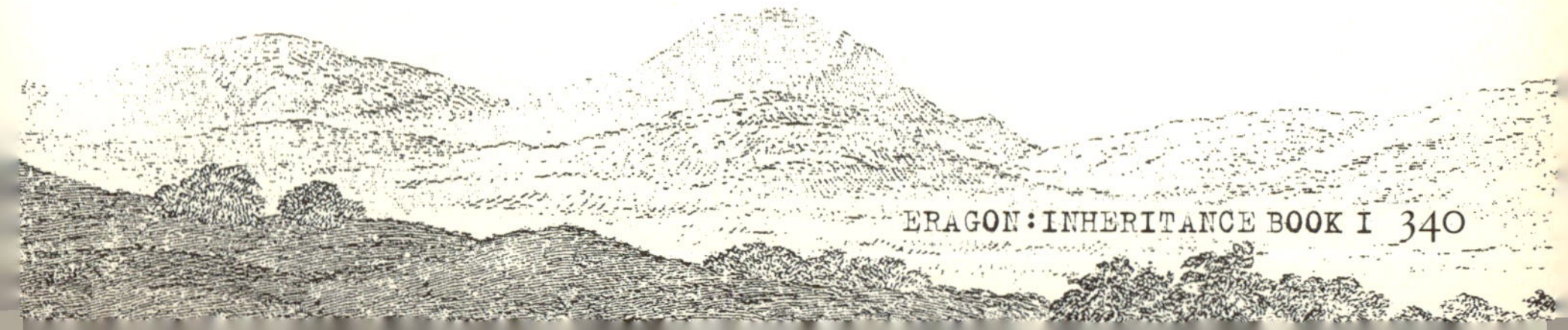

けていく。背後《はいご》でラーザックのパタパタという足音が聞こえ、エラゴンはいっそう足を速めて走った。が、行く手には扉《とびら》が立ちふさがっていた。

たたきこわそうとしたが、扉はひどくがんじょうな木でできている。ラーザックはすぐそこまでせまっている。エラゴンは必死の思いで息をすい、さけんだ。「ジェルダ！（こわれろ！）」閃光《せんこう》とともに、扉が一瞬《いっしゅん》のうちに砕《くだ》け、床《ゆか》に飛び散った。エラゴンは小部屋に飛びこみ、さらにその先へと走った。

司祭たちがおどろくのもかまわず、小部屋を次々と走りぬけた。背中でさけび声や罵声《ばせい》が飛びかっていた。小修道院の鐘楼で、警鐘《けいしょう》が鳴りはじめた。エラゴンは身をかわしながら厨房《ちゅうぼう》をぬけ、ふたりの修道士を追いこし、横の出入り口から外へ飛び出した。横すべりしながらとまったのは、高いレンガ塀《べい》にかこまれた庭だ。塀には手をかける場所はなく、ほかに出口もない。

エラゴンはしかたなく引き返そうとした。が、そこへシューッと低い音とともに、ラーザックが肩《かた》で戸をついて飛び出してきた。エラゴンは腕《うで》をふり動かし、死にものぐるいで塀へと駆けだした。ここで魔法《まほう》を使うわけにはいかない――壁をこわせたとしても、そのあと走れなくなってしまう。

エラゴンは塀に飛びついた。精《せい》いっぱい腕をのばしたが、指先がかろうじて塀の上にかかるだけだ。残った体はレンガにたたきつけられ、息がとまりそうになる。あえぎながら、なんとか落ちずにもちこたえた。ラーザックは獲物《えもの》を嗅《か》ぎまわる猟犬《りょうけん》のように、首を左右にふりながら庭を歩いてくる。

エラゴンは彼らが近づいてくるのを感じ、両腕にぐっと力をこめた。痛《いた》みで肩をきしませながら、塀の上によじのぼり、そのままむこう側にころげ落ちた。すぐさま、ふらつく体で起きあがり、路地を走りだした。うしろでは、ラーザックが軽々と塀を飛びこえている。エラゴンはわが身に活を入

れ、さらに全力をふりしぼって走った。

一キロあまりも走ると、とまって呼吸《こきゅう》を整えなければならなくなった。ラーザックをふり切ったのかどうか定《さだ》かではなく、こみあった市場を見つけ、物売りの馬車の下に頭から飛びこんだ。どうしてぼくの居場所《いばしょ》がわかったんだろう？　息もたえだえに思った。ぜったいわかりっこないはずなのに……もしやブロムになにかあったのでは！　心を通じてサフィラに呼《よ》びかけた。〈ラーザックに見つかったぞ！　みんなあぶない！　ブロムが無事かどうかたしかめてきてくれ。もし無事なら、危険《きけん》を知らせて、宿で落ちあおうと伝えてほしい。おまえはすぐにでも飛べる用意をしておいてくれ。おまえの力を借りて、逃《に》げることになると思うから〉

しばしの沈黙《ちんもく》のあと、サフィラはぶっきらぼうに答えを返してきた。〈ブロムとは宿屋で落ちあうことになっている。ぐずぐずしていてはいけない！　さっさと逃げなさい！〉

「わかってるさ」エラゴンはつぶやきながら、馬車の下を出た。急いでゴールデングローブにもどり、荷造《にづく》りをして馬に鞍《くら》をつけ、通りへひいて出た。まもなく、ブロムが杖《つえ》を手にもち、けわしい表《ひょう》情《じょう》でもどってきた。スノーファイアに飛び乗り、エラゴンをにらみつけた。「いったいどういうわけだ？」

「大聖堂《だいせいどう》にいたら、うしろからラーザックが現《あらわ》れたんだ」カドックの背《せ》に這《は》いあがりながらエラゴンはこたえた。「必死に逃げてきたんだけど、ここにいたら、いつまたやつらが現れるかわからない。サフィラは町を出たところで待っている」

「町の外門がしまる前に外に出ねばならん。間に合わなければ、脱出《だっしゅつ》はまず無理だ。なにをするにも、わしのそばをはなれてはならんぞ」兵士の隊列が通りの向こうから行進してくるのをみて、エラゴンは身をかたくした。

ブロムは毒づいてスノーファイアの手綱《たづな》を引き、速足で駆《か》けだした。エラゴンはカドックの背《せ》で身を低くして、ブロムのあとを追った。道をふさぐ人だかりをかき分け、何度もぶつかりあいながら、ただひたすら外塀《そとべい》をめざし、がむしゃらに馬を走らせた。ようやく門が見えたとき、エラゴンは愕然《がくぜん》としてカドックの手綱を引いた。門は半分ほどしまりかけ、二列にならんだ槍兵《そうへい》がふたりの行く手に立ちはだかっている。

「あれじゃあずたずたに引きさかれてしまう！」エラゴンはさけんだ。

「とにかくやるしかない、うまく切りぬけるんだ」ブロムがしゃがれた声でいった。「兵士たちはわしがなんとかする。おまえは門が閉《と》じないようにしてくれ」エラゴンはうなずくと、歯を食いしばり、カドックの腹《はら》をかかとでついた。

ふたりは槍《やり》の隊列へと進んでいった。兵士たちはぴくりとも動かず、槍の穂先《ほさき》を馬の胸《むね》の高さにさげ、柄《え》を地面で固定している。エラゴンとブロムは、おびえて鼻を鳴らす馬をなだめ、位置につかせた。エラゴンの耳には兵士たちのさけび声が聞こえていた。だが意識《いしき》は、じりじりとしまる門にじっと集中させる。

ふたりは鋭《するど》い槍に近づいていった。ブロムが手をあげてつぶやくと、一語一語はっきりと響《ひび》くその言葉に、兵士たちはまるで足ばらいをくらったように、ふた手に分かれて道をあけた。門のすきまは刻一刻《こくいっこく》とせばまっていく。体力を消耗《しょうもう》しすぎないようにと祈《いの》りながら、エラゴンは力をふりしぼってさけんだ。「ドゥ・グラインド・フールダー（門よ、とまれ）！」

門は、重々しい響きをもらしてふるえ、きしみながらとまった。兵士や門衛《もんえい》たちは唖然《あぜん》として見つめている。ブロムとエラゴンはひづめの音を響かせて、ドラス＝レオナの塀の外へ飛び出した。門をくぐるやいなや、エラゴンは意識をゆるめた。門はふるえ、とどろくような音を立ててしまった。

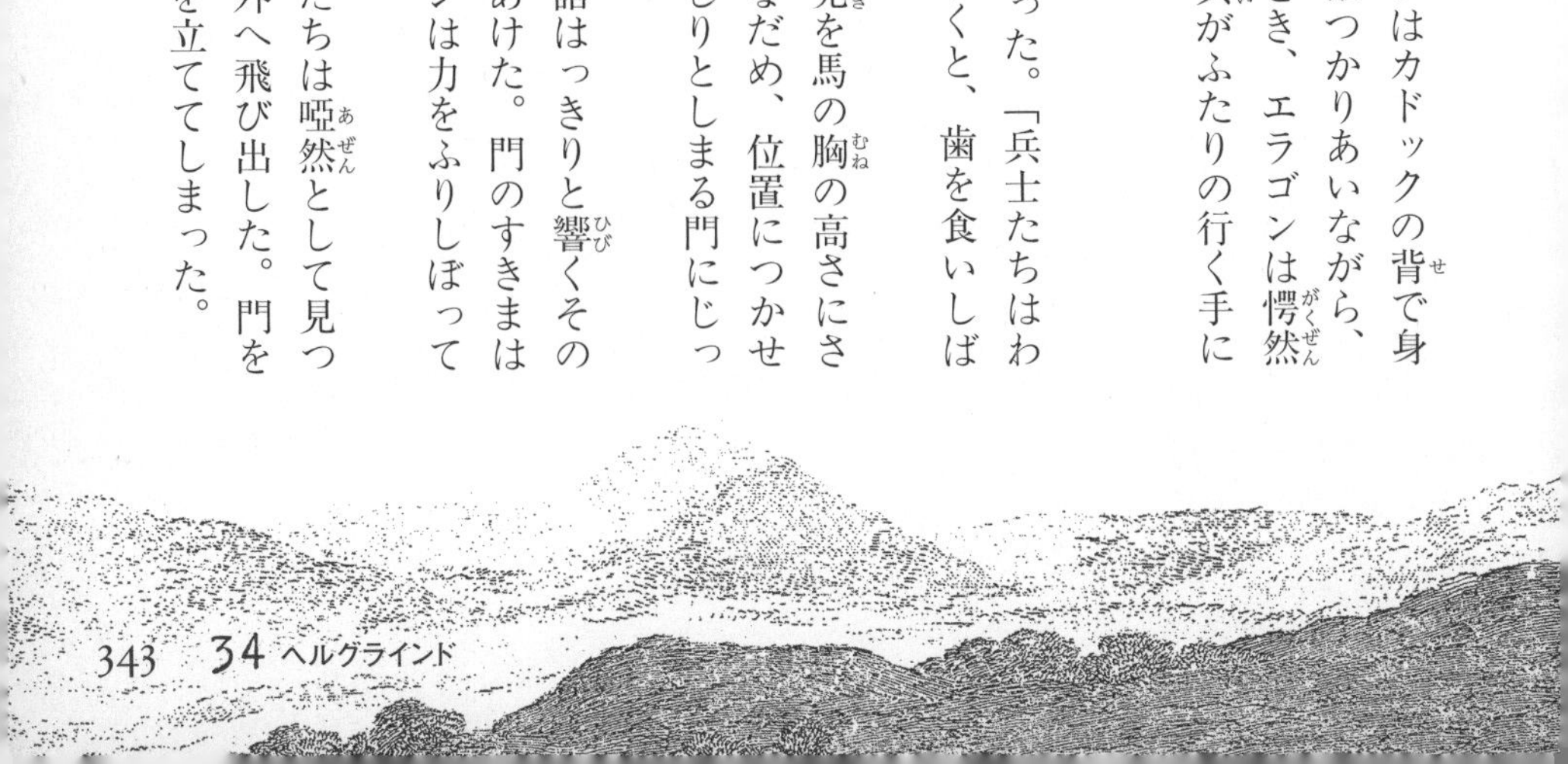

予想どおり疲労《ひろう》で体がふらついたが、馬から落ちないようにしがみついた。ブロムが心配そうにこちらを見ている。外塀《そとべい》のほうから響《ひび》いてくる警報《けいほう》ラッパを聞きながら、ふたりはドラス＝レオナの郊《こう》外《がい》を逃《に》げ続けた。サフィラは町のはずれの木立にかくれてふたりを待っていた。目を血走らせ、尾《お》を前後にふり動かしている。「さあ、おまえはサフィラに乗れ」ブロムがエラゴンにいった。「今度は、わしになにがあっても空からおりてくるな。南へむかうから、はなれずにそばを飛べ。サフィラの姿《すがた》を見られてもかまわんからな」エラゴンはサフィラの背中《せなか》に飛び乗った。地面はみるみる遠ざかり、馬を飛ばすブロムの姿《すがた》が小さくなっていった。

〔だいじょうぶか？〕サフィラがたずねてきた。

〔ああ〕エラゴンがこたえる。〔でも今回は運がよかっただけだ〕

サフィラが鼻腔《びこう》から煙《けむり》をぷかっと吐《は》き出した。〔ここまでラーザックを追ってきたことが、すべて水《みず》の泡《あわ》になった〕

〔わかってる〕エラゴンはサフィラの鱗《うろこ》に頭をもたせかけた。〔もし敵《てき》がラーザックだけだったら、ぼくは逃げたりしないで戦った。でもあれだけの兵士が相手じゃ、とても太刀打《たちう》ちできない！〕

〔わたしたちの噂《うわさ》はあっという間にひろまる。人目をさけて逃げまわるのはむずかしい。帝国《ていこく》の目からのがれるのも、これからはさらにむずかしくなる〕サフィラの声には、これまでにない怒気《どき》がにじんでいる。

〔わかってるよ〕

サフィラは速度をあげ、道の上を低空で飛んだ。レオナ湖は背後《はいご》に遠のき、地上には一面、かわいた土や岩肌《いわはだ》と、かたくとがった葉の潅木《かんぼく》やサボテンがひろがっている。雲が空を暗くおおい、遠くで稲妻《いなずま》が光っていた。やがて風がうなりをあげはじめると、サフィラはブロムのもとへ急降下《きゅうこうか》した。ブ

ロムは馬をとめた。「どうした？」

「風がものすごく強いんだ」

「このくらいたいしたことはない」ブロムがいう。

「上はすごいんだよ」エラゴンは空をさした。

ブロムはぶつぶついって、カドックの手綱《たづな》をエラゴンにわたした。馬を駆《か》るふたりのあとを、サフィラが歩いてついてくる。ドラゴンにとって、馬におくれをとらないように地面を進むのは大変なことだ。

風はさらに強さを増《ま》し、イスラム修行僧《しゅぎょうそう》の旋回舞踊《せんかいぶよう》さながらに、くるくると土埃《つちぼこり》を巻《ま》きあげている。ふたりはスカーフを頭に巻きつけて目をまもった。ブロムの衣《ころも》は風にあおられ、あごひげは生き物のようにぴしぴしと顔をたたいている。ここで雨が降《ふ》れば状況《じょうきょう》はさらにみじめになるだろうが、足跡《あしあと》が消えてくれるならそれもいいだろうとエラゴンは思った。

まもなく闇《やみ》がおり、先へは進めなくなった。一行は星の光だけをたよりに道をはなれ、巨石《きょせき》のかげで野営《やえい》した。火をつけるのは危険《きけん》なので、食べ物は冷たいままのどに流しこんだ。そのあいだサフィラの体が風をふせいでくれた。

乏《とぼ》しい夕食のあと、エラゴンはずばりブロムに問いかけた。「どうしてやつらに見つかったんだろう？」

ブロムは火をつけようとしたパイプを、思い直してふところにしまった。「宮殿《きゅうでん》の使用人のなかに間者《スパイ》がいたらしい。彼らのひとりが教えてくれた。わしの噂《うわさ》や、人々にききまわったことがタボアの耳に入り……やつを通じてラーザックに伝わったのかもしれない」

「ドラス＝レオナにはもうもどれないってこと？」エラゴンがきいた。

ブロムは首をふった。「数年は無理じゃろう」

エラゴンは両手で頭をかかえこんだ。「じゃあラーザックをこっちへおびきよせるっていうのは？サフィラの姿《すがた》を見せれば、やつらはどこへでも追いかけてくる」

「だとしたら、兵を五十人引き連れてくるぞ」ブロムがいった。「いずれにしろ、今はそんな話をしとる場合ではない。無事に生きのびることだけを考えるのだ。あぶないのは今夜じゃろう。ラーザックは闇《やみ》のなかでおそってくるからな。暗がりでこそ、思うままに力を発揮《はっき》する連中だ。夜通し交代で見張《みは》りするしかない」

「わかった」エラゴンは立ちあがりかけ、ふと、目を細くして一点を見つめた。夜景のなかに小さな影《かげ》がちらちら動いている。たしかめようと、野営地《やえいち》の縁《ふち》へ歩いていった。

「どうした？」ブロムが毛布《もうふ》をひろげながらきいた。

エラゴンは闇に目をこらし、ふり返った。「わからない。でもなにか見えた気がしたんだ。鳥だったのかもしれ――」ふいに後頭部に痛《いた》みが走り、サフィラが吠《ほ》えた。エラゴンは地面にたおれ、意識《いしき》を失った。

35

報復《ほうふく》

エラゴンは鈍《にぶ》い痛《いた》みに目を覚ました。血液《けつえき》が頭に流れこむたびに痛みの波がおそってくる。思いきって目をあけ、顔をしかめた――ランタンのまばゆい光に照りつけられ、涙《なみだ》がじわっとあふれてくる。まばたきをして目をそらした。体を起こそうとして初めて、両手を背《せ》中《なか》でしばられているのだとわかった。

ぼんやりしたままふり返ると、ブロムの腕《うで》が見えた。ふたりの腕がいっしょにしばられていることにほっとする。だが、なぜほっとするのか？　自分の気持ちを不思議に思っていると、ふいに答えが出た。やつらは死体ならわざわざしばらない！　でも「やつら」ってだれだ？　あたりをさぐろうと頭をまわしかけ、とめた。ふた組の黒いブーツが視界《しかい》に入ったからだ。

エラゴンは頭をあげて、フードをかぶったラーザックの顔をまっすぐに見つめた。恐怖《きょうふ》に全身がゆれた。ラーザックを殺す魔法《まほう》を使おうとして、はたと口ごもった。言葉が思い出せないのだ。いらいらしてもう一度考えるが、言葉は頭からすべり出てしまう。

ラーザックが上から冷ややかな笑いを投げかけてきた。「薬が効《き》いてるな？　これでもう、おまえなんぞに手こずらされることもない」

左手でなにか物音がして、顔をむけて呆然《ぼうぜん》とした。もうひとりのラーザックが、サフィラに口輪をはめているのだ。翼《つばさ》は黒い鎖《くさり》でわき腹《ばら》にしばりつけられ、四肢《しし》には足かせがはめられている。

「おまえを殺すとおどしたら、彼女はじつに協力的になってねえ」ラーザックがシューッと音を発し、ランタンのそばにしゃがみこんで、エラゴンの荷物をさぐりはじめた。あれこれかきまわした末、ザーロックをつかみ出した。「なんという美しい剣《けん》……おまえのような小僧《こぞう》には似合《にあ》わん。おれがあずかっておこう」ラーザックがエラゴンに顔をよせ、せせら笑った。「だがな、行儀《ぎょうぎ》よくしてれば、これをみがく仕事をご主人さまから授《さず》かれるかもしれんぞ」ラーザックの湿《しめ》った息が生肉のようににおった。

剣を手のなかで裏返《うらがえ》したラーザックは、鞘《さや》についた紋章《もんしょう》を見て甲高《かんだか》い声をあげた。もうひとりのラーザックが駆《か》けよってきた。ふたりは剣をのぞきこみ、チッチッと舌打《したう》ちのような音をもらしている。やがてエラゴンにむき直った。「おまえはわれらのご主人さまのために、つとめを果たすことになる」

エラゴンはもつれる舌で言葉を吐《は》き出した。「そのときは、おまえたちを殺す」

ふたりは冷たくクックッと笑った。「バカなことを。おれたちを殺しちゃあ、もったいない。だがおまえなら……使《つか》い捨《す》てにできる」サフィラが低い声でうなり、鼻腔《びこう》から煙《けむり》をふきあげた。ラーザックはまるで動じない。

ブロムがうなって寝返《ねがえ》りを打ち、ふたりの注意がそちらへそれた。ひとりがブロムのシャツをつかみ、その体を軽々と宙《ちゅう》にもちあげた。「薬が切れてきたようだな」

「もっと入れてやれ」

「さっさと殺しちまおうぜ」背《せ》の低いほうがいった。「こいつのおかげでさんざんな目にあったんだ」

背の高いほうが剣に指を走らせていった。「そりゃいい考えだ。だが、忘《わす》れるな。王の命令は生《い》け捕《ど》りにせよということだった」

「つかまえたときにはもう死んでいたといえばいい」

「じゃあ、こっちはどうする？」エラゴンに剣の先をむけていう。「こいつがしゃべっちまったら？」

もういっぽうのラーザックが笑いながら剣をぬいた。「そんな度胸《どきょう》はないさ」

長い沈黙《ちんもく》のあと、ふたりはいった。「決まりだな」

ラーザックたちはブロムを野営地《やえいち》の中央まで引きずり出し、乱暴《らんぼう》におしてひざまずかせた。ブロムはそのまま横向きにくずおれた。エラゴンは恐怖《きょうふ》に駆《か》られながらそれを見まもった。助けなければ！縄《なわ》を解《と》こうともがくが、かたすぎてほどけない。「ムダなことはするな」背の高いラーザックがエラゴンを剣の先でつついた。そして、なにか不穏《ふおん》な空気を嗅《か》ぎとったかのように鼻をひくひくさせた。

もうひとりのラーザックが、うなり声とともにブロムの頭をうしろへそらし、むき出しののどに短剣を走らせようとした。と、そのとき、ブーンという低い音が響《ひび》き、続いて、ラーザックの口から苦《く》痛《つう》のうめきがもれた。一本の矢が彼の肩口《かたぐち》をつらぬいていた。エラゴンのそばにいたラーザックは地面にふせ、かろうじて二本めの矢をさけた。傷《きず》ついた仲間に駆けより、シューッと怒声《どせい》を発しながら闇《やみ》をにらみつけている。ブロムはよろよろと立ちあがったが、ラーザックたちにはそれをとめることができない。「ふせろ！」エラゴンがさけんだ。

ブロムは一瞬《いっしゅん》ふらついてから、よろよろとエラゴンのほうへ歩いてきた。姿《すがた》の見えぬ射手《しゃしゅ》からさらなる矢が放たれると、ラーザックは巨石《きょせき》のかげに飛びこんだ。矢は一時《いっとき》やみ、やがて今度は反対側から飛びこんできた。その不意打ちに、ラーザックはすぐに反応《はんのう》できなかった。マントはそこここがさけ、ひとりの腕《うで》には折れた矢がめりこんでいる。

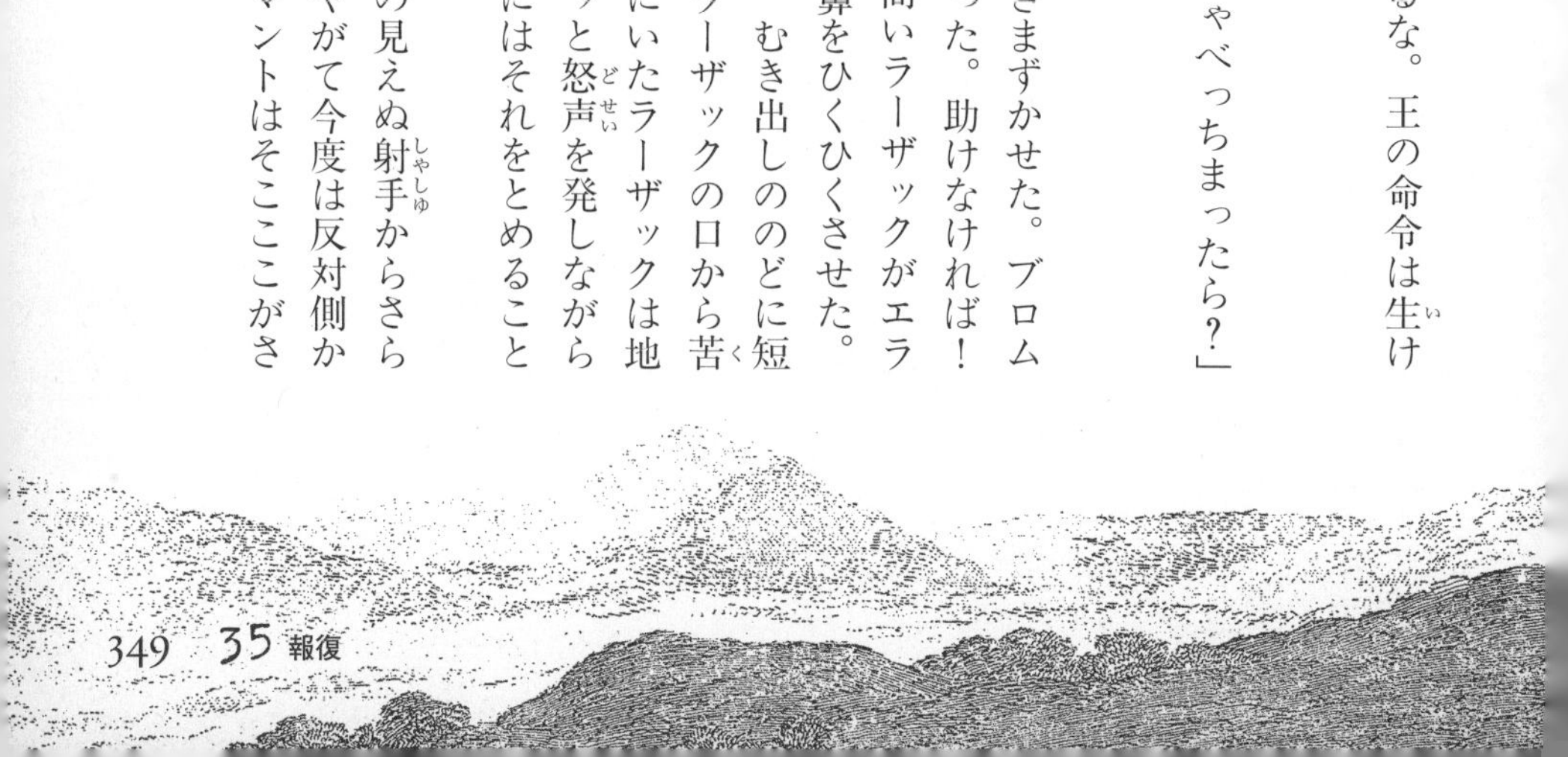

小柄《こがら》なほうのラーザックは狂気《きょうき》じみた声をあげ、エラゴンのわき腹《ばら》を憎々《にくにく》しげにけりつけざま、道にむかって逃《に》げていった。もうひとりは一瞬《いっしゅん》ためらったのち、地面から短剣《たんけん》を拾って仲間のあとを追った。野営地《やえいち》を出る寸前《すんぜん》、その短剣がエラゴンにむかって投げつけられた。
と、ブロムの目に異様《いよう》な光が燃《も》えた。彼はエラゴンの前に身を投げ出し、口をかっと開いて声にならないうなりをあげた。飛んできた短剣が鈍《にぶ》い音を立ててつきささり、ブロムは肩《かた》からズシンとたおれた。頭が力なく地面に落ちた。

「ブロム!」エラゴンはさけんだが、わき腹の激痛《げきつう》に体を折り曲げた。だれかの足音を聞きながら目を閉《と》じ、あとはもうなにもわからなくなった。

36
マータグ

エラゴンは長いあいだ、わき腹の燃《も》えるような痛《いた》みのことしか考えられなかった。息をするたびに痛みが走る。さされたのがブロムではなく、自分のような気がする。時間の感覚がない。数週間がすぎたのか、数分しかたっていないのかわからない。意識《いしき》がもどって目をあけると、一メートルほど先で燃える焚《た》き火《び》にじっと目をこらした。両手はまだしばられているが、アーガルの薬はすでに切れたにちがいない。頭のなかがすっきりしている。〔サフィラ、ケガは？〕

〔していない。だがブロムとあなたがケガをしている〕サフィラは両方の翼《つばさ》でエラゴンを守るようにかがみこんでいる。

〔サフィラ、おまえが火を焚いたわけじゃないな？　それに、その鎖《くさり》は自分じゃはずせなかったはずだ〕

〔いかにも〕

〔やっぱり〕エラゴンはよろめきながらひざをつき、焚き火のむこうはしにすわる若《わか》い男を見た。

知らない男だった。くたびれた服に身を包み、おだやかだが自信に満ちた雰囲気《ふんいき》をただよわせている。手に弓を、腰《こし》には片手半剣《ハーフアンド・ア・ハーフソード》を帯びている。ひざの上には銀の縁《ふち》どりのついた白い角笛《つのぶえ》、ブーツの口には短剣《たんけん》の柄《つか》が見えている。けわしい目つきと真剣な表情《ひょうじょう》を、茶色の巻《ま》き毛《げ》がおおっている。エラゴンよりも二、三歳《さい》年上で、背《せ》もすこし高そうに見える。背後《はいご》には灰色《はいいろ》の軍馬がつながれている。男は警戒《けいかい》するようにサフィラを見ていた。

「きみはだれだ?」エラゴンが浅い息をしながらきいた。

男は弓をにぎる手に力をこめた。「マータグだ」低くてひかえめだが、不思議と感情《かんじょう》のこもった声だ。

エラゴンは足の下から両手を引っぱりだした。わき腹《ばら》の燃《も》えるような痛《いた》みを歯を食いしばってこらえる。「どうしてぼくらを助けた?」

「ラーザックを追っているのはきみらだけじゃない。やつらはぼくの敵《てき》でもある」

「やつらを知ってるのか?」

「ああ」

エラゴンは手首の縄《なわ》に意識《いしき》をこらし、魔法《まほう》を使おうとした。一瞬《いっしゅん》、マータグの視線《しせん》を感じてためらったが、そんなことを気にしている場合ではなかった。「ジェルダ(切れろ)!」縄が手首の上でパチンとはじけた。エラゴンは血の流れをよくするために両手をこすりあわせた。

マータグが息をのんで見ていた。エラゴンは必死で立ちあがろうとした。が、あばら骨《ぼね》に焼けるような痛みが走る。たじろいで、食いしばった歯のすきまから息をしてたえた。手をさし出そうとするマータグを、サフィラがうなってとめた。「さっきもそこへ助けに行こうとしたんだが、このドラゴンがそばに近よらせてくれないんだ」

「サフィラっていうんだ」エラゴンはうわずる声でいった。〔サフィラ、この人にまかせて! ひとりじゃどうにもならないんだ。それに彼はぼくらの命を助けてくれたんだから〕サフィラはもう一度

だけうなり、翼《つばさ》をたたんであとずさった。マータグはサフィラを見すえながら前へ歩み出た。

マータグに腕《うで》をつかまれ、そろそろと立ちあがると、エラゴンは悲鳴をあげた。ささえがなければとても立ってはいられない。そのまま、ブロムがあおむけに寝《ね》かされている火のそばへと歩いていった。「彼の具合は？」エラゴンがきいた。

「よくないんだ」マータグはエラゴンを地面にすわらせた。「短剣がちょうどあばらのあいだをつらぬいている。彼のことはあとでゆっくり看《み》てやるといい。それよりまずきみのケガだ。ラーザックにやられた場所を見てみなければ」エラゴンがシャツを脱《ぬ》ぐのを手伝いながら、マータグはおどろきの声をあげた。「ウワッ！」

「ワッ！」エラゴンも弱々しくいった。左のわき腹一帯がまだらに変色している。赤く腫《は》れた皮膚《ひふ》はところどころさけている。マータグは傷《きず》の上に手をあててそっとおした。エラゴンはまた悲鳴をあげ、サフィラが警告するようにうなった。

マータグはサフィラに目をやりながら、毛布《もうふ》をつかんだ。「あばらが何本か折れていると思う。はっきりとはわからないが、少なくとも二本、いやもっとかもしれない。血を吐《は》かないだけ運がいい」マータグは毛布を細くさいてエラゴンの胸《むね》に巻きつけた。

エラゴンはシャツを着た。「そう……ぼくは運がいい」浅い息をつきながら、ブロムのほうへにじりよる。ブロムの衣《ころも》のわきは、傷に布《ぬの》を巻くためにマータグが切りとっていた。エラゴンはふるえる指でその布をはがした。

「やめたほうがいい」マータグがいった。「それをはがすと大量の血が出て死んでしまう」

エラゴンはマータグの忠告《ちゅうこく》を無視《むし》して、ブロムのわき腹から布をはがした。傷は深いが、切り口はごく小さい。しかし、すぐに血がふき出してきた。ラーザックにやられた傷がなかなか治らないの

は、ギャロウのケガでわかっている。
エラゴンは手袋《てぶくろ》をはずしながら、ブロムから教わった癒《いや》しの言葉を必死に思い出そうした。〔助けてくれ、サフィラ。ぼくは弱っていて、ひとりでは無理だ〕
サフィラはエラゴンの横にすわり、ブロムに目をすえた。〔エラゴン、さあ〕サフィラの心とつながったとき、エラゴンは自分のなかに新しい力が注ぎこまれるのがわかった。ふたり分の力で魔法《まほう》の言葉に意識《いしき》をこらし、ふるえる手を傷《きず》の上にかざす。「ヴァイサ・ヘイル（傷よ、治れ）！」掌《てのひら》が光り、ブロムの傷口がふさがっていく。まるで傷などなかったように。マータグはその一部始終《しじゅう》を見ていた。
それはあっという間に終わった。光が消えると、エラゴンは気分が悪くなりその場にうずくまった。〔こんなことができるなんて〕
サフィラがうなずく。〔ふたりの力をあわせると、ひとりではできないこともできる〕
マータグはブロムのわき腹《ばら》の傷を調べてきいた。「完全に治ったのか？」
「表面だけは。傷の奥《おく》までは治せたかどうか。あとはブロムの治癒力《ちゆりよく》にたよるしかない。ぼくにできるのはここまでだ」エラゴンはふっと目を閉《と》じ、力なくつぶやいた。「なにか……頭が雲の上を浮《う》かんでいるようだ」
「食べてないからだろうな。スープをつくってやろう」マータグがいった。
エラゴンは、食事の用意をするマータグを不思議な思いで見つめた。いったいこの男、何者なんだ？　剣《けん》も弓も、それに角笛《つのぶえ》も、すごく高価《こうか》なものだ。盗《ぬす》っ人《と》か金持ちか――いずれにしろ、金がありあまってるとしか思えない。それに、どうしてラーザックを追っているのか？　ラーザックはなにをやって、この男を敵《てき》にまわすことになったのか？　ひょっとしてヴァーデンのもとで働く人間なの

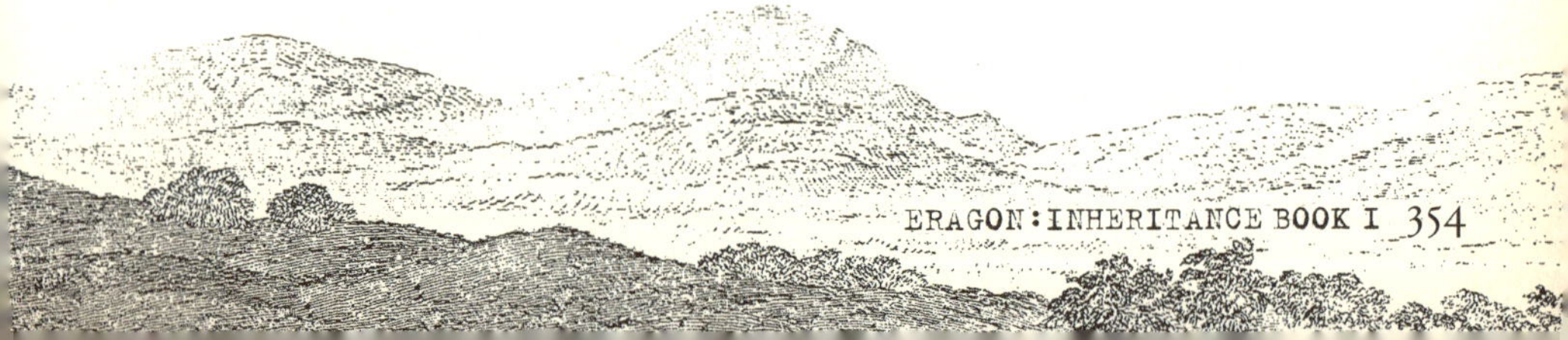

か？

マータグからスープの入った深皿を手わたされ、エラゴンはスプーンで口に入れた。「ラーザックが逃《に》げてからどれくらいたつ？」

「数時間といったところだろう」

「やつらが援軍《えんぐん》を連れてもどってくる前に、ここを出たほうがいい」

「きみは出発できても」マータグはブロムのほうを指さした。「あの人は無理だろう。あばらをさされた人間が、起きあがって馬に乗れるわけがない」

エラゴンはサフィラにきいた。〈担架《たんか》をつくったら、おまえがブロムをつるして運んでくれるか？ギャロウのときみたいに〉

〈うまく着地できないかもしれない〉

〈それはしかたがない〉エラゴンはマータグにいった。「サフィラが運んでくれる。担架が必要なんだ。だけどぼくには力が残っていない。かわりにつくってもらえないだろうか？」

「待っててくれ」マータグは剣を鞘《さや》からぬいて野営地《やえいち》を出ていった。エラゴンは自分の荷物によろよろと近づき、ラーザックが放っていった弓を拾いあげた。弦《つる》をはり、矢筒《やづつ》を回収《かいしゅう》し、暗がりにかくれていたザーロックをつかみあげた。そして最後に、担架に使う毛布《もうふ》をもった。

マータグは若木《わかぎ》を二本かかえてもどってきた。それを支柱《しちゅう》がわりに地面にならべ、あいだに毛布をはった。急ごしらえの担架にブロムの体をそっと横たえ、サフィラが若木をつかんで慎重《しんちょう》にもちあげた。「こんな場面に出くわすとはね」マータグは妙《みょう》な言い方をした。

サフィラが暗い空に消えると、エラゴンは足をひきずるようにしてカドックのもとへ歩みより、痛《いた》みにたえながらその背《せ》によじのぼった。「助けてくれてありがとう。きみも早くここをはなれたほう

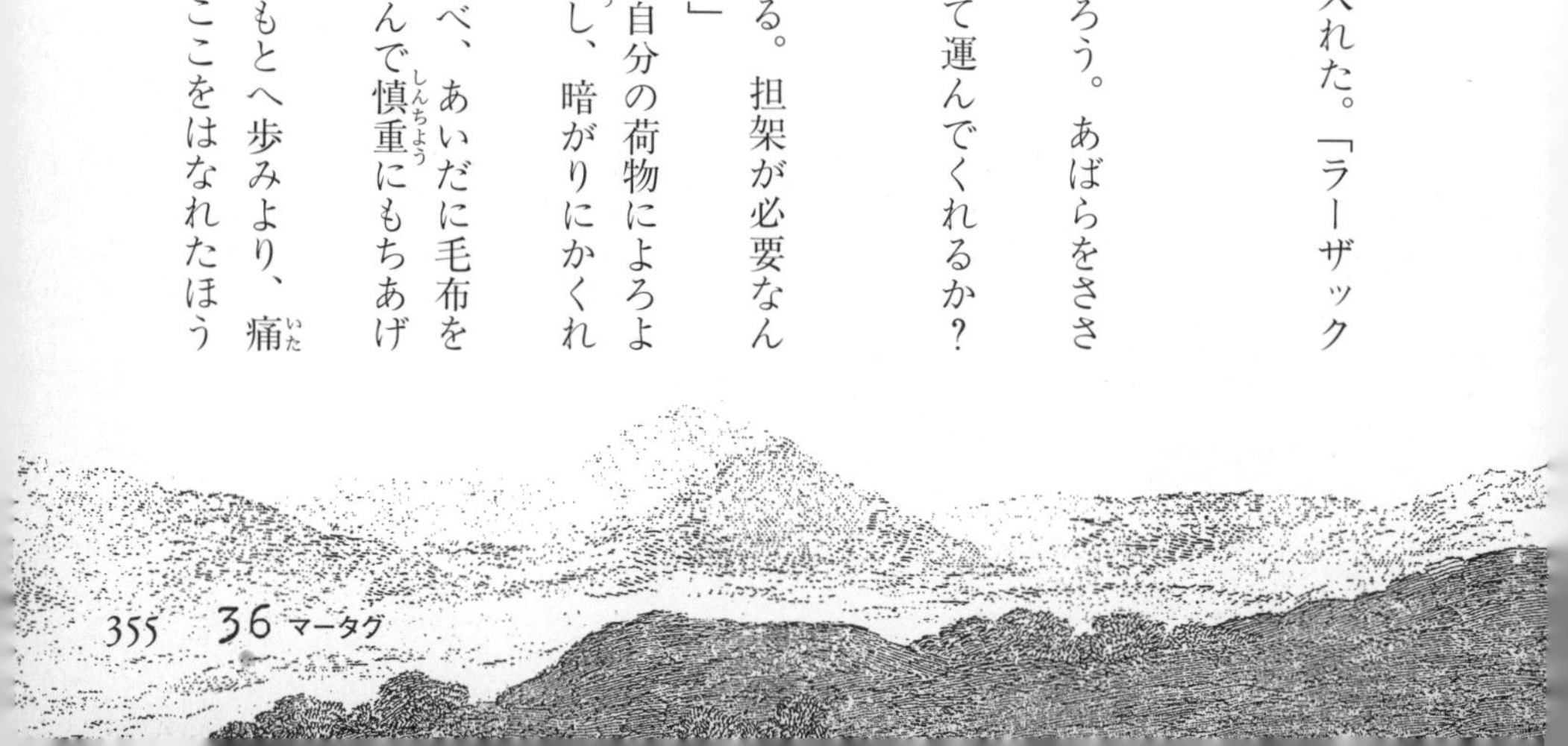

がいい。ぼくといっしょのところを帝国《ていこく》の者に見られたら、そっちにまで危険《きけん》がおよぶ。そうなっても守ってやれないし、ぼくらのせいで危害がおよぶのは見たくない」

「ずいぶんごりっぱなことをいうじゃないか」マータグがいって、足で焚《た》き火《び》の炎《ほのお》をもみ消した。「しかし、どこに行くつもりだい？　このあたりに安心して休める場所でもあるのかい？」

「いいや」エラゴンは正直にいった。

マータグの目がギラリと光り、指が剣《けん》の柄《つか》に触《ふ》れた。「ならば、危険からぬけ出せるまでぼくがお供《とも》しよう。こっちもどうせ行くあてがあるわけじゃない。それにきみたちといれば、ラーザックを討《う》ちとる機会が早くめぐってくるかもしれない。ライダーのまわりでは、つねに興味深《きょうみぶか》いことが起きるというからね」

見ず知らずの人間のこんな申し出を受けていいものかどうか、エラゴンは迷《まよ》った。体力が消耗《しょうもう》しているせいで判断力《はんだんりょく》まで鈍《にぶ》っているのだと、今さらながら思い知らされる。だけど、信用できないやつだとわかれば、サフィラがいつでも追っぱらってくれるだろう。「ついて来たいなら、来ればいいさ」エラゴンは肩《かた》をすくめた。

マータグはうなずいて灰色《はいいろ》の軍馬に乗った。エラゴンはスノーファイアの手綱《たづな》をつかんで野営《やえい》していた場所をはなれ、荒《あ》れ野《の》へと歩きだした。あたりには三日月の淡《あわ》い光があるだけだ。しかし、追ってくるラーザックにとっては、そのほうがむしろ好都合なのだ。

エラゴンはマータグのことをもっとききだしたかったが、今は先へ進むことだけに専念《せんねん》しようと、その気持ちをおさえた。夜明けごろ、サフィラが呼《よ》びかけてきた。〈そろそろ休んだほうがいい。わたしの翼《つばさ》も疲《つか》れてきた。ブロムの様子も見てみなければ。休むのにいい場所を見つけた。わたしはそこから三キロくらい先にいる〉

サフィラが待っていたのは、地面からせり出した丘《おか》のような、巨大《きょだい》な砂岩層《さがんそう》のふもとだった。地層の表面にさまざまな大きさの洞穴《ほらあな》が口をあけている。あたりには、似《に》たような小さな隆起《りゅうき》があちこちにある。サフィラは満足げにいった。〔地上からは見えない洞穴を見つけた。馬もちゃんと入れる。さあ、こっちへ〕うしろをむくなり、鋭《するど》い鉤爪《かぎづめ》を岩肌《いわはだ》に食いこませ、砂岩層をのぼりはじめた。ところが馬は、蹄鉄《ていてつ》がついているせいで砂岩をのぼるなど容易《ようい》なことではない。エラゴンとマータグは馬を引いたりおしたりしながら、一時間近くかけてようやく洞穴にのぼり着いた。

洞穴の奥行《おくゆ》きは三十メートル、幅《はば》は六メートルほどあった。入り口がせまく、雨風をしのげるうえ、外からのぞかれる心配もない。奥まったところは、黒い毛織《けおり》のマットのように闇《やみ》がはりついていた。

「こいつはすごいや」マータグが声をあげた。「ぼくは薪《たきぎ》を集めてくるよ」

エラゴンはすぐにブロムに駆《か》けよった。ブロムは洞穴の奥の小さな岩棚《いわだな》に寝《ね》かせられていた。エラゴンは老人のぐったりした手をにぎり、そのいかつい顔を不安な思いで見つめた。やがてため息をつき、マータグの焚いた火のそばへよっていった。

ひっそりとした食事のあと、ブロムに水をあたえようとしたが、飲んではくれなかった。彼らはしかたなく寝袋《ねぶくろ》をひろげて眠《ねむ》った。

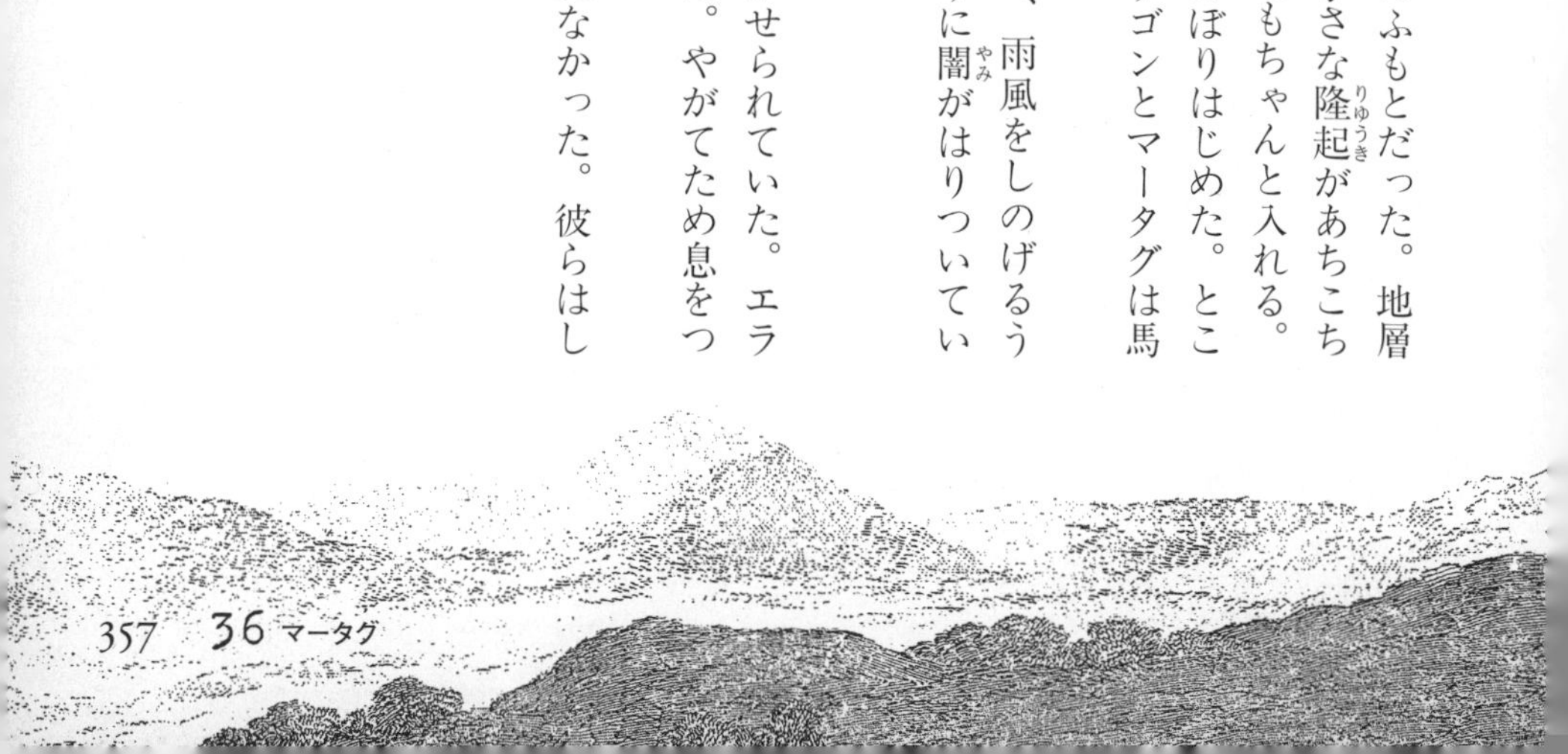

37 ライダーの遺産《いさん》

〔エラゴン、起きて〕エラゴンは身をよじり、うなった。〔様子がおかしい！〕聞こえないふりをしてまた眠《ねむ》りにもどる。

〔起きなさい！〕

〔うるさいな〕エラゴンがもごもごいった。

〔エラゴン！〕吠《ほ》えるような声が洞穴《ほらあな》のなかに響《ひび》きわたった。エラゴンは飛び起きて、弓をつかみとった。サフィラがブロムの上にかがみこんでいる。岩棚《いわだな》から落ち、洞穴の地面で激《はげ》しく身悶《みもだ》えしている。苦痛《くつう》に顔をゆがめ、拳《こぶし》をにぎりしめている。エラゴンは恐怖《きょうふ》におののいて駆《か》けよった。

ブロムの腕《うで》をつかみ、マータグにむかってさけんだ。「たのむ、いっしょにおさえてくれ。これじゃあ体を傷《きず》つけてしまう」ブロムが痙攣《けいれん》するたびに、エラゴンのわき腹《ばら》に焼けつくような痛《いた》みが走った。ふたりがかりでブロムの体をおさえつけ、やがて痙攣がおさまると、もう一度岩棚の上にそっと寝《ね》かせた。

エラゴンはブロムの額《ひたい》に手をあてた。手を近づけただけでも伝わってくるほどの、ものすごい熱だった。「布《ぬの》を水でぬらしてきてくれ」不安げな声でたのんだ。マータグがぬらしてきてくれた布をブ

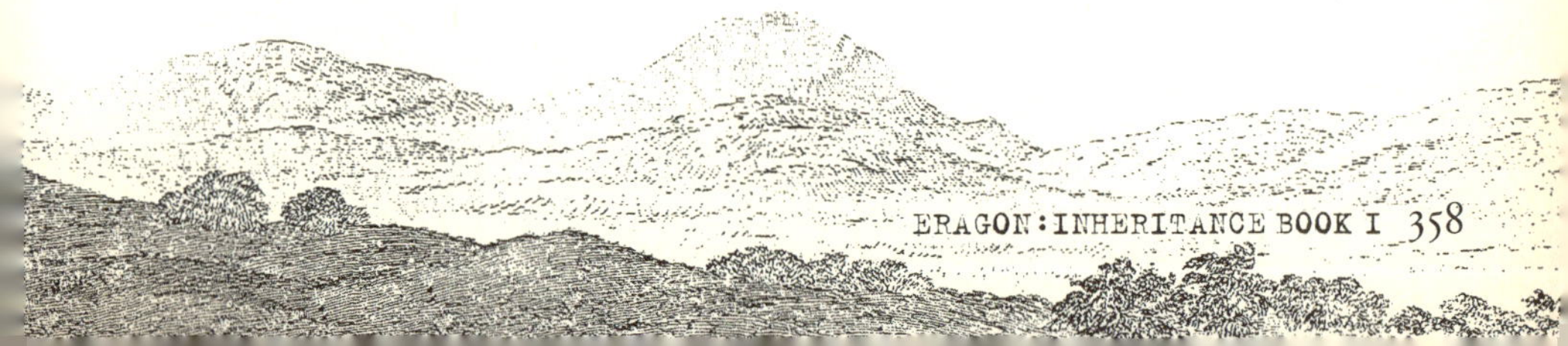

ロムの顔にあてながら、これで熱が引いてくれればいいと願った。ふたたび洞穴に静けさがもどった。外にはもう太陽が出ているようだ。〔サフィラ、ぼくはどのくらい眠ってた？〕

〔ずいぶん長い時間。そのあいだじゅう、わたしがブロムの様子を見ていた。すこし前までなんともなかったのに、急にあばれだした。地面に落ちたから、あなたを起こすしかなかった〕

エラゴンはのびをして、あばらの痛みに顔をしかめた。ふいに、肩《かた》に手がかかった。ブロムが目をあけ、どんよりとした視線《しせん》をこちらにむけている。「おい！」ブロムが息を吐《は》き出した。「ブドウ酒の皮袋《かわぶくろ》をもってこい！」

「ブロム！」エラゴンがさけんだ。声が聞けてうれしかった。「ブドウ酒はだめだよ――もっと具合が悪くなる」

「いいから――いわれたとおりにしろ……」ブロムがため息をついた。エラゴンの肩から手がすべり落ちる。

「すぐもってくる――待ってて」エラゴンは鞍袋《くらぶくろ》に飛びつき、急いでなかをさぐった。「見つからない！」必死の思いであたりを見まわした。

「ほら、ぼくのを使ってくれ」マータグが自分の皮袋をさし出した。

エラゴンはそれを受けとるなり、ブロムのそばにひざまずいた。「ほら、ブドウ酒だ」マータグは洞穴の入り口へうつり、ふたりだけで話ができるようにしてくれた。

ブロムの口から出てきたのは、今にも消え入りそうな言葉だった。「ありがたい……」腕《うで》が弱々しげに動く。「さあ……わしの右手をそれで洗《あら》ってくれ」

「なんだって――」エラゴンはたずねかけた。

「質問《しつもん》はいい！　わしにはもう時間がないんじゃ」不可解《ふかかい》なまま、エラゴンは皮袋の口をあけ、ブロ

ムの掌《てのひら》にブドウ酒をかけた。指や手の甲《こう》まで、液体《えきたい》をくまなくこすりつけた。「もっとだ」ブロムがしわがれ声でいった。もう一度ブロムの掌にブドウ酒をかけた。こすっていくうちに、掌からどんどん茶色の染料《せんりょう》が流れ落ちていく。ふいに、エラゴンは口をあんぐりとあけ、手をとめた。ブロムの掌にゲドウェイ・イグナジアがある。

「ライダー……だったの？」信じられない思いでたずねた。

ブロムの顔に痛々《いたいた》しい笑《え》みが浮《う》かんだ。「昔々の話だ……今はもうちがう。若《わか》いころ……今のおまえよりもっと若い時分に選ばれた……ライダーになれとな。修行中《しゅぎょうちゅう》、べつの見習いと仲良くなった……それがモーザンじゃった。まだやつが〈裏切《うらぎ》り者《もの》たち〉になる前の話じゃ」エラゴンは息をのんだ——百年以上も昔の話だ。「やつはその後、仲間たちを裏切り、ガルバトリックス側に寝返《ねがえ》ったのだ……ヴローエンガードの町、ドル・アリーバで、わしの若いドラゴンは殺された。彼女の名は……サフィラ」

「どうしてもっと早く話してくれなかったの？」エラゴンはやさしくきいた。

ブロムは声をあげて笑った。「それは……必要がなかったからじゃ」そこで言葉がとぎれ、老人は苦しそうに息をした。拳《こぶし》がぎゅっとにぎりしめられていた。「わしはもう老《お》いぼれだ、エラゴン……すっかり年をとってしまった。ドラゴンが殺されたあとも、ずいぶん生きのびたからな。こんな年まで生きるというのがどんなものか、おまえにはわからんだろう。過去《かこ》をふり返れば、そのほとんどを忘《わす》れておる。未来に目をむければ、まだまだ先の見えない年月が待っている……これだけ時を経《へ》ても、わしはまだサフィラの死が悲しくてたまらん……そしてガルバトリックスを憎《にく》んでおる。無理やりうばいとられたもののためにな」ブロムは燃《も》えるような目でエラゴンを見つめていた。「わしの二《に》の舞《まい》をするな。いいか、命にかけてもサフィラを守るのじゃ！　サフィラのいない人生は生きる価値《かち》

がないからな」

「そんな言い方しないでよ。サフィラはだいじょうぶだから」エラゴンは不安な気持ちでそういった。

ブロムは頭を横にむけた。「とりとめのないことばかり話してしまった」ブロムのうつろな視線《しせん》はマータグを通りこし、エラゴンにもどった。そして、力をふりしぼるようにしていった。「エラゴン！ わしはもうもちそうにない。こいつは……ひどい傷《きず》じゃ。力がすいとられていくようじゃ。戦う力も残っておらん……最後に、わしからの祝福の言葉を受けてくれるか？」

「すぐによくなるよ」目に涙《なみだ》があふれてくる。「そんなことはしなくていい」

「この世には、どうにもならんことがある……わしもそれにしたがわねばならん。どうだ、受けてくれるな？」エラゴンは頭をたれ、しかたなくうなずいた。ブロムはふるえる手をエラゴンの額《ひたい》にあてた。「では、わしから祝福の言葉を。願わくば、来《きた》る歳月《さいげつ》が汝《なんじ》の身に大いなる幸《さち》をもたらさんことを」

ブロムは、エラゴンにもっと近くによるよう手まねきをした。そして静かに、古代の七つの言葉をささやいた。さらに低い声で、その言葉の意味を教えた。「これが、わしがおまえにあたえてやれるすべてだ……どうしても必要なときにのみ、使うがいい」

ブロムはぼんやりと天井《てんじょう》を見あげ、つぶやいた。「さあ、偉大《いだい》なる冒険《ぼうけん》へ旅立つのじゃ……」

エラゴンは涙を流し、ブロムの手をにぎって精《せい》いっぱい励《はげ》ましの言葉をかけた。食べ物も飲み物もいっさいとらず、鉄の意志《いし》で寝《ね》ずの看病《かんびょう》を続けた。やがて、ブロムの顔に灰色《はいいろ》の影《かげ》がしのびより、瞳《ひとみ》から徐々《じょじょ》に光が消えていくのを感じた。手は氷のように冷え、体のまわりには邪悪《じゃあく》な空気がただよいはじめていた。エラゴンには、ラーザックの傷がブロムの命を食いつくすのを見守ることしかできなかった。

日暮《ひぐ》れが近づき、影《かげ》が長くのびてきたころ、ブロムの体がとつぜんこわばった。エラゴンはブロムの名を呼《よ》び、マータグに助けをもとめた。だが、もうどうすることもできなかった。むなしい沈黙《ちんもく》がただようなか、ブロムの目がエラゴンの目をしっかりと見すえた。その顔にはおだやかな表情《ひょうじょう》がひろがっていた。小さな息が唇《くちびる》のあいだからすっともれた。それが、語《かた》り部《べ》ブロムの最期《さいご》となった。

エラゴンはふるえる指でブロムのまぶたを閉《と》じ、立ちあがった。サフィラはその背後《はいご》で空をあおぎ、ブロムの死を悼《いた》む悲しげな咆哮《ほうこう》をあげている。エラゴンはたえがたい喪失感《そうしつかん》にさいなまれ、ただむせび泣いた。そして、やっとの思いで口を開いた。「埋葬《まいそう》しないと……」

「敵《てき》に居場所《いばしょ》を教えることにならないか」マータグがいった。

「かまうもんか！」

マータグはためらいながらも、ブロムの体と杖《つえ》と剣《けん》を洞穴《ほらあな》の外に運び出した。サフィラがあとに続いた。「頂上《ちょうじょう》まで行ってくれ」エラゴンが砂岩《さがん》の丘《おか》の頂《いただき》をさし、かすれた声でいった。

「岩に墓《はか》はほれないよ」マータグが反対した。

「できるんだ」

エラゴンはあばらの痛《いた》みにたえながら、なめらかな岩をけんめいにのぼった。頂上《ちょうじょう》に着くと、マータグがブロムを岩の上に横たえた。

エラゴンは涙《なみだ》をぬぐい、砂岩にじっと目をすえた。手をふりながら、古代の言葉をとなえた。「モアイ・ステンラ（岩よ、変身せよ）！」岩肌《いわはだ》にさざなみが立った。次の瞬間《しゅんかん》、砂岩が水のように流れ出し、地面に人の身長ほどの穴があいた。砂岩はさらに粘土《ねんど》のようにもりあがり、穴のまわりに腰《こし》の高さほどの壁《かべ》をつくった。

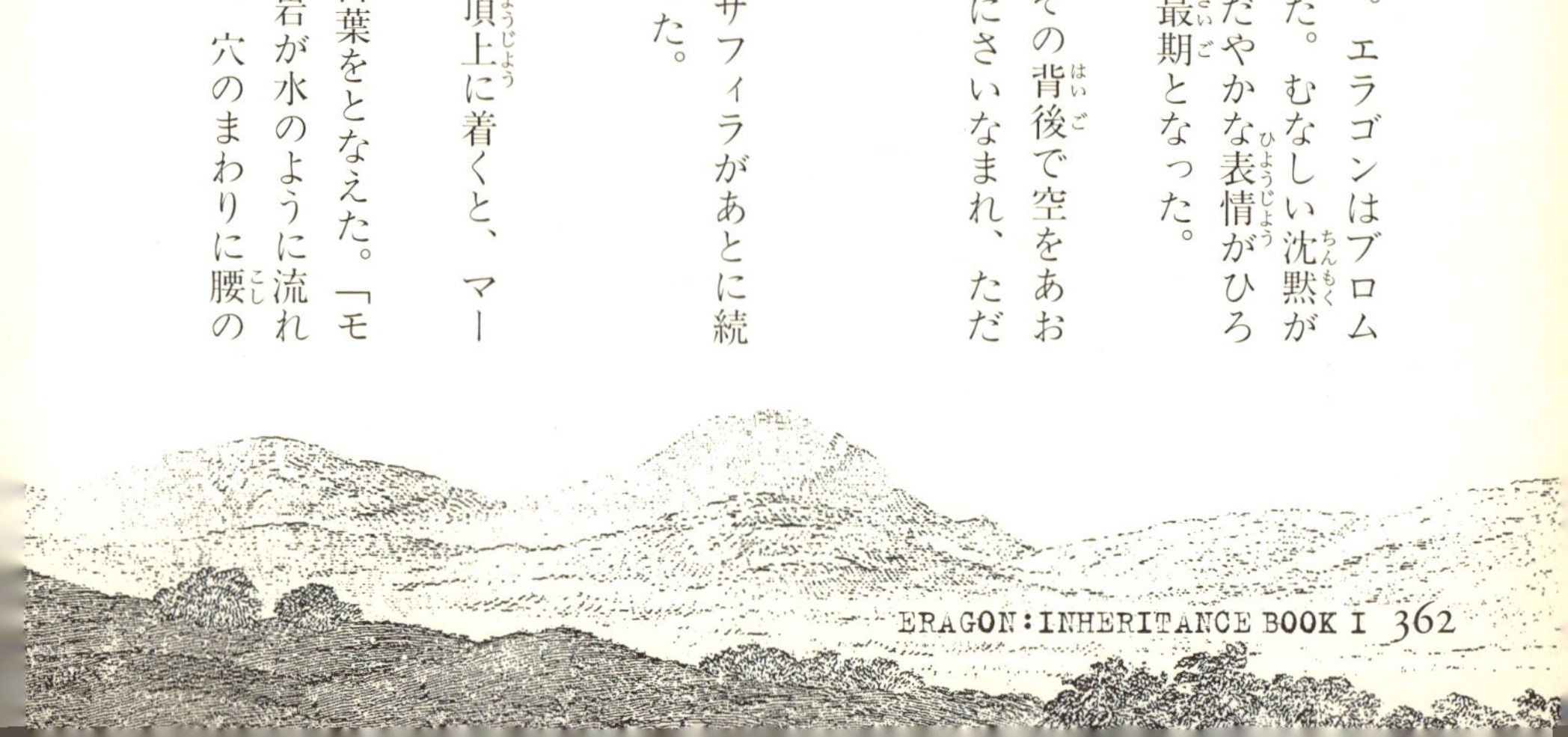

砂岩がつくった未完成の棺《ひつぎ》のなかに、杖と剣とブロムの体を横たえた。エラゴンはうしろにさがり、ふたたび魔法《まほう》をかけた。岩はブロムの動かぬ顔の上でぴたりと閉《と》じ、そのままもりあがって切り子面の尖塔《せんとう》を形づくった。最後の贈《おく》り物《もの》として、エラゴンは岩にルーン文字をきざみつけた。

ドラゴンライダー・ブロム、ここに眠《ねむ》る
わが父ともいえる男
彼の名が栄光のもとに生き続けんことを

そしてエラゴンは頭をたれ、あたりをはばかることなく慟哭《どうこく》した。夜が来て、地上から光が消えるまで、生きた彫像《ちょうぞう》のようにそこに立ちつくしていた。

エラゴンはその夜また、投獄《とうごく》された女性《じょせい》の夢《ゆめ》を見た。

女性になにかよくないことが起きたのだとわかる。呼吸《こきゅう》がみだれ、体がふるえている——寒さからなのか、痛《いた》みからなのかはわからない。地下牢《ちかろう》の暗がりのなかで浮《う》かびあがって見えるのは、寝台《しんだい》の縁《ふち》にだらんとたれさがる彼女の手だけ。指先から黒っぽい液体《えきたい》がしたたっている。それは血だと、エラゴンにはわかった。

38
きらめく墓《はか》

朝起きると、目がざらつき、身体はこわばっていた。洞穴《ほらあな》のなかには馬がいるだけで、あとはがらんとしている。担架《たんか》はすでになく、ブロムがいた痕跡《こんせき》はなにも残っていない。洞穴の入り口に出て、穴だらけの砂岩《さがん》の上に腰《こし》かけた。やっぱり魔女《まじょ》のアンジェラがいっていたことは本当だったんだ――ぼくの未来には死が待っていた。うすら寒い思いで景色をながめた。トパーズ色の朝日が、早朝の空気に砂漠《さばく》のような暑さをもたらしている。

生気のない顔にこぼれ落ちた涙《なみだ》が、塩の筋《すじ》だけを残し、太陽の光でかわいて消えた。エラゴンは目を閉《と》じて熱気を体にすいこみ、心を空《から》っぽにしようとした。意味もなく、爪《つめ》で砂岩をこすってみた。無意識《むいしき》のうちに「なぜぼくが？」という文字をきざんでいた。

そうしているところへ、マータグが二羽のウサギを手に砂岩をのぼってきた。彼はだまってエラゴンのとなりに腰をおろした。「気分は？」

「最悪さ」

マータグは心配そうにエラゴンを見ている。「立ち直れそうか？」エラゴンは肩《かた》をすくめた。マータグはしばらく考えてから口を開いた。「今きくべきことじゃないとわかってるんだが、どうしても

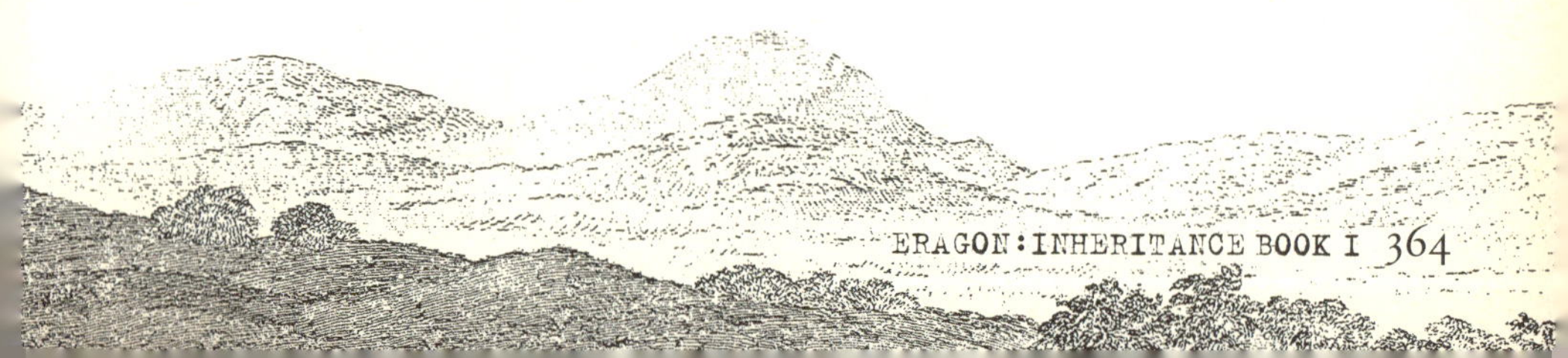

知っておかなければならない……きみのブロムは、あのブロムなのか？　王からドラゴンの卵《たまご》を盗《ぬす》み出した男か？　卵をさがして帝国内《ていこくない》を奔走《ほんそう》し、最後の戦いでモーザンを殺した男か？　きみは彼をブロムと呼《よ》んでいたし、墓にきざんだ言葉もそうだった。だが事実をはっきりさせておきたい。彼はやはりあのブロムなのか？」

「そうだ」エラゴンは静かにこたえた。マータグの顔に当惑《とうわく》の表情《ひょうじょう》がひろがる。「なぜそんなことを知ってる？　きみはふつうの人間が知らないようなことを知っている。それにぼくらを助けてくれたとき、ラーザックを尾《つ》けていたのはどうしてだ？　きみはヴァーデンなのか？」

　マータグの目が謎《なぞ》めいた玉のように見えた。「ぼくも逃《に》げているんだ。きみたちと同じように」その言葉には悲しみをこらえるような響《ひび》きがあった。「ぼくはヴァーデンでもないし、帝国側《ていこくがわ》の人間でもない。だれに身をささげるのでもなく、自分だけで生きている。きみたちを助けたのは、新しいライダーの噂《うわさ》を聞いたことがきっかけだった。ラーザックのあとを追えば、それが本当かどうかはっきりすると思ったんだ」

「ラーザックを殺したいんじゃなかったのか」エラゴンがいった。

　マータグが冷たい笑《え》みを浮《う》かべた。「そうさ。でも殺してしまっていたら、きみには会えなかった」

　ブロムさえ生きていてくれたら……今ここに彼がいれば、マータグを信じていいかどうか教えてもらえたのに。エラゴンは、ブロムがダレットでトレヴァーの心を読んだことを思い出し、同じようにマータグの心が読めるかもしれないと思った。彼はマータグの意識《いしき》に近づいた。が、すぐに鉄のような壁《かべ》にぶちあたり、阻止《そし》されてしまった。マータグの心は要塞《ようさい》でかこまれているのだ。どうしてこんなことができる？　ブロムはいっていた。なんの訓練もなしに、意識から他者をしめ出せる者はごくまれだと。こんな能力《のうりょく》をもつマータグとは、いったい何者なんだ？　孤独《こどく》と憂《うれ》いにしずんだまま、エ

ラゴンはたずねた。「サフィラはどこだ？」

「さあ、どうしたんだろう」マータグはこたえた。「狩《か》りのときはぼくについてきていたんだが、そのうちどこかへ飛んでいった。昼前から見ていないよ」エラゴンはよろよろと立ちあがり、洞穴《ほらあな》のなかへもどっていった。マータグもあとに続いた。「これからどうする気だ？」

「よくわからない」考える気にもならない。エラゴンは毛布《もうふ》を小さく巻《ま》き、カドックの鞍袋《くらぶくろ》にしばりつけた。あばら骨《ぼね》が痛《いた》んだ。マータグはウサギを料理しに行った。鞍袋のなかを整理していると、ザーロックが出てきた。赤い鞘《さや》がまぶしく光っている。鞘から剣《けん》をぬき、もってみた……その重みをたしかめるように。

まだ腰《こし》に差したこともなければ――ブロムとの稽古《けいこ》をのぞいては――使ったこともない。なぜなら、他人《ひと》にこの剣を見られたくなかったからだ。だが、もうそんな心配はしないことにする。ラーザックはこれを見ておどろき、あわてていた。それだけでも身につける価値《かち》はある。エラゴンは身ぶるいして弓をはずし、腰のベルトにザーロックをさげた。今この瞬間《しゅんかん》から、剣とともに生きていく。ぼくがなんであるか、世の中に見せつけてやるんだ。こわくなんかない。ぼくはもう一人前のライダーなんだ。

ブロムの鞍袋のなかをさぐった。衣類に身のまわりの品、硬貨《こうか》の入った巾着《きんちゃく》。アラゲイジアの地図だけ出してあとは袋にもどし、火のそばにすわった。ウサギの皮をはいでいたマータグが顔をあげ、目を細めてこちらを見た。「その剣、ちょっと見せてもらえないか？」そういって手をふいた。

エラゴンはためらった。わずかな時間でも剣を放したくはなかったが、しぶしぶうなずいた。マータグは刃《は》にきざまれた紋章《もんしょう》をじっと見つめ、顔をくもらせた。「これをどこで手に入れた？」

「ブロムからゆずり受けた。なぜだ？」

マータグは剣をつき返し、おこったように腕組《うでぐ》みをした。息づかいが荒《あら》い。「この剣は――」感情《かんじょう》もあらわな声でいった。「その持ち主とともに、広く名を知られていた。前の持ち主だったライダーはモーザン――残忍《ざんにん》で血も涙《なみだ》もない男さ。きみは帝国《ていこく》を憎《にく》んでいるといった。なのに、〈裏切《うらぎ》り者《もの》〉の忌《い》まわしい剣をもっているのはなぜなんだ！」

エラゴンは、はっとしてザーロックに目をやった。ブロムはギリエドでモーザンをたおしたとき、これをうばったにちがいない。「ブロムはこの剣がだれのものか、いってくれなかったんだ」正直にこたえた。「モーザンのものだったなんて思いもしなかった」

「なにもいわなかったって？」マータグが信じられないという口調でいった。エラゴンはうなずいた。「妙《みょう》だな。事実をかくさねばならない理由などないはずだが」

「たしかにそうだけど、ブロムにはたくさんの秘密《ひみつ》があったんだ」エラゴンがいった。ガルバトリックスに寝返《ねがえ》った者の剣だとわかると、もっているだけで落ち着かない気分になる。当時この剣は、多くのライダーの命をうばったにちがいない。それに、ドラゴンの命も！　エラゴンは嫌悪感《けんおかん》を覚えた。「それでも、ぼくはこの剣をもっていくよ。自分の剣がないから、今はザーロックを使うしかないんだ」

エラゴンが剣の名を口にしただけで、マータグは身をすくめた。「好きにすればいいさ」彼は視線《しせん》を落としたまま、また皮はぎの作業を続けた。

ひどく腹《はら》がへっていたが、エラゴンはできあがった料理をゆっくりと口に運んだ。温かい食べ物で気分がいくらかなぐさめられた。器《うつわ》の中身を最後までかき出すと、彼はいった。「カドックを売らなきゃならない」

「スノーファイアじゃないのか？」マータグはたずねた。もう機嫌《きげん》は直っているようだ。

「いや、スノーファイアにはぼくが乗る。ブロムがもとの飼《か》い主《ぬし》に約束したんだ。最後までしっかりめんどうをみるとね。彼はもう……いないから、ぼくがその役を引《ひ》き継《つ》がなくては」

マータグは器《うつわ》をひざに置いた。「ふたりでさがせば、どこかの町か村で買い手が見つかるさ」

「ふたりで？」エラゴンがきいた。

マータグは様子をうかがうように横目でエラゴンを見た。「ここにはそう長くはいられない。ラーザックが通りかかれば、ブロムの墓《はか》が恰好《かっこう》の目印になってしまう」そういわれてみればそうだ。「それにその骨《ほね》が治るには時間がかかる。きみは魔法《まほう》で身を守れるかもしれないが、ものをもちあげたり剣《けん》を使ったりするには、旅の仲間が必要だろう。しばらくのあいだ、ぼくをその仲間にしてくれないか。ただし、いっておく。ぼくは帝国《ていこく》に追われている。だから、いずれどこかで血なまぐさいことが起きるかもしれない」

エラゴンは弱々しく笑った。あばら骨がひどく痛《いた》み、うめき声がもれる。息が落ち着くのを待ってからいった。「帝国が全軍をあげてきみを追ってきても、ぼくはかまわない。そのとおり、ぼくには助けが必要だ。サフィラにも相談しなきゃならないけど、いっしょに来てくれるのはうれしいよ。ただし、こっちにもいっておくことがある。ガルバトリックスはぼくを追うために、全軍を送り出したかもしれない。ぼくやサフィラといっしょにいたら、きみはひとりのとき以上に危険《きけん》だよ」

「わかってるさ」マータグがにやっと笑った。「それでもやっぱり、ついていく」

「わかった」エラゴンは笑顔《えがお》で感謝《かんしゃ》の気持ちを表した。

ふたりが話をしていると、サフィラが洞穴《ほらあな》にもどってきた。エラゴンの顔を見てうれしそうにしながらも、サフィラの心と言葉は深い悲しみを帯びていた。大きな青い頭を地面におろし、問いかけてきた。〈もう元気になったか？〉

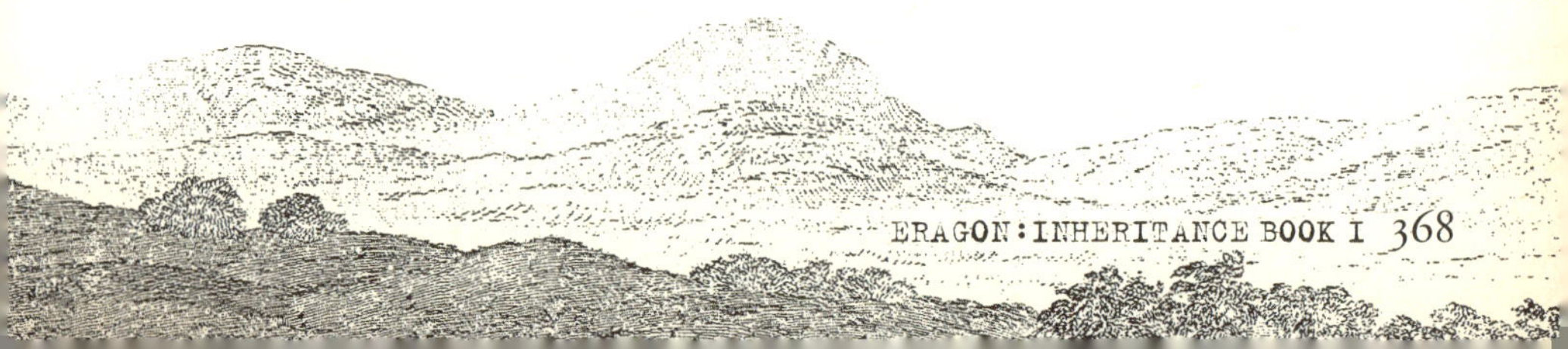

〔そうでもない〕

〔ブロムがいなくてさびしい〕

〔そうだな……しかしまさか彼がライダーだったなんて。ブロムは本当に長い年月を生きてきたんだ――〈裏切《うらぎ》り者《もの》たち〉と同じくらいに。ぼくが教わった魔法《まほう》はどれも、ブロムがライダーとして学んだものだったんだ〕

サフィラはわずかに身じろぎをした。〔それは、ブロムがわたしの体に触《ふ》れた瞬間《しゅんかん》からわかっていた〕

〔でもぼくにはいわなかったんだな。どうしてだ？〕

〔いわないでくれと、ブロムにたのまれたから〕あっさりといった。

エラゴンはそれ以上追及《ついきゅう》しないことにした。サフィラに悪気があったわけではないのだ。〔じつはブロムにはもっと秘密《ひみつ》があったんだ〕エラゴンはザーロックのことや、剣を見たときのマータグの反《はん》応《のう》について話して聞かせた。〔ぼくにザーロックをくれるとき、どうしてその由来を話してくれなかったのか、今ならわかる気がする。もしそんな話を聞いていたら、最初からブロムとは別れていただろう〕

〔そんな剣がなくても、あなたはりっぱにやっていける〕サフィラが剣への嫌悪《けんお》をこめていった。〔この世にふたつとない剣だということは知っている。でも、モーザンの残虐《ざんぎゃく》な剣ではなく、ふつうの剣でも事足りるはず〕

〔そうかもしれないね。ところでサフィラ、これからぼくたちはどこへ行けばいい？　マータグがいっしょについてくるというんだ。彼にどんな過去《かこ》があるかは知らないけど、信じていいと思う。この先、ヴァーデンのもとへ行くべきだろうか？　といっても、どうやって行けばいいかわからない。ブ

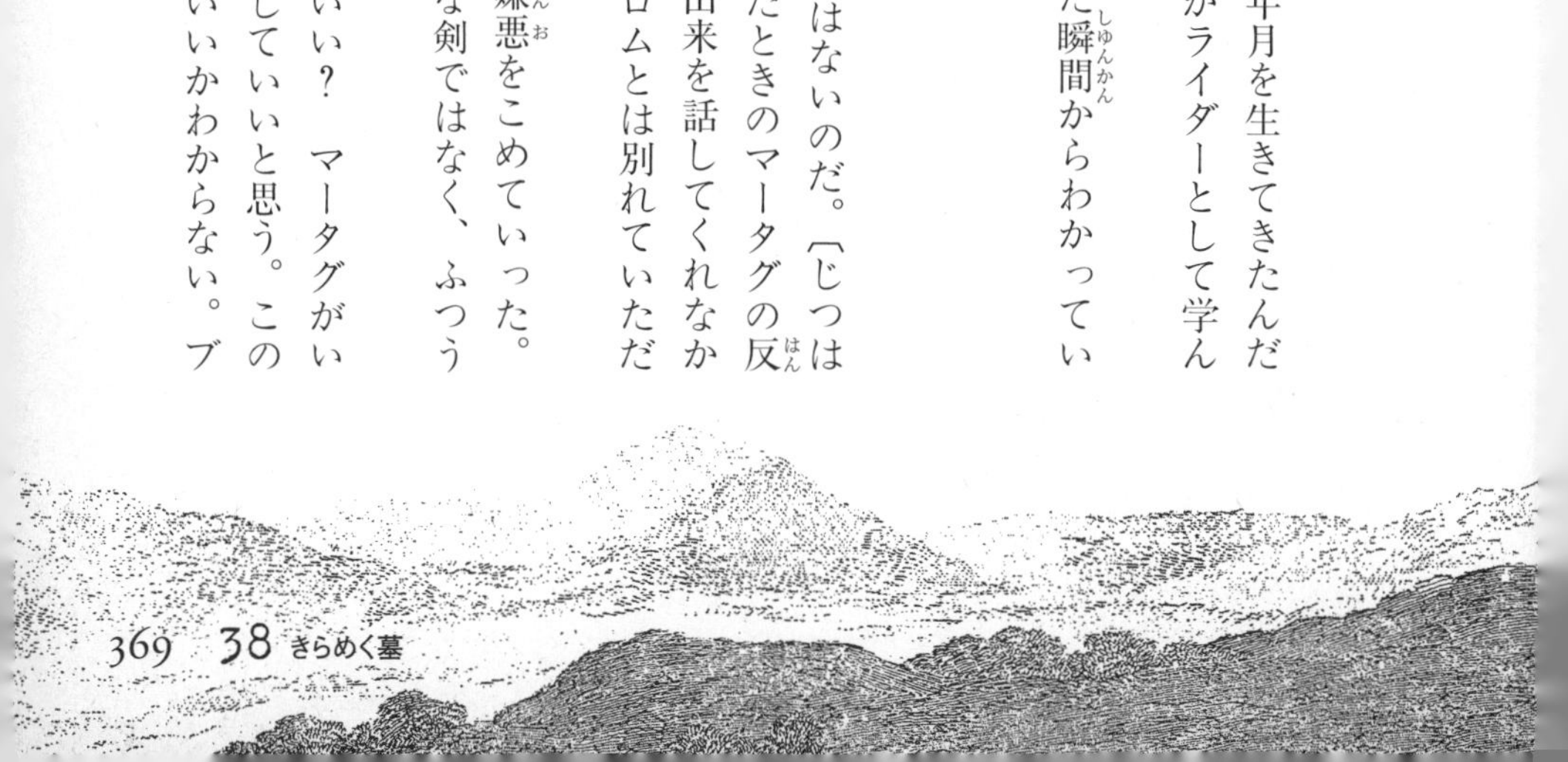

ロムが教えてくれなかったから〕
〔わたしには教えてくれた〕
エラゴンは腹《はら》が立った。〔なんでおまえに教えて、ぼくには教えてくれなかったんだ？　なぜブロムはおまえだけを信用したんだ？〕
サフィラが鱗《うろこ》をカサカサいわせながら立ちあがり、真摯《しんし》なまなざしでエラゴンを見た。〔ティールムを去ってアーガルにおそわれたあと、ブロムがたくさんのことを話してくれた。なかには、必要にせまられないかぎり話せないこともある。ブロムは、自分が死んだあと、あなたの身になにが起きるか心配していた。そのとき彼が教えてくれたのは、ギリエドに住むドルムナッドという人のこと。その人がヴァーデンへの道を教えてくれるらしい。それとブロムはいっていた――アラゲイジアでは、あなたこそライダーの遺産《いさん》を引《ひ》き継《つ》ぐにもっともふさわしい人だと。彼はそう信じていると〕
エラゴンの目に涙《なみだ》があふれてきた。それは、今までブロムがいってくれた言葉のなかで、いちばんの賛辞《さんじ》だった。〔その責任《せきにん》に、恥《は》じることのない行動をとるよ〕
〔あなたならできる〕
〔じゃあ、まずギリエドへ行こう〕エラゴンのなかに、力と生きる目的がもどってきた。〔で、マータグのことは？　彼といっしょに行っていいと思うか？〕
〔彼は命を救ってくれた人。だがなにより、わたしたちは彼に姿《すがた》を見られている。そばに置いておかないと、彼の口から、こちらの動向が帝国《ていこく》に伝わるおそれがある――彼自身がそうしたいかどうかは別にしても〕
エラゴンはサフィラに賛成《さんせい》した。そして、夢《ゆめ》の話を伝えた。〔不吉《ふきつ》な予感がするんだ。あの女性《じょせい》の時間がどんどんなくなっていくような、もうじき恐《おそ》ろしいことが起きそうな気がする。彼女は命の危《き》

険《けん》にさらされている、そうはっきりわかるんだ。なのに、彼女を見つける術《すべ》がない！　どこにいるかわからないんだ！〕
〔あなたの心はどうしたいといっている？〕サフィラがたずねる。
〔ぼくの心はこのあいだ死んでしまったけどね〕エラゴンは皮肉まじりにいった。〔とにかく、ギリエドへむかうべきだと思う。運がよければ、途中《とちゅう》、あの女性が囚《とら》われている町を通るかもしれない。もしかしたら次の夢は、墓場《はかば》の場面かもしれない。そんなのたえられないよ〕
〔なぜそう思う？〕
〔わからない〕エラゴンは肩《かた》をすくめた。〔ただ彼女を見たとき、とても大切な人で、けっして失ってはいけないって感じた……おかしな話だけど〕サフィラは大きな口をあけて牙《きば》を見せ、声を出さずに笑った。〔なんだよ？〕エラゴンが嚙《か》みつくようにいった。サフィラは首をふり、静かに去っていった。
　エラゴンはぶつぶつ文句《もんく》をいったあと、サフィラとの話をマータグに伝えた。マータグはこたえた。「きみたちがどうしてもヴァーデンのもとへむかうというなら、そのドルムナッドという人を見つけた時点で、ぼくとはおさらばだ。ぼくにとってヴァーデンと会うことは、帝国のひざ元のウルベーンに丸腰《まるごし》で入り、ラッパのファンファーレで到着《とうちゃく》を知らせるのと同じくらい危険なことだからな」
「じゃあ、すぐに別れるってわけじゃないんだ」エラゴンがいった。「ギリエドまでは長い道のりだから」かすかに声がうわずっていた。太陽に目を細め、気をそらそうとする。「日がかげらないうちに出発したほうがいいな」
「体はもうだいじょうぶなのか？」マータグが心配そうな顔でいった。
「なにかしていないと、気が変になりそうだから」エラゴンがぶっきらぼうにいった。「剣の稽古《けいこ》も、

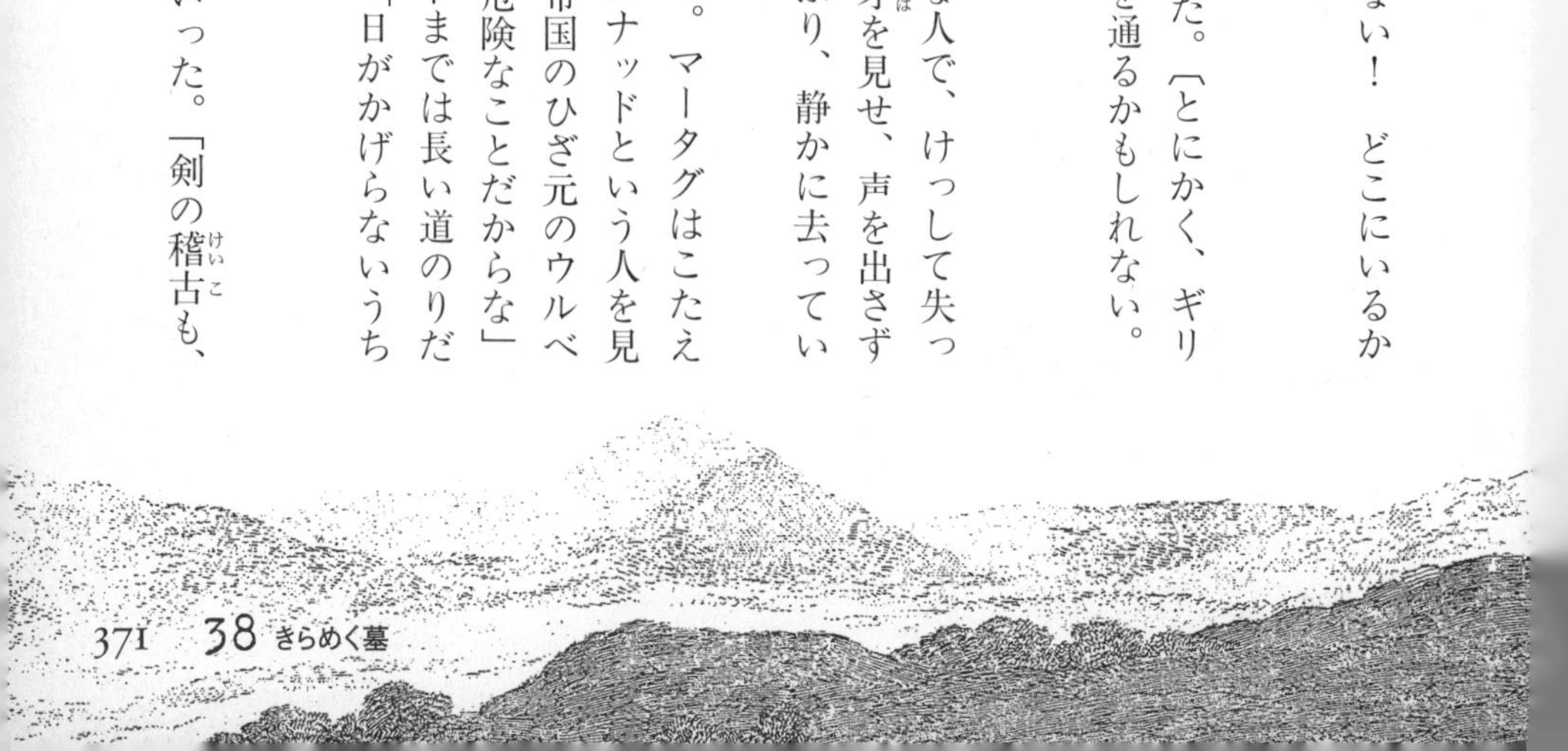

魔法《まほう》も、ここにすわってぶらぶらしているのも、今のぼくにはふさわしくない。だから出発することにする」

焚《た》き火《び》を消して荷造《にづく》りを終えると、彼らは馬を洞穴《ほらあな》の入り口までひいていった。エラゴンはカドックとスノーファイアの手綱《たづな》をマータグにわたしていった。「先に行っててくれ。すぐにあとを追うから」マータグは洞穴を出て丘《おか》をくだりはじめた。

エラゴンは、息ができないほどのわき腹《ばら》の痛《いた》みに何度も足をとめながら、砂岩《さがん》の丘をのぼっていった。

頂上《ちょうじょう》にたどり着くと、すでにそこにはサフィラがいた。ふたりは墓《はか》の前にならび、ブロムに最後の別れを告げた。ブロムが永遠《えいえん》にいなくなってしまったなんて……信じられない。立ち去ろうとしたとき、サフィラが長い首をのばして墓に鼻先をあてた。わき腹がこまかくふるえ、ブーンという低い音があたりに響《ひび》きわたる。

と、サフィラの鼻のまわりの砂岩が、金ぱくをほどこした露《つゆ》のように光りはじめた。エラゴンが唖《あ》然《ぜん》として見つめるなか、露は銀の光を踊《おど》らせながら無色透明《とうめい》のダイヤモンドに変わり、やがて巻《ま》きひげのようにうねうねとのびて、墓の表面を高価《こうか》な宝石細工《ほうせきざいく》でおおいつくしてしまった。砂岩が変化していくあいだ、地面にはあざやかな夕日がさし、色とりどりのまばゆい光のしぶきを散らしていた。サフィラは満足げに鼻を鳴らし、あとずさって作品のできばえをたしかめている。

さっきまで砂岩の墓だったものは、今や光り輝《かがや》く宝石の棺《ひつぎ》となり、その円蓋《えんがい》の下にブロムの顔がきれいに透《す》けて見えている。

エラゴンは、眠《ねむ》っているとしか思えないブロムの顔を切ない思いで見つめた。「おまえ、いったいなにをしたんだい？」畏敬《いけい》の念をこめてサフィラにたずねた。

〔わたしにできる贈《おく》り物《もの》をしたまで。こうすれば、いくら時間がたってもブロムは変わらない。だれにもじゃまされず、安らかな眠りにつける〕

〔ありがとう〕エラゴンはサフィラのわき腹をさすり、ともに墓をあとにした。

39
ギリエド

エラゴンにとって、騎乗《きじょう》での旅はひどくつらいものだった――折れたあばらに響《ひび》くので、馬は並足《なみあし》で歩かせることしかできない。胸《むね》に深く息をすいこむだけで、猛烈《もうれつ》な苦痛《くつう》におそわれる。それでも、彼はとまろうとはしなかった。サフィラは終始そばを飛びながら、心を通じてなぐさめや力を送ってくれていた。

そのとなりでマータグは、馬の動きに体をあわせるようにして、自信たっぷりに歩んでいた。エラゴンは、彼の灰色《はいいろ》の馬をしばらくながめてからいった。「みごとな馬だ。名前はなんていうの?」

「トルナック。剣《けん》を教えてくれた師《し》の名からとったんだ」マータグが馬のわき腹《ばら》を軽くたたいていう。「ほんの子馬のときにもらったんだ。アラゲイジアじゅうさがしたって、こいつより勇ましくて賢《かしこ》い動物は見つからないさ。もちろん、サフィラは例外だがね」

「本当に、すばらしい馬だよ」エラゴンはほれぼれとしていった。

マータグが笑った。「そうさ。でもスノーファイアも負けてない。トルナックにはりあうほどの馬は初めて見たよ」

この日はわずかな距離《きょり》しか進めなかったが、エラゴンはふたたび動きだせただけでうれしかった。

動いていれば、憂鬱《ゆううつ》な気持ちをまぎらわすことができるからだ。彼らは人の住まない荒《あ》れ野《の》を進んだ。左手にはドラス＝レオナへ続く数キロの道がある。そこを大きく迂回《うかい》してギリエドへむかう。カーヴァホールへ引き返すかのように、また遠い北へ逆《ぎゃく》もどりという道のりだ。

　彼らは小さな村でカドックを売った。新しい主《あるじ》にひいていかれる馬を見送ると、後悔《こうかい》の念に駆《か》られながら、代金として受けとったわずかな硬貨《こうか》をポケットにしまった。アラゲイジアの半分をともに駆《か》け、アーガルの追跡《ついせき》をもかわしてきた馬を、手放すのはひどくつらいことだった。

　ひっそりと旅を続けるなか、知らぬ間に日は暮《く》れていった。エラゴンはマータグと共通の話題が多いことがうれしかった。弓矢や狩《か》りにはどんないい場所があるか、ふたりで延々《えんえん》と意見をかわしあった。

　だがたがいに、ある話題だけは暗黙《あんもく》のうちにさけていた――それぞれの過去《かこ》についてだ。エラゴンはサフィラを見つけたいきさつも、ブロムとのことも、自分の生まれのこともいっさい語らなかった。マータグもまた、帝国《ていこく》に追われているわけは話そうとしなかった。こうした暗黙《あんもく》の取り決めが、ふたりの関係をほどよくたもっていた。

　それでもつねに行動をともにしていれば、当然、たがいのことがすこしずつわかってくる。エラゴンが気になったのは、マータグが帝国内の権力争《けんりょくあらそ》いや政《まつりごと》にくわしいことだった。どの貴族《きぞく》や廷臣《ていしん》がなにをして、どの人にどんな影響《えいきょう》をあたえているか。エラゴンは心のうちに疑念《ぎねん》がわくのを感じながら、マータグの話に注意深く耳をかたむけていた。

　最初の週はラーザックが追ってくる気配もなく、エラゴンの恐怖《きょうふ》はやわらいだ。しかし、夜の見張《みは》りは交代で続けた。途中《とちゅう》アーガルと出くわすことを予想していたが、その気配はまったくなかった。本当なら、怪物《かいぶつ》たちはこういう人里はなれた場所を根城《ねじろ》にしてるはずなのだ。エラゴンは不思議に思

った。どこかに行ってくれたというなら、それにこしたことはないのだが。

あの女性《じょせい》は夢《ゆめ》に出てこなくなっていた。夢のなかでさがしてみても、見えるのは空《から》っぽの牢獄《ろうごく》だけ。あらたな町を通りかかるたびに、監獄《かんごく》がないかどうかもたしかめた。いくつかの監獄を変装《へんそう》して訪《たず》ねてみたりもしたが、やはり女性は見つからなかった。いつしかエラゴンの変装も手がこんできた。彼の名前や風体《ふうてい》が——高額《こうがく》の報奨金《ほうしょうきん》とともに——人相書きにしるされ、あちこちにはられるようになったからだ。

北へむかう道筋《みちすじ》には首都ウルベーンがある。そのあたりは人が密集《みっしゅう》して住んでおり、気づかれずに通りすぎるのはむずかしい。街道には兵士が巡回《じゅんかい》し、橋には監視兵《かんしへい》がついている。一行はいつもより神経《しんけい》をはりつめ、首都を大きく迂回《うかい》して進んだ。

ウルベーンを無事にすぎると、広大な平原に出た。エラゴンたちが以前わたったのと同じ平原だが、今回はその反対はしを歩いている。彼らはラムア川にそって平原の縁《ふち》を北へと進んだ。

このころ、エラゴンの十六歳《さい》の誕生日《たんじょうび》が来て、なにもないまますぎていった。カーヴァホールにいれば成人の祝いを受けていたはずだが、荒《あ》れ野《の》をわたる道中、そんなことを口にしてもしかたがない。

ときがすぎ、サフィラはますます大きくなった。翼《つばさ》はずっしりと重くなっていた。巨大《きょだい》な体と太い骨《ほね》をもちあげるには、それだけの翼が必要なのだ。あごの下までつき出た牙《きば》はエラゴンの拳《こぶし》ほどの太さになり、先端《せんたん》はザーロックの切っ先のように鋭《するど》くなった。

やがてついにエラゴンのわき腹《ばら》の包帯がとれた。ラーザックのブーツで切れた小さな傷《きず》が残るだけで、折れた骨は完治していた。サフィラが見守るなか、徐々《じょじょ》に力を加えつつ、ゆっくりとのびをす

る。痛《いた》みはまったくない。いい気持ちで筋肉《きんにく》を曲げのばしした。以前なら笑顔《えがお》になれたのだろうが、ブロムが死んでから、なかなかそんな表情《ひょうじょう》ができなくなっている。

上衣を身につけると、エラゴンは小さな焚《た》き火《び》のそばに歩いていった。焚き火の前では、マータグがナイフで木切れをけずっていた。エラゴンがザーロックを鞘《さや》からぬいた。マータグの表情はおだやかだが、その体には緊張《きんちょう》が走っている。「ぼくの体も治ったことだし、ひとつ練習でもしてみないか？」エラゴンは声をかけた。

マータグが木切れをわきに放った。「本物の剣《けん》で？　殺しあいになってしまうぞ」

「ほら、剣を貸《か》してごらん」エラゴンがいった。マータグはためらいながらも、長い片手半剣《ハーフアンド・ア・ハーフソード》をわたした。エラゴンはブロムに教えてもらったように、刃《は》にバリアをかけた。「終わったら、またもとどおりにするよ」

マータグは剣の感覚をたしかめ、満足げにいった。「いいだろう」ザーロックにバリアをはると、エラゴンは身がまえ、マータグの肩《かた》めがけて剣をふり出した。刃と刃が宙《ちゅう》でぶつかりあった。エラゴンはかちあった剣をさっそうとはずし、すかさず前へつき出していった。マータグはそれを踊《おど》るようにしてかわしていく。

なんてすばやいんだ！

前へ後ろへ、たがいに息をもつかせず相手を攻《せ》め立《た》てた。ひとしきり激《はげ》しい打ちあいが続いたあと、マータグが声をあげて笑いだした。力がまったくの互角《ごかく》であるために、両者ともに一本もとれず、疲《つか》れる度合いも同じなのだ。ふたりは相手の腕《うで》を認《みと》めるべく笑《え》みを浮《う》かべ、わきに汗《あせ》をしたたらせながら、腕が鉛《なまり》のようになるまで打ちあった。

ついにエラゴンが声をあげた。「もう、やめだ！」マータグはふりかざした剣をとめ、あえぎなが

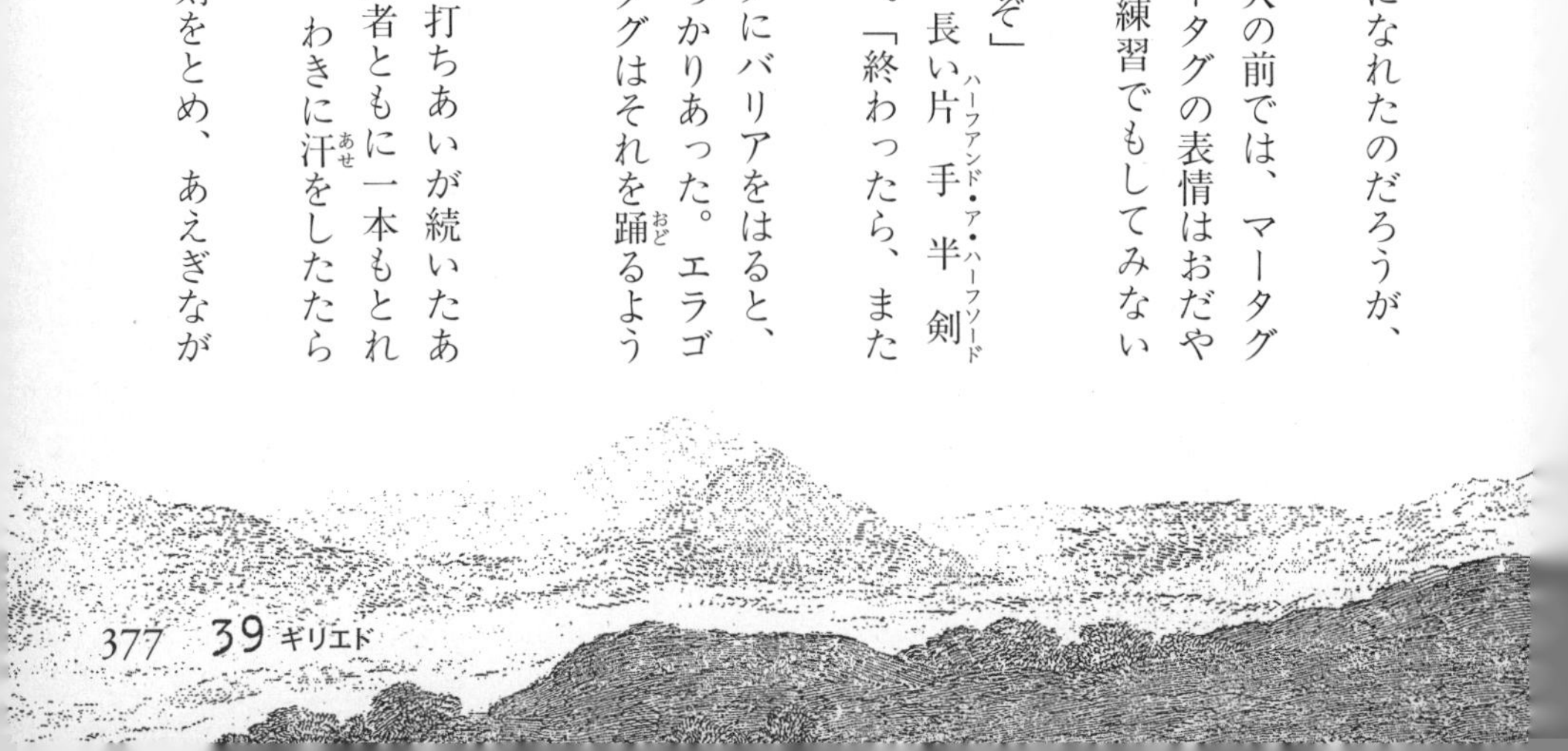

らすわりこんだ。エラゴンも息を弾《はず》ませ、ふらふらと地面に腰《こし》をおろす。ブロムとの稽古《けいこ》では、これほどまでに激《はげ》しく戦ったことはない。

むせかえりながらマータグがさけんだ。「おどろいたやつだ！　ずっと剣術《けんじゅつ》を学んできたが、こんなにすごいやつとやりあったことはない。その気になれば、王の剣の師《し》にでもなれそうだ」

「それをいうならきみもだ」エラゴンはまだゼイゼイいっていた。「トルナックというきみの師匠《ししょう》、剣術の学校でも開いたら、大金持ちになれるかもしれないぞ。国じゅうから生徒が集まってくる」

「もう死んだ」マータグが短くいった。

「そうだったのか」

こうして毎晩《まいばん》の稽古がはじまり、ふたりの体は一対《いっつい》の揃《そろ》いの刃《は》のように、鋭《するど》く引きしまっていった。体の回復《かいふく》とともに、エラゴンは魔法《まほう》の練習を再開《さいかい》した。それを興味深《きょうみぶか》げに見ていたマータグは、じつは魔法についておどろくほどくわしいことがわかった。ただし細部の知識《ちしき》には欠けていたし、自分で魔法を使うこともできなかった。エラゴンが話す古代の言葉に静かに耳をかたむけ、ときおりその意味をたずねてくるのだった。

ギリエドの郊外《こうがい》で、彼らは馬をとめてならんだ。ここまで来るのにひと月あまり。春は冬の名残《なごり》をじりじりと消し去っていった。エラゴンは旅のあいだに、強くおだやかになっていく自分を感じていた。いまだブロムのことをなつかしみ、サフィラと語りあうこともあるが、できるだけ悲しいことを思い出さないようにしていた。

外からながめるギリエドは、無秩序《むちつじょ》な未開の町という印象だった。丸太の家がひしめきあい、犬がうるさく吠《ほ》えたてている。中心部には石をばらばらに積みあげたような要塞《ようさい》が置かれ、ただよう煙《けむり》で町全体に靄《もや》がかかっている。人の住みつく町というより、臨時《りんじ》の交易場《こうえきば》といった雰囲気《ふんいき》だ。八キロほ

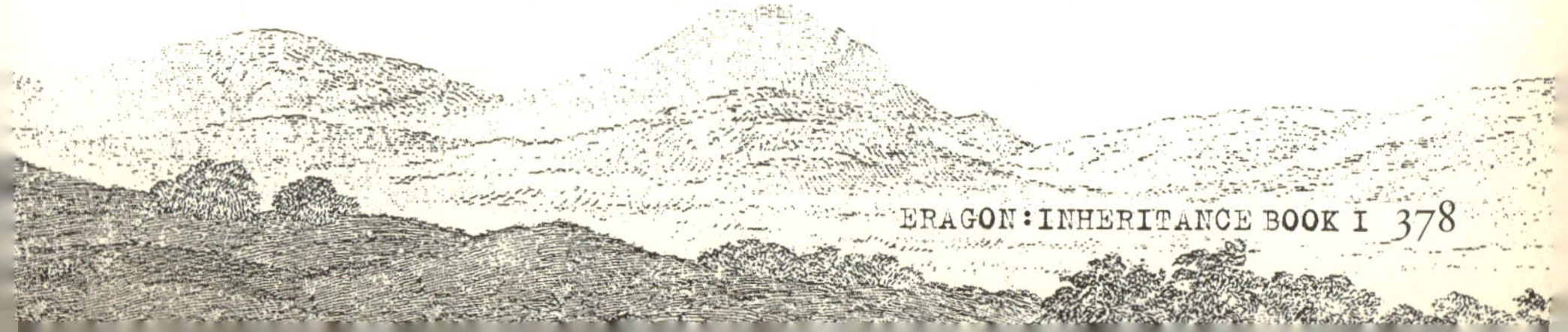

ど先におぼろげに見えるのは、イゼンスター湖の輪郭《りんかく》だ。

一行は安全のため、町の三キロほど手前で休むことにした。料理を煮込《にこ》んでいるとき、マータグがいった。「きみをギリエドに行かせていいものだろうか」

「どうして？　しっかり変装《へんそう》するからだいじょうぶさ」エラゴンがいった。「それにドルムナッドは、本物のライダーであることの証明《しょうめい》として、ぼくのゲドウェイ・イグナジアを見せろというだろう」

「だろうな」マータグがいった。「だが、帝国《ていこく》が必死で追っているのは、きみなんだ。ぼくならつかまっても、いつかは逃《に》げ出せるだろう。きみがつかまったら、王のもとへ引っ立てられ、拷問《ごうもん》を受けてじわじわと殺される——王に仕えるといわないかぎりね。それにギリエドの町は軍の大きな拠点《きょてん》のひとつだ。民家じゃなく、兵舎《へいしゃ》ばかりがならんでいる。そこへ乗りこんでいくのは、わが身を金の皿にのせて王にさし出すようなものだ」

エラゴンはサフィラに意見をもとめた。サフィラは彼のとなりで、しっぽを足に巻《ま》いて横たわっている。〈わたしにきくまでもない。彼のいうことは正しい。ドルムナッドに信用してもらうための言葉があるから、それをわたしがマータグに教えよう。彼のいうとおり、マータグなら万が一つかまるようなことがあっても、殺されはしないはず〉

エラゴンは渋《しぶ》い顔をした。〈ぼくらのために彼を危険《きけん》な目にあわせるなんて、気が進まないんだけどなあ〉「わかった、きみにお願いするよ」エラゴンはやむをえずいった。「だけど、なにかあったら、ぼくもすぐにあとを追う」

マータグが笑った。「そうなるとまた伝説が生まれるな——たったひとりで王の軍に立ち向かっていったライダー」クスクス笑いながら腰《こし》をあげる。「出かける前に、ぼくが知っておくべきことはないかな？」

「今夜は休んで、あした出発というわけにはいかないのか?」エラゴンは顔色をうかがうようにしてたずねた。

「あした? 時間がたてばたつほど、見つかる危険性《きけんせい》が高くなる。そのドルムナッドという人が本当にヴァーデンに引き会わせてくれるというなら、一刻《いっこく》も早く見つけなきゃならない。ぼくもきみも、こんなところにいつまでもぐずぐずしていられないんだよ」

〔これもまた、彼のいうとおり〕サフィラがそっけなくいう。ドルムナッドに告げるべき言葉をサフィラから聞くと、エラゴンはそれをマータグに伝えた。

「わかった」マータグは剣《けん》の位置を正した。「なにごともなければ、何時間かでもどってくる。ぼくの食事もちゃんと残しておいてくれよ」マータグは手をふってトルナックに飛び乗り、駆《か》けていった。エラゴンはザーロックの柄《つか》を指でたたきながら、不安な思いで火のそばにすわった。

数時間がすぎてもマータグはもどってこなかった。エラゴンはザーロックを手に火のまわりをうろうろと歩き、サフィラはギリエドのほうを注意深く見はっていた。動くものはサフィラの目だけだった。ふたりとも不安を口にはしないが、エラゴンの心の準備《じゅんび》はできていた――軍の一隊が町から攻《せ》めてきたら、即《そく》、逃《に》げ出さねばならない。

〔見て〕ふいに、サフィラがいった。

エラゴンは身がまえてギリエドの町を見やった。遠くに馬に乗った男が見える。町を出て、ものすごいいきおいでこちらへ駆けてくる。〔いやな予感がする〕エラゴンはサフィラの背《せ》にまたがった。

〔いつでも飛べるようにしておくんだ〕

〔もちろん、わかっている〕

近づいてくるにつれ、身を低くしてトルナックを駆るマータグの姿《すがた》が確認《かくにん》できた。追われている様

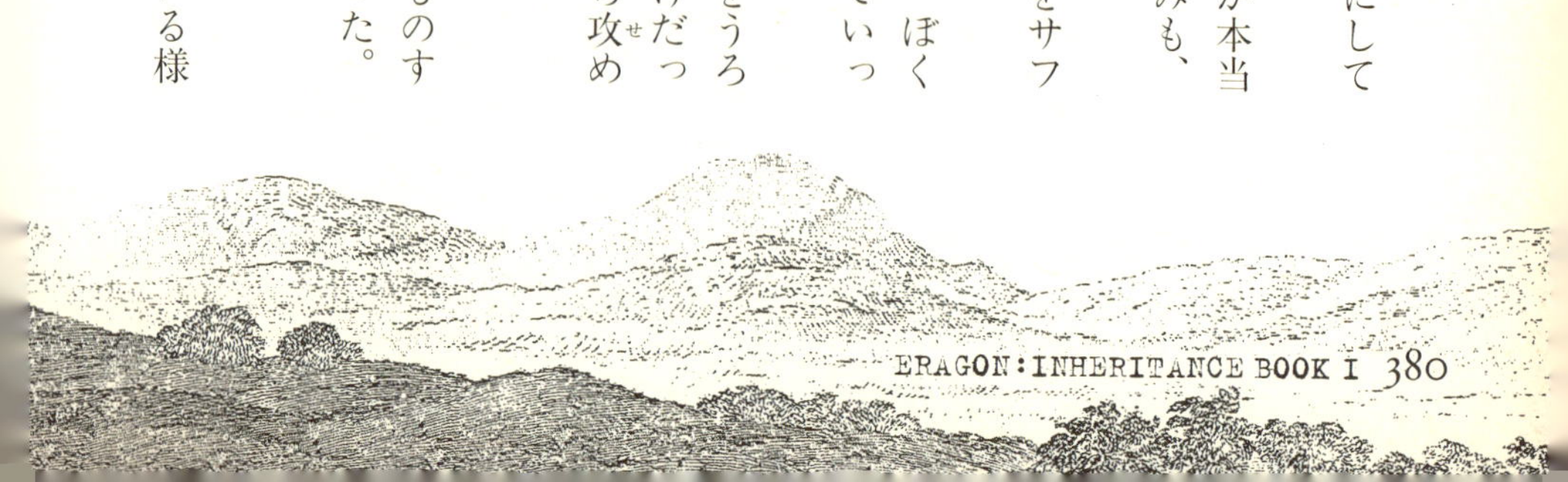

子はないが、無謀《むぼう》ともいえる速さは依然《いぜん》として落ちていない。彼は野営地《やえいち》に駆けこみ、地面に飛びおりて剣を引きぬいた。「なにかまずいことでもあったのか?」エラゴンはとっさにきいた。

マータグは眉《まゆ》をひそめた。「ぼくのうしろに追っ手はいなかったか?」

「だれも見えなかったが」

「よかった。じゃあ話の前になにか食わせてくれ。腹《はら》がぺこぺこだ」マータグは器《うつわ》をつかむなり、うまそうに食べはじめた。何口かあわただしくかきこんだあと、食べ物をほおばったままいった。「ドルムナッドは、あした日の出の時刻《じこく》にギリエドの外で会おうといっていた。きみが本当のライダーだと確認して、罠《わな》じゃないとわかったら、ヴァーデンの隠《かく》れ家《が》まで連れていってくれるそうだ」

「どこで会うことになってる?」エラゴンがたずねる。

マータグは西をさした。「道のむこうの小さな丘《おか》の上だ」

「で、町ではなにがあった?」

マータグがおかわりをすくって器に入れた。「ささいなことだが、それでも命とりになりかねない――通りで知り合いに姿《すがた》を見られた。あわてて逃げたが、遅《おそ》かった。彼には気づかれたな」

運が悪いとは思いながらも、そこまで深刻《しんこく》なことかどうか、エラゴンにはぴんと来なかった。「きみの友だちのことはわからないから、いちおうきいておくけど――その人は、だれかにしゃべりそうなのか?」

マータグはひきつった笑いをもらした。「やつに会ったことがあれば、そんな質問《しつもん》はしないだろうよ。あいつの口はしまりが悪くてね、いつもだらりとあいている。どんなことだって、心のなかにしまっておけないようなやつだ。問題はやつがそれをしゃべるかどうかじゃなくて、だれにしゃべるかだ。まずい人間の耳に入れば、めんどうなことになる」

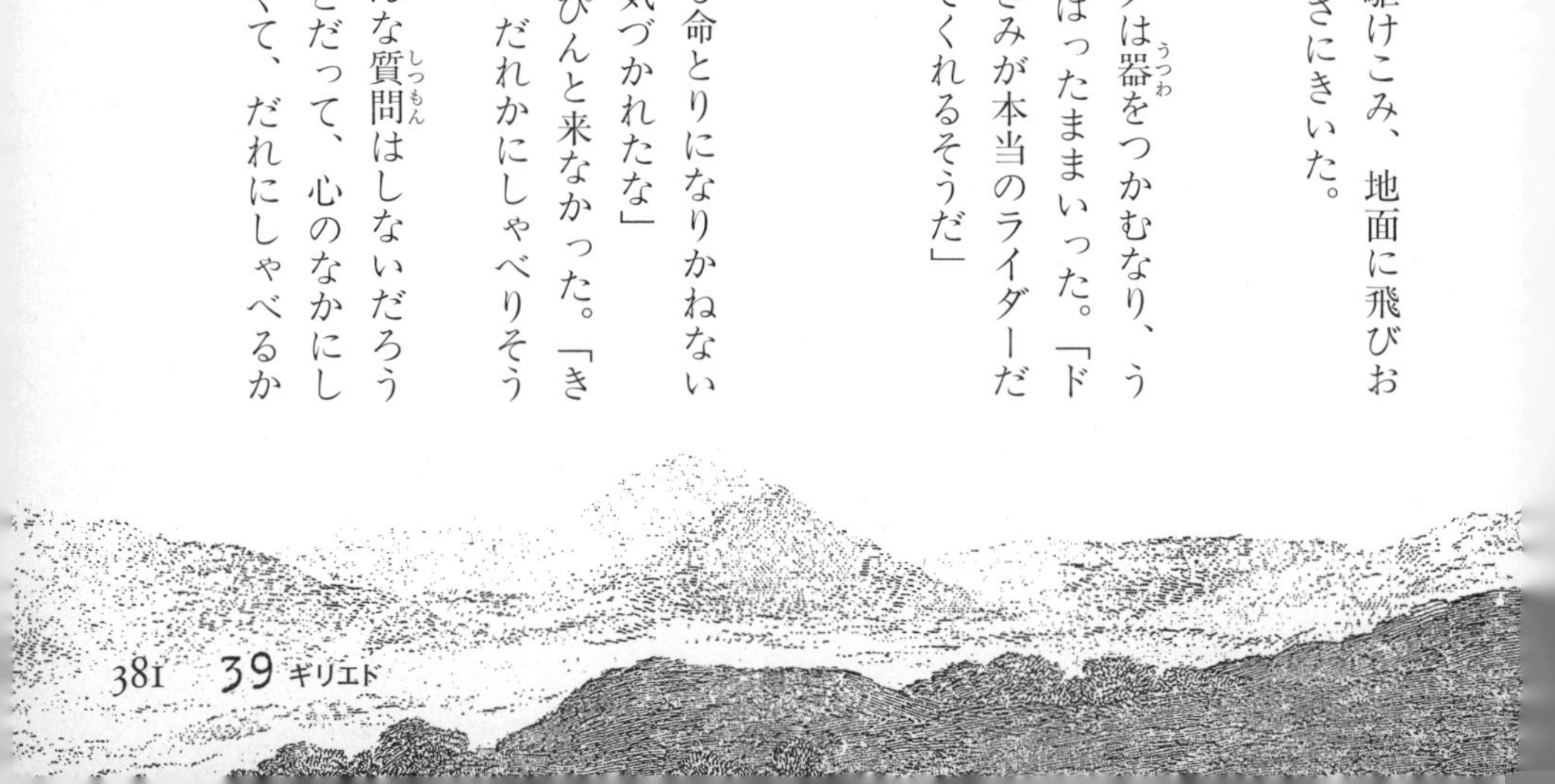

「でもきみをさがすために、闇夜《やみよ》に兵士を送り出してはこないだろう」エラゴンはいった。「とりあえず朝まではだいじょうぶさ。朝になって万事《ばんじ》うまく行けば、ドルムナッドといっしょに出発しよう」

マータグは首を横にふった。「ちがう。彼についていくのはきみだけだ。前にもいったとおり、ぼくはヴァーデンのところへは行かない」

エラゴンは悲しげにマータグの顔を見つめた。マータグとはなれたくなかった。旅のあいだにめばえた友情《ゆうじょう》を、断《た》ち切るのがつらかったのだ。反対しようとしたが、サフィラにシッととめられた。

〔あしたまで待ちなさい。今はそれをいう時期ではない〕サフィラがやさしくいさめる。

〔わかったよ〕エラゴンはむっつりといった。マータグと彼は、空に星が輝《かがや》くまで語りあい、サフィラを最初の見張《みは》りに立てて眠《ねむ》った。

エラゴンは夜が明ける二時間ほど前に目を覚ました。掌《てのひら》がピリピリしていた。なにもかもしんと静まりかえっているのに、なにかが気になる。心のなかにむずがゆさがひろがっていくようだ。音を立てぬよう、ザーロックを腰《こし》につけて立ちあがった。サフィラが大きな目をきらりと光らせ、こちらを見た。〔どうした?〕

〔わからない〕エラゴンはこたえた。おかしなものはなにも見あたらない。

サフィラがあたりのにおいを嗅《か》いだ。と、小さくうなって頭をもちあげた。〔すぐそばで馬のにおいがする。でも動いている気配はない。嗅ぎなれない嫌《いや》なにおい〕

エラゴンはマータグにそっと近づき、肩《かた》をゆすった。マータグが飛び起きて毛布《もうふ》の下から剣《けん》をとり出し、エラゴンに目で問いかける。エラゴンは静かにと身ぶりで伝え、しのび声でいった。「近くに馬がいる」

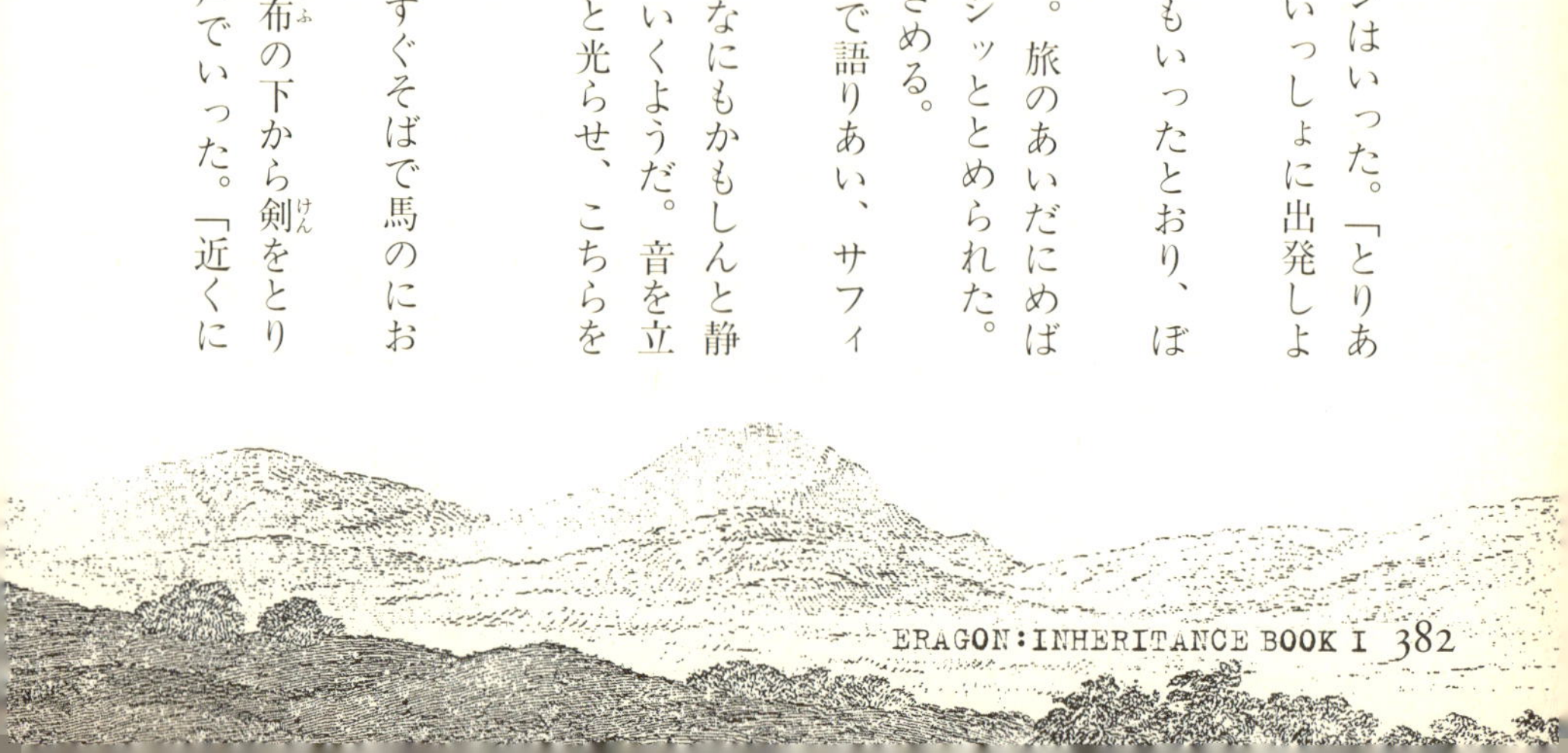

マータグはだまって剣を鞘《さや》からぬいた。ふたりは静かにサフィラをはさむ位置につき、襲撃《しゅうげき》にそなえた。待っていると、東の空に明けの明星が見えてきた。リスがにぎやかにさわいでいる。

背後《はいご》で不気味なうなり声が聞こえ、エラゴンは剣を高くかまえてふり返った。肩幅《かたはば》の広いアーガルが、恐《おそ》ろしい刃《は》をもつ鍬《すき》を手に野営地《やえいち》の縁《ふち》に立っている。どこから現《あらわ》れた？　足跡《あしあと》なんかどこにもなかったはずなのに！　アーガルは吠《ほ》えながら武器《ぶき》をふりまわしているが、むかってはこない。

「ブリジンガー！」エラゴンが魔法《まほう》の言葉をさけんだ。アーガルの顔が恐怖《きょうふ》にゆがみ、次の瞬間《しゅんかん》、青い閃光《せんこう》とともにその体がくだけ散った。血しぶきが飛び散り、茶色のかたまりが宙《ちゅう》に投げ出される。うしろでは、サフィラがぎょっとして前足をふりあげた。エラゴンは横に目をむけた。ひとりめのアーガルに気をとられているうちに、横からアーガルの集団《しゅうだん》がわいてきている。こんな単純《たんじゅん》な作戦に引っかかるとは！

鉄のぶつかりあう甲高《かんだか》い音とともに、マータグがアーガルにむかっていった。あとを追おうとしたエラゴンの行く手を、四人の怪物《かいぶつ》がはばむ。ひとりめが肩めがけて、剣を打ちつけてきた。エラゴンは剣をかいくぐり、魔法で相手をしとめた。ふたりめののどをザーロックでさし、猛然《もうぜん》とふりむいて三人めの心臓《しんぞう》をつらぬく。そのすきに、四人めのアーガルが重い棍棒《こんぼう》をかまえて飛びかかってきた。

エラゴンは四人めの怪物に気づき、剣をふりあげ、棍棒をかわそうとした。が、わずかに遅《おそ》かった。棍棒が頭に落ちてくるまぎわ、彼は声をふりしぼった。「サフィラ、飛べ！」視界《しかい》を激《はげ》しい光が満たし、意識《いしき》が遠のいていった。

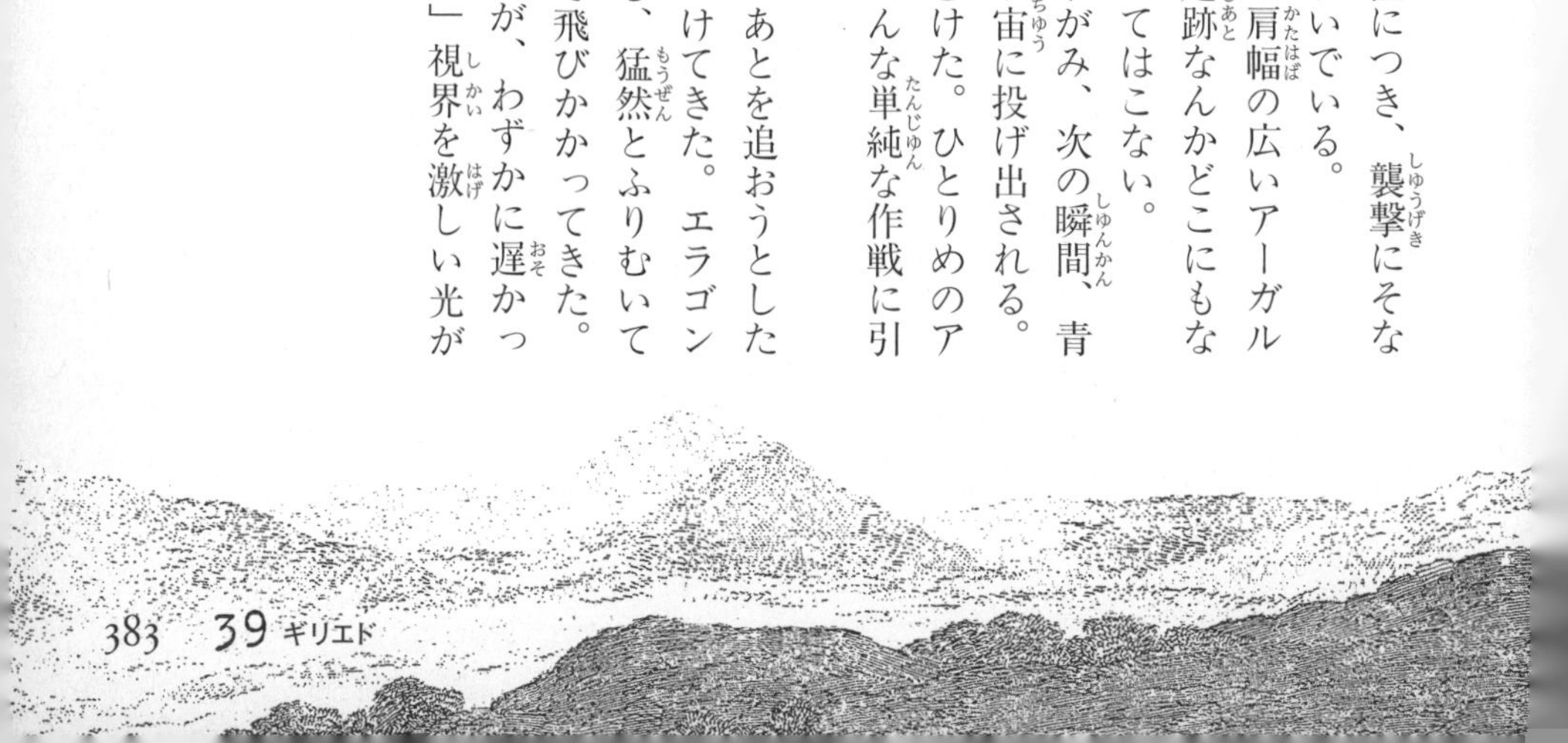

40

影《シェイド》の死

最初に気づいたのは、体がかわいていて暖《あたた》かく、頬《ほお》がざらさらした布《ぬの》にあたっていて、手がしばられていないということだった。体をよじってみる。だが、起きあがってあたりを見まわせるようになるには、さらに数分かかった。

エラゴンは檻《おり》のなかで、脚《あし》がガタガタするきゅうくつな寝台《しんだい》の上にいた。壁《かべ》の上部に格子《こうし》をはめた窓《まど》がある。鉄ばりの扉《とびら》の上にも小さな窓がついていて、同じように格子がはまり、扉はしっかりと閉《と》じられている。

体を動かすと、頬にこびりついた血がひび割《わ》れた。それが自分の血ではないと気づくのにしばらくかかった。頭がひどく痛《いた》んだ——あれだけの打撃《だげき》を受けたのだから無理もない。頭のなかが妙《みよう》にぼうっとしている。魔法《まほう》を使おうとしても集中できない。古代語を思い出せないのだ。薬を飲まされたんだ。ようやくそう気づいた。

うめきながら立ちあがると、腰《こし》にあるはずのザーロックの重みがなかった。おぼつかない足どりで窓へと歩いた。つま先立ちになり、首をのばして窓の外をのぞいてみた。一分ほどかかって、ようやく明るい光に目がなれてきた。窓は地面の高さについていた。目の前の道には人々がせわしなく行き

かい、その先には同じような丸太の家屋が建ちならんでいる。
体がだるくなり、床《ゆか》に腰を落としてぼんやりとあたりを見まわした。外の景色に胸騒《むなさわ》ぎを覚えるが、なぜなのかはわからない。思考力の鈍《にぶ》さにいらだち、頭のもやもやを追い出そうと、うしろにそりかえってみた。男が檻のなかに入ってきて、食べ物の盆《ぼん》と水差しを寝台の上に置いていった。いいやつじゃないか。エラゴンは愛想よく笑った。キャベツ入りの水っぽいスープと干《ひ》からびたパンをふた口ほど口に入れたが、とたんに胸《むね》がむかむかしてきた。もっとましなものを出してくれればいいのに。心のなかでぼやいてスプーンを放った。

ふいに、なにがおかしいのかわかった。自分はアーガルにつかまったはずだ。人間につかまったんじゃない！　じゃあ、なぜこんなところにいるんだ？　だが酔《よ》ったような頭では、謎《なぞ》を解《と》くことができない。エラゴンは心の内で肩《かた》をすくめ、どうすべきかわかるようになるまで、この謎を頭のすみにしまっておくことにした。

エラゴンは寝台にすわったまま、遠くを見つめていた。数時間後、また食べ物が運ばれてきた。そういえば腹《はら》がへってきてるんだ。ぼんやりと思う。今度は吐《は》き気《け》をもよおさずに食べることができた。食べ終わると、昼寝《ひるね》をすることにした。ほかにすることがないのだから、眠《ねむ》るしかない。

頭のなかが朦朧《もうろう》として、眠りが彼を包みはじめた。どこかで門のあくような音がして、石の床を行進する鋼《はがね》の靴音《くつおと》が聞こえてくる。音はしだいに大きくなり、やがて頭のなかで鍋《なべ》を打ち鳴らされるかのようにやかましく響《ひび》きはじめる。エラゴンはひとり文句《もんく》をいった。なんで静かに眠らせてくれないんだ？　だがゆっくりと、疲労感《ひろうかん》にもまさる好奇心《こうきしん》がめばえてきた。エラゴンは扉のところまで体を引きずっていき、フクロウのようにまばたきをした。

窓のむこうには、幅《はば》十メートルはあろうかという廊下《ろうか》がひろがっていた。向かい側の壁にはこちら

と同じような檻《おり》がずらりとならんでいる。廊下《ろうか》を行進していたのは、剣《けん》をかまえた兵士たちの隊列だ。みな揃《そろ》いの甲冑《かっちゅう》をつけ、一様にかたい表情《ひょうじょう》を浮《う》かべ、リズムをみだすことなく機械のような正確《せいかく》さで歩いている。その音を聴《き》いていると、催眠術《さいみんじゅつ》にかかったようになる。人を圧倒《あっとう》するほどの権力《けんりょく》の顕示《けんじ》だ。

エラゴンが兵隊の行進をながめるのに飽《あ》きたころ、縦隊《じゅうたい》のなかほどに切れ目ができた。ふたりの大《おお》柄《がら》な男が、ぐったりとした女の人を運んできた。

女性《じょせい》の漆黒《しっこく》の髪《かみ》は革《かわ》ひもで結ばれているが、たれた長い髪で、顔は暗くかげっている。着ているものは黒い革のズボンとシャツ。細いウエストにはつやつやとしたベルトが巻《ま》かれ、そこから右のしりへ空《から》の鞘《さや》がさがっている。ふくらはぎと華奢《きゃしゃ》な足は、ひざ丈《たけ》のブーツでおおわれている。

女性の頭がだらりと横にたれた。エラゴンは息をのんだ。腹《はら》に一撃《いちげき》を食らったかのような思いだった。彼女こそ、夢《ゆめ》のなかに出てきたあの女の人なのだ。彫《ほ》りの深い、絵のように整った顔。異国的《いこくてき》な雰囲気《ふんいき》を引き立たせるのは、まるいあごと高い頬骨《ほおぼね》と長いまつげだ。唯一《ゆいいつ》、その完璧《かんぺき》な美しさをそこなうかのように、あごに傷《きず》が走っている――が、それでも彼女は、エラゴンが今まで見たなかでいちばん美しい女性だった。

エラゴンの血が熱く燃《も》えはじめていた。自分のなかでなにかが目覚めるのがわかった――これまで一度も感じたことのないなにかだ。強迫観念《きょうはくかんねん》のようなもの。ただし、もっと激《はげ》しく、ほとんど狂気《きょうき》に近いもの。ふいに女性の髪がすべり、とがった耳があらわになった。背筋《せすじ》を冷たいものが走りぬけた。彼女はエルフなのだ。

兵士たちはそのまま行進を続け、彼女を見えないところへ連れていった。続いて後方から、尊大《そんだい》な雰囲気の長身の男が、漆黒のマントをひるがえしながら大またで歩いてきた。顔が死人のように白

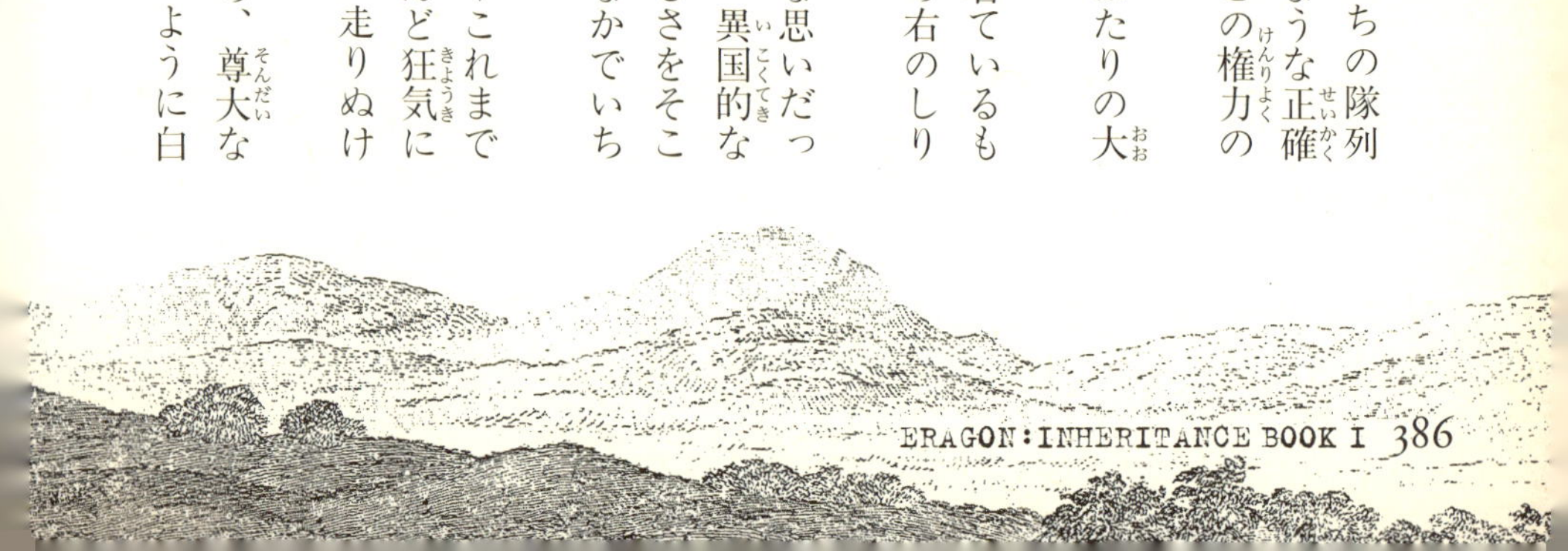

く、髪が赤い。血のような赤だ。

エラゴンの檻の前を通りかかるとき、男は首をまわし、えび茶色の目でエラゴンを見すえた。上唇《うわくちびる》をめくりあげ、やすりで研《と》いだような歯をむき出し、野蛮《やばん》な笑《え》みを浮《う》かべる。エラゴンは縮《ちぢ》みあがった。この男なら知っている。シェイド。信じられないことだが……たしかにシェイドだ。兵隊の行進は続き、シェイドの姿《すがた》は視界《しかい》から消えた。

エラゴンはすわりこんで体を縮めた。動揺《どうよう》していても、シェイドが現《あらわ》れたことの意味はわかる。国に悪が放たれたしるしだ。やつらが現れるところ、かならず血の海ができる。シェイドがいったいここでなにをしてる？　兵隊たちがやつを殺さないのはなぜだ？　ふいにまた、エルフの女性のことを思い出し、不思議な感情《かんじょう》に包みこまれた。

逃《に》げなければ。だが、頭のなかがくもり、その決意もすぐに消えてしまった。エラゴンは寝台《しんだい》にもどった。廊下に静けさがもどるころには、ぐっすりと寝《ね》入《い》っていた。


目をあけたとたん、なにかがちがうのがわかった。考えることが楽になっている——自分は今ギリエドにいるのだと気づいた。やつらはしくじったんだ！　薬が切れてきている！　期待をこめて、サフィラとの交信と魔法《まほう》をこころみた。しかしどちらもまだ、彼には負担《ふたん》が大きすぎた。不安で胸《むね》がえぐられるようだった。サフィラとマータグは逃げられたのだろうか？　腕《うで》をのばして、窓《まど》の外をのぞいてみた。町はまだ目覚めたばかりだ。ふたりの物乞《ものご》いがいるだけで、あとはがらんとしている。

エルフとシェイドのことを考えながら、水差しに手をのばした。水を飲みかけたとき、かすかな異《い》臭《しゅう》に気づいた。強烈《きょうれつ》な香水《こうすい》を数滴《すうてき》たらしたようなにおいだ。顔をしかめて水差しを置いた。薬はこれに入れられてたんだ。食べ物もそうだ！　ラーザックにやられたとき、薬が切れるのに何時間もかか

ったことを思い出す。それだけの時間、飲み食いをしなければ、魔法《まほう》が使えるようになるにちがいない。そうしたらエルフを助けて……。思わず顔がほころんだ。檻《おり》のすみにすわりこみ、その先のことに想像《そうぞう》をふくらませた。

一時間後、体格《たいかく》のいい看守《かんしゅ》が食事の盆《ぼん》をもってやってきた。エラゴンは看守が出ていくのを待ってから、窓辺《まどべ》に盆を運んだ。パンとチーズとオニオンだけの食事だが、それでも腹《はら》が鳴る。みじめな気分をおさえ、だれにも気づかれないことを祈《いの》りながら、窓から通りへ食べ物をおし出した。

そのあとはとにかく、薬の効果《こうか》を切らすことに専念《せんねん》した。初めのうち、すこしのあいだ意識《いしき》を集中するのもむずかしかったのが、時間の経過《けいか》とともに知力がもどりはじめてきた。古代語をいくつか思い出した。ただし、それをとなえても、まだなにも起こりはしない。歯がゆくてさけびだしそうになった。

昼食が運ばれてくると、朝食と同じように窓の外におし出した。腹もへっていたが、いちばんつらいのは水が飲めないことだった。のどの奥《おく》がからからに干《ひ》あがっていた。ひと呼吸《こきゅう》ごとに口とのどの渇《かわ》きが増《ま》し、冷たい水を飲みたいという思いに苦しみもだえた。それでも、水差しには断固《だんこ》として手をのばさなかった。

そんな苦痛《くつう》をまぎらわすように、廊下《ろうか》で騒《さわ》ぎがもちあがった。だれかが大声で主張《しゅちょう》している。「なかには入れられないんですよ！　王の命令なんです――だれもやつとは会わせるなと！」

「へえ？　きみは命をかけてわたしを阻止《そし》するつもりかね、大佐《たいさ》？」なめらかな声が割《わ》って入った。

男がおとなしくなる。「いや……しかし王が――」

「王のことはわたしにまかせておけばよい」ふたりめの男がさえぎっていった。「さあ、鍵《かぎ》をあけたまえ」

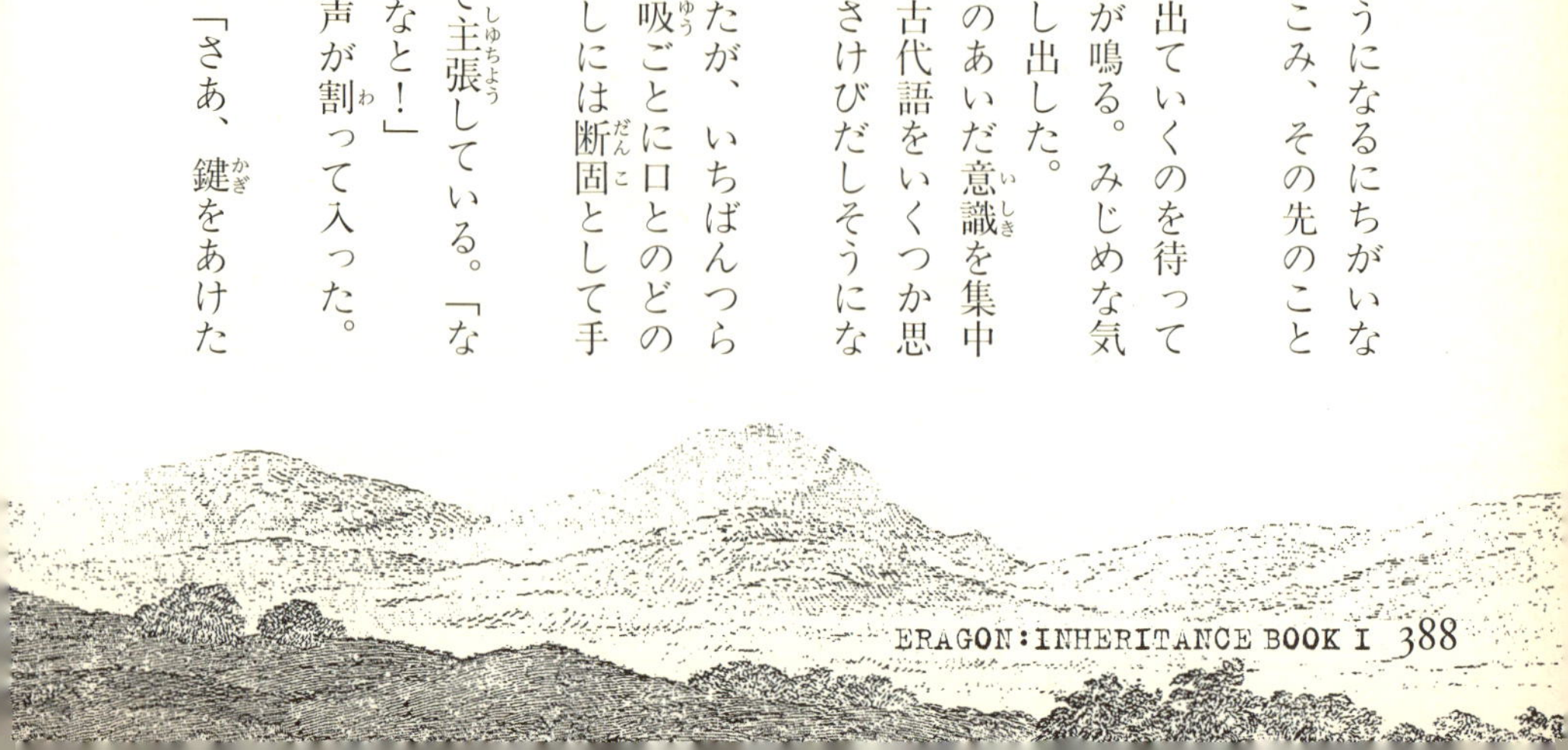

一瞬《いっしゅん》の間のあと、檻の外からジャラジャラという鍵の音がした。エラゴンはぼうっとした表情《ひょうじょう》をつくろった。なにが起きているのかわからないというふりをしなくては。なんといわれても、おどろいた顔をしちゃいけない。

扉《とびら》が開いた。エラゴンは息をつめてシェイドの顔をのぞきこんだ。デスマスクか、あるいは、命ある者に見せるため、つるりとした頭蓋骨《ずがいこつ》に皮膚《ひふ》をはりつけたかのような顔だ。「こんにちは」シェイドはぞっとする笑《え》みを浮《う》かべ、よくみがかれた歯を見せた。「おまえに会えるのをずっと待っていた」

「あんた……だれ？」エラゴンがろれつのまわらない口調でいった。

「だれであるかは問題ではない」シェイドがこたえた。えび茶の目に、おさえた怒《いか》りが燃《も》えている。マントをひるがえして腰《こし》をおろした。「おまえのような立場の者に、わたしの名前をいう必要はない。知ったところで、おまえにはどうすることもできないんだからね。しかしこっちはおまえに興味《きょうみ》がある。おまえはだれなんだ？」

さりげない質問《しつもん》に聞こえるが、きっと罠《わな》や落とし穴《あな》がかくされているのだ。しかし、それがなんであるかはわからない。エラゴンは質問をけんめいに嚙《か》みくだいているようなふりをしたあと、のろのろと口を開いた。「さあ……エラゴンだけど、ききたいのはそれじゃないんだろ？」

シェイドのうすい唇《くちびる》がつっぱり、鋭《するど》い笑い声がもれた。「そのとおり。なかなか賢《かしこ》いやつだ。若《わか》きライダーよ」シェイドは身を乗り出してきた。額《ひたい》の皮膚はうすく、中が透《す》けて見えるようだ。「もっとはっきりたずねよう。おまえの真の名はなんという？」

「エラ――」

「ちがう！　それではない！」シェイドは手をふってエラゴンの言葉をさえぎった。「別の名があるだろう、めったに使わないほうの名前だ」本当の名前をきき出して、ぼくを支配《しはい》しようとしているん

だ！　エラゴンは気がついた。だが、こたえられるわけがない。自分自身、そんな名前など知らないのだから。知らないということを、どうにかしてかくせないだろうか？　勝手な名をでっちあげたら？　エラゴンはすばやく頭を働かせた——かんたんに嘘《うそ》とバレるようではこまる。詮索《せんさく》にたえうるような名前……ふと、どうせなら、シェイドをこわがらせる名前がいいと思い立った。文字をいくつか頭のなかでならべ、わざとらしくうなずいた。「前にブロムから教えてもらったなあ……」そこで何秒か間を置き、やっと思い出したというように顔を輝《かがや》かせた。「ドゥ・スンダヴァール・フレオール」文字どおりに訳《やく》せば、「影の死《シェイド》」だ。

ぞっとするような冷気が独房《どくぼう》に流れた。シェイドはじっとして動かず、目にベールがかかったように見える。今耳にした言葉を心の奥《おく》でじっくり考えているようだ。エラゴンは、すこしやりすぎたのではないかと心配になった。シェイドが体を動かすのを待ってから、無邪気《むじゃき》にたずねてみた。「あなたはどうしてここに？」

シェイドは赤い目で侮蔑《ぶべつ》するようにエラゴンをにらみ、にっこり笑った。「むろん、よろこびにひたるためだよ。せっかくの勝利を楽しまない手はないだろう？」シェイドは自信たっぷりにいった。が、なにか行きづまっている計画でもあるかのように、その声にはどこか不安が感じられた。シェイドはふいに立ちあがった。「かたづけなければならない用事があるものでね。わたしのいないあいだ、どちらに仕えるべきか、じっくり考えることだ——おまえの先祖《せんぞ》たちを裏切《うらぎ》ったライダーにつくか、あるいはわたしのような同志《どうし》につくか。もっとも、わたしの秘術《ひじゅつ》の腕《うで》は、おまえの比《ひ》ではないがね。選択《せんたく》のときが来たら、どっちつかずではいられんのだよ」立ち去りかけたシェイドは、エラゴンの水差しを見て足をとめた。表情《ひょうじょう》が岩のようにかたくなる。「大佐《たいさ》！」

体格《たいかく》のいい男が剣《けん》を手に、檻《おり》へ駆《か》けこんできた。「どうしました、ご主人さま？」懸念《けねん》の表情でた

ずねる。

「剣はしまっておけ」シェイドはそう指示《しじ》すると、エラゴンを見やり、恐《おそ》ろしく静かな声でいった。

「ぼうやは水を飲んでいないじゃないか。どういうわけだ?」

「さっき看守《かんしゅ》と話をしましたが、椀《わん》や皿の中身はきれいになくなっているそうです」

「そうか」シェイドが声をやわらげていった。「だが水もまたきちんと飲ませるんだぞ」シェイドは身を乗り出して大佐に耳打ちした。エラゴンには最後の言葉だけ聞きとれた。「……念のため、量をふやせ」大佐はうなずいた。シェイドはエラゴンにふたたび目をむけた。「あしたまた話そう。もっと時間があるときにな。いっておくが、わたしは人の名前について、かくべつの興味《きょうみ》をもっているんだよ。おまえとは、もっといろいろなことを、じっくり話したいね。さぞかし楽しいにちがいない」

シェイドのその言い方に、エラゴンは不吉《ふきつ》な予感を覚えた。

シェイドたちが去ると、エラゴンはまた寝台《しんだい》にころがって目を閉《と》じた。彼は今初めて、ブロムが教えてくれたことの価値《かち》を実感していた。どんなときもあわてずにいるため、そしてわが身をふるい立たせるため、ブロムの教えを信頼《しんらい》しきっていた。必要なものはすべてあたえられている。あとはそれをうまく活用するだけだ。彼の思考は、兵士たちが近づいてくる音に中断《ちゅうだん》された。

気になって扉《とびら》に近づくと、ふたりの兵士がエルフを引きずっていくのが見えた。その姿《すがた》が見えなくなると、床《ゆか》に腰《こし》をおろし、ふたたび魔法《まほう》の言葉をためしてみた。やはりうまく行かず、ひとり悪態《あくたい》をついた。

歯ぎしりをしながら、窓《まど》の外をながめた。まだ昼をすぎたばかりだ。深呼吸《しんこきゅう》して気持ちを落ち着かせ、時がすぎるのをしんぼう強く待つことにした。

41

戦う影《かげ》

檻《おり》のなかが暗くかげりはじめたころ、エラゴンはしびれるような衝撃《しょうげき》を受け、はね起きた。頭のもやもやがすっかりなくなっている！　これまでずっと、意識《いしき》の縁《ふち》では魔法《まほう》に触《ふ》れているのに、いくらためしてもなにも起きなかった。エラゴンは目に気力をみなぎらせ、両手をにぎりしめて声を発した。「ナーグス・リサ（毛布《もうふ》よ、あがれ）！」寝台《しんだい》の毛布がはためいて宙《ちゅう》に浮《う》き、拳《こぶし》ほどの球に丸まった。そして、ストンと静かな音を立てて床《ゆか》に落ちた。

　エラゴンは浮かれて立ちあがった。無理な絶食《ぜっしょく》のせいで体に力は入らないが、空腹《くうふく》など忘《わす》れるほど興奮《こうふん》していた。よし、次は本物の試験だ。心のなかの手を扉《とびら》の鍵《かぎ》へとのばしていく。鍵に触れると、それをこわすのでも断《た》ち切るのでもなく、ただ内部を開錠《かいじょう》の位置へと動かしてみた。カチッといって扉が内側にあいた。ヤーズアックでアーガルをたおすのに初めて魔法を使ったときは、それだけでほとんど全精力《ぜんせいりょく》を使いはたしてしまったが、あれ以来彼はたくましく成長していた。あのときならへとへとに疲《つか》れたようなことでも、今ならかすかなだるさを感じるだけでできてしまう。

　エラゴンはそろそろと廊下《ろうか》に出た。まずザーロックとエルフの女性《じょせい》を見つけなくては。彼女はきっと、どこかの檻にいるのだろうが、全部を見てまわるよゆうはない。ザーロックのほうは、シェイド

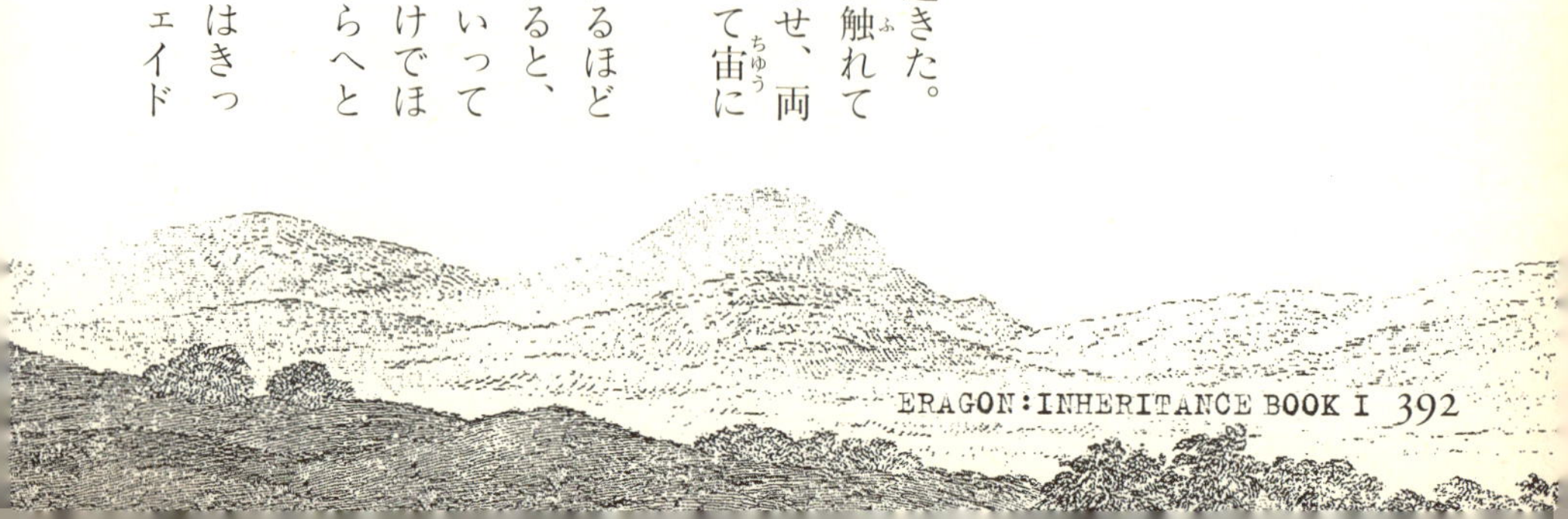

のそばにあるはずだ。ふと、思考がまだ混乱《こんらん》していることに気づく。ぼくはなんでこんなところに出てきたんだ？　檻にもどって魔法で窓《まど》をあければ、かんたんに逃《に》げられるじゃないか。でもそれじゃあエルフを助けられない……サフィラ、おまえはどこにいる？　力がもどったときいちばんにすべきなのは、サフィラと連絡《れんらく》をとることだった。エラゴンはそうしなかった自分をひそかに責《せ》めた。

　サフィラはおどろくほど敏速《びんそく》に答えを返してきた。〔エラゴン！　わたしはギリエドの上空にいる。なにもしないで。マータグが今そっちにむかっているから〕

〔どうして――〕足音が聞こえた。とっさにふり返り身をかがめたとき、六人の兵士が列を組んで廊下を歩いてきた。兵士たちはふいに足をとめ、目をぱちくりさせてエラゴンと開いた扉を見くらべている。どの顔からもいっせいに血の気が引いた。そうか、ぼくがだれか知ってるんだな。ちょっとおどかせば、戦わずに追っぱらえるかもしれない。

「つかまえろ！」ひとりがさけんで走ってきた。残りの兵士も剣《けん》をぬき、バタバタと廊下を駆《か》けてくる。

　弱った体でなんの武器《ぶき》ももたず、六人を相手に戦うなど正気《しょうき》の沙汰《さた》ではない。だが、エルフへの思いが彼をそこにおしとどめた。どうしても彼女を見すてることができなかったのだ。疲労感《ひろうかん》にたえられる自信のないまま、エラゴンは全身の力をふるって片手《かたて》をあげた。掌《てのひら》のゲドウェイ・イグナジアが光りだした。兵士たちの目に恐怖《きょうふ》の色が浮かんだが、さすがに鍛《きた》えられた戦士だ、たじろぐことはない。エラゴンがいよいよ言葉をとなえようとしたとき、ブーンと低い音が聞こえ、なにかが目の前をよぎった。兵士がひとり、ばたりとたおれた。背中《せなか》に矢がつきささっている。さらにふたりがたおれると、なにが起きたのか、だれの目にもあきらかになった。

　廊下のはし、兵士たちが入ってきたあたりに、ぼろをまとったひげ面《づら》の男が弓をかまえて立ってい

る。足もとに松葉杖《まつばづえ》がころがっているが、胸《むね》をはってまっすぐに立っているのだから、それはあきらかに不要なようだ。

残る三人の兵士たちはあらたに現《あらわ》れた敵《てき》にむき直った。エラゴンは混乱《こんらん》のすきにさけんだ。「スライスタ（つぶせ）！」兵士のひとりが胸《むな》ぐらをつかんでたおれた。魔法《まほう》を使ったせいで、エラゴンの足はふらついた。さらにもうひとりが首に矢を受けてたおれた。助《すけ》っ人《と》の男が最後の兵士に矢をむけるのを見て、エラゴンはさけんだ。「そいつを殺すな！」あごひげの男は弓をおろした。

エラゴンは目の前の兵士に意識《いしき》をこらした。男は肩《かた》で息をして、白目をむいている。命拾いしたことを察したようだ。

「ぼくの力を見ただろ？」エラゴンはすごんだ。「質問《しつもん》にこたえないなら、これから先、ものすごくみじめでつらい人生を送ることになるぞ。さあ、ぼくの剣《けん》はどこだ？——鞘《さや》と刀身が赤いやつだ。それと、エルフはどの檻《おり》にいる？」

男は口をぎゅっと閉《と》じた。

エラゴンの掌《てのひら》が不気味に光りだし、魔法の準備《じゅんび》が整った。「それはまちがった答えだな」ぴしゃりという。「真っ赤に焼けた砂粒《すなつぶ》を腹《はら》のなかに埋《う》めこまれたら、どれだけの痛《いた》みを感じるか知ってるか？　しかも、二十年間冷えることなく、じわじわとつま先まで焼いていくんだ！　砂粒が体から出ていくころには、あんたはもう老人になっている」効果《こうか》を高めるために間を置く。「本当のことをいわないと、それが現実《げんじつ》になるんだぞ」

兵士は恐怖《きょうふ》に目をむきながらも、まだ口を開かない。エラゴンは石の床《ゆか》から泥《どろ》をこそげとり、無表《むひょう》情《じょう》でそれを観察した。「砂粒よりはちょっと多いかな。でも、いいこともある。こっちのほうが、体を速く焼いてくれるだろうから。ただし、ちょっと大きな穴《あな》があいてしまうな」言葉を発すると、土

が鮮紅色《せんこうしょく》に輝《かがや》きだした。が、エラゴンの手はすこしも燃《も》えていない。
「わかったから、そんなものを腹に入れないでくれ!」兵士が悲鳴をあげた。「エルフは左のいちばん奥《おく》の檻にいる! 剣のことは知らんが、たぶん上の衛兵所《えいへいしょ》にあるはずだ。武器《ぶき》は全部そこにあるんだ」

エラゴンはうなずき、「スライサ」とつぶやいた。兵士は目をまわし、へなへなとその場にたおれた。

「殺したのか?」

エラゴンは見知らぬ男に目をやった。男は今、ほんの数歩ほどのところに立っている。目を細め、男のひげ面《づら》をまじまじと見つめた。「マータグ! きみだったのか?」エラゴンがさけんだ。

「ああ」マータグはあごひげを一瞬《いっしゅん》もちあげ、つるりとした顔を見せた。「顔を見られたくなかったんだ。こいつは死んだのか?」

「いや、眠《ねむ》ってるだけだ。どうやってなかに忍《しの》びこんだ?」

「説明しているひまはない。見つからないうちに上の階へあがるんだ。数分以内なら逃《に》げ道《みち》はある。それをのがしたら終わりだぞ」

「ぼくのいったこと、聞いてなかったのか?」エラゴンが気絶《きぜつ》した兵士をさしていった。「エルフが囚《とら》われているんだ。この目で見たんだ! 助けなきゃいけない。力を借してくれ」

「エルフだと……!」マータグは廊下《ろうか》を駆《か》けながらうなった。「それはまずいだろう。一刻《いっこく》も早く逃げ出さなきゃならないっていうのに」マータグは兵士のいった檻の前で足をとめ、ぼろマントの下から鍵束《かぎたば》を取り出した。「守衛からうばってやったんだ」

エラゴンは鍵のほうへ手をさし出した。マータグは肩《かた》をすくめ、鍵束をわたした。エラゴンは正し

い鍵《かぎ》を見つけ出し、扉《とびら》をあけた。窓《まど》からひと筋《すじ》の月光がななめにさしこみ、銀色の冷たい光でエルフの顔を照らしていた。

エルフはエラゴンを見て、身がまえるかのように体を緊張《きんちょう》させた。頭を女王のように高くあげている。黒に近いダークグリーンの目は、ネコの目のようにかすかにつりあがっている。その目で見つめられたとき、エラゴンのなかに冷たいものが走った。

しばし見つめあったあと、エルフは体をふるわせ、音もなくくずおれた。エラゴンは彼女が床《ゆか》にたおれる寸前《すんぜん》に抱《だ》きかかえた。おどろくほど軽い体だった。すりつぶした松葉のような香《かお》りがした。

マータグが檻《おり》に入ってきた。「なんと美しい！」

「ケガをしてるんだ」

「あとで手当てできるさ。彼女をかかえていけそうか？」エラゴンは首を横にふった。「じゃあ、ぼくが運ぼう」マータグはエルフを背負《せお》った。「さあ、上へ行くんだ！」エラゴンに剣《けん》をあずけ、彼は兵士の死体が散らばる廊下《ろうか》に飛び出していった。

重い足音を響《ひび》かせ、マータグはエラゴンを廊下のはしの石の階段《かいだん》へとみちびいていった。階段をのぼりながらエラゴンがたずねた。「どうやれば気づかれずにぬけ出せるんだ？」

「気づかれないさ」マータグがうなった。

それでもエラゴンの不安は消えなかった。シェイドと鉢合《はちあ》わせなどしたら、いったいどうなることか。近くに兵士などの人の気配がないかどうか、注意深く耳を澄《す》ませながら歩いた。階段の上には、大きな木のテーブルがならぶ宴会場《えんかいじょう》があった。壁《かべ》にはずらりと盾《たて》がかけられ、彫刻《ちょうこく》をほどこした梁《はり》が木製《もくせい》の天井《てんじょう》をささえている。マータグはエルフの体をテーブルに横たえ、心配そうに天井を見あげた。「サフィラに話をしてくれないか？」

「うん」

「あと五分待ってくれと伝えてほしい」

遠くから騒《さわ》がしい声が響いてきた。兵士たちが玄関《げんかん》をぬけ、宴会場のほうへあがってこようとしている。エラゴンはやり場のない緊張感に、口をぐっと引きしめた。「どんな計画があるにしても、もう時間がなさそうだ」

「とにかくサフィラに伝えて、それからどこかにかくれて」マータグはそういい放って、駆《か》けていった。

サフィラに話を伝えたとたん、階段をあがってくる足音が聞こえ、エラゴンはぎょっとした。空腹《くうふく》と疲労《ひろう》にたえながらエルフの体を引きずっていき、テーブルの下におしこめた。自分もそのとなりにうずくまり、息をつめ、短剣をにぎりしめた。

兵士が十人ほど、どやどやと部屋に入ってきた。ところが全体をさっと見わたし、テーブルの下をふたつほどのぞいただけで出ていった。エラゴンはテーブルの脚《あし》にもたれ、ため息をついた。ほっとすると、急に強烈《きょうれつ》な空腹とのどの渇《かわ》きがおそってきた。部屋の反対はしを見ると、ビールのジョッキと食べ残しの料理が置きっぱなしになっている。

猛然《もうぜん》と飛び出し、食べ物をつかむなり、すばやくテーブルの下にもどってきた。ジョッキに入った琥珀色《こはくいろ》のビールを、ふた口で飲みほした。冷たい液体《えきたい》がのどをおりていくと、体じゅうに安堵《あんど》がひろがり、ただれた細胞《さいぼう》が癒《いや》されていくようだった。げっぷをおさえ、厚切《あつぎ》りのパンをがつがつとむさぼった。

もどってきたマータグの手には、ザーロックのほかに、めずらしい形の弓と、鞘《さや》のない美しい剣がにぎられていた。彼はエラゴンにザーロックをわたしながらいった。「この剣と弓は、衛兵所《えいへいしょ》で見つ

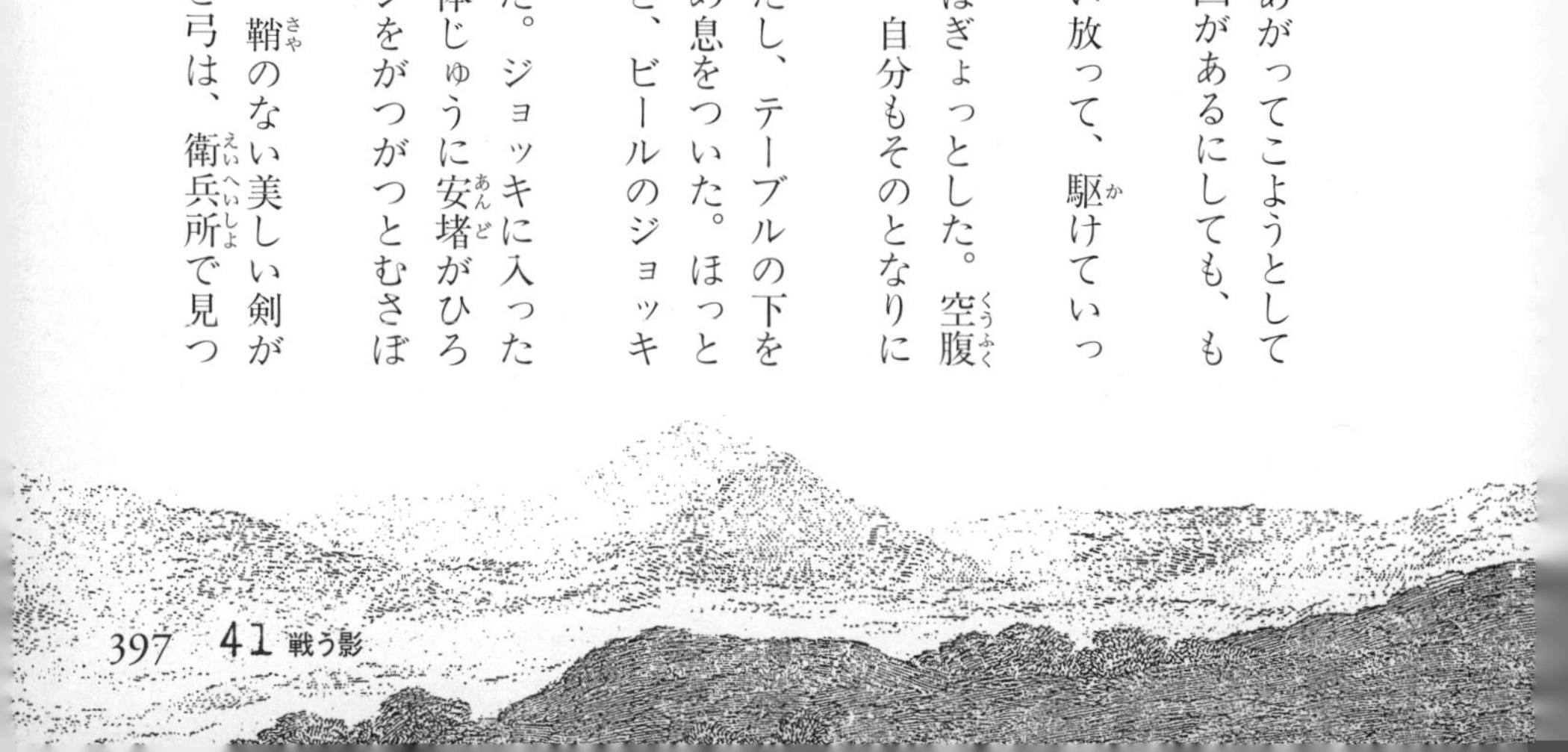

けたんだ。こんなのは初めて見た。エルフのものだろうな」

「見せてくれ」エラゴンはパンをほおばったままいった。剣《けん》はほっそりとして軽い。つばには彫刻《ちょうこく》がほどこされ、刀身は鋭《するど》い切っ先にむかって細くなっている。エルフの腰《こし》の鞘《さや》にぴたりとおさまる形だ。弓は彼女のものかどうか知る術《すべ》はないが、その優美《ゆうび》な形からして、ほかの持ち主は思い浮《う》かばない。「それで、どうする？」エラゴンはパンを口におしこみながらいった。「ずっとここにかくれてるわけにはいかない。いずれ兵士たちに見つかってしまう」

「とにかく」マータグは自分の弓をつかみあげ、矢をつがえた。「待つんだ。いっただろう、逃《に》げる手はずは整えてある」

「きみはわかっていない――ここにはシェイドがいるんだ！　やつに見つかったら、おしまいだ」

「シェイド！」マータグが声をあげた。「それなら、サフィラをすぐに呼《よ》んでくれ。見張《みは》り兵の交代まで待つつもりだったが、ぐずぐずしてはいられない」エラゴンはよけいなことをいってサフィラを混乱《こんらん》させないよう、用件《ようけん》を手短に伝えた。「きみが自力で逃げ出そうなんて考えるから、計画がややこしくなったんだ」マータグは戸口に目をすえたままぼやいた。

エラゴンはほほえんだ。「そうとわかっていたら、おとなしく待ってたんだけどな。でも、きみは本当にいいときに飛びこんできてくれたよ。これだけの兵士を相手に魔法《まほう》で戦うことになったら、這《は》って逃げることさえできなかった」

「役に立ててうれしいよ」マータグはこたえ、そばを走りぬける足音に身をかたくした。「とにかくシェイドに見つからないことを祈《いの》ろう」

冷ややかな笑い声が宴会場《えんかいじょう》を満たした。「残念ながらもう手おくれだ」

マータグとエラゴンがうしろをふり返った。部屋のはしにシェイドがひとりで立っている。手には白っぽい剣。剣の刃《は》には細い傷《きず》がついている。ブローチの留《と》め金《がね》をはずすと、マントが床《ゆか》に落ちた。現《あらわ》れた体は細く、ひきしまっている。だがエラゴンはブロムの言葉を忘《わす》れていなかった。シェイドの外見は人をあざむくもの。じっさいはふつうの人間の何倍もの力をもっているのだ。

「若《わか》きライダーよ、わたしを相手に腕《うで》だめしをしたいのかね？」シェイドが鼻で笑った。「食事を残さず食べたなんて、大佐《たいさ》の言葉を真に受けるべきじゃなかったよ。もう同じあやまちはくり返さない」

「やつのことはぼくにまかせろ」マータグがそっといい、弓を置いて剣をぬいた。

「だめだ」エラゴンが声をひそめていった。「やつはぼくを生かしておきたいはずだ。でも、きみはちがう。すこしなら時間稼《かせ》ぎできるから、そのあいだに逃げ道を確保《かくほ》しておいてくれ」

「よし、わかった」マータグがいった。「長くは待たせないから」

「そう願うよ」きびしい顔でいうと、エラゴンはザーロックをぬき、ゆっくりと前進をはじめた。赤い刃が壁《かべ》のトーチの灯《あか》りを受けてきらりと光る。

シェイドのえび茶の目が石炭のようにあかあかと燃《も》えている。彼は静かに笑った。「わたしをたおそうなんて、本気で思っているのかい？　ドゥ・スンダヴァール・フレオールくん。まったくくだらん。もっと気の利《き》いた名前を考えつけばいいものを。だがしょせん、おまえにはその程度《ていど》の頭しかないのだろう」

エラゴンは挑発《ちょうはつ》には乗らなかった。シェイドの顔をじっと見すえ、かすかな目の動きや唇《くちびる》のひきつれ、次の行動をしめすどんな小さな変化も見のがすまいと待った。魔法は使えない。使えば、やつにも同じことをけしかけるようなものだ。シェイドだって魔法による決闘《けっとう》はさけたいはずだ——そして、やつなら、それでもじゅうぶん勝てる。

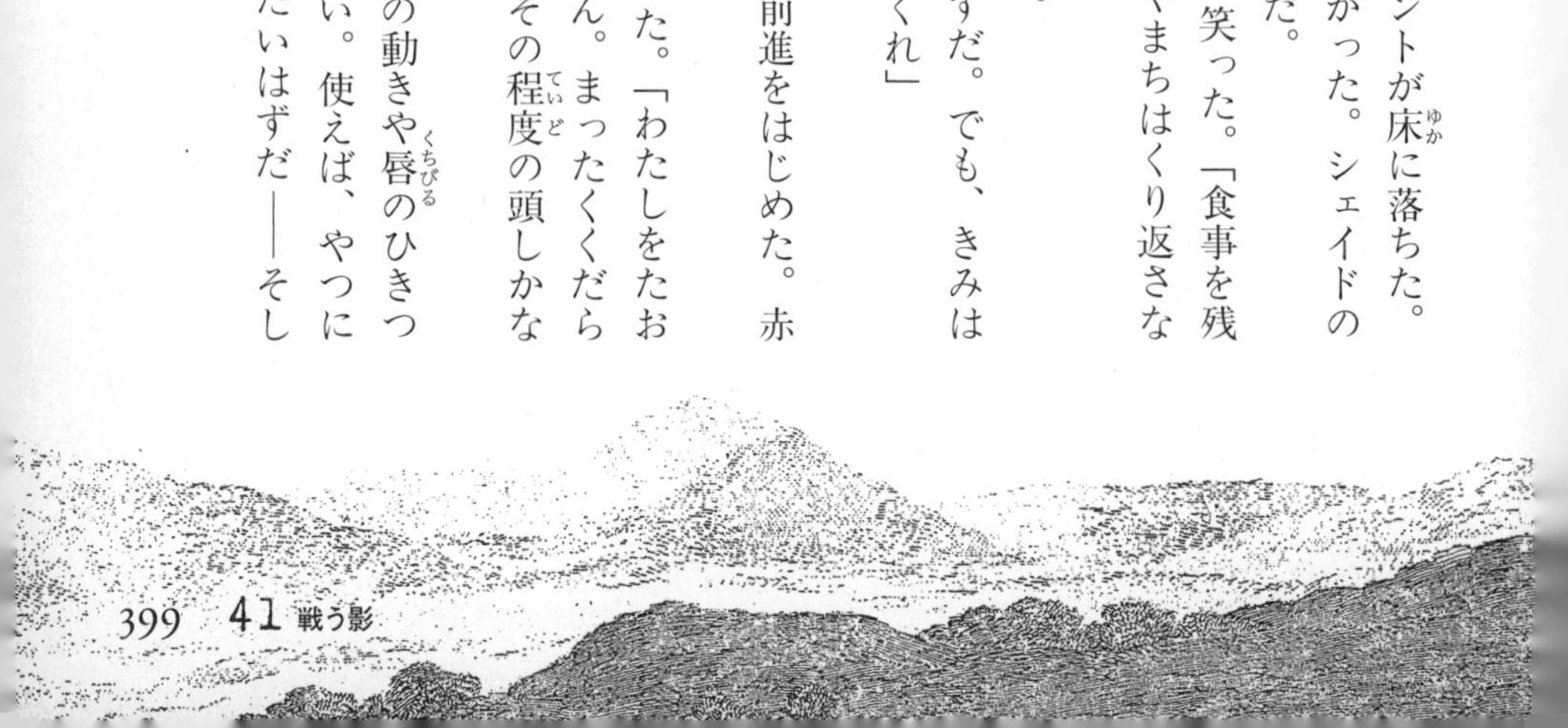

ふたりが動きだす前に、天井《てんじょう》が低くうなり、ふるえはじめた。わきおこる埃《ほこり》があたりを灰色《はいいろ》に変え、そこらじゅうに木片《もくへん》がパラパラと降《ふ》ってきた。脳天《のうてん》に丸太が落ちてくることを恐《おそ》れ、エラゴンは天井を見あげた。と、そのすきをつき、シェイドが攻撃《こうげき》をしかけてきた。

エラゴンはザーロックをふりあげ、あばらに切りつけられた一撃をかろうじてかわした。剣《けん》の刃《は》が激《はげ》しくかちあうと、歯がギシギシきしり、腕《うで》がしびれてきた。くそっ！　なんて強いんだ！　ザーロックの柄《つか》を両手でにぎり、シェイドの頭めがけて渾身《こんしん》の力でふりおろした。シェイドはそれを難《なん》なくかわし、尋常《じんじょう》とは思えぬ速さで剣をふり動かした。

頭上で不快《ふかい》なきしみ音が鳴りはじめた。鉄釘《てつくぎ》で岩をこすったような音だ。天井にたちまち三本の長い亀裂《きれつ》が走った。その裂《さ》け目《め》から屋根板がバラバラと落ちてきた。一枚《まい》がエラゴンの足もとを直撃したが、そんなことを気にしてはいられなかった。これまで剣の達人ブロム、剣豪《けんごう》のマータグと稽古《けいこ》をかさねてきたものの、ここまで力のかけはなれた相手と戦ったことはない。シェイドにとって、これはお遊びにすぎないのだ。

エラゴンはマータグのほうへ後退《こうたい》しながら、ふるえる腕で剣をかわし続けた。シェイドの剣はひとふりごとに力を増《ま》してくる。魔法《まほう》を使いたくても、エラゴンにとてもそんな力は残っていない。シェイドは小バカにするように手首を返し、エラゴンの手からザーロックをたたき落とした。その一撃でエラゴンはがくりとひざをつき、苦しげに息をした。頭上のきしみがさらに激しくなった。どうなっているにせよ、それがじわじわと近づいてきているのはたしかだ。

シェイドは尊大《そんだい》な態度《たいど》でエラゴンを見おろした。「これがお遊びなら、おまえもそれなりに強いといえるのかもしれないな。しかし、もう限界《げんかい》とは失望したね。ほかのライダーたちもこれほど弱かったのかね？　ならば連中は、たんに数で帝国《ていこく》を圧倒《あっとう》していただけなんだろうな」

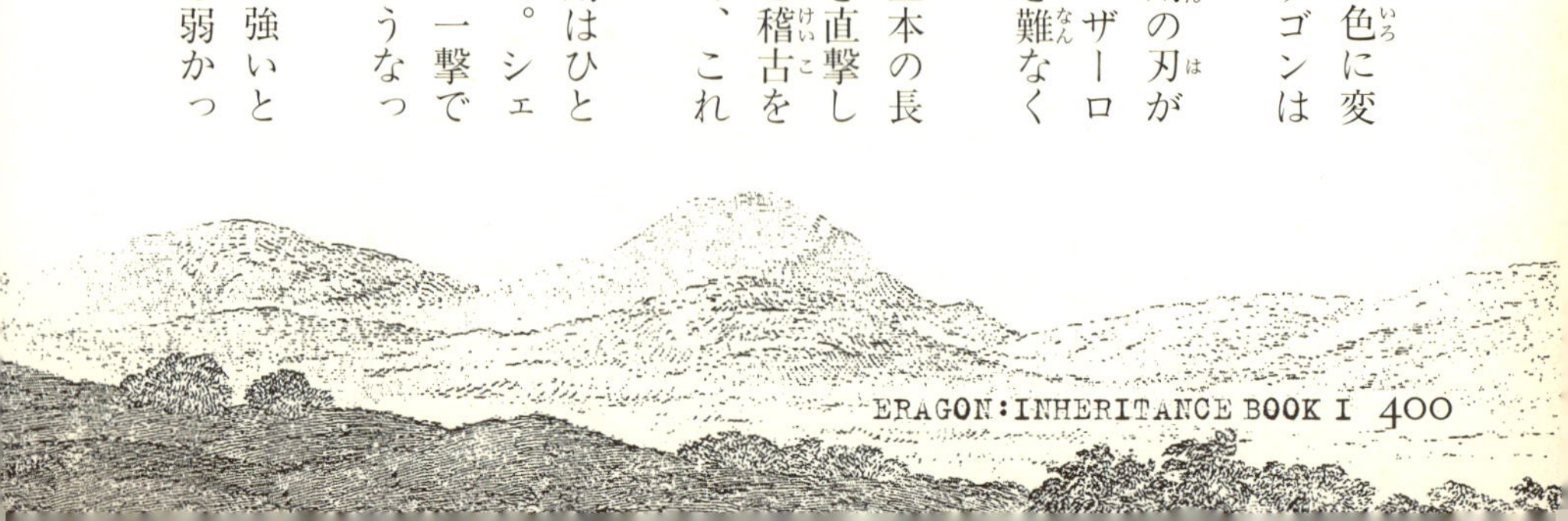

エラゴンは顔をあげて首をふった。彼にはマータグの計画がわかっていた。〔サフィラ、今だ〕

「ちがうよ、あんたは大事なことを忘《わす》れている」

「ほう、それはまたどんなことかね?」シェイドが茶化すようにきいた。

雷《かみなり》のようなとどろきとともに天井が引きはがされ、夜空があらわになった。「それは、ドラゴンさ!」轟音《ごうおん》に負けじとエラゴンはさけび、シェイドの前から飛びのいた。シェイドは怒《いか》り、歯をむいてうなりながら、剣を荒々《あらあら》しくつき出してきた。さしそこなって、もう一度突進《とっしん》する。と、その肩《かた》にマータグの矢がつきささり、シェイドは一瞬《いっしゅん》、おどろきの色を浮《う》かべた。

シェイドは笑いながら、二本の指で矢を引きぬいた。「わたしの動きをとめたいなら、もっとうまくやらないとね」次の矢がシェイドの眉間《みけん》をつらぬいた。彼は顔を手でおおい、苦悶《くもん》の声をあげてもだえている。皮膚《ひふ》が灰色に変わりはじめていた。まわりに霧《きり》がただよい、シェイドの体をおおっていく。耳をつんざくようなさけびがあがった。そして、霧がかき消えた。

シェイドがいた場所には、マントと衣服の山しか残っていない。「マータグ、シェイドをたおしたぞ!」エラゴンが歓声《かんせい》をあげた。シェイドを殺して生き残った伝説の勇者は、いまだかつてふたりしかいないという。

「とても信じられない」マータグがいった。

「そのとおり。そううまくはいかん。おい、ここだ、つかまえろ!」男の大声が響《ひび》いた。網《あみ》と槍《やり》をもった兵士たちが、宴会場《えんかいじょう》の両はしからなだれこんできた。エラゴンとマータグはエルフの体を引きずって、壁《かべ》へとあとずさった。兵士たちが彼らのまわりをぐるりととりかこんだ。そのとき、天井の穴《あな》からサフィラが顔をつき出し、咆哮《ほうこう》をあげた。さけた天井板に鋭《するど》い鉤爪《かぎづめ》を引っかけ、さらに大きく引きちぎった。

きびすを返して逃《に》げ出す兵士が三人、残りはその場にとどまっている。響《ひび》きわたる咆哮《ほうこう》とともに中央の梁《はり》が折れ、重いこけら板が雨のように落ちてくる。兵士たちは降《ふ》りそそぐ凶器《きょうき》をさけながら、混《こん》乱《らん》のていで逃《に》げていく。エラゴンとマータグは壁《かべ》にはりついて、落ちてくる残骸《ざんがい》をさけた。サフィラがふたたび吠《ほ》え、兵士たちはもみくちゃになりながら部屋から飛び出していった。

最後のしあげに、とてつもない力で残りの天井《てんじょう》を引きはがすと、サフィラは翼《つばさ》をたたんで宴会場《えんかいじょう》におりてきた。その重みでテーブルがバキバキと砕《くだ》けた。エラゴンは安堵《あんど》の声をあげ、サフィラに抱《だ》きついた。サフィラが満足げにうなる。〔エラゴンよ、無事でよかった！〕

〔おたがいにね。じつは、仲間がふえたんだ。おまえ、三人も運べるか？〕

〔もちろん〕サフィラはこけら板とテーブルをけちらし、飛び立つ準備《じゅんび》をした。マータグとエラゴンはエルフの体を、ものかげから引っぱり出した。彼女を目にしたとたん、サフィラはシューッとおどろきの声を発した。〔エルフ！〕

〔そう。ぼくの夢《ゆめ》に出てきた人だよ〕エラゴンはザーロックを拾いあげた。マータグを手伝ってエルフの体を鞍《くら》にしばりつけると、彼らふたりもサフィラの背《せ》にまたがった。〔屋根の上で戦う音が聞こえたけど、あそこに兵士たちがあがってたのか？〕

〔そう。でも今はいない。用意はいいか？〕

〔いいよ〕

サフィラは宴会場から飛びあがり、見張《みは》り兵の死体がごろごろころがる城砦《じょうさい》の屋根にあがった。

「見ろ！」マータグが指をさしていった。屋根なしの宴会場をはさんで反対側の塔《とう》から、弓矢隊がぞろぞろわき出てくる。

「サフィラ、早く飛ぶんだ。さあ！」エラゴンがいった。

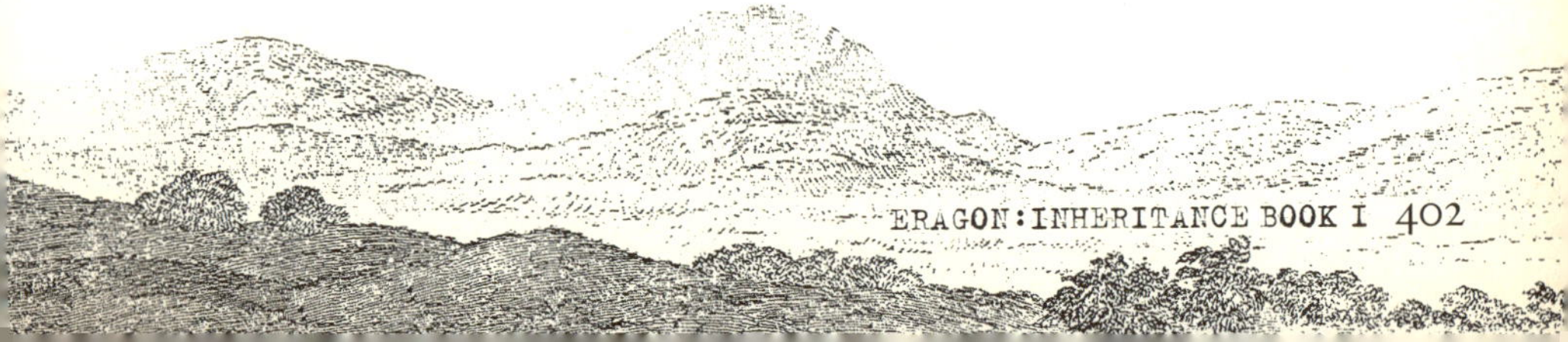

サフィラは翼《つばさ》をひろげながら建物の先端《せんたん》へと駆《か》けだした。強靭《きょうじん》な四肢《しし》で走り、なんとか羽ばたこうとする。だが背中《せなか》のよぶんな重みが、サフィラの体におどろくほどの負担《ふたん》をかけている。サフィラがけんめいに飛び立とうとするさなか、弦《つる》のはじかれる音が音楽のように響《ひび》いてきた。

闇《やみ》のなか、矢がビュンビュンと飛んでくる。矢を受けた痛《いた》みでサフィラは大きく吠え、左へすばやく移動《いどう》して、次の矢をさけた。さらにいくつもの矢が空をつらぬいて飛んできたが、夜の闇が彼らを守ってくれた。エラゴンは身をかがめ、いたたまれない思いでサフィラの首に手をのばした。〔どこをやられた？〕

〔翼《つばさ》……一本はまだささっている〕サフィラは苦しげに息をしている。

〔どこまで飛んでいける？〕

〔できるだけ遠くへ〕ギリエドをかすめて飛ぶあいだ、エラゴンはエルフの体をしっかりとつかんでいた。町をぬけると、サフィラは東へ方向を変え、夜空を高く舞《ま》いあがっていった。

42

戦士と癒《いや》し手《て》と

サフィラは丘《おか》の上の開けた場所におり、ひろげた翼《つばさ》を地面におろした。エラゴンは自分の下で、サフィラがふるえているのがわかった。そこはまだギリエドから二キロ半ほどしかはなれていない場所だ。

スノーファイアとトルナックは空き地の杭《くい》につながれ、おりてきたサフィラに興奮《こうふん》して鼻を鳴らしている。エラゴンは地面におりるなり、サフィラの傷《きず》をのぞきこんだ。マータグは馬の準備《じゅんび》にむかった。

暗がりで傷がよく見えず、エラゴンは翼のあちこちに手をすべらせた。うすい膜《まく》に三か所、矢がつきぬけて、親指ほどの血まみれの穴《あな》があいている。左の翼のうしろの部分は、小さく膜がちぎれていた。エラゴンの指が傷をかすめると、サフィラは身をふるわせた。エラゴンは疲労《ひろう》を覚えながらも、古代語をとなえ、傷を治していった。最後に、翼の太い骨格筋《こっかくきん》にささった矢にとりかかった。翼の裏《うら》から矢じりが飛び出し、そこから温かい血がぽたぽたとしたたっている。

エラゴンはマータグを呼《よ》びつけた。「サフィラの翼をおさえててくれ。矢を引きぬきたいんだ」マータグにおさえる場所を指示《しじ》すると、サフィラにも声をかけた。〈痛《いた》いだろうけど、すぐ終わるよ。

動いちゃだめだぞ——ぼくらがケガしてしまうから」
サフィラは首をのばし、ぐにゃりと曲がった歯でのびかけの若木《わかぎ》をくわえると、頭をふりあげて地面から引っこぬき、上下のあごでしっかりと嚙《か》んだ。〈用意ができた〉
〈わかった〉エラゴンはこたえた。「しっかりおさえて」とマータグにささやくと、まず矢じりの部分をポキリと折った。そして傷口をひろげないよう、翼から矢柄《やがら》をすばやくぬきとった。矢柄が筋肉を通るとき、サフィラは頭をのけぞらせ、くわえた木の奥《おく》からうめき声をもらした。その瞬間《しゅんかん》、翼がぐいっともちあがった。マータグはあごの下に翼の直撃《ちょくげき》を受け、地面にひっくりかえった。
サフィラはうなりながら若木を激《はげ》しくふり動かし、土まみれになったその木を吐《は》きすてた。傷口をふさぎおえると、エラゴンはマータグの手を引いて起こしてやった。「サフィラに不意打ちを食わせられたよ」マータグはあごをなでた。
〈ごめんなさい〉
「わざとやったんじゃないんだ」エラゴンはサフィラをかばった。そして意識《いしき》のないエルフを見ていった。〈サフィラ、おまえにはもうすこし彼女を運んでもらわなきゃならない。馬じゃ時間がかかりすぎるからな。矢がぬけたから、さっきよりは楽に飛べるだろう?〉
サフィラは頭をすこしさげていった。〈できると思う〉
〈ありがとう〉エラゴンはサフィラを抱《だ》きしめた。〈おまえは本当にすごいことをやってくれた。ぜったいに忘《わす》れないよ〉
サフィラはやさしい目をしていった。〈では、出発しよう〉エラゴンがあとずさると、サフィラは風を巻《ま》きおこし、エルフの髪《かみ》をなびかせて空に舞《ま》いあがった。ほんの数秒で、ふたりの姿《すがた》は消えた。
エラゴンはスノーファイアのもとへ駆《か》けもどり、鞍《くら》にまたがると、マータグとともに出発した。

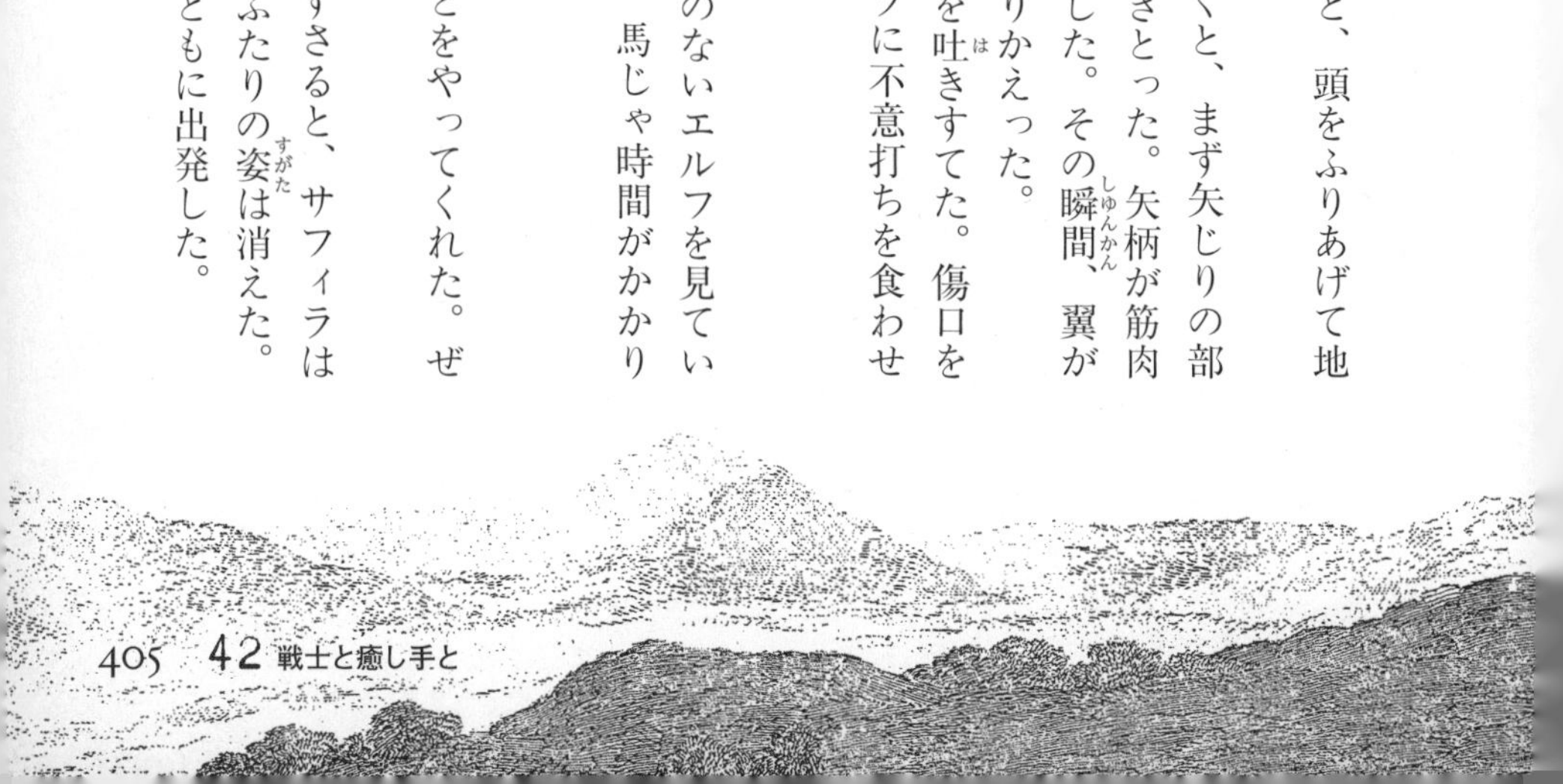

馬を走らせながら、エラゴンはエルフについて知っていることを思い出そうとした。エルフの寿命《じゅみょう》は長い。それはくり返し語られていることだが、どのくらい長いのかは想像《そうぞう》がつかない。古代語を話し、多くが魔法《まほう》を使える。ライダー族が滅《ほろ》んだあとは、だれも知らぬ場所に引きこもってしまった。以来、帝国《ていこく》にはまったくエルフの姿《すがた》が見られなくなった。じゃあ、どうして今ここに？　帝国はどうやって彼女をつかまえたのか？　ぼくのように薬をもられて、魔法《まほう》を使えなくなっていたのだろうか？

一行は夜《よ》を徹《てつ》して旅を続けた。体力がおとろえて歩みがのろくなろうと、けっしてとまることはなかった。目が充血《じゅうけつ》し、動きが鈍《にぶ》くなっても、ひたすら進み続けた。背後《はいご》では、たいまつをもった騎馬《きば》隊《たい》が、彼らの足どりを追ってギリエドじゅうをさがしまわっているにちがいなかった。

疲労困憊《ひろうこんぱい》の長いときを経《へ》て、空が白みはじめた。ふたりは暗黙《あんもく》の了解《りょうかい》のように、そろって馬をとめた。「休まないか」エラゴンが疲《つか》れた声でいった。「とにかく眠《ねむ》りたい――やつらにつかまろうとつかまるまいと……」

「賛成《さんせい》」マータグが目をこすりながらいった。「サフィラを呼《よ》ぶといい。どこかで合流しよう」

ふたりはサフィラに教えられた場所へむかった。サフィラはエルフを背《せ》に乗せたまま、小さな崖《がけ》のふもとの小川で水を飲んでいた。エラゴンが馬をおりると、サフィラはやわらかな腹《はら》をむけてふたりをむかえた。

エラゴンはマータグの手を借りて、エルフを鞍《くら》からはずし、地面へおろした。そして、ふたりともぐったりと岩肌《いわはだ》にもたれかかった。サフィラはエルフをしげしげと見ている。〈どうして彼女は目を覚まさない？　ギリエドを出てからもう何時間もたっているのに〉

〈やつらのことだ、彼女にどんな仕打ちをしたのかわかったものじゃない〉

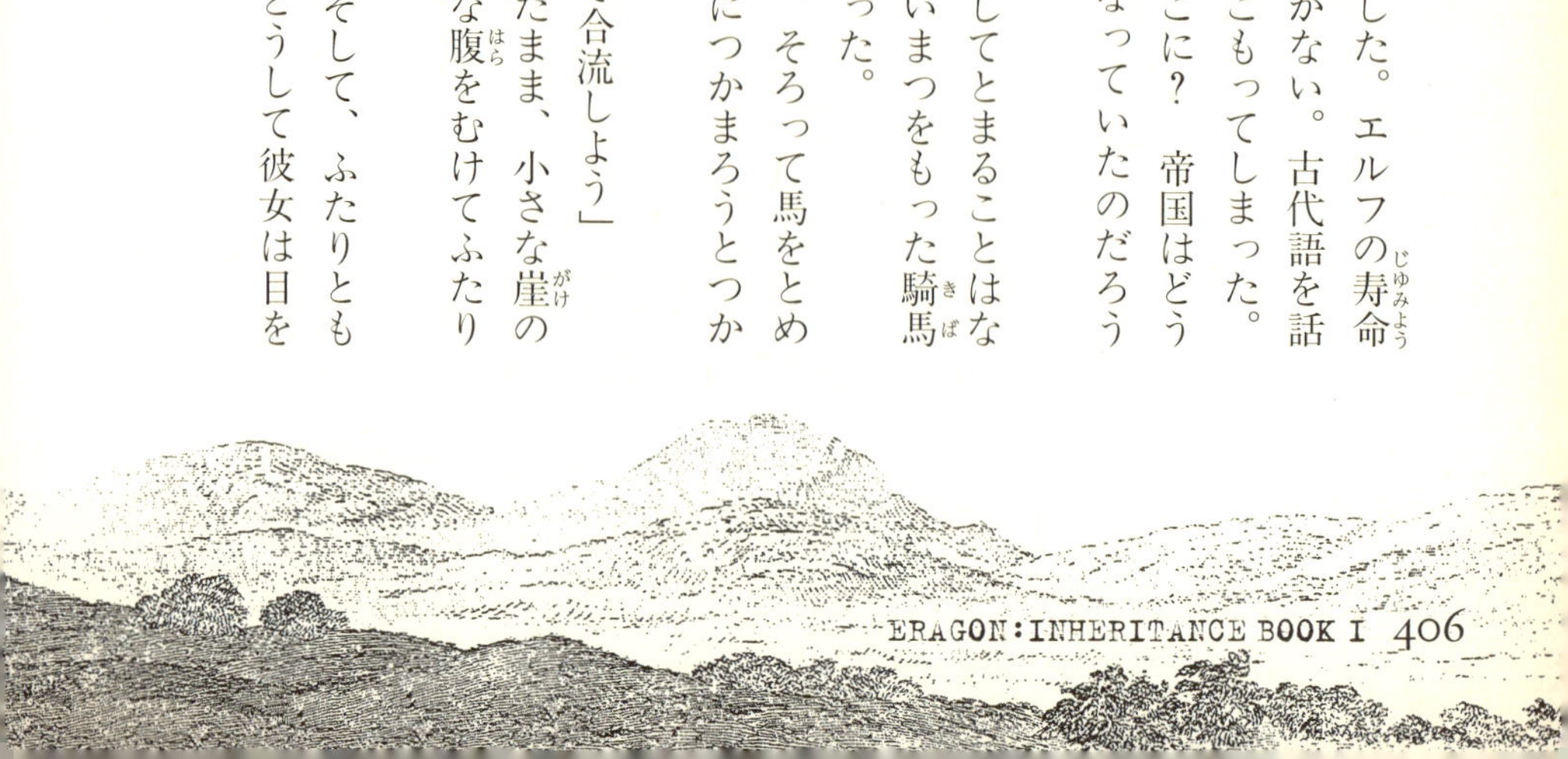

マータグがふたりの視線《しせん》を追ってエルフを見た。「彼女はガルバトリックスが初めて捕《と》らえたエルフということになるだろうな。エルフがかくれ住むようになって以来、王は彼らをさがし続けたが、どうしても見つからなかった。彼女がつかまったのは、王がついにエルフの秘境《ひきょう》をさがしあてたからなのか。それとも、なにかの偶然《ぐうぜん》で見つけただけなのか。ぼくは偶然だと思う。だってエルフのすみかをさがし出したなら、今ごろはもう帝国軍を送り出し、戦いをしかけているだろうからな。だけど、そんな事実はない。問題は、連中が彼女の口からエルフのすみかをきき出したかどうかってことだ」

「それは彼女の意識《いしき》がもどらないとわからないな。それより、ぼくがアーガルにつかまったあとのことを教えてくれないか。どうしてギリエドなんかに連れていかれたんだろう？」

「アーガルが帝国のために働いているからさ」マータグが短くいって、髪《かみ》をうしろにはらった。「それに、どうやらシェイドもそうらしい。ぼくは見たんだ。アーガルがきみをシェイドと兵士たちに引きわたすのをね――もっとも、そのときはシェイドだとはわからなかったが。やつらがきみをギリエドに運んだんだ」

〔わたしも見た〕サフィラがいって、ふたりのとなりで体を丸めた。

エラゴンの脳裏《のうり》に、ティールムを出たあとアーガルと話したことと、「ご主人さま」という言葉がよみがえってきた。あれは王のことだったんだ！　ぼくはアラゲイジアでいちばんの権力者《けんりょくしゃ》を侮辱《ぶじょく》してしまったんだ！　気がつくとぞっとした。だが、ヤーズアックで虐殺《ぎゃくさつ》された村人たちのことを思い出すと、腹の奥《おく》からふつふつと怒《いか》りがこみあげてきた。〔アーガルはガルバトリックスの命令で動いている！　王はなぜ民《たみ》にこんなひどいことをするんだ？〕

〔邪悪《じゃあく》な人間だから〕サフィラがあたりまえのようにいった。

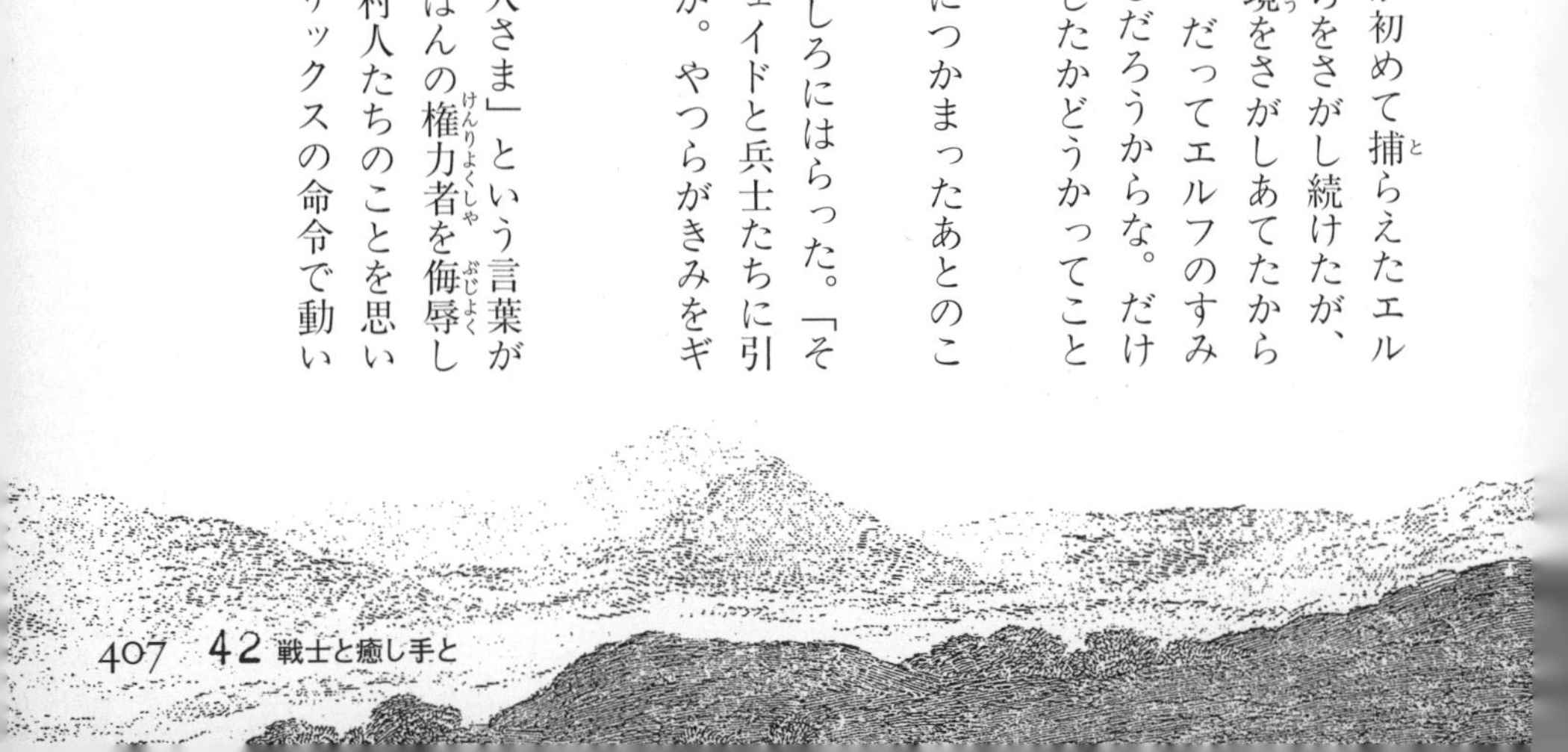

エラゴンが顔をけわしくしていった。「戦いが起きるぞ！　帝国《ていこく》の民《たみ》がこれを知れば、謀反《むほん》を起こしてヴァーデンを支援《しえん》するにちがいない」

マータグは頬杖《ほおづえ》をついた。「たとえ王の暴挙《ぼうきょ》を知ったところで、ヴァーデンまで行き着く民などまずいないさ。アーガルを配下に加え、国境《こっきょう》の守りはさらに強固になったしね。民がどう分裂《ぶんれつ》しようと、帝国の支配《しはい》はゆるがない。今のままの圧政《あっせい》で、国を思いどおりに牛耳《ぎゅうじ》るんだ。それに、民はたとえ王を憎《にく》んでいても、共通の敵《てき》が現《あらわ》れれば、かんたんに帝国の側についてしまうだろう」

「共通の敵って？」エラゴンはわけがわからずたずねた。

「エルフとヴァーデンさ。彼らがアラゲイジアでもっとも忌《い》むべき怪物《かいぶつ》だと、まことしやかな噂《うわさ》を流すんだ――すきあらば民の土地や財産《ざいさん》をうばおうとしている悪魔《あくま》だとね。あるいは帝国はこういうかもしれない。アーガルはこれまでずっと誤解《ごかい》を受けてきた、彼らこそ帝国の真の味方であり、恐《おそ》ろしい敵に立ち向かってくれる仲間だと。ただひとつわからないのは、帝国に協力させる見返りとして、王はアーガルになにを約束をしたかってことだ」

「そんなふうにうまく行きやしないよ」エラゴンが首をふった。「ガルバトリックスやアーガルのことで、そこまであっさりだまされる者はいないさ。それにどうして王はそんなことをしなきゃいけないんだ？　すでに権力《けんりょく》の座《ざ》についているのに」

「王の権威《けんい》は、ヴァーデンの脅威《きょうい》にさらされている。帝国の民はヴァーデンに同情的《どうじょうてき》だからね。それにサーダ国だ。彼らは帝国から分裂して以来、ずっと王に反抗《はんこう》している。ガルバトリックスは帝国内でこそ強大な権力をふるっているけど、一歩外へ出たらそうはいかない。王の正体を知る者たちは、そうかんたんに彼の策略《さくりゃく》には引っかからない。前例があるわけだからね」マータグはおしだまり、ふさいだ顔で遠くを見た。

マータグの話を聞いて、エラゴンは胸騒《むなさわ》ぎを覚えはじめた。そこへサフィラの心が触《ふ》れてきた。

〈ガルバトリックスはアーガルをどこへ送り出したのか？〉

〈え？〉

〈カーヴァホールでもティールムでも、アーガルたちは南へむかったと聞いた。まるでハダラク砂漠《さばく》に侵攻《しんこう》していくかのように。もし本当に王がアーガルを配下に置いたのなら、どうしてそんなところへ彼らを送り出す？　アーガルは王の私的《してき》な軍として集められたのか、あるいはアーガルの町でもつくられているのか？〉

エラゴンはそういわれて身ぶるいした。〈疲《つか》れていて、これ以上は頭がまわらないよ。どのみち王の計略とは、ぼくらを窮地《きゅうち》に追いこむことでしかないんだ。ああ、ヴァーデン軍の居場所《いばしょ》さえわかればなあ。行く場所はそこしかないのに、ドルムナッドがいなくちゃどうにもならない。どこへどう逃《に》げようと、かならず帝国軍に見つかってしまうよ〉

〈あきらめてはいけない〉サフィラは励《はげ》ましてから、冷めた声で言い足した。〈でもまあ、たしかにあなたのいうことは正しい〉

〈ほめてくれて、ありがとう〉それからエラゴンはマータグを見た。「きみは命がけでぼくを救ってくれた。心から感謝《かんしゃ》してるよ。自分ひとりではとても助からなかった」だがエラゴンの胸《むね》には、その言葉以上の思いがあった。ともに戦った同志《どうし》として、またマータグがしめした忠誠心《ちゅうせいしん》によって、ふたりのあいだにはかたい絆《きずな》が生まれていたのだ。

「力になれてうれしいよ。しかし……」マータグの言葉がしりすぼみになる。「最大の問題は、あれだけの兵士たちに追われて、この先どうやって逃げきるかということだ。ギリエドの兵士は明日にで

も追いついてくるかもしれない——馬の足跡《あしあと》が見つかれば、きみがサフィラに乗って飛んでないことがバレてしまう」

エラゴンは暗い顔でうなずいた。「それにしても、きみはあのとき、どうやって城砦《じょうさい》に忍《しの》びこんだんだ?」

マータグが静かに笑った。「賄賂《わいろ》をたんまり払《はら》って、流し場のきたない落とし樋《どい》を這《は》っていったのさ。でもサフィラがいなかったら成功しなかった。彼女は——」言葉を切り、サフィラにむき直る。「ぼくらが今生きていられるのは、ひとえにきみのおかげだよ」

エラゴンは鱗《うろこ》でおおわれたサフィラの首に、おごそかに手をのせた。満足げにうなるサフィラの横で、エラゴンはエルフの顔をうっとりと見つめた。いつまでも見ていたい気持ちをおさえ、腰《こし》をあげた。「彼女の寝床《ねどこ》をつくらなくちゃ」

マータグも立ちあがり、毛布《もうふ》をひろげた。ふたりがエルフをかかえて毛布の上に寝かせたとき、彼女の袖口《そでぐち》が枝《えだ》に引っかかってやぶれてしまった。エラゴンは裂《さ》け目《め》を閉《と》じようとして、息をのんだ。

エルフの腕《うで》は、いくつもの傷《きず》やアザでまだらになっていた——治りかけた傷もあれば、じくじくした生々しい傷もある。エラゴンは怒《いか》りに首をふり、さらに袖をまくりあげてみた。傷は肩《かた》まで続いている。背中《せなか》がどうなっているかびくびくしながら、ふるえる指でシャツの背中のひもをほどいていった。

革《かわ》のシャツがすべり落ちたとたん、マータグが毒づいた。エルフの筋肉質《きんにくしつ》のたくましい背中はかさぶたにおおわれ、かわいてひび割《わ》れた土のようになっている。容赦《ようしゃ》ない鞭打《むちう》ちの跡《あと》、鉤爪《かぎづめ》型の焼きごての跡。それらがない場所も、たびかさなる殴打《おうだ》でどす黒くなっている。左の肩には藍《あい》の染料《せんりょう》で刺青《いれずみ》がされていた。ブロムの指輪と同じ紋章《もんしょう》だ。彼女をこれほどに苦しめたやつは、だれであろうとかな

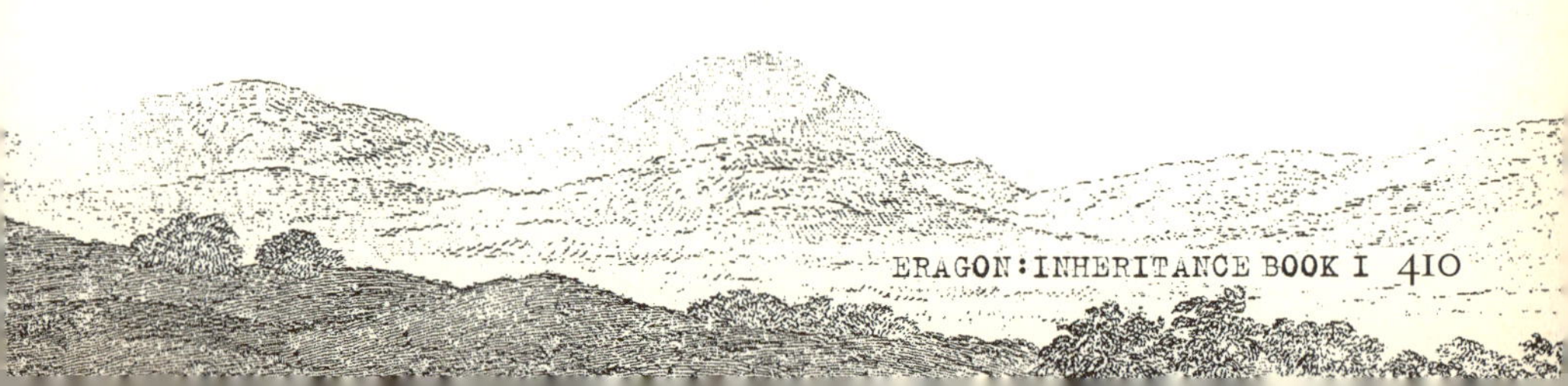

らず殺してやる。エラゴンはひそかにそう誓《ちか》った。

「これも治せるのか？」マータグがたずねる。

「さあ……どうだろう」エラゴンがこみあげる不安をのみこんだ。「あまりにもたくさんありすぎるから……」

〔エラゴン！〕サフィラが鋭《するど》い声でいった。〔彼女はエルフ。死なせるわけにはいかない。疲《つか》れていようと空腹《くうふく》だろうと、あなたは彼女を助けなくては。わたしもできるだけのことはする。しかし、魔《ま》法《ほう》を使えるのはあなたしかいない〕

〔わかった……おまえのいうとおりだ〕エラゴンはつぶやいた。エルフの顔から視線《しせん》をそらすことができなかった。意を決し、手袋《てぶくろ》をはずした。「かなりの時間がかかりそうだ。食事を用意してくれるかい？　それと包帯用の布《ぬの》を煮沸《しゃふつ》してほしい」マータグにたのむ。

「火を焚《た》いたら見つかってしまう」マータグが反対した。「布はそのままで使うしかない。食べ物も冷えたままでたのむ」エラゴンは不本意ながらしたがうことにした。彼はエルフの背骨《せぼね》に、そっと片《かた》手《て》をあてた。となりにサフィラがすわり、キラキラした目でエルフを見つめている。エラゴンは深く息をすい、魔法の力に意識《いしき》を集中した。

「ヴァイサ・ヘイル（傷よ、治れ）！」エラゴンが古代語を発すると、掌《てのひら》の下のエルフの火傷《やけど》が光りだした。するとその上に新しい皮膚《ひふ》が生まれ、継《つ》ぎ目《め》ひとつ残さずにぴたりとふさがった。小さなアザや致命的《ちめいてき》ではない傷はそのまま残した——それらすべてを治そうとすれば、深刻《しんこく》な傷を治す力がなくなってしまうからだ。エラゴンは根気よく作業を続けながら、この状態《じょうたい》でもエルフが生きていることに呆然《ぼうぜん》とした。彼女は死ぬほんの一歩手前までの拷問《ごうもん》を、くり返し加えられていたのだ。その事実に、彼は戦慄《せんりつ》を覚えた。

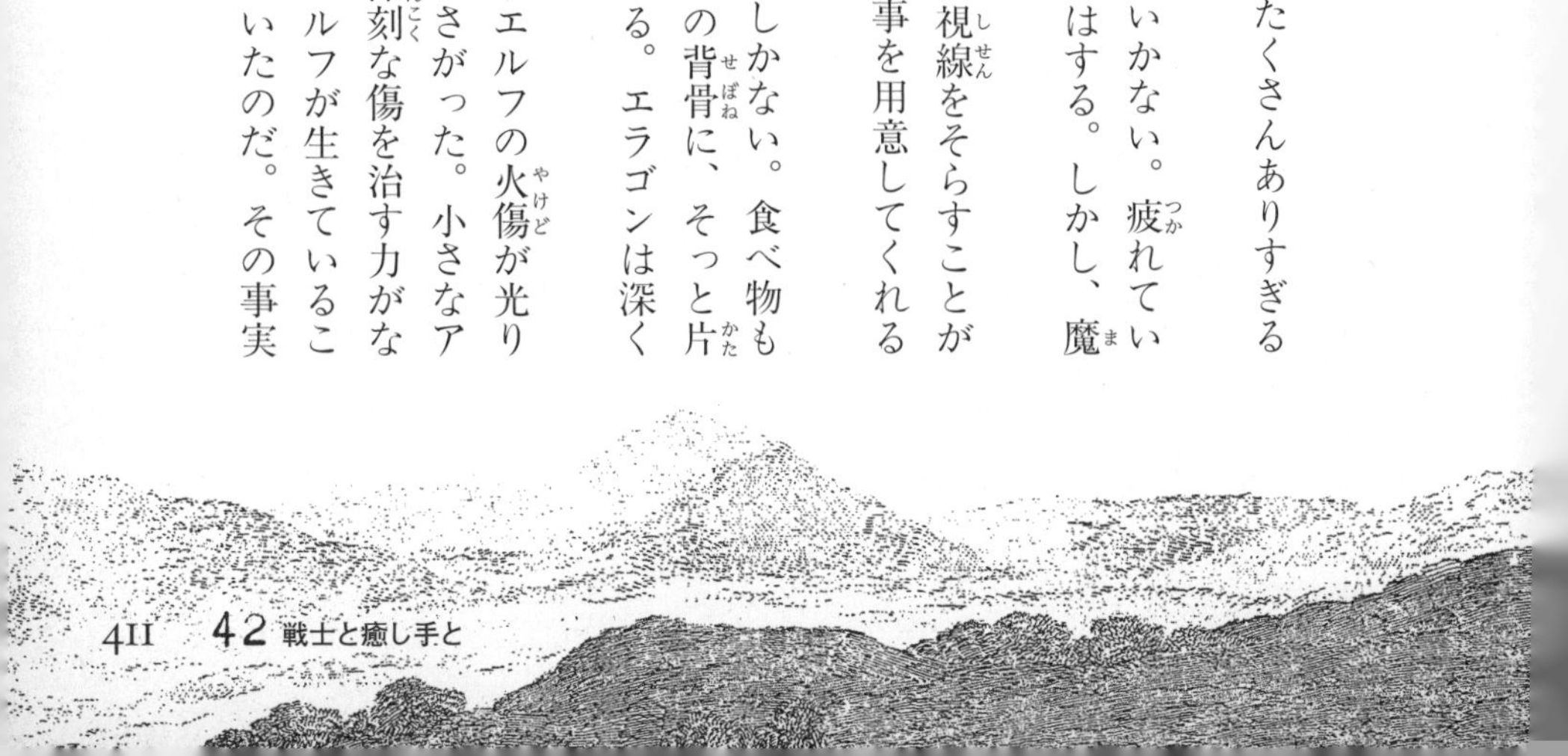

エルフの尊厳《そんげん》をおかさないようにと思いながらも、傷《きず》の下から現《あらわ》れる肢体《したい》の、たとえようもない美しさに目をうばわれずにいられなかった。もちろんへとへとに疲《つか》れていて、そんな思いにひたってばかりはいられない——それでも、ときどき耳が赤くなると、サフィラに気づかれないようにと祈《いの》った。

エラゴンは癒《いや》しの作業を夜明けまで延々《えんえん》と続けた。中断《ちゅうだん》するのは、断食《だんじき》や逃亡《とうぼう》や、今の治療《ちりょう》で失われる体力をおぎなうため、食べ物や飲み物を口にするときだけだ。そのあいだじゅうサフィラはエラゴンのそばにすわり、できるかぎりの力を貸《か》してくれた。太陽がすっかりのぼるころ、エラゴンはようやく立ちあがり、うめきながらこわばった筋肉《きんにく》をのばした。両手は灰色《はいいろ》にくすみ、目がかわいてざらついている。鞍袋《くらぶくろ》のほうへよろよろと歩みより、皮袋のブドウ酒をのどに流しこんだ。「終わったのかい？」マータグが声をかけてきた。

エラゴンはうなずいた。体がふるえ、口を開くことさえ億劫《おっくう》だった。目の前の景色がまわり、気を失いそうだった。〔ごくろうさま〕サフィラがいたわるようにいった。

「彼女、助かりそうか？」

「まだ……わからない」憔悴《しょうすい》しきった声でこたえた。「いくらエルフが強いといっても、ここまでひどい虐待《ぎゃくたい》にもちこたえられるかどうか。ぼくが癒しの術《じゅつ》をもっと知っていれば、かんたんに生き返らせることができたかもしれないのに……」エラゴンは自分が不甲斐《ふがい》なかった。手がひどくふるえ、ブドウ酒がこぼれた。もうひと口あおると、すこしは体が落ち着いてきた。「そろそろ出発したほうがいいな」

「無理だよ！　きみは眠《ねむ》らないと」マータグは噛《か》みついた。

「ぼくなら……鞍の上でだって眠れるさ。ここにはもういられないよ。兵士たちが追いついてくる」

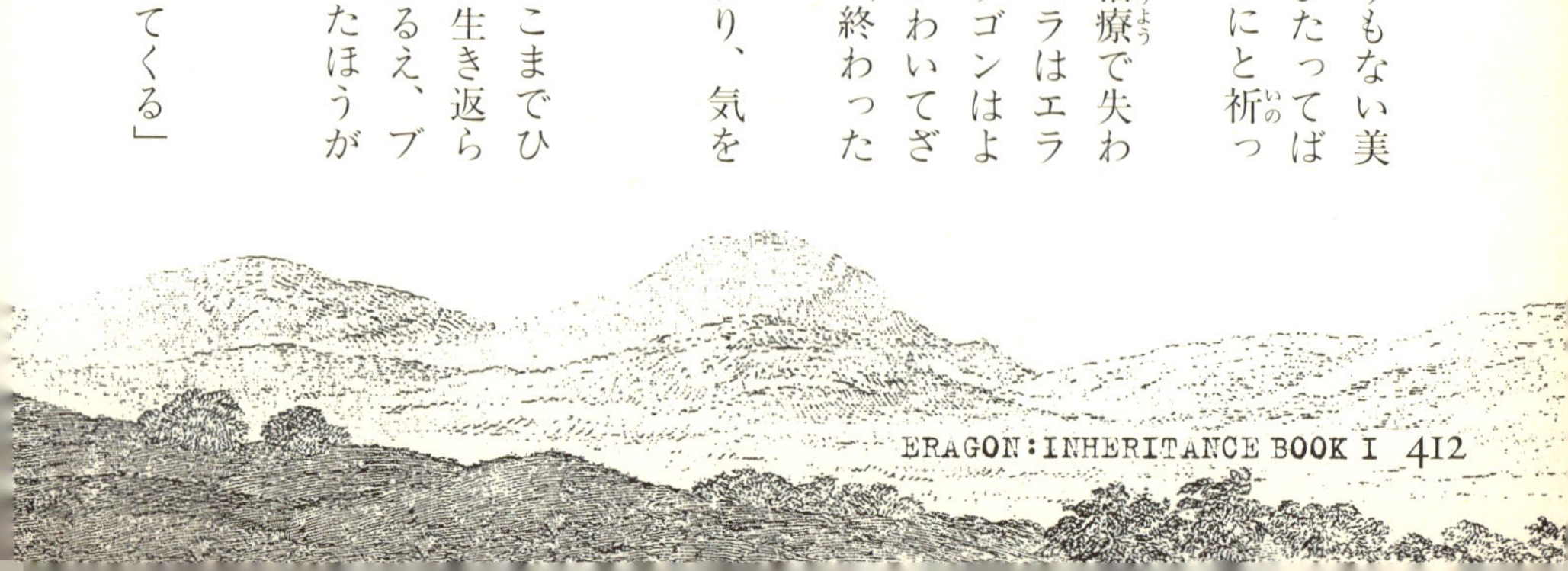

マータグはしぶしぶしたがった。「じゃあ、ぼくがスノーファイアを誘導《ゆうどう》するから、きみは眠って
てくれ」馬に鞍をつけ、エルフをサファイラの背中《せなか》にくくりつけると、彼らは歩きだした。エラゴンは
体力回復《かいふく》のために食べながら歩んでいたが、やがてスノーファイアの首にもたれ、目を閉《と》じた。

43

砂漠《さばく》の水

夕方になってもエラゴンの体力はもどらず、気持ちはふさぐいっぽうだった。その日は一日じゅう猟犬《りょうけん》を連れた兵をさけ、長い回り道を強《し》いられた。エラゴンはスノーファイアからおり、サフィラにたずねた。〔彼女の様子は？〕

〔悪くなってはいないと思う。何度か身じろぎしただけ〕サフィラは身を低くして、エルフの体を背《せ》中《なか》からおろさせた。エラゴンは一瞬《いっしゅん》、エルフのやわらかな体を感じ、あわてて地面におろした。

エラゴンとマータグはささやかな夕食を整えた。ふたりともけんめいに眠気《ねむけ》と戦った。食事のあとマータグがいった。「このペースじゃ、兵士たちとの距離《きょり》を引きはなせないな。二、三日もすれば確《かく》実《じつ》に追いつかれてしまう」

「ほかにどうすればいいんだ？」エラゴンが嚙《か》みつくようにいった。「ぼくときみだけなら、そしてきみがトルナックを捨《す》ててもいいというなら、サフィラに乗って逃《に》げることもできる。でもエルフがいるから、そうもいかない」

マータグはエラゴンの顔をまじまじと見た。「ぼくにかまうな。きみのしたいようにすればいい。このまま、きみとサフィラがつかまるところなど見たくないからね」

「バカにしないでくれ」エラゴンがいった。「ぼくが今ここにいられるのはきみのおかげなんだ。きみを帝国《ていこく》の手にわたしたりしない。そんな恩知《おんし》らずなことができるものか！」

マータグは頭をさげた。「きみの言葉はうれしいよ」と、いったん口をつぐむ。「だけど、それで問題が解決《かいけつ》するわけじゃない」

「じゃあ、どうすればいい？」エラゴンがエルフを手でしめした。「彼女がエルフ族の居場所《いばしょ》を教えてくれればなあ。そうすれば、ぼくらの聖地《せいち》も見つかるかもしれないのに」

「これまでエルフ族がどうやって自分たちの身を守ってきたかを考えれば、彼女がそんなことをおいそれと教えるとは思えない。たとえ教えてくれたとしても、ほかのエルフたちがぼくらを歓迎《かんげい》しないだろう。だいたい彼らがぼくらをかくまってくれると思うか？　彼らが最後に見たライダーは、ガルバトリックスであり、〈十三人の裏切《うらぎ》り者《もの》たち〉なんだぞ。いい思い出など残っちゃいないはずだ。それにきみとちがってぼくには、ライダーなんていうごりっぱな肩書《かたが》きもないしね。そうさ、ぼくらはぜったいに歓迎なんかされないよ」

〔彼らはきっと受け入れてくれる〕サフィラは自信ありげにいって、翼《つばさ》を楽な位置にずらした。

エラゴンは肩《かた》をすくめた。「たとえ受け入れてもらえるとしても、居場所がわからないし、彼女が回復《かいふく》しないことには、それをたずねることもできない。むろん、今は逃げるしかない。でも、いったいどこへ逃げればいいんだ――北か南か？　それとも東か西か？」

マータグは指を組み、両の親指でこめかみをおした。「とにかく帝国を出るしかないと思う。たとえ帝国内に安全な場所があるとしても、ここからは遠いところだろう。つけられることもつかまることもなく、そこまで行き着くのは困難《こんなん》だ……まず、北にあるのはドゥ・ヴェルデンヴァーデンの森。森にかくれることができるとしても、またギリエドを通って北へむかうなんて気にはなれない。そし

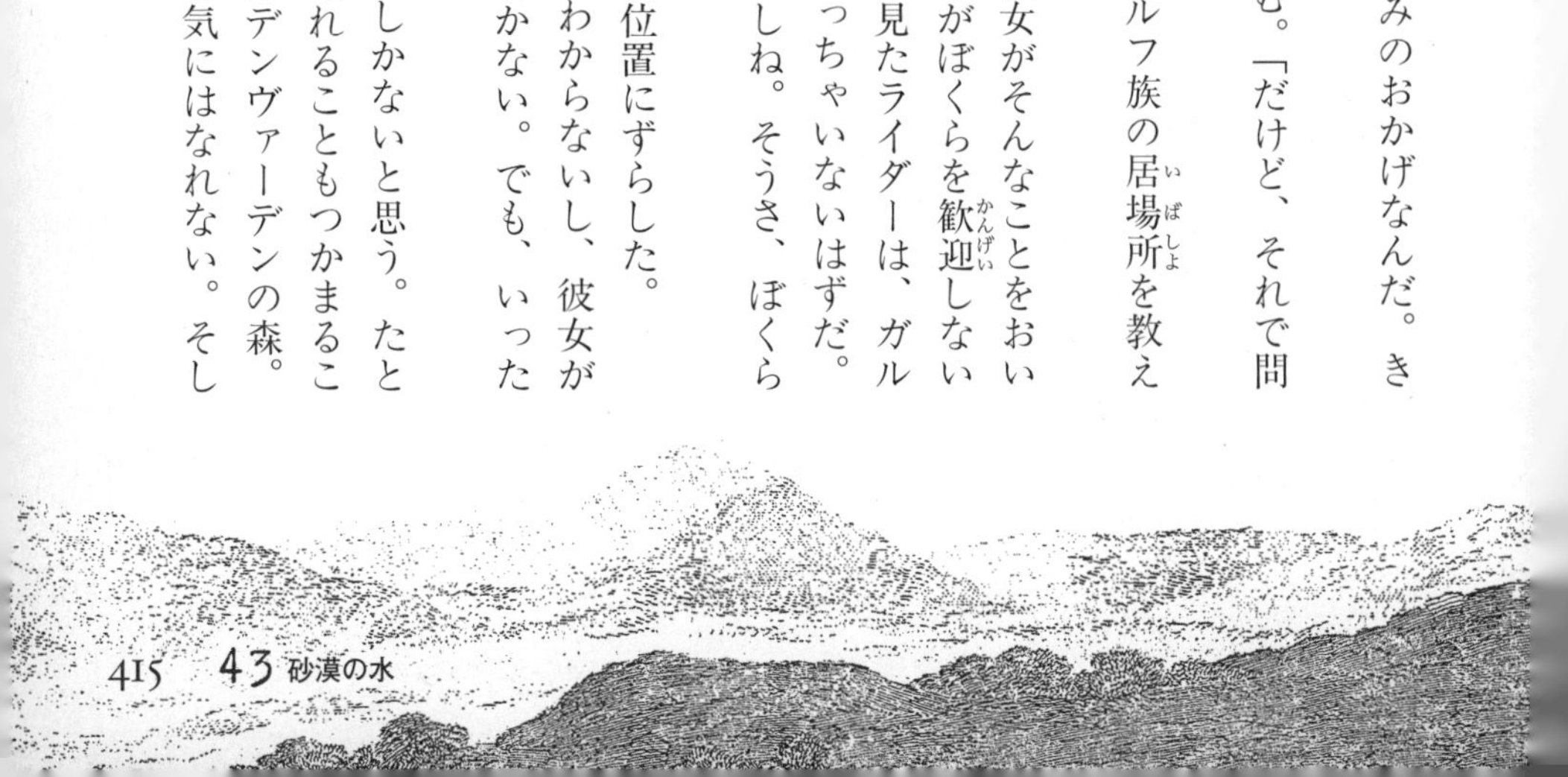

て西には帝国《ていこく》と海があるだけ。南にはサーダ。あそこなら、あるいはヴァーデンへの手がかりを教えてくれる者がいるかもしれない。そして東……」そこで肩《かた》をすくめる。「東の果てになにがあるかは知らないが、そこのあいだにはとてつもなく広いハダラク砂漠《さばく》がある。ヴァーデン軍は砂漠の先のどこかにいるんだろうが、方角もわからずにさがし出そうとしたら、何年かかるかわからないよ」

「でも砂漠なら、アーガルに出会わないかぎり安全かもしれない」サフィラが口をはさんでくる。

エラゴンは眉間《みけん》にしわをよせた。ズキズキする頭の痛《いた》みに、思考力がのみこまれそうだ。「サーダにむかうのは危険《きけん》すぎる。町や村を迂回《うかい》しながら、帝国をまともに縦走《じゅうそう》しなきゃならないからね。そのあいだにどれほど多くの人間がいることか。人目を引かずにサーダに入るのは無理だよ」

マータグが眉《まゆ》をつりあげた。「じゃあ、きみは砂漠をわたりたいというのか？」

「ほかに選択肢《せんたくし》はない。それに、そうすればラーザックに追いつかれる前に帝国をはなれることができるよ。やつらはなにか飛ぶ物に乗ってるから、二日もあればギリエドに着いてしまう。ぐずぐずしてるひまはないんだ」

「たとえラーザックが来る前に砂漠に入れたとしても、いつかは追いつかれるぞ。やつらをふりきるのはむずかしい」

エラゴンはサフィラのわき腹《ばら》をさすった。指の下で鱗《うろこ》がざらざらする。「じゃあ、やつらが砂漠まで追ってくるとしよう。でもぼくらに追いつくには、兵を置いてこなければならないだろ。そうなると、こっちは有利だよ。戦うことになったとしても、三人いればやつらをたおせる……ブロムとぼくみたいに不意打ちにあわないかぎり」

「ハダラク砂漠のむこうに無事にたどり着けたとして」マータグがゆっくりいった。「それからどこへ行く？　帝国から遠くはなれた土地だ。町らしい町もないだろう。だいいち、砂漠自体が大きな問題なんだ。きみは砂漠のことを、どれほど知ってる?」

「暑くて、乾燥《かんそう》して、砂《すな》だらけだってことくらい」エラゴンは無知をさらけ出した。

「ずいぶん大ざっぱだな」マータグがいった。「生えてるものは、毒があって食べられない植物ばかりだし、毒ヘビやサソリだってうようよしてる。それに日ざしは焼けるように熱い。ギリエドにむかう途中《とちゅう》、大きな平原を通っただろ?」

答えを必要としない問いかけではあるが、エラゴンはいちおうこたえた。「ああ、その前にも一度」

「じゃあ、あのとてつもない広さは知ってるはずだ。帝国の中央部を丸ごとのみこんでいる。あれの二、三倍の広さを想像《そうぞう》してくれよ。ハダラク砂漠がどれだけ広いかわかるだろう。きみはそこをわたろうといってるんだ」

エラゴンは頭のなかに描《えが》こうとしたが、それほどの広大さは想像《そうぞう》がつかなかった。鞍袋《くらぶくろ》からアラゲイジアの地図を取り出した。地面にひろげた羊皮紙は、カビくさいにおいがした。エラゴンは平原のあたりに目をすえ、あきれたように首をふった。「帝国が砂漠の手前で終わっている理由がわかるようだよ。そこから先は広すぎて、ガルバトリックスの支配力《しはいりょく》もおよばないからな」

マータグは羊皮紙の右のほうに手をやった。「ライダー族が栄えていたころは、この砂漠の果ての空白の地もふくめ、国土はすべてひとつに統一《とういつ》されていたんだ。もしこの先、王が配下のライダーを新しく育てれば、帝国を空前の広さまで拡大《かくだい》することができるだろうな……いや、今はそんな話をしてるんじゃなかったな。ハダラク砂漠はとてつもない広さで、危険が多すぎるってことだ。無事にわたりきれる可能性《かのうせい》はないにひとしい。命がけで通らなくちゃならない道だ」

「ぼくらはすでに命がけだよ」エラゴンはぴしゃりといい、地図を真剣《しんけん》にのぞきこんだ。「砂漠の真ん中をつっ切るなら、わたりきるまでには一か月、いや二か月はかかるだろう。でもビオア山脈をめ

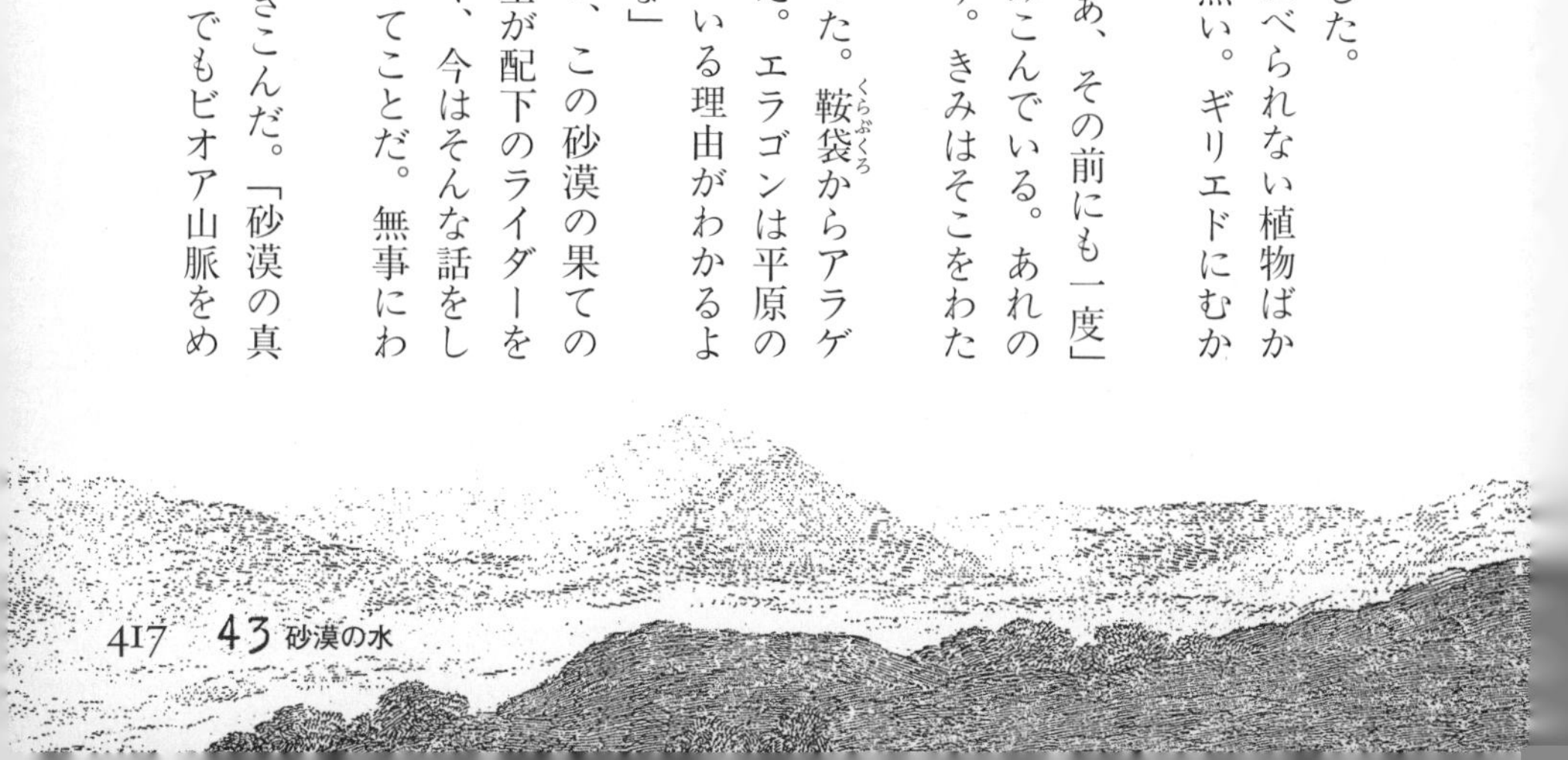

ざして南東へむかえば、もっと早くわたれそうだ。それからビオア山脈を東へ進んで未開の地へ入るか、あるいは西のサーダにむかうか。この地図が正確《せいかく》なら、こことビオアまでの距離《きょり》は、ギリエドをめざして進んだときの距離とたいして変わらないと思うけどな」

「だけど、それにだって一か月近くもかかったじゃないか！」

エラゴンがもどかしげに首をふった。「ギリエドまでの旅は、ぼくのケガのせいで歩みがのろくなったんだよ。がんばれば、もっと早くビオア山脈に着けるかもしれない」

「なるほど。きみのいいたいことはわかった」マータグはうなずいた。「でも、賛成《さんせい》するには、ひとつ大きな問題がある。知ってるだろうが、旅に必要な物資《ぶっし》はぼくがギリエドの町で調達した。しかし水はどうする？　ハダラク砂漠《さばく》の放浪《ほうろう》部族たちは、ほかの者たちに水を盗《と》られないように、井戸《いど》やオアシスをおおいかくしているんだぞ。水をもって旅するにしても、せいぜい一日分が限度《げんど》だろう。サフィラの飲む水の量を考えてみろよ！　彼女と馬だけで、一回に飲む量がぼくらの一週間分より多いじゃないか。必要なときにいつでも雨を降《ふ》らせてくれるのでもないかぎり、きみのいう経路《けいろ》をたどるのは無理だよ」

エラゴンは愕然《がくぜん》とした。雨を降らせるなど、自分の能力《のうりょく》をはるかにこえている。この世でもっとも強いライダーでも、そんなことはできないだろう。雨を降らせるほどの大気を動かすのは、山をもちあげることにひとしい。体力を使い果たさずにすむ、なにか別の方法を考えなければならない。砂《すな》を水に変えるというのはどうだろう？　あまり体力を使わずにそれができるとしたら、それで問題は解《かい》決《けつ》だ。

「ひとつ、思いついたことがある」エラゴンがいった。「それをためしてみてから、もう一度話を聞いてほしい」エラゴンはつかつかと歩いていく。うしろをサフィラがついてきた。

〔なにをするつもり？〕サフィラがきいた。

〔さあね〕エラゴンがつぶやいた。〔サフィラ、おまえはぼくらに必要なだけの水を運ぶことができるか？〕

サフィラは太い首を横にふった。〔それは無理。そんな重いもの、背負《せお》って飛ぶことはおろか、もちあげることすらできない〕

〔だろうな〕エラゴンは小さな石を拾いあげた。石にはちょうどひと口分の水がたまるほどのくぼみがある。そのなかに土のかたまりをおし入れ、じっとにらんで意識《いしき》を集中した。ここからがむずかしい。なんとかして土を水に変えなくてはならない。〔でも、どんな言葉を使えばいいんだ？〕しばらく悩《なや》んだ末、効《き》き目《め》のありそうなふたつの言葉を選び出した。冷たい魔法《まほう》が体を走りぬけるのを感じながら、いつものように心の壁《かべ》をつきやぶり、言葉をとなえた。「デロイ・モイ（土よ、変われ）！」

たちまち、土がエラゴンの力を恐《おそ》ろしい速さですいとりはじめた。ブロムの言葉が頭をよぎる。死にいたるほど体力を消耗《しょうもう》する魔法もあるのだぞ。胸《むね》のなかに激《はげ》しい動揺《どうよう》がひろがる。魔法を解《と》こうとしたが、もう手おくれだった。目的が果たされるまで、あるいは死にいたるまで、魔法とエラゴンを切りはなすことはできないのだ。体が一秒ごとに衰弱《すいじゃく》していくなか、彼にできるのはじっと動かずにいることだけだった。

ここにひざまずいたまま死ぬのだと確信したとき、土がちらちらと光り、わずかばかりの水に変わった。エラゴンは肩《かた》で息をしながら、ほっとしてすわりこんだ。心臓《しんぞう》が痛《いた》いほどに胸を打ち、空腹感《くうふくかん》が内臓をせめつけていた。

〔なにがあった？〕サフィラがきいた。

エラゴンは首をふった。極度《きょくど》の体力を消耗した衝撃《しょうげき》から立ち直れずにいた。大量の土でためさず

に、本当によかったと思う。〔この魔法《まほう》は……使えない〕これでは自分ひとりののどの渇《かわ》きを癒《いや》すことさえできない。

〔もっと慎重《しんちょう》にならなければ〕サフィラがたしなめた。〔古代語を新しく組み立てたりすれば、思わぬ結果をまねくこともある〕

エラゴンはサフィラをにらみつけた。〔知ってるさ。思いついたことをためすにはこうするしかなかったんだ。砂漠《さばく》に出てからじゃ遅《おそ》いんだ！〕そういってから、サフィラは力を貸《か》してくれようとしているのだと気づいた。〔おまえはブロムの墓《はか》をダイヤモンドに変えても死ななかった。なぜだ？ぼくはこれっぽっちの土でさえ、思うようにいかない。あんなに大きな砂岩《さがん》なんてぜったいに無理だ〕

〔自分でもどうしてあんなことができたかわからない〕サフィラがおだやかにいった。〔たまたまできたから〕

〔その力で今度は水を出せないかい？〕

〔エラゴン〕サフィラは彼の顔をまっすぐに見た。〔わたしはせいぜいクモ程度《ていど》にしか、自分の力をあやつることができない。墓のときのようなことは、意志《いし》に関係なく起きる。ブロムがいっていた。ドラゴンのまわりでは、考えられないようなことが起きるのだと。まさにそのとおりだと思う。ブロムはくわしく説明しなかったし、わたしにもよくはわからない。ただ、なにも考えず、ただ触《ふ》れただけで、ものを変化させてしまえることもある。しかしそれ以外のとき、わたしはスノーファイアと同じくらい無力で……〕

〔おまえは無力なんかじゃないよ〕エラゴンはやさしくいって、サフィラの首に手を置いた。長いあいだふたりはだまっていた。エラゴンはブロムのためにつくった墓のことを思い出した。ブロムがなかに横たわるさまや、その顔の上を砂岩が流れていく様子が目に浮《う》かんだ。「少なくとも、ぼくらはブロムをちゃんと葬《ほうむ》ってやれたんだ」そっとつぶやいた。

　エラゴンはなにげなく土の上に指をすべらせ、長いうねをつくっていった。ふたつのうねのあいだに小さな谷ができたので、まわりを山でかこんでやった。爪《つめ》でかいて谷を流れる川をつくったが、浅すぎるような気がしてもっと深くほった。さらにもうすこし手を加えると、それなりにパランカー谷に見えるようになった。なつかしさに胸《むね》が苦しくなり、思わず土の上を手ではらった。

〔もうこの話はやめよう〕エラゴンはサフィラが話しかけようとするのをさえぎって、おこったようにつぶやいた。腕組《うでぐ》みをして地面をにらみつけ、無意識《むいしき》に土につくった溝《みぞ》にちらりと目をもどした。そして、はっとして背筋《せすじ》をのばした。地面はかわいているのに、溝のなかにぬれた線が見えている。不思議に思って土をほってみると、表面から十センチほどのところに湿《しめ》った土の層《そう》があった。「見てくれ！」興奮《こうふん》して声をあげた。

　サフィラはエラゴンの発見したものに鼻を近づけた。〔これがどうした？　何週間もほり続けないと、砂漠の下を流れる水には行き着かない〕

〔ああそうだよ〕エラゴンはうれしそうにいった。〔でも、そこにあることさえわかれば、手に入れられる。見てごらん！〕エラゴンはさらに深く土をほり、心のなかで魔法に手をのばした。土を水に変えるのではなく、地面の下にある水を呼《よ》び出すのだ。細い水がちょろちょろ流れ、溝に水が流れこんできた。エラゴンは顔をほころばせ、水をすすってみた。冷たくてまじりけのない液体《えきたい》は、飲み水として申し分ない。〔よし！　これで必要なものがそろったぞ〕

　サフィラは水たまりを鼻でかいだ。〔これならだいじょうぶ。でも砂漠では？　砂《すな》の表面に呼び出せるほど、たくさんの水がないかもしれない〕

〔きっとうまく行くよ〕エラゴンはうけあった。〔ぼくは水をもちあげればいいだけだから、かんたんなことだ。ゆっくりやれば、体力を維持《いじ》できる。たとえ五十メートル下から引っぱりあげるとしてもだいじょうぶ。おまえの力を借りればなおさらだ〕
サフィラは半信半疑《はんしんはんぎ》という顔でエラゴンを見た。〔本当にだいじょうぶか？　正しい答えなのかどうか、しっかり考えてみなさい。みんなの命がかかっているから、まちがいはゆるされない〕
エラゴンはすこしためらったあと、きっぱりといった。〔だいじょうぶだ〕
〔では、マータグに話してくるといい。あなたたちが寝《ね》ているあいだ、わたしが見張《みは》りをしている〕
〔でもおまえだって、ずっと寝てないじゃないか〕エラゴンはいった。〔眠《ねむ》らなきゃだめだよ〕
〔わたしは平気――あなたが思っているよりずっと強い〕サフィラはおだやかな声でいった。そして、鱗《うろこ》をカサカサいわせながら体を丸め、追っ手のいる北の方角に油断《ゆだん》のない目をむけた。エラゴンはサフィラを強く抱《だ》きしめた。サフィラはわき腹《ばら》をふるわせ、ブーンと低い音を響《ひび》かせた。〔行きなさい〕
エラゴンはすこしためらったあと、うしろ髪《がみ》を引かれるようにマータグのもとへもどった。
「で、砂漠《さばく》への道は開かれそうかい？」マータグがたずねてきた。
「ああ」エラゴンはいった。毛布《もうふ》の上に寝そべって、さっきの発見について説明してやった。話し終わると、彼はエルフに目をやった。彼女の顔を見つめたまま、眠りに落ちていった。

44
ラムア川

彼らはまだ夜明け前の暗いうちに無理やり起きあがった。エラゴンは冷たい空気に身ぶるいをした。「エルフをどうやって運べばいいだろう？　サフィラの背中《せなか》にあまり長く乗せすぎると、体を鱗で傷《きず》つけてしまう。鉤爪《かぎづめ》でつかんで運ばせるのもだめだ――サフィラが疲《つか》れてしまうし、着陸するときがとても危険《きけん》なんだ。そりは馬で引いているうちにばらばらにこわれてしまうだろうし、馬にもうひとり分の負担《ふたん》をかければ、それだけ歩みが遅《おそ》くなる」

マータグはトルナックに鞍《くら》をつけながら考えこんだ。「きみがサフィラに乗れば、エルフをスノーファイアの背にくくりつけてもいい。それでもやっぱり、体は痛《いた》いだろうな」

〈名案がある〉思いがけず、サフィラが口をはさんできた。〈わたしのおなかにエルフを結びつければいい。それなら飛ぶのにじゃまにならないし、ほかのどこよりも安全。下から矢を射《う》たれたらあぶないが、もっと上を飛べばなんということはない〉

マータグもエラゴンもさらなる名案を思いつかなかったので、サフィラの案を採用《さいよう》することにした。エラゴンは毛布《もうふ》の一枚《まい》を半分に折ってエルフの小柄《こがら》な体に巻《ま》きつけ、サフィラのもとに運んだ。そして、毛布や余《あま》り布《ぬの》でサフィラの胴回《どうまわ》りに巻ける長さの縄《なわ》を編《あ》んだ。その縄でエルフを背中からサ

フィラの腹《はら》にゆわえつけた。頭はちょうどサフィラの前足のあいだに来る位置だ。エラゴンはその仕上がり具合をきびしい目でながめた。「鱗《うろこ》で縄《なわ》がすれて切れてしまわないか心配だな」

「切れないように、ときどき点検《てんけん》する必要があるな」マータグがいった。

〈出発していいか?〉サフィラの問いかけを、エラゴンがマータグに伝えた。

マータグの目に不安げな光がやどり、唇《くちびる》にひきつった笑《え》みが浮《う》かんだ。彼は自分たちの通ってきた道をちらりとふり返った。その先には、兵士たちの野営《やえい》の煙《けむり》がはっきりと見えている。「昔から競争《きょうそう》するのが好きだった」

「これは、命をかけた競争だ!」エラゴンがこたえた。

マータグはトルナックの背《せ》に飛び乗り、駆《か》けだしていった。エラゴンはスノーファイアでそのあとを追った。サフィラはエルフとともに舞《ま》いあがり、兵士たちに見つかることのないよう、地上すれすれを飛んでいった。こうして三人は、遠くハダラク砂漠《さばく》をめざし南東へ進みだした。

つねに追っ手に目を光らせながらも、エラゴンの心のなかは、何度もエルフほうへさまよっていった。だって、エルフだぞ! 本物のエルフに会ってしまった。しかも、自分たちのもとにいるなんて! ローランにいったら、なんというだろうか? だが、ふいに思った。たとえカーヴァホールにもどれたとしても、こんな冒険談《ぼうけんだん》をみんなに信じてもらえるわけがない。

その日はずっと、エラゴンもマータグも、不安や疲《つか》れを無視《むし》してひたすら走り続けた。馬の体の限《げん》界寸前《かいすんぜん》まで、とことん駆り立てた。ときにはトルナックとスノーファイアの負担《ふたん》を軽くするために、馬をおりて自分たちの足で走ることもあった。途中《とちゅう》の休憩《きゅうけい》は二度だけで、それも馬の餌《えさ》や水の補給《ほきゅう》のためだった。

ギリエドの兵との距離《きょり》はずいぶんひろがったが、町や村を通るたびに、新たな兵士たちの目をかいくぐらなければならなかった。どの町にもなんらかの方法で、彼らが着くより早く警告《けいこく》が伝えられていた。二度、あやうく待ちぶせの兵に出くわしそうになり、サフィラのよく利《き》く鼻のおかげで救われた。それ以来、その道を通るのをやめた。

夕暮《ゆうぐ》れの黒い衣《ころも》が空をおおい、田園地帯がやわらかな闇《やみ》に包まれた。すこしでも距離を稼《かせ》ぐために、彼らは夜《よ》を徹《てつ》して執拗《しつよう》なまでに走り続けた。真夜中ごろ、サボテンの生《は》える小さな丘《おか》にむかって、地面はゆるやかなのぼり坂になった。

マータグが前方をさした。「あと二十キロほどでブールリッジの町だから、迂回《うかい》しなきゃならない。ぼくらのために兵が置かれているはずだ。暗いうちにこっそりぬけてしまおう」

三時間後、ブールリッジの淡《あわ》い黄色のランタンの光が見えてきた。町の周囲のあちこちにかがり火が焚《た》かれ、そのあいだに見張《みは》り兵たちが網《あみ》の目《め》のように散らばっている。エラゴンたちは音を立てないように剣《けん》の鞘《さや》をおさえ、慎重《しんちょう》に馬をおりた。馬をひき、兵士たちの野営地《やえいち》に行きあわないよう耳をそばだてながら、ブールリッジの町を大きく迂回して歩いた。

町をやりすごすと、エラゴンはすこし気が楽になった。朝の光が空を淡いバラ色に染《そ》め、冷たい夜気を温めていた。一行は丘の頂上《ちょうじょう》で足を休め、周囲を見わたした。左手を流れるラムア川は、十キロほど先の右手にも見えている。川は南へ二十キロほどを流れたあとで、輪のように丸く曲がり、そこから西へむかっているのだ。彼らはたった一日で八十キロも進んでいた。

エラゴンはスノーファイアの首にもたれ、これほどの距離を進めたことをよろこんだ。「だれにもじゃまされずに眠《ねむ》れるような、谷間かくぼ地をさがそう」一行は小さなネズの木立でとまり、木かげに毛布《もうふ》をひろげた。サフィラはエルフが腹からはずされるのを、おとなしく待った。

「ぼくが最初の見張《みは》りに立って、昼前にはきみを起こすよ」マータグはそういって剣《けん》を抜《ぬ》き身《み》のままひざの上にさしわたしに置いた。エラゴンはぼそぼそと同意する言葉をつぶやいてから、毛布《もうふ》を肩《かた》までひきあげた。

夕暮《ゆうぐ》れになってもみな疲《つか》れがとれずにうとうとしていたが、旅を続けることにした。出発の準備《じゅんび》をしていると、サフィラがエラゴンにいった。〔あなたをギリエドで助け出してから今日でもう三日めだ。なのにエルフはまだ目を覚まさない。心配だ。そのあいだなにも口にしていない。わたしにはエルフのことはわからないが、体はこんなに細いし、なにか栄養をとらせないと体がもたないだろう〕

「どうしたんだ？」マータグがトルナックの背《せ》の上からきいた。

「エルフのことなんだ」エラゴンが彼女を見ながらいった。「目を覚まさないし、なにも食べていないから、サフィラが心配してるんだ。ぼくもそうさ。表面だけにしろ、傷《きず》を治したのに、すこしもよくなってないみたいだ」

「シェイドがなにか彼女の心を操作《そうさ》したのかもしれない」マータグがいった。

「じゃあ、なんとかしないと」

マータグはエルフの横にひざまずいた。彼女の様子をよく調べてから、首をふって立ちあがった。

「ぼくの見るかぎり、彼女は眠《ねむ》っているだけだ。ひと言声をかけたり、体をゆすったりすれば目を覚ましそうなのに、眠ったきりだ。彼女は自分の意志《いし》で昏睡状態《こんすいじょうたい》に入っているのかもしれない。痛《いた》みからのがれるためのエルフの秘術《ひじゅつ》かもしれない。でも、もしそうなら、とっくに目覚めてもいいんじゃないか。ここには危険《きけん》はないんだから」

「でも、彼女はそれを知っているのかな？」エラゴンがそっとつぶやいた。

マータグはエラゴンの肩に手を置いた。「この件《けん》はちょっと置いておこう。もう出発しなくては。苦労して稼《かせ》いだ距離《きょり》だ、ムダにしたくない。彼女のことは次に休んだ場所でみてやろう」
「出発の前にひとつやらせてくれ」エラゴンは布《ぬの》を水にひたし、エルフの整った唇《くちびる》のあいだに、ぽたぽたとしずくをたらした。何回かそれを続けたあとで、今度は形のいい眉《まゆ》の上を布でぬぐってやった。なぜか、彼女を守らなければならない気持ちになっていた。

一行は哨兵《ほしょう》に見つからないよう頂上《ちょうじょう》をさけながら、丘《おか》をわたった。サフィラも同じ理由で彼らとともに地面を進んだ。巨大《きょだい》な体に似合《にあ》わず彼女の動きは静かで、太い青ヘビのような尾《お》が地面をこする音がかすかに響《ひび》くだけだった。
東の空が白んできた。エイデイル（明けの明星）が顔を出したところで、一行は低木がひろがるけわしい土手の縁《ふち》に到着した。下には水が激《はげ》しく流れ、大きな岩にぶつかり、木々の枝《えだ》をザブザブと洗《あら》っている。
「ラムア川だ！」エラゴンが水音に負けない声でいった。
マータグがうなずいた。「そのとおり！　安全にわたれる浅瀬《あさせ》をさがそう」
〔その必要はない〕サフィラがいった。〔どんなに川幅《かわはば》が広くても、わたしがあなたたちをむこう岸まで運んでいける〕
エラゴンはサフィラの青灰色《せいかいしょく》の体を見あげた。〔馬はどうする？　置いていくわけにはいかないよ。いくらおまえでも馬は重すぎてもちあがらない〕
〔あなたたちが乗っていなければ、それに馬が激しくもがいたりしなければ、だいじょうぶ。三人の人間を背《せ》に乗せて矢をかわせたのだから、馬一頭を川むこうに運ぶことくらい、なんということはな

い」

〔おまえの力はよく知ってるけど、無理はやめよう。危険《きけん》だよ〕

サフィラは土手をおりていった。〔わたしたちにはムダにする時間はない〕

エラゴンはスノーファイアをひいて、サフィラのあとを追った。土手はいきなりとぎれ、そこには暗い急流がごうごうと流れていた。川面《かわも》には白い霧《きり》がたちのぼっている。そのはるかむこうを透《す》かし見ることはできない。マータグは奔流《ほんりゅう》にむかって木の枝《えだ》を投げた。木は荒々《あらあら》しい流れのなかで浮《う》きしずみしながら、あっという間に流れていった。

「深さはどのくらいだと思う？」エラゴンがたずねた。

「わからない」マータグが不安そうにこたえた。「魔法《まほう》で、川幅《かわはば》がわからないか？」

「無理だろう。そこらじゅうに灯台の光を照らしつけでもしないかぎり」

風を巻《ま》きあげてサフィラが飛び立ち、ラムア川の上空に舞《ま》いあがった。やがて報告《ほうこく》にもどってきた。〔むこう岸まで行ってみた。川幅は一キロほどある。わたるとしたら、ここは最悪の場所。このあたりで川は曲がっているし、幅はいちばん広そう〕

「一キロだって！」エラゴンは声をあげ、サフィラに運んでもらうという計画を、マータグに伝えた。

「馬のためにはできれば遠慮《えんりょ》したい。トルナックはスノーファイアほどサフィラになれていない。パニックになって、おたがいの体を傷《きず》つけてしまうだろう。サフィラに、安全に泳いでわたれそうな浅《あさ》瀬《せ》をさがしてもらってくれないか。上流と下流の両方を見てもらって、どちらも一キロ以内に適当《てきとう》な場所がなかったら、そのときはサフィラに運んでもらう」

エラゴンがそれを伝えると、サフィラはうなずいて浅瀬をさがしに飛んでいった。エラゴンたちは

馬のそばにすわり、干《ひ》からびたパンをかじってサフィラを待った。まもなく、夜明けの空にビロードの翼《つばさ》のひそやかな音を響《ひび》かせ、サフィラがもどってきた。〔流れはどこも深くて速い。上流も下流もどちらも〕

エラゴンからそれを伝えられると、マータグは覚悟《かくご》を決めた。「じゃあ、ぼくが先にむこう岸に行ってるよ。そのほうが馬のめんどうをみられるから」彼はサフィラの鞍《くら》にのぼった。「トルナックのことをたのむ。あいつとぼくは本当に長いつきあいなんだ。あぶない目にあわせたくない」サフィラはマータグを乗せて飛び立っていった。

サフィラはエルフの体をむこう岸ではずしてもどってきた。エラゴンは不機嫌《ふきげん》そうにうなるトルナックを、サフィラのもとへひいていった。サフィラはうしろ足で立ちあがり、二本の前足で馬の胴体《どうたい》をがっちりとはさんだ。エラゴンはサフィラの恐《おそ》ろしい鉤爪《かぎづめ》に目をとめた。「待ってくれ！」トルナックの鞍じきの位置を腹《はら》のほうにずらし、やわらかな肌《はだ》を保護《ほご》して、サフィラに合図を送った。恐怖《きょうふ》で鼻を鳴らして逃《に》げ出そうとするトルナックを、サフィラはしっかりつかまえて放さなかった。馬は白目をむき、目玉をせわしなく動かしている。エラゴンは落ち着くようにと心のなかでトルナックに呼《よ》びかけたが、馬は興奮《こうふん》していて受けつけない。トルナックがふたたび逃げ出そうとしたとき、サフィラが地面を飛び立った。うしろ足を思いきりふんばったせいで、岩に鉤爪のあとがくっきりとついた。サフィラは巨大《きょだい》な荷をもちあげるべく、翼を必死に羽ばたかせた。一瞬《いっしゅん》、地面に落ちそうに見えたが、なんとかいきおいをつけ、上空へ飛んでいった。トルナックは恐怖にいななき、足をけりあげてあばれている。ぞっとするような金切り声があたり一帯に響きわたった。

エラゴンは毒づいた。近くにだれかいて、これを聞かれでもしたら大変だ。〔サフィラ、急いだほうがいい〕エラゴンはサフィラの帰りを待ちながら、兵士の気配に耳を澄《す》ませ、たいまつの光が見え

ないかと、黒いインクのような景色に目を光らせていた。まもなく、崖《がけ》をくだってくる騎馬隊《きばたい》の列が見えてきた。距離《きょり》は五キロほどしかはなれていない。

サフィラがもどってくると、エラゴンはスノーファイアをひいていった。〔あのバカ馬、ヒステリーを起こして逃《に》げ出すところだった。むこう岸でマータグに縛《しば》りつけられている〕サフィラは抗議《こうぎ》のいななきにもかまわず、スノーファイアの体をつかんで運んでいった。エラゴンはサフィラが飛んでいくのを見ながら、夜の闇《やみ》のなかで孤独感《こどくかん》におそわれた。騎馬隊はわずか数キロ先までせまっている。

ようやくサフィラがエラゴンを運びにもどってきて、ふたりはほどなくむこう岸の地面に足をつけた。一行は馬が落ち着いたのを見はからって鞍《くら》をつけ直し、ビオア山脈にむかって逃避行《とうひこう》を再開《さいかい》した。あたりに、新しい一日を告げる鳥のさえずりが響《ひび》いていた。

エラゴンは馬の上でうとうとしていた。マータグも同じようにまどろんでいることを、意識《いしき》の縁《ふち》で感じていた。ふたりとも眠《ねむ》ってしまうと、寝《ね》ずに警戒《けいかい》を続けるサフィラだけがたよりとなり、サフィラのおかげで馬は道をはずれずにすんだ。

やがてついに地面がやわらかくなり、一行は立ちどまった。太陽が頭上高くのぼっていた。ラムア川はもはや背後《はいご》のかすかな線でしかない。

一行はとうとうハダラク砂漠《さばく》にたどり着いた。

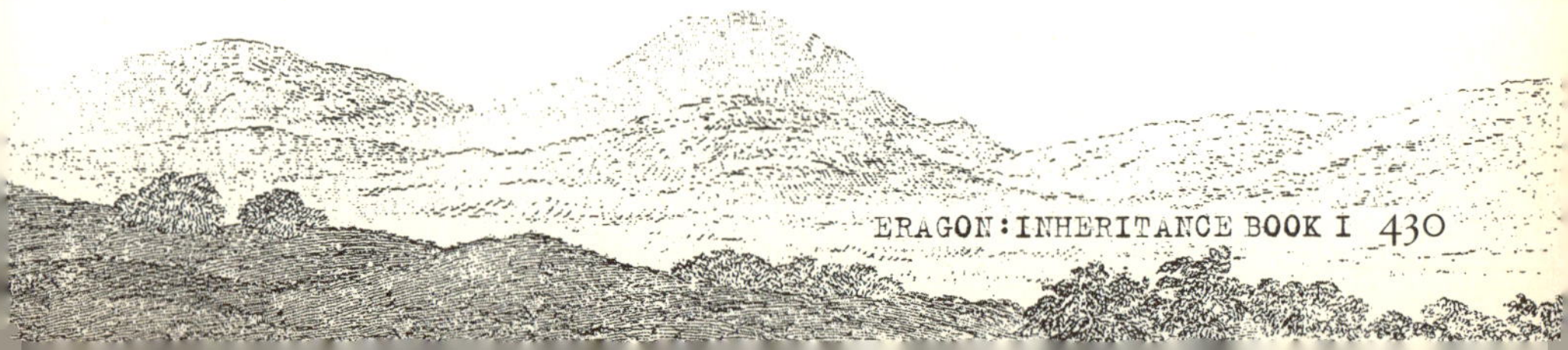

45

ハダラク砂漠《さばく》

まるで大海の波のように、地平線まで見わたすかぎりの砂丘《さきゅう》がつらなっていた。突風《とっぷう》が赤味がかった金色の砂《すな》を空に巻《ま》きあげている。そこここに見えるかたい土には、やせた木々が生《は》えている——どんな農民たちもいやがるような土地だ。遠くには紫色《むらさきいろ》の崖《がけ》がならんでいる。広漠《こうばく》たる荒野《こうや》には、微風《びふう》に乗って滑空《かっくう》する鳥以外、動物の姿《すがた》は見られない。

「このへんに馬たちの餌《えさ》があるなんて、本当かい?」エラゴンがきいた。熱く乾燥《かんそう》した空気がのどをさし、言葉がすらすらと出てこない。

「あれが見えないのかい?」マータグが崖を指さしていった。「あのまわりに草が生えている。かたくて背《せ》の低い草だけど、食べてくれるだろう」

「そうだといいけど」エラゴンは太陽をまぶしげに見あげた。「このへんですこし休もうよ。頭がぼうっとして、足もいうことをきかなくなった」

ふたりはサフィラからエルフの体をほどき、砂丘のかげで昼寝《ひるね》をした。エラゴンが砂の上に横たわると、サフィラがその横に丸まってふたりの上に翼《つばさ》をひろげた。「なんという素敵《すてき》なところ! ここなら時がすぎるのも忘《わす》れて何年もすごせそう」

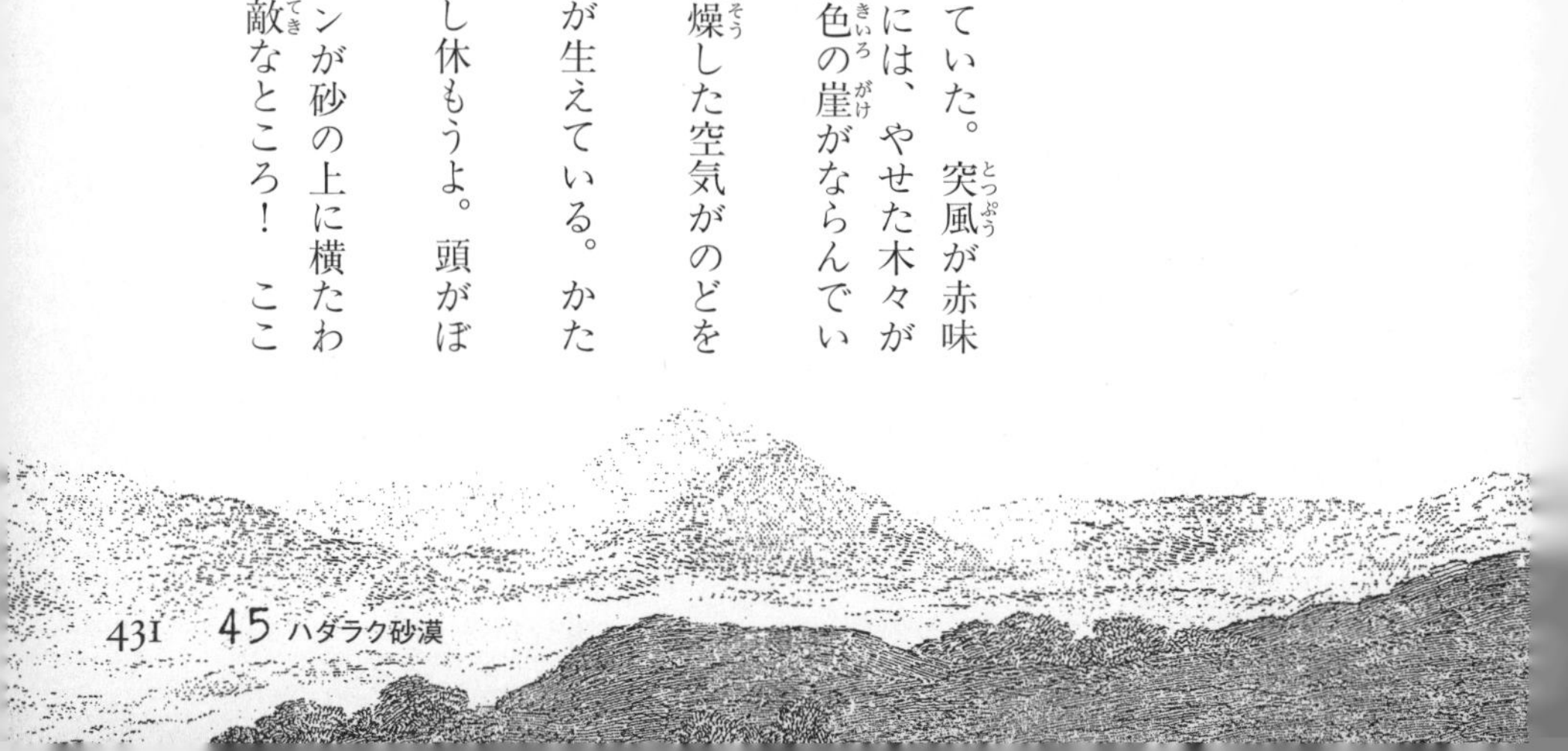

エラゴンは目を閉《と》じた。〔空を飛ぶには絶好《ぜっこう》の場所だろうね〕うとうとしながらいった。

〔そればかりではない。わたしは砂漠《さばく》向きにできているのかもしれない。ここなら広さもじゅうぶんだし、ねぐら用の山もある。かくれている獲物《えもの》をさがして、何日も狩《か》りを楽しむこともできる。それに寒さの心配をしなくていい！　この暑さのなかにいると体に力がわいてくる。生きていると実感できる〕サフィラはうれしそうに空へ首をのばした。

〔そんなに気に入ったのかい？〕エラゴンがもごもごといった。

〔気に入った〕

〔じゃあ、すべてかたづいたら、たぶんまたここに……〕しゃべっているうちにいつしか眠《ねむ》ってしまった。エラゴンとマータグが休んでいるあいだ、サフィラは楽しげにブーンという音を響《ひび》かせていた。


　ギリエドを出てから四日めの朝。一行はすでに百六十キロを走行していた。

　頭がすっきりするだけ眠り、馬の休養もじゅうぶんとることができた。後方に兵士の姿《すがた》はないが、彼らは速度をゆるめることなく旅を続けた。王の手のとどかないはるか先まで逃《に》げきるまで、帝国軍《ていこくぐん》が執拗《しつよう》に追ってくるとわかっていたからだ。エラゴンはいった。「ガルバトリックスのもとには、ぼくらの逃亡《とうぼう》の知らせが密使《みっし》からとどいているはずだ。ラーザックにも警告《けいこく》してるにちがいない。やつらは今、まちがいなく追跡《ついせき》をはじめているよ。空から来るとしても、まだもうすこしかかるだろうけど、それでも、つねに心の準備《じゅんび》をしておかなければならない」

〔今度はそうかんたんに鎖《くさり》につながれたりしない。それを思い知らせてやる〕サフィラがいった。

　マータグはあごをかいた。「ブールリッジからこっちは、追ってこなければいいな。ラムア川にぶ

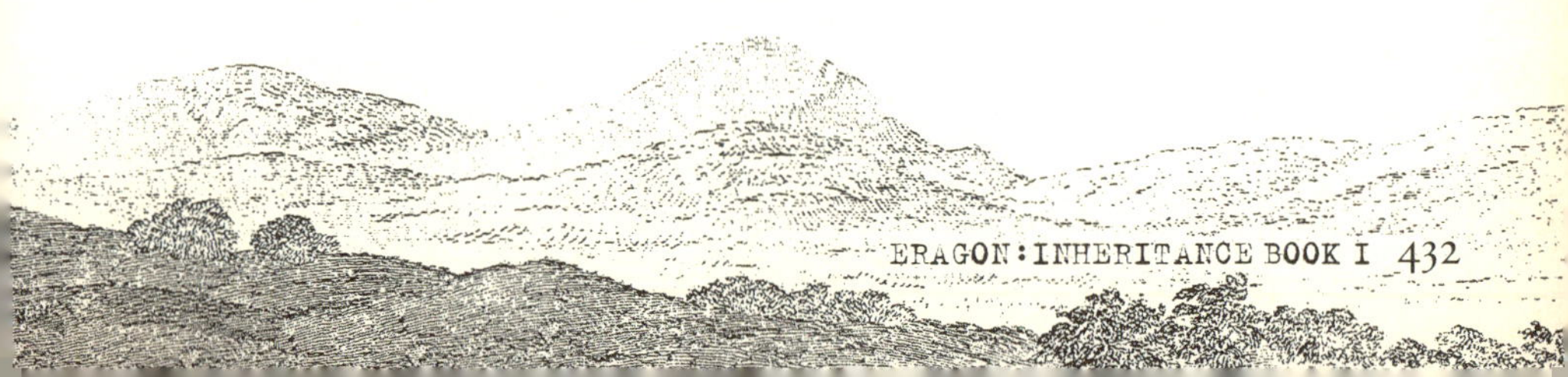

つかって、あきらめてくれるかもしれないだろ。ぼくらの足どりは、そこでぷっつりとぎれてるんだから」

「まあ希望はもつべきだけどね」エラゴンはエルフの様子を見た。容態《ようだい》は変わっていない。エラゴンの必死の看護《かんご》に、まだなんの反応《はんのう》も見せていなかった。「でも、今のぼくは幸運を信じられる心境《しんきょう》じゃないんだ。こうやって話してるあいだにも、ラーザックがせまってきているような気がする」

日がしずむころ、朝方遠くから見えた崖《がけ》の下に到着《とうちゃく》した。そそり立つ断崖《だんがい》があたりにうすい影《かげ》を落としている。一キロ四方には砂丘《さきゅう》もない。エラゴンはスノーファイアからおり、焼けてひび割《わ》れた地面に立った。熱波に体を殴《なぐ》られるようだった。首のうしろと顔は真っ赤に焼け、皮膚《ひふ》が熱くほてっていた。

草を食《は》める場所に馬をつなぐと、マータグが小さな火を焚《た》きはじめた。「どれくらいまで来たと思う?」エラゴンがサフィラからエルフの体をはずしながらきいた。

「知るもんか!」マータグがいらだたしげにいった。皮膚《ひふ》が赤く、目も血走っている。つぼをもって、悪態《あくたい》をついた。「水が足りない。馬に飲ませなきゃならないのに」

エラゴンも熱と渇《かわ》きでいらいらしていたが、なんとかそれをおさえていった。「馬を連れてきてくれ」サフィラが鉤爪《かぎづめ》で穴《あな》をほり、エラゴンは呪文《じゅもん》をとなえた。地面はかわいていても、その下には植物が育つだけの水分があるのだ。エラゴンは穴を何回か、たっぷりの水で満たすことができた。

マータグは穴から皮袋《かわぶくろ》に水を補充《ほじゅう》すると、わきに立って馬に水を飲ませた。のどが渇いていた馬たちは水をがぶがぶ飲んだ。エラゴンは馬のためにさらに深いところから水を引きあげた。おかげで力を限界《げんかい》ぎりぎりまで使いきってしまった。馬たちが満足すると、今度はサフィラに声をかけた。「お

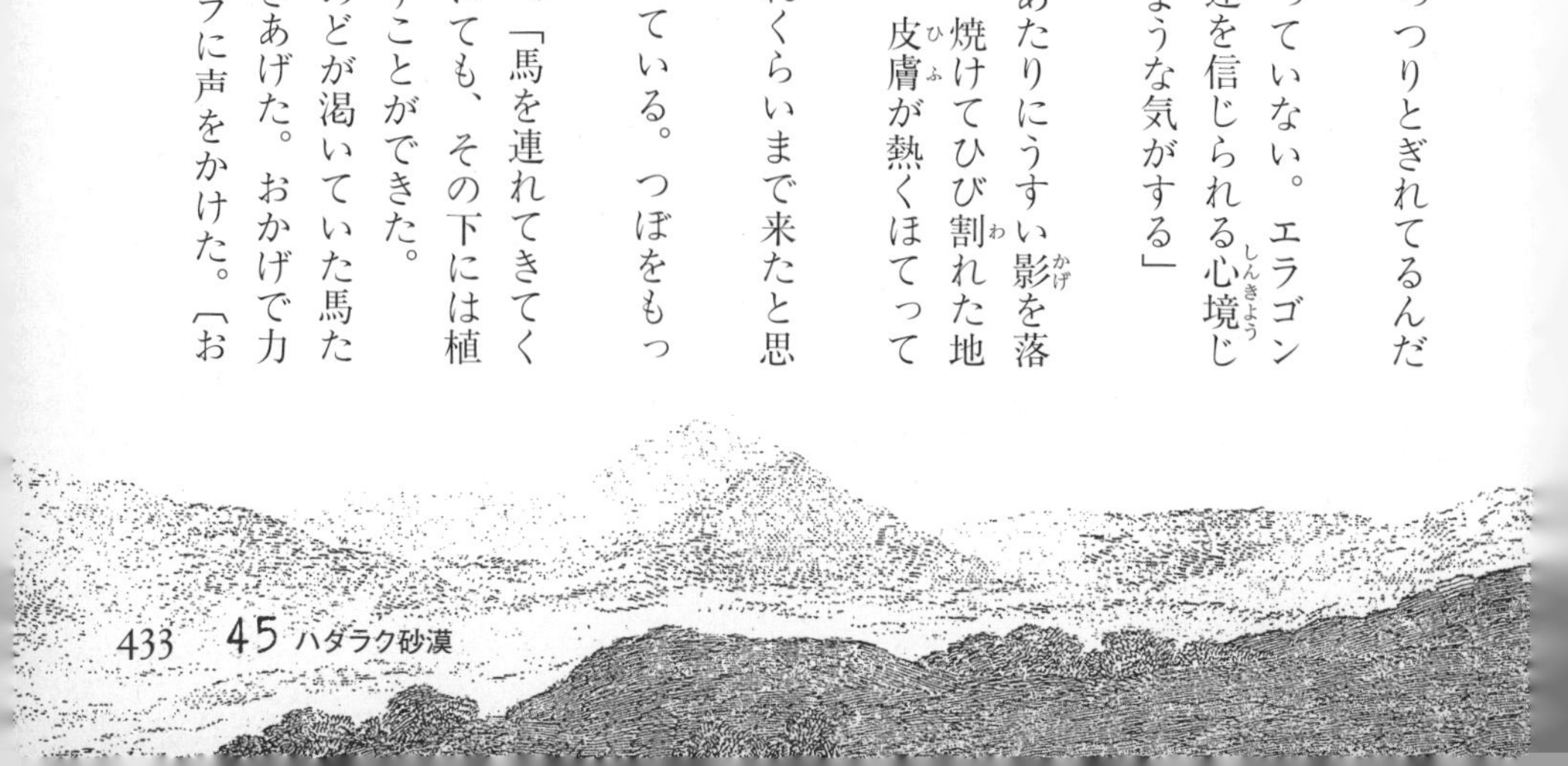

まえも飲むなら今のうちだよ」サフィラはエラゴンの前にぐにゃりと首をのばし、穴《あな》のなかの水をふた口だけ飲んだ。

　エラゴンも、水が地面にしみこんでしまう前にできるだけたくさん飲んだ。やがて最後の一滴《てき》が土のなかに消えてなくなった。水を地表にとどめておくのは、予想以上にきつい仕事だった。それでも、今のぼくならじゅうぶんできる、とエラゴンは思った。小石を浮《う》かせるのにさえ苦労した以前のことを思い出すと、笑《え》みがこぼれるのだった。

　翌朝《よくあさ》目覚めると、外はひどく寒かった。砂《すな》は朝日で薄紅色《うすべにいろ》に染《そ》まり、空にかかる靄《もや》が地平線をかくしていた。マータグの機嫌《きげん》は眠《ねむ》ってもよくならず、エラゴンの気分もめいるいっぽうだった。朝食のときにエラゴンがきいた。「砂漠《さばく》に入ってからずいぶん進んだと思わないか？」

　マータグが不機嫌な顔でにらむ。「まだほんのわずかだ。二日や三日でわたりきれるわけがない」

「だけどずいぶん遠くまで来たよ」

「わかった。それならそれでいい！　とにかくぼくはできるだけ早くここを出たいんだ。もうこんなつらい旅はたくさんだ。数分ごとに目に入った砂粒《すなつぶ》をとりのぞくだけでもうんざりなんだ」

　食事が終わるとエラゴンはエルフのところへ行った。エルフはまるで死んだようにそこに横たわっている——その規則《きそく》正しい呼吸《こきゅう》がなければ、死んでいるとしか思えない。「傷《きず》の具合はどうだい？」エラゴンはささやき、エルフの顔にかかった髪《かみ》をはらってやった。「ずっと眠ってばかりで、どうして目を覚まさないの？」檻《おり》のなかで、彼女が警戒《けいかい》して身がまえていたことが思い出された。頭にはまだその姿《すがた》が鮮明《せんめい》に焼きついている。エラゴンは不安を胸《むね》にエルフの旅の準備《じゅんび》をして、鞍《くら》をつけてスノーファイアの背《せ》に乗った。

野営地《やえいち》をあとにするとき、地平線上に一列の暗い影《かげ》が現《あらわ》れた。靄がかかっているせいで、その正体はわからない。マータグは遠い丘《おか》だろうといった。エラゴンにはそうは思えなかったが、見きわめることはできなかった。

エラゴンは、エルフの容態のことで頭がいっぱいだった。このままなんの手立てもしなければ死んでしまうだろう。だが、なにをすればいいのかわからない。サフィラも同じように心配していた。ふたりはそのことで何時間も話しあったが、どちらもさしせまった問題を解決《かいけつ》できるような癒《いや》しの術《じゅつ》を知らなかった。

正午には短い休憩《きゅうけい》をとった。ふたたび前進しようとしたとき、エラゴンは朝より靄がうすくなっていることに気づいた。遠くの影が今ははっきりと見えている。

もはやそれはぼんやりとした青紫色《あおむらさきいろ》のかたまりではなく、そのくっきりとした輪郭《りんかく》から、森林におおわれた広大な丘であるように思えた。丘の上の空は青い色がぬけて、真っ白になっている――丘の上から地平線の果てまで、空の色がすっかりしみ出してしまったかのようだ。

エラゴンは不思議な思いでそれを見つめた。いくら正体を見きわめようとしても、混乱《こんらん》するばかりだ。砂漠に現れる蜃気楼《しんきろう》にちがいないと思いながら首をふり、目をパチパチさせた。だがふたたび目をあけると、やはりどこかつじつまのあわないものを感じる。まさに、目前の空の半分が、白い毛布《もうふ》におおわれているような感じ。やはり、なにかがおかしいのだ。マータグとサフィラにそれを伝えようとしたとき、ふいに、自分がなにを見ているのかを理解した。

丘のつらなりに見えたものは、じっさいは、はてしなくひろがる巨大《きょだい》な山脈のふもとだったのだ。木々の密集《みっしゅう》するふもと以外、山はその全体が雪と氷ですっぽりおおわれていた。だから空が白いなどと思ってしまったのだ。首をぐっとのけぞらせてみても、山の頂上《ちょうじょう》を確認《かくにん》することはできない。山の

峰《みね》は空にむかってどこまでも高くのび、その先は視界《しかい》のとどかないところにある。山肌《やまはだ》を切りさくように、深く鋭《するど》い谷がこまかく走っている。まるでぎざぎざの歯をむく壁《かべ》が、アラゲイジアと天空とをつないでいるかのようだった。
あの山には終わりがないんだ！　エラゴンは畏怖《いふ》の念に打たれてそう思った。ビオア山脈の話は、いつもその途方《とほう》もない大きさばかりが伝えられてきたが、そんなものは誇張《こちょう》にすぎないだろうと高をくくっていた。ところが今本物を目の前にして、その話に嘘《うそ》がないことを実感した。
エラゴンのおどろきを察知して、サフィラが彼の視線《しせん》の先を追った。ほどなく、サフィラもそれがなんであるのかを理解《りかい》した。〔まるで幼竜《ようりゅう》にもどったような気分。あの山にくらべたら、わたしなんてちっぽけなもの！〕
〔砂漠《さばく》のはしに近づいているにちがいない〕エラゴンがいった。〔二日しかたっていないのに、もう砂漠の果てが見えるなんて！〕
サフィラが砂丘《さきゅう》の上空へ螺旋《らせん》を描《えが》きながらのぼっていく。〔峰の大きさからして、山脈まではまだかなりありそう。あまりに巨大《きょだい》すぎて、距離《きょり》がぴんと来ない。あそこなら、エルフやヴァーデンの絶《ぜっ》好《こう》の隠《かく》れ家《が》になるのでは？〕
〔エルフやヴァーデンどころか、帝国《ていこく》の民《たみ》すべてが、王の目をのがれて暮《く》らすことができる。想像《そうぞう》してごらんよ！　あんな怪物《かいぶつ》みたいな山に見おろされて暮らすって、どんな感じだろう？〕エラゴンはスノーファイアをひいてマータグのもとへ近づき、にやりと笑って指をさした。
「なんだよ？」マータグが不機嫌《ふきげん》にいって、あたりを見まわした。
「もっとよく見てごらんよ」エラゴンがいう。
マータグは目を細めて地平線のほうを見た。それから肩《かた》をすくめた。「いったいなんだって――」

いいかけて言葉を失い、口をぽかんとあけた。首をふってつぶやく。「信じられない」マータグは目じりにしわがよるほど目を細めた。そしてもう一度首をふった。「ビオア山脈が大きいとは聞いてたけど、まさかこれほどまでだなんて！」

「まあ、あそこに棲《す》む動物たちが、山にあわせて巨大じゃないことを祈《いの》ろう」エラゴンが屈託《くったく》なくいった。

マータグが笑顔《えがお》を見せた。「どこか木かげをさがして、何週間かゆっくり骨休《ほねやす》めがしたいな。あまりの強行軍だったから」

「ぼくも疲《つか》れたよ」エラゴンがいった。「でもエルフの容態《ようだい》がよくなるまでは休みたくない……じゃないと彼女、死ぬかもしれない」

「旅を続けることが彼女の回復《かいふく》につながるとは思えないな」マータグがまじめな顔でいった。「サフィラの腹《はら》の下で一日じゅうゆられているより、ちゃんとした寝床《ねどこ》で寝かせてやったほうがいいだろう」

エラゴンは肩《かた》をすくめた。「そうかもしれない……山のふもとに着いたら、ぼくがサーダへ連れていく――そんなに遠くないはずだから。あそこなら、彼女を助けられる治療師《ちりょうし》がいるはずだ。ぼくらにはもうお手上げだ」

マータグは目の上に手をかざし、山をじっとながめた。「そのことはあとで考えよう。まずはビオア山脈にたどり着くことが先決だ。あそこなら、ラーザックだってそうかんたんにはぼくらを見つけられないだろう。もう帝国におびえなくてもいいんだ」

時間はどんどんたつのに、ビオア山脈との距離はすこしも縮《ちぢ》まらないように思えた。ただ、景色は劇的《げきてき》に変わってきた。足もとの砂《すな》は赤っぽいさらさらの粒《つぶ》から、くすんだ乳白色《にゅうはくしょく》のかたい土に変わっ

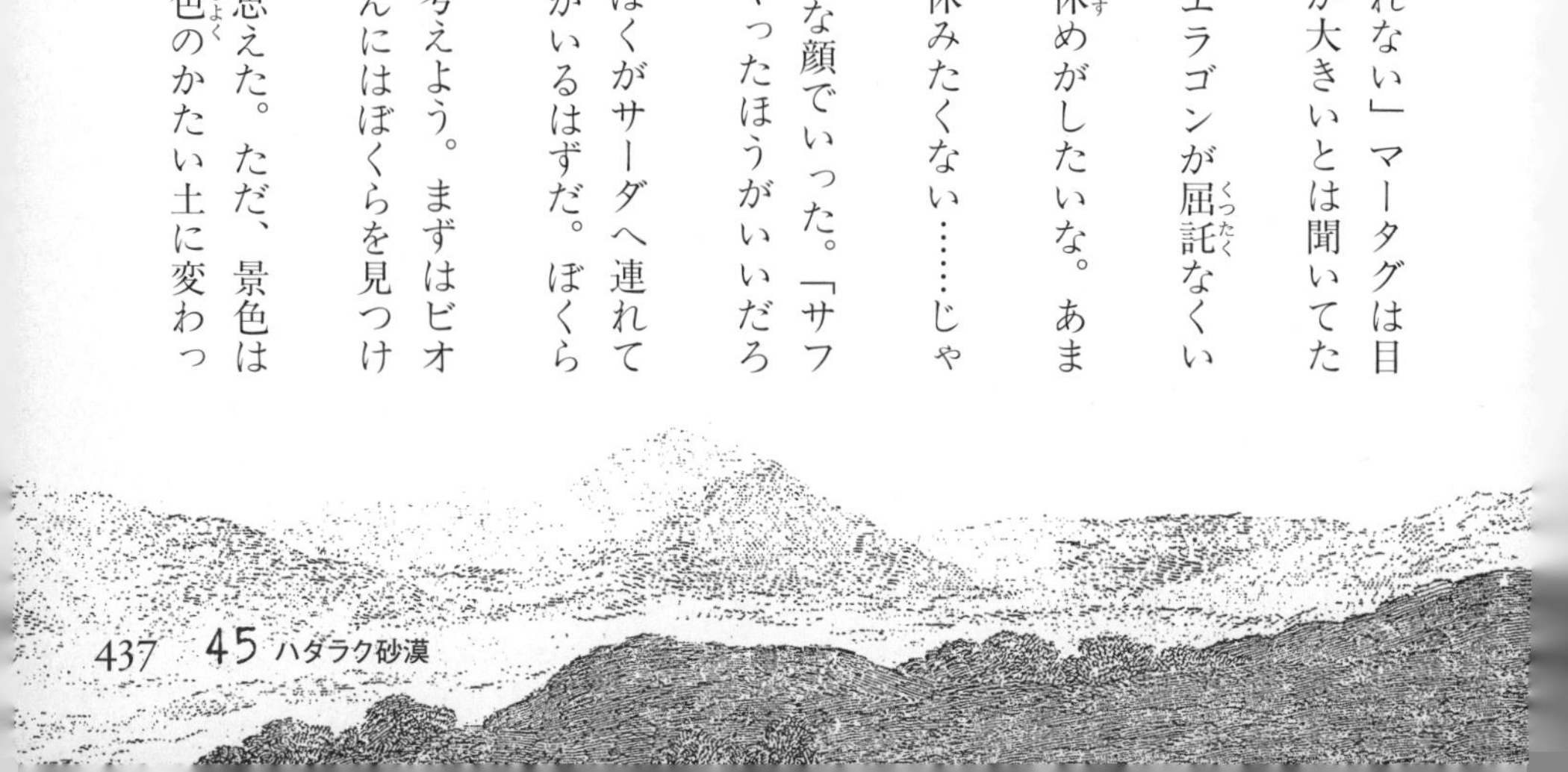

た。砂丘《さきゅう》のかわりに植物のぼうぼうと生《は》える地面や、水の流れた跡《あと》らしき深い溝《みぞ》が現《あらわ》れてきた。彼らをむかえるかのように涼《すず》しい風がふき、気分をさわやかにしてくれた。馬たちもまわりの変化を感じとり、足どりも軽く、先へ進みだした。

夕方、昼間の日ざしが弱まるころ、山麓《さんろく》までほんの五キロほどとなった。レイヨウの群《む》れが草のそよぐ青々とした大地をはねていく。サフィラがそれを見て生つばを飲んだ。彼らは苛酷《かこく》なハダラク砂《さ》漠《ばく》をぬけられたことに胸《むね》をなでおろし、小川のそばに寝床《ねどこ》をひろげた。

46

旅路

疲《つか》れてげっそりしていたが、一行は満面の笑《え》みで焚《た》き火《び》をかこみ、よろこびをわかちあった。サフィラは歓喜《かんき》の鳴き声をあげ、馬たちをおどろかせた。エラゴンはじっと炎《ほのお》を見つめた。五日間でほぼ三百キロを踏破《とうは》した自分が誇《ほこ》らしかった。ドラゴンに乗れるライダーであっても、なしとげるのは大変な道のりだ。

自分は帝国《ていこく》の外にいる。それは不思議な気分だった。帝国のなかで生まれ、以来ずっとガルバトリックスの治める国で暮《く》らしてきた。王の僕《しもべ》の手で、最愛の家族と友の命をうばわれ、自分もまた王の領内《りょうない》で何度か命を落としそうになった。それが今は自由になったのだ。もはや自分もサフィラも兵士たちから逃《に》げまわることもないし、町をさけたり、正体をかくしたりしなくていい。そう思うと、胸《むね》にほろ苦いものがこみあげてきた。その代価《だいか》として、これまでの生活すべてを失ってしまったのだ。

エラゴンはたそがれてゆく空の星々をあおいだ。帝国をはなれた地で安住できるという考えは、たしかに魅力的《みりょくてき》に思える。だが、殺戮《さつりく》から奴隷《どれい》売買まで、ガルバトリックスの名のもとに行われる暴挙《ぼうきょ》を目《ま》のあたりにしてきたあとでは、あっさりと帝国に背《せ》をむける気にはなれないのだ。今、彼をつき動かしているのは、ギャロウやブロムの死への復讐《ふくしゅう》心だけではない。そこにあるのは、ライダーとし

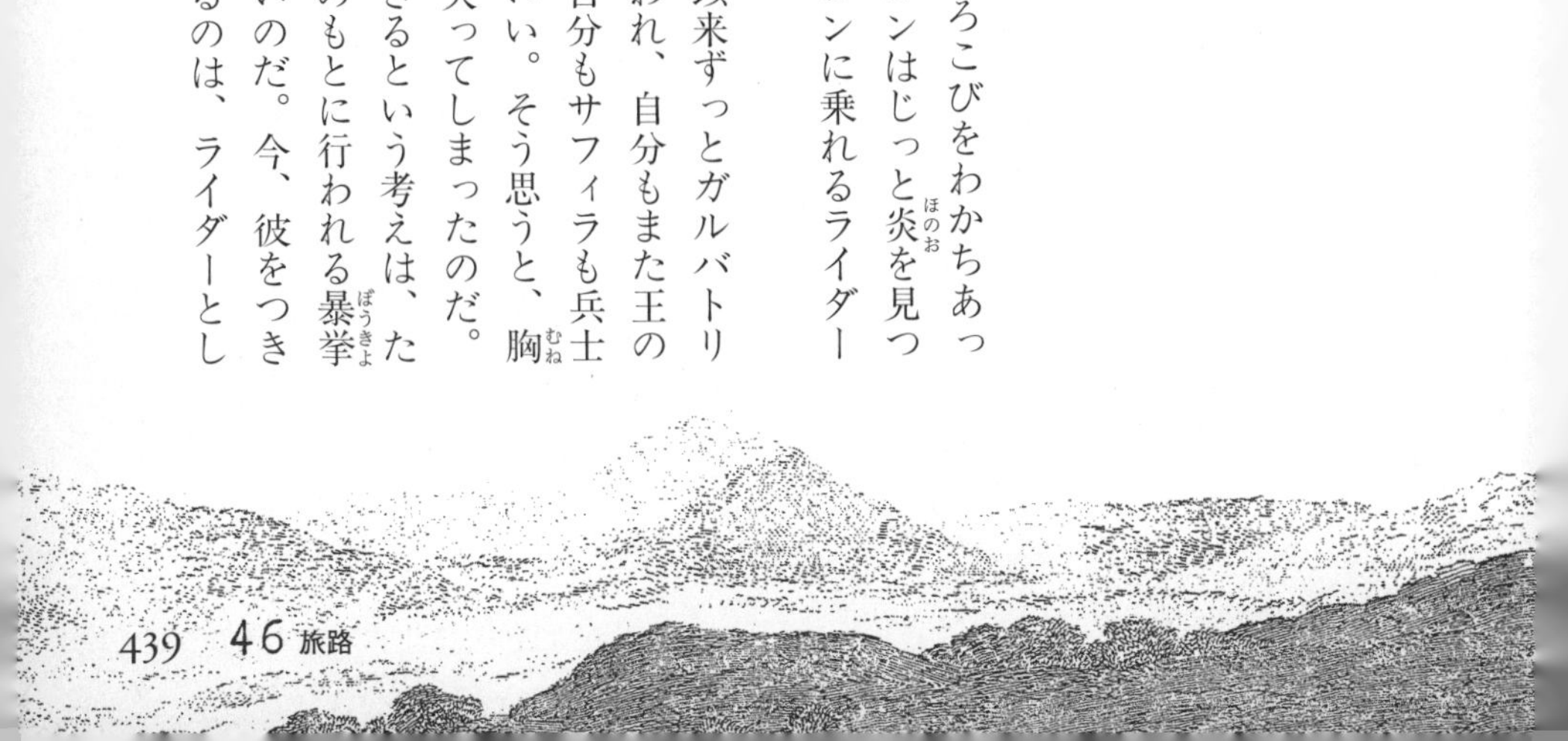

て、ガルバトリックスの圧政《あっせい》に苦しむ民《たみ》を助けるという使命感だった。

エラゴンはため息をつき、サフィラのそばに横たわるエルフをのぞいてみた。焚《た》き火《び》の朱色《しゅいろ》の光がエルフの顔に暖《あたた》かい影《かげ》を落としている。頬骨《ほおぼね》の下でなめらかにゆれる影を見ていると、ある考えがゆっくり浮《う》かんできた。

エラゴンは人間や動物の心の声を聴《き》くことができる。つまりその気になれば、心のなかで会話することもできるのだ。ただサフィラ以外とは、ほとんどためしたことがない。本当に必要なとき以外は、けっして他者の心に侵入《しんにゅう》してはいけないというブロムの教えが頭にあるからだ。一度だけマータグの心をさぐろうとしたことはあるが、あとはずっとさしひかえてきた。

しかし今エラゴンは、昏睡状態《こんすいじょうたい》のエルフの心に入ることを思案していた。なぜこんな状態のままでいるのか、彼女の記憶《きおく》をさぐればわかるかもしれない。ただ、意識《いしき》がもどったときに、彼女はぼくのその行為《こうい》をゆるしてくれるだろうか？　いや、ゆるしてくれようとくれまいと、とにかくやってみるしかない。こんな状態が、もう一週間も続いているんだから……。エラゴンはマータグやサフィラにはなにも告げないまま、エルフのそばにひざまずいて額《ひたい》に手をのせた。

目を閉《と》じて、指でさぐるように、意識を巻《ま》きひげのようにのばしていった。行き着く先はかんたんに見つかった。それは彼が案じていたような、朦朧《もうろう》として痛《いた》みに満ちたものではなく、むしろ水晶《すいしょう》の鐘《かね》が響《ひび》かせる音のように明るく澄《す》んだものだった。とつぜん、心のなかにひんやりとした短剣《たんけん》がさささってきた。その痛《いた》みで、まぶたの裏《うら》に鮮烈《せんれつ》な光がはじけ飛んだ。短剣からのがれようとするが、鉄の拳《こぶし》でつかまれ、身動きができなくなっている自分に気づく。

エラゴンはけんめいにもがき、考えつくかぎりの防戦《ぼうせん》をこころみた。だが短剣はふたたび彼の心をついてくる。衝撃《しょうげき》をやわらげるために、心のまわりに必死で防壁《ぼうへき》をはった。痛みが最初より軽くなっ

たのを感じたとき、彼の集中力が一瞬《いっしゅん》、切れた。そのすきに、防壁がエルフの容赦《ようしゃ》ない力で粉砕《ふんさい》された。

おおいかぶさる毛布《もうふ》があらゆる逃《に》げ道《みち》をぴたりとふさぎ、思考力までふさごうとしていた。圧倒的《あっとうてき》な力で、彼の命をじわじわとしぼりとろうとしているのだ。しかし、エラゴンは負けじとたえた。

エラゴンをおさえこむエルフの力はさらに強くなり、エラゴンの命をローソクの火のようにふき消そうとしていた。エラゴンは無我夢中《むがむちゅう》で古代語をさけんだ。「エカ・アイ・フリケイ・アン・シャートゥガル（ぼくはライダーで、きみの仲間だ）！」依然《いぜん》として体は動かせないが、しめつける力が急に弱まり、エルフからおどろきがにじみ出てきた。

続いて、疑《うたが》いの意識が流れてきた。だが、彼女はきっと信じてくれるはずだ。古代語で嘘《うそ》はいえないからだ。しかし仲間だとはいっても、危害《きがい》を加えないという意味にはとってもらえないかもしれない。エルフは思っているはずだ――彼はわたしのことを仲間だと信じている、彼のなかではそれは真実なのだ、と。だからといって、彼女のほうでは、エラゴンをかならずしも仲間と思ってくれるわけではない。古代語には限界《げんかい》があるのだ。エラゴンはそれでも、エルフがなんとか彼に興味《きょうみ》をもち、おさえつけた手を放してくれることを祈《いの》った。

そして、それはかなった。エラゴンを圧《あっ》していた力がとかれ、エルフの心の壁《かべ》がおずおずとおりていった。エルフは二匹《ひき》の野生動物が遭遇《そうぐう》したときのように、警戒《けいかい》しながらたがいの意識を触《ふ》れあわせていった。エラゴンはわきにふるえが走るのを感じた。エルフの心はエラゴンのそれとはまったく異《い》質《しつ》だった。広大で強力で、かぞえきれない歳月《さいげつ》の記憶をかかえ、ずっしりと重い。見ることも触れることもできない場所から、暗い意識が浮《う》かびあがってきた――彼女の種族がつくりあげた意識だ。それに自分の意識をなでられ、エラゴンは縮《ちぢ》みあがった。しかし、それらの感覚のすべてをつきぬけ、

荒々《あらあら》しくもあらがいがたい美が、かすかな旋律《せんりつ》を響《ひび》かせてきた。それが、彼女の本来の姿《すがた》なのだ。

〔そなたの名は？〕エルフが古代語でたずねてきた。疲《つか》れた声には、言葉にならない絶望《ぜつぼう》がにじんでいる。

〔エラゴン。あなたの名前は？〕エルフの心がエラゴンをさらに近くへ誘《さそ》っていた。種族の血である叙情的《じょじょうてき》な調べのなかへ、彼をしずみこませようとしていた。心はそうしてしまいたいとさけんでいたが、エラゴンはやっとの思いでふみとどまった。この世のものとは思えぬエルフの魅力《みりょく》というのは、このことだったのかと初めて気づく。魔法《まほう》の世で生きるエルフは、この世の法則《ほうそく》にいっさいしばられることはない。ドラゴンが動物とはちがうように、エルフもまた人間とはちがうのだ。

〔……アーリア。どうしてこんな形でわたくしに話しかけてくるのです？ わたくしはまだ帝国《ていこく》に囚《とら》われているのですか？〕

〔ちがいます、あなたはもう自由なんですよ！〕エラゴンがいった。知っているかぎりの古代語を使って、なんとか状況《じょうきょう》を伝えようとする。〔ぼくはあなたと同じようにギリエドで囚われの身になりました。でもそこを逃《に》げてあなたを救い出した。それから五日かけてハダラク砂漠《さばく》の果てにたどり着き、今はビオア山脈で休んでるんです。そのあいだずっとあなたは微動《びどう》だにせず、言葉も発していないのです〕

〔ああ……では、あそこはギリエドだったのですね。傷《きず》が治ったのは知っていました。でもそのときはどうしてかわからず——また新しい拷問《ごうもん》をかけるためにそうされたのだと思っていた。でも今、それがあなたのおかげだったとわかりました〕そこまでいってからそっといい足した。〔なのになぜわたくしがまだ目を覚まさないのか、不思議に思っているのですね〕

〔はい〕

〔囚われて以来、スキルナ・ブラーというめずらしい毒薬を飲まされていました。力をおさえる薬とともに。毎日朝になると、前日の薬の効《き》き目《め》を消す解毒剤《げどくざい》があたえられるのです。いやがっても無理やりに。それを飲まないと数時間後には死んでしまう。ですからわたくしはみずから昏睡状態《こんすいじょうたい》に入ったのです。そうすればスキルナ・ブラーの薬の進行をおくらせることができるから。でもとめることまではできません……わざと目覚めて死のうかとも思いました。ガルバトリックスに屈《くっ》せずにすむように。でも、今そばにいるのは味方かもしれないという望みがあったから、思いとどまったのです……〕エルフの声が弱々しくなって消えた。

〔あとどのくらいこういう状態でいられるのですか?〕エラゴンがきいた。

〔数週間。でも、もうあまり時間が残っていないはずです。休眠《きゅうみん》状態でいても死を永遠《えいえん》に免《まぬが》れることはできません。血のなかを、刻一刻《こくいっこく》と死がせまってきているのがわかるのです。解毒剤を飲まないかぎり、あと三、四日で死にいたるでしょう〕

〔解毒剤はどこに行けばあるんですか?〕

〔それが手に入るのは二か所だけ。わたくしの仲間たちが住む地と、ヴァーデンの地。しかし、わたくしの故郷《ふるさと》はドラゴンに乗っても、かんたんにたどり着けるような場所ではありません〕

〔ヴァーデンの地は? まっすぐそこへ連れていければよかったんですけど、どこにあるのかわからなかったので……〕

〔教えてあげましょう。あなたが彼らの居場所《いばしょ》を、ガルバトリックスや僕《しもべ》たちにもらさないと約束するなら。そして、今あなたがいったことはすべて嘘《うそ》ではないと断言《だんげん》し、エルフやドワーフ、ヴァーデン、ドラゴンの子孫たちを、けっして傷つけないと誓《ちか》えるなら〕

アーリアの望みは――もしこれが古代語でさえなければ――ごくかんたんなことだったはずだ。エ

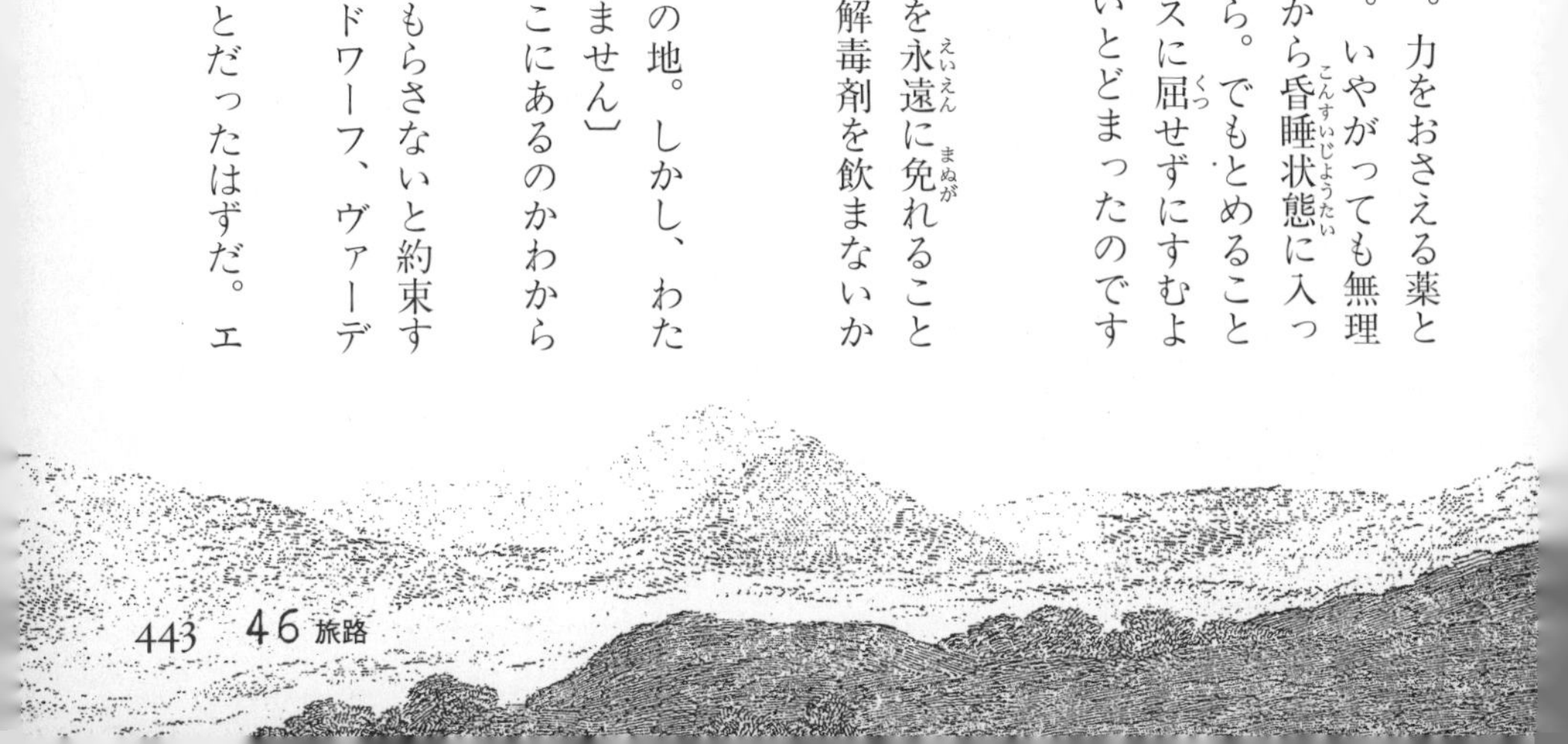

ラゴンはわかっていた。彼女はこの誓《ちか》いに、命以上のものを賭《か》けてほしいと願っているのだ。一度立てたら、けっしてやぶることのできない誓いだ。エラゴンがおごそかに誓いの言葉をとなえると、その重みが肩《かた》にずしりとのしかかってきた。

〔これを見てください……〕ふいに、エラゴンの頭のなかに景色が渦《うず》を巻《ま》いて飛びこんできた。気がつくとなにかの背《せ》に乗り、ビオアの山々にそって東へ何キロも進んでいる。けわしい山々や丘陵《きゅうりょう》が飛び去っていくのを見ながら、エラゴンはその道筋《みちすじ》をなんとか記憶《きおく》にとどめようとした。同じ山脈のなかを、今度は南へと進んでいる。とつじょ、まわりの景色が回転をはじめ、風のふきこむせまい谷に入った。谷は山あいをくねくねのびて泡立《あわだ》つ滝《たき》つぼへと続き、滝はそのまま深い湖に流れこんでいた。

そこで景色がとまった。〔とても遠いのです〕アーリアがいった。〔でも、その距離《きょり》にひるまないで。ベアトゥース河口《かこう》のコスタ・メルナの湖に着いたら、まず石を拾うこと。それで滝の横にそびえる崖《がけ》をたたき、さけぶのです――エイ・ヴァーデン・アブラ・ドゥ・シャートゥガル・ガタ・ヴァンタ（ライダーの長《おさ》だ、道をあけてほしい）。そうすればなかに入れます。障害《しょうがい》もあるでしょうが、どんな危険《きけん》にもけっしてひるまないで〕

〔解毒剤《げどくざい》にはなにをもらえばいいんですか？〕

エルフの声がふるえたが、力をとりもどしていった。〔トゥニヴァース・ネクター。さあ、そろそろわたくしから出ていって……あまりにも力を使いすぎてしまいました。ヴァーデンの地にたどり着ける望みがあるかぎり、二度とわたくしには話しかけないで。望みがなくなったときは、ヴァーデン軍の存続《そんぞく》のため、あなたに伝えるべきことがあります。さようなら、エラゴン……わたくしの命はあなたの手にかかっています……〕

アーリアは意識《いしき》を遮断《しゃだん》した。ふたりの心の通路に響《ひび》いていた不思議な調べは、もう聞こえなかった。エラゴンはふるえる体で息をして、やっとの思いで目をあけた。両わきからマータグとサフィラが、心配そうに彼をのぞきこんでいる。「だいじょうぶか？」マータグがきいた。「十五分近く、ここにひざまずいたままだった」

「そんなに？」エラゴンが目をしばたたかせた。

〔そう、まるで痛《いた》みに苦しむガーゴイルみたいな顔をしていた〕サフィラが冷ややかにいった。

エラゴンは立ちあがり、顔をしかめながらこわばったひざをのばした。「アーリアと話をしたぞ！」

マータグは気が変になったのかとでもいわんばかりに、眉《まゆ》をひそめた。エラゴンは説明した。「エルフだよ、彼女の名前だよ」

〔それで、いったいなにが彼女を苦しめていた？〕サフィラがもどかしげにいう。

エラゴンはエルフとの会話を、ひととおり話して聞かせた。「ヴァーデンまではどのくらいの距離があるんだ？」マータグがきいた。

「正確《せいかく》にはわからないけど、彼女が教えてくれた道は、ここからギリエドまでの距離よりありそうに見えた」

「そこへ三、四日で到達《とうたつ》しろというのか？」マータグが憤慨《ふんがい》する。「ここまで来るのだって五日もかかったんだ！　馬を殺す気か？　やつらはもうへとへとだぞ」

「でも、このままだと彼女は死んでしまう！　馬が無理なら、サフィラに乗って、ぼくとアーリアだけ先に行く。それならきっと間に合うだろう。きみはそれから数日かけて、ゆっくり追いついてくればいい」

マータグはうなって、腕《うで》を組んだ。「ああそうさ、どうせ荷物運びのマータグ、馬番のマータグだ。

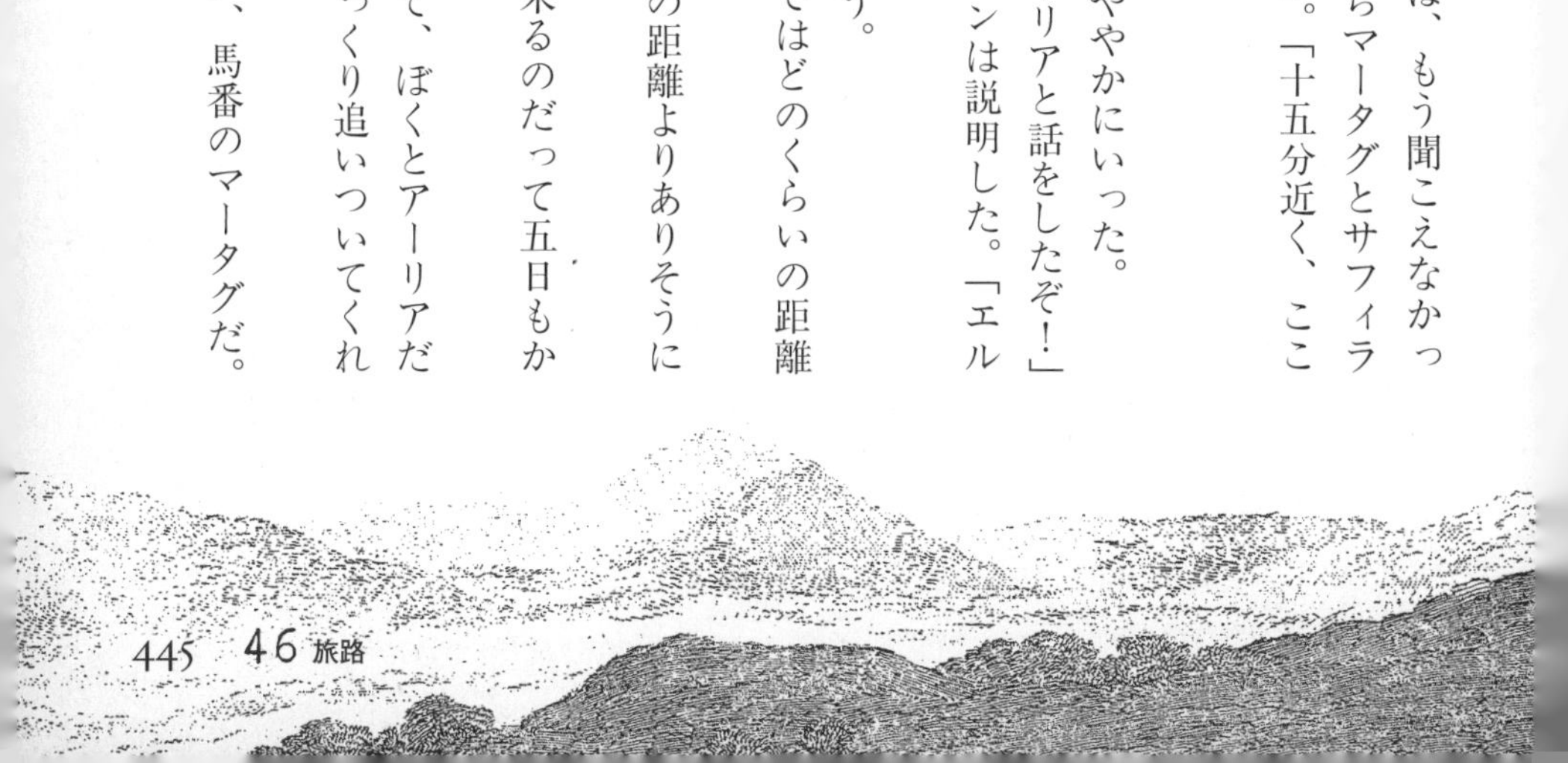

もっと自分の身をわきまえておくんだったな。だけど忘《わす》れちゃいけない。今じゃぼくは、帝国《ていこく》のお尋《たず》ね者だ。自分の身を守れないきみを、救い出しに行ったためにね。そして今は、きみの命ずるとおり、従順《じゅうじゅん》な召《め》し使《つか》いよろしくあとから馬を連れていけというんだな」

エラゴンはマータグのとつぜんの、毒のある言い方にとまどった。「どうしたっていうんだ？　きみのしてくれたことには感謝《かんしゃ》してるよ。なぜそんなにおこるんだ？　きみには、ついてきてくれとも、助けてくれともたのんだ覚えはないぞ。きみが自分からやったことだ。無理強《じ》いなんかしていないだろう」

「ああ、たのまれてないさ、直接《ちょくせつ》はね。でもラーザックにおそわれてるやつを見て、放っておけるか？　ギリエドでもそうさ。あたりまえの良心をもつ人間に、どうして見すごすことができる？　きみの問題はだな」マータグはエラゴンの胸《むね》を指でついた。「あまりにもたよりないから、めんどうをみてやらなくちゃと、まわりの人に思わせてしまうことなんだ！」

その言葉に、エラゴンの誇《ほこ》りは傷《きず》つけられた。そこに、わずかな真実を感じとってもいた。「ぼくの体に触《ふ》れないでくれ」むっつりという。

マータグは笑い、とげとげしい声でいった。「なんだよ、ぼくを殴《なぐ》りたいのか？　そんなこと、できないんだろ」マータグがふたたび体をつこうとした。が、エラゴンはその腕《うで》をつかみ、もういっぽうの手で腹《はら》に拳《こぶし》をめりこませた。

「さわるなといっただろ！」

マータグは体をふたつ折りにして毒づいた。そしてさけび声とともに、エラゴンに体ごとぶつかってきた。ふたりはたがいに殴りあいながら、もつれあって地面にたおれた。マータグの右腰《みぎこし》をけりつけようとしたエラゴンの足が、空ぶりして焚《た》き火《び》をかすめた。火の粉と燃《も》えさしが飛び散った。ふた

りとも相手を組みふせようと、もみあって地面をごろごろころがった。やがてエラゴンがなんとかマータグの胸に足をのばし、力をこめてけりあげた。マータグがさかさまになってエラゴンの頭をこえ、ドサッという重い音とともに背中《せなか》から地面に落ちた。

マータグはフーッと息を吐《は》いた。のろのろと体をころがして立ちあがると、肩《かた》で息をしながらエラゴンのほうにむき直った。ふたりはふたたびぶつかっていった。と、ふたりのあいだに、サフィラの尾《お》がぴしゃりと割《わ》って入った。続いて大きな咆哮《ほうこう》があがる。それにかまわず尾を飛びこえようとしたエラゴンは、鉤爪《かぎづめ》のついた前足につかまり、地面に背中から放り投げられた。

〔やめ！〕

エラゴンはサフィラのたくましい足を胸からおしのけようとしながら、マータグを見て、彼も同じようにおさえつけられているのだと知った。サフィラは首をふりあげ、エラゴンをキッとにらみつけた。〔どっちももうすこしりこうになりなさい！　これでは、肉をうばいあう飢《う》えた犬みたい。ブロムが見たらなんという？〕

エラゴンは頬《ほお》がほてるのを感じ、目をそむけた。ブロムがいうことはわかっていた。サフィラはかっかするふたりを地面におさえつけたまま、エラゴンにむかっていった。〔いいか、もしわたしの足の下で夜をすごしたくないなら、マータグにいらいらの原因《げんいん》を礼儀《れいぎ》正しくたずねなさい〕サフィラはマータグのほうへ首をのばし、彼を無表情《むひょうじょう》な青い目で見つめた。〔それから、わたしはどちらの味方もしないと、彼にいいなさい〕

〔まずは起きあがらせてくれ〕エラゴンが文句《もんく》をいった。

〔だめ〕

エラゴンは頬の内側に血の味を感じながら、マータグのほうへしぶしぶ顔をむけた。マータグはエ

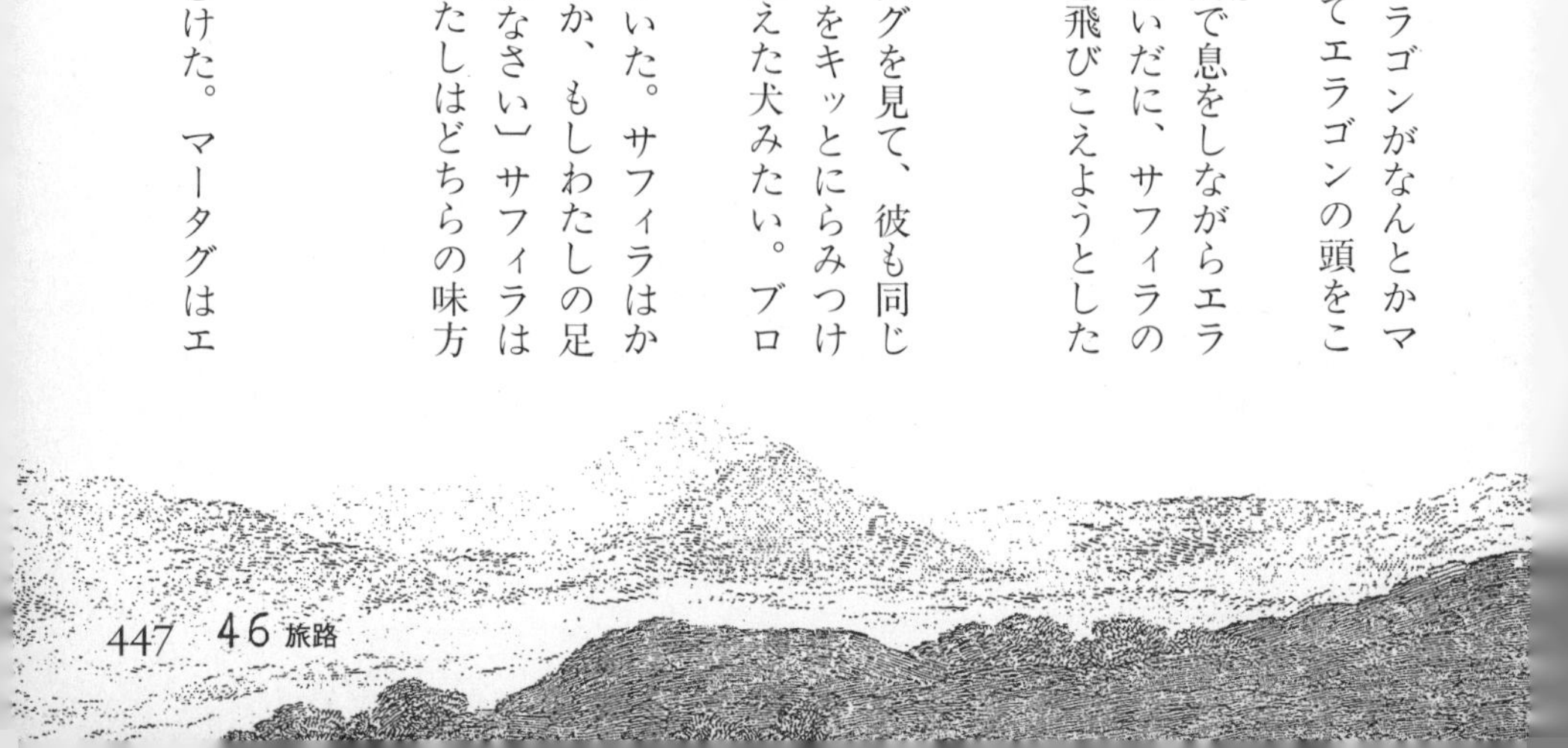

ラゴンと目をあわせないよう、空を見あげている。「どうだ、サフィラは放してくれそうか？」

「ぼくらが話をするまで、だめみたいだ……彼女はきみがなにをいらいらしてるのか、知りたいそうだ」エラゴンがきまり悪そうにいった。

サフィラは、そのとおり、というようにうなり、マータグの顔をのぞきこんだ。マータグはサフィラの鋭《するど》い視線《しせん》をさけることができず、肩《かた》をすくめて小声でなにやらつぶやいた。胸《むね》の上でサフィラの鉤爪《かぎづめ》に力が入り、しっぽがビュンと空《くう》を切る。マータグはサフィラをおこったようににらみ、憤然《ふんぜん》としていった。「前にもいっただろう、ぼくはヴァーデンには行きたくないんだ」

エラゴンは眉《まゆ》をひそめた。問題は本当にそれだけだろうか？「行きたくないのか……それとも行けないのか？」

マータグはサフィラの足をはらいのけようとしたが、チェッといってあきらめた。「行きたくないんだ！　あそこでは、ぼくはまねかれざる客なんだ」

「彼らからなにか盗《ぬす》んだのか？」

「そんなかんたんな話なら悩《なや》んだりしないさ」

エラゴンはうんざりして、あきれた表情《ひょうじょう》を浮《う》かべた。「じゃあなんだ？　だれか重要な人物を殺したとか、まずい女性《じょせい》と関係してしまったとか？」

「生まれながらの問題なんだ」マータグは曖昧《あいまい》にこたえ、またサフィラをおしのけようとした。今度はサフィラもふたりを解放《かいほう》した。サフィラの監視《かんし》のもと、エラゴンとマータグは立ちあがって背中《せなか》の土をはらった。

「きみは質問《しつもん》をさけようとしている」エラゴンが切れた口を拭《ぬぐ》いながらいった。

「だからどうした？」マータグは吐《は》きすてるようにいうと、野営地《やえいち》の縁《ふち》へ大またで歩いていった。や

がて彼はため息をついた。「ぼくがこうなった事情《じじょう》なんて、どうでもいいことなんだ。でも、これだけははっきりしてる。たとえ王の首をもっていったとしても、ヴァーデンはぼくを歓迎《かんげい》しないさ。いや、そこそこの笑顔《えがお》でむかえ、議会にまねいてくれるかもしれないな。だが信用は？　ぜったいにしてもらえない。まして今回のように、偶然《ぐうぜん》とは思えない状況《じょうきょう》で現《あらわ》れたら、鉄の檻《おり》にぶちこまれるのがおちだ」

「ざっくばらんに話してくれないか？」エラゴンはうったえた。「ぼくだって人に自慢《じまん》できるようなことばかりしてきたわけじゃない。だからきみを批判《ひはん》したりしないさ」

マータグはゆっくりと首をふった。「そういう問題じゃない。ぼくは彼らにそんな扱《あつか》いをされるようなことはまったくしていないんだ。もしそういうことなら、自分の罪《つみ》をつぐなえばすむのだからかんたんだ。でもちがう……ぼくに罪があるとしたら、それは最初から……」マータグは言葉を切り、ふるえる息を吐いた。「ぼくの父は――」

シューッという鋭い音で、サフィラがマータグの言葉をさえぎった。〈見て！〉

ふたりはサフィラの視線《しせん》をたどって西を見た。マータグの顔が青ざめた。「なんてこった！」

五キロほどはなれたところを、軍の隊列が山にそって東へ行進している。数百という数の騎兵隊《きへいたい》が、延々《えんえん》一キロ半近くつらなっている。足もとに土埃《つちぼこり》が立ちのぼり、暮《く》れていく光のなか、武器《ぶき》が鋭い光を放っている。先頭の黒い馬車の上で、旗手が緋色《ひいろ》の旗を高くかかげている。

「帝国軍《ていこくぐん》だ」エラゴンがぐったりした声でいった。「とうとう見つかってしまった……」サフィラはエラゴンの肩ごしに首をつき出し、隊列を見すえた。

「ああ……でもあれは人間じゃない。アーガルだ」マータグがいった。

「どうしてわかる？」

マータグが旗手を指さした。「あの旗についているのはアーガルの首領《しゅりょう》の印だ。あいつには血も涙《なみだ》もない。暴力《ぼうりょく》と狂気《きょうき》に満ちた野獣《やじゅう》さ」

「会ったことがあるのかい？」

マータグは目をぎゅっとつぶった。「一度だけ、短い時間だ。そのときの傷《きず》がまだ残っている。あの連中は、ぼくらを捕《と》らえるために送られてきたわけじゃないだろう。だが、もうこっちの姿《すがた》に気づいているさ。追ってくるにちがいない。あの首領がドラゴンを逃《に》がすわけがない。ギリエドでの騒動《そうどう》だって耳に入ってるだろうからな」

エラゴンは焚《た》き火《び》に駆《か》けより、土をかけた。「逃げよう！　きみはヴァーデンに行きたくないというが、ぼくはアーリアが死ぬ前に行かなければならない。だから、こうしよう。きみはコスタ・メルナの湖までぼくらといっしょに行く。そこから先は好きなようにすればいい」マータグがためらっている。エラゴンはすばやく言葉をつけ足した。「今あいつらの目の前でぼくらが分かれたら、きみだってアーガルに追われることになる。そうなったら、たったひとりでやつらに立ちむかうことになるんだぞ」

「わかったよ」マータグはトルナックのわき腹《ばら》に鞍袋《くらぶくろ》をさげた。「でもヴァーデンの地が近くなったら、ぼくはきみたちと別れる」

マータグにききたいことはたくさんあったが、アーガルがせまっている状況《じょうきょう》では無理だった。荷物をまとめ、スノーファイアに鞍をかけた。サフィラは翼《つばさ》をひろげてすばやく飛び立ち、上空をまわりはじめた。そのまま、マータグとエラゴンが出発するまで、見張《みは》りを続けた。

〔どっちへむかって飛ぶ？〕サフィラがたずねてきた。

〔東へ。ビオア山脈にそっていく〕

サフィラは翼の音を立てぬよう上昇《じょうしょう》気流とともに舞《ま》いあがり、馬たちの上の暖《あたた》かい大気の柱に乗ってとまった。〔アーガルたちがなぜここにいるのかわからない。まさかヴァーデンを攻《せ》めるために送られてきたのか?〕

〔だったら、ヴァーデンたちに警告《けいこく》しなければ〕エラゴンがいった。暗くて道筋《みちすじ》がよく見えず、障害物《しょうがいぶつ》をよけるよう馬を誘導《ゆうどう》しなければならなかった。夜が深まり、背後《はいご》のアーガルたちの姿も闇《やみ》に溶《と》けこんでいった。

47
衝突《しょうとつ》

朝になると、エラゴンの頬《ほお》はスノーファイアの首にこすれてすりむけ、マータグとのけんかのせいで体の節々が痛《いた》かった。彼らは馬に乗ったまま交代で仮眠《かみん》をとりながら、ひと晩《ばん》じゅう進み続けた。アーガルたちとの距離《きょり》はいくらかはなすことはできたとはいえ、いつまでその差をたもっていられるかはわからない。馬たちはいつ足をとめてもおかしくないほど消耗《しょうもう》していたが、それでも苛酷《かこく》な速度で進んでくれた。あの怪物《かいぶつ》どもをふりきれるかどうかは、連中がどのくらい休憩《きゅうけい》するかにかかっている……それと、エラゴンたちの馬がたえてくれるかどうか。

ビオア山脈が地面に巨大《きょだい》な影《かげ》を落とし、太陽熱をうばっている。北にはハダラク砂漠《さばく》が細い帯状《おびじょう》に見え、真昼の雪原のように輝《かがや》いている。

〔なにか食べたい〕サフィラがいった。〔もうずいぶん狩《か》りをしていない。飢《う》えの虫が胃袋《いぶくろ》を引っかいている。今狩りに出れば、あのへんのシカをつかまえて、多少の腹《はら》ごしらえができそうだが……〕

エラゴンはサフィラの大げさな言い方に笑った。〔行っておいで。でもアーリアはここに置いていくんだよ〕

〔すぐにもどる〕エラゴンはサフィラの腹からエルフの体をほどき、スノーファイアの鞍《くら》にうつし

た。サフィラは空へ舞《ま》いあがり、山脈のほうへ消えていった。エルフが落馬しないよう気づかいながら、エラゴンはスノーファイアのすぐわきを走った。エラゴンもマータグも、もはや静寂《せいじゃく》をみだすようなことはしなかった。昨日のけんかのことも、アーガルを発見してからはどうでもよくなっていた。ただ、傷《きず》だけが消えずに残っていた。

一時間もしないうちに、サフィラが獲物《えもの》をつかまえたと知らせてきた。サフィラがすぐにもどってくるというので、エラゴンはほっとした。彼女がいないと気持ちが落ち着かないのだ。

馬の給水のため、池のほとりでとまった。エラゴンはむしりとった草を指でもてあそびながら、ぼんやりとエルフを見つめていた。ふいに、チャリンと剣《けん》をぬく音がして、われに返った。本能的《ほんのうてき》にザーロックをつかみ、ぐるりとふり返って敵《てき》の姿《すがた》をさがした。だが、うしろにいたのはマータグだ。長い剣をかまえたまま、前方の丘《おか》を指さしている。そこには、栗毛《くりげ》の馬にまたがった茶のマントの男がいた。背《せ》が高く、鎧《よろい》をも打ちくだく棒状《ぼうじょう》の戦棍《せんこん》を手にしている。うしろにひかえるのは、二十人ほどの騎馬集団《きばしゅうだん》。みなこちらをむいて、ぴたりととまっている。「ヴァーデン軍だろうか？」マータグがつぶやいた。

エラゴンはさりげなく弓の弦《つる》をはった。「アーリアの話からすれば、ヴァーデンの地はまだ何キロも先だ。彼らの偵察隊《ていさつたい》か襲撃隊《しゅうげきたい》がここまで来たのかもしれない」

「盗賊《とうぞく》じゃないとすればな」マータグはトルナックに乗り、弓を準備《じゅんび》した。

「逃《に》げたほうがいいんじゃないか？」エラゴンはアーリアに毛布《もうふ》をかぶせながらいった。あの男たちにもう彼女の姿を見られたにしろ、エルフだとは知られたくなかった。

「逃げきれないな」マータグが首をふる。「トルナックもスノーファイアもりっぱな軍馬だが、今は

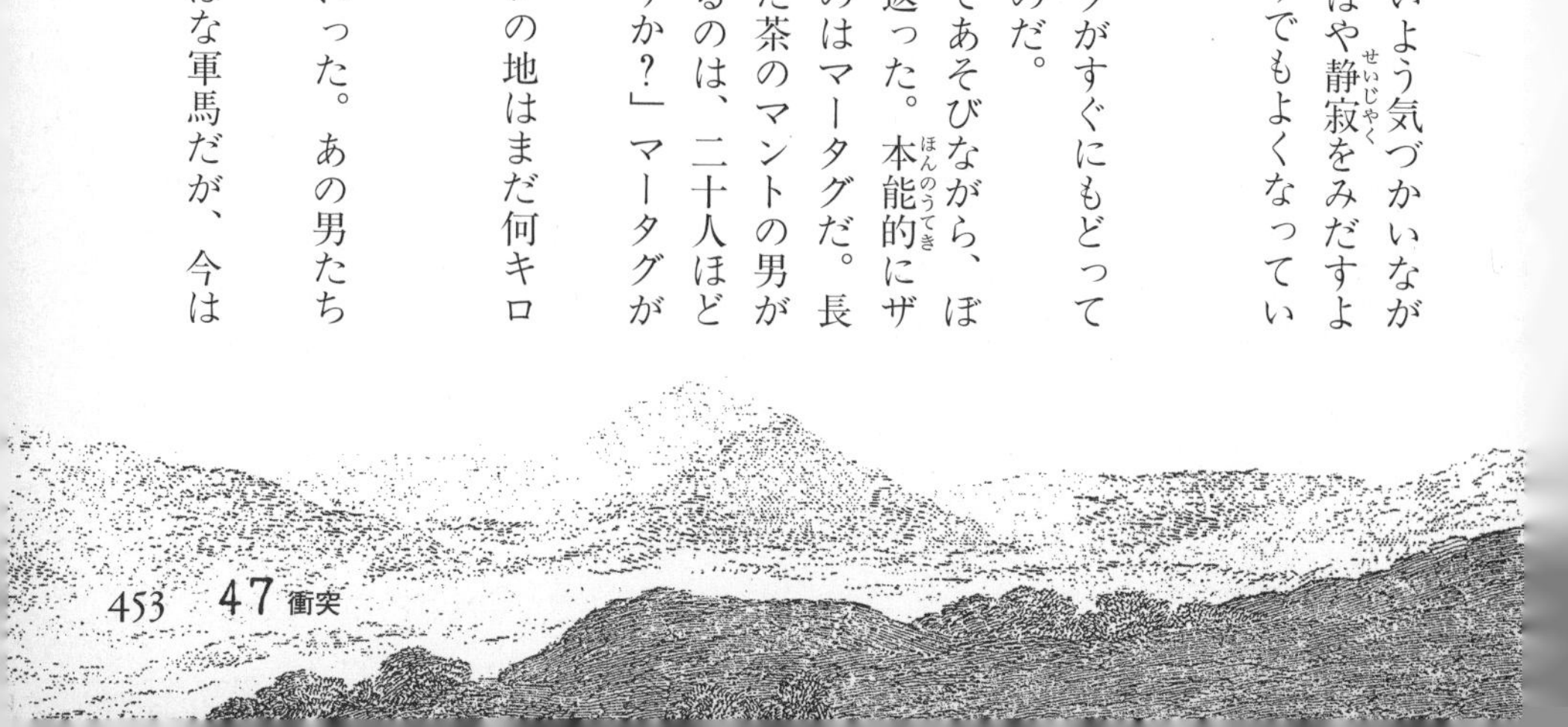

疲《つか》れきっている。それに短距離走《たんきょりそう》にはむいてない。あの男たちの馬を見ろ、競争《きょうそう》しても勝てるわけがない。一キロも行かないうちにつかまってしまう。それに、ひょっとしてむこうは、なにか重要なことを告げに来たのかもしれない。サフィラを早く呼《よ》びかえしたほうがいい」

エラゴンはすでにサフィラを呼んでいた。サフィラに様子を知らせ、警告《けいこく》した。〔よほどのことがないかぎり、姿《すがた》を見せちゃだめだぞ。ここはもう帝国《ていこく》じゃないけど、おまえのことはだれにも知られたくない〕

〔だいじょうぶ〕サフィラがこたえた。〔忘《わす》れてはいけない。速さとツキに見放されても、あなたには魔法《まほう》がある〕サフィラが地面すれすれを矢のように飛んでくるのがわかった。

男たちの一団《いちだん》は、丘《おか》の上から彼らをじっと見おろしていた。

エラゴンは不安な気持ちでザーロックをにぎった。針金《はりがね》の巻《ま》かれた柄《つか》が、手袋《てぶくろ》をした手にしっくりとなじんだ。低い声でマータグに告げた。「連中が脅《おど》してきたら、魔法でけちらしてやる。それがだめならサフィラだ。それにしてもあの連中、ライダーにどうやって立ち向かってくる気だろう？　どんな力があるかくらい、伝わってるはずなんだけど……なんとか戦いをさけてくれないかな」

「あてにならないな」マータグがにべもなくいった。「戦うとなれば、それなりの数をたおさなきゃならない。太刀打《たちう》ちできない相手だと思わせるほどにな」マータグは感情《かんじょう》をおさえた顔をしていた。

栗毛馬《くりげうま》の男が戦棍《せんこん》をふりあげて合図すると、騎馬《きば》の集団がいっせいにこちらに駆《か》けてきた。男たちは雄《お》たけびをあげ、頭上で投《な》げ槍《やり》をふりながら近づいてくる。わきにさげているのは、いたんだ鞘《さや》。どの武器《ぶき》もみな錆《さび》だらけでよごれている。四人がエラゴンとマータグにむけて弓をかまえた。

頭《かしら》が戦棍をくるりとまわすと、集団は大呼《たいこ》してそれにこたえ、エラゴンとマータグを無遠慮《ぶえんりょ》にとりかこんだ。エラゴンの唇《くちびる》がひきつった。魔法を使ってけちらしてやりたいという欲求《よっきゅう》を、けんめいに

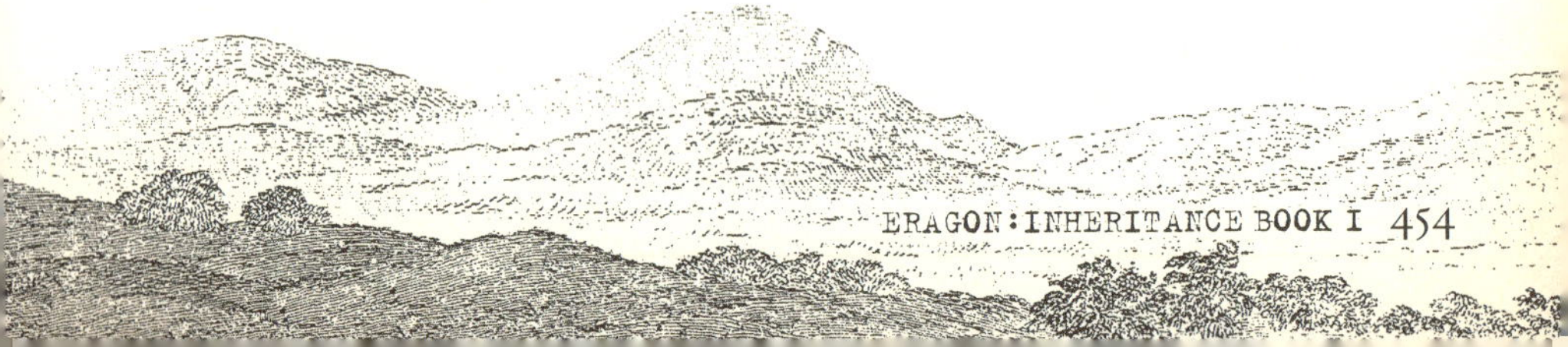

おさえた。やつらの狙《ねら》いがなにか、まだわかってないのだ。自分にいい聞かせ、つのる不安をおしこめる。

エラゴンとマータグを完全にとりかこむと、頭《かしら》が手綱《たづな》をひいて馬をとめ、腕組《うでぐ》みをしてエラゴンたちを観察しはじめた。やがて眉《まゆ》をつりあげた。「こいつらは、いつものくずよりずっと上物《じょうもの》だぞ！　少なくとも健康そうだ。グリーグがよろこぶぞ」男はクックッと笑った。

その言葉を聞き、エラゴンは腹《はら》の力がぬけるのを感じた。ふと、不安がよぎる。〔サフィラ……〕

「さあ、おまえら」頭《かしら》がエラゴンとマータグにいった。「おとなしく武器を捨《す》てていうことをきけば、こいつらの手で生きた矢筒《やづつ》にされんですむぞ」弓をもった男たちが含《ふく》み笑《わら》いをすると、集団がいっせいに笑いだした。

マータグは、ただ剣《けん》の位置をずらしただけだ。「おまえたちは何者だ？　なにが望みだ？　ぼくらはここを自由に旅してるだけだ。とめる権利《けんり》などないはずだ」

「それがあるんだよ」男は小バカにしたようにいう。「いっておくが、奴隷《どれい》がご主人さまにそんな口のきき方をするもんじゃない。殴《なぐ》られたいならべつだがな」

エラゴンは心のなかで毒づいた。奴隷商人か！　ドラス＝レオナの町の競《せ》り売《う》りで見た人たちの記《き》憶《おく》が鮮烈《せんれつ》によみがえってきた。胸《むね》のうちに怒《いか》りがこみあげてきた。エラゴンは自分をとりかこむ男たちを、新たな憎《にく》しみと嫌悪《けんお》をこめてにらみつけた。

頭《かしら》が眉間《みけん》のしわを深くしてどなった。「剣を捨てて、観念しろ！」奴隷商人たちは身がまえ、ふたりの顔を冷ややかな目で見ている。エラゴンもマータグも武器を捨てようとはしなかった。エラゴンの掌《てのひら》がうずきだす。背後《はいご》でかすかな音が聞こえた。続いて下品な声。エラゴンはぎくっとしてふりむいた。

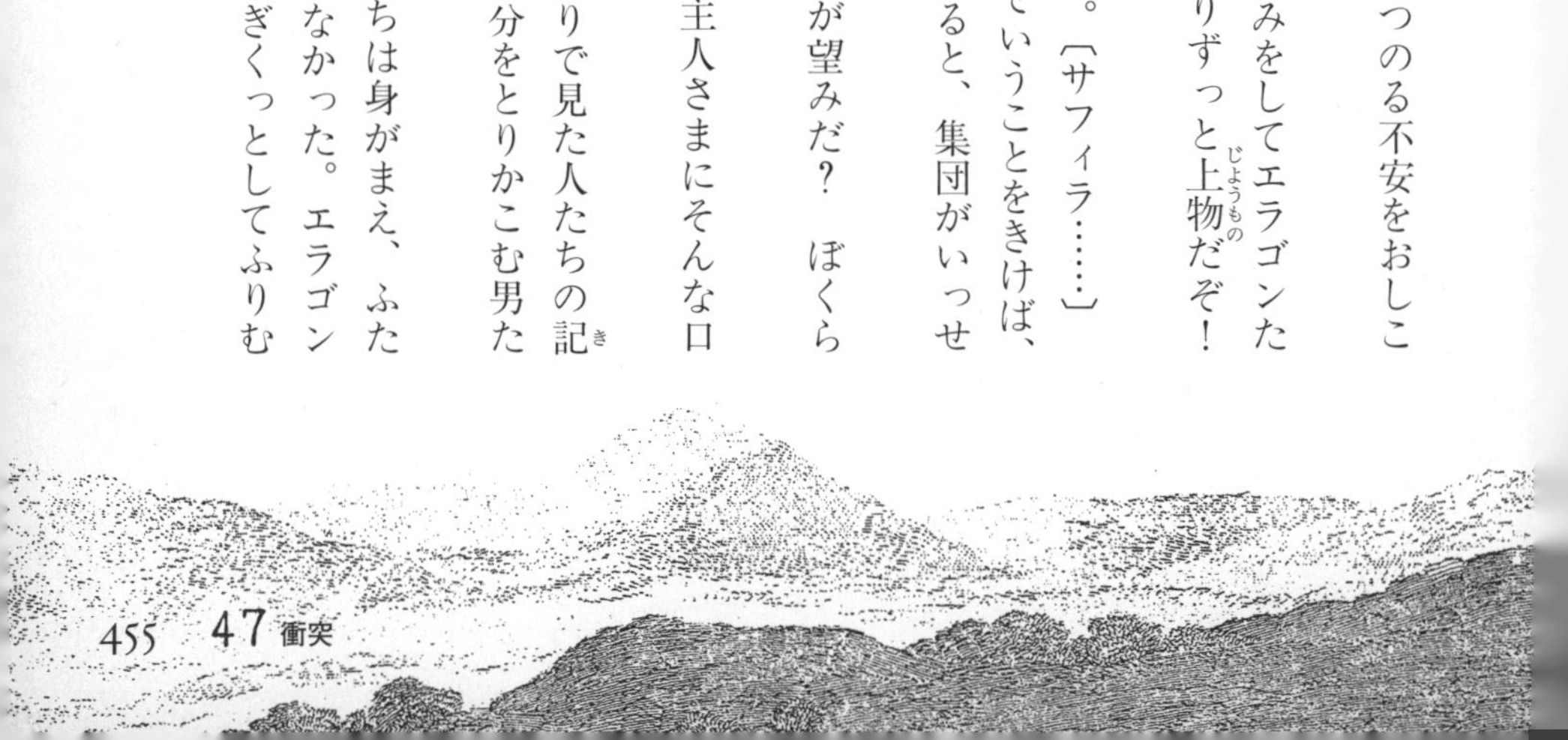

奴隷《どれい》商人のひとりが毛布《もうふ》をはいで、アーリアをのぞきこんでいる。男はおどろいた顔をして、声をはりあげた。「トルケンブランド、これはエルフだ！」男たちがいっせいにどよめいた。頭《かしら》はスノーファイアのもとへ駆《か》けよると、馬上からアーリアの顔を見おろし、ヒューッと口笛をふいた。

「おい、どれぐらいで売れそうだ？」だれかが声をかける。

トルケンブランドはしばしおしだまってから、両手をひろげていった。「まちがいなく巨万《きょまん》の富《とみ》になるぜ。この女を引きわたせば、帝国《ていこく》が黄金の山をくれるにちがいない！」

奴隷商人たちは歓声《かんせい》をあげ、たがいの背中《せなか》を拳《こぶし》でつきあっている。エラゴンの心に咆哮《ほうこう》がとどろいてきた。上空のサフィラが、急角度で曲がってこちらへむかってくる。〈やるなら今だ！〉エラゴンがさけんだ。〈でも深追いはするな〉サフィラはぴたりと翼《つばさ》をあわせ、急降下《きゅうこうか》をはじめた。エラゴンはマータグにすばやく合図を送った。マータグの反応《はんのう》は速かった。奴隷商人の顔面をひじでついて馬からつき落すと、トルナックのわき腹《ばら》をかかとで思いきりけった。

トルナックはたてがみをなびかせて前へ飛び出し、ふりむきざま、うしろ足で立ちあがった。マータグは剣《けん》をかざし、ふりおろされた馬の前足で、地面にころがる男の背中《せなか》をおさえつけた。男は悲鳴をあげた。

男たちが落ち着く前にと、エラゴンは混乱《こんらん》のなかを飛び出し、両手をあげて古代の言葉を吐《は》き出した。騒《さわ》ぎの輪のなかに藍色《あいいろ》の火の玉が投げこまれた。地面で破裂《はれつ》した火の玉から、どろどろとした液《えき》体《たい》がふきあがる。飛び散った液体は、太陽に焼かれた露《つゆ》のようにジュッと消えた。数秒後、サフィラがおりてきて、エラゴンの横に着地した。あごを上下に大きく開き、巨大《きょだい》な牙《きば》をむいて吠《ほ》えた。「よく聞け！」興奮《こうふん》する男たちにむかって、エラゴンがさけんだ。「ぼくはライダーだ！」そういってザーロックを頭上にふりあげ、陽光に照《て》り映《は》える赤い刃《は》を奴隷商人たちにむけた。「死にたくなければ、さっさとどこかへ行け!」

男たちはわけのわからないことをさけびながら、先を争って逃《に》げていった。混乱のなか、トルケンブランドは槍《やり》でこめかみをついたようだ。呆然《ぼうぜん》として地面にころがっている。男たちは頭《かしら》には見向きもせず、サフィラの姿《すがた》におびえ、ほうほうの体《てい》で逃げていく。

トルケンブランドはひざをついてけんめいに立ちあがろうとしている。こめかみの血は枝《えだ》分かれして流れ、頰《ほお》の上を赤い巻《ま》きひげのように伝っている。マータグは馬をおり、剣をにぎったまま、トルケンブランドに近づいていった。奴隷商人は弱々しく腕《うで》をあげ、身を守ろうとしている。マータグはそれを冷たい目でにらみ、首に剣をふりおろした。「だめだ!」エラゴンがさけんだが、遅《おそ》かった。トルケンブランドの首なしの胴体《どうたい》は、土埃《つちぼこり》をあげて地面にたおれた。頭のほうは鈍《にぶ》い音を立ててころがった。エラゴンはあごをぶるぶるふるわせながら、マータグのもとへ走りよった。「気でもくるったのか?」怒《いか》りにまかせてさけんだ。「なぜ殺した!」

マータグは剣についた血をトルケンブランドの戦棍《せんこん》の裏《うら》でぬぐった。鋼《はがね》に黒っぽいしみが残った。

「なにをそんなにあわててる――」

「あわてるだと!」エラゴンはどなった。「そんな生やさしいものじゃない! こいつのことは放っておいて、こっちはさっさと旅にもどればよかったじゃないか。なんでだよ！なんで死刑執行人《しけいしっこうにん》みたいに、首をはねてしまったんだ? 相手はまったくの無抵抗《むていこう》だったんだぞ!」

マータグはエラゴンのあまりの怒りにめんくらっていた。「生かしておくわけにはいかなかったからだ――こいつは危険《きけん》だ。ほかの連中は一目散に逃げていったからいい……しかしこいつは馬もないから、そう遠くまでは逃げていけない。アーガルに見つかったらアーリアのことが知られてしまう。だから――」

「だからって、殺すのか？」エラゴンはさえぎっていった。サフィラは興味津々《きょうみしんしん》でトルケンブランドの頭のにおいを嗅《か》いでいる。噛《か》みつこうとして口をあけかけたが、思い直してエラゴンのそばに歩いてきた。

「生き残るためにはしかたがない」マータグがいった。「見知らぬ他人《ひと》の命より、自分の命のほうがずっと大切だ」

「でも、むやみに人を殺すものじゃない。きみには情《なさ》けというものがないのか？」エラゴンは声を荒《あら》げていうと、ころがった頭を指さした。

「情け？　情けだって？　どうして敵《てき》に情けなんてかけられる？　敵がかわいそうだからって、自分の命を守ることをためらえとでもいうのか？　だったら、ぼくはもう何年も前に死んでるさ！　ほかにどんな犠牲《ぎせい》をはらおうとも、自分の身も自分の大切なものも、自分で守らなけりゃならないんだ」

エラゴンはザーロックを荒々《あらあら》しく鞘《さや》におさめ、激《はげ》しく首をふった。「そんなことをいいだすと、どんな残虐行為《ざんぎゃくこうい》も正当化されてしまう」

「ぼくが楽しんでいるとでも思うのか？」マータグがどなった。「こっちは生まれたときから危険《きけん》ととなりあわせで生きてきたんだ！　起きているときはいつも、せまりくる危険をさけるのに必死だった。そして夜は、なかなか眠《ねむ》ることができない。また夜明けが来るんだろうかと、不安で不安でしかたなかった。安心していられたのは、母親の腹《はら》のなかにいたときだけだろう。いや、それでさえ、かならずしも安全とはいえなかった！　きみにはわからないだろう――きみだって、そんな恐怖《きょうふ》のなかで生きてきたら、ぼくと同じ教訓を得られただろうさ――危険な賭《か》けはするなってね」マータグはトルケンブランドの胴体《どうたい》をさした。「彼がその危険だった。だからとりのぞいた。後悔《こうかい》はしないし、やったことや過去《かこ》をふり返って悩《なや》むつもりもない」

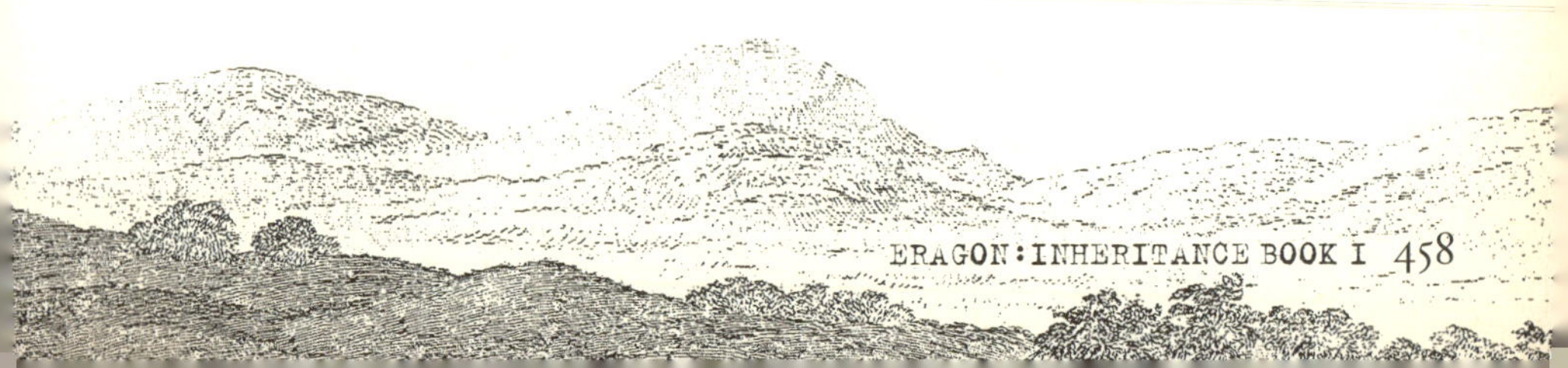

エラゴンはマータグの前に顔をつき出していった。「それにしても、やっていいことと悪いことがあるんだ」エラゴンはアーリアをサフィラにくくりつけ、スノーファイアにまたがった。「さあ行くぞ」マータグは、血だまりにころがるうつぶせの胴体をよけてトルナックを進めた。

一行は、一週間前には思いもよらなかったほどの速度で馬を走らせた。足に翼《つばさ》が生《は》えたかのように、何キロもの距離《きより》がうしろにすぎていった。やがて南へ向きを変え、二本の腕《うで》のように長くつらなる山脈のあいだを進んだ。二本の腕は、閉《と》じかかったペンチのようにのびている。先端《せんたん》へたどり着くには、丸一日かかりそうだった。だが山脈全体の規模《きぼ》から考えると、とるに足らない距離に思える。まるで巨人《きょじん》の棲《す》む谷にいるような気分だった。

一日の行程《こうてい》を終えると、エラゴンとマータグは器《うつわ》から顔もあげず黙々《もくもく》と夕飯を食べた。食事のあと、エラゴンはいった。「ぼくが最初の見張《みは》りをする」マータグはうなずき、背《せ》をむけて毛布《もうふ》の上にころがった。

〈すこし話すか?〉サフィラが声をかけてきた。

〈今はそういう気分じゃない〉エラゴンはつぶやいた。〈考える時間がほしい。頭のなかが……もやもやしてるんだ〉

サフィラはエラゴンの心にやさしく触《ふ》れ、〈愛している〉といって意識《いしき》からぬけていった。

〈ぼくもさ〉エラゴンはこたえた。サフィラは自分の体温を分けあたえるため、彼のとなりで丸くなった。エラゴンは闇《やみ》のなかにすわり、不穏《ふおん》な気持ちと戦った。

48

谷を飛ぶ

朝になると、サファイラがエラゴンとアーリアを乗せて飛び立った。エラゴンはしばらくのあいだマータグとはなれていたかったのだ。身ぶるいをして、衣服をかきあわせる。雪になりそうな気配だ。サファイラは上昇《じょうしょう》気流に乗ってゆるやかに高度をあげながらいった。〔なにを考えている？〕

エラゴンはビオアの峰《みね》に目をこらした。地面からはるか上空まで来ているのに、山頂《さんちょう》はまだまだ上にそびえている。〔昨日のあれは殺人だ。そうとしかいいようがない〕

サファイラは体を左にかたむけた。〔軽率《けいそつ》な行為《こうい》。りこうとはいえない。でもマータグは正しいことをしたと思っている。人間を売り買いをするような連中は、不幸な目にあって当然だと。アーリアのことがなかったら、わたしだってやつら全員を、ずたずたに引きさいてやっていた！〕

〔ああ〕エラゴンが情《なさ》けない気持ちでいった。〔でもトルケンブランドは無力だった。自分を守ることも、逃《に》げ出すこともできなかった。今にも頭をさげてあやまりそうだった。でも、マータグは相手にそんな機会もあたえなかったんだ。せめてトルケンブランドが戦える状態《じょうたい》だったら、これほど後味は悪くなかったんだろうな〕

〔エラゴン、たとえあの人が戦える状態だったとしても、同じ結果になっていた。いいか、あなたやマータグの剣《けん》に勝てる人間はそうそういるものではない。結局トルケンブランドは死んでいた。力のつりあわない者どうしの決闘《けっとう》であっても、あなたは戦って殺したほうが公正で名誉《めいよ》なことだと思っているのだろう〕

〔ぼくにはなにが正しいのかわからないんだ！〕エラゴンが苦しげに胸《むね》の内をさらした。〔どう考えたらいいのかわからないんだ〕

〔ときには、答えのない問題もある〕サフィラがやさしくいった。〔これを機にマータグを理解《りかい》しようとすればいい。そしてゆるしてあげなさい。もしゆるせないなら、忘《わす》れてしまうこと。どんなに無茶をしようと、彼はあなたを傷《きず》つけたりしないのだから。ほら、あなたの首はまだちゃんとついているでしょう〕

エラゴンは顔をしかめ、鞍《くら》の上で体をずらした。そして、ハエをふりはらう馬のように体をぶるぶるさせ、マータグの位置を確認《かくにん》しようとサフィラの肩《かた》ごしに地面を見おろした。ふと、通ってきた道のずっとうしろに一か所、色のかたまりがあるのに気づいた。

昨夜遅《おそ》く通った川べりに見えるそれは、アーガルの野営地《やえいち》だった。心臓《しんぞう》の鼓動《こどう》が速くなった。むこうは徒歩なのに、どうしてこれほど差をつめているのか？　サフィラもアーガルたちに気づいた。両の翼《つばさ》を下にかたむけ、空を切りさくように降下《こうか》をはじめた。〔やつらはまだわたしたちに気づいていない〕

そうであってほしいとエラゴンは思った。サフィラがさらに急降下すると、エラゴンはふきつける強風に目を細めた。〔やつらの首領《しゅりょう》は異常《いじょう》な速さで隊を進めてる〕

〔みな疲《つか》れきって死ねばいい〕

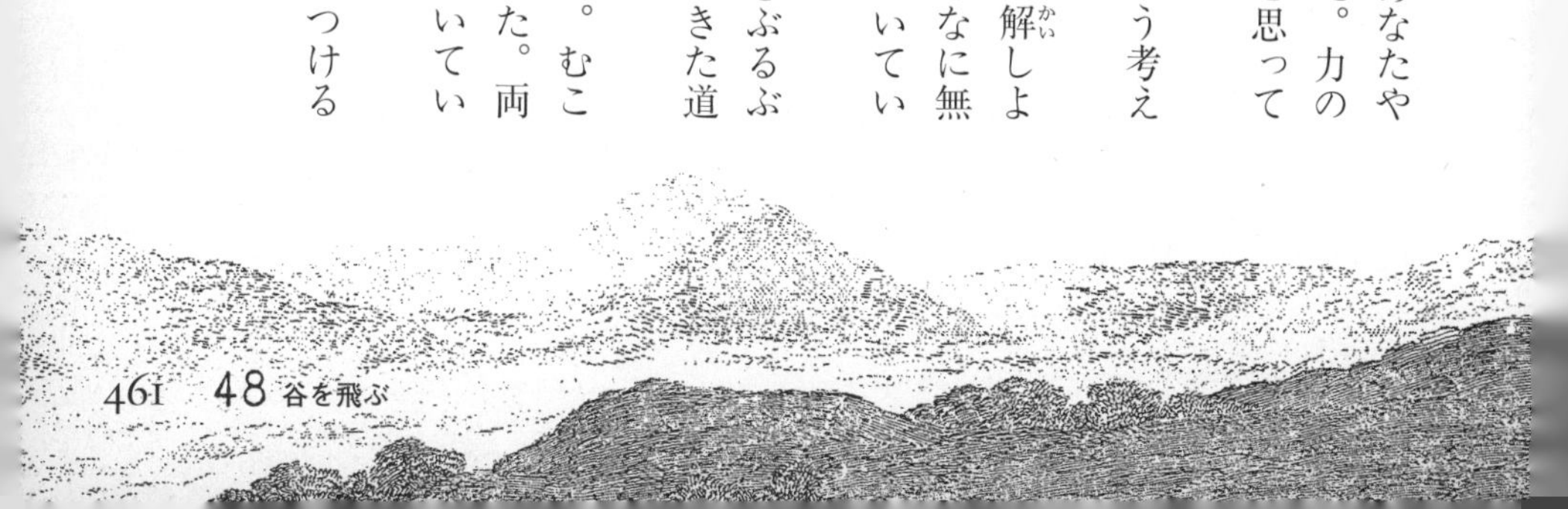

地面におりると、マータグが無愛想にきいてきた。「今度はなんだ?」

「アーガルに追いつかれそうだ」エラゴンはアーガルの一団《いちだん》が野営《やえい》する方角をしめした。

「あとどのくらい行けばいいんだ?」マータグは両手を空にあげ、日没《にちぼつ》までの時間をはかっている。

「ふつうの足で行けば……五日間くらいだろうな。でもこの速さで進めば、二日もあれば着くだろう。ただし、明日までに着かないとアーガルに追いつかれるし、アーリアの命もつきる」

「彼女はもう一日くらいもつだろう」

「あてにはならない」エラゴンが異《い》をとなえた。「残された時間でヴァーデンにたどり着くには、方法はひとつしかない。どんなことがあっても足をとめないこと。もちろん眠《ねむ》ってもいけない。道はそれだけだ」

マータグは苦々しげに笑った。「どうしてそんなことができる? ぼくらはもう何日もまともに寝《ね》ていない。ライダーの体の中身がふつうの人間とちがうんじゃなければ、きみだって同じように疲《つか》れてるはずだ。途方《とほう》もない距離《きょり》を進んできたんだからね。それから念のためいっておくが、馬たちだってたおれる寸前《すんぜん》だぜ。もう一日こんなことを続けるというなら、ぼくらは全滅《ぜんめつ》だ」

エラゴンは肩《かた》をすくめた。「それならそれでいい。ほかに選択肢《せんたくし》がないんだ」

マータグは山をにらんだ。「ぼくと別れて、きみはサフィラと行けよ……そうすればアーガルは隊をふた手に分けざるをえない。きみらが間に合う確率《かくりつ》も高くなるだろう」

「それは自殺行為《こうい》だ」エラゴンは胸《むね》の前で腕組《うでぐ》みをした。「なぜか徒歩のアーガルのほうが、馬に乗ってるぼくらより進むのが速い。きみなんか、シカを狩《か》るみたいにかんたんにつかまってしまう。助かる道はひとつ。ヴァーデンたちのすみかをさがして、みんなで逃《に》げこむことだ」エラゴンはそういいながら、マータグにこのままいてほしいのかどうか、自分でも確信がもてなくなっていた。ぼくは

彼のことが好きだ。心のなかでつぶやいてみる。でも今は、それがいいことなのかどうか、よくわからない。

「じゃあ、そこで別れる」マータグがとっさにいった。「ヴァーデンに着いたら、ぼくはなかに入らず谷にでも引っこんで、それからサーダへの道をさがす。あそこなら、人目を引かずに暮《く》らすことができる」

「それじゃ、いっしょに行くんだね?」

「眠《ねむ》れても眠れなくても、きみらがヴァーデンに行き着くのを見とどけるさ」マータグはいった。

　新しい決意を胸に、彼らはアーガルをなんとか引きはなそうと進みだした。それでも依然《いぜん》として、追っ手との差はつまるいっぽうだった。日暮《ひぐ》れごろ、怪物《かいぶつ》たちとの距離は、午前中の三分の一にも縮《ちぢ》まっていた。エラゴンたちは極度の疲労《ひろう》にむしばまれながら、馬にゆられたまま交代で眠り、どちらか起きているほうが二頭の馬の誘導《ゆうどう》を受け持った。

　ヴァーデン軍の地をさがす唯一《ゆいいつ》の手がかりは、アーリアが見せてくれた映像《えいぞう》だけだった。ただ、エルフの異質《いしつ》な心を読むのはむずかしく、ときに道をまちがえ、貴重《きちょう》な時間をムダにすることになった。彼らはヴァーデンの地へ続く谷をさがしながら、山脈のふもとにそって徐々《じょじょ》に東へ曲がっていった。やがて真夜中が来て、それがすぎても、谷はいっこうに現《あらわ》れなかった。

　朝日が顔を出すころ、一行はアーガルがはるか後方にいることを知り、気をよくした。「今日が最後の日だな」エラゴンは大きなあくびをした。「昼までにヴァーデンが見えてこなかったら、アーリアを連れて先に飛んでいこうと思う。そうなったら、きみはどこへ行こうと自由だよ。だけどそのと

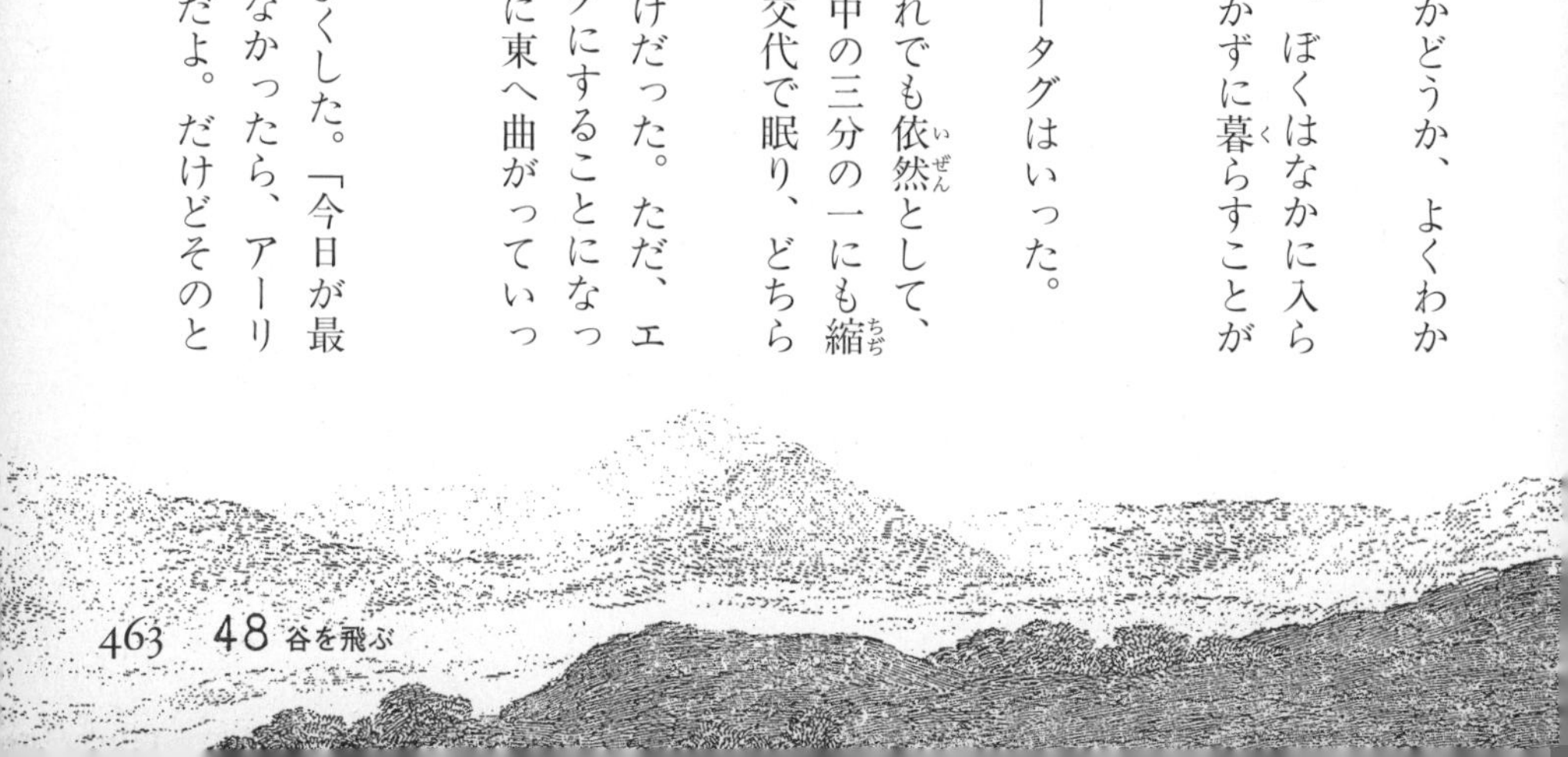

きは、スノーファイアを連れていってほしい。ぼくはもどってこられないだろうから」

「そうはならないさ。きっと間に合うよ」マータグは剣《けん》の柄《つか》をなでた。

エラゴンは肩《かた》をすくめた。「そうだな」アーリアのもとへ近づいて額《ひたい》に手をあてると、汗《あせ》ばんでいて異常《いじょう》なくらい熱かった。悪夢《あくむ》にうなされているかのように、まぶたの下で眼球《がんきゅう》がひくひくと動いている。もっとなにかしてやりたいのに、エラゴンにはぬれた布《ぬの》を額にあててやることしかできなかった。


昼近く、ひときわ大きな山を迂回《うかい》したところで、はるか前方に、山肌《やまはだ》にぴたりとくっつくようにのびる細い谷が見えてきた。うっかり見すごしてしまいそうなほど小さな谷だ。アーリアのいっていたベアトゥース川がそこから流れ出し、気まぐれに横へそれてから先へ流れていっている。エラゴンはほっとして笑《え》みを浮《う》かべた——あそこに行けばいいのだ。

ふり返ると、アーガルとの距離《きょり》が五キロほどに縮《ちぢ》まっている。エラゴンはマータグに、目的の谷をしめした。「このまま見つからずにあの谷にすべりこめたら、やつらはあわてるだろうな」

マータグは首をひねりながらいった。「だといいが、やつらはこれまで一度も見失うことなく、ぼくらのあとをつけてきたんだぜ」

一行は森に入り、ふしくれだった枝《えだ》の下をくぐりながら、谷へ近づいていった。木々はどれも背《せ》が高い。ひび割《わ》れた樹皮《じゅひ》の色はほとんど黒に近く、同じ色の針状《はりじょう》の葉をつけている。土からもりあがるごつごつした根は、人間のひざがむき出しになったかのようだ。地面に散らばる松ぼっくりは、どれも馬の頭くらい大きい。まっ黒なリスが梢《こずえ》で鳴きかわし、木々の洞《うろ》にはぎらりと光る目が見える。ねじれた枝から、トリカブトが緑色のひげのようにもつれあってぶらさがっている。

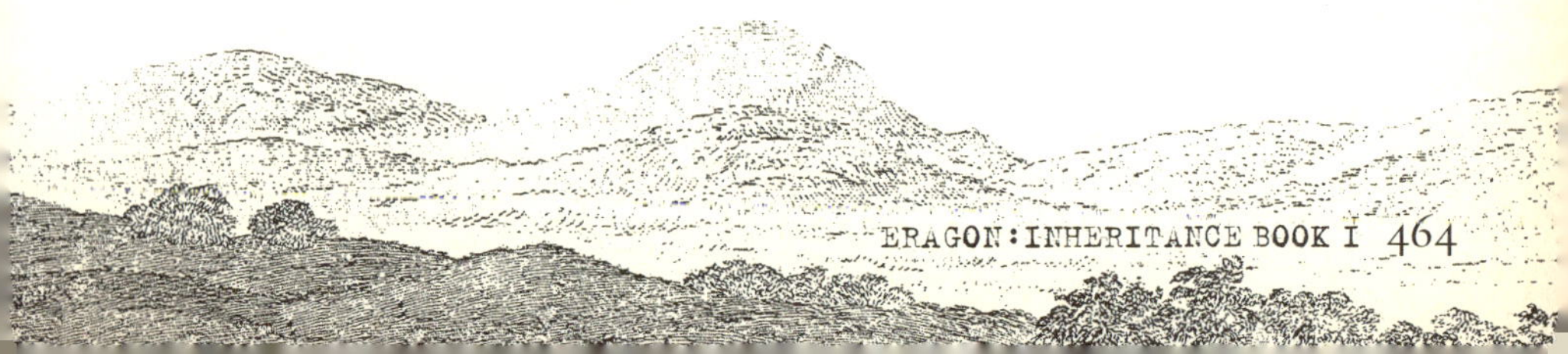

その森はエラゴンを不安な気持ちにさせた――うなじがちくちくとして、空気にも敵意《てきい》のようなものが感じられる。まるで森が侵入者《しんにゅうしゃ》に怒《いか》りをしめしているかのようだ。〔古い森だ〕サフィラは木の幹《みき》に鼻をくっつけていった。

〔うん。でも人をよせつけない感じがある〕奥《おく》へ入るほど、木々はどんどん密集《みっしゅう》していく。動きがとれなくなったサフィラは、アーリアを連れて空に舞《ま》いあがった。たどるべきはっきりした道もないので、エラゴンとマータグは歩調を落とさねばならなかった。わきにはベアトゥース川の流れが、ゴボゴボと水音を響《ひび》かせている。近くの峰《みね》が太陽をおおいかくし、昼間にもかかわらず夕闇《ゆうやみ》のなかにいるようだった。

ただの細い裂け目《さけめ》に見えていた谷が、近くまで来ると、じつはスパインの多くの谷と同じように広々としていることがわかった。きゅうくつに見えるのは、それをはさむ山々がとてつもなく大きいせいだった。いくつもの尾根《おね》が暗い影《かげ》をつくる切り立った山肌には、あちこちに滝《たき》が流れている。はるか頭上の空は曲がりくねった筋《すじ》にしか見えず、そのほとんどが灰色《はいいろ》の雲におおわれている。湿《しめ》っぽい地面からまとわりつくように霧《きり》が立ちのぼり、冷たい空気に吐《は》く息が白く見えた。野イチゴがコケとシダの絨毯《じゅうたん》の上に蔓《つる》を這《は》わせ、わずかにさしこむ日光を残らず吸収《きゅうしゅう》しようとしている。腐《くさ》った木々の山から、赤や黄色の毒キノコが生《は》えている。

音のすべてがどんよりとした空気にのみこまれ、あたりはあまりにも静かだった。林間の空き地に舞いおりたサフィラの翼《つばさ》の羽ばたきが、異様《いよう》に小さく聞こえる。サフィラは頭をふってあたりを見まわした。〔不思議な鳥の群《む》れを見た。黒と緑の鳥で、翼に赤いしるしがあった。あんなのを見たのは初めて〕

〔この山にあるものは、みんなどこかふつうじゃない〕エラゴンがこたえた。〔ちょっとぼくを乗せ

て飛んでくれないか？　アーガルの様子をたしかめておきたいんだ」
〔お安いご用！〕
エラゴンはマータグにむき直った。「ヴァーデンたちはこの谷の奥《おく》にいるはずだ。急げば日が落ちる前に行けるだろう」
マータグは両手を腰《こし》にあててぼやいた。「どうやってここから出ればいいんだよ？　この谷からぬけ出せるべつの谷なんてどこにも見えないぞ。それに、うしろからはアーガルがせまっている。ぼくはどこから逃《に》げればいいんだ？」
「その心配はいらないさ」エラゴンはいらいらしていた。「この谷はまだまだ奥まで続いてる。先へ進めば、かならずどこかに出口があるはずだ」エラゴンはアーリアをサフィラからはずし、スノーファイアの背《せ》にうつした。「アーリアをたのむ――ぼくはサフィラに乗って飛んでいく。この先で落ちあおう」エラゴンはサフィラの鞍《くら》によじのぼり、ストラップをしめた。
「気をつけろよ」マータグが呼《よ》びかける。眉間《みけん》にしわをよせて考えこんだあと、馬にむかって舌打《したう》ちをして、森のなかへもどっていった。
飛び立とうとするサフィラに、エラゴンはいった。〔山の頂上《ちょうじょう》まで飛んでいけるか？　ぼくらの目的地と、マータグの逃《に》げ道《みち》を確認《かくにん》したいんだ。この先延々《えんえん》と、文句《もんく》をいわれるのはごめんだからね〕
〔やってみる。でも上はものすごく寒い〕
〔たくさん着てきたから平気さ〕
〔では、しっかりつかまって。さあ、行こう！〕サフィラはエラゴンがうしろにのけぞるほどのいきおいで、上昇《じょうしょう》をはじめた。力いっぱい翼《つばさ》を羽ばたかせ、ふたり分の体重を高く高くもちあげていく。じきに眼下《がんか》の谷は緑色の線にしか見えなくなった。ベアトゥース川の日のあたる部分が、銀の組みひ

ものようにキラキラと光っている。

雲の層《そう》まで上昇すると、大気が湿《しめ》って氷のように冷たくなった。形のない灰色《はいいろ》の毛布《もうふ》におおわれたように、視界《しかい》は腕《うで》の先くらいまでしかとどかない。エラゴンはこの暗がりのなかで、なににも衝突《しょうとつ》しないことを願った。念のため手をのばし、さぐるようにふってみる。湿った空気で手がぬれ、腕を伝って袖《そで》にまでたれてきた。

ぼんやりとした灰色のかたまりが頭の上をかすめていった。見ると、白い足輪をはめたハトがくるったように翼をばたつかせている。サフィラはハトにむかって首をのばし、口をあけて舌をつき出した。鳴きたてるハトの尾羽根《おばね》の先をかすめて、サフィラの鋭《するど》い歯がガツンと噛《か》みあわさった。かろうじて命拾いしたハトは、死にものぐるいの羽音とともに、靄《もや》のなかへ消えていった。

雲の上へ出ると、サフィラの鱗《うろこ》はおびただしい水滴《すいてき》でおおわれていた。鱗の青を反射《はんしゃ》して、粒《つぶ》のひとつひとつが虹色《にじいろ》に光っている。エラゴンは体をゆすって服の水を飛ばし、寒さに身ぶるいした。もはや地上は見えず、目に入るのは山のあいだに連なる雲の丘《おか》だけだ。

山々の景色は森の緑から厚《あつ》い氷河《ひょうが》に変わり、太陽のもと、青や白に輝《かがや》いている。雪からの反射光にエラゴンは思わず目をつぶった。おずおずと目をあけてみるが、やはり強い光に目がくらんでしまう。閉口《へいこう》して、曲げた腕のすきまから下をのぞき見た。〔どうしておまえは平気なの？〕サフィラにきいてみた。

〔わたしの目はあなたのより強くできている〕

凍《い》てつくような寒さだった。エラゴンのぬれた髪《かみ》は凍《こお》ってぴかぴかの兜《かぶと》になり、シャツとズボンは手足をおおうかたい甲羅《こうら》になった。

サフィラの鱗は氷でつるつるになっていた。翼にはレースのような霜《しも》がおりている。これまでにな

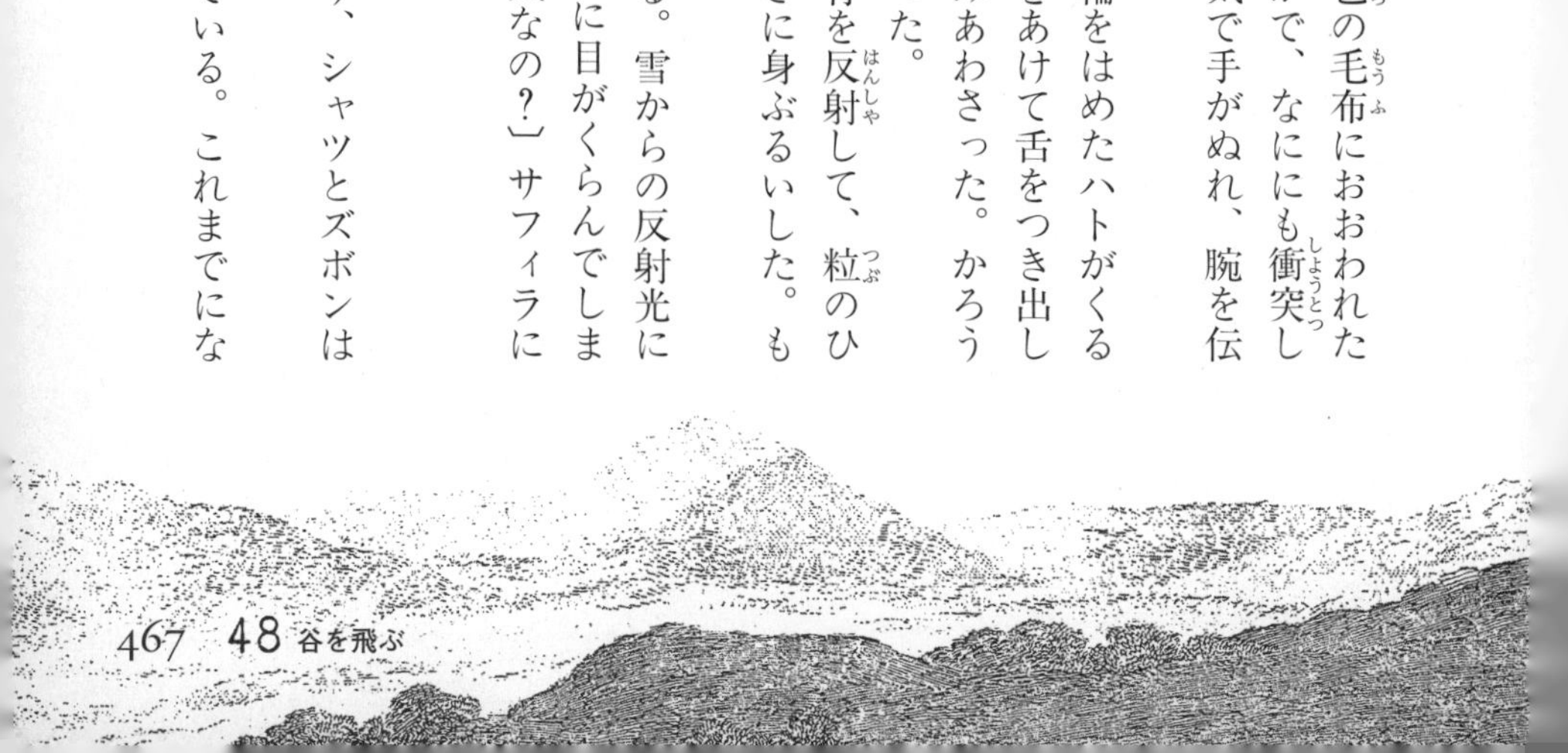

いほど高く飛んだのに、それでもまだ山頂《さんちょう》は何キロも上にあった。
サフィラの翼《つばさ》の動きが徐々《じょじょ》にのろくなり、苦しげな息づかいになってきた。エラゴンも荒《あら》い息をついている。空気がうすくなっているのだ。動揺《どうよう》をおさえ、サフィラの首の角《つの》をしっかりとつかんだ。
〔早く……ここをぬけなきゃ〕エラゴンがいった。目の前に赤い点々が浮《う》かんで見えた。〔だめだ……息ができない〕サフィラからの返事がないので、エラゴンはもう一度同じ言葉を送ってみた。今度はもっと強く。それでも、やはり返事がない。〔聞こえないんだ〕体がふらふらして、頭が働かなくなってきた。たまらず、サフィラのわき腹《ばら》をたたいてさけんだ。〔下におりるんだ！〕
そのとたん、めまいがおそってきた。視界《しかい》がかすみ、目の前が闇《やみ》におおわれた。

雲の層《そう》を下にぬけたところで、エラゴンの意識《いしき》がもどった。頭ががんがんしていた。〔いったいなにがあったんだ？〕サフィラにたずねた。上体を起こし、当惑《とうわく》の目であたりを見まわした。
〔あなたは気絶《きぜつ》していた〕
指で髪《かみ》をすくと、つららが引っかかった。〔そうか。でも、なんでぼくの呼《よ》びかけにこたえなかったんだ？〕
〔頭が混乱《こんらん》していたのだろう。あなたのいっていることは、まったくわからなかった。あなたが気を失ったとき、様子が変だと思って高度をさげてみた。なにが起きたかは、それほど下降《かこう》しなくてもわかったけれど〕
〔きみまで気絶しなくて、ほんとよかった！〕エラゴンはひきつった声で笑った。サフィラはしっぽをヒュンとふってこたえた。雲の上に消えてしまった山頂を、エラゴンはくやしそうにながめた。
〔頂上に立てなくて残念だった……でもこれではっきりしたよ。この谷をぬけるには、さっきみたい

に飛んで出るしかないんだ。だけど、どうして空気がうすくなったんだろう？　下にあるものが、なんで上にはないんだろう？〕
〔わからない。でも、わたしは二度と太陽の近くを飛んだりしない。肝《きも》に銘《めい》じておきなさい。べつのライダーと戦うようになったら、この経験《けいけん》が役に立つかもしれない〕
〔そんなことにならないよう願いたいね。とりあえず下におりよう。今日はもうこれ以上の冒険《ぼうけん》はしたくないよ〕
　山から山へとただよいながらおだやかな気流に乗っておりていくと、谷の入り口にアーガルの隊列が見えてきた。〔いったい全体、やつらはなんでこんなに速いんだ？　どうしてこれほどの速度を出し続けていられるんだ？〕
〔ほら、近づいたからよく見える〕サフィラがこたえた。〔あのアーガルたちは、前に見たアーガルより大きい。背《せ》の高い人間でも、あいつらの胸《むね》や肩《かた》あたりまでしかとどかない。どこから来たのか知らないが、あんなけだものを生み出すくらいだから、そうとう野蛮《やばん》な土地柄《とちがら》にちがいない〕
　エラゴンは眼下《がんか》に目をこらしたが、サフィラほどこまかい部分までは見えなかった。〔やつらがこのままの速度で追ってきたら、ヴァーデンを見つける前にマータグがつかまってしまう〕
〔希望をもちなさい！　森に入れば、やつらの速度も落ちるはず……魔法《まほう》で連中をとめることはできないのか？〕
　エラゴンは首を横にふった。〔無理だよ。だって……あんなに大勢《おおぜい》いるんだ〕そこでふと、谷底をおおう霧《きり》のことを思い出し、にやりとした。〔でも、歩みをのろくすることならできるかもしれない〕
　エラゴンは目を閉《と》じて、頭のなかの必要な言葉を拾い集めた。霧をじっと見すえ、声をはりあげた。
「ガス・ウン・レイサ・ドゥ・ラクー〔霧よ、力をあわせ、もうもうと湧《わ》け〕！」

眼下《がんか》で騒《さわ》ぎがはじまった。上空から見ると、地面がまるで川になってのろのろと流れ出したかのようだ。アーガルたちの前に鉛色《なまりいろ》の霧《きり》の帯が現《あらわ》れ、入道雲のように暗く分厚《ぶあつ》い壁《かべ》となって彼らを威圧《いあつ》している。アーガルたちはその前でしばしためらったものの、すぐに壁を打ちこわす金属棒《きんぞくぼう》のように、しゃにむに前へ突進《とっしん》していった。霧の壁におおわれ、先頭集団《しゅうだん》が視界《しかい》から消えた。

エラゴンはとつぜんの激《はげ》しい疲労《ひろう》におそわれ、心臓《しんぞう》が死にかけた鳥のようにバタバタしだした。目がまわり、息苦しさにあえいだ。自分をつかんでいる魔法《まほう》の手を断《た》ち切り、命の流れ出る穴《あな》にふたをしなければならない。彼はすさまじい声をあげて、自分と魔法を切りはなした。魔法の触手《しょくしゅ》は首を切られたヘビのようにのたうちまわり、彼の力のかすをつかんだまま、しぶしぶ意識《いしき》から退《ひ》いていった。眼下で霧の壁がこわれ、くずれゆく泥《どろ》の塔《とう》のように地面にひろがっていった。アーガルの前進はすこしもさまたげられなかった。

エラゴンはぐったりとサフィラにもたれ、激しい息をついた。今ごろになってブロムの言葉がよみがえってきた――魔法は距離《きょり》に影響《えいきょう》されるんじゃ。ちょうど弓矢や槍《やり》と同じでな。一キロはなれたところからものを動かそうとすれば、近くでやるよりずっと体力を消耗《しょうもう》する。〔そう、二度と忘《わす》れないぞ〕エラゴンは苦々しげに思った。

〔今さら遅《おそ》い〕サフィラがぴしゃりと口をはさんできた。〔最初はギリエドで土を水に変えようとした。そして今度はこれ。あなたはブロムの教えをさっぱり守ろうとしない。こんなことばかりしていたら、今に死ぬ〕

〔守ろうとしてるよ〕エラゴンがあごをかきながらいった。〔だけど、教わってから時間がたってるし、思い返す機会だってなかったから。ぼくはまだ一度も遠くから魔法を使ったことがないだろ、こんなにむずかしいこととは思わなかったんだ〕

サフィラがうなった。〔あなたなら、今度は死人を生き返らせようとするかもしれない。ブロムの教えだけはぜったいに忘れないこと〕

〔わかったよ〕エラゴンがいらだたしげにいった。サフィラはマータグと馬をさがしながら、いきおいよく降下《こうか》をはじめた。エラゴンも手伝いたかったが、今は体を起こしているだけで精《せい》いっぱいだった。

衝撃《しょうげき》とともにサフィラがせまい空き地におり立った。馬たちは足をとめ、マータグはそのそばでかがみこんで地面を調べている。エラゴンはどうしたのだろうと首をひねった。エラゴンがサフィラからおりずにいると、マータグが駆《か》けよってきた。「なにかあったのか？」その声には、怒《いか》りと不安と疲《つか》れが入りまじっている。

「……計算がくるってしまった」エラゴンは正直に話した。「アーガルたちがもう谷に入っている。なんとか撹乱《かくらん》しようとしたんだけど、ぼくが魔法の鉄則《てっそく》を忘れたばかりに、体力を使いきってしまった」

マータグは顔をしかめ、肩《かた》ごしに親指でうしろをさした。「今ちょうどオオカミみたいな足跡《あしあと》を見つけたんだ。でも、幅《はば》がぼくの両手をならべたくらいあって、三センチも土にめりこんでいる。このへんには、サフィラの身も脅《おびや》かすほどの野獣《やじゅう》がいるみたいだぞ」マータグはサフィラにむき直っていった。「きみが森のなかに入れないのは知っている。でもできれば、危険《きけん》なけものがよりつかないように、ぼくらの上空を旋回《せんかい》しながら飛んでほしいんだ。じゃないと、ぼくの体を食おうとしても、指先ほどの肉しか残らなくなるぞ」

「マータグ、こんなときに冗談《じょうだん》かい？」エラゴンはすこしだけ笑《え》みを浮《う》かべた。筋肉《きんにく》がふるえ、集中して考えることができなかった。

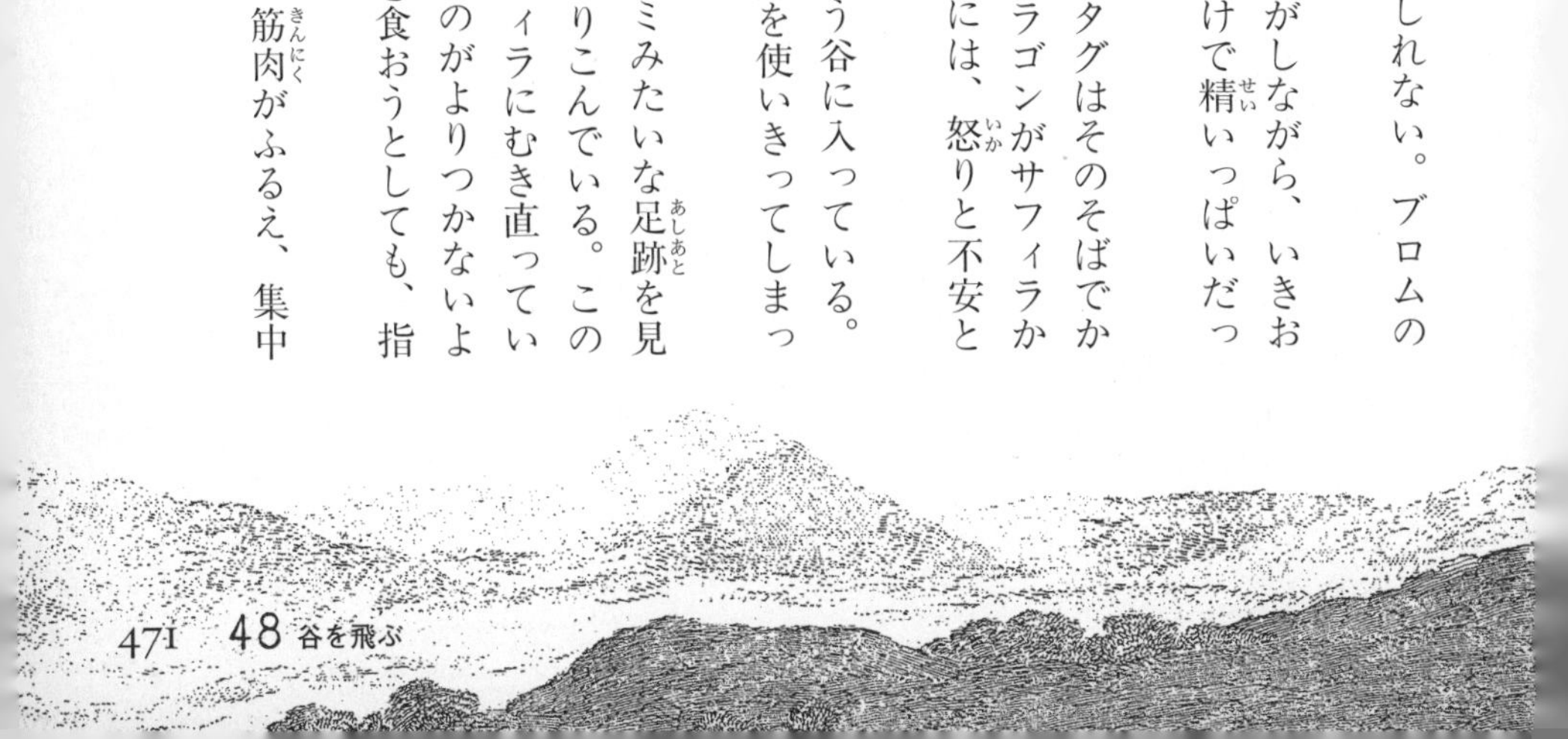

「絞首台《こうしゅだい》の上でしかいえない冗談《じょうだん》さ」マータグが目をこすりながらいった。「追ってくるのがずっと同じアーガルだとは思えない。鳥でもないかぎり、それは不可能《ふかのう》だ」

「サフィラの話だと、さっきの連中は、これまで見たどんなアーガルより大きいらしい」エラゴンがいった。

マータグが毒づいて、剣《けん》の柄《つか》をぎゅっとにぎった。「それで謎《なぞ》がとけた！　サフィラ、きみのいうとおりなら、やつらはカルだ。アーガルの精鋭《せいえい》部隊だ。あの首領《しゅりょう》を見たとき、気づくべきだったな。カルは体が重すぎて馬には乗れないんだ。背丈《せたけ》は二メートル半以上もある。不眠不休《ふみんふきゅう》で何日も走って、いつでも戦うことができる。アーガルひとりを殺すには、人間五人は必要だろうな。戦うときにしかねぐらから出てこないカルが、あれだけの大群《たいぐん》で来たんだ。よほどの大虐殺《だいぎゃくさつ》をやるつもりなんだ」

「逃《に》げきれるだろうか？」

「わからないな」マータグがいった。「やつらは強靭《きょうじん》だし、意志《いし》もかたい。それになんたってあれだけの人数だ。戦わざるをえない状況《じょうきょう》になったとき、唯一《ゆいいつ》の希望はヴァーデン軍の戦士だな。彼らがどこかから現《あらわ》れて、助けてくれることを祈《いの》るしかない。どんな技《わざ》があっても、サフィラがついていても、カルを追いはらうのは不可能《ふかのう》だ」

エラゴンは体がふらふらした。「すこしでいい、パンをもってきてくれないか？　なにか食べなきゃまいってしまう」マータグが急いでパンのかたまりをもってきた。古くてかたくなっていたが、エラゴンはありがたくそれをかじった。マータグは不安げな目で谷の先を見すえている、逃げ道をさがしているのだと、エラゴンは思った。「心配するなって、もっと先へ行けば逃げ道はきっとあるさ」

「当然だ」マータグは明るい顔をつくろい、ももをぴしゃりとたたいた。「さあ、出発だ」

「アーリアの具合は？」

マータグが肩《かた》をすくめた。「また熱があがった。何度も苦しそうに寝返《ねがえ》りを打っていた。しょうがないな。体力がどんどん落ちてるんだから。毒がこれ以上体を弱らせないうちに、彼女を連れてヴァーデンに飛んだほうがいいんじゃないか？」

「きみを置いては行けないよ」エラゴンがきっぱりといった。パンをひと口食べるごとに力がもどってきた。「アーガルが間近まで来てるんだからな」

マータグはまた肩をすくめた。「勝手にすればいいさ。だけどいっておくぞ。ぼくといっしょに残ったら、彼女は助からない」

「そんなことをいうな」エラゴンはサフィラの鞍《くら》の上で体を起こした。「彼女を助けるために、どうか力を貸《か》してほしい。きっとまだ希望はあるさ。命には命で――それが、トルケンブラントの死へのつぐないだ」

マータグの顔がたちまちくもった。「ぼくにやましい気持ちはなにもない。いったいきみは――」そこで、ふいに口を閉《と》じた。暗い森のほうから角笛《つのぶえ》の音が響《ひび》いてくる。「話はあとだ」と、馬のほうへあわただしく駆《か》けていく。手綱《たづな》をつかみ、エラゴンに怒《いか》りの一瞥《いちべつ》をくれると、速足で駆けていった。

エラゴンが目を閉じると、サフィラが空に飛び立った。やわらかいベッドにころがって、めんどうなことをすべて忘《わす》れてしまいたいと思った。〔サフィラ〕たまらない気持ちになって声をかけた。寒さをふせぐために手で耳をおおった。〔アーリアをヴァーデン軍のもとへ無事運ぶことができたら、またここにもどってこられないか？　マータグが逃げるのに手を貸してやりたいんだ〕

〔ヴァーデンたちがそうさせてくれるかどうか。あなたがもどるといえば、隠《かく》れ家《が》をアーガルにバラ

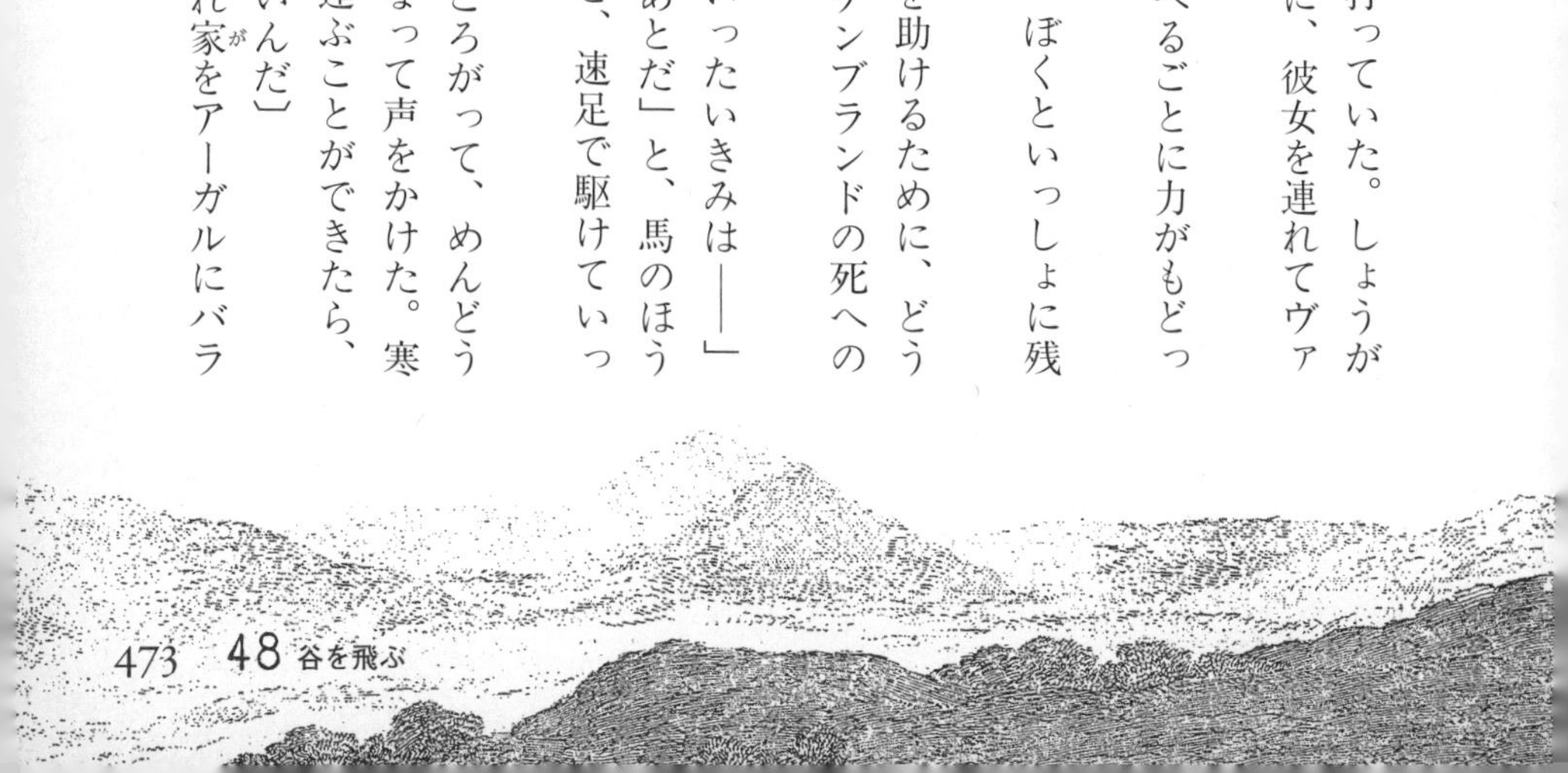

すためだと思われる。この状況《じょうきょう》で乗りこんでいっても、ヴァーデンの信頼《しんらい》は得られない。なにしろ隠《かく》れ家《が》の入口まで、カルの大群《たいぐん》を引き連れていくのだから〕

〔真実をありのままに話して、信じてもらえるよう祈《いの》るしかない〕エラゴンはこたえた。

〔カルがマータグに攻撃《こうげき》してきたら?〕

〔もちろん戦うさ! マータグもアーリアも見殺しにはしない〕エラゴンは憤然《ふんぜん》としていった。

サフィラが言葉のはしばしにかすかな皮肉をこめていった。〔ごりっぱなこと。ああ、そうか。わたしたちは、たくさんのアーガルをいっぺんにたおせるのだったな——あなたの魔法《まほう》と剣《けん》、わたしの牙《きば》と鉤爪《かぎづめ》で。だけどそんなもの、今回はなんの役にも立たない。あれだけの大群だ……かなうわけがない。負けるに決まっている〕

〔じゃあ、どうしろというんだ? ぼくはアーリアやマータグを見すてたりはしないぞ〕

サフィラはしっぽを左右にふった。尾《お》の先がヒュンヒュンと風を切る。〔べつにすすめるつもりはないが——こっちから先に攻撃《こうげき》をしかけたら? そのほうが勝ち目があるかもしれない〕

〔気でもくるったのか? そんなことをしたらやつらは……〕考えながら声が先細りになっていく。

〔なにもできないかもしれない〕出した結論《けつろん》に自分でおどろいた。

〔そう。安全な高さから、できるだけたくさんの攻撃をしかけてやる〕

〔石を落としてやろう!〕エラゴンが提案《ていあん》した。〔泡《あわ》を食《く》って逃《に》げていくぞ〕

〔よほどの石頭でもないかぎり〕サフィラは体を右にかたむけ、ベアトゥース川へ降下《こうか》していった。

サフィラは強い鉤爪で大きな丸石を、エラゴンは拳大《こぶしだい》の石を拾い集めた。石を乗せたサフィラは、アーガルの大群の上へ静かに飛んでいった。〔今だ!〕サフィラの声を合図に、石を放した。石の弾丸《たま》が木々にぶつかり、枝《えだ》の折れるくぐもった音が聞こえてきた。次の瞬間《しゅんかん》、谷間じゅうに怒号《どごう》が響《ひび》きわ

たった。

アーガルが逃《に》げ場《ば》をもとめて走りまわる声を聞き、エラゴンはひきつった笑《え》みを浮《う》かべた。〔もっと弾丸をさがしてこよう〕サフィラはうなり声でこたえ、ふたたび河床《かわどこ》におりていった。

重労働ではあったが、アーガルの前進をおくらせることはできた――ただし、完全にとめることはできなかった。エラゴンたちが石をとりにおりているあいだ、アーガルは着実に前進しているのだ。それでも、ふたりの努力のおかげで、マータグはアーガルの軍勢《ぐんせい》に追いつかれずにすんでいた。

数時間がすぎるうち、谷間に闇《やみ》がおりてきた。太陽の熱がとどかなくなると、谷には凍《い》てつくような寒気が流れこみ、地上の霧《きり》は凍《こお》って木々の枝に白くはりついた。夜行性《やこうせい》のけものが暗いねぐらから這《は》い出し、なわばりに侵入《しんにゅう》するよそ者に目を光らせている。

エラゴンは山腹《さんぷく》に目をこらし、旅の終わりを告げる滝《たき》をさがし続けた。時は刻々《こっこく》とすぎ、アーリアの死がせまっているのが痛《いた》いほどにわかった。「早く、早く」思わずつぶやきながら、地上のマータグを見おろす。石を拾いにおりようとするサフィラに、彼は声をかけた。〔ひと休みして、アーリアの様子を見に行こう。また一日が終わってしまう。彼女の命は数時間、いやもう数分しかもたないかもしれない〕

〔アーリアの命は運命にまかせるしかない。マータグといっしょに行くと決めたのだから、今さらそれを変えることはできない。いじいじ悩《なや》むのはやめなさい……こっちまで鱗《うろこ》がかゆくなる。わたしたちに今できるのは、アーガルに落石攻撃を続けること〕サフィラのいうことは正しいとはわかっていた。しかし、それで不安がやわらぐわけではなかった。ふたたび滝さがしをしようと目をこらしてみるが、視界《しかい》に入ってくるのは、びっしりと連なる山の尾根《おね》ばかりだった。

やがて谷に本物の闇《やみ》がおり、木々も山肌《やまはだ》も黒い雲のような闇におおわれていった。もはやサフィラの鋭《するど》い聴力《ちょうりょく》や敏感《びんかん》な臭覚《きゅうかく》をもってしても、鬱蒼《うっそう》とした森のなかにアーガルの居場所《いばしょ》を見つけることはできなかった。たのみの月が山の上に顔を出すには、まだ数時間はかかりそうだった。
サフィラはゆっくりと左に方向を変え、尾根《おね》のまわりをすべるように飛んだ。エラゴンは目の前になにかがかすめるのを感じ、目を細めてみた。前方にかすかな白い線が見える。〔ひょっとして、あれが滝《たき》じゃないか?〕
見あげる空は、まだ夕日の残光をたたえている。ふたつの山の黒い影《かげ》がお椀《わん》のように丸くぶつかって見えるのは、谷の閉《と》じていく部分にちがいない。〔谷の終わりはそう遠くはないぞ!〕エラゴンはそこをさしてさけんだ。〔ヴァーデンたちはぼくらがむかってることを知っているだろうか? 援軍《えんぐん》を送ってくれていないかな〕
〔わたしたちが敵《てき》か味方かを見きわめるまでは、期待できない〕というと、サフィラは地上に急降下《きゅうこうか》をはじめた。〔マータグのところへもどらなくては――アーガルが見えなくなった。わたしたちの知らないうちに、マータグに忍《しの》びよっているかもしれない〕
アーガルに太刀《たち》打ちできるのか不安に思いながら、エラゴンはザーロックを鞘《さや》からぬいた。サフィラはベアトゥース川の左手に着地し、敵の出現《しゅつげん》にそなえて身を低くした。遠くから滝の水音が聞こえていた。〔彼が来る〕耳を澄《す》ますと、ひづめの音が響《ひび》いてきた。マータグが森のなかから走り出て、ふたりの前を通過《つうか》していった。エラゴンたちに気づきながらも、速度を落とそうとはしなかった。
エラゴンはサフィラから飛びおり、ふらつきながらマータグを追いかけた。その背後《はいご》でサフィラは、木々にじゃまされずにあとを追うため川べりへむかった。エラゴンが情報《じょうほう》を伝えるより先に、マータグがいった。「きみとサフィラが石を落としてるのを見たぞ――たいしたもんだ。で、カルはふ

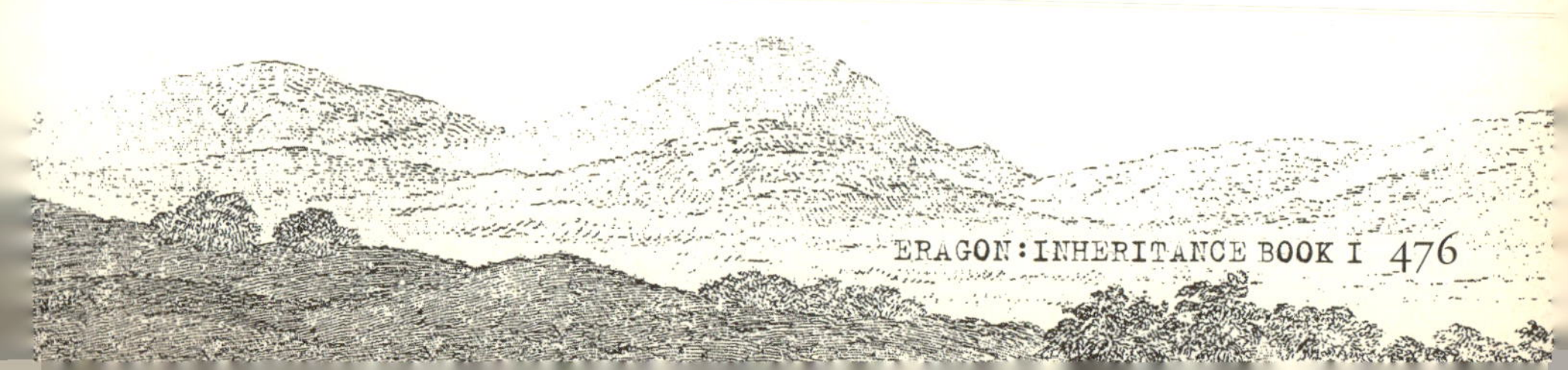

みとどまったか？　引き返していったのか？」

「やつらはまだうしろにいる。だけど、もう少しで谷の先に到達《とうたつ》するんだ。アーリアの様子は？」

「まだ死んじゃいない」マータグはそっけなくいった。ひどく荒《あら》い息をしている。激《はげ》しい感情《かんじょう》をおしかくすかのように、わざと落ち着きはらった声でたずねた。「それで、ぼくが逃《に》げられるような谷や岩間はあったのか？」

　あのあたりの山肌《やまはだ》にそんな切れ目があったかどうか、エラゴンは必死で思い出そうとした。マータグとヴァーデン軍の問題を、うっかり忘《わす》れてしまっていたのだ。「暗かったから……」エラゴンは低い枝《えだ》をくぐって走りながら弁解《べんかい》をはじめた。「見のがしたかもしれないけれど……なかったと思う」

　マータグはののしりの言葉を吐《は》き、手綱《たづな》をぐいっと引いて馬の足をとめた。「じゃあ、ぼくにはもうヴァーデンのもとへむかうしか道が残ってないというのか？」

「ああ、でも立ちどまるわけにはいかない。アーガルはもうそこまでせまっている！」

「だめだ！」マータグはどなり、エラゴンに指をつきつけてきた。「ぼくはヴァーデンのところへは行かないといったはずだ。なのにきみは、にっちもさっちもいかないところまでぼくを追いつめた。エルフの記憶《きおく》をさぐったきみなら、こうなることは最初からわかってたはずだろ。どうしてさっさといってくれなかったんだ？」

　エラゴンは一方的にどなられてかっとなり、反論《はんろん》をはじめた。「ぼくにわかっていたのは目的地であって、その途中《とちゅう》になにがあるかじゃない。いっしょにここまで来ると決めたのはきみなんだ。ぼくを責《せ》めないでほしい」

　歯のすきまから不満の音をもらし、マータグはそっぽをむいた。うなだれてじっと動かない彼の姿《すがた》を、エラゴンは肩《かた》をこわばらせて見つめた。首筋《くびすじ》の血管が激しく脈打っていた。腰《こし》に手をあて、いら

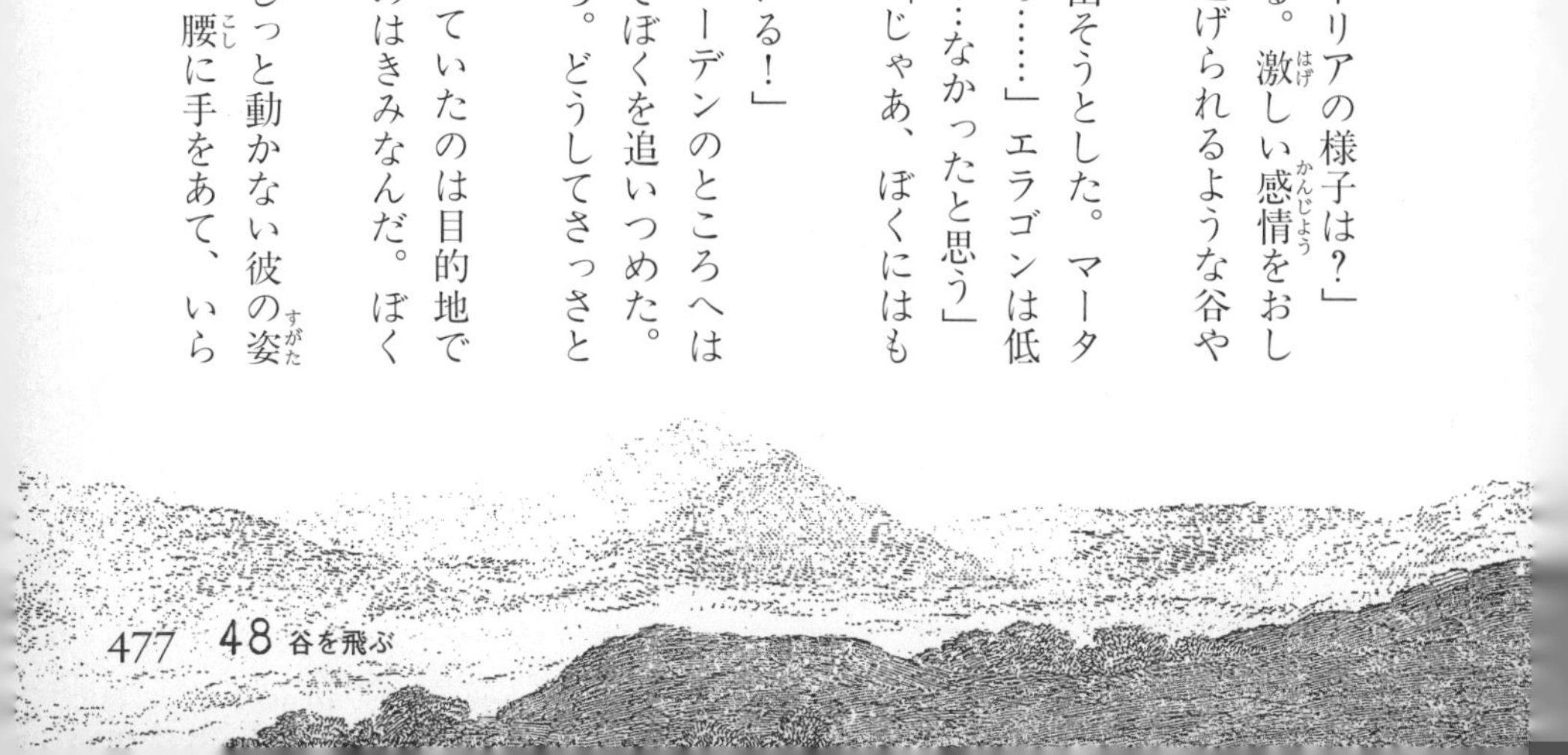

だたしさをおさえようとした。

〔落ち着きなさい〕不穏《ふおん》な気配を察知してサフィラがいった。

〔じゃましないでくれ〕「ヴァーデンとのあいだに、いったいどんな確執《かくしつ》があるんだ？　今さらかくしたってしょうがないだろう。告白するくらいなら、カルと戦ったほうがいいっていうのか？　こんなことを何度くり返せば、ぼくのをことを信用してくれるんだ？」

長い沈黙《ちんもく》が流れた。

〔アーガルが！〕サフィラがさしせまった口調でエラゴンに伝えた。

〔わかってる〕エラゴンは感情《かんじょう》をおさえていった。〔だけど、これだけはどうしても解決《かいけつ》しておかなきゃならないんだ〕

〔急いで〕

「マータグ」エラゴンがまじめな口調でいった。「死にたくないなら、きみもヴァーデンのもとへ行くしかない。でもぼくは、ヴァーデンがきみにどう反応《はんのう》するのかを知らずに、彼らのもとへ行きたくはないんだ。そうでなくてもじゅうぶん危険《きけん》なことなんだ。さけられる危険は、前もってさけておきたい」

ついにマータグがエラゴンのほうをむいた。追いつめられたオオカミのように、荒《あら》くて速い息をしている。一瞬《いっしゅん》ためらい、それから苦しげな声でいった。「きみには知る権利《けんり》があるな。ぼくは……ぼくは最初で最後の〈裏切《うらぎ》り者《もの》たち〉、モーザンの息子《むすこ》だ」

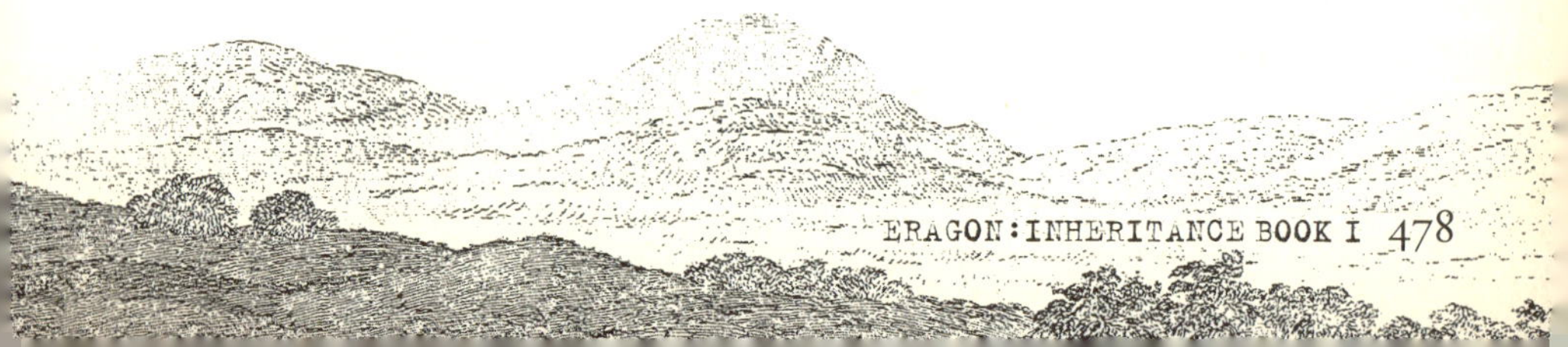

49
板ばさみ

エラゴンは言葉が出てこなかった。心が信じたくないとさけび、マータグの言葉をはねつけようとしていた。〈裏切り者たち〉にこどもなんかいるはずがない。ましてやあのモーザンに！　ライダーでありながらガルバトリックスに寝返《ねがえ》った男。最後の最後まで王の片腕《かたうで》として生きた男。そんなやつにこどもがいた？

ほどなくサフィラの衝撃《しょうげき》がエラゴンに伝わってきた。木々の枝《えだ》をはらいのけ、あたりのものをけちらしながら、川岸からこちらへむかってくる。エラゴンのとなりに来ると、牙《きば》をむき出し、威嚇《いかく》するように尾《お》をふりあげた。〔気をつけて。彼も魔法《まほう》を使えるかもしれない〕

「きみはやつの跡継《あとつ》ぎなのか？」エラゴンは手をひそかにザーロックにのばしながら、たずねた。彼はぼくをどうしたいのか？　本当に王に仕える身なんだろうか？

「ぼくは好きでやつのこどもに生まれてきたんじゃない！」マータグが怒《いか》りにゆがんだ顔でさけんだ。自分の服を荒々しくつかむなり、上着とシャツをはぎとり、上半身をあらわにした。「見ろ！」といって、エラゴンに背中《せなか》をむけた。

わけがわからないまま、エラゴンは身を乗り出して闇《やみ》のなかで目をこらした。マータグの日に焼け

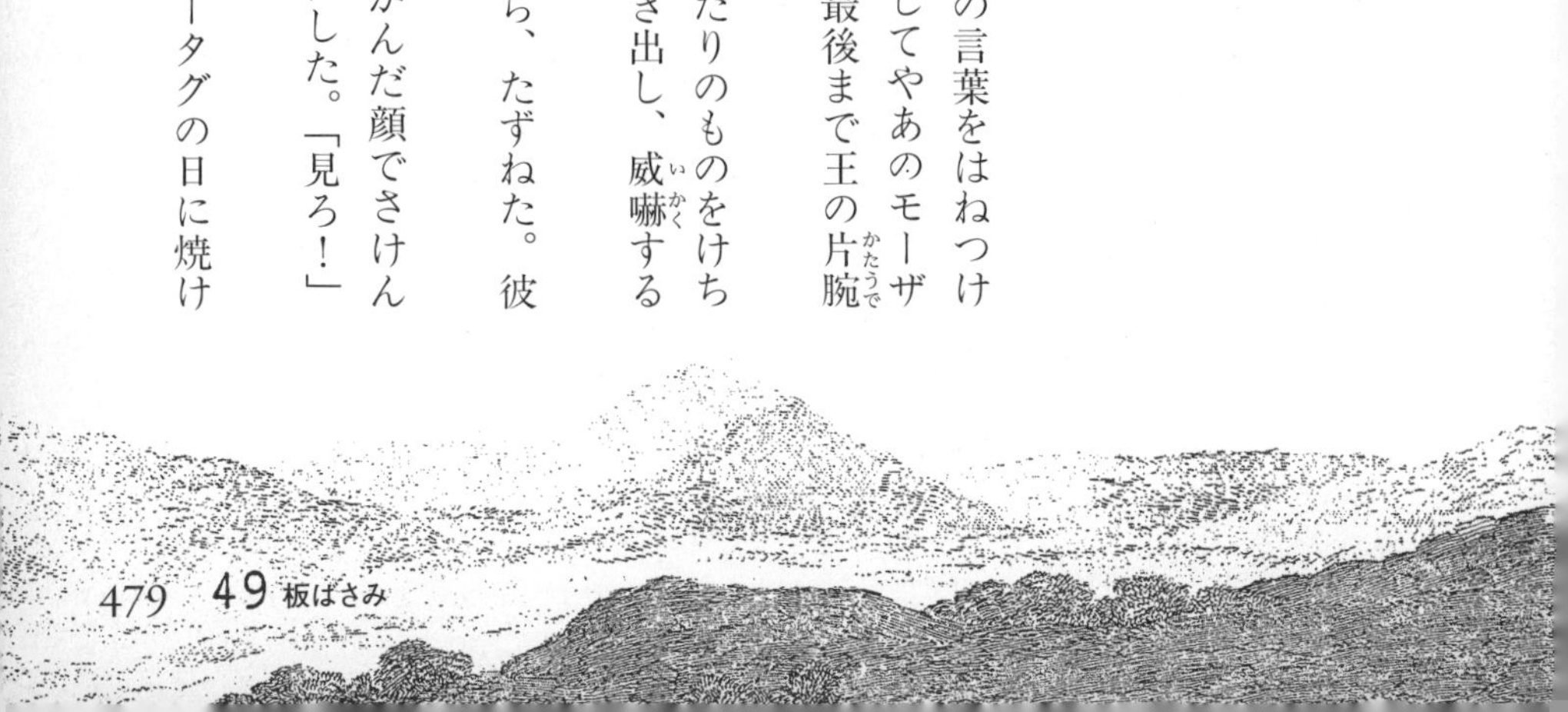

たくましい背中《せなか》には、右肩《みぎかた》から左の腰《こし》にかけて、白い傷《きず》がもりあがっていた――ひどい苦痛《くつう》を味わった証拠《しょうこ》だ。

「どうだ?」マータグが苦々しげにいった。秘密《ひみつ》を打ち明けた気楽さからか、急に早口になって話しだした。「三歳《さい》のときさ。モーザンはいつものように泥酔《でいすい》し、走って逃《に》げるぼくに剣《けん》を投げつけてきた。ぼくの背中はぱっくり割《わ》れた。今きみが手にしているその剣でね――ブロムがやつを殺してうばいとるまで、そいつは唯一《ゆいいつ》、ぼくが父親から受《う》け継《つ》ぐはずのものだった。たぶん、ぼくは運がよかったんだろうな――そばに治療師《ちりょうし》がいて、死なずにすんだからね。これだけはわかってほしい。ぼくには、帝国《ていこく》や王を愛する気持ちなんて、これっぽっちもない。やつと手を組んで戦うつもりも、きみを傷《きず》つけるつもりもいっさいないんだ!」マータグはけんめいにうったえた。

エラゴンは不安ながらも、ザーロックの柄《つか》から手をはなした。「そして、きみの父親は、殺された……」

「そう、ブロムにね」そう平然といってのけると、上着を身につけた。

背後《はいご》から響《ひび》いてくる角笛《つのぶえ》の音を聞き、エラゴンがさけんだ。「さあ、いっしょに走るんだ」マータグは手綱《たづな》をつかみ、前方を見すえて馬を走らせた。スノーファイアの鞍《くら》の上で、アーリアのぐったりとした体が上下している。サフィラは長い足をゆうゆうとのばして、エラゴンのわきを走りだす。

〔おまえは、川岸のほうがじゃまなものがなくて走りやすいだろう〕はり出す枝《えだ》をボキボキ折りながら走るサフィラに、エラゴンはいった。

〔あなたと彼をふたりきりにはできない〕

エラゴンはサフィラの気持ちがうれしかった。モーザンの息子《むすこ》! エラゴンは走りながらマータグにいった。「きみの話は、とても信じられない。嘘《うそ》じゃないとどうしていえる?」

「嘘をつく必要がどこにある?」

「たとえば――」

マータグがぴしゃりとさえぎった。「今は証明できるものがなにもない。ヴァーデンのところへ行くまで、疑《うたが》っていればいい。彼らがすぐにぼくの正体を見やぶるさ」

「これだけはきいておきたい」エラゴンは食いさがった。「きみは帝国の僕《しもべ》か?」

「ちがう。もしそうだったら、きみと旅をすることになんの意味がある? きみを殺したりつかまえたりするのがぼくの使命なら、あのまま牢屋《ろうや》に入れておいたはずだ」マータグは倒木《とうぼく》を飛びこえようとしてよろめいた。

「ヴァーデンのもとへアーガルをみちびくのが使命かもしれない」

「ならば、どうしていまだにきみといっしょにいる? もうヴァーデン軍の居場所《いばしょ》はつかめたんだ。彼らを攻《せ》めるつもりなら、とっくにきびすを返してアーガルの軍勢《ぐんぜい》に加わってるはずだ」

「暗殺者かもしれない」エラゴンが力なくいった。

「そうかもな。なにをいっても信じる気はないんだろう?」

〔サフィラ、どう思う?〕エラゴンはさりげなくたずねた。

サフィラの尾《お》がエラゴンの頭上でシュッシュッと音を立てた。〔あなたを傷つけるつもりなら、とっくにそうしているはず〕

木の枝がエラゴンの首筋《くびすじ》にあたり、皮膚《ひふ》にひと筋の血が流れた。滝《たき》の音は徐々《じょじょ》に大きくなっている。〔ヴァーデンのところに着いたら、きみにはマータグを見張《みは》っててほしい。なにかバカなことをするかもしれない。彼を死なせたくないんだ〕

〔できるだけのことはする〕サフィラは分厚《ぶあつ》い樹皮《じゅひ》をこそげ落としながら、木のあいだを肩でおしの

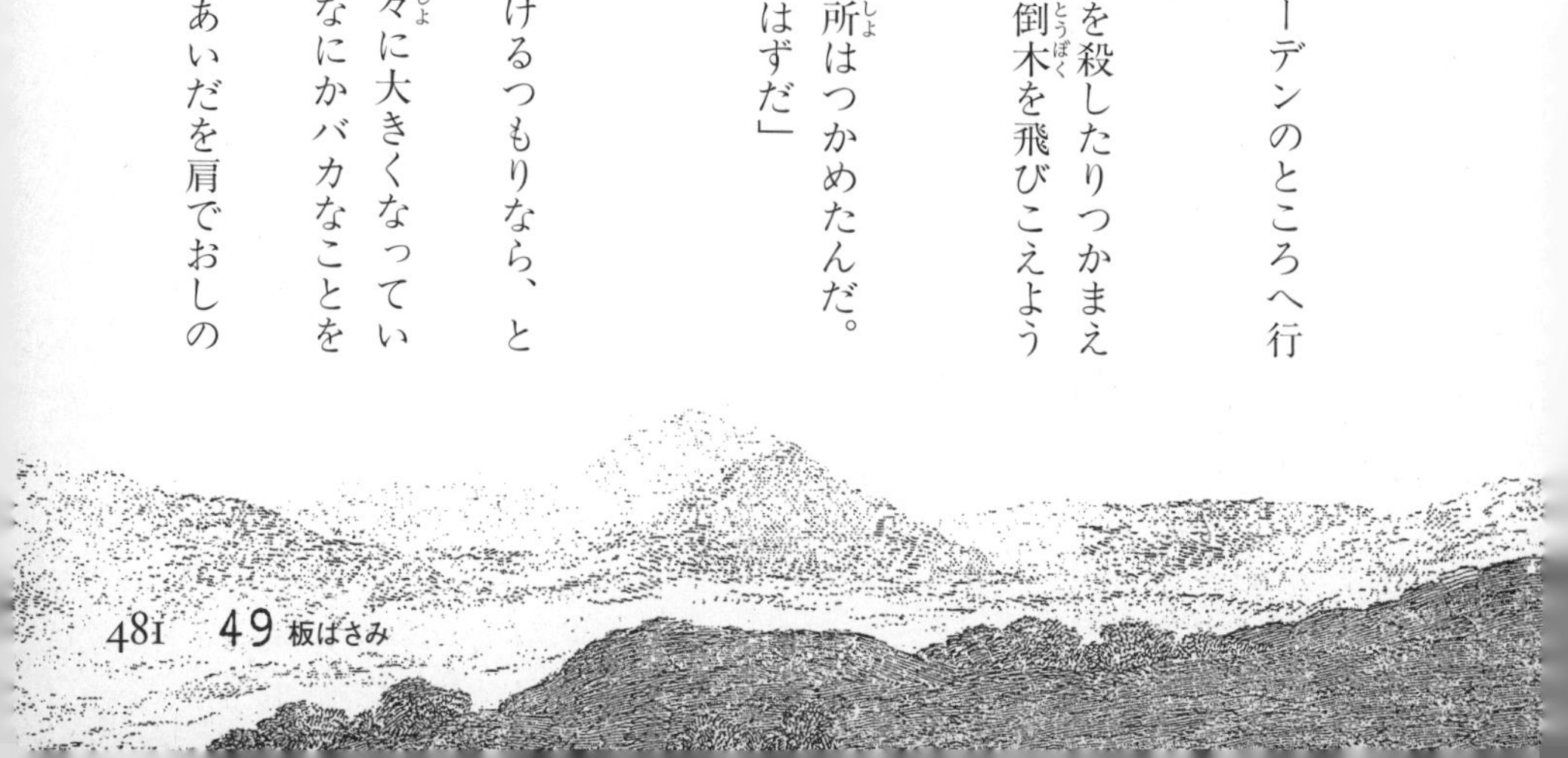

けて通った。後方でまた角笛《つのぶえ》の音がとどろいた。暗がりからアーガルが飛び出してきやしないかと、エラゴンは背後《はいご》に目を走らせた。前方では夜のしじまをやぶって、滝《たき》がゴボゴボと低い音を響《ひび》かせている。

森が終わると、マータグが馬をとめた。そこは砂利《じゃり》におおわれた湖畔《こはん》だった。ちょうどベアトゥース河口《かこう》左手にあたる。コスタ・メルナの深い湖が谷間を満たし、彼らの行く手をふさいでいた。またたく星の光を浴びて水がきらきらと輝《かがや》いている。湖岸には山肌《やまはだ》が壁《かべ》のようにせまり、水ぎわの通り道をわずか数歩分ほどにせばめている。むこう岸には、黒い崖《がけ》から幅《はば》の広い滝が流れ落ち、湖面を激《はげ》しく泡立《あわだ》てている。

「滝へ行くのか？」マータグがうわずった声でたずねた。

「ああ」エラゴンが先頭に立って湖の左岸を歩いていった。足もとの小石は湿《しめ》って泥《どろ》をかぶっている。切立つ崖と湖のあいだの道は、サフィラにはせますぎて、片側《かたがわ》の足二本はどうしても水のなかにつかってしまう。

滝までの距離《きょり》を半分ほど進んだところで、マータグがふいにさけんだ。「アーガルだ！」

エラゴンはかかとで砂利《じゃり》を飛び散らせながら、ぐるりとふり返った。アーガルたちの巨体《きょたい》が、森から続々と飛び出してくる。コスタ・メルナの岸の、ほんの数分前に彼らが立っていたあたりだ。アーガルの大群《たいぐん》が湖のほとりにひとかたまりになった。ひとりがサフィラのほうを指さした。耳《みみ》ざわりな言葉が水面《みなも》をわたってくる。アーガルの群《む》れはすみやかにふた手に分かれ、湖の両側からおしよせてくる。エラゴンとマータグは逃《に》げ道《みち》をうばわれた。図体の大きなアーガルは、せまい岸辺を一列になって進まなければならない。

「走れ！」マータグがさけんだ。剣《けん》をぬいて馬たちのわき腹《ばら》をたたいた。サフィラは体を回転させ、

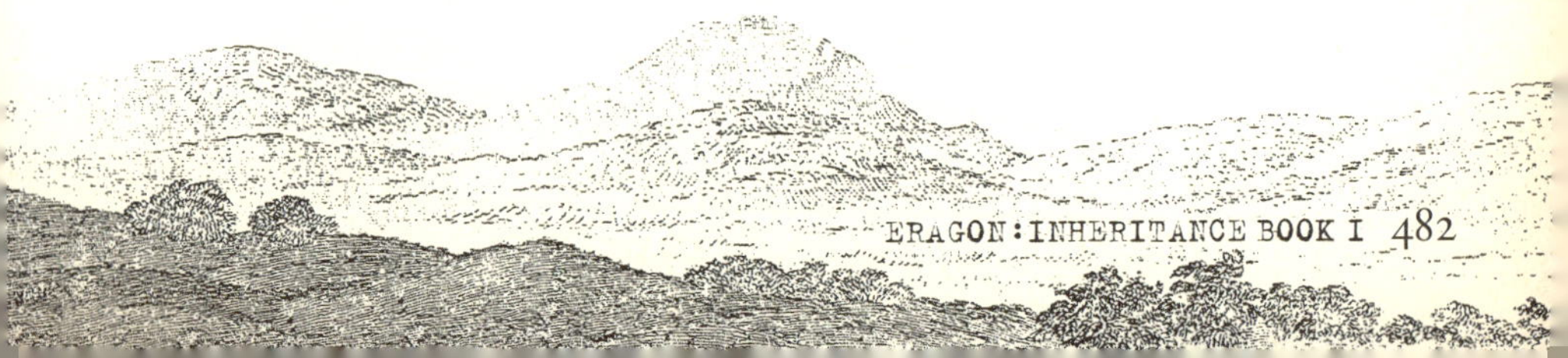

なにもいわずにアーガルたちにむかっていった。

「だめだ！」エラゴンがさけび、心のなかでうったえた。〈もどってくるんだ！〉だがサフィラのほうは、エラゴンの必死の呼《よ》びかけもむなしく、いっこうに足をとめる様子はない。エラゴンは悲痛《ひつう》な思いでサフィラから目をそらし、ザーロックをぬいて前方につっこんでいった。

サフィラは激しい咆哮《ほうこう》をあげながらアーガルのなかに飛びこんでいった。アーガルたちは散らばって逃《に》げようとするが、山腹《さんぷく》にはばまれて動けない。サフィラはカルをひとり鉤爪《かぎづめ》でつかみ、絶叫《ぜっきょう》する怪物《かいぶつ》を高くもちあげて、牙《きば》で引きさいた。一瞬《いっしゅん》ののち、ぐったりとした死骸《しがい》は湖面にたたきつけられた。死骸には腕《うで》と足が一本ずつない。

カルたちは依然《いぜん》としてひるまず、湖岸を進み続けている。サフィラは鼻腔《びこう》から煙《けむり》をふき出し、ふたたび怪物《かいぶつ》たちにむかっていった。飛んでくる無数の黒い矢を、体をねじったりふったりしながらよける。ほとんどの矢はわき腹をかすめ、かすり傷《きず》ができただけだが、なかには翼《つばさ》をつらぬくものもある。

サフィラの苦痛がエラゴンの腕に痛《いた》みとなって伝わり、助けに行きたい気持ちを必死にこらえた。うしろからは、一列になったアーガルがどんどんせまってくる。恐怖《きょうふ》が血管のなかを洪水《こうずい》のように流れていた。もっと速く走りたいのに、筋肉《きんにく》は疲労《ひろう》し、足もとの石はひどくすべりやすい。

やがてザブーンという大きな音を立てて、サフィラが湖へ飛びこんでいった。その巨大な体が完全にしずむと、水面をさざなみがわたった。アーガルたちはひたひたとおしよせる暗い水の動きを、緊《きん》張《ちょう》の目で見ている。ひとりが意味不明の言葉をわめきながら、槍《やり》を湖面につきさした。

湖面が割《わ》れ、サフィラの頭が水の底から現《あらわ》れた。がぶりと槍に噛《か》みつき、カルの手からそれをすさまじい力でねじりとり、小枝《こえだ》のように折った。カルの体に噛みつこうとするサフィラに、仲間たちが槍をつき出し、その鼻を血だらけにした。

サフィラは怒《いか》りのうなりをあげて体をそらし、しっぽで激《はげ》しく水をたたいた。槍《やり》の先をサフィラにむけたまま、先頭のカルが横向きになって通りぬけようとした。サフィラはその足に噛《か》みついて、進行をとめた。先頭がつかまったせいで、ひとつらなりのカルが足をとめざるをえなくなった。しかし、むこう岸のカルたちは依然《いぜん》として滝《たき》にせまっている。

〔こっちはなんとか食いとめた〕サフィラが短くいう。〔だが急いで――長くはもちそうもない〕岸で弓をかまえたカルは早くも彼女にねらいを定めている。エラゴンはけんめいに前へ進もうとするが、足もとの石がくずれて前につんのめった。マータグのたくましい腕《うで》にささえられて、かろうじてころばずにすんだ。ふたりは握手《あくしゅ》のかわりに前腕《ぜんわん》をからめあわせると、馬に大声で呼《よ》びかけ前進を続けた。

滝はもう目の前だった。流水の音が、なだれのようにほかの音をすべてのみこんでいる。白い水の壁《かべ》が岩々にものすごいいきおいでたたきつけ、霧《きり》をまき散らしている。その霧がエラゴンたちの顔にもはりついて流れ落ちてくる。轟音《ごうおん》をあげる水のカーテンから四メートルほどのところに、なんとか歩いて通れそうな場所があった。

敵《てき》の槍が腰《こし》をかすり、サフィラはうなり声をあげてふたたび水のなかに体をしずめた。そのすきにカルは大またで先を急ごうとする。エラゴンたちとの距離《きょり》は、もはやわずか百メートルほどしかない。「どうするつもりだ?」マータグがとがめるようにいう。

「わからない。考えさせてくれ!」エラゴンがさけんで、アーリアの最後の指示《しじ》を頭に浮《う》かべた。地面からリンゴほどの大きさの石をさがし出し、それをつかみあげる。石で滝の横の崖《がけ》をたたき、大きな声でいった。「エイ・ヴァーデン・アブラ・ドゥ・シャートゥガル・ガタ・ヴァンタ(ライダーの長《おさ》だ、道をあけてほしい)」

なにも起きない。

エラゴンはもう一度ためした。今度はもっと大きな声でさけんだが、手にすり傷《きず》が残るだけでなにも起こらない。がっくりきてマータグをふり返った。「もうこれは――」言葉がとぎれた。彼らに氷のような冷水を浴びせて、サフィラが湖から飛び出してきたのだ。岸にあがったサフィラは、すぐさま身を低くして戦いにそなえた。

馬たちがあとずさりはじめ、今にも逃《に》げ出しそうだ。エラゴンは心のなかで馬たちをなだめようとした。〔うしろ!〕サフィラがさけんだ。ふりむいたエラゴンの目のはしに、重い槍をかまえて突進《とっしん》してくるカルの姿《すがた》が見えた。間近で見るカルは、まるで巨人《きょじん》だ。背《せ》が高く、手足は木の幹《みき》ほどに太い。

マータグは腕をうしろに引き、目にもとまらぬ速さで剣《けん》を投げつけた。長い剣はくるりと一回転し、鈍《にぶ》い音とともにカルの胸《むね》につきささった。ゴボゴボと苦しげな声を発しながら、カルの巨体が地面にたおれた。次のカルがおそいかかってくるより早く、マータグが走り出て死骸《しがい》の剣をぬきとった。

エラゴンが掌《てのひら》をあげてさけんだ。「ジェルダ・セイラ・カルフィス!(足よ、折れろ)」なにかがくだけるような音が崖に響《ひび》きわたった。突進してきた二十人あまりのカルが絶叫《ぜっきょう》し、骨《ほね》のつき出た足をおさえてバタバタと湖に落ちていく。だが、残りのカルはすこしもひるまず、大またで前進してくる。エラゴンは疲労感《ひろうかん》と戦いながら、サフィラの体に手をのせてその力を借りようとした。

弓矢がいっせいに飛んできた。暗闇《くらやみ》のおかげでねらいを定めにくいのか、矢はエラゴンたちの体をかすめて崖にぶつかっていく。エラゴンとマータグは頭を手でおおい、身をかがめた。サフィラが小さく吠《ほ》えてその前に飛び出し、鱗《うろこ》におおわれた体で彼らや馬の盾《たて》となる。二度めの一斉射撃《いっせいしゃげき》がはじま

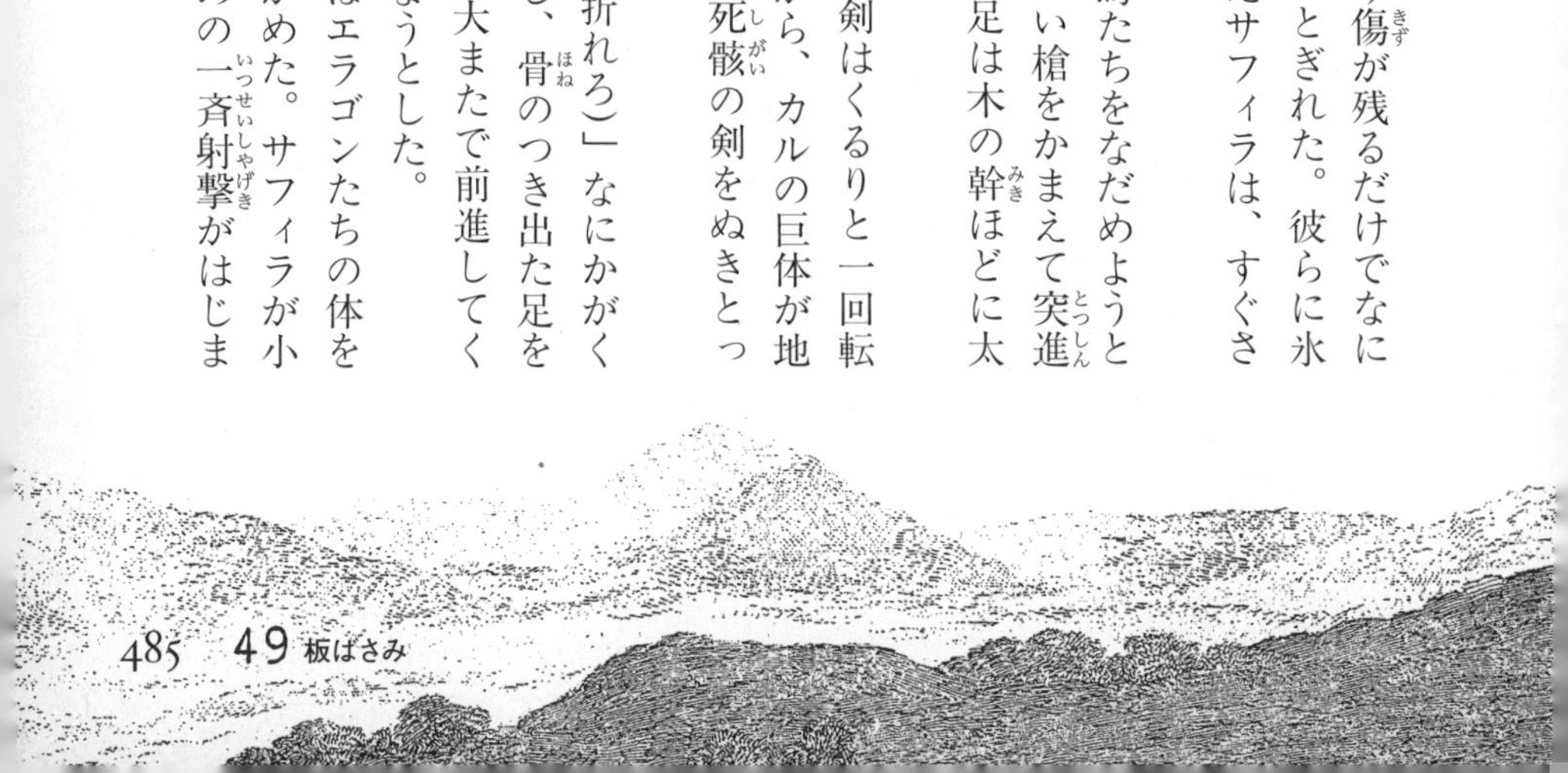

り、鱗《うろこ》ではじけ飛ぶ矢の音がカチンカチンと響《ひび》いた。

「さあ、どうする？」マータグが声をあげる。まだ崖《がけ》には入り口らしきものは現《あらわ》れない。「いつまでもここにいるわけにはいかないぞ！」

サフィラが大きくうめいた。矢が彼女の翼《つばさ》の縁《ふち》をとらえ、うすい膜《まく》をつきやぶっている。なぜアーリアの教えてくれたとおりにならないのか？　エラゴンは半狂乱《はんきょうらん》であたりを見まわし、その答えをさがそうとした。「どうしてなんだ！　ここがアーリアのいっていた場所なのに！」

「彼女にきいてみたらどうだ？」マータグは剣《けん》を捨《す》て、トルナックの鞍袋《くらぶくろ》から弓をひったくり、サフィラの背中《せなか》の角《つの》のあいだからすばやく矢を放った。たちまちカルがひとり、水に落ちていった。

「今？　彼女は生きているだけで精《せい》いっぱいなんだぞ！　しゃべる気力なんてどこに残ってる？」

「知らないよ！」マータグがどなった。「とにかくなにか方法を考えてくれ。こいつら全部をとめるのはとても無理だ！」

〔エラゴン〕サフィラがせっぱつまった声で呼《よ》びかけてきた。

〔どうした！〕

〔この場所ではない！　あなたを通してわたしもアーリアの記憶《きおく》を見ていた。それで、今気がついた。わたしたちは滝《たき》の反対側にいる〕新たな矢の嵐《あらし》がおそってきて、サフィラは胸《むね》に頭をふせた。打ちつける矢の痛《いた》みに、しっぽを激《はげ》しくふり動かした。〔もうたえられない！　このままでは、ずたずたにされてしまう！〕

エラゴンはザーロックを鞘《さや》にもどし、大声でいった。「ヴァーデンのすみかは湖のむこう側らしい。滝を通りぬけなきゃならない！」反対側からまわってきたカルの一団《いちだん》が、もうじき滝へ達しようとしている。エラゴンはそれを見てあせった。

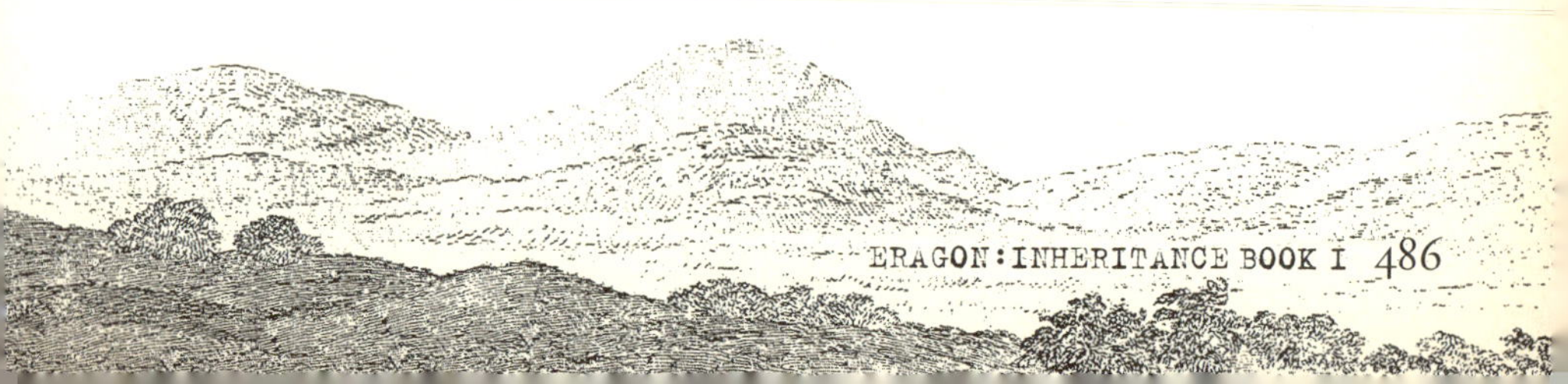

マータグは、彼らの前に立ちはだかる獰猛《どうもう》な水の壁《かべ》を見すえた。「馬は無理だ。たとえぼくらが行けたとしても、馬はぜったいに無理だ」

「ぼくが馬を説得する」エラゴンがぴしゃりといった。「アーリアはサフィラが運べばいい」カルたちのけたたましいさけび声に、スノーファイアがおこったように鼻を鳴らした。エルフはその背で危険《きけん》も知らずにぐったりと体をのばしている。

マータグは肩《かた》をすくめた。「切りきざまれて死ぬよりはましだな」そういうと、アーリアを結わえていた縄《なわ》を手早く切り、スノーファイアの鞍からおろした。エラゴンはすべり落ちる彼女の体を抱《だ》きとめた。

〔用意はいい〕サフィラがいった。身を低くして待っている。近づいてきたカルはサフィラの意図がわからずに、攻撃《こうげき》をためらっている。

「今のうちだ!」エラゴンがマータグに声をかけ、ふたりでアーリアの体をサフィラの鞍におしあげた。ストラップで足をしばって準備《じゅんび》が整うと、サフィラはすぐさま翼をひろげ、湖上へ舞《ま》いあがった。背後《はいご》にいたカルは怒《いか》りの声をあげながら、飛んでいくサフィラを見ている。放たれた矢がサフィラの腹《はら》ではじかれて落ちてくる。むこう岸のカルたちは、サフィラの先まわりをしようと倍の速度で走りだす。

エラゴンは気持ちを集中させ、おびえる馬たちの心に侵入《しんにゅう》した。古代語を使って、滝をぬけていかなければ、怪物《かいぶつ》たちに食われてしまうのだといい聞かせる。すべての言葉は理解《りかい》できなくても、馬たちにエラゴンの意図はしっかりと伝わった。

スノーファイアとトルナックは頭をふりあげると、流れ落ちる滝に飛びこみ、打ちつける水勢《すいせい》の激しさにいなないた。それでも、水にしずまぬよう必死にもがきながら泳いでいった。マータグも剣を

鞘《さや》におさめ、馬のあとに続いた。彼の頭は泡立《あわだ》つ水のなかに消え、一瞬《いっしゅん》ののち、水を吐《は》きながら浮《う》かびあがってきた。

カルたちはエラゴンのすぐ背後《はいご》までせまっていた。砂利《じゃり》をふむ音がはっきりと聞きとれる。勇ましい鬨《とき》の声とともにエラゴンもマータグのうしろに飛びこみ、冷たい水がおそいかかる寸前《すんぜん》に目をつぶった。

怒涛《どとう》のような水が両肩《りょうかた》にのしかかり、すさまじい力で彼の体をしずめようとしていた。水のうなりが耳いっぱいにひろがっていく。体がどんどん下へしずみこみ、湖底の砂利にひざがめりこんだ。エラゴンは渾身《こんしん》の力で湖底をけりつけた。空気をもとめて水の上に顔を出すと、そこへまた激《はげ》しい流水がおそいかかり、水中におしもどされた。

目の前はただぼんやりと白かった。まわりには水の泡が激しくうねるばかりだ。焼けつくような肺《はい》に空気を満たすため水面へあがろうともがくが、一メートルもあがっただけで水勢《すいせい》におさえこまれる。手足をめちゃくちゃに動かし、ただもう死にものぐるいで水と戦った。だがザーロックとぬれた服の重みに負け、魔法《まほう》の言葉をつぶやくこともできず、彼は湖底へと引きずりこまれていった。

ふいにがっちりとした手に上着の背《せ》をつかまれ、体が浮きあがった。エラゴンをつかんだその者は、強くすばやく水をかき、ぐんぐん水面へあがっていく。エラゴンは自分を引きあげているのが、カルではなくマータグであることを祈《いの》った。ふたりは水面に顔を出し、砂利の岸辺に這《は》いあがった。エラゴンは激しく体をふるわせた――全身が破裂《はれつ》しそうなほどふるえていた。

右手に不穏《ふおん》な音が響《ひび》き、エラゴンはカルの攻撃《こうげき》だと思ってふりむいた。だが怪物《かいぶつ》たちは――ほんの数分前にエラゴンたちのいた――むこう岸で、崖《がけ》の裂《さ》け目《め》から飛んでくる矢の嵐《あらし》に射《う》たれて次々とたおれている。湖には矢のささった何体ものカルの死骸《しがい》が、腹《はら》を上にして浮かんでいる。エラゴンの立

っている岸のカルたちもまた、同じようにぬきさしならない状況《じょうきょう》になっていた。怪物たちはすべて、その場に身をさらしたまま退《ひ》くに退けずにいる。なぜなら、どこから現《あらわ》れたのか、カルたちの背後、湖と山が出会うあたりに戦士たちが列をなしてならんでいたからだ。目の前のカルがエラゴンに突進《とっしん》してこないのは、絶《た》え間《ま》なく飛んでくる矢の雨のせいだった——とつぜん現れた弓の射手《しゃしゅ》たちは、怪物たちを追いつめて逃《に》がさないことに決めたらしい。

エラゴンのとなりからしわがれ声が響いてきた。「アカ・グンテラ・ドルジェータ（いやはや、壮絶《そうぜつ》な）！　それにしても彼らはいったいなにを考えているんだ？　もうすこしできみは溺《おぼ》れるところだった！」エラゴンはびっくりして体をひきつらせた。となりに立っているのはマータグではなく、背《せ》が彼のひじのところまでしかない小男だ。

ドワーフは編《あ》んだあごひげからせっせと水をしぼり出していた。がっちりとした胸《むね》に鎖帷子《くさりかたびら》をつけ、袖《そで》のない肩《かた》からたくましい腕《うで》が出ている。腰《こし》に巻《ま》いた幅広《はばびろ》の革《かわ》ひもから、戦闘用《せんとうよう》の斧《おの》がぶらさがっていた。頭にかぶるのは牛革に鉄ばりの兜《かぶと》。十二の星にかこまれた金槌《かなづち》の紋章《もんしょう》が入っている。その兜の高さを足しても、背丈《せたけ》は百二十センチ足らず。男は戦いの様子をうっとりとながめながらいった。「バーズル（忌《い》まわしい）、だがわしもいっしょに戦えたらなあ！」

ドワーフだ！　エラゴンはサフィラとマータグの姿《すがた》をさがしながら、ザーロックを鞘《さや》からぬいた。ふと見ると、崖《がけ》の岩壁《いわかべ》に、厚さが歩幅《ほはば》三歩分もありそうな石の二枚扉《にまいとびら》が開かれている。奥《おく》に見えるのは、天井《てんじょう》が十メートルもある広々としたトンネル。岩の奥へ奥へとどこまでも続いているかのようだ。通路にならぶ淡《あわ》いランプが、サファイアブルーの光を湖面に降《ふ》りそそいでいる。

サフィラとマータグはトンネルの入口で、人間とドワーフのまじった集団《しゅうだん》にかこまれていた。マータグのひじをつかんでいるのは、紫《むらさき》と金色のローブを着た坊主頭《ぼうずあたま》の男だ。ほかのだれよりも背が高い

その男は、マータグののどに短剣《たんけん》をつきつけている。

エラゴンが魔法《まほう》を使おうとすると、ローブの男が恐《おそ》ろしげな声でそれを制《せい》した。「やめるんだ！　魔法を使えば、大事な友人を失うことになる。この友人は、親切にもきみがライダーであることを教えてくれた。どんな手を使ってくるのかぐらい、こっちにはわかっている。わたしの目をあざむくことなどできない」エラゴンが口を開きかけると、男は歯をむいてうなり、マータグののどにあてた短剣に力をこめた。「なにもいうな！　わたしにことわりなくしゃべったり動いたりしたら、こいつの命はないぞ。さあみんな、なかに入れ」男はマータグの体を自分に引きよせながら、エラゴンに目をすえたまま、トンネルのなかへ入っていった。

〔サフィラ、どうしよう？〕エラゴンはとっさにきいた。坊主頭《ぼうずあたま》の男にしたがって、兵士やドワーフたちが、エラゴンたちの馬をひいてぞろぞろとトンネルへ入っていく。

〔いっしょに行くしかない〕サフィラはこたえた。〔殺されないことを祈《いの》りなさい〕トンネルに入っていくサフィラを、まわりの男たちがおびえた目で見ている。エラゴンもしかたなくサフィラにしたがった。兵士たちの目が自分に注がれているのはわかっていた。彼を助けたドワーフも、斧《おの》をにぎってエラゴンといっしょに歩きだした。

疲《つか》れはてていたエラゴンは、ふらつく足で山の内奥《ないおう》に入った。全員がなかに入ると石の扉《とびら》が、ささやくような音を立ててしまった。ふり返って見ても、崖《がけ》にはもはや扉があったことをしめす筋《すじ》すらなかった。完全に閉《と》じこめられたのだ。だがはたしてこのなかは、外より安全なのだろうか？

50
答えをもとめて

「こっちだ」坊主頭の男が吐《は》きすてるようにいった。男は短剣をマータグのあごの下につけたままあとずさると、右をむき、アーチ状《じょう》の入り口から奥《おく》へ消えた。兵士たちはエラゴンとサフィラを用心深く見張《みは》りながら、男のあとについていった。馬たちはべつのトンネルにひいていかれた。

思いがけない展開《てんかい》にとまどいながら、エラゴンはマータグのあとに続いた。サフィラをちらりと見て、アーリアの体がまだその背《せ》にくくりつけられていることを確認《かくにん》する。〈早く解毒剤《げどくざい》をあたえないと！〉焦燥感《しょうそうかん》がおそってくる。今こうしているあいだにも、スキルナ・ブラーがその邪悪《じゃあく》な目的を遂《と》げようと彼女の肉体を蝕《むしば》んでいるのだ。

エラゴンはアーチ状の入り口を急ぎ足でぬけ、坊主頭の男のあとを追ってせまい廊下《ろうか》を歩きだした。兵士たちの武器《ぶき》は、ずっとエラゴンにむけられている。やがて、体じゅうに針《はり》の生えた奇妙《きみょう》な動物の彫像《ちょうぞう》の前を通りすぎた。廊下は急角度で左へ曲がり、次にまた右へ曲がっている。一枚《まい》の扉が開かれ、サフィラも自由に動けるほどの広い部屋に入った。くぐもった音を立てて扉がしまると、外からかんぬきをかける音がした。

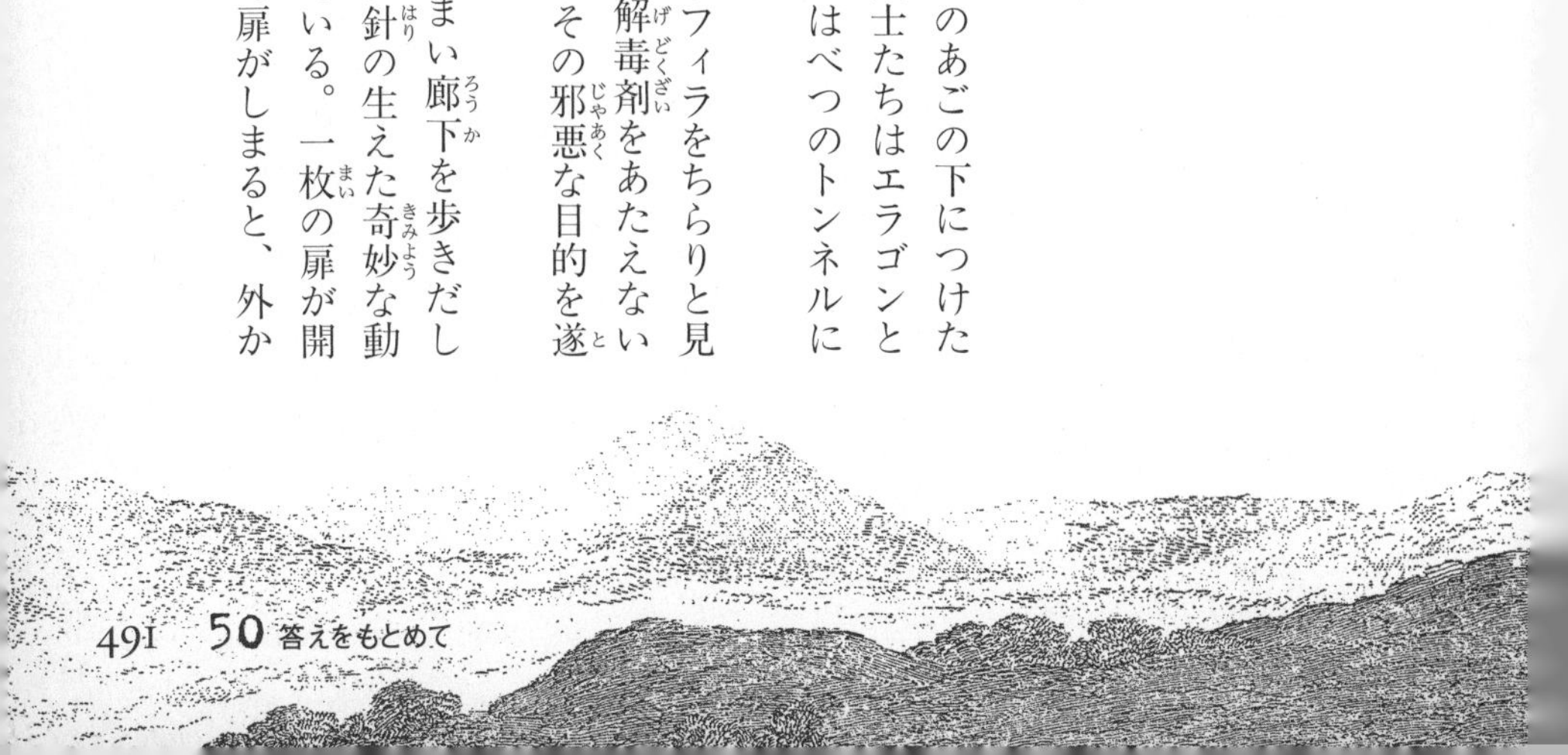

エラゴンはザーロックをにぎりしめ、部屋のなかをじっくりと観察した。壁《かべ》も床《ゆか》も天井《てんじょう》も、すべてがみがきあげられた白い大理石でできている。筋《すじ》の入ったミルク色の鏡のようなそれらに、彼らの姿《すがた》が亡霊《ぼうれい》のように映《うつ》っている。四すみには風変わりなランタンがつりさげられている。「じつはケガ人が――」いいかけるエラゴンを、坊主頭《ぼうずあたま》の男が鋭《するど》く手をふってさえぎった。

「しゃべるな！　審査《しんさ》が終わるまで口を開いてはならん」男はマータグをひとりの兵士にあずけた。兵士はすかさずマータグの首筋に剣《けん》をおしつける。坊主頭の男は両手を組み、静かな声でいった。

「武器《ぶき》をはずして、こちらにすべらせるんだ」ドワーフがマータグのバックルをはずすと、ガチャリと音を立てて剣が床に落ちた。エラゴンは気の進まないまま、バックルをはずし、ザーロックと鞘《さや》を床に置いた。さらに弓と矢筒《やづつ》もはずして横にならべ、まとめて兵士たちのほうへおし出した。「さあ、今度はドラゴンからはなれて、ゆっくりとこっちへ来い」男が命令した。

エラゴンはわけがわからぬまま前へ進み出た。ふたりの距離《きょり》が一メートルほどに縮《ちぢ》まると、男がいった。「そこでとまれ！　意識《いしき》の壁《かべ》をすべてはずすんだ。きみの考えていることや記憶《きおく》の中身を調べさせてもらう。もしなにかをかくそうとすれば、必要なものは力づくでいただいていく……そうなるときみは気がくるってしまうがな。したがわぬなら、友人の命はないぞ」

「なぜそんなことを？」エラゴンが呆然《ぼうぜん》としてたずねた。

「きみがガルバトリックスの僕《しもべ》ではないことをたしかめ、なぜ何百ものアーガルがおしよせ、正面の扉《とびら》をたたいているかを知るためだ」男がうなった。より目がちの男の目が、用心深く左右へ動く。

「何者も審査を受けないかぎり、ファーザン・ドゥアーには入れるわけにいかない」

「時間がないんだ。治療師《ちりょうし》を呼《よ》んでほしい！」エラゴンがうったえた。

「だまれ！」男が吠《ほ》え、細い指でローブのしわをのばした。「審査を受けるまでは、なにをいっても

ムダだ！」

「でも、彼女は死にかけているんだ！」エラゴンがアーリアをさしてつめよった。自分のあやうい立場はわかっていても、アーリアが治療されないうちは、いいなりになるわけにはいかなかった。

「それはあとでいい！　事実をあきらかにするまで、ひとりとしてこの部屋を出てはならん。もし――」

　ふいに、エラゴンを湖から救ったドワーフが前へ飛び出してきた。

「あんたは目が見えんのかい、エグラス・カーン（坊主頭の主《あるじ》）？　ドラゴンの背中《せなか》にはエルフがいるだろうが！　彼女が死にかけてるなら、ぐずぐずしておられん。死なせたりしたら、みなアジハドと王に首をはねられてしまうぞ！」

　男の目が怒《いか》りでつりあがった。だがすぐに冷静さをとりもどし、よどみない口調でいった。「もっともだ、オリク。そんな事態《じたい》は引きおこしたくない」男はアーリアをさして、指をパチンと鳴らした。「彼女をドラゴンからおろせ」ふたりの兵士が剣を鞘におさめ、おずおずとサフィラに近づいていく。サフィラは彼らをじっと見つめ返している。「早く、早くしろ」

　兵士たちはストラップをほどき、エルフの体を床におろした。片方《かたほう》の兵士が彼女の顔をのぞきこみ、甲高《かんだか》い声を発した。「ドラゴンの卵《たまご》を運ぶ密使《みつし》、アーリアだ！」

「なんだと？」坊主頭の男がさけんだ。ドワーフのオリクがおどろいて目を見開いた。坊主頭の男は鋼《はがね》のような目でエラゴンをにらみ、きっぱりとした口調でいった。「どういうことか説明してもらおう」

　エラゴンはありったけの決意をこめて、男に真剣《しんけん》なまなざしをむけた。「彼女は監獄《かんごく》に入れられているあいだにスキルナ・ブラーを飲まされたんだ。助けるには、トゥニヴァース・ネクターを飲ませるしかない」

男の表情《ひょうじょう》がどこか謎《なぞ》めいたものに変わった。体は動かぬまま、ときおり唇《くちびる》だけがピクピクとひきつっている。「よくわかった。彼女を治療師《ちりょうし》のもとへ連れていけ。治療師たちには、必要な薬を伝えるんだ。審査《しんさ》が終わるまで彼女を警護《けいご》しろ。あとでまた指示《しじ》を出す」兵士らは軽くうなずくと、部屋からアーリアを運んでいった。エラゴンはついていきたい衝動《しょうどう》をおさえながら、その様子を見守っていた。そこへまた、坊主頭《ぼうずあたま》の男の声が響《ひび》いた。「もういいだろう。ずいぶん時間をムダにしてしまった。審査の準備《じゅんび》をしなさい」

エラゴンはこの高圧的《こうあつてき》な男に侵入《しんにゅう》などされたくなかった。心のなかのあらゆる考えや感情をさらけ出すのはいやだった。だが抵抗《ていこう》できないこともわかっていた。あたりの空気は緊張《きんちょう》に満ちていた。マータグの視線《しせん》が額《ひたい》にキリキリとささってくる。ついにエラゴンは頭をさげた。「準備はいいよ」

「よろしい。それでは——」

オリクが口をはさむ。「彼を傷《きず》つけちゃいかんよ、エグラス・カーン。王のおしかりを受けることになるからな」

男はいらだたしげにオリクをにらんだあと、うすら笑いを浮《う》かべてエラゴンを見た。「彼が抵抗しなければだいじょうぶさ」頭をさげ、聞きとれないほどの声で言葉をとなえはじめる。

男の意識《いしき》が触手《しょくしゅ》のように心のなかを這《は》い進んでくると、エラゴンは激《はげ》しい痛《いた》みとおどろきに息をのんだ。白目をむき、無意識のうちに防壁《ぼうへき》をきずこうとする。しかし相手は信じられないほど強い力で攻《せ》めてくる。

〔だめ！〕サフィラがさけんだ。彼女の思いがエラゴンのそれと合体し、力が満ちてくる。〔マータグを危険《きけん》にさらすことになる！〕エラゴンははっとして、歯を食いしばった。そして無理やり防壁を

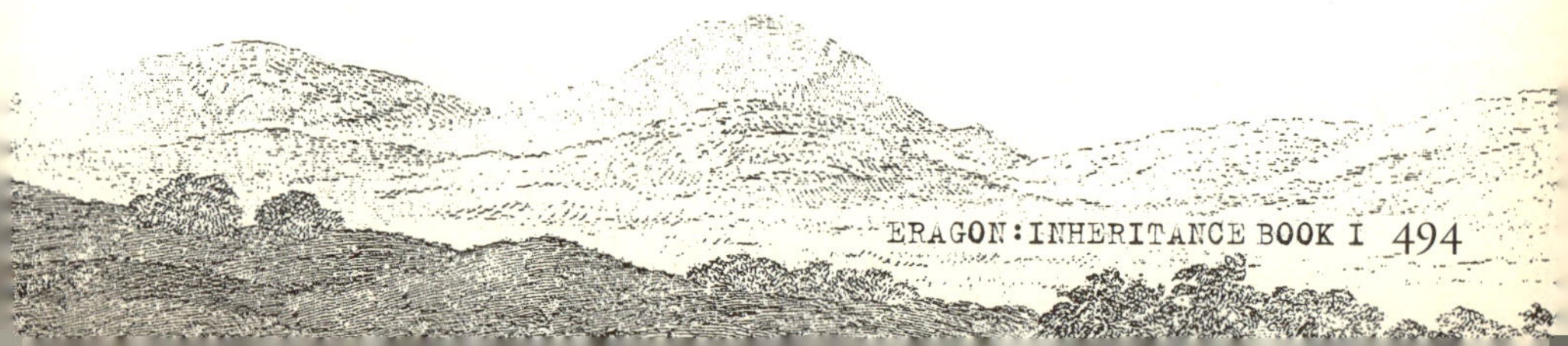

はずし、男の貪欲《どんよく》な触手の前に心をさらけ出した。男の心が失望をにじませる。触手の攻撃《こうげき》はますます乱暴《らんぼう》になった。男の心が発する力には、どこか腐敗《ふはい》したような、いやなものが感じられた——奥深《おくふか》いところに、なにか邪《よこしま》なものがひそんでいるかのような。

〔やつはぼくに抵抗させたいんだ！〕そうさけぶと、また新しい痛みの波がおしよせてきた。一秒後にはそれが引き、また次の波がおそってくる。サフィラはなんとかその波をおさえようとするが、彼女にもすべてをはばむことはできない。

〔ほしいものは全部くれてやればいい〕サフィラが早口でいった。〔だが、それ以外は守りとおしなさい。わたしが手伝う。あいつの力など、わたしのとくらべればちっぽけなもの。この会話もちゃんと防護している〕

〔じゃあ、どうしてまだ痛いんだ？〕

〔痛みのもとはあなたにある〕

エラゴンがたじろいだ。男の触手がさらに奥深くまで入りこんでくる。必要な情報《じょうほう》を得ようとして頭蓋骨《ずがいこつ》を釘《くぎ》で引っかくようにして進んでいる。エラゴンのこども時代の記憶《きおく》の束を乱暴にすくいとり、それらを念入りにふるい分けている。〔そんなものに用はないじゃないか——早くそこから追い出してくれ！〕エラゴンが腹立《はらだ》たしげにうなった。

〔無理。そんなことをすれば、あなたが危険な目にあう。大事なものはわたしがかくせるが、あいつがそこへたどり着く前にやらなくてはならない。さあ、なにをかくしたいのか早く考えて！〕

エラゴンは痛みをこらえて心を集中させた。そしてサフィラの卵《たまご》を見つけたところを起点に、その先の記憶をたどりはじめた。ブロムとの会話も、彼が教えてくれた古代語もすべてかくしておきたい。パランカー谷をぬけ、ヤーズアック、ダレット、ティールムを旅した記憶は放っておく。ただ、

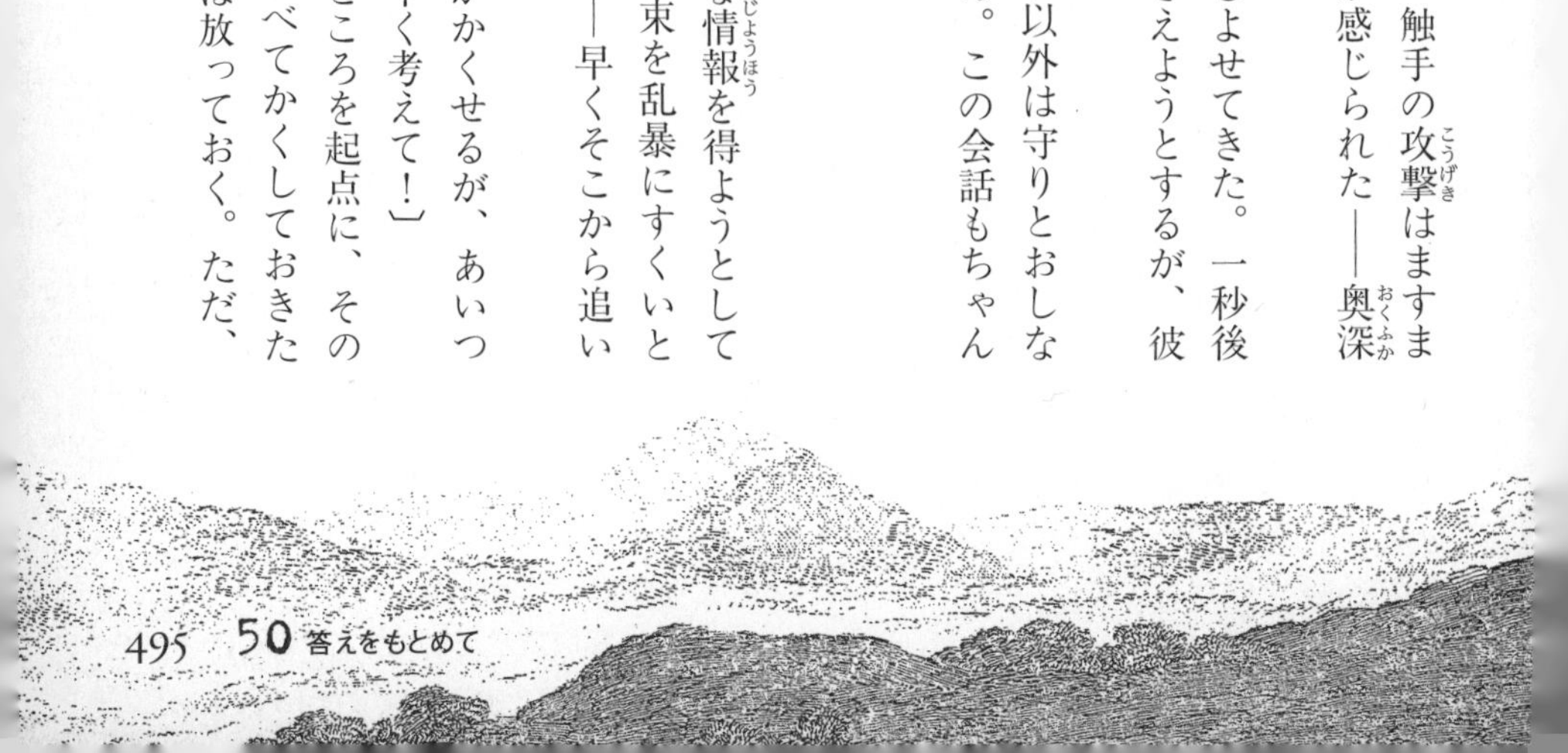

アンジェラの予言とソレムバンの記憶《きおく》は、すべてかくしてもらう。ティールムで城砦《じょうさい》に忍《しの》びこんだこと、ブロムの死、ギリエドでの投獄《とうごく》までは飛ばし、最後にマータグの告白にたどり着いた。

エラゴンはそれもかくしておきたかった。しかしサフィラが反対した。〔ヴァーデンたちには、かくまう者の素性《すじょう》を知る権利《けんり》がある。とくにそれが、〈裏切《うらぎ》り者《もの》たち〉の息子《むすこ》だというなら！〕

〔いいから、いうとおりにしてくれ〕彼はそういって、新たな痛《いた》みの波と戦った。〔ぼくのせいで彼の正体が暴《あば》かれるなんていやだ。少なくとも、この男にだけは知られたくない〕

〔マータグの心がのぞかれれば、すぐにバレること〕サフィラがぴしゃりという。

〔たのむ、いうとおりにしてくれ〕

もっとも大切な秘密《ひみつ》をかくしてしまえば、ほかには知られてこまることなどなかった。あとは男が審査《しんさ》を終えるのを待つだけだ。だがそれは、錆《さ》びたやっとこで爪《つめ》をはがされるのを、ただすわって待つようなものだった。エラゴンは全身をかたくして、あごをぎゅっと引きしめた。皮膚《ひふ》が熱をもち、首筋《くびすじ》に汗《あせ》が伝う。とてつもなく長く感じられる数分の、その一秒一秒の痛みをひしひしと感じていた。

男の触手《しょくしゅ》は、とげのある蔓《つる》が日光をもとめて動くかのように、記憶のなかをくねくねと進んでいた。たとえば母親のセリーナのことのように、まったく関係ないと思われることでも、男は強い関心をよせた。まるで彼を苦しめるために、わざと時間をのばしているかのようだ。ザーロックのこと、シェイドのことについては、とくに長い時間をかけた。そしてエラゴンの過酷《かこく》な旅について調べ終わると、男はようやく撤退《てったい》をはじめた。

とがったガラスの破片《はへん》をぬくように、触手は心から出ていった。エラゴンの体はふるえ、よろめいて床《ゆか》にたおれそうになった。たくましい腕《うで》がのびてきて、すんでのところで彼の体をささえ、冷たい

大理石の上にすわらせてくれた。オリクだった。「やりすぎだぞ！　この子はそんなに強くない」

「死にはしない。必要なことをやったまでだ」男がぞんざいにいった。

オリクは怒《いか》りをおさえてたずねた。「それで、結果は？」

男はだまっている。

「おい、彼は信用できるのか？　どうなんだ？」

坊主頭《ぼうずあたま》の男はしぶしぶ口を開いた。「彼は……敵《てき》ではない」あきらかにほっとしたとわかるため息が部屋じゅうにひろがった。

エラゴンのまぶたがぴくぴく動いて、目があいた。おずおずと上体をのばしてみる。「もう楽にしていいんだよ」オリクはそういうと、太い腕をエラゴンの体にまわして立たせてくれた。エラゴンはふらふらしながら、坊主頭の男をにらんだ。サフィラはのどの奥《おく》で低くうなった。

男はふたりを無視《むし》して、今度はマータグのほうをむいた。マータグはあいかわらず刃物《はもの》をおしつけられている。「さあ、次はきみの番だ」

マータグは身をかたくして首をふった。剣《けん》が首筋をかすかにすべった。皮膚の上を血がしたたり落ちる。「いやだ」

「こばむなら、ここに入れるわけにいかない」

「エラゴンは信用できるとわかったんだから、彼を殺すという脅迫《きょうはく》は使えないぞ。そうさ、どんな手を使っても、ぼくに心を開かせることなんてできない」

坊主頭の男は、ふんと鼻で笑いながら、眉《まゆ》のあるはずの場所をつりあげた。「きみの命は？　それを使って脅《おど》すこともできる」

「そんなものは意味がないな」断固《だんこ》たるその言葉は、はったりとは思えなかった。

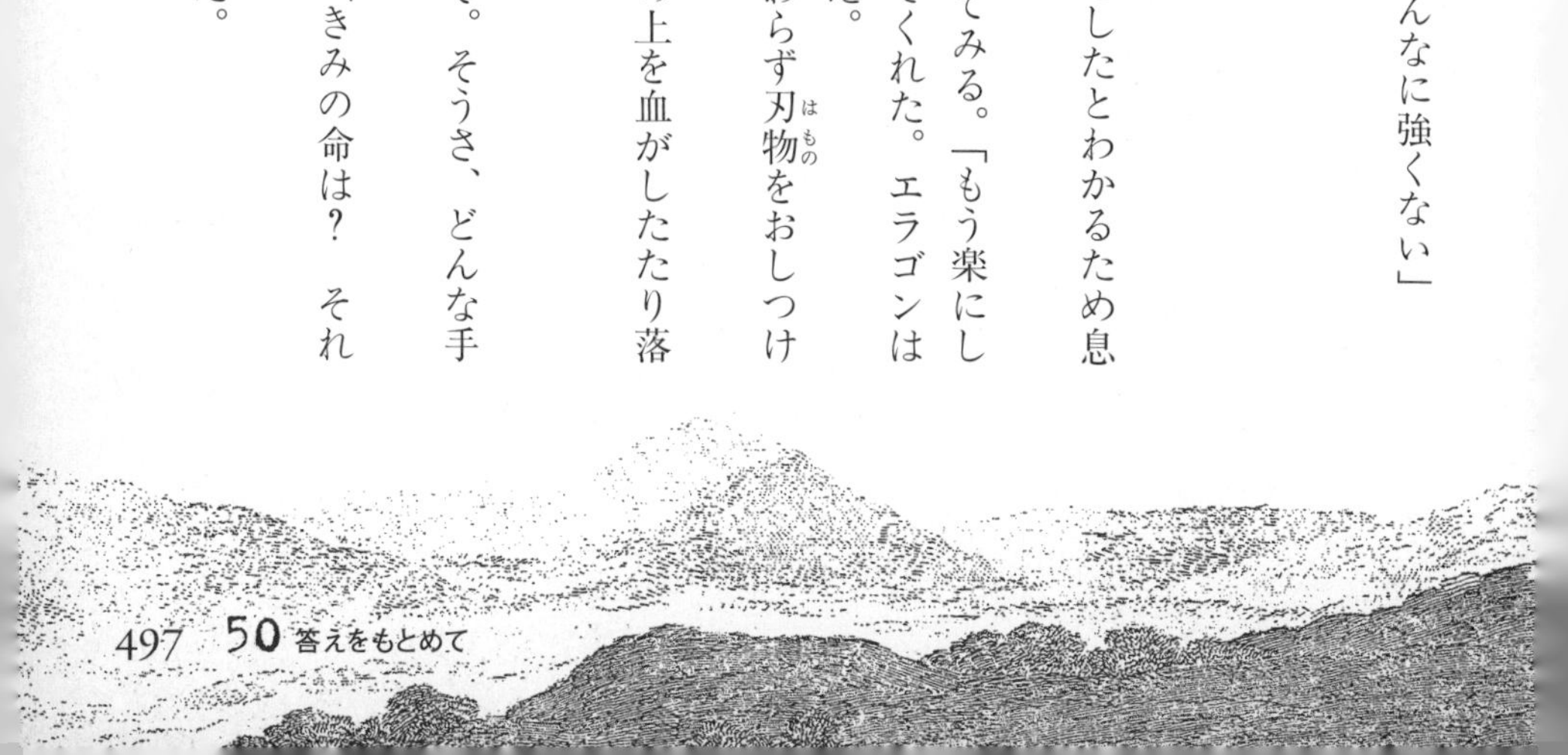

男が声を荒《あら》げる。「きみの意志《いし》など関係ない！」前に進み出ると、マータグの額《ひたい》に掌《てのひら》をおしつけた。動けなくなったマータグは身をこわばらせ、顔を鉄のようにかたくして、拳《こぶし》をにぎりしめた。首の筋《きん》肉《にく》がふくれあがっている。心のなかに侵入《しんにゅう》しようとする男に、マータグが全身全霊《ぜんしんぜんれい》であらがっているのはあきらかだった。男は怒《いか》りと、抵抗《ていこう》する相手へのいらだちに、歯をむき出してうなる。指の一本一本をマータグの皮膚《ひふ》に容赦《ようしゃ》なく食いこませた。

エラゴンはマータグの痛《いた》みを感じ、顔をくもらせた。ふたりのあいだで苛烈《かれつ》な戦いがくりひろげられているのがわかるのだ。〈彼を助けられないか？〉サフィラにたずねた。

〈できない〉サフィラがそっとこたえる。〈マータグは自分の心のなかにだれも入れようとしない〉

オリクは戦うふたりを見て、顔をしかめた。「イルフ・カーンズ・オロドム（放ってはおけない）」そうつぶやいて、前へ飛び出すなりさけんだ。「もうじゅうぶんだ！」オリクは坊主頭《ぼうずあたま》の男の腕《うで》をつかんでマータグから引きはなした。背丈《せたけ》に似合《にあ》わない、ものすごい力だった。

男はよろめきながらあとずさり、怒りもあらわにオリクをにらみつけた。「なにをする！」男がわめく。「責任者《せきにんしゃ》であるわたしの判断《はんだん》に異議《いぎ》をとなえ、許可《きょか》なく門をあけたと思えば、今度はこれか！　越権行為《えっけんこうい》、いや裏切《うらぎ》りでしかない。きみらの王の後《うし》ろ盾《だて》はそんなに強いのかね？」

オリクはおこった。「あんたは彼らを死なせるところだったんだぞ！　もしあれ以上ぐずぐずしてたら、アーガルにやられてた」オリクは肩《かた》で息をするマータグをさした。「わしらには、拷問《ごうもん》で彼から情報《じょうほう》をもぎとる権利はない！　アジハドがゆるさないぞ。ましてやライダーを審査《しんさ》して、あやしい者じゃないとわかったあとではな。それにこの者たちはアーリアを運んできたのだぞ」

「きみは彼をこのままなかに通していいというのか？　われわれすべてを危険《きけん》にさらすような、大バカ者なのか？」怒りをおさえきれず、男は野獣《やじゅう》のような目つきになった――今にもドワーフを八《や》つ裂《ざ》きにしてしまうかに見えた。

「その彼は魔法《まほう》を使えるのか？」ドワーフがきいた。

「それは——」

「魔法は使えるのかときいているんだ」ドワーフの太いどなり声が、部屋のなかに響《ひび》きわたる。男はふいに無表情《むひょうじょう》になり、両手をうしろにまわした。

「使えない」

「では、なにを恐《おそ》れることがある？　逃《に》げることはできないし、わしらみんながいるなかで、悪さもできまい。あんたの力がそれほど強いなら、なおのことそうだ。だが、これはあくまでわしの言葉だ——すべてはアジハドにたずねるがいい」

男は謎《なぞ》めいた表情《ひょうじょう》でオリクの顔を見すえたあと、天井《てんじょう》を見あげて目を閉《と》じた。肩を不自然にいからせ、声も出さず唇《くちびる》だけを動かしている。青白い眉間《みけん》の皮膚にしわをよせ、指に力を入れる。まるで目に見えぬ敵《てき》の首をしめているかのようだ。そうして数分間、自分ひとりの世界に閉じこもっていた。

やがて男は目をあけ、オリクを完全に無視《むし》して兵士たちに呼《よ》びかけた。「行ってよし！」兵士たちが隊を組んで扉《とびら》のむこうへ消えていくと、男はエラゴンに冷ややかに言い放った。「審査を完了《かんりょう》できなかった。よってきみと……その友人は、今夜はここに残ってもらう。逃げようとしたら命はない」

それだけいうときびすを返し、ランタンの光に青白い頭を照らしながら、尊大《そんだい》な足どりで部屋を出ていった。

「ありがとう」エラゴンがオリクに礼をいった。

ドワーフはうなった。「ちゃんと食べ物を運ばせるからな」口のなかでもごもごつぶやいたあと、首をふりながら部屋を出ていった。ふたたび扉の外でかんぬきをかける音がした。

エラゴンはすわりこんだ。その日一日の興奮《こうふん》と強行軍のせいで、頭のなかが妙《みょう》にぼんやりしている。まぶたも重かった。サフィラはエラゴンのとなりにうずくまった。〈気をつけましょう。帝国《ていこく》と同じで、ここにもわたしたちの敵《てき》がいるらしい〉エラゴンはうなずいたが、疲《つか》れていて言葉が出てこない。

マータグはうつろな表情《ひょうじょう》のまま壁《かべ》に体をもたせかけ、つやつやとした床《ゆか》にずり落ちていった。首から流れる血を服の袖《そで》でおさえている。「だいじょうぶか?」エラゴンがきいた。マータグはぎこちなくうなずいた。「やつになにか知られたのか?」

「いいや」

「どうやってふせいだ? あんな強いやつから」

「ぼくは……きたえてあるから」マータグの口調には苦いものがまじっていた。

沈黙《ちんもく》がふたりを包んだ。エラゴンはすみにぶらさがるランタンをぼんやりと見つめた。あれこれ思いめぐらせているうち、ふいに言葉が出た。「きみがだれかは教えなかった」

マータグはほっとした表情で頭をさげた。「裏切《うらぎ》らないでくれたんだな。礼をいうよ」

「きみを見て、だれも正体に気づかなかっただろう」

「そうだな」

「それでも、モーザンの息子《むすこ》だというのか?」

「ああ」マータグがため息をついた。

エラゴンが口を開きかけたとき、手に温かい液体《えきたい》が落ちてきた。目を落とし、黒っぽい血が皮膚《ひふ》を伝っているのを見てぎょっとした。サフィラの翼《つばさ》からしたたる血だった。〈忘《わす》れてた。おまえはケガをしたんだった!〉そうさけぶと、だるい体で起きあがった。〈治さなくちゃな〉

〔気をつけて。疲れていると、すぐヘマをするから〕

〔わかってるさ〕サフィラは片方《かたほう》の翼を床にのばした。マータグが見守るなか、エラゴンは温かな青い膜《まく》に手を這《は》わせ、矢の傷《きず》を見つけては「ヴァイサ・ヘイル（傷よ、治れ）！」と癒《いや》しの言葉をかけていった。さいわいにも、鼻の傷をふくめ、どの傷もあまり苦労せずに治すことができた。

治療《ちりょう》が終わると、エラゴンは肩《かた》で息をしながらサフィラにもたれかかった。その体から、巨大《きょだい》な心《しん》臓《ぞう》が打ち鳴らす命の鼓動《こどう》がしっかりと伝わってくる。「早く食べ物をもってきてほしいな」マータグがいった。

エラゴンは肩をすくめた――疲れていて食欲《しょくよく》もなかった。腕《うで》を組み、腰《こし》にザーロックの重みがないのをさびしく思った。「どうしてきみはこんなところにいるんだ？」

「なんだって？」

「本当にきみがモーザンの息子なら、アラゲイジアを自由に動きまわるなんて、ガルバトリックスがゆるさないだろう。そもそもどうやってひとりでラーザックを見つけたんだ？〈裏切り者たち〉にこどもがいるなんて話、一度も聞いたことがない。きみはなんのためにこうやってぼくとここにいる？」エラゴンはしまいに、ほとんどどなるように声をはりあげていた。

マータグは顔を両手でこすった。「長い話になる」

「べつにこれから出かけるところがあるわけじゃない」エラゴンがいった。

「話すには時間が遅《おそ》すぎるよ」

「あしたになったらそんな時間なんかないかもしれない」

マータグは両腕で足をかかえ、ひざにあごをのせて体を前後にゆらしだした。目はじっと床を見ている。「ことのはじまりは――」といってから、ことわりを入れた。「途中《とちゅう》で話を切りたくない……だ

から楽な恰好《かっこう》で聞いてくれ。長くかかるはずだ」エラゴンはサフィラのわきによりかかった体をずらし、うなずいた。サフィラはふたりを真剣《しんけん》な顔で見つめている。

マータグは出だしこそ言葉につまったものの、声にはしだいに自信と力が満ちてきた。「ぼくの知るかぎり……〈十三人の従者《じゅうしゃ》〉、あるいは〈十三人の裏切《うらぎ》り者《もの》〉の子として生まれたのは、ぼくひとりだけだ。かくしたいことはなんでもかくせる連中だから、じっさいはほかにもいるかもしれないがね。でも、ぼくはそう思わない。理由はあとで説明するよ。

ぼくの両親は小さな村で出会った——場所はどこか聞いたことがない——モーザンは王の用事で旅をしているところだった。彼はぼくの母親にちょっとした親切をした。まちがいなく、そうやって母の信頼《しんらい》を得ようとしたんだよ。そして彼が村を去るとき、母もいっしょについていった。ふたりでいっしょに旅するうち、よくあるように母はモーザンに恋《こい》をした。モーザンはよろこんだ。なぜなら、なにかと当たり散らせるいい相手ができたばかりでなく、けっして自分を裏切らない僕《しもべ》ができたからさ。

ガルバトリックスの宮廷《きゅうてい》にもどると、モーザンは母をもっとも信頼のできる道具として使った。極《ごく》秘《ひ》の伝言を運ばせたりしてね。初歩的な魔法《まほう》を教えて、それで人の目からのがれ、ときには情報《じょうほう》をさぐり出すことにも利用した。モーザンはあらゆる手を使って、母を〈十三人〉から守っていた——母のためじゃない。ほかの従者が母を利用して自分を出しぬくのを恐《おそ》れたからさ……そんなふうに三年がたち、彼女はこどもを身ごもった」

マータグはそこでひと息つき、指で髪《かみ》をもてあそんだ。そして早口で先を続けた。「ぼくの父親はとにかく抜《ぬ》け目《め》のない男だった。妻《つま》が妊娠《にんしん》したとなれば——赤んぼう、つまりぼくのことはさておいても——自分たち夫婦《ふうふ》に危険《きけん》がおよぶのではないかと案じた。それで真夜中、母を宮廷からこっそり

連れ出し、自分の城《しろ》に閉《と》じこめた。そしてそこに強力な魔法をかけて、ごくかぎられた召《め》し使《つか》い以外、だれも母に近づけないようにしたんだ。これで母の妊娠の秘密《ひみつ》はだれにも知られることがなかった。ただひとりガルバトリックスをのぞいて。

ガルバトリックスは従者たちの私的《してき》なことをなんでも知っていた。どんな暮《く》らしをしているか、だれと諍《いさか》いをしているか——そしてもっとも肝心《かんじん》なこと——なにを考えているか。従者どうしが争うのを楽しんでながめ、気がむくままに好きなほうの味方をしてみたりした。しかしある理由から、王は赤んぼうの存在《そんざい》をけっして公《おおやけ》にはしなかった。

ぼくが生まれると乳母《うば》がよこされ、母はモーザンのもとへもどされた。母には選択《せんたく》の自由はなかったんだよ。数か月ごとに会うことはゆるされたが、それ以外は、ぼくと母はずっと引きはなされていた。そうやってまた三年の月日がたち……このあいだに、ぼくは父親から背中《せなか》の傷《きず》をつけられた」マータグはしばし深い物思いにしずんでいたが、また先を続けた。

「それからなにごともなければ、ぼくはそのまま大人になっていただろうな。だがあるとき、モーザンが王の命令でサフィラの卵《たまご》をさがしに行くことになった。彼が出発するやいなや、母は姿を消した。なぜなのか、どこへ行ったのかは、だれも知らない。王は部下を使って母をさがしたが、見つけられなかった——無理もない。モーザンが彼女に姿《すがた》を消す術《じゅつ》を教えていたんだからね。

ぼくが生まれたとき、〈十三人の従者〉のうち、生き残っていたのはわずか五人。モーザンが出ていくころには三人にまでへり、ギリエドでブロムにあったときには、彼ただひとりになっていた。〈裏切り者たち〉はさまざまな形でこの世から消えた——自殺、闇討《やみう》ち、魔法の乱用《らんよう》……だが、多くはヴァーデンに殺された。ぼくが聞いたところでは、王はそのせいで、ヴァーデンに激《はげ》しい恨《うら》みを抱《いだ》いているらしい。

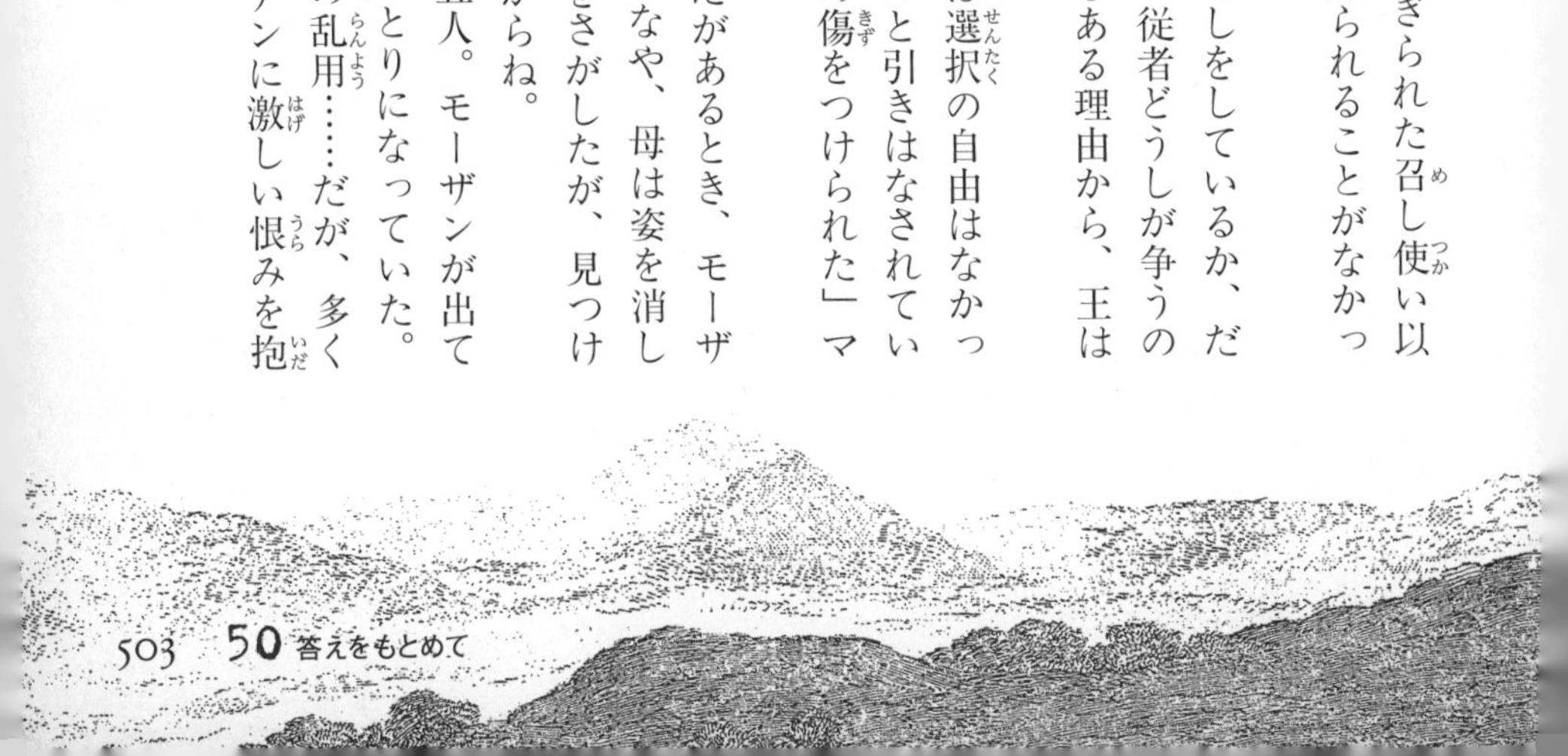

ところが、モーザンやほかの従者《じゅうしゃ》たちの死の知らせがとどく前に、ぼくの母親はもどってきた。失踪《しっそう》してから何か月もたってからのことだ。なにか大きな病気におかされているみたいで、すっかり体が弱っていた。容態《ようだい》はどんどん悪くなって、二週間のうちに息を引きとった」

「そのあとは?」エラゴンが先をうながした。

マータグは肩《かた》をすくめた。「ぼくは成長した。王に屋敷《やしき》を用意され、そこで育てられたんだ。王はそれだけして、あとはぼくを放っておいたけどね」

「それじゃあ、どうしてそこを出たんだ?」

マータグが耳ざわりな声で笑った。「逃《に》げた、といったほうが正しいな。十八の誕生日《たんじょうび》に、ふたりで夕食をとろうと王の私室《ししつ》に呼《よ》ばれたんだ。それまで、王はぼくを宮廷《きゅうてい》に近づけもしなかったから、おどろいたよ。話をしたことはあっても、それは廷臣《ていしん》たちがまわりにいる場所にかぎられていた。

ぼくはもちろん招待《しょうたい》を受けた。ことわるなんてバカなことだとわかっていたからね。ぜいたくな料理だったが、そのあいだじゅう、王の黒い目はじっとぼくに注がれていた。落ち着かない目つきだった。ぼくの表情《ひょうじょう》からなにかをさぐろうとしているみたいに。どうしていいのかわからず、できるだけ礼儀《れいぎ》正しく話かけた。でも、むこうがなにも話さないので、ぼくもだまりこむしかなかった。

食事がすむと、王はようやく話をはじめた。きみは彼の声を聞いたことがないから、どんな感じか説明するのはむずかしいが、それは妙《みょう》に引きこまれる話し方だった——そう、ヘビに耳ざわりのいい言葉をささやかれてるような感じ。あんなふうに、背筋《せすじ》がぞっとするような、有無《うむ》をいわせぬ話し方をするやつに会ったのは初めてだった。王の頭のなかには、帝国《ていこく》の輝《かがや》かしい未来像《みらいぞう》があった——国じゅうに美しい都市をつくり、それぞれの都市に選《よ》りすぐりの戦士、職人《しょくにん》、楽師《がくし》、哲学者《てつがくしゃ》を置く。アーガルたちはやがて国から追いはらわれる。そして帝国はアラゲイジアの四方の果てまで領土《りょうど》をひろ

げ、平和と繁栄《はんえい》を謳歌《おうか》する。さらにおどろいたことに、ライダー族を復活《ふっかつ》させ、帝国の領地を平和的に統治《とうち》させるのだという。

ぼくはうっとりとして、王の話に何時間も耳をかたむけた。そして話が終わると、ライダー族をどうやって復活させるのかと、真剣《しんけん》になってたずねた。ドラゴンの卵《たまご》が残っていないことは、だれでも知っていたからね。ガルバトリックスは急に静かになり、ぼくの顔をにらんで考えこんだ。しばらくすると、ぼくに手をさし出してこういった。『わがうるわしき友の忘《わす》れ形見《がたみ》よ。至福《しふく》の国の建設《けんせつ》に、きみの力を貸《か》してくれんかね？』

王や父親がどうやって権力《けんりょく》の座《ざ》についたのか、その事情《じじょう》はぼくも知っていた。しかし彼が描《えが》いてみせた夢《ゆめ》の青写真は、たまらなく魅力的《みりょくてき》で説得力があり、とても無視《むし》できなかった。すばらしい仕事をあたえられたという思いで、王の力になることを約束したんだ。ガルバトリックスはあからさまによろこんで、感謝《かんしゃ》の言葉をならべ立てた。そして、『きみの力が必要になったら連絡《れんらく》をする』といって、ぼくをさがらせたんだ。

それから数か月たって、ようやく呼《よ》び出されたとき、ぼくの胸《むね》にふたたび興奮《こうふん》がもどってきた。ぼくらはまた王の私室でむかいあったが、このときの王は前とちがって機嫌《きげん》も愛想もよくなかった。ヴアーデン軍に南の部隊をやぶられたばかりで、はらわたが煮《に》えくり返っていたんだ。彼はぞっとするような声で、隊をひきいてカントスを破壊《はかい》しに行けとぼくに命じた。カントスの町には、ときどき帝国の反乱《はんらん》分子がかくれているという噂《うわさ》があった。ぼくは王にたずねた。町の人たちをどうするのか、罪《つみ》のあるなしを、どうやって判断《はんだん》すればいいのかと。すると王はどなった。『やつらはみな裏切《うらぎ》り者《もの》だ！　全員を火あぶりにし、残った灰《はい》を畑の肥《こ》やしにしてしまえ！』王はさらに敵《てき》を口ぎたなくののしり、自分に悪意をもつ者には、ひとり残らず災《わざわ》いをもたらしてやるなどと、暴言《ぼうげん》を吐《は》き続けた。

王の口調は前に話をしたときとはまるきりちがっていた。それでぼくは目が覚めた。この王には慈《じ》悲《ひ》の心も先見の明もないから、民《たみ》が忠誠《ちゅうせい》を誓《ちか》わないのだ。自分の勝手な情熱《じょうねつ》にみちびかれ、野獣《やじゅう》のような力によって国を支配《しはい》しているだけなのだと。それがわかった瞬間《しゅんかん》、ぼくは王とウルベーンの地から逃《に》げ出す覚悟《かくご》を決めた。

王の部屋を出ると、ぼくはすぐ、剣《けん》の師《し》である忠実な従者《じゅうしゃ》トルナックとともに逃亡《とうぼう》の準備《じゅんび》をはじめた。その夜に旅立とうとしたのだが、なぜかガルバトリックスはぼくの行動を察知して、門の外に兵を置いて見張《みは》らせていた。ぼくはランタンの灯《あか》りのもとで剣を血に染《そ》めることになった。兵士たちはたおしたのだが……そのとき、トルナックの命も失った。

孤独《こどく》と悲しみにさいなまれながら、ぼくは古い友人の屋敷《やしき》へ逃げてかくまってもらった。そのあいだは、いろいろな噂《うわさ》に注意をはらい、ガルバトリックスの行動を先読みし、自分のこれからについて計画を立てながらすごしていた。そんなときたまたま、だれかを捕《と》らえるか殺すかするために、ラーザックが送られたという話を耳にしたんだ。ぼくはふと、ライダーについての王の計画を思い出し、ラーザックをさがしてあとをつけることにした。ひょっとして連中がドラゴンを見つけやしないかと思ってね。そして、きみを見つけた……これがぼくの話のすべてだ」

〈本当の話かどうか、まだわからない〉サフィラが警告《けいこく》した。

〈うん〉エラゴンはこたえた。〈でも、どうして嘘《うそ》をつく必要がある?〉

〈くるっているのかもしれない〉

〈まさか〉エラゴンはサフィラのかたい鱗《うろこ》に指をすべらせながら、そこに映《うつ》る光を見つめていた。

「じゃあ、ヴァーデン側についたらどうだ? 最初のうちは信用してもらえないかもしれないけど、きみが忠誠心をしめせば、敬意《けいい》あるあつかいをしてくれるはずだ。いってみれば、彼らはきみの味方

だろう？　王の治世を終わりにしようと奮闘《ふんとう》してるんだからな。きみの望みもそうなんじゃないか？」

「まだわからないのか？」マータグがいった。「ぼくは自分の居場所《いばしょ》をガルバトリックスに知られたくない。ぼくが敵側についたという噂がひろまれば、そうはいかなくなる。それに——」マータグはそこで言葉を切り、不快感《ふかいかん》もあらわにいった。「ヴァーデンたち反逆者《はんぎゃくしゃ》は、王ばかりか帝国《ていこく》自体を転《てん》覆《ぷく》させようと考える……そんな事態《じたい》にはしたくない。暴力《ぼうりょく》と騒乱《そうらん》の種をまき散らすことになる。ガルバトリックスにはたしかに欠陥《けっかん》がある。でも、国の体制《たいせい》そのものは安定しているんだ。それから、ヴァーデン軍が敬意あるあつかいをするだって？　まさか！　彼らに正体を明かしたとたん、ぼくは犯《はん》罪人《ざいにん》か、いやもっとひどいあつかいを受けるさ。それどころか、きみだって疑《うたが》われる。ぼくといっしょに旅してきたんだからな！」

〔彼のいうとおり〕サフィラがいった。

　エラゴンはサフィラを無視《むし》した。「そんなひどいことにはならないさ」つとめて明るい口調でいった。マータグは鼻で笑い、目をそらした。「ぼくには、彼らはぜったい——」部屋の扉《とびら》が開き、マータグは口をつぐんだ。掌《てのひら》ほどのすきまがあいた扉のあいだから、ふたつの器《うつわ》がおし出されてきた。続いてパンひとかたまりと生の肉。そして扉はしまった。

「やっと来た！」マータグがうなって、食べ物に飛びついた。肉をサフィラのほうへ投げると、サフィラは首をさっとのばして、それをぱくりとひと飲みした。マータグはパンを半分に割《わ》り、ひとつをエラゴンにわたすと、自分の器をとって部屋のすみにもどっていった。

　ふたりともだまって食べた。あっというまに食べおえたマータグは、「ぼくはもう寝《ね》る」といって器を置いた。

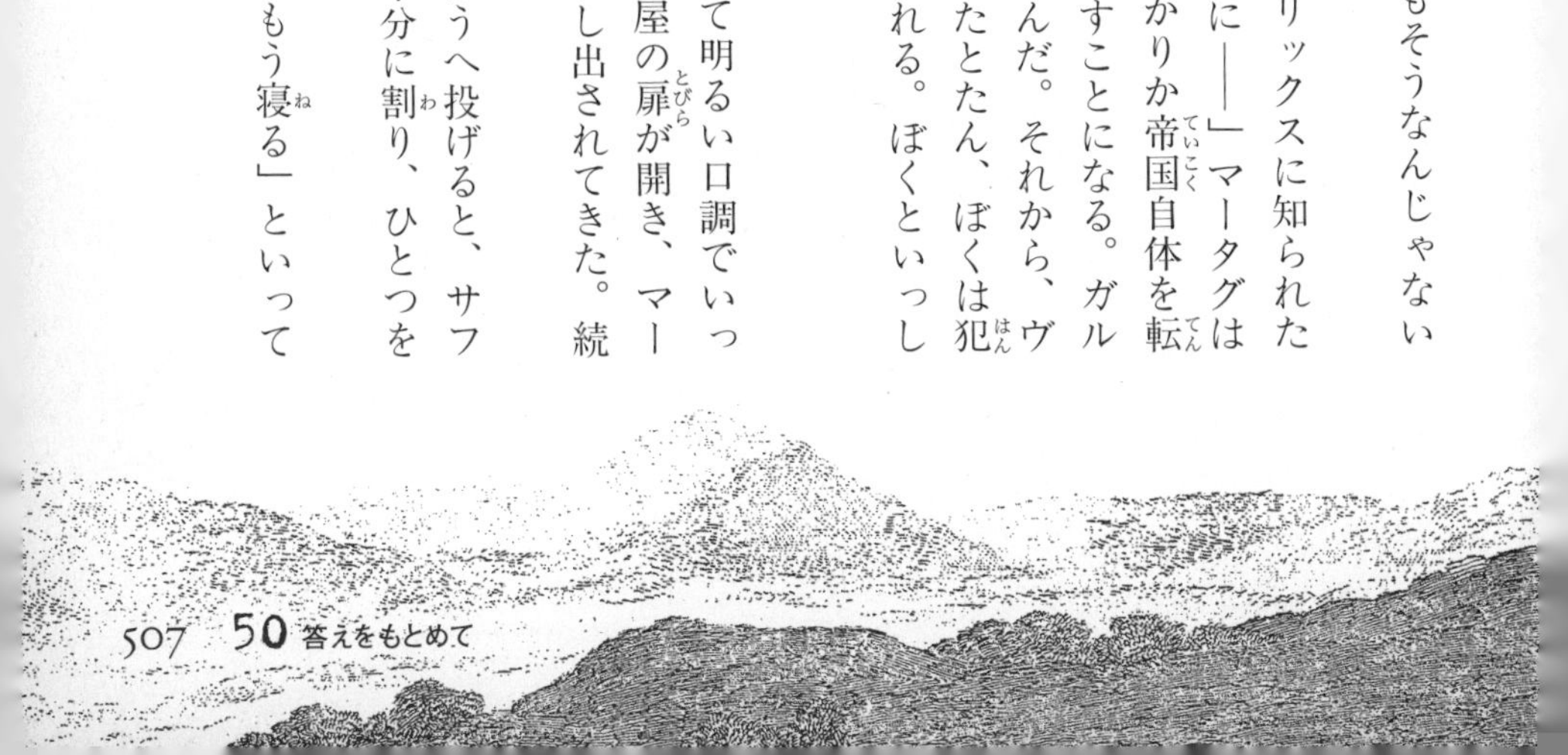

「おやすみ」エラゴンはこたえ、腕《うで》を枕にしてサフィラの横にころがった。
サフィラはネコがしっぽを自分の体に巻《ま》きつけるように、長い首をエラゴンの体に巻きつけ、そのわきに頭をふせた。片方《かたほう》の翼《つばさ》を青いテントのようにひろげると、エラゴンの体は闇《やみ》に包まれた。
〔小さき友よ、おやすみ〕
エラゴンは唇《くちびる》にうっすらと笑《え》みを浮《う》かべたものの、すでに眠《ねむ》りについていた。

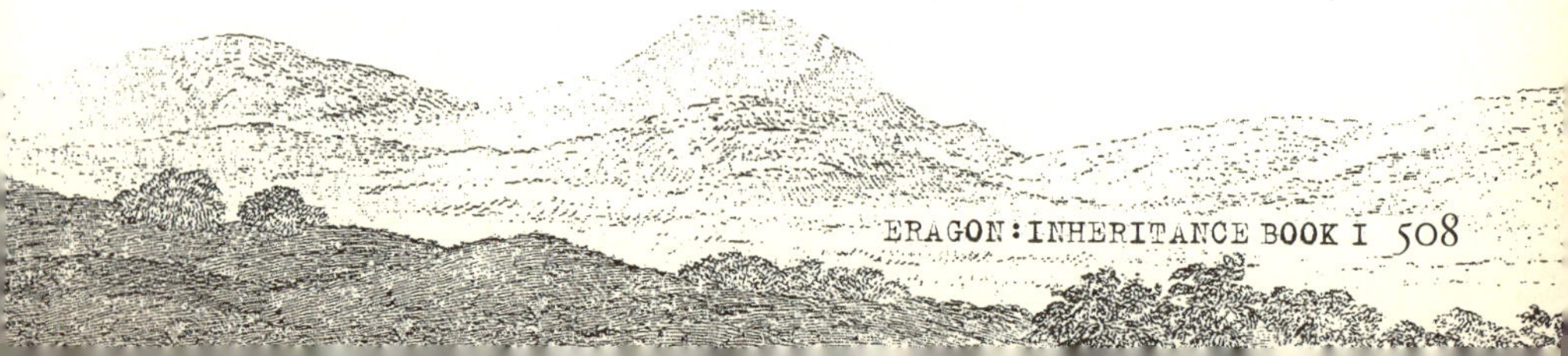

51
トロンジヒームの威光《いこう》

うなり声が耳に響《ひび》き、エラゴンは飛び起きた。眠っているサフィラの眼球《がんきゅう》が、まぶたの下できょろきょろ動いている。上唇は今にも歯をむき出しそうにふるえている。エラゴンは笑みを浮かべ、ふたたびあがったうなり声に体をびくりとさせた。

〔夢《ゆめ》を見てるんだな〕しばらくサフィラをながめ、やがてそっと翼《つばさ》の下から這《は》い出ると、立ちあがってのびをした。部屋のなかはひんやりとしているが、寒いというほどではない。マータグは部屋のすみの壁《かべ》であおむけになって目を閉《と》じている。

エラゴンがサフィラをよけて歩いていくと、マータグが体をもぞもぞと動かした。「おはよう」静かにいって起きあがる。

「いつから起きてたんだい？」エラゴンが声をひそめてきいた。

「しばらく前だ。サフィラのうなり声でも、きみはなかなか起きなかった」

「雷雨《らいう》のなかでも寝《ね》ていられるほど疲《つか》れてたからね」エラゴンが顔をゆがめていった。マータグの横に腰《こし》をおろし、頭を壁にもたせかけた。「今何時かわかるかい？」

「いいや、こんなところじゃわからない」

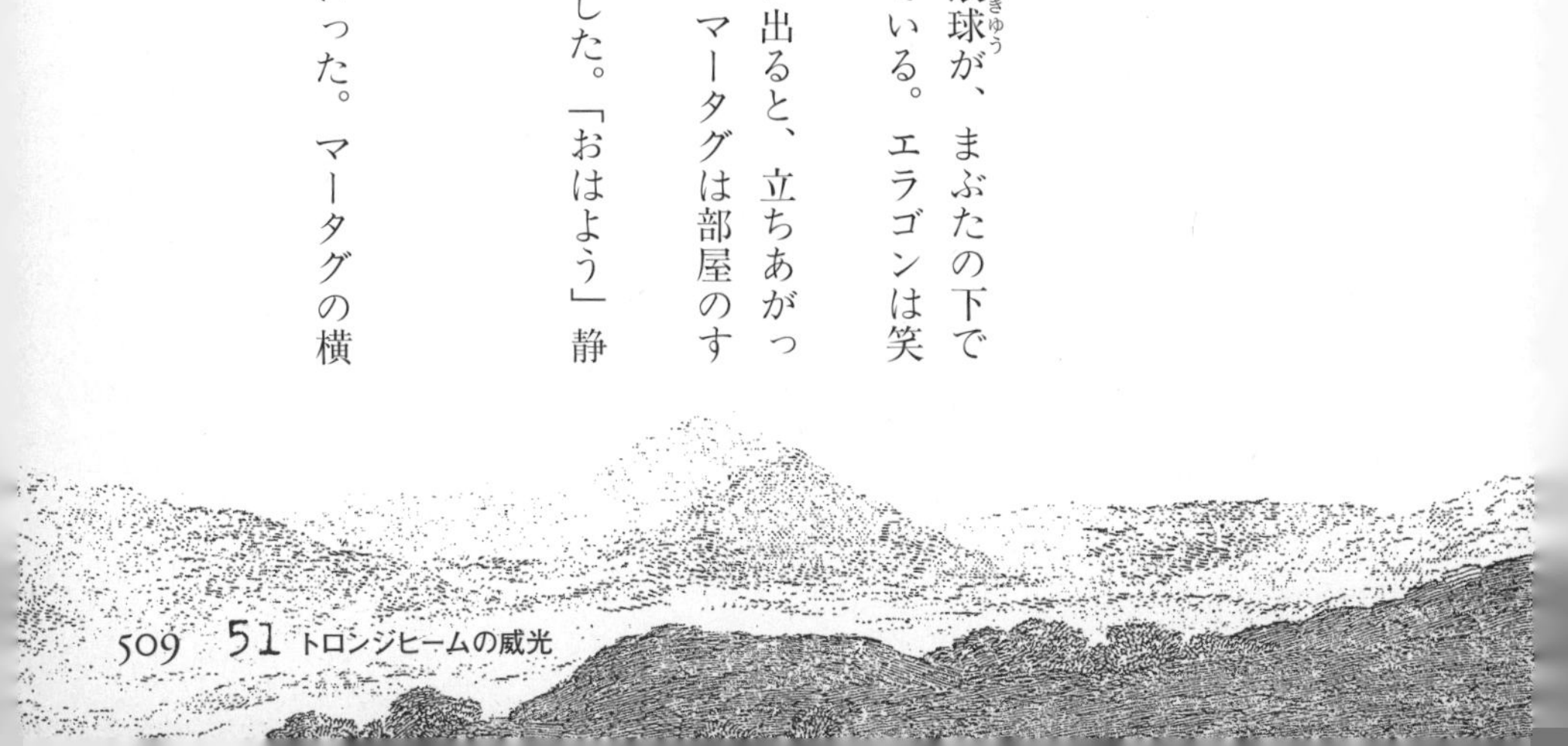

「だれか様子を見に来なかったかい？」

「いや、まだだ」

ふたりは動くことも話すこともせず、ただじっとすわっていた。エラゴンはマータグとの不思議な縁《えん》を感じていた。彼の父親の剣《けん》を今は自分がもっている。本当なら彼が受《う》け継《つ》ぐはずだった剣だ。自分たちはいろんな点で似《に》ているけれど、見かけや生《お》い立《た》ちはまったくちがう。ふいに、マータグの背《せ》中《なか》の傷《きず》を思い出して身ぶるいをした。こどもにそんなことができるなんて、いったいどういう親なんだ？

サフィラが頭をあげ、視界《しかい》をすっきりさせようとまばたきをした。あたりのにおいを嗅《か》ぎ、ざらざらした舌先《したさき》を丸めて大あくびをした。〔なにかあった？〕エラゴンは首を横にふった。〔今朝はまともなものを出してくれるかな。ゆうべのようなものでは、おやつにしかならない。腹《はら》がすきすぎて、牛の群《む》れでもぺろりといけそう〕

〔ちゃんと食べさせてくれるよ〕エラゴンはいった。

〔だといいけれど〕サフィラは扉《とびら》の近くに陣《じん》どり、しっぽをふりながら食事を待ちかまえている。エラゴンは目を閉《と》じてもうすこし休むことにした。しばらくまどろんだあと、立ちあがって部屋のなかを歩きだした。たいくつしのぎに、ランタンをしげしげとながめてみた。レモンの倍ほどの涙型《なみだがた》のガラスのなかに、ちらともゆれない青色の淡《あわ》い光が満ちている。ガラスを包んでいる四本の針金《はりがね》は、上方でひとつにすぼまって小さな鉤《かぎ》の手になり、下のほうでもまたひとつに集まって、三本の上品な脚《あし》をつくっている。とても美しい工芸品だった。

部屋の外から声が響《ひび》いてきて、観察はそこで中断《ちゅうだん》された。扉が開き、十人ほどの兵士の隊列が部屋に入ってきた。先頭の兵士がサフィラを見て息をのんだ。うしろからついてきたのは、オリクと坊主《ぼうず》

頭《あたま》の男だ。「きみらは、ヴァーデン軍の指導者《しどうしゃ》、アジハドより呼《よ》び出しを受けた。腹ごしらえの必要があるなら、歩きながらすませるように」坊主頭の男はいった。エラゴンとマータグは用心深い目で男を見ながら、ともに立ちあがった。

「馬はどこだ？　それにできれば、剣と弓も返してほしい」エラゴンがいった。

坊主頭の男は侮蔑《ぶべつ》の目でエラゴンを見た。「武器《ぶき》を返すのは、もっていいとアジハドが判断《はんだん》してからだ。それまではあずかっておく。馬はトンネルのなかで待たせてある。さあ行くぞ！」

去っていこうとする男に、エラゴンがすばやく声をかけた。「アーリアの具合はどうなんだ？」

坊主頭の男はためらった。「わたしにはわからない。治療師《ちりょうし》たちがついている」それだけいうと、オリクをともなって外に出ていった。

兵士のひとりがエラゴンをあごでさした。「おまえが先だ」エラゴンは戸口をぬけて外へ出た。そのうしろをサフィラとマータグがついてくる。一行は昨夜と同じ廊下《ろうか》をわたり、針の生えた動物の彫《ちょう》像《ぞう》の前を通りすぎた。やがて最初に通った巨大《きょだい》なトンネルに出ると、そこで坊主頭の男とオリクが待っていた。オリクはトルナックとスノーファイアの手綱《たづな》をにぎっている。

「さあ、乗っていいぞ。トンネルの真ん中を一列になって歩け」男が指示《しじ》を出した。「逃《に》げようとしてもムダだからな」エラゴンがサフィラの背《せ》にのぼろうとすると、男はどなりつけた。「ちがう！わたしの許可《きょか》があるまでは、馬のほうに乗っていろ」

エラゴンは肩《かた》をすくめ、スノーファイアの手綱をつかんだ。鞍《くら》に飛び乗るとサフィラの前へ馬を進め、彼女にそっとたのんだ。〈そばをはなれないでくれ。なにかあったときのために〉

〈わかっている〉サフィラはこたえた。

マータグはトルナックに乗ってサフィラのあとに続いた。坊主頭の男はエラゴンたちの小さな隊列

をじっとにらんだあと、両わきにわかれてならぶ兵士たちに、できるだけサフィラからはなれて歩くよう注意をした。列の先頭にはオリクと坊主頭《ぼうずあたま》の男がついた。

男は今一度全体を確認《かくにん》すると、二度手をたたいて前進の合図を出した。エラゴンはスノーファイアのわき腹《ばら》を軽くたたいた。隊列はそろって山の中心へむかった。ひづめがかたい地面をたたく音がトンネル内を満たしていた——がらんとした通路のつくりが、その音をいっそう大きく響《ひび》かせている。なにもない壁《かべ》の扉《とびら》や門が見えたが、どれもがしまったままだった。

エラゴンはトンネルの途方《とほう》もない大きさにおどろいた。山のなかにこれだけの穴《あな》をほるには、どれほどの技術《ぎじゅつ》が必要だっただろう？　壁も床《ゆか》も天井《てんじょう》も、寸分《すんぶん》のくるいもない正確さでつくられている。壁と床の角度はみごとな直角。トンネルそのものはすこしも進路をそらさず、どこまでもまっすぐに続いているように見える。

先へ進むにつれ、アジハドとの対面を考えて、エラゴンのなかに不安がこみあげてきた。ヴァーデン軍の指導者《しどうしゃ》は帝国《ていこく》の人々にとっては謎《なぞ》の人物だ。二十年ほど前に指導者の座《ざ》について以来、ガルバトリックスと壮絶《そうぜつ》な戦いをくりひろげている。出自はだれにも知られておらず、どんな外見をしているのかもわからない。一流の策士《さくし》だとか、粗暴《そぼう》な男だとかの噂《うわさ》もある。そうした相手に、どのように受けとられるのかが心配だった。それでも、ブロムが信頼《しんらい》をよせ、彼らのために働いたことを思うと、いくらかその不安もやわらいだ。

オリクを見て、エラゴンの心に新たな疑問《ぎもん》がわいてきた。このトンネルはあきらかにドワーフの手によるものだ——これだけの掘削《くっさく》技術をもつ種族はほかにいない——では、ドワーフ族はヴァーデンと手を組んでいるのか？　それともヴァーデンをかくまっているだけなのか？　それにオリクがいっていた王というのはだれなのか？　それがアジハド？　ヴァーデンの居場所《いばしょ》が知られていなかったの

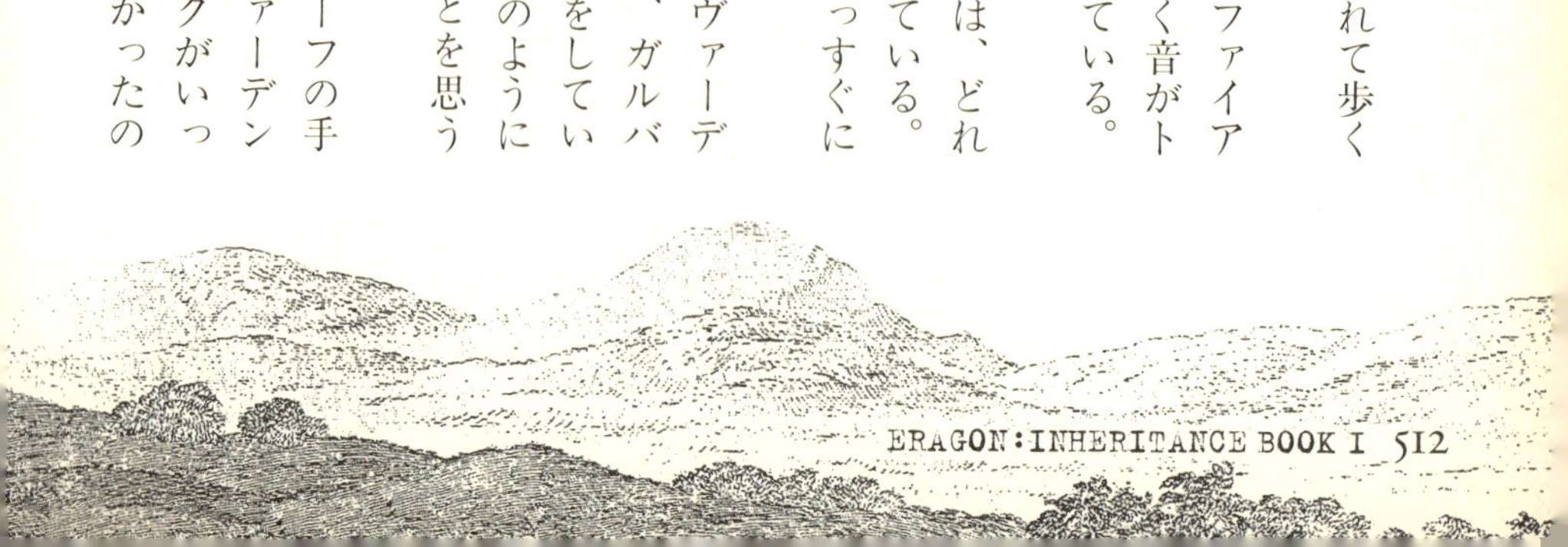

は、こうして地下にかくれ住んでいたからだということはわかった。だがエルフ族は？　彼らはどこにいるんだ？

　坊主頭の男は一行をひきいて、迷《まよ》うこともふり返ることもなく、一時間近くもトンネル道を歩き続けた。もう五キロも歩いたにちがいない。エラゴンは思った。きっと山のむこうまでつきぬける気なんだ！　やがてついに前方に白い光が見えてきた。光の源《みなもと》を見きわめようと目をこらしてみるが、遠すぎてまだよくわからない。近づくにつれて、光が徐々《じょじょ》に明るさを増《ま》してきた。

　太い大理石の柱が見えてきた。ルビーやアメジストで飾《かざ》られていて、壁にそって何本もならんでいる。柱のあいだには無数のランタンがさがり、あたりを光の洪水《こうずい》で包んでいる。柱の根もとで光る金色の網目模様《あみめもよう》は、とけた金糸のようだ。アーチ型の天井《てんじょう》にならぶのは、くちばしをあけて鳴くワタリガラスの頭の彫刻《ちょうこく》だ。トンネルのつきあたりには黒い巨大《きょだい》な二枚扉《にまいとびら》がある。両扉にまたがって描《えが》かれた銀の七つ角《つの》の王冠《おうかん》が、黒い扉を引き立てている。

　坊主頭の男が足をとめて片手《かたて》をあげた。そしてエラゴンのほうをふり返る。「ここからはドラゴンに乗って進むがいい。飛んで逃《に》げようなどとは思わないことだ。人々がみな見ている。自分がだれであるかを忘《わす》れないように」

　エラゴンはスノーファイアをおり、サフィラの背《せ》にまたがった。〈わたしたちを見せびらかす気〉サフィラがいった。

〈どうなのかな。それにしても、早くザーロックを返してくれないかな〉エラゴンは足のストラップをきつくしめた。

〈ヴァーデンたちとの初対面のときは、モーザンの剣《けん》はつけていないほうがいい〉

〈まあ、そうだね〉「用意ができた」エラゴンは胸《むね》をはった。

「よろしい」坊主頭《ぼうずあたま》の男がいった。男とオリクは、サフィラが先頭に立つよう両わきへしりぞいた。

「さあ、扉《とびら》にむかって歩くんだ。扉が開いたらそのまま道なりに進んでいく。ゆっくりとな」

〔用意はいいかい？〕エラゴンがきいた。

〔いい〕サフィラは一定の速度で扉に近づいていった。鱗《うろこ》が光を反射《はんしゃ》してきらきら輝《かがや》き、柱の表面に色とりどりの光を踊《おど》らせる。エラゴンは気持ちを落ち着けるため深呼吸《しんこきゅう》をした。

なんの前ぶれもなく、見えない蝶番《ちょうつがい》のついた扉が外側へと開いていった。二枚《まい》の扉のすきまがひろがるにつれ、トンネルのなかに陽光が流れこみ、エラゴンとサフィラの顔を照らした。一瞬《いっしゅん》目がくらみ、エラゴンはまばたきをして目を細めた。目が光に慣《な》れてくると思わず息をのんだ。

そこは巨大《きょだい》な火山の噴火口《ふんかこう》の内部だった。まわりの壁《かべ》は上へ行くにしたがって細くすぼまり、そのはかり知れないほど遠い頂上《ちょうじょう》には、小さなぎざぎざの穴《あな》があいている――そこまでの距離《きょり》はゆうに十五キロはありそうだ。その開口部からさしこむ光が噴火口の中央部だけをうっすらと照らし、まわりの奥《おく》まった場所は、たそがれどきのように暗い。

噴火口のむこうはしにはぼんやりと青い霞《かすみ》がかかり、そこまでもやはり十五キロ近くありそうだ。はるか頭上には、百メートルほどの太さと一キロほどの長さをもつ巨大なつららが、ぎらぎらした短《たん》剣《けん》のようにさがっている。エラゴンは谷間を飛んだ経験《けいけん》から、たとえサフィラであっても、この堂々とそびえ立つ山の頂上には到達《とうたつ》できないだろうと思った。噴火口の下方の内壁《ないへき》は、岩がびっしりコケ類でおおわれている。

視線《しせん》をさげると、扉の敷居《しきい》から丸石じきの広い道がずっとのびている。道は噴火口の中央までまっすぐ続き、そのつきあたりには、宝石《ほうせき》の原石のようにきらきらと光る純白《じゅんぱく》の山がそびえている。高さは火山のせいぜい十分の一ほど。とはいえ二キロほどの高さである。

トンネルはとても長く感じられたが、エラゴンたちが通ってきたのは山の片側《かたがわ》半分でしかなかったのだ。エラゴンが目をみはっていると、オリクが太い声でいった。「しっかり見ておくがいい。もう百年近くになるが、その間、この光景を目にしたライダーはいない。わしらが今立ってるのはファーザン・ドゥアー（わが父）という名の峰《みね》だ――ドワーフ族の先祖《せんぞ》であるコルガンが、数千年前に黄金をほっている最中に見つけたものでな。中央にそびえているのが、わしらが技術《ぎじゅつ》の粋《すい》を結集してできあがった〈都市の山〉――トロンジヒーム。まじりっけのない大理石でできている」

「都市だって！」

　そしてエラゴンの目に群衆《ぐんしゅう》の姿《すがた》が飛びこんできた。目の前にひろがる光景に圧倒《あっとう》されるばかりで、気づくのがおくれたのだ。トンネルの出口から石畳《いしだたみ》の道にそって、延々《えんえん》と人垣《ひとがき》ができている――鬱蒼《うっそう》とした茂《しげ》みのように、人間とドワーフがびっしりならんでいるのだ。数百人、いや数千人はいる。どの目も顔もすべてエラゴンにむけられている。そしてだれも口を開かない。

　エラゴンはサフィラの角《つの》をにぎる手に力をこめた。うすよごれた上着姿のこどもたち、傷《きず》だらけの拳《こぶし》をもつたくましい男たち、粗末《そまつ》な衣服をはおる女たち。風雨にいたんだ肌《はだ》をさらすドワーフたちは、しきりにあごひげをいじっている。どの顔もみなはりつめている――天敵《てんてき》に追いつめられ、もう逃《に》げられないと観念した手負いの動物のようだ。

　エラゴンの顔に玉の汗《あせ》が流れてきたが、ふきとることはしなかった。〔どうしたらいい？〕動揺《どうよう》してサフィラにきいた。

〔にこっと笑って片手をあげなさい。さあ早く！〕サフィラが即座《そくざ》にいった。

　エラゴンは無理やり笑顔《えがお》をつくったが、唇《くちびる》がひきつるばかりだった。勇気を出して片手を宙《ちゅう》にあげ、ぎこちない動作でふってみる。だが人々からはなんの反応《はんのう》も返ってこない。きまり悪さに顔を赤

らめ、腕《うで》をおろして顔をうつむけた。と、ひとつの歓声《かんせい》が群衆《ぐんしゅう》の沈黙《ちんもく》をやぶった。どこからか大きな拍手《はくしゅ》があがる。一瞬《いっしゅん》ためらったのち、割《わ》れるような歓声がそこらじゅうでわきおこり、その音の波にエラゴンはおしつぶされそうになった。

「よろしい」坊主頭《ぼうずあたま》の男がうしろからいった。「では、歩きなさい」

エラゴンはほっとして背筋《せすじ》をのばし、サフィラにむかっていたずらっぽくいった。〈それでは、まいりましょうか?〉サフィラは首を弓なりにのばし、前へ進みだした。最初の列の前を通るとき、サフィラは両側に顔をむけて煙《けむり》を吐《は》き出した。群衆は静まり、身をすくめたが、すぐにまたいっそう大きな歓声をあげはじめた。

〈まったくカッコつけちゃって〉エラゴンが冷やかす。サフィラはそれにはかまわず、しっぽをふりあげた。サフィラが前進するあいだ、エラゴンはおしあう人の群《む》れを興味深《きょうみぶか》げに観察した。人間よりもドワーフの数のほうが圧倒的《あっとうてき》に多く、彼らはみな恨《うら》みがましい目でこちらを見ている。なかには背をむけ、顔をこわばらせて去っていく者もある。

人間たちはがんじょうで腕《うで》っぷしが強そうだった。男たちはみな、短剣《たんけん》かナイフを腰《こし》にさげている——戦いにそなえているのだ。女たちは誇《ほこ》り高く見えるが、その内側には長い年月の疲労《ひろう》がかくれているようだ。数少ないこどもや赤んぼうたちが、エラゴンの顔を目を丸くして見ている。だれもがみな、多くの苦難《くなん》を経験《けいけん》してきたのだ。おそらく彼らは、自分の身を守るためならどんなことでもするのだろう。

ヴァーデンは完璧《かんぺき》な隠《かく》れ家《が》を手に入れたのだ。ファーザン・ドゥアーの壁《かべ》はドラゴンにも飛んでいけないほど高く、たとえ秘密《ひみつ》の扉《とびら》を見つけられても、通路を突破《とっぱ》できる軍はいないだろう。

群衆はサフィラとの間隔《かんかく》をじゅうぶんにあけて、ふたりのあとをついてきていた。あいかわらずエラゴンには熱い視線《しせん》を送りながらも、人々の興奮《こうふん》は徐々《じょじょ》におさまってきた。ふり返ると、顔色の悪いマータグが馬の背《せ》で身をこわばらせているのが見えた。

一行は〈都市の山〉に近づいていた。トロンジヒームのみがきあげられた白い大理石は、まるでそこに流しこまれたかのようにみごとな流線型をしている。表面には無数の丸窓《まるまど》があり、窓枠《まどわく》には凝《こ》った彫刻《ちょうこく》がほどこされている。どの窓にも色つきのランタンがさがり、あたりの岩にやわらかな光を落としている。小塔《しょうとう》や煙突《えんとつ》は見えない。正面の巨大《きょだい》な木の門を、大きな二頭の金のグリフィンが守っている。頭と翼《つばさ》はワシ、胴体《どうたい》はライオンだ。〈都市の山〉のふもとに引っこむような形でつくられたその門には、丸天井《まるてんじょう》をささえる太い梁《はり》の影《かげ》が落ちていた。

トロンジヒームの手前で、サフィラが足をとめて坊主頭の男の様子をうかがった。しかしなんの指《し》示《じ》もないので、そのまま門へと進んだ。門につづく壁《かべ》には、赤い碧玉《へきぎょく》でできた縦《たて》みぞ彫《ぼ》りの柱がならんでいる。柱のあいだにぬっと立っているのは、彫《ほ》り師《し》のノミに捕《とら》えられた奇怪《きかい》な生き物たちの像《ぞう》だ。

どこかで鎖《くさり》が巨大な梁《はり》をゆっくりともちあげると、目の前の重たい門がガラガラと開いていった。四階までふきぬけになった巨大な通路が目に飛びこんできた。廊下《ろうか》はトロンジヒームの中心へまっすぐのびている。上層《じょうそう》三つの階にはアーチ道が口をあけ、その先に灰色《はいいろ》のトンネルが曲がりながらのびている。それぞれのアーチの入り口には人がむらがり、エラゴンとサフィラの姿《すがた》を一心に見つめている。一階の入り口だけにがんじょうな扉がはまっている。階と階のあいだには豪華《ごうか》な刺繍《ししゅう》のタペストリーがさがり、勇者の姿や激戦《げきせん》の場面が描《えが》き出されている。

サフィラが通路に足をふみ入れると、歓声がどっとわきおこった。行進をはじめ、エラゴンが片手《かたて》

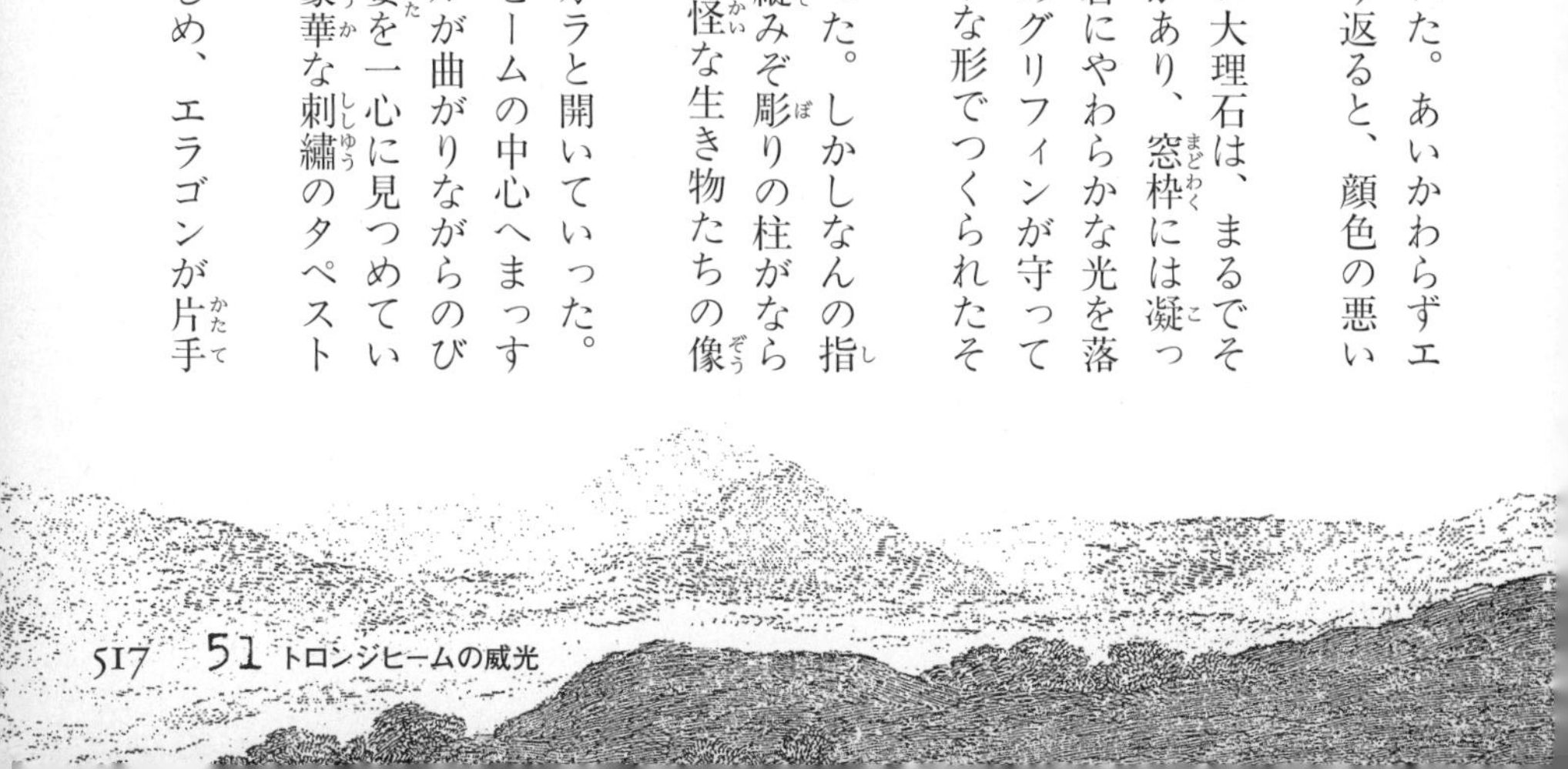

をあげるのを見て、群衆《ぐんしゅう》はさらに歓喜《かんき》する。だが、ほとんどのドワーフはそれには加わろうとしない。

一キロ半もの長いトンネル通路を歩くと、やがて黒オニキスの柱でささえられたアーチの入り口にたどり着いた。柱の上にのっているのは、人の頭の三倍もある黄色のジルコン。廊下《ろうか》に金色の鋭《するど》い光を放っている。入り口を入ると、サフィラはそこで足をとめ、胸《むね》のなかでブーンと音を鳴らしながら首をうしろへそらした。

彼らが足をふみ入れたのは円形の部屋だった。さしわたし三百メートルほどの広さ。しだいに壁《かべ》をすぼめながら、トロンジヒームの中央に一キロ半の頂上《ちょうじょう》までつきぬけている塔《とう》だ。壁は各階に一列ずつアーチがならんでいる。床《ゆか》はみがかれた紅玉髄《こうぎょくずい》。床にはオリクの兜《かぶと》と同じ、十二の五線星《ペンタクル》でかこまれた金槌《かなづち》の図柄《ずがら》が彫《ほ》られている。

その塔は四本のトンネル通路の中心にあった。彼らが今通ってきた通路もそのうちの一本で、それらのトンネルがトロンジヒームの内部を四つに仕切る形になっている。通路の形状《けいじょう》はどれも同じだが、エラゴンの対面にある一本だけはちがう。その通路の右と左には高いアーチ型の入り口があき、その先に階段《かいだん》が見える。あわせ鏡のように同じ階段が、ゆったりと曲がって地下へとおりている。

塔の天井《てんじょう》には夕日のように赤い巨大《きょだい》なスターサファイアがはめこまれていた。直径二十メートル、厚《あつ》さもそれくらいありそうだ。表面の彫り物は咲《さ》き誇《ほこ》るバラ。よほど腕《うで》のいい職人《しょくにん》が彫ったのか、本物のバラそっくりに見える。いくつものランタンがその赤いサファイアをとりまき、下にあるものすべてに赤い光の筋《すじ》を投げかけている。宝石《ほうせき》が放つ星型の光のせいで、それは人々をにらみつける巨大な目のように見えた。

エラゴンはおどろきのあまり呆然《ぼうぜん》としていた。こんな光景に出会うことなど、予想だにしていなか

った。人間の手では、よもやこのようなものをつくり出すことはできまい。これまで見てきた帝国《ていこく》のあらゆるものを、恥《は》じ入らせてしまうような光景だ。王のひざもとウルベーンでさえ、この都市の豊《ゆた》かさと壮大《そうだい》さにはおよびもつかない。トロンジヒームはドワーフの力と忍耐《にんたい》を顕示《けんじ》するおどろくべき記念碑《きねんひ》だった。

　坊主頭《ぼうずあたま》の男がサフィラの前に歩いてきた。「ここからは、歩いて進むんだ」彼がそういうと群衆が不満の声をあげはじめた。トルナックとスノーファイアは、ドワーフがどこかへひいていった。エラゴンはサフィラの背《せ》からおりたが、そのわきからけっしてはなれずに、坊主頭の男のあとをついていった。彼らは紅玉髄の床を歩いて、右手の廊下にむかった。

　その廊下を百メートルほどたどると、今度はもっと小さな廊下に出た。せまい空間にもかかわらず、あいかわらず護衛《ごえい》の兵士がついてきた。急角度で数回曲がると、目の前に巨大な杉《すぎ》の扉《とびら》が現《あらわ》れた。扉は長い年月を経《へ》て黒ずんでいる。坊主頭の男がそれを引いて、衛兵以外をなかにみちびいた。

52

アジハド

エラゴンは二階建てになった優雅《ゆうが》な書斎《しょさい》に足をふみ入れた。杉材《すぎざい》の本箱が壁《かべ》にずらりとならんだ部屋だ。錬鉄《れんてつ》の階段《かいだん》が弧《こ》を描《えが》きながら二階の小さなバルコニーへ続き、そこにはふたつの椅子《いす》と読書 机《づくえ》が置かれている。壁に白いランタンがずらりととりつけられているので、どこでも読書ができそうだ。石の床《ゆか》には、複雑《ふくざつ》な模様《もよう》を織《お》りこんだ、楕円形《だえんけい》の絨毯《じゅうたん》がしかれている。部屋の奥《おく》に男がひとり、大きな胡桃材《くるみざい》の机を前に立っていた。

男は油を塗《ぬ》った黒檀《こくたん》のような肌《はだ》をしていた。髪《かみ》はつるりと剃《そ》られているが、あごと上唇《うわくちびる》の上には切りそろえた黒いひげがある。彫《ほ》りの深い顔立ち、眉《まゆ》の下にひそむ知的で落ち着いた目。肩幅《かたはば》は広くたくましく、腰《こし》をしぼった赤のベストがそれをさらに強調している。彼は金糸の刺繍《ししゅう》がされたそのベストを、紫色《むらさきいろ》の華美《かび》なシャツの上に、きちんとボタンをしめて着ている。高潔《こうけつ》さのただようその姿《すがた》から、激《はげ》しさや威圧感《いあつかん》がにじみ出ていた。

男は口を開き、自信に満ちた声であいさつをした。「ようこそトロンジヒームへ、エラゴンとサフィラ。わたしはアジハドだ。おかけなさい」

エラゴンはマータグとならんでひじかけ椅子に腰をおろした。サフィラはふたりを守るようにその

背後《はいご》に身を落ち着けた。アジハドが片手《かたて》をあげて指をパチンと鳴らすと、階段のかげから男が現《あらわ》れた。横にいる坊主頭《ぼうずあたま》の男と瓜《うり》ふたつだ。エラゴンはびっくりしてふたりの顔を見くらべた。マータグは身をかたくした。「混乱《こんらん》するのも無理はない。彼らは双子《ふたご》の兄弟だ」アジハドがほほえんだ。「紹介《しょうかい》したいのだが、彼らには名前がないんだ」

サフィラはシューッとうなって不快感《ふかいかん》をしめした。アジハドは一瞬《いっしゅん》だけサフィラに目をやり、すぐに机の前の背《せ》もたれの高い椅子に腰かけた。双子はそろって階段の下にひっこみ、無表情《むひょうじょう》な顔で立っている。アジハドは両手の指先を顔の前であわせ、エラゴンとマータグにじっと目をこらした。その視線《しせん》はまったくゆらぐことがない。

エラゴンは居心地《いごこち》の悪さに身をすくめた。数分と思える時間がすぎたころ、アジハドは手をおろして双子を呼《よ》びよせた。一方が彼のわきに駆《か》けよった。アジハドが耳もとでなにかささやくと、坊主頭の男はとつじょ青ざめて、首を激しくふった。アジハドは眉をひそめ、それからなにかを了解《りょうかい》したようにうなずいた。

アジハドがマータグを見ていった。「きみが審査《しんさ》をこばんだことにより、わたしはむずかしい立場に追いこまれた。ファーザン・ドゥアーに入ることをゆるしたのは、この双子がきみを管理できると断言《だんげん》したから、それと、エラゴンとアーリアを助けたきみの行為《こうい》にめんじてのことなのだ。心のなかに、かくし通したい秘密《ひみつ》があるというのはよくわかる。しかし、そういう態度《たいど》をとり続けるかぎり、きみを信用するわけにはいかないのだよ」

「どのみち信用してはもらえないでしょう」マータグが挑戦的《ちょうせんてき》な口調でいった。

マータグの声を聞いてアジハドの顔が暗くなり、目が危険《きけん》なほどに光った。「最後に聞いたのは二十三年も昔のことだ……しかし、その声は忘《わす》れはしない」アジハドは胸《むね》を大きくふくらませ、不穏《ふおん》な

様子で立ちあがった。双子《ふたご》は動揺《どうよう》を見せ、ふたりで頭をつきあわせてひそひそ話をしている。「その声の持ち主は、きみではないべつの人間。いや人間ではなく、けだものといったほうがいいだろう。さあ、立ちなさい」

マータグは警戒《けいかい》しながらも、いわれたとおりにした。目は双子とアジハドのあいだにすえられている。「服を脱《ぬ》いで」アジハドが命じた。マータグは肩《かた》をすくめ、上着を引っぱって脱いだ。「むこうをむきなさい」マータグが体をまわすと、灯《あか》りが背中《せなか》の傷《きず》を照らし出した。

「マータグか」アジハドが息を吐《は》いた。オリクがぎょっとして鼻息を荒《あら》くした。アジハドはふいに双子にむき直り、どなりつけた。「おまえたちはこれを知っていたのか?」

双子は頭をたれた。「エラゴンの心のなかから名前だけはさぐりあてていました。しかしこんな若《わか》造《ぞう》が、強大な力をもつあのモーザンの息子《むすこ》だとは思いもしませんでした。そんなことはすこしも頭に――」

「それで、名前を報告しなかったのか?」アジハドは手をあげて、弁解《べんかい》しようとする双子を制《せい》した。「これについては、あとで話そう」アジハドはふたたびマータグのほうを見た。「まずはじめに、こっちの問題をかたづけねばならない。きみはまだ審査《しんさ》を拒否《きょひ》するつもりか?」

「ああ」マータグはきっぱりといい、上着を着た。「ぼくの心のなかには、だれも入れるつもりはない」

アジハドは机《つくえ》によりかかった。「よくない結果をまねくことになるぞ。きみが安全な男だと双子たちが認《みと》めるまでは、どうしても信用することができんのだ。エラゴンに力を貸《か》したのも、なにか理由があってのことかもしれないからな。そのへんがはっきり証明《しょうめい》されなければ、ドワーフや人間たちがきみを八《や》つ裂《ざ》きにしようとおしかけてくる――なにしろ、モーザンの息子がここにいるのだからな。

そうなると、きみをずっとどこかに閉《と》じこめておかねばならなくなる。きみとわたしたち、双方《そうほう》の身の安全のためにね。それに、ドワーフの王フロスガーがきみを拘束《こうそく》するといいだしたら、なおさらめんどうなことになる。いいか、そういう事態《じたい》はかんたんにふせげるのだ。自分を危険《きけん》な状況《じょうきょう》に追いこんではいけない」

マータグはかたくなに首をふった。「いやだ……たとえおとなしくしたがったとしても、どうせ社会のくずのようにあつかわれるんだ。ぼくの望みはここを去ることだけだ。だまってここから追いはらってくれれば、けっしてこの場所を帝国《ていこく》にもらしたりはしない」

「捕《と》らえられ、ガルバトリックスの前に引っ立てられたらどうする？」アジハドがたずねた。「きみがどんなに強かろうと、あいつはその心に侵入《しんにゅう》し、必要な情報《じょうほう》をさぐり出すだろう。いや、たとえそのとき抵抗《ていこう》できたとしても、将来《しょうらい》きみが王にひれふさないという保証《ほしょう》はない。わたしはそんな危険な賭《か》けはできないのだ」

「ぼくを永遠《えいえん》に牢《ろう》に閉じこめておくつもりか？」マータグが背筋《せすじ》をのばしてきいた。

「いやちがう。審査に応《おう》じるまでのあいだだけだ。きみが信用できる人間だと証明されたなら、双子がきみの頭からファーザン・ドゥアーの記憶《きおく》を消し、そののち解放《かいほう》してやる。ここの記憶をもつ人間を、ガルバトリックスの手にわたすわけにはいかないんだ。さあどうする、マータグ？　きみが決めないなら、こっちが決めてやるぞ」

ここは素直《すなお》に折れてくれ。エラゴンは心のなかで懇願《こんがん》した。マータグの身が心配だった。刃向《はむ》かっても意味がない。

とうとうマータグが口を開いた。ひとつひとつの言葉がゆっくりと明瞭《めいりょう》に響《ひび》いた。「ぼくの心は、これまでだれにもうばうことのできなかった聖域《せいいき》だ。ふみこもうとするやつがいても、激《はげ》しく抵抗し

てきた。心のなかだけが、唯一《ゆいいつ》安心できる場所だったからだ。この要求だけは、なにがあっても応《おう》じられない。少なくともこの双子《ふたご》たちにだけは、そんなことはさせない」

アジハドの目を敬意《けいい》の光がよぎった。「そういうだろうと思っていた。こちらはその反対の返事を願っていたのだが……衛兵《えいへい》！」杉《すぎ》の扉《とびら》がいきおいよくあき、兵士たちが武器《ぶき》をかまえて飛びこんできた。アジハドはマータグを指さして命じた。「彼を窓《まど》のない部屋に連れていけ。扉にはしっかりとかんぬきをかけておけ。入り口には六人の見張《みは》りを置き、わたしが様子を見に行くまではなかにだれも入れるな。話しかけてもならん」

兵士たちはマータグをけげんそうな目で見ながらとりかこんだ。彼らが書斎《しょさい》を出ていくとき、エラゴンはマータグの顔を見て口のなかでつぶやいた。「すまない」マータグは肩《かた》をすくめ、決然とした表情《ひょうじょう》で前をむき、兵士とともに部屋を出ていった。やがて彼らの足音は消えた。

アジハドがふいに口を開いた。「エラゴンとサフィラだけを残して退席《たいせき》してほしい。さあ！」

会釈《えしゃく》をして双子が出ていく。しかしオリクはいった。「アジハドさま、わが殿《との》がマータグのことを知りたがると思いますぞ。それと、わたしの命令違反《いはん》については、裁《さば》きがまだで……」

アジハドは眉《まゆ》をひそめ、それから片手《かたて》をふった。「フロスガーにはわたしから直接《ちょくせつ》話をする。きみの問題行動については……わたしが呼《よ》ぶまで外で待っていてくれ。それと、双子をまだ帰さないでほしい。彼らについてもまだ処分《しょぶん》は終わっていない」

「よくわかりました」オリクが礼をした。それから、かたい音を立てて扉がしまった。

長い沈黙《ちんもく》のあと、アジハドが疲《つか》れたようなため息をついてすわった。手で顔をふく仕草をして、天井《てんじょう》を見あげた。エラゴンは彼が話しだすのをしんぼう強く待った。が、まったくその気配がないので、自分から口を開いた。「アーリアはよくなりましたか？」

アジハドはエラゴンの顔を見おろして、重い口調でいった。「いや……しかし治療師《ちりょうし》たちは、よくなるだろうといっている。みな徹夜《てつや》で看病《かんびょう》しているからな。毒の力は相当強かったらしい。きみがいなかったら今ごろ命はなかっただろう。ヴァーデン軍はきみに心から感謝《かんしゃ》している」

エラゴンは肩の荷がおりたような気分だった。ここへ来てやっと、ギリエドからの長い旅がムダではなかったのだと感じられた。「それで、なにかお話が?」エラゴンはたずねた。

「サフィラを見つけたいきさつや、それからなにがあったかをすべて話してもらいたい」アジハドは両手の指で山をつくった。「ブロムからの伝言で多少のことは知っているし、双子の情報《じょうほう》もある。でも、わたしはきみの口から聞きたいんだ。とくにブロムが死んだときのことを――」

初対面の人間にすべてを打ち明けるのはためらわれた。だがアジハドはしんぼう強く待っている。

〔話してやりなさい〕サフィラがそっとうながした。エラゴンはすわり直し、おもむろに口を開いた。はじめはぎこちなかったが、しだいにすらすらと言葉が出るようになっていった。サフィラの助《たす》け舟《ぶね》もあって、そのときどきの記憶《きおく》が鮮明《せんめい》によみがえってきた。アジハドはずっと真剣《しんけん》に耳をかたむけている。

エラゴンはときどき言葉につまりながらも、長い時間話し続けた。ティールムのことや、ブロムとふたりでラーザックの潜伏《せんぷく》場所をさがしたことを話し、アンジェラの予言についてはだまっておいた。アーリアの出てくる夢《ゆめ》についても正直に話した。やがてギリエドでの話になり、シェイドのことに触《ふ》れると、アジハドは顔をこわばらせ、謎《なぞ》めいた目をして椅子《いす》の背《せ》によりかかった。

すべて話しおえたエラゴンは、これまでの出来事をしみじみと思い返し、沈黙にひたっていた。アジハドが立ちあがった。手をうしろで組み、本箱のひとつをぼんやりながめている。しばらくしてまた机《つくえ》にむき直った。

「ブロムの死はじつにつらいことだ。彼はわたしの親しい友であるとともに、ヴァーデンの強い味方だった。彼の勇気と知恵《ちえ》のおかげで、われわれは何度も壊滅《かいめつ》の危機《きき》から救われた。そしてこの世を去った今でさえ、彼はわれわれの成功を確実《かくじつ》にするものを託《たく》してくれた――それがきみだ」

「でも、ぼくになにをしろと？」エラゴンがきいた。

「それはあとで説明しよう。だが、今はもっとさしせまった問題がある。アーガルが帝国《ていこく》と組んだというのは、きわめて深刻《しんこく》な事態《じたい》だ。ガルバトリックスがわれわれを滅《ほろ》ぼそうとしてアーガルの軍を組織《しき》したというなら、それはヴァーデンの存亡《そんぼう》の危機を意味する。たとえこのファーザン・ドゥアーに守られていてもだ。なぜなら、ガルバトリックスのような邪悪《じゃあく》なライダーでも、ライダーがあのような怪物《かいぶつ》と手を結ぶなど、狂気《きょうき》の沙汰《さた》としかいいようがないからだ。アーガルのあてにならない忠誠《ちゅうせい》と引きかえに、やつはなにをあたえると約束したのか。それを考えるとぞっとする。さらにシェイドも現《あらわ》れたという。やつはいったいどんな様子だった？」

　エラゴンはうなずいた。「背《せ》が高くてやせていました。透《す》きとおるような青白い肌《はだ》をして、目と髪《かみ》は赤かった。全身黒ずくめの姿《すがた》でした」

「やつの剣《けん》は――きみはそれを見たか？」アジハドが夢中《むちゅう》でたずねる。「剣の刃《は》に長い傷《きず》がついていなかったか？」

「ええ」エラゴンがびっくりしていった。「どうして知ってるんですか？」

「その傷はわたしがつけたからだ。やつの心臓《しんぞう》を切りさこうとしたときにね」アジハドが残忍《ざんにん》な笑《え》みを浮《う》かべた。「やつの名前はダーザ――この国にはびこるもっとも邪悪で狡猾《こうかつ》な悪魔《あくま》だ。ガルバトリックスにとっては完璧《かんぺき》なる僕《しもべ》であり、われわれにとっては最悪の敵《てき》。きみはやつを殺したというが、それはどうやって？」

エラゴンがそのときの光景を鮮明《せんめい》に思い出した。「マータグが矢を二本、命中させたんです。一本めは肩《かた》に、二本めは両目のあいだに」

「残念ながら――」アジハドが眉《まゆ》をひそめた。「やつは死んではいない。シェイドを殺すには、心臓をつきさすしかないんだ。それ以外では、いったん消滅《しょうめつ》はしても、またどこかで霊魂《れいこん》となって現れる。不快《ふかい》きわまりない話だが、ダーザは生きのび、以前よりさらに強力になってもどってくるだろう」

陰鬱《いんうつ》な沈黙《ちんもく》が、嵐《あらし》を予兆する入道雲のようにふたりの頭上をおおった。やがてアジハドが口を開いた。「エラゴン、きみは謎《なぞ》なんだ。だれにも解《と》き方《かた》のわからないむずかしい問題なんだ。ヴァーデンの望みはだれにでもわかる――アーガルやガルバトリックスの望みも明白だ。しかし、きみの望みはだれにもわからない。だからこそ、きみは危険《きけん》なんだよ。とくにガルバトリックスにとっては。きみが次になにをするか、先が読めないから恐《おそ》れているんだ」

「では、ヴァーデン軍もぼくを恐れていると?」

「いや」アジハドが慎重《しんちょう》に口を開いた。「希望をもっている。だが、希望をもつことがまちがいだとわかれば、やはりきみを恐れるようになるだろう」エラゴンは下をむいた。「きみは自分が尋常《じんじょう》ではない立場にいることを、理解《りかい》しなければならない。きみをほかの者たちの手にはわたしたくない、自分たちのためだけに利用したい、そう思っている徒党《ととう》があきらかにいるのだ。きみはファーザン・ドゥアーに足をふみ入れた瞬間《しゅんかん》から、そういった集団《しゅうだん》の大きな影響力《えいきょうりょく》を受けているんだよ」

「あなたたちの集団も?」

アジハドはクスクス笑ったが、目つきは鋭《するど》かった。「わたしのもそのひとつだ。きみにはどうしても知っておくべきことがある――まずは、サフィラの卵《たまご》がどうしてスパインに現れたかということ

だ。ブロムがここに卵《たまご》を運んでからあとの話は、聞かされているかな？」

「いいえ」エラゴンはサフィラをちらりと見た。サフィラはまばたきをして、舌《した》をぺろりと出した。

アジハドは机《つくえ》の上をコツコツとたたいてから話をはじめた。「ブロムが最初に卵をヴァーデンのもとへ運んできたとき、だれもがその卵の運命に深い興味《きょうみ》を抱《いだ》いた。ドラゴンの卵は完全に滅《ほろ》んだものと思っていたからな。ドワーフはただひたすら、将来《しょうらい》のライダーが自分たちの味方になるという確約《かくやく》がほしかった――ただしなかには、新しいライダーを復活《ふっかつ》させること自体に反対する者もいたがね。一方その点にかんして、ヴァーデン軍とエルフ族には、もっと直接的《ちょくせつてき》な関心があった。理由はかんたんだ――歴史がしめすとおり、過去《かこ》のライダーはすべてエルフか人間のどちらかだった。大半はエルフで、ドワーフのライダーはひとりもいない。

エルフとしては、その卵をヴァーデンに託《たく》すことはさけたかった。また人間のもとで卵が孵《かえ》れば、第二のガルバトリックスが現《あらわ》れんともかぎらない。つまりエルフも人間も、自分たちの側にその卵がほしかったわけだ。むずかしい状況《じょうきょう》だった。しかもドワーフたちが、エルフにもわれわれにも、ひまさえあればしつこく議論《ぎろん》をふっかけてくる。事態《じたい》はいっそう悪化した。両者間の緊張《きんちょう》は高まるばかりで、やがてはおたがいの存在《そんざい》が脅威《きょうい》にすらなった――あとになって後悔《こうかい》することになったのだがね。そのころだった、ブロムがどちらの面目《めんぼく》も立つような妥協案《だきょうあん》を考えついたのは。

卵はヴァーデン軍とエルフ族のあいだを一年ごとに移動《いどう》する。卵をあずかっているあいだは、こどもたちを順に卵の前に連れてきて、だれかのもとで孵るのを待つ。一年のうちに孵らなければ、次は相手の側に返すという案だ。もしどちらかの地で卵が孵れば、ただちに新しいライダーを育てるべく修行《しゅぎょう》がはじめられる。最初の一、二年は、その者をブロムがこの地で指導《しどう》し、その後はエルフのもとへ送られて、仕上げの教育をするという筋書《すじが》きだった。

エルフはその計画をしぶしぶ受け入れた……ドラゴンが孵る前にブロムが亡《な》き者《もの》となった場合、新しいライダーの教育は、なんのじゃまもされずエルフの側で行うという条件《じょうけん》つきで。その取り決めは彼らのほうに有利だった――ドラゴンはエルフを選んで孵る可能性《かのうせい》のほうが高いからな――しかし、たとえうわべだけにしろ、それでなんとか公平な形がたもてることになった」

アジハドはそこでいったん話をとめた。豊《ゆた》かな表情《ひょうじょう》をもつ目が神妙《しんみょう》になった。顔の下半分に影《かげ》がさし、頬骨《ほおぼね》が前につき出して見える。「この新しいライダーの出現《しゅつげん》が、両者を結びつけるのではないかという希望もあった。そうしておよそ十年待ったものの、卵はまったく孵らなかった。人々のなかでこの問題はうすれてゆき、卵に変化がないのを悲しむだけで、それについてほとんど考えることがなくなっていった。

そして昨年、われわれはたえがたい喪失《そうしつ》に苦しむことになった。トロンジヒームからエルフの町オサイロンに卵を運ぶ途中《とちゅう》、アーリアが卵もろとも消えてしまったのだ。最初にそれに気づいたのはエルフたちだった。ドゥ・ウェルデンヴァーデンで、彼女の馬と護衛《ごえい》の兵士が殺されているのが見つかった。アーガルの死体もごろごろころがっていた。しかしアーリアと卵はついに見つからなかった。これを知ったとき、わたしはアーガルがアーリアと卵を手に入れて、じきにファーザン・ドゥアーの場所をつきとめるのではないかと恐《おそ》れた。また、エルフの首都であり、彼らの女王イズランザディの住むエレズメーラの場所も知られるかもしれないと。だが今、アーガルたちが帝国《ていこく》のもとで働いているとなれば、事態はもっと深刻《しんこく》だ。

アーリアが目覚めるまでは、彼女がおそわれたときの状況はよくわからない。しかしきみの話から、いくつか推理《すいり》できることがある」アジハドはベストの衣《きぬ》ずれの音をさせ、机の上にひじをついた。「攻撃《こうげき》はすばやく、一瞬《いっしゅん》の躊躇《ちゅうちょ》もなく行われた。さもなければアーリアなら逃《に》げられたはずだ。

なんの前ぶれもなくおそわれ、逃《に》げかくれできぬ状況《じょうきょう》に追いこまれた。そうなれば彼女のとる手はただひとつ――魔法《まほう》によって卵《たまご》をどこかに移動《いどう》させること」

「彼女は魔法を使えるんですか？」エラゴンは問いかけた。アーリアは、自分のもつ力を抑制《よくせい》するために薬を飲まされたといっていた――それは魔法の力のことなのだろうか？　自分はアーリアからもっと古代語を教わることができるのだろうか？

「彼女が卵を運ぶ役に選ばれた理由のひとつがそれだった。いずれにしろ、アーリアはわれわれのもとには卵をもどせなかった――ここからあまりにも遠すぎたんだよ。それにエルフの秘境《ひきょう》には、魔法を使ってもこえられない神秘《しんぴ》の防壁《ぼうへき》がはられていた。彼女はそこで、ブロムのことを思い出したにちがいない。必死の思いでカーヴァホールに卵を送った。なんの準備《じゅんび》も時間もない状況だ、的をはずすのも無理はない。双子《ふたご》は技《わざ》が未熟《みじゅく》なのだといっていたがね」

「どうして彼女はここではなく、パランカー谷に近い場所にいたんですか？」エラゴンはたずねた。「だいたい、エルフはどこに住んでいるんですか？　その……エレズメーラという場所は？」

アジハドはエラゴンを鋭《するど》い目で見すえたまま、その質問《しつもん》について検討《けんとう》した。「軽々しく教えるわけにはいかないことだ。エルフが用心深く守り続けている秘密《ひみつ》だからね。でもきみは知っておくべきだろうし、わたしからの信用の証《あかし》として、特別に教えることにする。エルフの町ははるか北、果てしない森、ドゥ・ウェルデンヴァーデンのどこかにある。ライダーが絶《た》えて以来、ドワーフにしろ人間にしろ、その鬱蒼《うっそう》とした地に足をふみ入れるほど、エルフと親しくなる者はいなかった。わたしでさえ、エレズメーラをどうやってさがせばいいのかわからない。オサイロンは……アーリアが消えた場所をもとに推測《すいそく》すると、それはドゥ・ウェルデンヴァーデンの西のはし、カーヴァホールに近いほうにあるのだと思う。ほかにもまだききたそうだが、ひとまずしんぼうして、最後まで話をさせてほし

い」

アジハドは記憶《きおく》を総動員し、早口でその先の話を進めていった。「アーリアが消えたとき、エルフ族はわれわれへの支援《しえん》をいっさい打ち切った。イズランザディ女王は、とくにおこって、われわれとは連絡《れんらく》すらとりあわないといった。だから、わたしのもとへブロムからの伝言がとどいたあとも、エルフ族はきみやサフィラのことはなにも知らない……。エルフからなんの支援も受けられないまま、われわれはこの数か月というもの、帝国《ていこく》との衝突《しょうとつ》を続けながら、苦しい生活をやりくりしてきた。ところが今、アーリアがもどり、きみがこの地にやってきた。これで女王の敵愾心《てきがいしん》もやわらぐのではないかと期待している。アーリアを救い出したという事実は、女王との関係において大いに役立ってくれるはずだ。ただしきみの修行《しゅぎょう》については、双方《そうほう》において問題の種になるだろうな。きみがブロムの教育を受けたのはわかるが、それがどの程度《ていど》のものかたしかめなければならない。だから、いずれきみの能力《のうりょく》をためさせてもらうことになるぞ。エルフのほうも自分たちで教育の仕上げをしたがるだろう。その時間があるかどうかはわからないが」

「どうしてですか?」エラゴンがきいた。

「理由はいくつかある。だがいちばんの理由は、アーガルについてきみからもたらされた凶報《きょうほう》だ」アジハドはさりげなくサフィラのほうを見た。「エラゴン、きみも知ってのとおり、ヴァーデン軍はきわめて微妙《びみょう》な立場にある。エルフとの同盟《どうめい》関係を維持《いじ》したいなら、彼らの要求を満たさなければならない。しかしその一方でドワーフたちをおこらせるわけにもいかないんだ。トロンジヒームにこれからも住まわせてもらうにはね」

「ドワーフはヴァーデンと同盟を結んでるんじゃないんですか?」

アジハドはためらった。「ある意味ではそうだ。ドワーフたちは、帝国と敵対するわれわれをここ

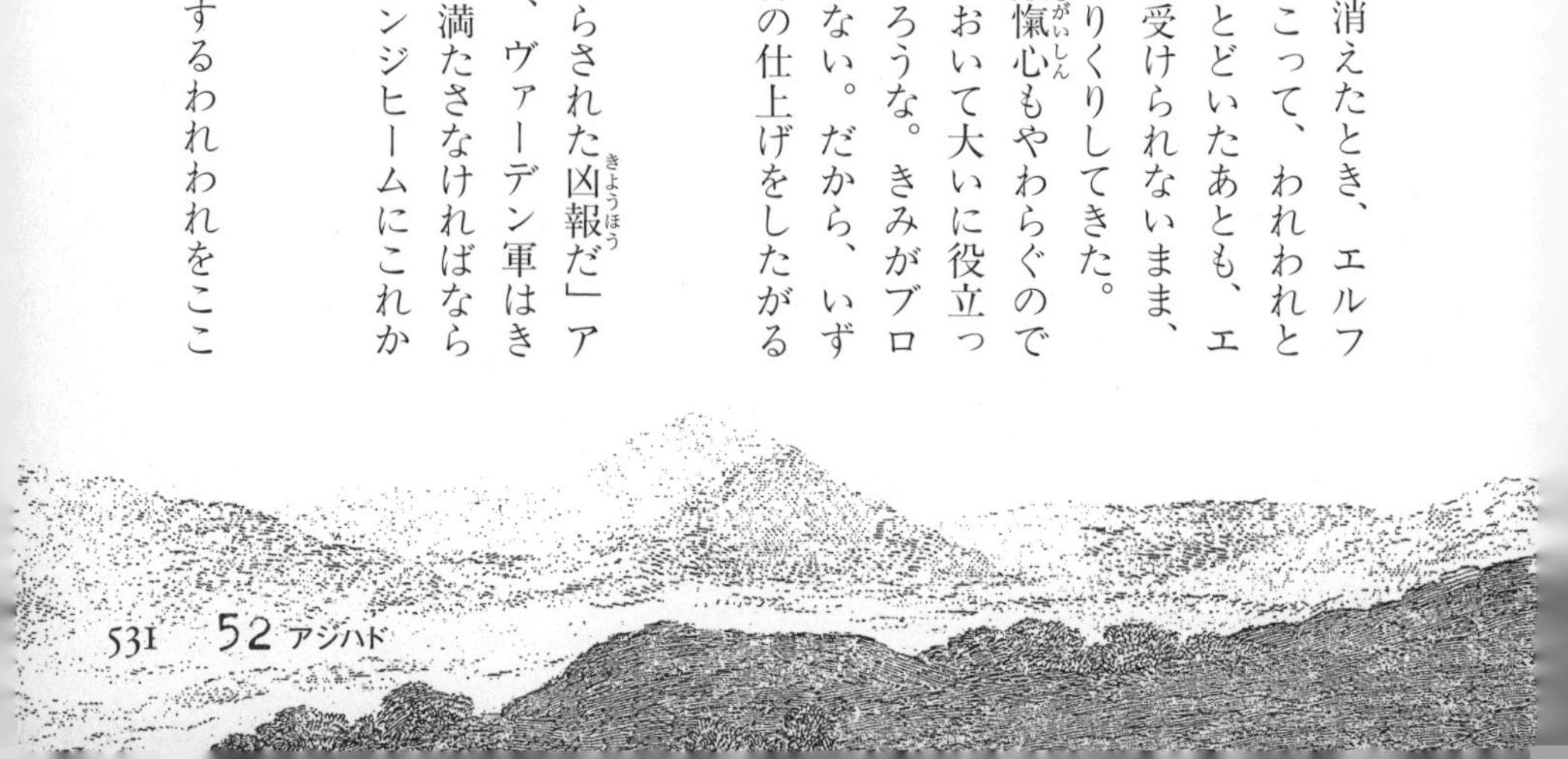

に住まわせ、援助《えんじょ》してくれている。しかし、彼らが忠誠《ちゅうせい》を誓《ちか》うのは自分たちの王のみなんだ。わたしは王フロスガーからあたえられた権限《けんげん》のなかでしか、彼らに指図をすることはできない。フロスガー自身もまた、ドワーフのさまざまな部族のことで問題をかかえているしな——十三のドワーフ族はフロスガーにしたがってはいるが、族長たちはそれぞれに絶大《ぜつだい》な権力をもっている。王が亡《な》くなれば、彼らが新しい王を選ぶことになっているのだ。フロスガーはわれわれに同情的《どうじょうてき》だが、族長の多くはそうではない。王としては彼らの気持ちを不必要に逆《さか》なでしたくない。そんなことをすれば民《たみ》からの支《し》持《じ》を失ってしまう。よって彼がわれわれのためを思って動こうとしても、できることにはかぎりがあるというわけだ」

「族長たちはぼくにもやはり敵意《てきい》を抱《いだ》いているんでしょうか?」エラゴンがきいた。

「残念だが、われわれに対する以上にね」アジハドが疲《つか》れた声でいった。「ドワーフとドラゴンのあいだには昔から宿怨《しゅくえん》ともいえるべきものがあるんだ——エルフがやってきて仲裁《ちゅうさい》するまでは、ドラゴンはよくドワーフのヒツジやヤギを食べたり、黄金を盗《ぬす》んだりしていた——ドワーフは過去《かこ》の恨《うら》みをなかなか忘《わす》れない種族でね。だからライダーたちを完全には受け入れられず、自分たちの王国を守らせもしなかった。ガルバトリックスの事件《じけん》があってからはなおさらだ。ドワーフたちはライダーやドラゴンなどと、二度とかかわらないほうがいいと思っているんだよ」アジハドは最後の言葉をサフィラにむけていった。

エラゴンはゆっくりといった。「ガルバトリックスはファーザン・ドゥアーやエレズメーラの場所を知らないんですか? ライダーの教育を受けているときに、その場所について聞いてなかったんでしょうか?」

「聞いていた。しかし、見てはいなかった。ファーザン・ドゥアーが山脈のどこかにあると知ってい

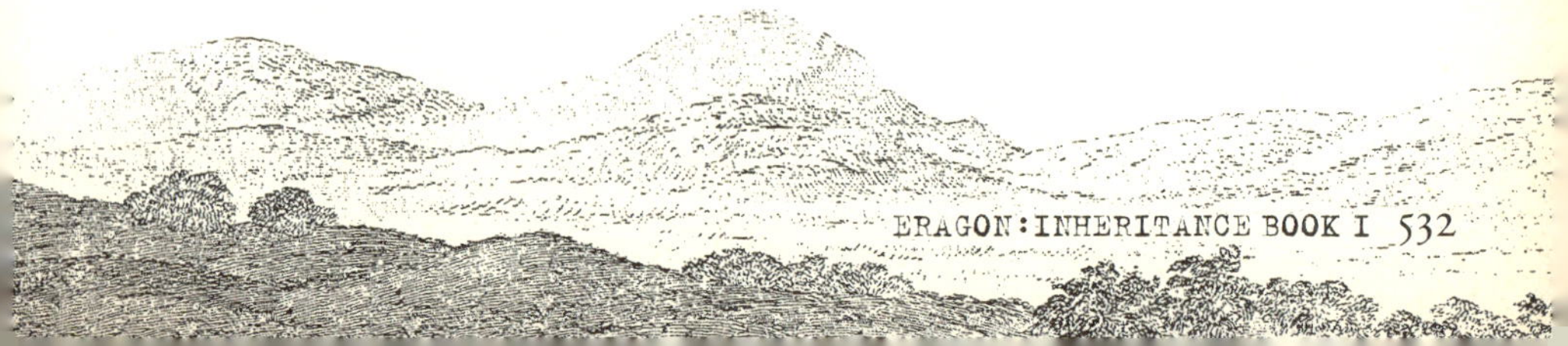

ても、それを見つけられるというわけではない。結局ガルバトリックスは、どちらの場所にも行けないうちにドラゴンを殺されてしまった。その後はもちろん、ライダーたちからの信用を失っている。謀反《むほん》を起こしたとき、数人のライダーから無理やり情報《じょうほう》を得ようとしたが、ライダーたちはやつに教えるぐらいならと、みずからの命を絶《た》った。ドワーフのほうは、生きたままガルバトリックスに捕《と》らえられたものはいなかった。だが、それも時間の問題かもしれないな」

「なぜガルバトリックスは、エレズメーラをさがすためにドゥ・ウェルデンヴァーデンに兵を出さないんでしょう？」

「なぜなら、エルフはまだやつに抵抗《ていこう》できる力をもっているからだ。ガルバトリックスには、エルフを相手に自分の力をためそうという気はない。少なくとも今のところはね。しかしやつの呪《のろ》われた妖《よう》術《じゅつ》は年々力を増《ま》している。もうひとりのライダーを味方につけでもしたら、もうガルバトリックスをとめることはできないな。やつは残るふたつの卵《たまご》をなんとか孵《かえ》そうとしているが、まだ成功はしていない」

エラゴンはわけがわからなかった。「ガルバトリックスはどうやって自分の力を増していくことができるんですか？　年をとって体がおとろえれば、能力《のうりょく》にも限界《げんかい》がくる——永遠《えいえん》に強くなり続けるなんてことはありえないでしょう」

「わたしたちにはわからない」アジハドが広い肩《かた》をすくめた。「そしてエルフにもね。こちらとしては彼がいつか自分の魔法《まほう》のせいで命を落とすことを願うのみだ」アジハドはベストの内ポケットに手を入れて、なかからくたびれた一片《いっぺん》の羊皮紙を取り出した。「これがなにか知ってるかい？」そういって机《つくえ》の上に置いた。

エラゴンは身を乗り出して、それをのぞいてみた。羊皮紙いっぱいにインクで書かれた黒い文字

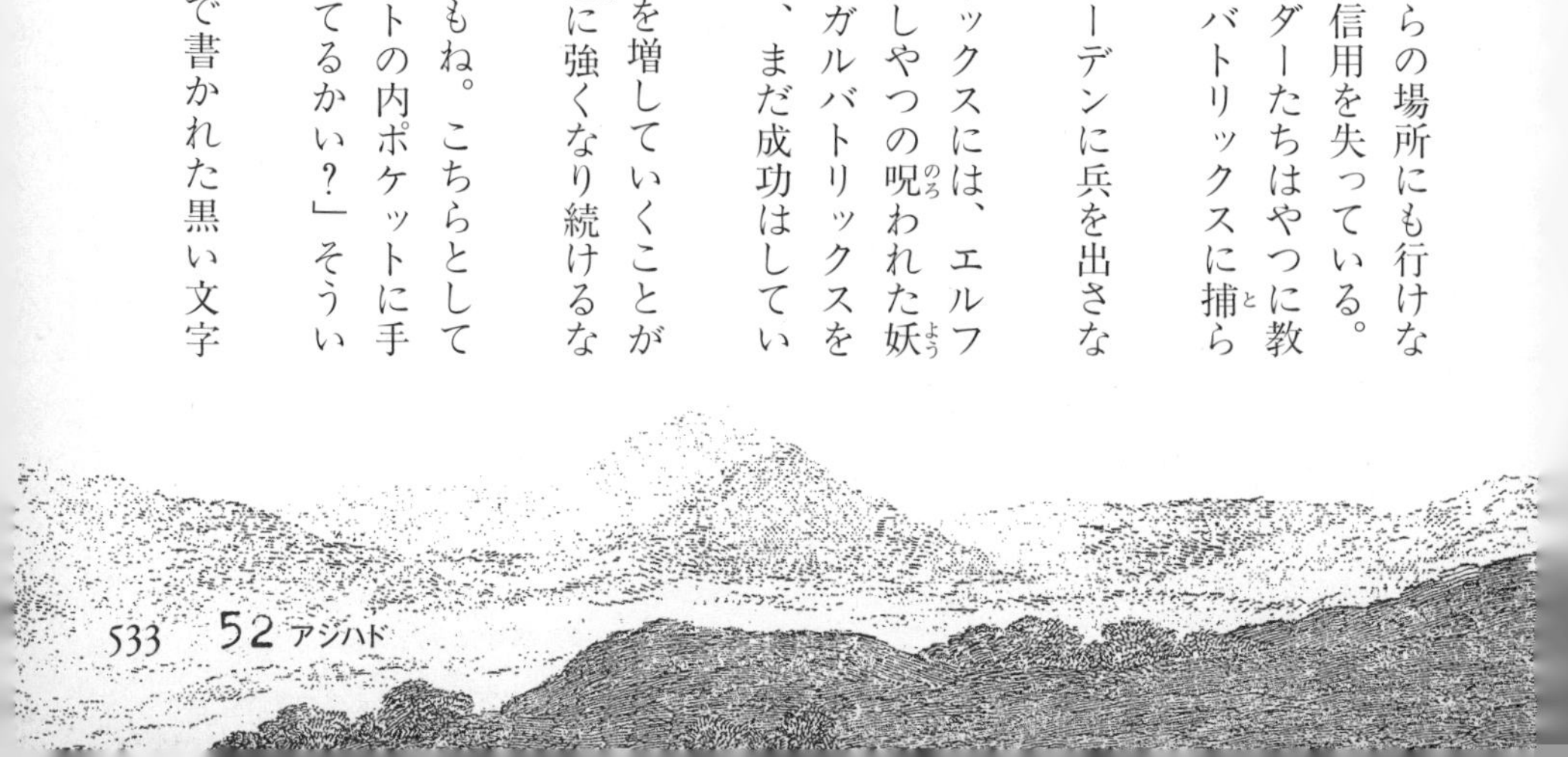

は、異国《いこく》の言葉をつづっているようだ。文字の大部分は血のしみでつぶれ、見えなくなっている。羊皮紙の縁《ふち》はこげていた。エラゴンは首を横にふった。「いいえ、わかりません」

「昨夜攻《せ》めてきたアーガルの首領《しゅりょう》をたおしてうばったものだ——十二人の兵士の命を犠牲《ぎせい》にしてね。彼らはきみが無事逃《に》げられるように命を捨《す》てて戦ったんだ。この文字はガルバトリックスがつくりだしたものらしい。従者《じゅうしゃ》たちとの連絡《れんらく》のために使うのだろう。時間はかかったが、なんとか解読《かいどく》できたよ。少なくとも、読める部分に関しては。内容《ないよう》はこうだ——

……イスロ・ジャーダの門番は、これを携行《けいこう》する者とその配下の者たちを通過《つうか》させよ。彼らは同族の者たちと寝床《ねどこ》をならべることになるが…………それはたがいの徒党《ととう》が争いをひかえる場合のみのことである。指揮権《しきけん》はタロック、ガッシュ、ダーザ、偉大《いだい》なるウシュナルクにある。

「ウシュナルクというのはガルバトリックスのこと。アーガルの言葉で『父』という意味だ。ガルバトリックスはやつらの父親のふりをするのが気に入ったとみえる」

この者たちの適性《てきせい》を見定め……下僕《げぼく》と……はつねにはなしておくように。武器《ぶき》はけっしてもたせてはならぬ……までは……行進し……

「ここから先はいくつかの言葉以外、なにが書かれているのか見当がつかない」

「イスロ・ジャーダというのは？　初めて聞いた地名です」

「わたしもそうだ。すでにある地名を、ガルバトリックスがべつの名で呼《よ》んでいるのかもしれない。

こうして解読してみると、にわかに気になってきた。きみが最初に見たとき、数百ものアーガルたちは、なんのためにビオア山脈にいて、どこへむかうつもりだったのか？　ここには、『同族の者たち』とあるから、彼らがめざす先にはさらに多くのアーガルたちが待っているのかもしれない。王がこれだけのアーガルたちを一か所に集める理由は、ひとつしか考えれられない。怪物《かいぶつ》と人間の連合軍を組《そ》織《しき》して、われわれをたおすことだ。

　とりあえず今のところは、相手の出方を待つしかない。もっとくわしい情報《じょうほう》が得られなければ、イスロ・ジャーダの場所はわからない。まあファーザン・ドゥアーの場所は知られていないから、まだ希望はもてるだろう。この場所を見たアーガルたちはすべて、ゆうべ始末したからな」

「あなたたちは、どうしてぼくらが来ることを知ってたんですか？」エラゴンがきいた。「双子《ふたご》のひとりがぼくらを待ちかまえていたし、カルたちを撃退《げきたい》する伏兵《ふくへい》まで用意されていた」エラゴンはサフィラが熱心に耳をかたむけているのを知っていた。今はだまっているが、あとでいろいろと助言してくれるだろう。

「きみたちが通ってきた谷間の入り口に見張《みは》りを立ててあるんだ――ベアトゥース川の両岸にね。彼らがハトを飛ばして知らせてくれた」アジハドが説明した。

　ひょっとして、サフィラが食べようとしたハトがそうだったのか？「卵《たまご》とアーリアが消えたとき、あなたはブロムにそれを伝えなかったんですか？　ブロムはヴァーデンからはなにも知らせが来ていないといってました」

「知らせようとしたさ。だがおそらく使いの者は、途中《とちゅう》で帝国《ていこく》の手の者におそわれ、殺されたのだろう。そうでなければ、ラーザックがカーヴァホールへ行ったことの説明がつかない。そのあとブロムはきみと旅に出た。よって彼にこのことを知らせるのは不可能《ふかのう》になった。ブロムがティールムから伝

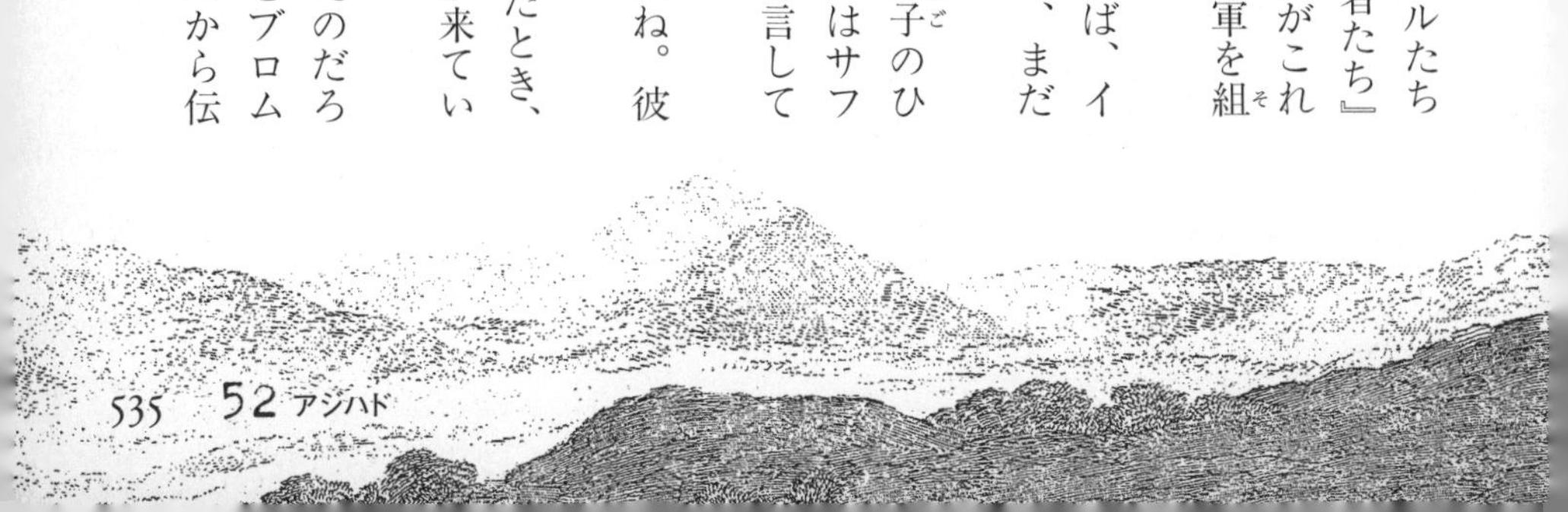

言を送ってきたときにはほっとしたよ。彼がジョードを訪《たず》ねたのは自然なことだ。ふたりは古くからの友人どうしだからね。それにジョードならサーダを経由《けいゆ》してわれわれに伝言をとどけることができる。彼は物資《ぶっし》をその経路でそっと運んでくれていたからね。

しかしここまで来て、わたしのなかに多くの疑念《ぎねん》が生まれた。帝国《ていこく》はアーリアを待ちぶせすべき場所の情報《じょうほう》をどこで手に入れたのか？ われわれの使者がおそわれた場所についても同じことがいえる。そしてガルバトリックスは、ヴァーデンと通じている商人をどうやってつきとめたのか？ きみらがティールムを発《た》ってから、ジョードの商売は実質的《じっしつてき》につぶされた。彼だけでなく、われわれを支《し》援《えん》している商人みんなが同じ目にあった。船を出せばかならず、海で消えてしまう。われわれだって、必要な物資をすべてドワーフにあたえてもらうわけにはいかない。だから、商人たちの船に大きくたよっていたんだ。いちばん恐《おそ》れているのは、身内に裏切《うらぎ》り者《もの》がいるのではないかということ。心のなかを審査《しんさ》しているにもかかわらずね」

エラゴンは今聞かされたさまざまな話を、胸《むね》のなかでじっくりと反芻《はんすう》してみた。アジハドはエラゴンが口を開くのを静かに待っている。とつぜんの沈黙《ちんもく》も気にならないようだ。エラゴンは、サフィラの卵《たまご》を見つけて以来初めて、自分のまわりで起きている事態《じたい》をはっきり理解《りかい》できたように感じていた。サフィラがどこからやってきたのか、自分にどんな将来《しょうらい》が待ち受けているのか、ようやくあきらかになったのだ。「それで、ぼくをどうしたいんです？」エラゴンがきいた。

「というと？」

「つまり、トロンジヒームでなにを期待されているのかということです。あなたやエルフたちには、ぼくをどうするか計画があるようだけど、ぼくがもしそれを気に入らなかったら？」声にとげとげしさがにじむ。「ぼくは必要なときには戦う。反発すべきときにはそうする。悲しければ嘆《なげ》くし、その

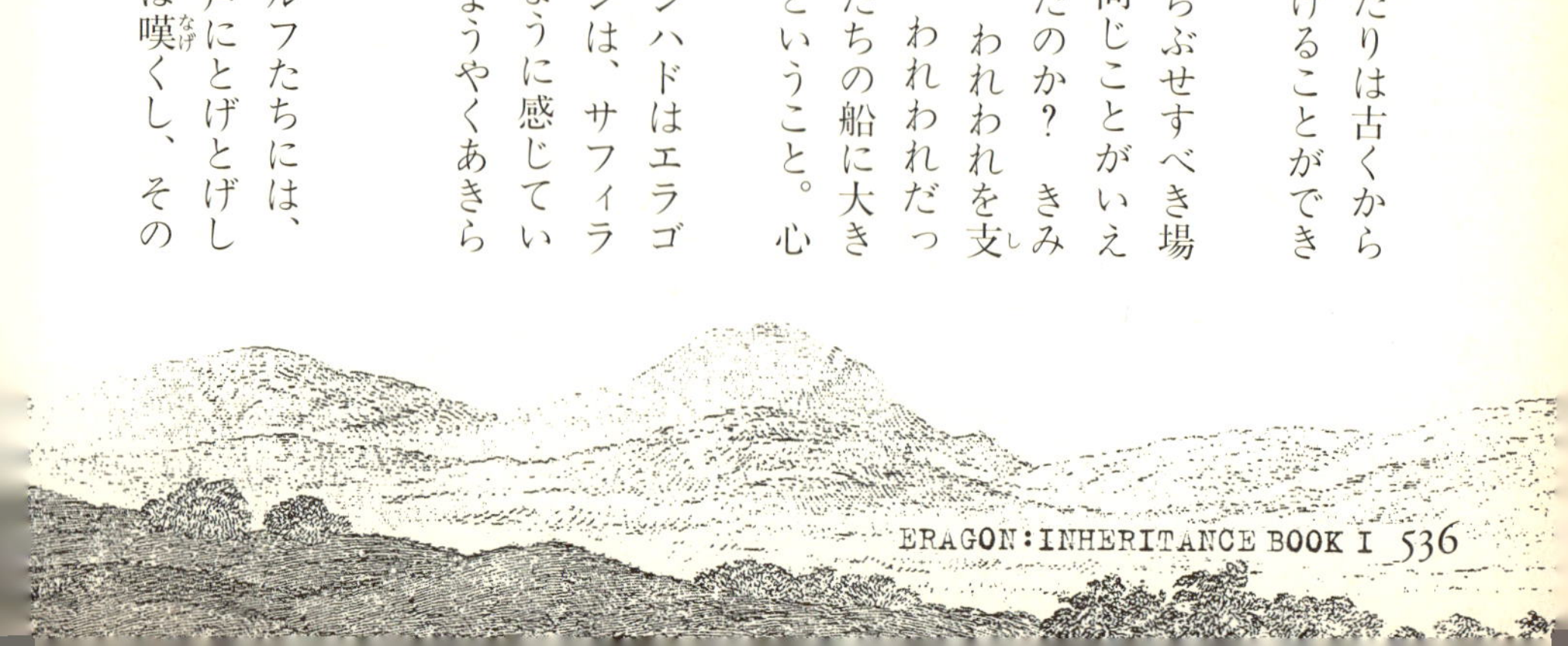

ときが来れば死ぬでしょう……でも意志《いし》に反して人に利用されることはぜったいにない」相手の胸に言葉がしみ入るように間を置いた。「昔のライダーは、その時代の支配者《しはいしゃ》の上に立つ正義《せいぎ》の審判《しんぱん》だったと聞いています。でも、ぼくはそういう立場にはなりたくない――ライダーなどいない時代に生きてきた人たちが、ぼくみたいな若造《わかぞう》の審判など受け入れるはずがないですから。だけどたしかに、ぼくには力がある。使うべきだと判断《はんだん》したときは、それを使うでしょう。だからまず知っておきたいのです。あなたがぼくをどう利用するつもりなのか？　それを聞いたうえで、受け入れるかどうかを決めます」

アジハドは顔をしかめてエラゴンを見た。「きみがライダーでなければ、あるいはほかの指導者《しどうしゃ》の前でそんな無礼な口をきいたら、とっくに首をはねられているぞ。きみにそういわれて、わたしが素《す》直《なお》に自分の計画をしゃべるとでも思っているのか？」顔を赤らめながらも、エラゴンは目をふせなかった。「それでもやはり、きみは正しい。今のきみはそれだけのことがいえる立場にいるんだからな。ただしそれゆえに、きみは政治的《せいじてき》な力からのがれることはできんのだよ――どこからかの影響《えいきょう》はかならずや受けることになる。わたしだって、きみが自分の意に反して、どこかの族やその目的に利用されるのは見たくない。きみは自由でなければならない。自由であればこそ、真の力が発揮《はっき》される。きみはどんな王や支配者からも指図を受けず、とるべき道を選ぶことができるんだ。わたしの支配力も、きみに対しては制限《せいげん》を受ける。だが、それでいいのだと思っている。むずかしいのは、いかにしてきみが、権力《けんりょく》をにぎる者たちに聞く耳をもたせるかだ。

それと、さらにきみは反論《はんろん》するかもしれないが、ここにいる人々はきみに期待している。自分の問題をきみのもとへもちこんでくる。どんなささいなことでもきみに解決《かいけつ》してくれとたのんでくるだろう」アジハドは身を乗り出し、真剣《しんけん》な口調でいった。「きみの手のうちに、人々の運命がゆだねられ

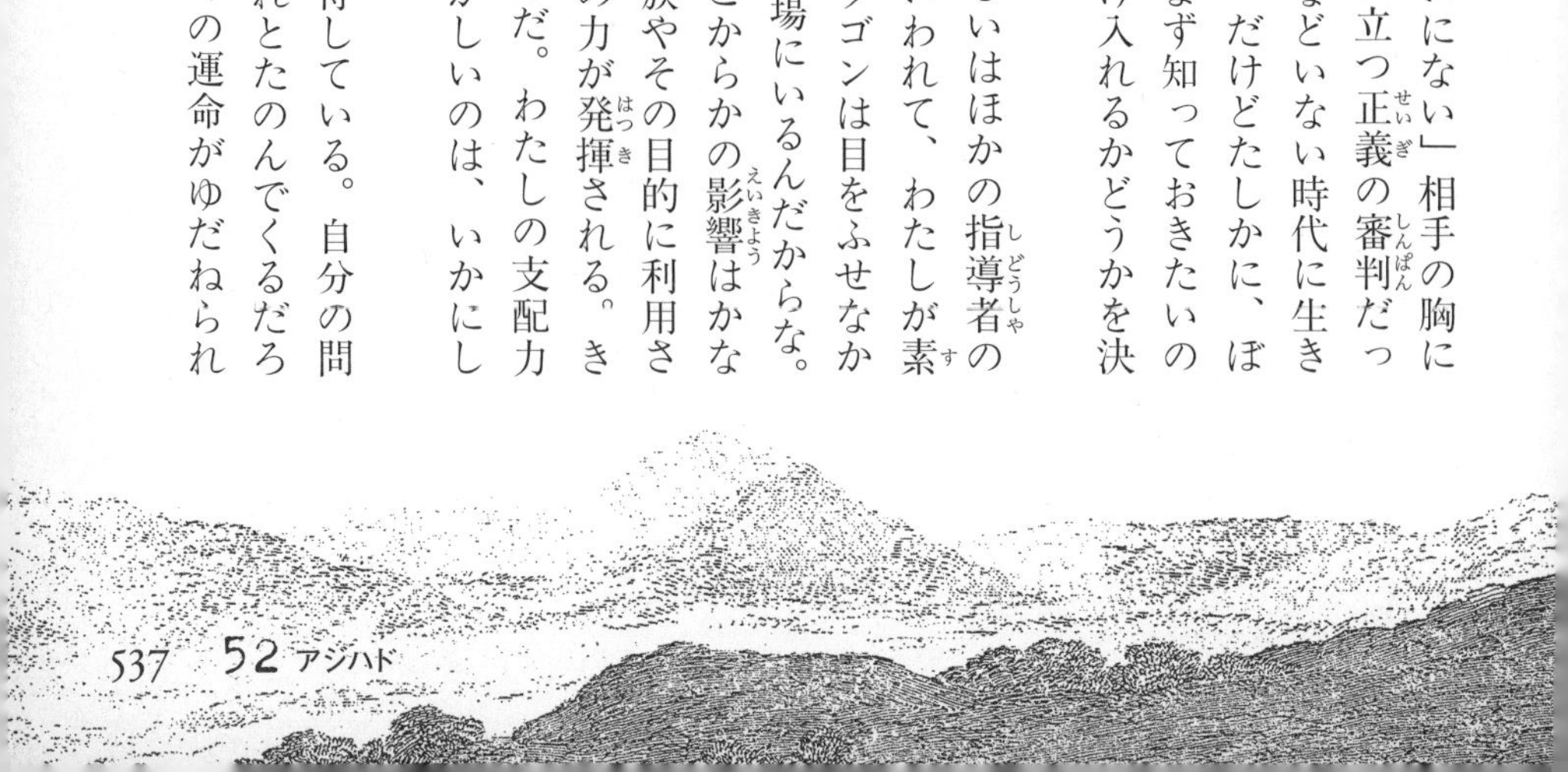

ることだってある……きみが口にした言葉しだいで、彼らの運命がよくも悪くもかたむいていく。若《わか》い女たちは夫選びについて意見をもとめに来る――いや、きみを夫にしようと追いかけてくるだろう。そして年配の男たちは、どの子に家督《かとく》を継《つ》がせたらいいかを相談しに来る。きみはそういった人々に対して親身になって知恵《ちえ》を授《さず》けてやらねばならない。みなきみを信じているわけだからね。うわついたことや軽はずみなことをいってはいけないよ。その口から出る言葉は、きみの予想をはるかにこえた影響力《えいきょうりょく》があるのだから」

アジハドは椅子《いす》にもたれ、まぶたを閉《と》じた。「人々をひきいていくという仕事の大変なところは、その人々を幸せにしなければならないという責任《せきにん》の重さにある。わたしはヴァーデンの指導者《しどうしゃ》になると決めたその日から、それを肝《きも》に銘《めい》じている。今度はきみがそうする番だ。これだけは覚えておくがいい。わたしは自分の支配下《しはいか》で不正が行われるのだけはゆるせない。若さや経験《けいけん》のなさを案じる必要はないぞ。そんなものはすぐに解決《かいけつ》される」

エラゴンは人々が自分に助言をもとめに来るという考えに居心地《いごこち》の悪さを感じた。「でも、ぼくはここでなにをすればいいんでしょう?」

「今のところはなにもない。八日のあいだ六百五十キロをこえる旅をしてきたんだ。誇《ほこ》るべき偉業《いぎょう》だよ。今はゆっくり休むことだ。体が回復《かいふく》したら、剣《けん》の腕前《うでまえ》や魔法の力をためさせてもらうよ。そのあとで――いくつかの選択肢《せんたくし》について説明しよう。どれをとるかは自分で決めなさい」

「マータグはどうなるんです?」エラゴンが嚙《か》みつくようにいった。

アジハドの顔がくもった。机《つくえ》の下に手をのばして、ザーロックを取りあげる。みがかれた鞘《さや》が光を反射《はんしゃ》してきらきら光る。アジハドはそこに手をすべらせ、彫《ほ》られた紋章《もんしょう》をしばらくさわっていた。

「彼は双子《ふたご》の審査《しんさ》を承諾《しょうだく》するまでここに置いておく」

「監禁《かんきん》なんてやめてください！」エラゴンは声をあげた。「なんの罪《つみ》も犯《おか》してないんだから！」

「われわれを裏切《うらぎ》らないと保証《ほしょう》されるまでは、自由にはできないんだよ。罪のあるなしにかかわらず、マータグはその父親と同じように、危険性《きけんせい》を秘《ひ》めた存在《そんざい》なのだからね」アジハドは言葉にかすかな悲しみをにじませた。

アジハドの気持ちはけっしてゆるがないのだと、エラゴンは気がついた。指導者として、それ以外の決断《けつだん》はできないのだ。「彼の声で、どうしてモーザンの息子《むすこ》だと気づいたんですか？」

「父親と一度会っているんだよ」アジハドは短くいって、ザーロックの柄《つか》を軽くたたいた。「ブロムめ、モーザンの剣を手に入れたことを、知らせてくれればよかったものを。ファーザン・ドゥアーにいるうちは、できればこの剣をもち歩かないほうがいい。多くの人々が、モーザンの生きていた時代に憎《にく》しみを抱《いだ》いているからな。とくにドワーフはそうだ」

「わかりました」エラゴンは約束した。

アジハドはザーロックをエラゴンに返した。「これを見て思い出した。そういえばブロムから、本人と確認《かくにん》するための指輪をあずかっていたんだ。トロンジヒームにもどってきたら返そうと思っていたんだが、彼が亡《な》くなった今、これはきみがもっているべきだ。彼もそれを願うだろう」机のひきだしをあけ、なかから指輪を取り出した。

エラゴンは敬虔《けいけん》な気持ちでそれを受けとった。サファイアの表面に彫られた紋章は、アーリアの肩《かた》の刺青《いれずみ》と同じものだ。エラゴンは指輪を人差し指にはめ、宝石《ほうせき》が光をとらえるさまにうっとりした。

「ありがたく……いただきます」

アジハドは厳粛《げんしゅく》にうなずくと、椅子を引いて立ちあがった。顔をサフィラのほうへむけ、力のこもった声で話しかけた。「きみのことを忘《わす》れてなどいないよ。偉大なるドラゴンよ。わたしが今エラゴ

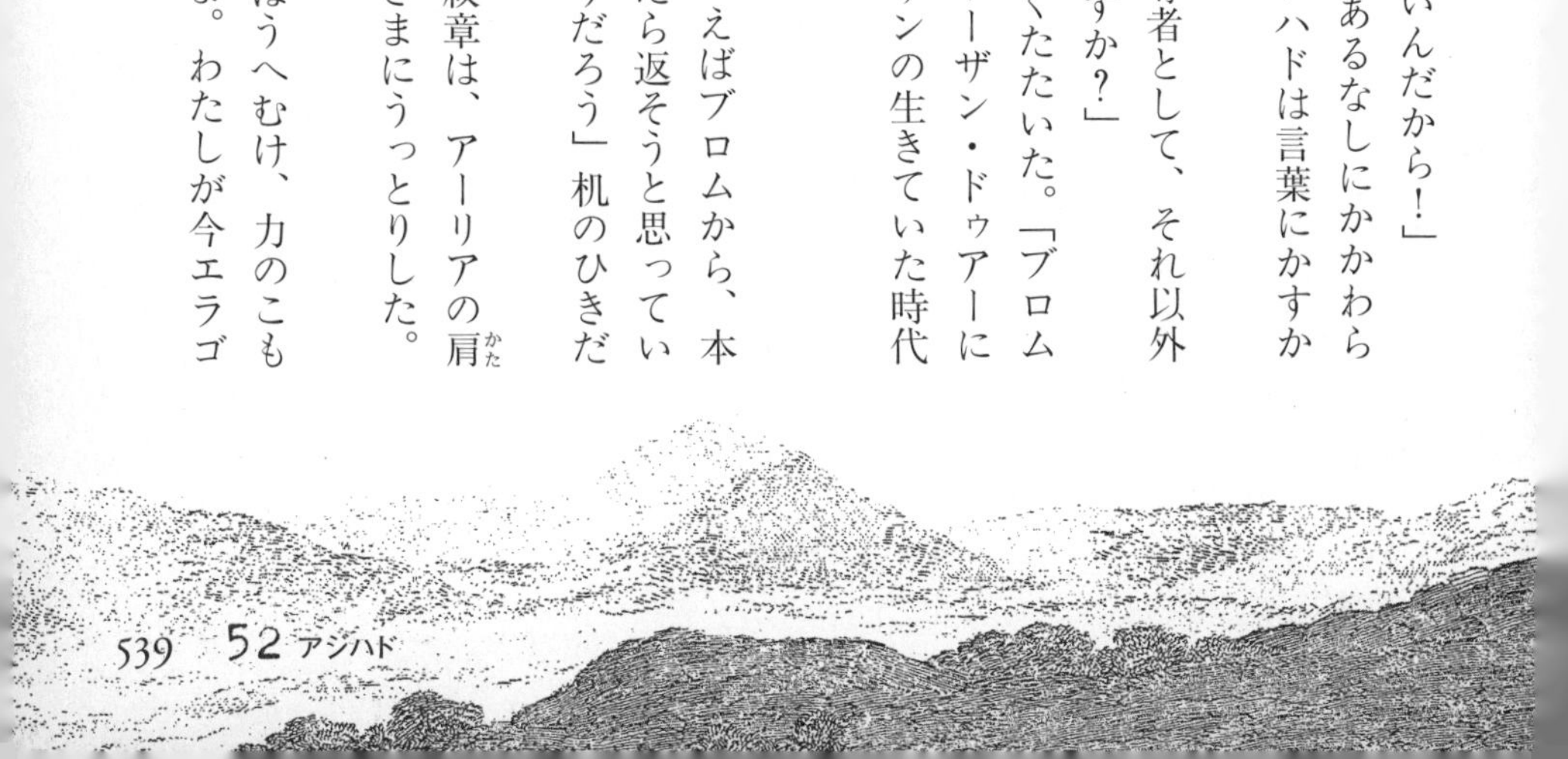

ンに話したことは、きみにむけての話でもある。事実を知ることは、きみにとっても大事なことだ。あらゆる危険《きけん》な場面で、エラゴンを守るという任務《にんむ》を負っているのだからね。自分の力を信じ、エラゴンのそばではけっしてひるまないことだ。きみがいなければ、彼に成功はありえないのだからね」

サフィラはアジハドの目の高さまで頭をさげ、黒く細長い瞳孔《どうこう》から彼の顔を見つめた。ふたりはそのまままばたきもせず、たがいのことをだまって観察した。最初に動いたのはアジハドだった。目を落とし、静かにいった。「きみに会えたことを、本当に光栄に思っているよ」

〔こちらこそ〕サフィラが敬意《けいい》を表してつぶやき、エラゴンに顔をむけた。〔トロンジヒームにもアジハドにも感銘《かんめい》を受けた、帝国《ていこく》があなたを恐《おそ》れるのも無理はないと伝えてほしい。それから、こうも伝えて――エラゴンを殺そうなどとすれば、わたしはここを破壊《はかい》し、あなたをこの牙《きば》でずたずたに切りさいてやると〕

エラゴンはサフィラの毒のある言葉におどろいてためらいながらも、そのとおりに伝えた。アジハドはサフィラを真剣《しんけん》な目で見た。「きみのすばらしい力はよくわかっている。でも、あの双子《ふたご》にはかなわないだろう」

サフィラはあざ笑うようにフンと鼻を鳴らした。

サフィラの気持ちを代弁《だいべん》して、エラゴンがいった。「じゃあ、あの人たちは見かけよりずっと強いんでしょうかね。だけど、ドラゴンの怒《いか》りに触《ふ》れたら、彼らだって肝《きも》をつぶしますよ。ぼくを負かせても、サフィラはぜったいに負かせない。あなたも知っておいたほうがいいですよ。ドラゴンには、ライダーの魔法《まほう》を、ふつうの魔術師《まじゅつし》が使う以上に強くする力がある。だからブロムの魔力はぼくのより弱かったんです。ライダーがずっといなかったから、あの双子は自分の力を過信《かしん》しているんでしょう」

アジハドがこまった顔になった。「ブロムはわれわれが知るなかで、もっとも強力な魔法を使える人物だった。それをしのぐ者はエルフしかいなかった。今の話が本当なら、われわれはいろいろと認《にん》識《しき》をあらためねばならないようだ」彼はサフィラにお辞儀《じぎ》をした。「どうか気分を害さないでくれたまえ」サフィラは頭をすこしだけさげて、それにこたえた。

アジハドは堂々とした姿勢《しせい》にもどり、外にむかって大声で呼《よ》びかけた。「オリク！」ドワーフが部屋に飛びこんできて、机《つくえ》の前に立って腕組《うでぐ》みをした。アジハドは彼に眉《まゆ》をしかめて見せ、いらだたしげにいった。「オリク、きみのおかげで大変な迷惑《めいわく》をこうむったよ。きみが反抗的《はんこうてき》だといって、朝からさんざん双子に文句《もんく》をいわれた。きみを処罰《しょばつ》しなけりゃ、あのふたりは納得《なっとく》しないよ。残念だが、彼らはまちがってはいないからね。見すごすわけにはいかない問題だ。なんらかの処分が必要だろうな」

オリクの目がひょいとエラゴンにむけられたが、その顔色を読むことはできない。つっけんどんな早口でしゃべり立てた。「カルたちはコスタ・メルナをほとんど包囲していたんですぞ。ドラゴンとエラゴンが矢を放たれているというのに、双子はそれをとめようとしなかった。あれじゃ……シルヴェン（臆病者《おくびょうもの》）だ。しかもエラゴンが滝《たき》の逆側《ぎゃくがわ》で呪文《じゅもん》をとなえているのに、扉《とびら》をあけてやらなかった。水底からあがってこないエラゴンを、助けようともしなかったんですぞ。たしかに、命令違反《いはん》をしたかもしれないが、わしはライダーを見殺しにはできなかった」

「ぼくはとてもひとりじゃ、水から這《は》いあがれなかったんです」エラゴンもいった。「彼に引きあげてもらわなかったら、おぼれ死んでいた」

アジハドはエラゴンをちらっと見て、オリクに目をもどした。「その後もまた、双子たちに異《い》をとなえたというではないか？」

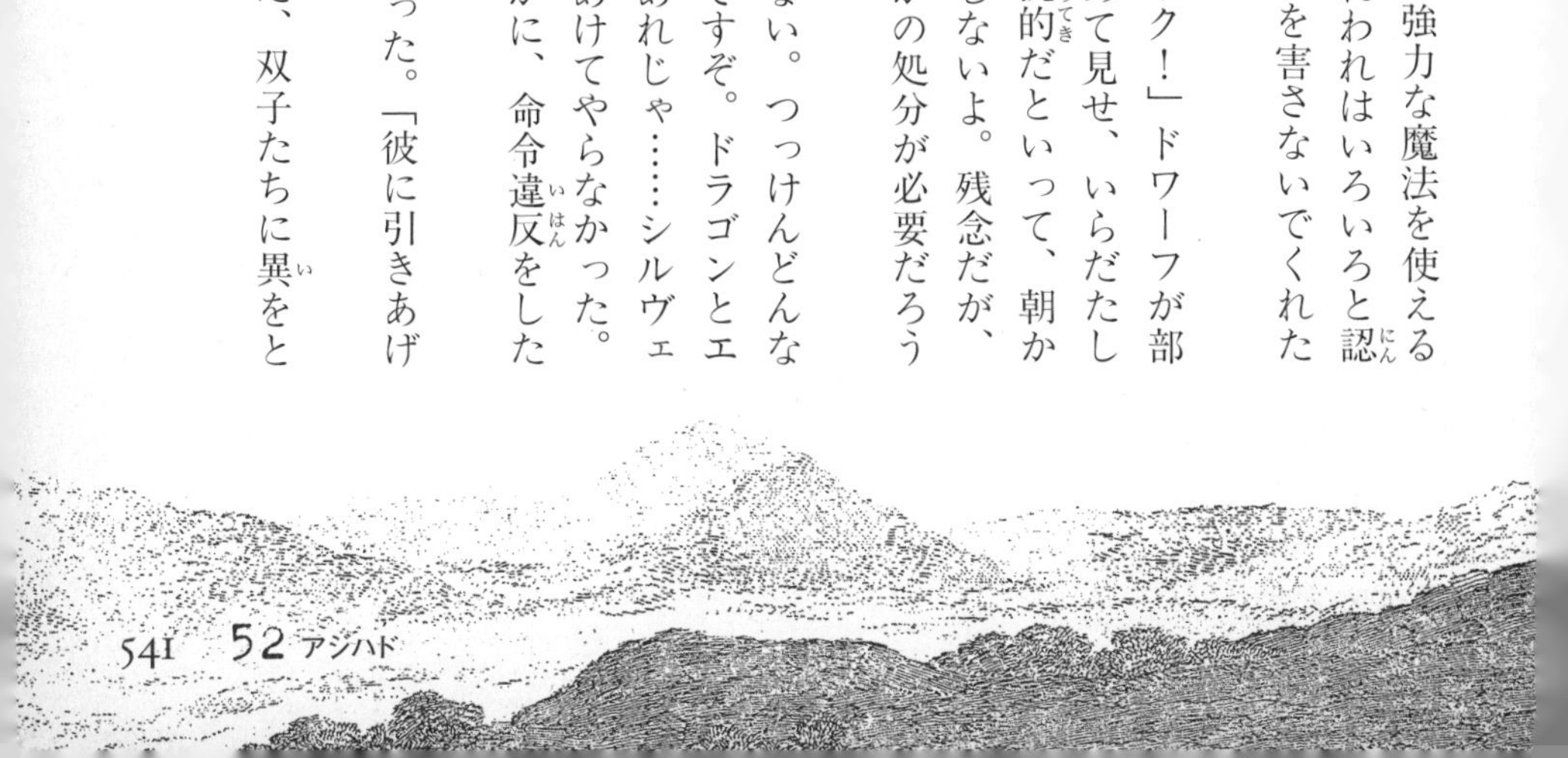

オリクはあごをくいっともちあげ、反抗的《はんこうてき》な態度《たいど》を見せた。「マータグの心に無理やりおし入るのは正しいことではありません。だが、彼の正体を知っていれば、わしだって双子《ふたご》をとめたりはしなかった」

「いや、きみは正しいことをした。そうじゃないほうが、ことはもっとかんたんだったのだがね。相手がだれであろうと、人の心に無理やり侵入《しんにゅう》するのは、われわれの本意ではないのだ」アジハドは濃《こ》いあごひげをいじっている。「きみの行動はりっぱだ。しかし、指揮官《しきかん》の命令に反抗したのはたしかなことだ。ふつうなら死に値《あたい》する大罪《たいざい》だな」オリクの背中《せなか》がこわばった。

「彼を殺さないでください！　ぼくを助けようとしただけなんだから！」エラゴンがさけんだ。

「きみが口をはさむ問題ではない」アジハドがきびしい口調でいった。「オリクは規則《きそく》をやぶったのだから、報《むく》いを受けるのは当然だ」エラゴンがさらにうったえようとするのを、アジハドが手をあげて制《せい》した。「しかしながら、きみのいうことは正しい。状況《じょうきょう》をかんがみて減刑《げんけい》しよう。オリク、きみを戦闘任務《せんとうにんむ》からはずすこととする。わたしの指揮下では、今後、軍事行動にかかわることをゆるさない。わかったかね？」

オリクは顔をくもらせたが、次にそれがとまどいの表情《ひょうじょう》になった。そして、首を大きく縦《たて》にふった。「わかりました」

「ということで、きみは通常《つうじょう》の任務につけないのだから、その分、べつの仕事をしてもらわねばならない。エラゴンとサフィラの滞在中《たいざいちゅう》、彼らにつきそって、快適《かいてき》にすごせるよう便宜《べんぎ》をはかってほしい。サフィラをイスダル・ミスラムの上に案内して、エラゴンには好きな部屋を選んでもらえばいい。旅の疲《つか》れがとれたら、訓練場に案内してくれ。みんなが彼を見たがっているからな」アジハドの目が楽しげに光った。

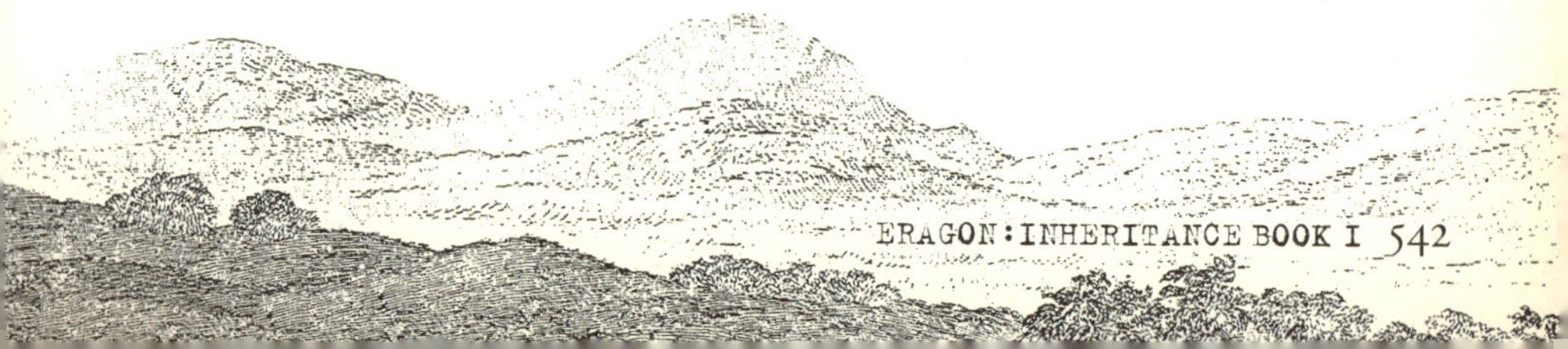

オリクは深く会釈《えしゃく》をした。「了解《りょうかい》しました」

「よろしい、もうさがってよい。部屋を出たら双子に入れといってくれたまえ」

エラゴンは会釈して去りかけ、ふと立ちどまってたずねた。「アーリアはどこにいるんですか？彼女に会いたいんです」

「だれも彼女を訪《たず》ねることはできない。彼女のほうから訪ねてくるのを待つんだな」アジハドは退室《たいしつ》をうながすかのように机《つくえ》の上に目を落とした。

53

銀の手《アージェトラム》

エラゴンは廊下《ろうか》に出ると、すわりっぱなしでこわばった体をのばした。うしろで双子《ふたご》がアジハドの書斎《しょさい》に入り、扉《とびら》をしめた。エラゴンはオリクの顔を見ていった。「めんどうに巻《ま》きこんでしまってすまなかった。あやまるよ」

「それにはおよばんよ」オリクはうなり、あごひげを引っぱった。「アジハドはわしの望みどおりにしてくれたんだよ」

これにはサフィラもおどろいたようだ。「どういう意味？」エラゴンがきいた。「もう訓練にも戦闘《せんとう》にも参加できないんでしょう？　ぼくらのお守《も》りをするはめになってしまった。まさかそんなことをやりたいわけじゃないだろう？」

ドワーフはおだやかな目でエラゴンを見た。「アジハドは優《すぐ》れた指導者《しどうしゃ》だ。公正さをたもちながら、法にもはずれない方法を知っている。彼の指揮下《しきか》では処罰《しょばつ》されたが、わしはフロスガーの臣下でもある。フロスガー王の指揮下では、なんの束縛《そくばく》も受けておらんということなんだよ」

エラゴンはオリクが忠誠《ちゅうせい》を誓《ちか》う相手がふたりいることに気がついた。トロンジヒーム内ではふたつの権力《けんりょく》があることを忘《わす》れてはならないのだ。「アジハドはきみを強い立場に置いてあったんだね？」

オリクは低い声でクックッと笑った。「そのとおり。これなら双子も文句《もんく》をいえまい。きっと歯噛《はが》みするだろうなあ。アジハドはじつに巧妙《こうみょう》なんだよ。さあ来い、若《わか》いの。きっと腹《はら》がぺこぺこだろう。それにドラゴンのほうも、宿泊場所《しゅくはく》に案内せねばならん」

サフィラがシューッと音を出した。「サフィラという名なんだ」エラゴンがいった。オリクはサフィラに小さくお辞儀《じぎ》をした。「これは失礼をした。しかと覚えておくよ」オリクは壁《かべ》のオレンジ色のランプをつかみ、ふたりを案内して廊下《ろうか》を歩きだした。

「ファーザン・ドゥアーには、魔法《まほう》を使える人がいるの?」エラゴンはドワーフのきびきびした足どりに必死でついていく。ザーロックを注意深くかかえ、鞘《さや》の紋章《もんしょう》を腕《うで》でかくしていた。

「わずかだがね」オリクは鎖帷子《くさりかたびら》の下でさっと肩《かた》をすくめた。「魔法といっても傷《きず》を治すぐらいのことだ。アーリアを治療《ちりょう》するために全員が力を注いでいる。その程度《ていど》の魔法なんだ」

「双子だけは別格《べっかく》というわけだね」

「オエイ(そうなんだ)!」オリクが不満そうにぼやいた。「でも、アーリアを治すのには使えない――双子の魔法は癒《いや》しにはむかないんだ。得意なのは、権力を得るためにはかりごとを練ること。そのためならだれが傷つこうがかまわない。デイノールというアジハドの前任者《ぜんにんしゃ》が、双子をヴァーデン軍の一員に加えたんだ。彼らの力が……必要だった。戦場で魔法の力をふるえる者がいなくては、とても帝国《ていこく》に抵抗《ていこう》などできないからな。胸《むな》くその悪いやつらだが、使い道はあるもんだ」

三人はトロンジヒームを仕切る四本のトンネルのひとつに入った。行き来する大勢《おおぜい》のドワーフや人間たちの話し声が、みがかれた床《ゆか》に大きく反響《はんきょう》している。サフィラが現《あらわ》れるとその話し声はぴたりとやんだ――どの視線《しせん》もサフィラに集中している。オリクはそれにはかまわず、はるか先の門へと続く左の廊下へ曲がった。「どこへ行くの?」エラゴンがたずねた。

「廊下《ろうか》をぬけて外に出る。サフィラがイスダル・ミスラムの上にある〈ドラゴンの間〉に飛んでいけるようにな。〈ドラゴンの間〉には屋根がない。ファーザン・ドゥアーやトロンジヒームと同じように空にむかって口をあけているんだ。だからサフィラは、上空からじかに飛んでおりてこられる。ライダーたちが滞在《たいざい》するときは、いつもそこを使っていたんだ」

「屋根がないんじゃ、寒いし、ぬれるだろう?」エラゴンがいった。

「いやいや」オリクが首を横にふった。「ファーザン・ドゥアーはどんな気象条件《きしょうじょうけん》からでもわしらを守ってくれる。ここでは雨や雪の心配はいらんのだ。それに部屋の壁《かべ》には、大理石の洞穴《ほらあな》がずらりとならんでてな、そのなかに、ドラゴンが安心して眠《ねむ》るためのものがなんでもそろってる。気をつけねばならんのは、つららだけ。こいつが落ちてくると馬の体も真っぷたつにさけてしまうという噂《うわさ》だから気をつけて」

〈わたしはだいじょうぶ〉サフィラがいった。〈大理石の洞穴なら、これまで泊《と》まったどんな場所より安心して休める〉

〈そうだね……でもマータグはどうしてるだろう?〉

〈アジハドはりっぱな人間だから、逃《に》げようとしなければ、マータグを傷《きず》つけるようなことはしないと思う〉

エラゴンはそれ以上話す気分になれず、腕組《うでぐ》みをした。昨日からの環境《かんきょう》の激変《げきへん》を思うと目がくらみそうだった。死にものぐるいの逃亡《とうぼう》の日々はもう終わったのに、体だけはまだ旅にそなえているように思える。「ぼくらの馬はどこ?」

「門のそばの馬屋に置いてある。トロンジヒームを出る前にそこへよろう」

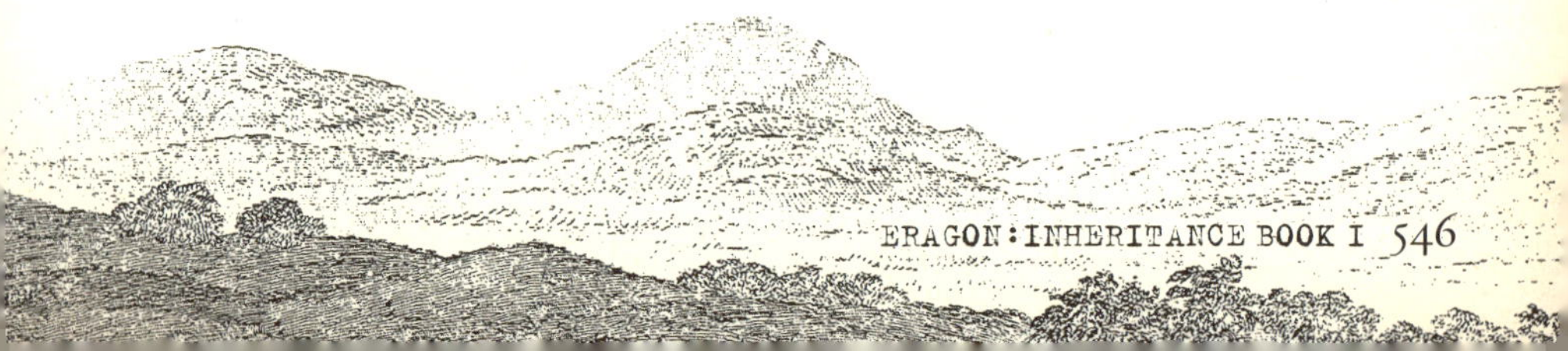

三人は入ったときと同じ門を通ってトロンジヒームを出た。ランタンから放たれる色とりどりの光を受けて、金のグリフィンが輝《かがや》いていた。アジハドと話しているあいだに太陽は動いていた――すでに噴火口《ふんかこう》からファーザン・ドゥアーにさしこむ光はない。ビロードのような闇《やみ》に、トロンジヒームの灯《あか》りだけがまばゆい光彩《こうさい》をまき散らしている。〈都市の山〉からこぼれる光は、百メートルほどの地面をも明るく照らしている。

オリクはトロンジヒームの白い頂上《ちょうじょう》を指さした。「新鮮《しんせん》な肉と清らかな山の水があそこできみを待ってるよ」サフィラにいう。「好きな洞穴を寝床《ねどこ》として選んでくれ。決まったらそこに敷《し》き藁《わら》を用意する。あとはだれもじゃましに行かないよ」

「ぼくらはいっしょに寝るんだと思ってた。はなされるのはちょっと……」

オリクはエラゴンを見た。「ライダー・エラゴン、きみが快適《かいてき》にすごせるようどんなことでもしよう。ただ、きみが食事をとるあいだだけは、サフィラに〈ドラゴンの間〉にいてもらったほうがいい。宴会場《えんかいじょう》に続くトンネルは彼女が通れるほど広くないのでね」

「じゃあ、食事を運んできてもらえないか?」

「それは――」オリクが慎重《しんちょう》な顔つきになった。「食事は下で用意されている。上まで運ぶには、相当な時間がかかるな。でもきみがそうしたいというなら、運ばせよう。時間はかかるが、それならサフィラといっしょに食べられる」

本当に運んでくれるつもりなんだ。エラゴンはドワーフが自分にそこまでよくしてくれることにおどろいた。だがオリクの口調は、自分をためしているように聞こえなくもない。

〔わたしは疲《つか》れた。〈ドラゴンの間〉はすごく居心地《いごこち》がよさそう。あなたは下で食べてきなさい。終わったらわたしのところへ来ればいい。けものや兵士におびえずいっしょに眠れるのは夢《ゆめ》のよう。あ

んなにきびしい長旅を続けたあとだから……」

エラゴンはサフィラをじっと見て、それからオリクにいった。「ぼくは下で食べるよ」ドワーフは満足そうに笑った。エラゴンは眠《ねむ》るのにじゃまにならないようサフィラの鞍《くら》をはずしてやった。〈ザーロックはおまえがもっていてくれる?〉

〈了解《りょうかい》〉サフィラは剣《けん》と鞍を鉤爪《かぎづめ》でつかんだ。〈でも、弓はもっていったほうがいい。ここの人たちを信じたいが、用心にこしたことはない〉

〈わかった〉エラゴンは不安な気持ちでこたえた。

サフィラは翼《つばさ》をいきおいよくはためかせ、静かな上空へと舞《ま》いあがっていった。闇《やみ》のなかに、サフィラの規則的《きそくてき》な羽ばたきの音だけが響《ひび》いていた。トロンジヒームの頂《いただき》のむこうへ姿《すがた》を消すと、オリクが長いため息をもらした。「ああ、きみは恵《めぐ》まれているな。わしも急に空を飛びたくなった。そびえる峰《みね》の上を自由に飛んで、タカのように狩《か》りを楽しんでみたいものだ。まあでも、わしは地に足が着いとるほうがいい――その下ならもっといい」

オリクはそこでパンパンと手をたたいた。「いかんいかん。案内役としてのつとめをすっかり忘《わす》れていた。きみはゆうべからなにも食べてない。双子《ふたご》が用意させた粗末《そまつ》な食事をとったきりだ。さあ、料理人をさがして、肉やパンを食わせてもらおう!」

エラゴンはドワーフのあとについて、トロンジヒームのなかへもどっていった。迷路《めいろ》のような廊下《ろうか》をたどっていくと、やがて縦長《たてなが》の部屋にたどり着いた。ドワーフの背丈《せたけ》にちょうどいい石のテーブルが何列もならんでいる。せっけん石でできたかまどが、長いカウンターのうしろで炎《ほのお》をあげている。

オリクが聞きなれない言葉で、赤ら顔のずんぐりとしたドワーフに話しかけた。赤ら顔のドワーフは、湯気の立つマッシュルームと魚を石の大皿に手ぎわよくもりつけ、ふたりにさし出した。ふたた

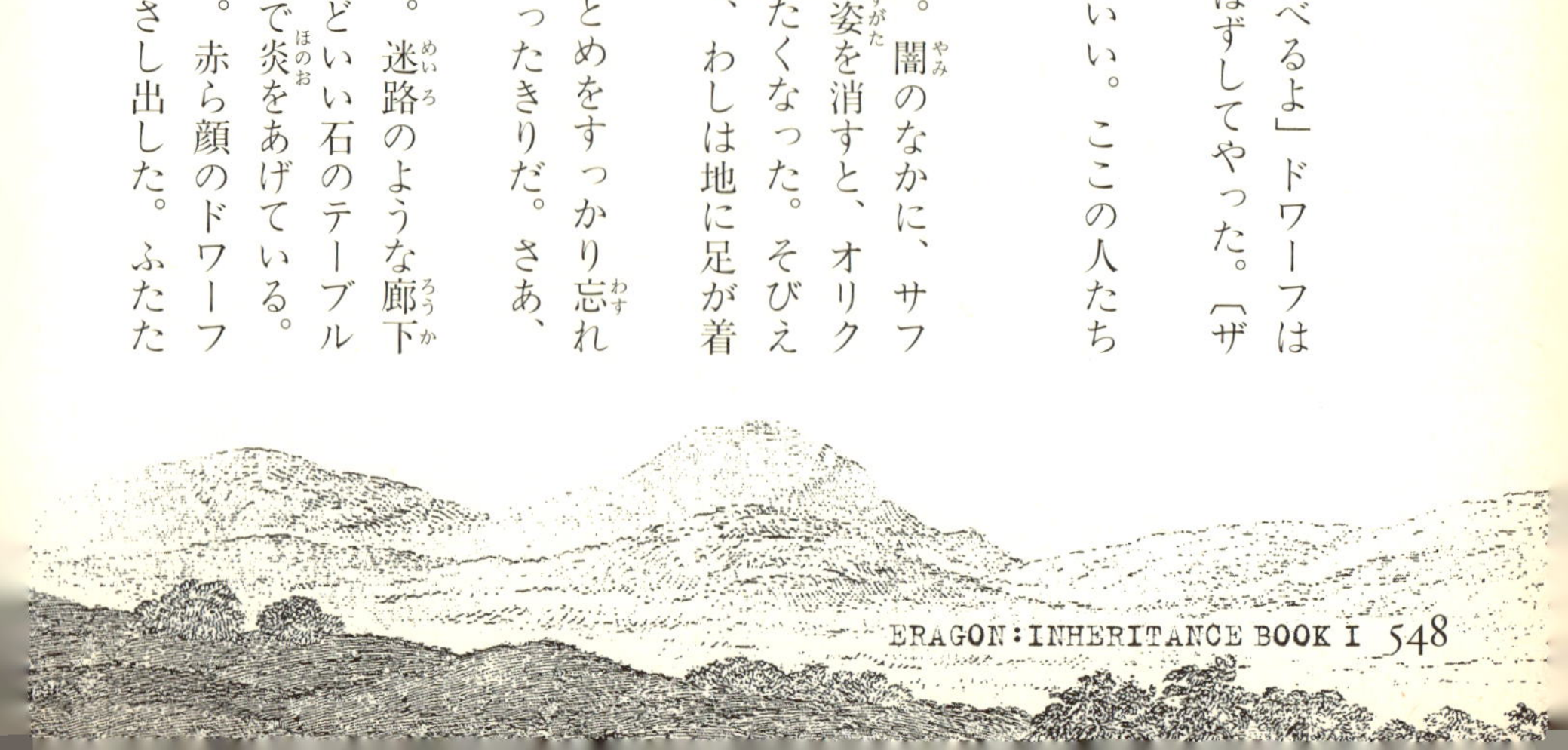

びオリクについて階段《かいだん》をのぼっていくと、何階か上に壁面《へきめん》をくぼませたアルコーブがあった。ふたりはそこにあぐらをかいてすわった。エラゴンは無言のまま食べ物に手をのばした。

皿が空《から》っぽになると、オリクが満足げな息を吐《は》き、柄《え》の長いパイプを取り出した。そして火をつけながらいった。「なかなかのごちそうだった。のどをうるおす蜜酒《みつざけ》があれば最高なんだがな」

エラゴンはアルコーブの窓《まど》から眼下《がんか》を見わたした。「ファーザン・ドゥアーでは、畑で野菜をつくっているの？」

「いいや、太陽の光が乏《とぼ》しくてね。コケやマッシュルーム、キノコ類しか育たない。トロンジヒームでは、周囲の谷から食物を採《と》ってこなければ生きてはいけないんだ。そういう理由があって、ドワーフの多くはビオア山脈のべつの場所で暮《く》らしている」

「それじゃあ、ほかにもドワーフの町があるの？」

「たいした数じゃないがね。トロンジヒームはそのなかで最大の町だ」オリクが片《かた》ひじをついてパイプを深々と吸《す》った。「きみは下の階しか見ていないからよくわからんと思うが、トロンジヒームにはほとんど人が住んでいない。上に行けば行くほど閑散《かんさん》としている。多くの階は何世紀ものあいだ使われていないんだ。ドワーフは地下で暮らすほうが性《しょう》にあっているんでね。トロンジヒームやファーザン・ドゥアーの下じゃ、そこらじゅうの岩に洞穴《ほらあな》や通路がほられている。ドワーフは数世紀にわたってビオア山脈の下にせっせとトンネルをほってきた。その広大なトンネルのおかげで、地上に出ることなく、山から山へ移動《いどう》することができるんだ」

「使われていない空間がそんなにあるなんて、もったいない気がするなあ」エラゴンがいった。

オリクがうなずいた。「なかには、資源《しげん》のムダづかいだから廃墟《はいきょ》にしてしまえという意見もある。だがトロンジヒームには、ある重要な役割《やくわり》があるんだ」

「重要な役割《やくわり》？」

「災害《さいがい》がおそってきた場合、ここなら全員がすっぽりおさまるからな。過去《かこ》に、そういうことは三度しかなかったがね。しかしトロンジヒームのおかげでわしらは全滅《ぜんめつ》の危機《きき》を免《まぬが》れた。だから、いつでも使えるように、守備隊《しゅびたい》がここを管理しているんだ」

「こんなにすばらしい建物を見たのは生まれて初めてだよ」

オリクはパイプをふかしながらにっこりした。「そういってもらえるとうれしいよ。わしらは何世代もかけて、トロンジヒームを完成させたんだ――何世代といっても、わしらの寿命《じゅみょう》は人間よりずっと長いから、それは気の遠くなるような年月だ。呪《のろ》われた帝国《ていこく》のせいで、外部の者たちに見せてやれないのが残念だ」

「ヴァーデンはここにどれくらいいるの？」

「ドワーフの、それとも人間の？」

「人間の――どれくらいの人が帝国から逃《に》げてきたかを知りたいんだ」

オリクの吐《は》いた煙《けむり》が長くのびて、頭の上でゆらゆらと丸くなる。「きみの同類はおよそ四千人ほどだ。でもこれがきみの知りたい数じゃないと思うぞ。ここに集まっているのは、戦う気力のあるやつばかりだ。残りはみなオーリン王の庇護《ひご》のもと、サーダで暮《く》らしている」

たったそれだけ？　エラゴンは気持ちがしずんだ。王の軍隊だけでも、すべて集結すれば一万六千近くの数になる。これにアーガルの数が入ることになる。「オーリン王はどうして帝国と戦おうとしないんだろう？」

「あからさまに反抗《はんこう》すれば、たちまちガルバトリックスにつぶされてしまう。ガルバトリックスも小国だと思って歯牙《しが》にもかけないが、じつのところ、それはやつの読みちがいなんだ。ヴァーデンの物《ぶつ》

資《し》や武器《ぶき》は、オーリンの支援《しえん》があってこそ得られたもの。彼がいなかったら、帝国に立ちむかうことなどできない。

　おい、トロンジヒームの人間が少ないからといって落ちこむな。ここにはたくさんのドワーフがいる――じっさいには、きみが見た以上の数がいるんだ。連中はみな、そのときが来れば戦う覚悟《かくご》ができている。それに、ガルバトリックスとの戦争がはじまれば、オーリン王が軍隊をよこしてくれることになっている。エルフもまたわしらへの支援を約束してくれているしな」

　エラゴンはぼんやりとサフィラの心に触《ふ》れてみた。サフィラは動物の血まみれの足と腰《こし》にかぶりついていた。エラゴンはふと、ドワーフの兜《かぶと》の星の紋章《もんしょう》に目をとめた。「この図柄《ずがら》はなにを意味しているの？」

　オリクは鉄ばりの兜を脱《ぬ》ぎ、そこに彫《ほ》られた紋章を荒《あ》れた指でこすった。「これは部族の象徴《しょうちょう》だ。わしの部族はみな、インジータム、すなわち鍛冶《かじ》の達人なんだ。金槌《かなづち》と星の印はトロンジヒームの床《ゆか》にあっただろ？　わしらの始祖《しそ》コルガンの紋章なんだ。金槌はわが部族、まわりの星はそれにしたがう十二の部族を表わす。フロスガー王もダーグライムスト・インジータム（鍛冶職人《しょくにん》の部族）の出で、わしら一族に栄光と名誉《めいよ》をもたらしてくれた」

　料理人に皿を返しにもどったとき、廊下《ろうか》でひとりのドワーフと行きあった。彼はエラゴンの前で足をとめ、会釈《えしゃく》してうやうやしくいった。「アージェトラム」

　エラゴンがとまどっていると、ドワーフはそのまま行ってしまった。ここで会釈されたのは初めてだったので、妙《みょう》にうれしい気分でもあった。「彼はなんといったんだい？」エラゴンはオリクに身をよせてきいた。

　オリクは肩《かた》をすくめてバツの悪い表情《ひょうじょう》を見せた。「エルフの言葉で、昔からライダーのことをそう

呼《よ》んでいるんだよ。『銀の手』という意味だ」エラゴンは手袋《てぶくろ》をはめた手にちらりと目をやり、白く光るゲドウェイ・イグナジアのことを思った。「サフィラのところへもどるかね？」

「その前にどこかで体を洗《あら》えないだろうか？　長いこと旅のあかを落としていない。シャツはやぶれてるし、よごれていやなにおいもしてる。できれば買いかえたいんだけど、金をもっていないんだ。ぼくが働けるような仕事はないだろうか？」

「きみはフロスガー王を侮辱《ぶじょく》するつもりかね？　トロンジヒームにいるかぎり、きみは物を買う必要などない。その代価《だいか》は金ではなくべつの形で……アジハドやフロスガーもそう思っている。ついてきなさい。風呂《ふろ》に連れていってやろう。シャツはこっちで用意しておく」

オリクはエラゴンを連れて長い廊下《ろうか》をくだり、トロンジヒームの地下深くおりていった。廊下はやがてトンネルに変わり――天井《てんじょう》の高さがわずか一メートル半ほどで、エラゴンにはきゅうくつだった――壁《かべ》のランタンが赤い光を落としている。「この色なら暗い洞穴《ほらあな》から出入りするとき、まぶしくなくていいだろ？」オリクはいった。

ふたりはがらんとした部屋に入った。奥《おく》のほうにある小さな扉《とびら》をさして、オリクがいった。「あのむこうに湯をためた風呂がある。ブラシや石けんもある。服はここに脱《ぬ》いでいってくれ。風呂からあがるころには新しい服を用意して、外で待っている」

エラゴンはオリクに礼をいって服を脱ぎはじめた。地下にたったひとりで置かれるのは心細く、低い岩の天井に圧迫感《あっぱくかん》を覚えた。さっさと服を脱ぎ、冷えた体で扉のむこうへ出た。そこは真っ暗闇《くらやみ》だった。そろそろと前へ進んでいくと、足が温かい湯に触《ふ》れたので、エラゴンはそのまま体をすべらせて入った。

ほんのりと塩気があるが、温かくて気持ちのいい湯だ。ふと、そのまま流されて深い湯にしずんで

いくような恐怖感《きょうふかん》がよぎったが、前へ進むと、湯は腰《こし》の高さまでしかないとわかった。つるつるとした壁《かべ》を手さぐりで伝い、石けんとブラシを見つけて体を洗った。それから目を閉《と》じて湯に体をしずめ、心地《ここち》よい温かさを楽しんだ。

湯からあがると、しずくをたらしながら明るい部屋にもどった。そこには、タオルと上質《じょうしつ》の亜麻布《あまぬの》のシャツとズボンが用意されていた。服はどれも体にぴったりだった。エラゴンは満足してトンネルのほうへ出ていった。

オリクはパイプをくゆらせながら待っていた。ふたりは地上階へと階段《かいだん》をのぼり、そこから外へ出た。エラゴンは〈都市の山〉の頂《いただき》を見あげ、心の声でサフィラを呼《よ》んだ。〈ドラゴンの間〉から飛び出すサフィラの姿《すがた》を見ながら、オリクにたずねた。「上の階の人たちとはどうやって連絡《れんらく》をとるの?」

オリクはクスクスと笑った。「その問題はずいぶん昔にかたづいている。きみは気づかなかったかもしれんが、各階に口をあけるアーチのむこうにあるのは螺旋《らせん》階段なんだ。トロンジヒームの中央塔《ちゅうおうとう》のまわりをとぎれることなくめぐり、頂上《ちょうじょう》の〈ドラゴンの間〉まで続いている。わしらはそれをヴォル・トゥリンと呼んでおる。果てしない階段という意味だ。だがあれは、急ぐときは昇《のぼ》り降《お》りに時間がかかりすぎるし、ふだん気軽に使えるって代物《しろもの》でもない。かわりに、なにか伝えることがあるときは、ランタンの光を使うんだ。ほかにも方法はある。めったに使われんがね――螺旋階段をつくったとき、その横に樋《とい》もつくられた。山からすべりおりるすべり台だと思えばいい」

エラゴンはひきつった笑《え》みを浮《う》かべた。「すべったらあぶないかな?」

「やめたほうがいい。ドワーフの体にあわせてあるから、人間にはせますぎる。すべって体がはみ出せば、階段やアーチに激突《げきとつ》するか、外に投げ出されるのがオチだ」

鱗《うろこ》をカサカサいわせながら、サフィラが投《な》げ槍《やり》のように地面におりてきた。ふたりが言葉をかわし

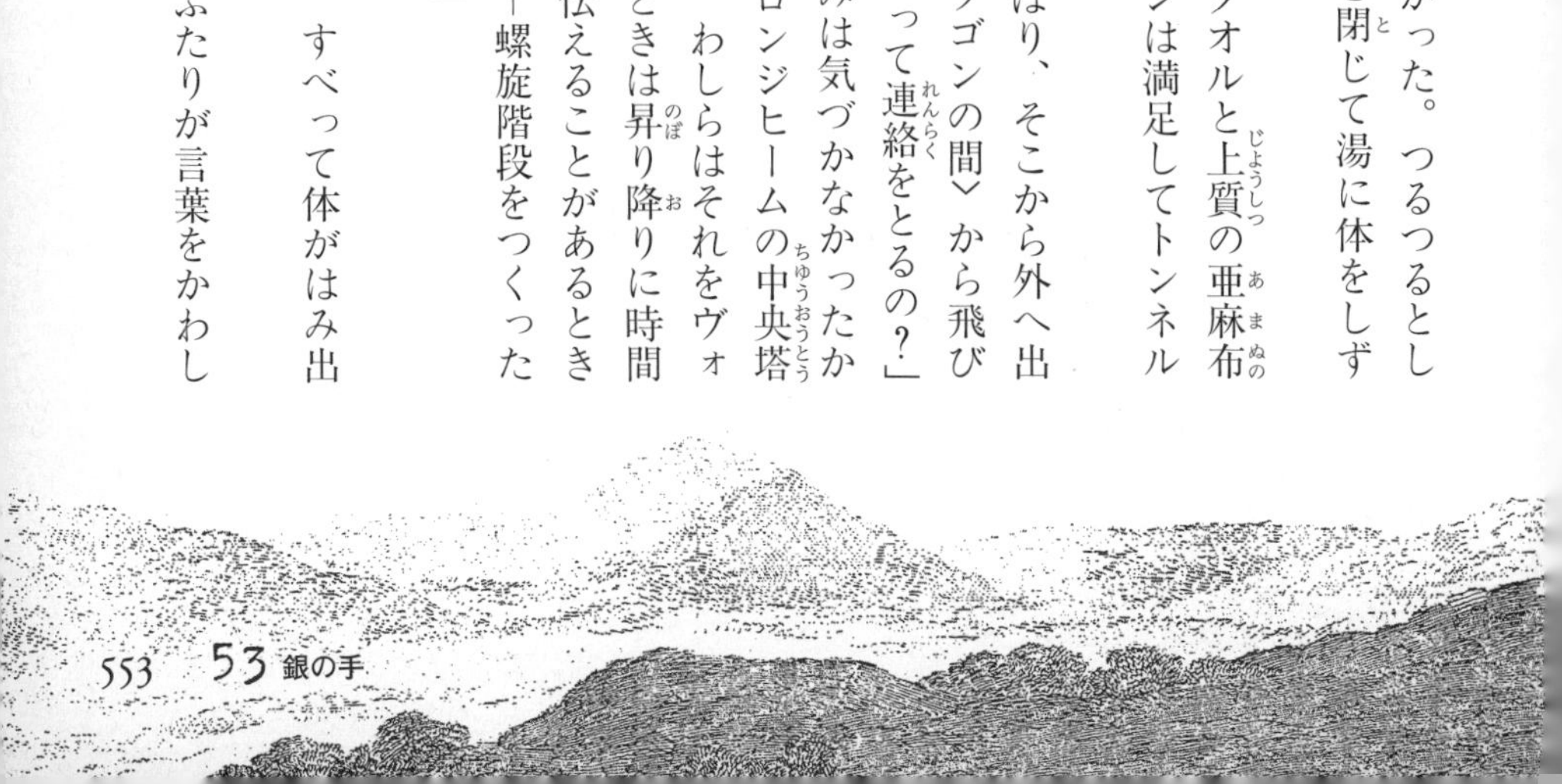

ていると、トロンジヒームから人間やドワーフたちがすこしずつ姿《すがた》を現《あらわ》しはじめた。興味深《きょうみぶか》げな顔でサフィラをとりかこみ、なにやらひそひそ声で話している。しだいにふえてくる人だかりに、エラゴンは居心地《いごこち》の悪さを感じた。「もう帰ったほうがいい」オリクがエラゴンの背中《せなか》をおした。「明朝、この門の前で落ちあおう。待ってるからな」

エラゴンがひるんだ。「朝が来たって、どうすればわかるの？」

「だれかを起こしに行かせるさ。さあ行きなさい！」エラゴンはそれ以上たずねるのはやめ、サフィラのまわりでおしあう人垣《ひとがき》をかきわけ、彼女の背に飛び乗った。

サフィラが飛び立とうとしたとき、老婆《ろうば》が前へ進み出て、エラゴンの足首をものすごい力でつかんだ。足を引っこめようとしても、老婆の手が鉄の鉤爪《かぎづめ》のようにしがみつき、はらいのけることができない。エラゴンをにらむ灰色《はいいろ》の血走った目のまわりには、長い年月をしめす深いしわがきざまれ、こけた頬《ほお》の上にたるんだ皮膚《ひふ》がかぶさっている。ねじくれた左腕《ひだりうで》には、ぼろぼろの包みがかかえられていた。

エラゴンはぎょっとして声をあげた。「なんの用ですか？」

左腕をかたむけると、包みの布《ぬの》がめくれて、赤んぼうの顔がのぞいた。老婆はしゃがれ声で必死にうったえた。「この子には親がいない――わし以外だれもめんどうをみてやることができんのじゃ。わしはもう体が弱ってる。アージェトラム、この子に力をあたえてほしいんじゃ。幸せが訪《おとず》れるように、この子を祝福してやってくれ！」

助けをもとめてオリクを見たが、ドワーフは用心深い目をこちらにむけるばかりだ。まわりの人々がしんとなり、彼の反応《はんのう》を待っている。老婆の目はまだエラゴンの顔からはなれない。「この子を祝福してやっとくれ、アージェトラム。さあ」しつこくせまってくる。

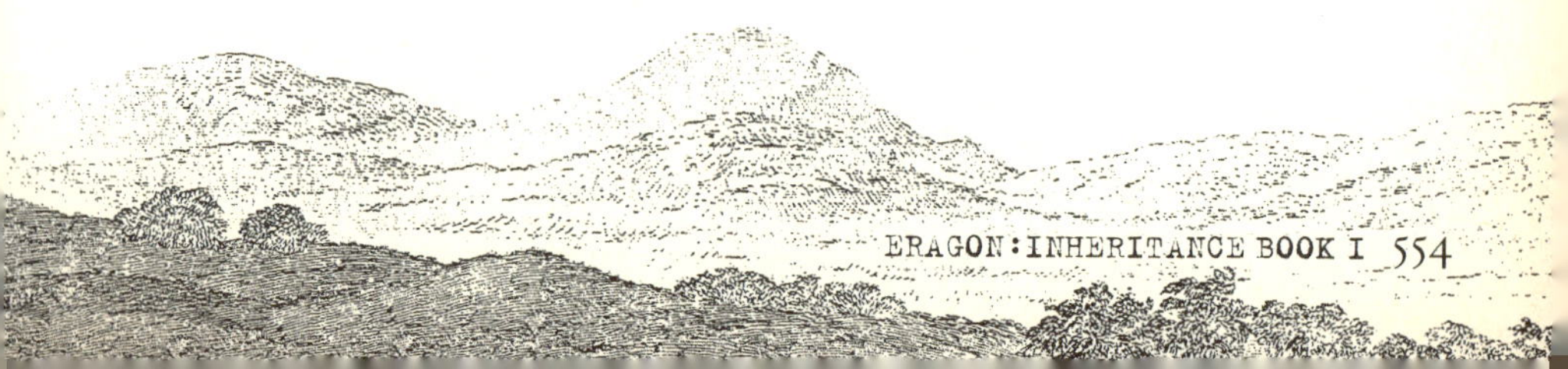

エラゴンはこれまで一度も、人のために祝福の祈《いの》りなどしたことがない。アラゲイジアでは祝福をしても、幸ではなく不幸を呼《よ》ぶことになりかねないから、気軽にできることではなかった――とくに、邪《よこしま》な心や、いいかげんな気持ちで行うと、そういう結果をまねきやすい。なのに、自分がそんな大事なことをしていいのだろうか？　エラゴンは迷《まよ》った。

「さあ、祝福を、この子に神の恵《めぐ》みを」

エラゴンはふいに覚悟《かくご》を決め、ふさわしい言葉や表現《ひょうげん》をさがした。しばらくなにも思い浮《う》かばなかったが、やがて古代語のことを思い出した。力ある者が力ある言葉をとなえれば、りっぱな祝福になるのだ。

エラゴンは腰《こし》をかがめ、右手の手袋《てぶくろ》をはずした。その手を赤んぼうの額《ひたい》に置くと、歌うようにつぶいた。「アトラ・ギュレイ・ウン・イリアン・タトゥル・オノ・ウン・アトラ・オノ・ウェイセ・スコラー・フアラ・ラウタ（この者に運と幸を恵みたまえ。災厄《さいやく》から身を守られんことを）」言葉をとなえると、思いがけず体の力がぬけていった。まるで魔法《まほう》を使ったあとのように。ゆっくりと手袋をはめ直すと、老婆にいった。「ぼくにできるのはこれだけです。悲劇《ひげき》をさける言葉があるとしたら、今のがそれだと思う」

「感謝《かんしゃ》しますぞ、アージェトラム」老婆がささやき、軽くお辞儀《じぎ》した。赤んぼうを布でくるみ直していると、サフィラが鼻を鳴らし、赤んぼうの顔の上に首をのばしてきた。老婆は身をかたくし、息をつまらせた。サフィラは頭をさげ、赤んぼうの眉間《みけん》を鼻先でこすり、そっと鼻をもちあげた。

人々はみな息をのんだ。赤んぼうの額《ひたい》のサフィラが触《ふ》れた部分に、星型の印がついている。エラゴンのゲドウェイ・イグナジアと同じ、白っぽい銀色だ。老婆は無言のまま、感謝をこめた熱いまなざしでサフィラを見つめていた。

サフィラはバサリと羽ばたき、畏敬《いけい》の念に打たれる人々を突風《とっぷう》であおりながら、空高く舞《ま》いあがった。
　地面がみるみる小さくなり、エラゴンは深く息をすってサフィラの首にしがみついた。〈なにをしたんだ？〉そっとたずねた。
〈あの子に希望をあたえた。あなたが未来をあげたから〉
　エラゴンはとつじょ、激《はげ》しい孤独感《こどくかん》におそわれた。まわりの景色はあまりにも見なれないものばかりだ。故郷《ふるさと》の家からなんと遠くはなれてしまったのだろうと、今初めてひしひしと思う。家は破壊《はかい》されても、彼の心は今もあの場所にあるのだ。〈サフィラ、ぼくはいったい何者になってしまったんだろう？　まだ大人の世界に足をふみ入れたばかりだというのに、ヴァーデンの指導者《しどうしゃ》と議論《ぎろん》したり、ガルバトリックスに追われたり、モーザンの息子《むすこ》と旅をしたり――そして今、祝福までもとめられた！　ぼくがほかの大人たちに、どんな知恵《ちえ》を授《さず》けられるというんだ？　軍隊にさえできない偉業《いぎょう》を、どうやって成《な》し遂《と》げろっていうんだ？　くるってるよ！　ぼくなんか、カーヴァホールにもどってローランと暮《く》らすのでじゅうぶんなんだ〉
　こたえるまでずいぶん間があったが、サフィラの言葉はやさしかった。〈卵《たまご》から孵《かえ》ったばかりの雛《ひな》、それが今のあなた。世の中に飛び出そうと必死でもがいている。わたしはあなたより若《わか》いが、頭のなかは古代から受《う》け継《つ》いでいる。だからそんなことで悩《なや》むのはムダだとわかる。今いる場所に、あるがままの自分に、幸せを見出しなさい。たいていの人は、自分がなにをすべきかぐらい知っている。あなたはそれをする方法をしめしてやればいい――それが知恵というもの。さっきのような祝福は、どんな軍隊でもあたえてやれない偉業ではないか〉
〈だけど、あんなのはたいしたことじゃない〉エラゴンはいいつのった。〈つまらないことさ〉

〔ちがう。あなたが目にしたものは、新しい物語、新しい伝説のはじまり。あの赤んぼうがこの先、酒場の女主人や農婦《のうふ》になるような人生で満足できるか？　額《ひたい》にドラゴンの印をつけて、頭のなかにはあなたの言葉が残っているのに？　あなたは、わたしたちの力と運命を軽く考えすぎている〕

エラゴンはうなだれた。〔なんだか圧倒《あっとう》されるような気分だよ。まるで幻《まぼろし》のなかで生きてるみたいだ。どんなありえないことでも起きてしまうような。おどろくべきことはたしかに起きる。だけどそれはいつも、ぼくの知らない遠い人の話だった。なのに、ぼくはきみの卵を見つけ、ライダーから教えを受け、シェイドとも対決した——農家の少年にはできないことばかりだ。そう、昔ならできなかった。ぼくのなかでなにかが変わってきてるんだ〕

〔あなたはウィアダ（運命）の支配《しはい》を受けている。どの時代の人々も、なにかを崇拝《すうはい》したいと願うもの——そしてたぶん、あなたにその役割《やくわり》がまわってきた。なんの理由もなしに農家の少年に初代ライダーの名はあたえられない。あなたの名の由来となった人がはじまりで、あなたがその続き、あるいは終わりなのかもしれない〕

〔ああ〕エラゴンが頭をふってうめいた。〔まるで謎解《なぞと》きをしてるみたいだ……でも、すべてがあらかじめ運命で決まってるなら、ぼくの選択《せんたく》なんて意味がないじゃないか。それとも、ぼくらはただだまって運命を受け入れろということなのか？〕

サフィラはきっぱりという。〔エラゴン、卵のなかのわたしはあなたを選んだ。その結果あなたは、みんなが死ぬほどほしがる可能性《かのうせい》を手に入れた。それをうれしいと思わないのか？　迷《まよ》いなんてふき飛ばしてしまいなさい。なんの得にもならないし、不幸になるだけだから〕

〔おまえのいうとおりだ〕陰気《いんき》な声でいった。〔でも、そういう迷いはこれからも、頭のなかからぬけていかないだろうな〕

〈これまでずっと……落ち着かなかった。ブロムが死んでからずっと。わたしも不安だった〉サフィラの言葉にエラゴンはおどろいた。これまで彼女から動揺《どうよう》を感じたことなどなかったからだ。

ふたりはトロンジヒームの頂上《ちょうじょう》に近づいていた。エラゴンは頂上の穴《あな》からなかをのぞきこみ、〈ドラゴンの間〉の床《ゆか》を見た——イスダル・ミスラム、それは巨大《きょだい》なスターサファイアだった。その下にあるのは、ほかでもない、トロンジヒームの中心にあるあの中央塔《ちゅうおうとう》だ。サフィラは翼《つばさ》を閉《と》じて〈ドラゴンの間〉へおりていった。部屋の縁《ふち》からすべりおりて、イスダル・ミスラムの上に着地した。カチンと、鉤爪《かぎづめ》のぶつかる鋭《するど》い音が響《ひび》いた。

「傷《きず》がつかないか？」エラゴンがきいた。

〈だいじょうぶ。これはふつうの宝石《ほうせき》ではない〉エラゴンはサフィラの背《せ》からおりるとゆっくり体をまわして、不思議な部屋を見まわした。

そこは屋根のない丸い部屋だった。高さ二十メートル、直径二十メートルの広さ。周囲の壁《かべ》には、大小さまざまな暗い穴がならんでいる。人ひとりがやっと入れるという小さな穴から、家一軒《いっけん》のみこんでしまえそうなほど大きな穴もある。人がいちばん高い洞穴《ほらあな》にのぼっていけるように、大理石の壁にはつやつやとしたはしごがかかっている。〈ドラゴンの間〉からは巨大《きょだい》なアーチ道が一本のびていた。

足もとのバカでかい宝石を見ているうちに、エラゴンは思わずその上に体を横たえてみたくなった。ひんやりとするサファイアの表面に頬《ほお》をおしつけ、その先を透《す》かし見た。ゆがんだ線やゆらめく点が、石のなかでさまざまな色に光っている。あまりに分厚《ぶあつ》いので、一キロ以上も下の部屋の様子は、なにひとつ見ることができない。

〈ぼくたち、はなれて眠《ねむ》ったほうがいいかな？〉

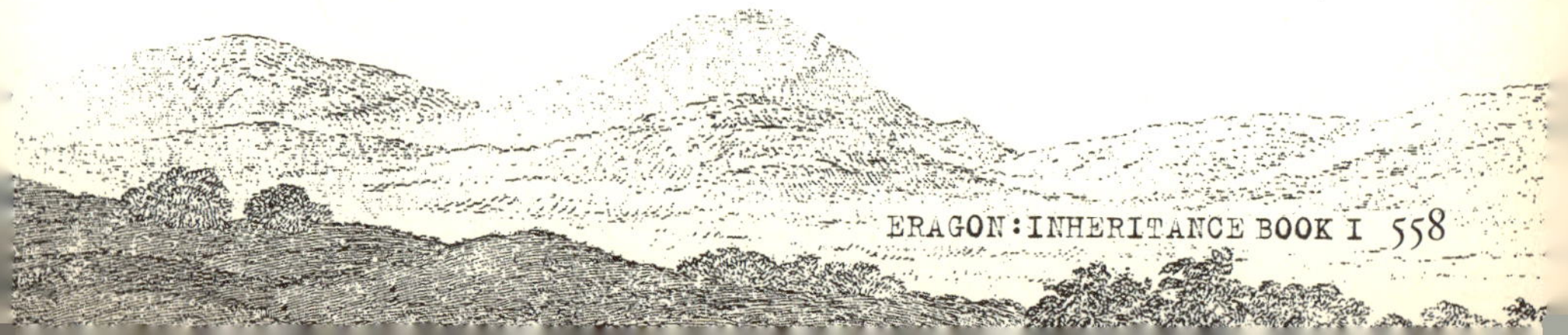

サフィラは太い首を横にふった。〔わたしの洞穴にあなたの寝床《ねどこ》がある。来てごらんなさい〕サフィラは方向を変え、翼をたたんだまま、五メートルほど飛びあがり、中くらいの大きさの洞穴に飛びこんだ。エラゴンは彼女のあとからそこへよじのぼっていった。

洞穴の内壁《ないへき》は暗い褐色《かっしょく》で、思った以上に奥行《おくゆ》きがある。適当《てきとう》に削《けず》られたような内壁は、自然のままの洞穴のようだ。奥の壁ぎわの大きな分厚いクッションは、サフィラが眠るためのものだ。その横の壁には、つくりつけのベッドが一台。洞穴内は、ふたで明るさを調節できる赤いランタンがともっていた。

〔いい部屋だね〕エラゴンがいった。〔安心して眠れそうだ〕

〔いかにも〕サフィラはクッションの上で丸くなり、エラゴンの顔を見つめている。エラゴンは疲労《ひろう》が全身にしみわたるのを感じながら、ため息をついてマットレスに体をうずめた。

〔サフィラ、ここに来てからゆっくり話してなかったね。トロンジヒームやアジハドのことをどう思う?〕

〔エラゴン、わたしたちはここで、新しい形の戦争に巻《ま》きこまれてるように感じないか? ここでは、あなたの剣《けん》もわたしの鉤爪も役に立たない。言葉と取り決めがものをいう。双子《ふたご》はわたしたちを嫌《きら》っている――あいつらの悪だくみに引っかからないよう、注意しなくてはならない。ドワーフのなかには、わたしたちをうさんくさく思う者が大勢《おおぜい》いる。エルフは、人間のライダーなど必要ないと思っているから、やはり反発が来るはず。わたしたちはまず、力をもつ者を見きわめ、その人たちの力になること。それもすみやかに〕

〔おまえは、指導者《しどうしゃ》たちの力にたよらずやっていくことが不可能《ふかのう》だと思うのか?〕

サフィラは翼をあちこちへ動かして眠りやすい姿勢《しせい》をとった。〔アジハドはわたしたちの自由を尊《そん》

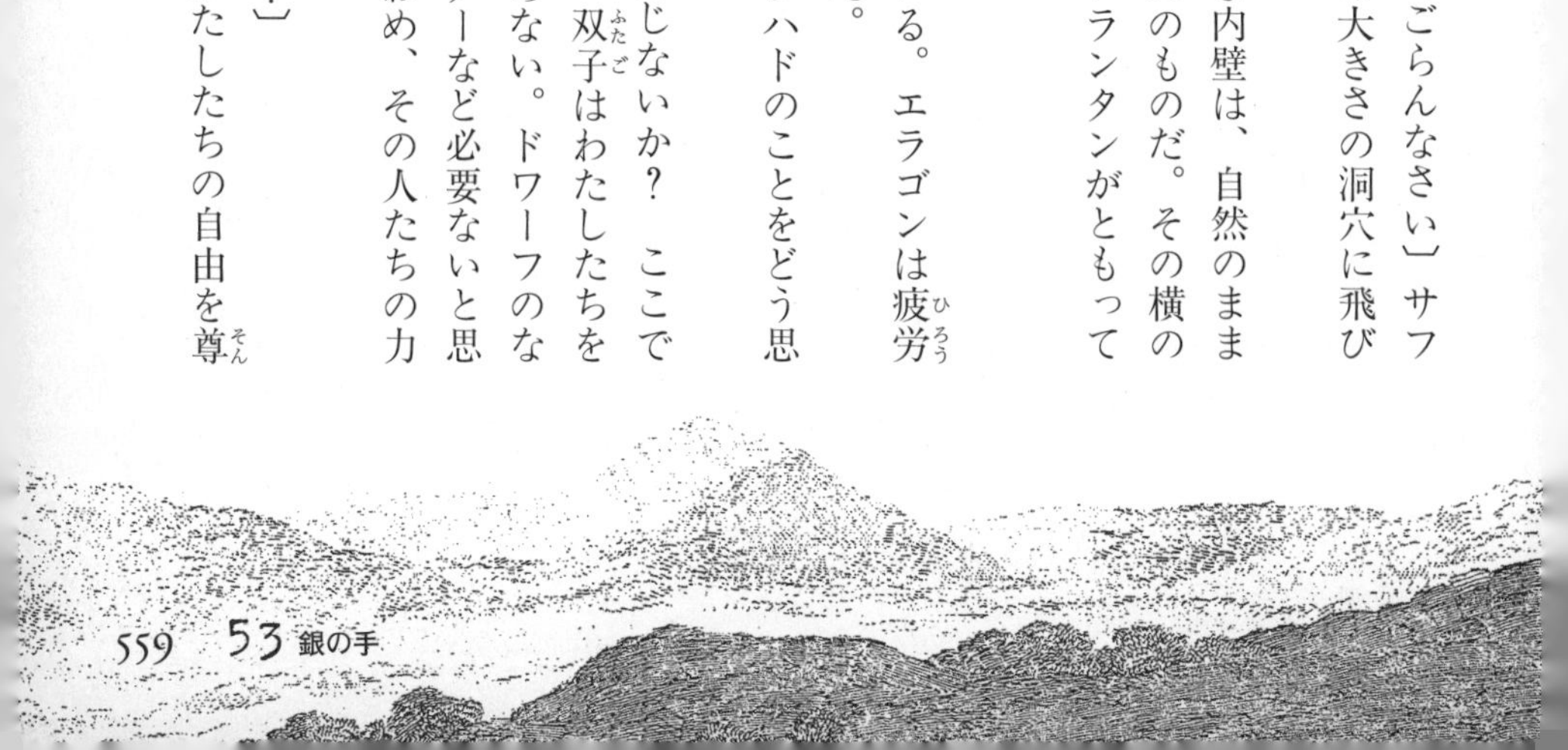

重《ちょう》してくれている。でも、いずれはどこかの集団《しゅうだん》に忠誠《ちゅうせい》を誓《ちか》わなければ、生き残ることができないと思う。それがどこになるかは、時期が来ればわかるはず」

54
マンドレークとイモリ

目が覚めたとき、体の下に毛布《もうふ》がかたまっていたが、寒くは感じなかった。クッションの上で眠《ねむ》るサフィラから、風のような寝息《ねいき》が吐《は》き出されてくる。

エラゴンはファーザン・ドゥアーに来て以来初めて、心に安らぎと、いくらかの希望を感じていた。暖《あたた》かくて、腹《はら》も満たされていて、好きなだけ眠ることができたからだ。体の内にたまっていた緊張《きんちょう》がとけていくようだった――ブロムが死んでからずっと、いやそれより前、パランカー谷を出発してからずっと体にためてきた緊張感だ。

今はもう、なににおびえる必要もない。だが、マータグのことはどうすればいいのか？　エラゴンは、ヴァーデンがどれほど温かくもてなしてくれようと、心からそれをよろこぶことができなかった。故意《こい》ではないにしろ、自分がマータグを牢屋《ろうや》に追いやったという思いがあるからだ。なんとかしてこの状況《じょうきょう》を変えなくてはならないと思った。

エラゴンは洞穴《ほらあな》のざらついた天井《てんじょう》を見あげながらアーリアに思いをはせた。そして、考えてもしかたがないことと自分をたしなめ、外にひろがる〈ドラゴンの間〉をのぞこうとした。と、大きなネコが一匹《ぴき》、洞穴の縁《ふち》にすわって前足をなめている。ちらりとふりむいたとき、つりあがった赤い目が見

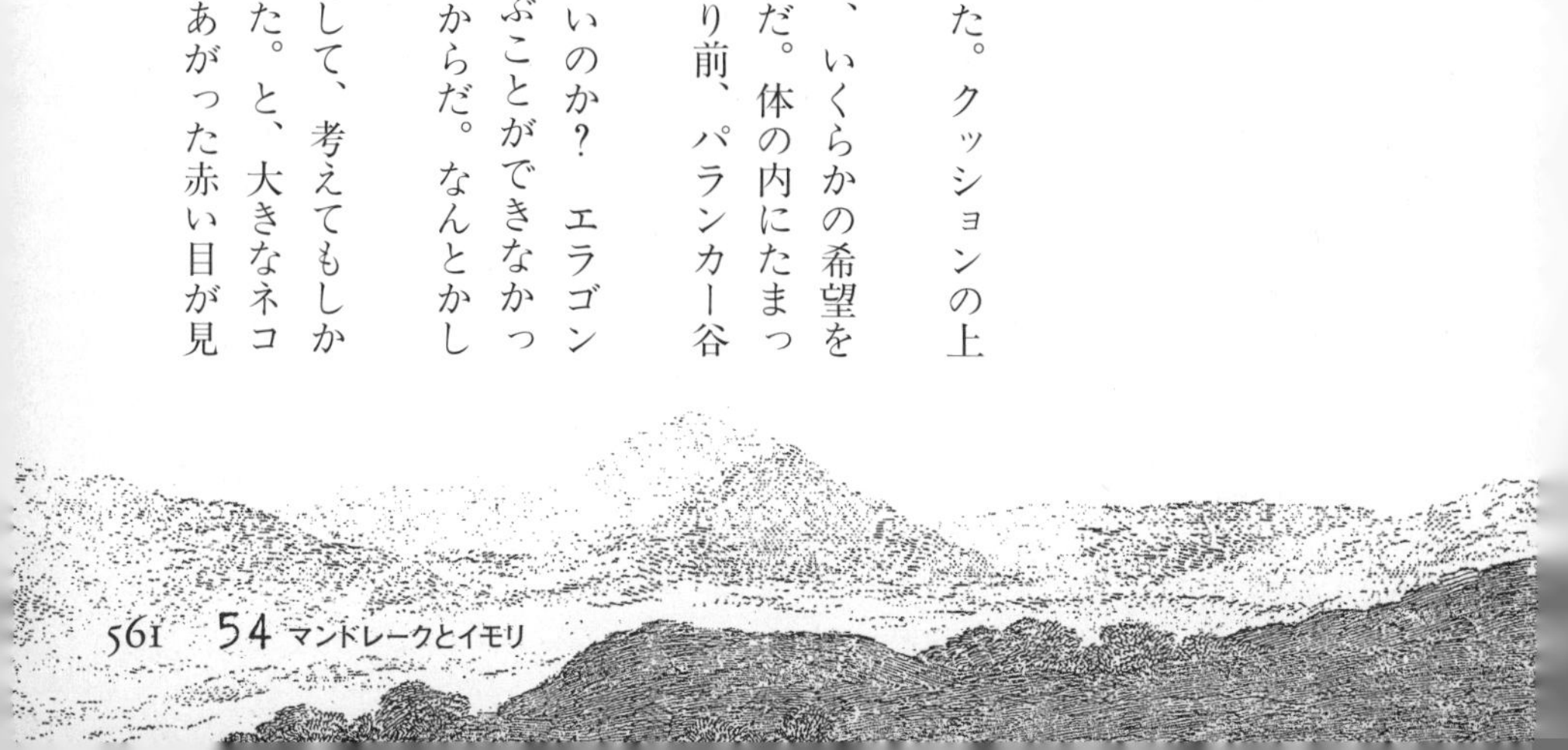

えた。

〔ソレムバン？〕信じられない気持ちできいた。

〔いかにも〕魔法《まほう》のネコはぼさぼさの頭の毛をぶるぶるっとふると、長い爪《つめ》をひけらかすようにゆっくりあくびをした。のびをして、それから洞穴《ほらあな》の外へ飛び出し、六メートル下のイスダル・ミスラムの上に、カチリと音を立てて着地した。〔ついてくるか？〕ソレムバンがいう。

　エラゴンはサフィラを見た。目を覚ましたサフィラは、じっとエラゴンの顔を見つめ返している。

〔行ってきなさい。わたしなら平気〕ソレムバンはトロンジヒームの下へ続くアーチの下で待っている。

　エラゴンの足がイスダル・ミスラムにおりたとたん、魔法のネコは前足をさっと出して方向転換《てんかん》し、アーチ道を歩いていった。エラゴンは目をこすって眠気《ねむけ》をふりはらいながらそれを追いかけた。アーチ道をどんどん歩き、気がつくとヴォル・トゥリン〈果てしない階段《かいだん》〉のてっぺんに立っていた。ほかに道がないので、ひとつ下の階までそれでおりていった。

　階段をおりると、目の前にまた別のアーチ道が待っていた。アーチ道はゆるやかに左へ曲がり、そのまま中央塔《ちゅうおうとう》をとりまくようにくだっている。アーチの細い支柱《しちゅう》のあいだから、上にはまぶしく光るイスダル・ミスラム、はるか下にはトロンジヒームのふもとが見える。上からのぞくと、中央塔のすそが徐々《じょじょ》にひろがっているのがよくわかる。アーチ道の床《ゆか》には下へおりる階段が口をあけていた。階段はそのまま見えなくなるまで延々《えんえん》と下へ続いているようだ。階段の外側には、巨大《きょだい》すべり台ともいえる樋《とい》がついている。〈果てしない階段〉の頂上《ちょうじょう》には、しりにしいてすべるための四角い革《かわ》が積みあげられている。エラゴンの右手には、部屋や居住区《きょじゅうく》につながる埃《ほこり》っぽい廊下《ろうか》がのびていた。ソレムバンはしっぽをふりながら廊下を歩いていった。

〔待ってくれよ〕

エラゴンはネコを追いかけたが、その姿《すがた》はがらんとした廊下の先でふいに消えてしまった。角を曲がると、ソレムバンは扉《とびら》の前でとまり、哀《あわ》れっぽい鳴き声をあげている。と、扉がひとりでに内側に開いた。ソレムバンがするっと体を入れると、扉はまたしまった。エラゴンは扉の前で首をかしげた。ノックをしようと手をあげたが、そのとたん扉があき、廊下にやわらかい光がこぼれてきた。エラゴンはためらいながら、なかに足をふみ入れた。

土くさいふた間続きの部屋は、どこもかしこも彫《ほ》った木や蔓《つる》植物で飾《かざ》り立てられていた。空気は暖《あたた》かく新鮮《しんせん》で湿《しめ》っぽい。四方の壁《かべ》と低い天井《てんじょう》から、明るいランタンがさがっている。部屋のいたるところに風変わりな道具が積みあげられ、部屋のすみが見えなくなっている。奥《おく》の部屋には、植物のカーテンでおおわれた大きな四柱ベッドが見えた。

主寝室《しゅしんしつ》の真ん中でぜいたくな革ばりの椅子《いす》にすわっていたのは、あの魔女で予言者のアンジェラだった。アンジェラはエラゴンの顔を見て、にこやかに笑った。

「こんなところでいったいなにをしてるの?」エラゴンはいきなりたずねた。

アンジェラはひざの上で手を組み合わせている。「まあ床にでもすわって、話を聞きなさい。椅子をすすめたいんだけど、あいにく部屋にはこの椅子ひとつきりしかないの」エラゴンの頭のなかに次々と疑問《ぎもん》が浮《う》かんできた。両わきにはフラスコが一本ずつ置かれ、緑色のくさい液体《えきたい》が泡《あわ》を立てている。

「やっぱり」アンジェラが身を乗り出してさけんだ。「あんたはライダーだったのね！　そうじゃないかと思ったけど、昨日までは確信《かくしん》がなかった。ソレムバンはとっくに知ってたんだろうけど、わたしにはいわなかった。ブロムのことを口にしたときに、気づいているべきだったわ。サフィラ……い

い名前――いかにもドラゴンにふさわしい」

「ブロムは死んだんだ」エラゴンが出しぬけにいった。「ラーザックに殺されたのさ」

アンジェラの顔色が変わった。もじゃもじゃした巻《ま》き毛《げ》を指先でひねっている。「それは残念ね。心からそう思うわ」おだやかにいった。

エラゴンは苦々しげに笑った。「けれどおどろきはしない、そうだろう? 結局あんたの予言どおりになったんだから」

「あたしの予言はだれが死ぬとはいっていない。それだけはわからなかったのよ」そういって髪《かみ》をふった。「でも……たしかにおどろいてはいないわね。ブロムには一、二度会ったことがあるの。彼はあたしの魔法《まほう》に対する姿勢《しせい》が気に食わなかったのよ。うわついてるとかいってね」

エラゴンは眉《まゆ》をひそめた。「あんたはティールムで、ブロムの運命について冗談《じょうだん》みたいに笑い飛ばした。あれはなんだったの?」

アンジェラの顔が一瞬《いっしゅん》ひきつった。「今思うと、ずいぶん趣味《しゅみ》の悪い言い方をしたものね。だけどあのときのあたしには、彼になにが起きるかなんてわからなかった。いってみればブロムは……呪《のろ》われていたのよ。自分のあやまちでないにもかかわらず、重要な使命でいつも失敗するウィアダ(運命)にあった。ライダーとして選ばれながらドラゴンを殺され、ひとりの女を愛しながら、その愛情《あいじょう》の強さゆえに破滅《はめつ》をまねいた。そしてあんたを守り、教育するために選ばれた。なのに、それも最後までなしとげられなかった。たったひとつ成功したのはモーザンを殺すこと。彼がなしとげた最高の偉業《いぎょう》よ」

「ブロムから女の人の話なんて聞いたことがない」エラゴンがいった。

アンジェラはぞんざいに肩《かた》をすくめた。「けっして嘘《うそ》をいわない者の口から聞いた話よ。でもこん

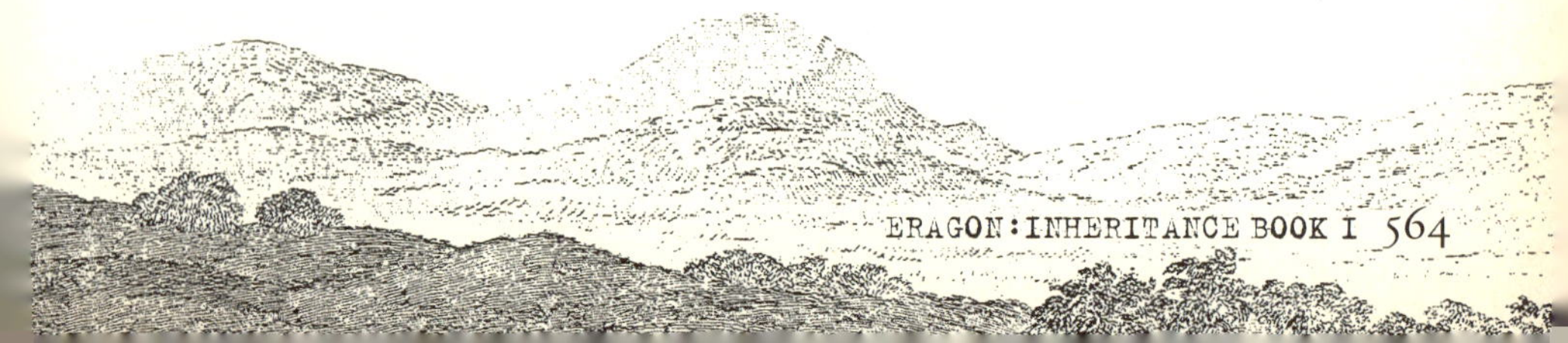

な話はもういい！　人生は前へ進んでいるのよ。死んだ者の心配をしてもしかたがないわ」アンジェラは話を打ち切るかのように、床《ゆか》からアシの束をすくいあげ、器用な手つきで編《あ》みはじめた。

　エラゴンはしかたなくあきらめた。「わかったよ。じゃあ、ティールムにいるはずのあんたが、トロンジヒームにいるのはなぜなの？」

「ああ、やっとおもしろい質問《しつもん》が出てきた」アンジェラがいった。「あんたが訪《たず》ねてきてブロムの名を口にしたあと、あたしはぴんときたのよ。アラゲイジアの過去《かこ》が復活《ふっかつ》するってね。帝国《ていこく》がライダー狩《が》りをはじめたという噂《うわさ》も聞こえはじめていた。だから、ヴァーデンのドラゴンの卵《たまご》が孵《かえ》ったにちがいないと思って、店をしめて飛んできた。もっとくわしく知りたくって」

「あんたは卵のことを知っていたの？」

「もちろんよ。あたしはバカじゃない。あんたが想像《そうぞう》するよりよっぽど長く生きてるからね。知らないことなんてめったにないのよ」アンジェラは言葉を切り、しばし編み物に没頭《ぼっとう》した。「とにかく、できるだけ早くヴァーデンの地にむかわなきゃと思ったのよ。来てからもう一か月近くになるけど、ここはどうも好きになれないわ——古くさくてあたしの趣味にあわないし、住んでる連中は深刻《しんこく》ぶってお高くとまってる。あれじゃあ、悲劇《ひげき》の運命に見舞《みま》われるのがおちね」と、あきれたような表情《ひょうじょう》を浮《う》かべ、長いため息をついた。「それにドワーフは迷信深《めいしんぶか》いとんまの集団《しゅうだん》ときてる。生きているあいだじゅう岩を金槌《かなづち》でたたいてれば、それで満足。まあ唯一《ゆいいつ》いいところといえば、ファーザン・ドゥアーで育つキノコぐらいね」

「それじゃあ、なんでいつまでもいるわけ？」エラゴンがにやっとしてきいた。

「一大事の起きる場所に、飛んでいきたくなるのがあたしの性分《しょうぶん》なのよ」アンジェラは首をひょいとかしげた。「それにあたしがティールムに残ることにしたら、ソレムバンとははなれればなれでしょう。

大事な相棒《あいぼう》とはなれて暮《く》らすわけにはいかないもの。さあ、次はあんたの冒険《ぼうけん》の話よ。あたしたちが最後に話をしたあの日から、どんなことがあったの？」

それから一時間ほどかけて、エラゴンは二か月半の出来事を話して聞かせた。静かに耳をかたむけていたアンジェラは、マータグの名が出たとたん、つばを飛ばさんばかりに声をあげた。「マータグだって！」

エラゴンはうなずいた。「そう、素性《すじょう》については本人から聞いてるよ。でも口をはさむ前に、最後まで話を聞いてほしい」彼は先を続けた。話しおえると、アンジェラは編《あ》み物《もの》のことなどすっかり忘《わす》れ、椅子《いす》にもたれて考えこんでしまった。と、ものかげからソレムバンが飛び出してきてアンジェラのひざの上に乗った。体を丸め、偉《えら》そうな顔でエラゴンを見おろした。

アンジェラはソレムバンをなでながらいった。「そそられる話ねえ。ガルバトリックスがアーガルと手を結び、マータグがついに人前に姿《すがた》を現《あらわ》した……警告《けいこく》しておくけど、マータグには気をつけたほうがいい。まあ、それくらい承知《しょうち》してるでしょうけど」

「マータグは大切な友だちで、この先もずっとぼくの味方だ」エラゴンがきっぱりといった。

「それでも、気をつけるにこしたことはないわ」アンジェラはそこで話題を変え、嫌悪感《けんおかん》もあらわにいった。「それからシェイド。ダーザという名だったわね。ガルバトリックスをべつにすれば、あいつは今やヴァーデンにとって最大の敵《てき》よ。黒呪術《くろじゅじゅつ》以来、あんな邪悪《じゃあく》な魔法《まほう》をあやつる者はいなかった——まったく、虫酸《むしず》が走るわ！　やつの心臓《しんぞう》をヘアピンでえぐりだして、豚《ぶた》に食わせてやりたいものだわね！」

急に悪態《あくたい》をつきだしたアンジェラに、エラゴンはおどろいた。「わからないな。シェイドは霊魂《れいこん》の力を使って自分の目的を果たすと、ブロムはいっていた。でも、それはそんなに邪悪なことなの？」

アンジェラは首をふった。「そうじゃないの。あたしみたいに、よくも悪くもないふつうの魔術師《まじゅつし》なら邪悪にはなりえない。魔法で霊魂や霊力をあやつるだけだから。ところが、シェイドは霊をあやつるんじゃない。より強い力を発揮《はっき》するため、霊のほうに自分の体を支配《しはい》させてしまう。それがシェイドなのよ。まずいことに、人間の体にとりつく霊は、もっとも邪悪な霊でね。しかも一度とりつくと、二度と出ていくことはない。これは、魔術師が自分より強い霊魂を呼《よ》びよせたとき、たまたま起きることなの。問題は、ひとたびシェイドがつくり出されると、それを殺すのはとてつもなくむずかしいということ。あたしの知るかぎり、その難業《なんぎょう》をやってのけたのは、エルフのレイトリと、ライダーのアーンスタッドだけね」

「その話なら聞いたことがある」エラゴンは部屋のなかを見まわしていった。「ところで、どうしてこんな高いところにいるの？　孤立《こりつ》していて不便じゃない？　それに、どうやってこれだけの荷物をここまで運んだの？」

アンジェラは頭をそらせ、皮肉めいた笑《え》みを浮《う》かべた。「本当のところを知りたい？　じつは、あたしはここに身をかくしてるの。トロンジヒームに来たとき、初めの数日は気持ちよくすごせたわよ。でもそのうち、ファーザン・ドゥアーに入れてくれた守衛《しゅえい》のひとりが、あたしのことをまわりにしゃべっちゃったの。するとここで暮《く》らす魔術師たちが――いえ、魔術師というのもおこがましいような連中だけどね――自分たちの秘密《ひみつ》結社に入れとしつこく誘《さそ》いに来るわけよ。とくにうるさいのが、その結社をひきいているあの双子《ふたご》。あたしはとうとう我慢《がまん》できなくなって、みんなにいってやったのよ。ガマガエル、いえ、カエルに変えてしまうよってね。でも効《き》き目《め》がなかった。だから夜中にこっそりここに引《ひ》っ越《こ》してきた。あたしの力をもってすれば、あんたが思う以上にかんたんなことだったわよ」

「ファーザン・ドゥアーに入る前に、双子《ふたご》に頭のなかをさぐられなかったのかい？　ぼくは無理やり調べられた」

アンジェラの目が冷たく光った。「あたしの心をさぐろうなんてするわけがない。しっぺ返しがこわいからね。さぐりたいのかもしれないけど、そんなことをしたら、わけのわからない言葉をつぶやく以外なにもできなくしてやるわよ。だいいちあたしは、ヴァーデンが人の頭のなかを調べるようになるずっと前からここにいるんだから……今さらあたしにそんなことはしないわよ」

アンジェラはもうひとつの部屋をのぞいていった。「さて、ためになる話を聞かせてもらえてよかったわ。でも、そろそろ帰ってもらわなくちゃね。マンドレークの根とイモリの舌《した》が煮《に》えてきた。ここから先は手がかかるのよ。ひまなときにまたいらっしゃい。それと、お願いだからあたしの居場所《いばしょ》を明かさないでね。もう一回引《ひ》っ越《こ》しするなんてまっぴらだから。引っ越しはとても……いらいらする仕事だもの。あんただって、いらいらするあたしは見たくないでしょ！」

「秘密《ひみつ》は守るよ」そういって、エラゴンは立ちあがった。

「よかった！」アンジェラも立ちあがり、ひざからソレムバンが飛びおりた。

エラゴンはあいさつをして部屋を出た。ソレムバンは彼を〈ドラゴンの間〉まで連れて帰ると、もう用ずみだというようにしっぽをふり、ぶらぶらともどっていった。

55
山の王の間

ひとりのドワーフが〈ドラゴンの間〉でエラゴンを待っていた。会釈《えしゃく》をしてなにやらつぶやいてから、「アージェトラム」と訛《なま》りのある声でいった。「気持ちよくお目覚めか。ヌーラ〔ドワーフ〕のオリクが待っておられます」もう一度頭をさげ、ちょこちょこと走っていった。サフィラは自分の洞穴《ほらあな》を飛び出て、エラゴンのとなりにおりた。鉤爪《かぎづめ》でザーロックをつかんでいる。

〔それをどうするつもり?〕エラゴンが眉《まゆ》をひそめた。

サフィラは首をかしげた。〔身につけなさい。ライダーのあなたがライダーの剣《けん》をつけるのはあたりまえ。ザーロックに血なまぐさい歴史があっても、あなたがそれに影響《えいきょう》される必要はない。新しい歴史をあなたがつくるのだから。誇《ほこ》りをもって身につけなさい〕

〔気はたしかか?　アジハドの忠告《ちゅうこく》を忘《わす》れたのか〕

サフィラは鼻を鳴らし、鼻腔《びこう》からぷかっと煙《けむり》をふき出した。〔つけなさい、エラゴン。ここのいろいろな力におさえつけられたくないなら、人の意見にいちいち左右されてはだめ〕

〔おまえがそういうなら〕エラゴンはしぶしぶ剣を腰《こし》につけた。そしてサフィラの背《せ》にまたがり、ト

ロンジヒームの頂上《ちょうじょう》を飛び立った。ファーザン・ドゥアーには日がさしこんで、靄《もや》のかかった噴火口《ふんかこう》の壁《かべ》――どの方向にも八キロはなれている――も、じゅうぶん見ることができる。サフィラが〈都市の山〉のふもとまで螺旋《らせん》を描《えが》きながらおりていくあいだ、エラゴンはその背《せ》でアンジェラに会ったことを話して聞かせた。

トロンジヒームの門に着地するやいなや、オリクが駆《か》けよってきた。「わが王フロスガーがきみたちに会いたいそうだ。すぐにおりてくれ。急がねばならん」

エラゴンはドワーフを追って、トロンジヒームのなかに小走りで入った。サフィラはその横をゆうゆうと歩いていく。上の通路から注がれる人々の視線《しせん》は気にせず、エラゴンはオリクにたずねた。

「フロスガーはどこにいるの？」

歩調をゆるめずオリクはこたえた。「〈都市の山〉の下にある〈王の間〉だ。きみらは王のオソ（信《しん》頼《らい》）の証《あかし》として、じかに謁見《えっけん》することをゆるされた。特別な作法で話す必要はないが、あくまで敬意《けいい》を忘《わす》れぬように。フロスガーは激《げき》しやすいけれど、賢明《けんめい》で、人の心のなかをじっくり観察なさる。よく考えて言葉を口にすることだ」

中央塔《ちゅうおうとう》に到着《とうちゃく》すると、オリクは塔のむこうの廊下《ろうか》に彼らをみちびいていった。そして、廊下にむかいあうふたつの階段《かいだん》のうち、右手のほうへおりはじめた。ゆるやかな弧《こ》を描《えが》きながらくだっていくうち、階段はおりはじめとは逆《ぎゃく》の方向に折れ、そこからもうひとつの階段と合流した。うす明かりのなか、その階段は三十メートルほど下まで滝《たき》のように流れ、やがて花崗岩《かこうがん》の二枚扉《にまいとびら》にたどり着いた。ここにも、両扉にまたがって七つ角《つの》の王冠《おうかん》が彫《ほ》られている。

七人のドワーフが扉の両側で警備《けいび》についていた。つやつやと光る鍬《すき》を持ち、宝石《ほうせき》のうめこまれたベルトをつけている。エラゴンとオリクとサフィラが近づいていくと、ドワーフたちが鍬の柄《え》で床《ゆか》をつ

いた。ズーンという低い音が階段を駆けあがり、扉が内側にあいた。

暗い広間が目の前に現《あらわ》れた。奥行《おくゆ》きは、ちょうど矢がとどくくらいの距離《きょり》。謁見室《えっけんしつ》は自然にできた洞窟《どうくつ》だった。内壁《ないへき》は人間の体より太い鍾乳石《しょうにゅうせき》や石筍《せきじゅん》でおおわれている。まばらにぶらさがるランタンが、ぼんやりとした光を落としている。褐色《かっしょく》の床は、よくみがかれてなめらかだ。広間の奥に黒い玉《ぎょく》座《ざ》があり、その上にじっと動かない人影《ひとかげ》がある。

オリクがお辞儀《じぎ》をした。「王がお待ちだ」エラゴンはサフィラのわき腹《ばら》に手を触《ふ》れ、ふたりで前へ進んでいった。背後《はいご》で扉がしまり、うす暗い〈王の間〉にフロスガーとエラゴンたちだけが残された。

足音を広間のなかに響《ひび》かせながら、ふたりは玉座へと歩いていった。鍾乳石や石筍のあいだに、大きな彫像《ちょうぞう》がならんでいた。王冠をかぶり、玉座に腰《こし》かけるドワーフの王たちの像だ。みな見えない目をキッと遠くにむけている。それぞれの足もとにはルーン文字で名前が彫られている。

遠い昔に没《ぼっ》した君主たちの列のあいだを、エラゴンとサフィラは厳粛《げんしゅく》な気持ちで歩いていった。四十以上ならんだ像がとぎれると、新たな王の像がすえられるのを待つ暗い闇《やみ》の空間があった。ふたりは広間の奥まで進み、フロスガーの玉座の前で立ちどまった。

ドワーフの王は、高い玉座の上に彫像のようにすわっていた。玉座は黒大理石の一枚岩でできている。ずんぐりとして飾《かざ》り気《け》はないが、ガンコなほどの正確《せいかく》さで彫られた椅子《いす》だ。玉座からは力がにじみ出ていた。ドワーフがエルフや人間にじゃまされることなくアラゲイジアを支配《しはい》していた、遠い時代を彷彿《ほうふつ》とさせる力だ。フロスガーは王冠のかわりに、ルビーやダイヤモンドがちりばめられた金の兜《かぶと》をかぶっていた。顔つきはけわしく、荒《あ》れた肌《はだ》が長い人生経験《けいけん》を物語るかのようだ。ごつごつした額《ひたい》の下で、落ちくぼんだ目が鋭《するど》く光る。たくましい胸《むね》の上には、鎖帷子《くさりかたびら》がさざなみを立てている。白

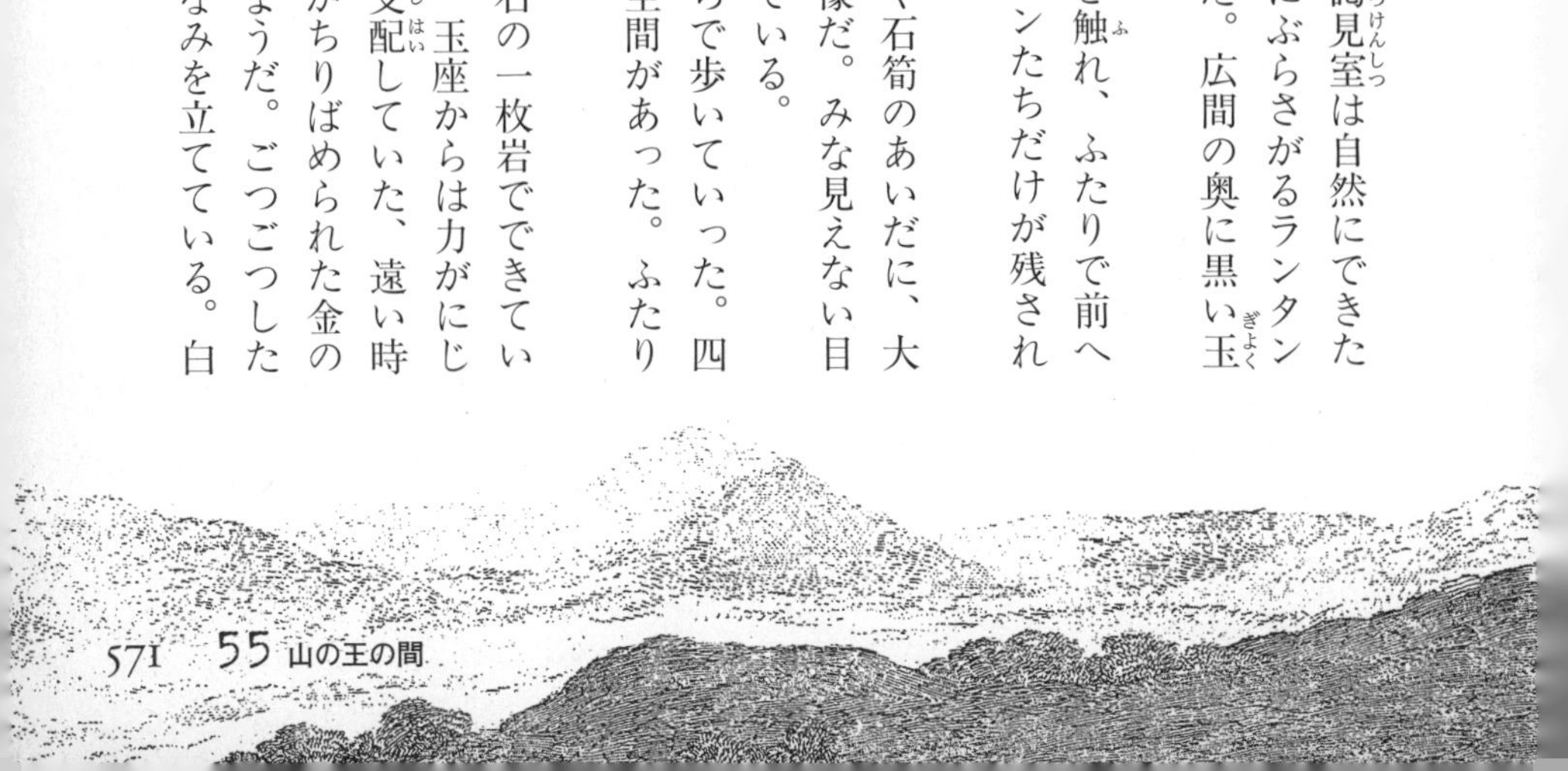

いあごひげはベルトの下にたくしこまれている。ひざの上には大きな金槌《かなづち》。この金槌の頭にも、やはりオリクの部族の紋章《もんしょう》が彫《ほ》られている。

エラゴンはぎこちなく頭をさげ、ひざまずいた。サフィラは頭を高くあげたままだ。王は長い眠《ねむ》りから目覚めたばかりのように体をゆらし、太い声でいった。「ライダーよ、立ちたまえ。そなたがわたしにへつらう必要はない」

エラゴンは背中《せなか》をのばし、はかり知ることのできないフロスガーの目を見つめた。王は鋭《するど》い目でエラゴンを観察し、やがてしわがれ声でいった。「アズ・ノール・デミ・ラノック――気をつけよ、岩は変化する――われらのあいだに伝わる古いことわざだ……近ごろでは岩はじつにめまぐるしく変化する」王は金槌を指でいじった。「わしはアジハドのように、すぐにきみに会うことができなかった。いくつかの部族から不満が出たのだ。彼らはきみをかくまうことに反対し、ファーザン・ドゥアーから追い出せと主張《しゅちょう》した。説得するのにずいぶんと手間がかかってな」

「ありがとうございます」エラゴンがいった。「ぼくが来たことで諍《いさか》いが起きるなんて、思ってもいなかったんです」

王はエラゴンの謝意《しゃい》を受けとめると、ふしくれだった手をふりあげた。「ライダー・エラゴンよ、あれを見るがいい。玉座《ぎょくざ》にすわっているのはわしの前任者《ぜんにんしゃ》たちだ。全部で四十一人。わしが四十二人めだ。この世から神のもとへ召《め》されたとき、わしのヒアナ（彫像《ちょうぞう》）もあそこにならぶ。最初の像はわれらの始祖《しそ》コルガン。彼がこの金槌、ヴォランドを鍛造《たんぞう》した。ドワーフはわが種族が生まれてから八千年の長きにわたり、ファーザン・ドゥアーを支配《しはい》してきた。われらはこの地の骨《ほね》であり、美しいエルフや獰猛《どうもう》なドラゴンより長い歴史をもっているのだ」

フロスガーは身を乗り出し、低く重々しい声でいった。「いくらドワーフの寿命《じゅみょう》が長いとはいえ、

わしは年をとりすぎた。そのあいだに、ライダー族のつかの間の栄光を目にし、彼らの最後の指導《しどう》者《しゃ》、ヴレイルとも言葉をかわした。ヴレイルはまさにこの部屋で、わしに会っていったのだ。これほどの経験《けいけん》をした者は、もうほとんど生きてはおるまい。ライダーたちがわれらドワーフにあれこれ干《かん》渉《しょう》してきたことは、よく覚えておるよ。そして彼らが平和を守ってくれたおかげで、トロンジヒームからナーダまで無事たどり着けるようになったことも、忘《わす》れてはおらん。

　そして今、きみが目の前に立っている——失われた伝説が息をふき返したのだ。さあ本当のところを教えてくれたまえ。きみはファーザン・ドゥアーになにをしに来たのかね？　帝国《ていこく》にいられなくなったいきさつは知っておる。しかしここに来た意図はなんなのだ？」

「今は、サフィラもぼくも体調をとりもどしたいだけなんです」エラゴンがこたえた。「べつに問題を起こすつもりはありません。数か月間ずっと危険《きけん》ととなり合わせだったけど、やっと安心して休める場所を見つけたんです。いずれアジハドにエルフの地へ送られるかもしれませんが、それまではここにいたいんです」

「では、たんに身の安全のことしか考えていないというのかね？」フロスガーがきいた。「帝国の問題などすべて忘れて、ここで平穏《へいおん》に暮《く》らしたいと？」

　エラゴンは首を横にふった。ここでうんというのは自尊心《じそんしん》がゆるさなかった。「アジハドからぼくの過去《かこ》のことを聞いてらっしゃるなら、おわかりになるはずです。ぼくは帝国を激《はげ》しく憎《にく》んでいる。戦って灰《はい》にしてやりたい。それに……ガルバトリックスのもとから逃《に》げ出せずにいる民《たみ》を救いたいんです。ぼくの従兄《いとこ》もふくめて。ぼくにはその力があるのだから、傍観《ぼうかん》しているわけにはいかない」

　王はその答えに満足したようだった。今度はサフィラのほうをむいて問いかけた。「ドラゴン、きみはこの問題をどう考えるね？　きみはどんな理由でここへ来た？」

サフィラは口のはしをつりあげてうなった。〔この人にいってほしい。わたしは敵《てき》の血に飢《う》えている、あのインチキ王に戦いをいどむ日を指折りかぞえて待っているとね。ガルバトリックスのような裏切《うらぎ》り者《もの》や卵泥棒《たまごどろぼう》には、これっぽっちの憐《あわ》れみも感じない。あいつはわたしの卵を百年もかかえていた。そして、仲間が眠《ねむ》る卵をまだふたつもっている。できることならそれを解放《かいほう》してやりたい。フロスガーに伝えてやるといい。エラゴンはそれをやりとげられるライダーだと〕

エラゴンはサフィラの言葉に顔をしかめながら、いわれたとおりに王に伝えた。フロスガーの口のはしがつりあがった。顔のしわが深くなり、ぞっとするような笑《え》みが浮《う》かぶ。「ドラゴンは数百年の昔からまったく変わらないな」王は玉座《ぎょくざ》を拳《こぶし》でたたいた。「きみはこの玉座が、なぜこれほど平板で角ばった造《つく》りになっているかわかるかね？　この上にはだれも快適《かいてき》にすわってはいかん。むろんわしもそうだ。しかるべきときが来たら、なんの未練もなくこの座をおりる覚悟《かくご》はできている。さて、きみは自分の責務《せきむ》をどう考えておる？　帝国《ていこく》が陥落《かんらく》したら、きみがガルバトリックスのかわりに王座につくのかね？」

「ぼくは王にも、支配者《しはいしゃ》にもなる気はありません」エラゴンが当惑《とうわく》していった。「ライダーであるというだけで、重い責任《せきにん》がのしかかっている。ぼくがウルベーンの王座につくなどありえない……ほかに王の資質《ししつ》のある者や、進んでその座につく者がいないのでないかぎり……」

フロスガーが重々しい口調で警告《けいこく》する。「たしかにきみはガルバトリックスよりは思いやり深い王になりそうだな。だがどんな種族であろうと、年をとらない者、王座を去ろうとしない者を、王にしてはならんのだ。ライダー族の時代はもう終わったんだよ、エラゴン。復活《ふっかつ》はありえない――たとえガルバトリックスのほかの卵が孵《かえ》ったとしても」

王はエラゴンの腰《こし》に目をとめ、顔をくもらせた。「きみが帯びているのは敵の剣《けん》だな――そのことは聞いておる。〈裏切《うらぎ》り者《もの》たち〉の息子《むすこ》マータグと旅してきたことも。だが、そんなものを見せられると気分のいいものではない」王が手をさし出した。「ちょっと見せてくれんか」

エラゴンはザーロックを鞘《さや》からぬき、柄《つか》のほうをむけて王に手わたした。

王は剣をつかむと、なれた目つきで赤い刀身を観察した。切っ先がランタンの灯《あか》りを受けてきらりと光る。ドワーフの王はためすように切っ先を掌《てのひら》にあてた。「名人技《めいじんわざ》がつくりあげた剣だ。エルフはめったに剣をつくろうとはしない。弓や槍《やり》のほうを好むんだ。だが、いざ彼らがつくれば、比類《ひるい》なき剣ができあがる。これは不運をもたらす剣だ。わが領土《りょうど》ではあまり目にしたくないものだな。しかし、きみがそうしたいならもち歩けばよい。もしかしたら、剣の運命も変わっているかもしれないからな」エラゴンは王からザーロックを返されると、鞘におさめた。「わしの甥《おい》っ子《こ》はきみの役に立っているかね？」

「え？」

フロスガーはぼさぼさの眉《まゆ》をつりあげた。「オリク。わしの末の妹の息子だ。わしがヴァーデンを支援《しえん》する証《あかし》として、彼をアジハドのもとで働かせている。どうやらまたわしのもとにもどることになったらしいがね。きみはオリクをかばってくれたそうじゃないか。礼をいうよ」

こういうことをいうのもまた、フロスガーからすれば、オソ（信頼《しんらい》）の印なのだろうとエラゴンは理解《りかい》した。「彼以上の案内人はいません」

「それはよかった」王が本当にうれしそうにいった。「残念ながらそろそろ時間だ。相談役がわしを待っているんだ。いろいろかたづけねばならない問題があってな。しかし最後にこれだけはいっておこう――もしきみがわしの領内でドワーフから支援を受けたいなら、まずきみが先に自分の価値《かち》を認《みと》めてもらうことだ。われらは昔のことをよく覚えているから、そうかんたんには結論《けつろん》を出せないのだ

よ。言葉は意味がない。行動でしめすことだ」

「覚えておきます」エラゴンはお辞儀《じぎ》をした。

彼はサフィラとともに山の王の広間を出た。オリクはずっと心配そうな顔でふたりを待っていた。中央塔《ちゅうおうとう》まであがってきたエラゴンとサフィラに駆《か》けより、待ちかねたようにたずねた。「どうだった？　気に入ってもらえたかね？」

「だと思うけど。きみの王はとても慎重《しんちょう》な人だな」エラゴンがいった。

「だからこれだけ長い年月を生きてこられたんだ」

〔ああいう人の怒《いか》りは買いたくない〕サフィラがいった。

エラゴンがサフィラをちらりと見た。〔ぼくだってそうさ。おまえのことはどう思ったか知らないけど、ドラゴンについては批判的《ひはんてき》なようだ——あからさまにはいわなかったけどね〕

サフィラはしたり顔でいった。〔それが賢明《けんめい》。彼の背丈《せたけ》は、わたしのひざにやっととどくほどなのだから〕

中央塔のイスダル・ミスラムの下で、オリクがいった。「昨日きみが祝福したことで、ヴァーデンは蜂《はち》の巣《す》をつついたような騒《さわ》ぎになっている。サフィラが鼻先をくっつけたこどもは、今や未来の英雄《えいゆう》あつかいだ。ばあさんともども最高級の部屋にうつされてね、みんながきみの〝奇跡《きせき》〟のことを噂《うわさ》している。人間の母親たちはみな、わが子にも祝福を受けさせようと必死できみをさがしてるぞ」

エラゴンはびっくりして、あたりをそっとうかがった。「どうしたらいいんだろう？」

「祝福を取り消すわけにもいかんだろう？」オリクが冷めた口調でいった。「できるだけ人目につかんようにすることだ。〈ドラゴンの間〉にはだれも近づけないから、うるさくされることはないさ」

エラゴンはまだ〈ドラゴンの間〉にもどりたくはなかった。まだ時間も早いし、サフィラといっしょにトロンジヒームを探索《たんさく》したかった。帝国《ていこく》から遠くはなれた今、サフィラと別れて行動する必要はない。ただ、彼女がそばにいては、どうしても人目を引いてしまう。〈サフィラ、おまえはどうする？〉

サフィラはエラゴンを鼻で嗅《か》ぎ、腕《うで》に鱗《うろこ》をこすりつけた。〈〈ドラゴンの間〉にもどっている。会いたい人がいるから。あなたは好きなだけぶらぶらしてくるといい〉

〈うん。でも会いたい人ってだれ？〉サフィラは大きな目でウィンクを返しただけで、そのまま四本のトンネルのひとつへ消えていった。

エラゴンはオリクに、サフィラがもどることを告げた。「ぼくはまず朝食をいただいて、それからトロンジヒーム内をいろいろと見てまわろうと思ってる。本当にすごい建物だからね。訓練場に行くのはあしたにしたいんだ。まだ体調が万全《ばんぜん》じゃないから」

オリクはうなずいた。あごひげが胸《むね》の上ではねる。「それなら、図書館に行ってみるといい。おもしろい歴史の本がたくさんあるんだ。ガルバトリックスの手でけがされる前のアラゲイジアのことが書かれている」

エラゴンは、本の読み方を教えてくれたブロムのことを思い出して胸が痛《いた》んだ。あれからずいぶんたったけれど、まだちゃんと読めるだろうか？「わかった、そうさせてもらうよ」

「それじゃあ、決まりだ」

朝食のあと、エラゴンとオリクは無数の廊下《ろうか》をわたって図書館へむかった。彫刻《ちょうこく》をほどこされた図書館のアーチに案内されると、エラゴンは厳粛《げんしゅく》な気持ちでそれをくぐった。

図書館のなかはまるで森のようだった。美しくならんだ列柱《コロネード》が闇《やみ》にむかって梢《こずえ》をのばし、五階の高さにある天井《てんじょう》をささえている。柱のあいだに背中あわせでならんでいるのは黒大理石の本棚《ほんだな》。壁《かべ》は巻《まき》

物《もの》のつまった棚《たな》でおおわれている。あちこちにせまい通路がのび、それらはいずれも三つの螺旋階段《らせんかいだん》に続いている。壁《かべ》には一定間隔《かんかく》でむかいあわせの石のベンチが置かれている。そのあいだには小さなテーブル。床《ゆか》との切れ目がなく、まるで一体化しているようだ。

図書館には無数の本と巻物《まきもの》がおさめられていた。「これこそ、わが種族の真の遺産《いさん》だよ」オリクがいった。「古代から現代《げんだい》にいたるまで、偉大《いだい》な王や哲学者《てつがくしゃ》の著作《ちょさく》がすべて集められている。熟練工《じゅくれんこう》が残した歌や物語もある。わしらにとって、もっとも貴重《きちょう》な財産《ざいさん》なんだ。でも、全部がドワーフの作品というわけでもない——きみら人間のものもあるぞ。人間は短命な種族だが、生み出す作品は多い。いっぽう、エルフの書いたものはほとんどないな。彼らはそういうものを異常《いじょう》なまでにかくそうとするからね」

「どのくらいここにいていいのかな?」エラゴンは書棚のほうへ歩きながらたずねた。

「気のすむまでいるといい。わからないことがあったらききにおいで」

エラゴンはわくわくしながら棚にむかい、おもしろそうな題名や表紙の本を見つけては、パラパラとページをめくっていった。意外なことに、ドワーフは人間と同じルーン文字を使って本を書いていた。だがやはり、何か月も文字を目にしていなかったエラゴンにとって、本を読みこなすのはかんたんなことではなかった。すこし気落ちして、ほとんどの本の前を素通《すどお》りしながら広い図書館を奥《おく》へ進んでいった。やがて、ドンダーという十代めドワーフ王が書いた詩の翻訳本《ほんやくぼん》に興味《きょうみ》を引かれ、手に取った。

優美《ゆうび》な文字に目を走らせていると、本棚のかげから耳なれない足音が聞こえてきた。一瞬《いっしゅん》びくっとしたが、そんな自分をいさめた——図書館にほかの人がいてもおかしくないじゃないか。それでも静かに本をもどし、すみやかにそこをはなれた。危険《きけん》に対して敏感《びんかん》になっているのだ。これまで何度も

不意討《ふいう》ちにあってきたから、こうした感覚を無視《むし》できなくなっている。足音はまた聞こえた。今度はふたり分の足音だ。不安に駆《か》られ、オリクのすわっている場所をさがしながら広い通路を横切った。角へまわりこもうとしたところで、ぎょっとして立ちどまった。目の前にあの双子《ふたご》が立っている。

双子はつるりとした無表情《むひょうじょう》な顔で、肩《かた》をならべて立っていた。黒いヘビのような目がエラゴンの顔をえぐるように見ている。紫《むらさき》のローブにかくれた手が、ピクピクと動いているのがわかる。ふたりは人を見くだすような横柄《おうへい》な態度《たいど》で会釈《えしゃく》をした。

「きみをずっとさがしていた」片方《かたほう》がいった。不気味なほどラーザックの声に似《に》ている。

エラゴンは体のふるえをおさえた。「なんの用だ?」意識《いしき》をこらし、サフィラと交信した。サフィラはすぐにエラゴンの声にこたえてきた。

「きみがアジハドと会ったあと、これまでのわたしたちの行為《こうい》について……謝罪《しゃざい》しようと思っていた」あざけるような口調だが、おこるほどのことでもない。「きみに敬意《けいい》をしめそうと思ってね」わざとらしく頭をさげられ、エラゴンはむっとして顔を赤くした。

〔落ち着きなさい!〕サフィラが警告《けいこく》した。

エラゴンは気をしずめようとした。こんな男たちに腹《はら》を立てているひまはないのだ。と、ある考えがひらめき、うす笑いを浮《う》かべていった。「とんでもない、敬意を表わすのはこっちのほうだよ。あなたたちの承認《しょうにん》がなければ、ぼくはファーザン・ドゥアーに入れてもらえなかった」彼はできるかぎり横柄な態度で、ふたりに順に礼をいった。

双子は目にいらだたしげな色を浮かべながらも笑顔《えがお》をつくろった。「きみのような……重要人物に……そういってもらえると光栄のいたりだ。寛大《かんだい》なその言葉に対し、返礼をせねばならんな」

今度はエラゴンがいらいらをおさえる番だ。「よく覚えておくよ。なにかあったときのために」

サフィラが割《わ》りこんできた。〈調子に乗らないで！　よけいなことをいうのは後悔《こうかい》のもと。あなたの言葉を逐一《ちくいつ》覚えていて、あとでやりこめようとしてるのかもしれない〉

〈どういう状況《じょうきょう》かは、いわれなくてもわかってるよ！〉エラゴンはぴしゃりといった。サフィラは不満げにうなりながら退《ひ》いていった。

双子《ふたご》はローブのすそを床《ゆか》にこすりながらエラゴンに近よってきた。「ライダーくん、きみをさがしていたのにはべつの用件《ようけん》もあったんだよ。トロンジヒームで暮《く》らす数人の魔術師《まじゅつし》で、ある会を結成している。会の名はドゥ・ヴラングル・ガータで、意味は――」

「『曲がりくねった道』だね。知ってるよ」エラゴンはアンジェラの話を思い出していった。

「古代語にもくわしいとみえる。感服するよ」双子のひとりがなめらかな声でいった。「そのドゥ・ヴラングル・ガータがきみの偉業《いぎょう》を聞き、ぜひお仲間になっていただこうということになった。きみのように才能《さいのう》ある者に加わってもらえば、これほど光栄なことはない。こちらとしても多少はきみの力になれそうだしね」

「というと？」エラゴンがきいた。

もういっぽうの双子がいう。「わたしたちはふたりとも魔法《まほう》の経験《けいけん》が豊富《ほうふ》だ。よってきみに……わたしたちが見つけた呪文《じゅもん》を披露《ひろう》し、その言葉を教えてやれる。きみが栄光の道へ進む手助けがいくらかでもできれば、これほどうれしいことはない。見返りなどなにもいらないよ。ただ、それではきみの気がすまないというなら、そちらの知識《ちしき》の片鱗《へんりん》をよろこんで分けていただくがね」

双子の意図に気がついてエラゴンは顔をこわばらせた。「ぼくのことを、ぼんくらだと思ってるのか？」声を荒《あら》げていった。「ぼくはあんたたちの弟子《でし》になんかならない。そんな手に乗って、ブロムから習った大事な言葉を教えたりするものか！　ぼくの頭からそれを盗《ぬす》めなかったから、いらついて

るんだろうけどね」

双子の顔からにこやかな仮面《かめん》がはずれた。「軽口をたたくな！　きみの技量《ぎりょう》を魔法でためすのはこのわれわれなんだ。つまり、もっとも好ましくない結果にもなりうるということだ。人ひとり殺すには、呪文をたったひとつまちがえるだけでいいんだからな。きみはライダーかもしれんが、われわれふたりの力は、きみのそれをうわまわっているのだよ」

はらわたは煮《に》えくり返っていたが、エラゴンは表情《ひょうじょう》を変えずにいった。「申し出のことは考えておくよ。でもたぶん――」

「返事はあした聞かせてもらおう。くれぐれも正しい判断《はんだん》をするように」双子は冷たい笑《え》みを浮《う》かべ、もったいぶった足どりで図書館の奥《おく》へ歩いていった。

エラゴンは顔をしかめた。なにをいわれようと、ドゥ・ヴラングル・ガータになんか入るものか。

〈アンジェラに相談したらどう？〉サフィラが声をかけてきた。〈彼女なら双子のことをよく知っているはず。もしかしたら、あなたの試験に同席できるかもしれない。そうなれば、双子になにかされそうになったとき、助けてもらえる〉

〈なるほどね〉書棚《しょだな》のあいだをぬって歩いていくと、ようやくオリクを見つけた。彼はベンチにすわってせっせと金槌《かなづち》をみがいていた。「〈ドラゴンの間〉にもどりたいんだ」

ドワーフはベルトの革《かわ》ひもに金槌の柄《え》を通し、サフィラの待つ門のところまでエラゴンを案内していった。サフィラのまわりには大勢《おおぜい》の人がたかっていたが、エラゴンはかまわず彼女の背《せ》によじのぼった。そして、すぐに上空へと逃《に》げていった。

〈今の話、早く解決《かいけつ》したほうがいい。あんな連中に脅《おど》されてだまってはいられない〉イスダル・ミスラムの上に到着《とうちゃく》するとサフィラがいった。

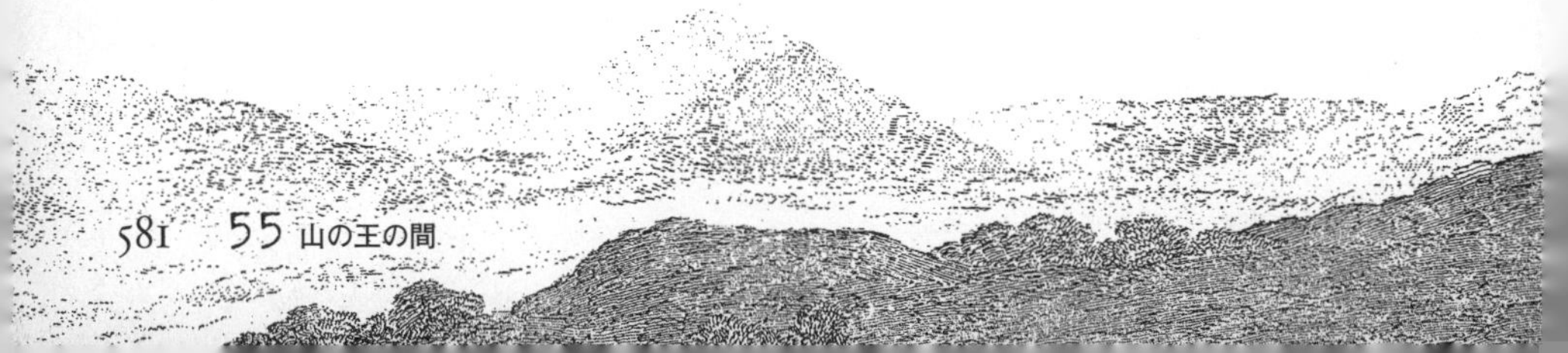

〔わかってる。でも、できれば双子《ふたご》をおこらせたくないんだ。あんなのは敵《てき》にまわしたくないから〕エラゴンはザーロックを手にもったまま、サフィラの背《せ》からすばやくすべりおりた。

〔それはつまり、彼らと仲間になるということ？〕

エラゴンは首を横にふった。〔そうじゃない……あしたになったらドゥ・ヴラングル・ガータには入らないと伝えるさ〕エラゴンはサフィラを洞穴《ほらあな》に残し、〈ドラゴンの間〉の外へ出た。アンジェラに会いたいが、部屋までの道順を覚えていなし、案内をしてくれるソレムバンもいない。ばったり出会うことを期待しながら、がらんとした廊下《ろうか》をうろうろと歩いた。

やがて、どこまでも続く灰色《はいいろ》の壁《かべ》や空き部屋に見あきて、来た道をもどることにした。〈ドラゴンの間〉に近づくと、なかから人の声が聞こえてきた。足をとめ、耳を澄《す》ましたところ、さっきまで聞こえていた声がとぎれた。〔サフィラ？ そこにだれがいるんだ？〕

〔女の人……なにかすごく堂々とした感じの人。わたしが気をそらせておくから、そのあいだに入ってきて〕エラゴンはザーロックの鞘《さや》をゆるめた。〈ドラゴンの間〉にはだれも来ないとオリクはいっていた。なのに、だれなんだ？ 不安をおさえつつ、剣《けん》をしっかりとにぎり、部屋に足をふみ入れた。

若《わか》い女が部屋の真ん中に立ち、洞穴からつき出されたサフィラの首をしげしげとながめている。年のころは十七くらい。スターサファイアの赤い光を浴びて、アジハドとよく似《に》た濃《こ》いめの肌《はだ》の色が引き立って見える。身に着けているのは、上品な形をしたワインレッドのビロードの服。そして宝石《ほうせき》のうめこまれた短剣。いかにも年季の入ったその短剣は、革細工《かわざいく》の鞘に入れて腰《こし》につけられている。

エラゴンは腕《うで》を組み、相手が自分に気づくのを待った。女はサフィラを見つめたまま、ひざを折ってお辞儀《じぎ》をし、きれいな声でたずねた。「ライダー・エラゴンがどこにいらっしゃるか、教えていただ

けませんか?」サフィラの目が愉快《ゆかい》そうに光った。

エラゴンは顔をほころばせた。「ぼくはここですよ」

女はふりむいてエラゴンの顔を見た。手は反射的《はんしゃてき》に短剣にそえられている。アーモンド型の目に大きな口、丸みのある頬骨《ほおぼね》。印象的な顔立ちの人だった。女はほっとした表情《ひょうじょう》で、ふたたびお辞儀をした。「ナスアダといいます」

エラゴンは首をかしげた。「ぼくのことを知ってるみたいですね。でも、なんの用ですか?」

ナスアダはかわいらしく笑った。「父のアジハドから伝言をたのまれました。お聞きになりたいですか?」

ヴァーデンの指導者《しどうしゃ》が、結婚《けっこん》して父親になろうとは思いもよらなかった。この娘《むすめ》の母親はどんな人なのだろう――アジハドの目にかなうくらいだから、よほどすばらしい女性《じょせい》なのだろう。「ええ、お願いします」

ナスアダは黒髪《くろかみ》をうしろにはらった。「あなたが元気そうなので、父はよろこんでいます。ただし昨日のような祝福はおやめになるようにと。いらぬ問題をまねくことになりかねませんから。それと、できるだけ早く試験を受けてほしいとのこと――エルフたちとかかわる前に、あなたの能力《のうりょく》を知っておく必要があるんですって」

「きみはそれをいうためだけに、わざわざここまで歩いてきたの?」エラゴンは螺旋階段《らせんかいだん》の長さを思い出していった。

ナスアダはかぶりをふった。「滑車装置《かっしゃそうち》を使ったんです。ふだんは物資《ぶっし》を運ぶために使うものなの。光の信号を送ることもできたんですけど、わたし、直接《ちょくせつ》あなたに会って伝言をとどけたかったから」

「すわって話しませんか?」エラゴンがサフィラの洞穴をさしていった。

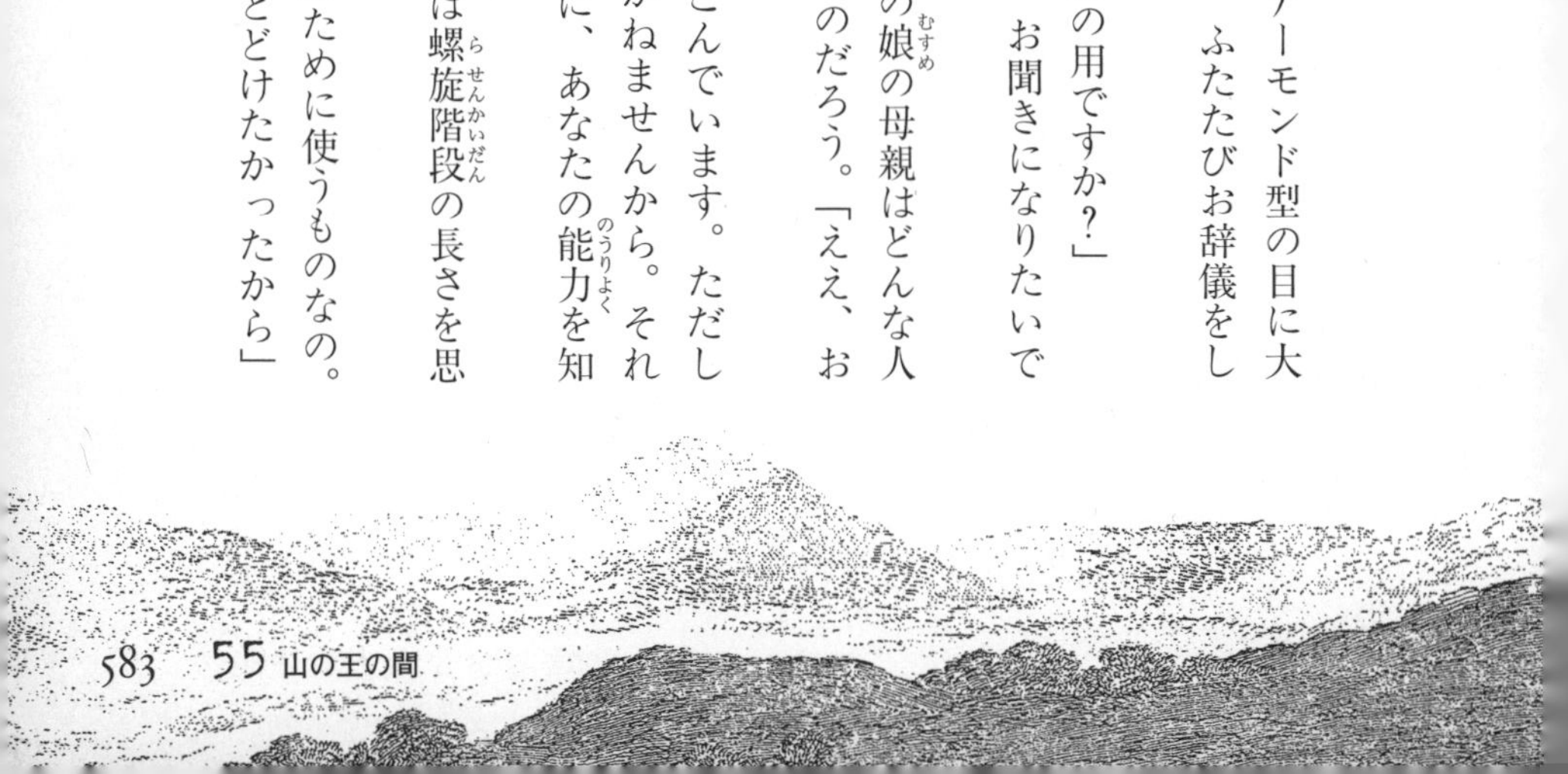

ナスアダは軽《かろ》やかな声で笑った。「いいえ、ほかにも行くところがあるので。それからもうひとつ、マータグに会ってもいいと父がいっていました。あなたがそうしたいなら」それまでおだやかだった彼女が、急に表情《ひょうじょう》をくもらせた。「わたしもマータグに会いました……あなたと話したがっていた。とてもさびしそうだったわ。会いに行ってあげてください」ナスアダはマータグの独房《どくぼう》のある場所を教えた。

エラゴンは礼をいったあと、思い出したようにたずねた。「アーリアはどうなんだろう？　具合はよくなったんでしょうか？　会いに行ってはいけませんか？　オリクはそのことについて、あまり話せないみたいだから」

ナスアダがいたずらっぽく笑った。「アーリアはぐんぐん回復しています。エルフはみんなそうなの。でも、父とフロスガーと治療師《ちりょうし》以外は会えないことになっているから……父たちはアーリアのところに何度も通って、投獄中《とうごくちゅう》の出来事をすべて話してもらっているわ」ナスアダはサフィラに目をむけた。「もう行かなくちゃ。なにか父に伝えてほしいことはありますか？」

「いいえ、アーリアを訪《たず》ねたいという気持ち以外には。すばらしいもてなしを感謝《かんしゃ》していると、お父さんに伝えてください」

「ええ、そう伝えます。さようなら、ライダー・エラゴン。近いうちにまたお会いできることを願って」ナスアダはお辞儀《じぎ》をして、頭を高くもちあげて出ていった。

〔わざわざこんなところまでぼくに会いに来るなんて——滑車《かっしゃ》を使おうがなんだろうが——あんな他愛ないおしゃべりのために来たわけじゃないはずだ〕エラゴンがいった。

〔たしかに〕サフィラが頭を洞穴《ほらあな》のなかにひっこめた。エラゴンはその背中《せなか》に這《は》いあがろうとしておどろいた。首の付け根のくぼみに、ソレムバンが丸くなっているのだ。魔法《まほう》のネコはゴロゴロとのど

を鳴らし、先端《せんたん》の黒いしっぽを前後にゆり動かしている。サフィラとネコはそろって生意気な顔でエラゴンをながめている。「文句《もんく》ある？」とでもいうかのように。
エラゴンはこらえきれず、首をふってゲラゲラ笑いだした。〔サフィラ、おまえが会うっていってたのは彼のことだったのか？〕
サフィラとネコはともに目をぱちくりさせた。〔そうだが？〕
〔いや、ただびっくりしただけなんだ〕腹《はら》のなかで笑いの虫がまだ騒《さわ》いでいた。彼らが仲良くなるのは不思議じゃない――性格《せいかく》がよく似《に》ているし、どちらも魔法の生き物だ。エラゴンはため息をつき、一日の緊張感《きんちょうかん》をほぐしながら、ザーロックをベルトからはずした。〔ソレムバン、アンジェラはどこにいるんだい？　さがしたんだけど、見つからなかった。相談したいことがあるんだ〕
ソレムバンは二本の前足で、サフィラの鱗《うろこ》におおわれた背中をもんだ。〔アンジェラならトロンジヒームのどこかにいるさ〕
〔いつもどる？〕
〔すぐに〕
〔どれくらいだよ？〕エラゴンはじれったくなってきた。〔今日じゅうに話したいんだ〕
〔そんなに早くはもどらない〕
いくらせっついても、魔法のネコはそれ以上口をきいてくれなかった。エラゴンはあきらめて、サフィラによりそった。ソレムバンののどを鳴らす音が頭上で聞こえていた。あしたはマータグを訪ねよう。ブロムの指輪をさわりながら、エラゴンはそう思った。

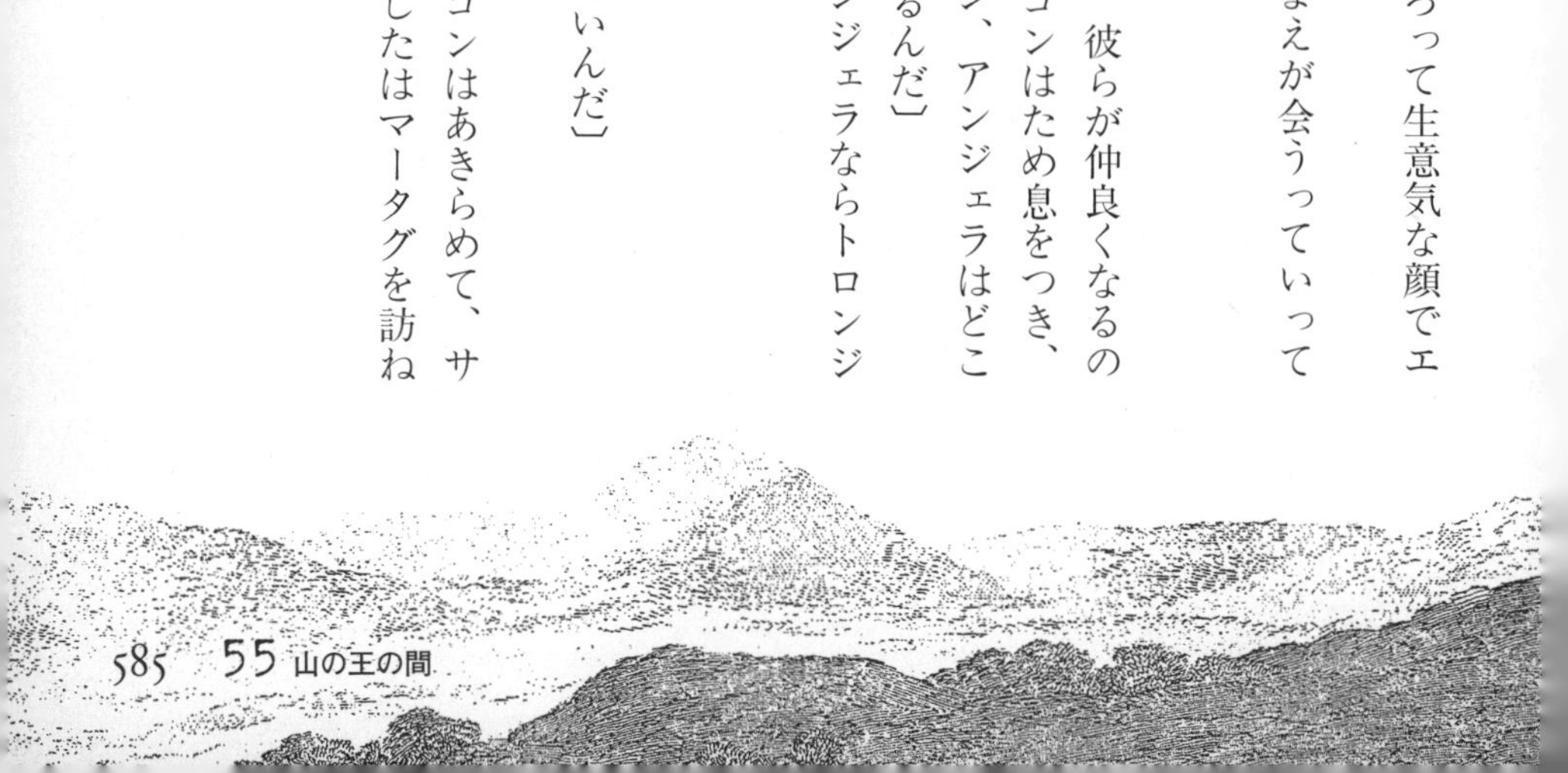

56

試《ため》しの儀《ぎ》

トロンジヒームに来て三日めの朝、エラゴンは爽快《そうかい》な気分でベッドからころがり出た。ザーロックを腰《こし》につけ、弓を背負《せお》い、矢筒《やづつ》に半分ほど矢をつめた。サフィラの背《せ》に乗り、ファーザン・ドゥアーの内側をのんびりと飛んだあと、トロンジヒームの四つの門のひとつでオリクと落ちあった。エラゴンはナスアダのことをオリクに話した。

「たいした娘《むすめ》さんだよ」オリクはこたえ、ザーロックを見て眉《まゆ》をひそめた。「自分の時間を全部投げ出して、献身的《けんしんてき》に父親を助けている。アジハドの知らないところでも、いろいろと役に立っているはずだ——かげで、アジハドに敵対《てきたい》する者をうまくなだめたりね」

「母親はだれなんだい?」

「わしは知らんな。アジハドは生まれたばかりの赤んぼうを連れて、ひとりでファーザン・ドゥアーに来たからな。自分とナスアダがどこから来たのか、けっして明かそうとしないんだ」

彼女も母親を知らずに育ったのか。エラゴンは頭に浮《う》かんだその思いをふりはらった。「なんとなく落ち着かなくて、体を動かしたい気分なんだ。アジハドのいう『試しの儀』とやらを受けるには、どこへ行けばいいんだろう?」

オリクはファーザン・ドゥアーの奥《おく》を指さした。「訓練場はトロンジヒームから一キロほどいったところにある。〈都市の山〉のかげになって、ここからじゃ見えんな。広い場所だよ。ドワーフも人間もそこで運動するんだ」

〔わたしもいっしょに行く〕サフィラがいった。

エラゴンが伝えると、オリクはあごひげを引っぱった。「それはまずいんじゃないか？　訓練場には人がわんさといる。みんなにいやというほど見られるぞ」

サフィラは大声で吠《ほ》えた。〔行く！〕それでこの問題は解決《かいけつ》した。

訓練場のなかは勇ましい声や音がみだれ飛んでいた――鋼《はがね》と鋼がぶつかりあう甲高《かんだか》い音、矢が的につきささる鋭《するど》い音、木の棒《ぼう》がかちあい、はじけあう音、実戦さながらに戦う男たちの大きなかけ声。ひどく騒《さわ》がしいが、それぞれの集団《しゅうだん》の動きには、独特《どくとく》のリズムや形がある。

訓練場の大部分は、身長と変わらない長さの盾《たて》や斧《おの》をもって訓練する歩兵集団《しゅうだん》で占《し》められていた。彼らはじっさいの戦闘《せんとう》隊形をとって演習《えんしゅう》をしているようだ。そのほかにも数百人の戦士たちが個々《ここ》に訓練をしている。剣《けん》、鎚鉾《つちほこ》、槍《やり》、さお、からざお型の武器《ぶき》、大きさや形のちがう盾、なかには干《ほ》し草《くさ》用《よう》のフォークで稽古《けいこ》する者もいる。ほとんどみな鎧《よろい》をつけている――多くは鎖帷子《くさりかたびら》と兜《かぶと》。板金鎧をつけている者はめずらしい。ドワーフの数も人間と同じくらいいるが、両者がまじわって練習している様子はない。演習を行う兵士たちの背後《はいご》では、一列にならんだ弓の射手《しゃしゅ》たちが、灰色《はいいろ》の袋《ふくろ》で作った標的人形にむかって絶《た》え間《ま》なく矢を放っている。

なにをしようかと考える間もなく、ひげ面《づら》の男がつかつかと近づいてきた。頭からがっしりした肩《かた》にかけて鎖帷子の頭巾《ずきん》をかぶり、そのほかの部分は、まだ毛の残るざらついた牛革《ぎゅうかわ》の衣服でおおわれ

ている。広い背中《せなか》には、エラゴンの背丈《せたけ》ほどある巨大な剣《けん》を差している。男はまるで力を値《ね》ぶみするかのように、サフィラとエラゴンにすばやく目を走らせた。そして、ぶっきらぼうな声でいった。

「ドワーフ・オリク、ずいぶんとご無沙汰《ぶさた》じゃないか。おれにはもう稽古《けいこ》の相手がいなくなった」

オリクがにやりとした。「オエイ（ああ）、おまえが怪物《かいぶつ》みたいな剣で、全員を頭のてっぺんからつま先まで切りつけてしまったからだろう」

「おまえ以外の全員だろ」男が訂正《ていせい》した。

「おまえみたいな大男より、わしのほうがすばしこいからだよ」

男はエラゴンに視線《しせん》をもどした。「おれはフレドリックだ。あんたの腕前《うでまえ》をたしかめろとせっつかれている。で、どれほど強いんだ？」

「それなりに」エラゴンがこたえた。「強くなければ、魔法《まほう》を使って戦えないので」

フレドリックが首をふると、袋《ふくろ》に入ったコインのように鎖帷子《くさりかたびら》がチャリチャリ鳴った。「ここでやることと魔法は関係ない。軍にいたのでもないかぎり、あんたがやってきた戦いなどせいぜい数分くらいのものだろう？　おれたちが心配しているのはそこだ。何時間、いやひどいときには何週間も続く戦いのなか、どれくらいもちこたえられるか。あんた、剣や槍《やり》のほかになにか使える武器《ぶき》はあるのか？」

エラゴンは考えていった。「この拳《こぶし》だけです」

「そいつはいい！」フレドリックが声をあげて笑った。「じゃあ、まずは弓の腕前から見せてもらおうか。それで場所が空《あ》いたら、今度は――」男はそこで言葉を切り、顔をゆがめてエラゴンの背後《はいご》をにらみつけた。

そこにはもったいぶった足どりで歩いてくる双子《ふたご》の姿《すがた》があった。紫《むらさき》のローブの上に青白い坊主頭《ぼうずあたま》が

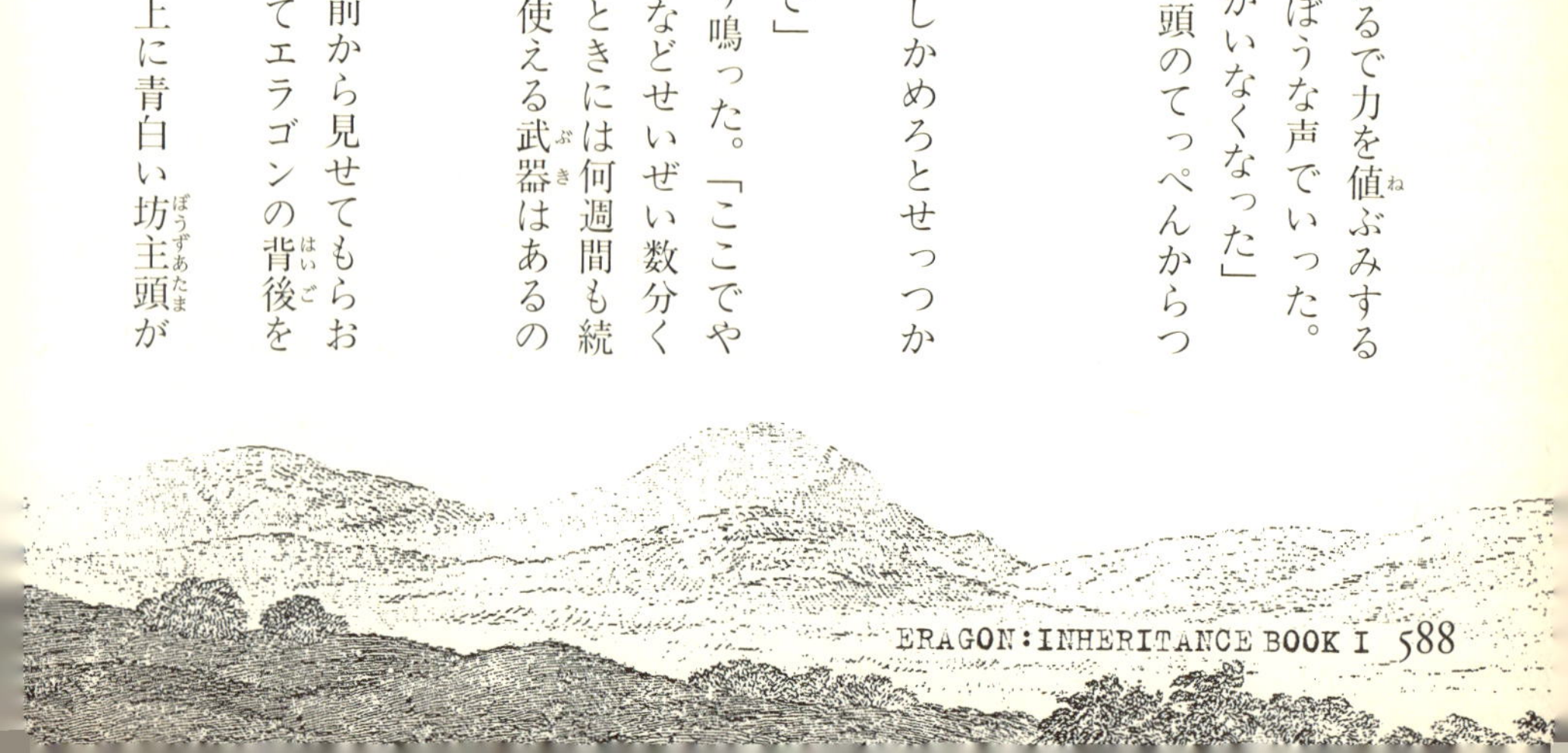

よく目立つ。オリクがドワーフ語でなにかつぶやきながら、金槌《かなづち》をベルトからぬいた。「訓練場には近づくなといったはずだ」フレドリックがすごみを利《き》かせて前へ出た。彼の巨体《きょたい》の前では、双子の体が華奢《きゃしゃ》に見える。

　双子はフレドリックを傲然《ごうぜん》とにらんだ。「われわれはアジハドの指示《しじ》でここへ来た。エラゴンの魔法の力をためすようにいわれている——きみが鉄の道具でたたきつぶしてしまわないうちにね」

　フレドリックはさらににらみ返した。「なんであんたらがやるんだ？」

「ほかの者はわれわれほど強くないからだよ」双子はふんと鼻を鳴らした。サフィラが低くうなり、双子をにらみつけた。鼻腔《びこう》から煙《けむり》がふき出すのを見ても、双子はまるで意に介《かい》さない。「来なさい」エラゴンに命じ、訓練場のすみの空間へむかって歩いていった。

　エラゴンは肩《かた》をすくめ、サフィラといっしょに歩きだした。うしろでフレドリックがオリクに話しているのが聞こえる。「やりすぎないうちにとめないといかんぞ」

「わかってる」オリクが低い声でこたえる。「だが、わしにはもう手出しはできん。今度やったら助けてやれないぞと、フロスガーからきつくいわれてる」

　エラゴンはこみあげる不安をなんとかおさえようとした。双子はたぶん、自分より多くの技《わざ》や言葉を知っている……それでも、ブロムはいっていた。ライダーの魔法の力はふつうの人間より強いと。だけどそれは、双子の二倍の力に対抗《たいこう》できるほどの強さだろうか？

〔心配することはない。わたしが助けてあげる〕サフィラがいった。〔こちらにも二倍の力があるということ〕

　サフィラの言葉になぐさめられ、エラゴンは彼女の足をそっとさすった。双子がエラゴンに問いかけてきた。「ところでエラゴン、あの返事はどうなったかね？」

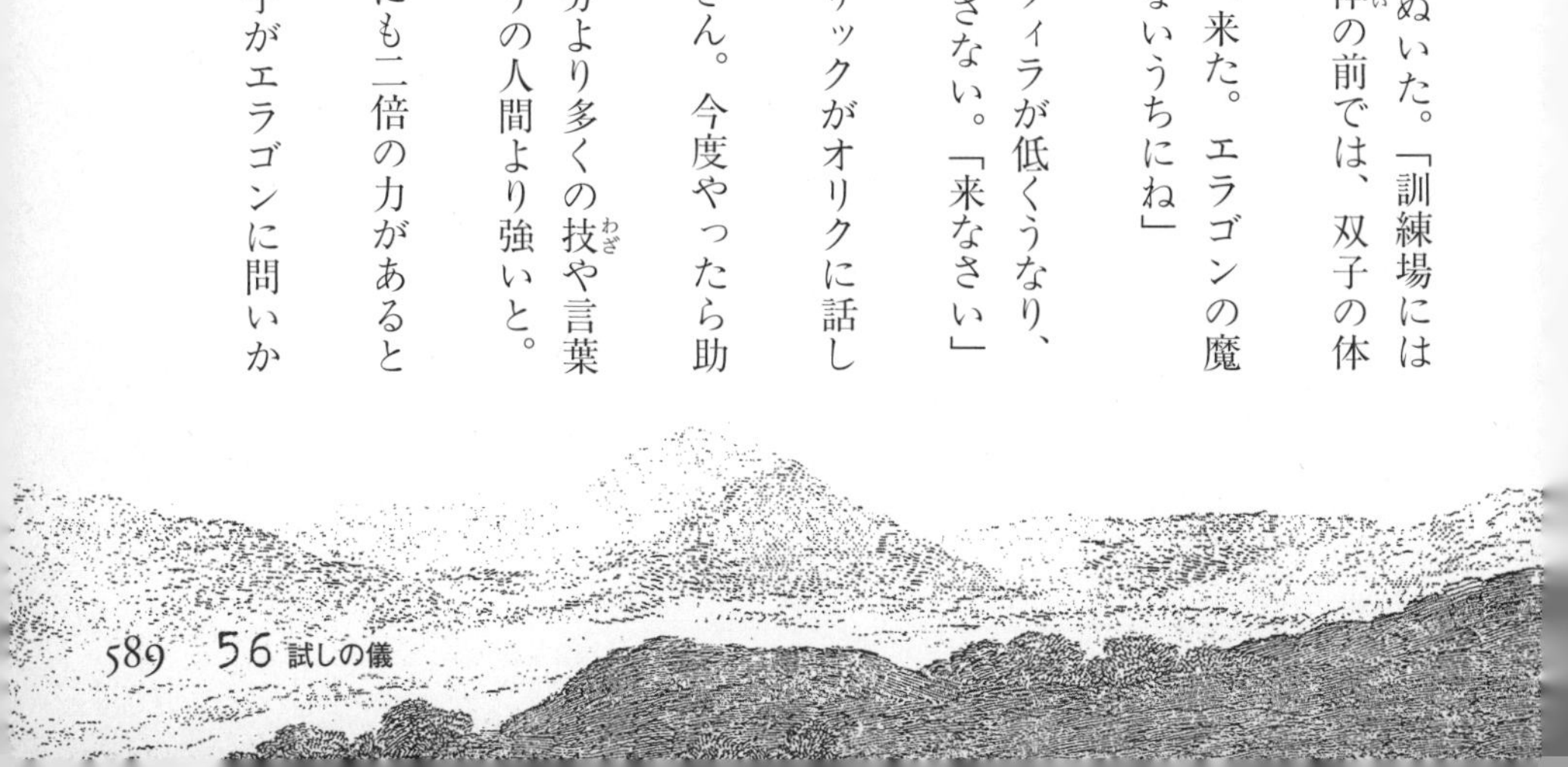

オリクたちの不思議そうな表情《ひょうじょう》にも気づかず、エラゴンはきっぱりといった。「ことわる」

双子《ふたご》の口角に鋭《するど》いしわがきざまれた。ふたりはエラゴンと斜向《はすむ》かいの位置にわかれ、腰《こし》をかがめて、地面に大きな星の形を描《か》きはじめた。五線星ができあがると、その中心に立ち、耳ざわりな声でいった。「では、はじめよう。われわれの出す課題をきみがこなしていく……それだけのことだ」

双子の片方《かたほう》がローブのふところに手を入れ、エラゴンの拳《こぶし》ほどのつるりとした石を取り出し、地面に置いた。「これを目の高さまでもちあげよ」

〔こんなことかんたんだ〕エラゴンがサフィラにいった。「ステンラ・リサ！」小石がぐらぐらゆれ、地面からすうっと浮《う》いていった。ところが、三十センチくらいあがったところで、思いがけない抵抗《ていこう》力《りょく》にあい、石は宙《ちゅう》でとまった。双子の唇《くちびる》に笑《え》みが浮かんだ。エラゴンはかっとなって双子をにらんだ――やつらがじゃましてるんだ！　ここでへとへとになったら、この先さらにむずかしい魔法を使えなくなってしまう。双子はふたりがかりで、エラゴンの力を消耗《しょうもう》させてしまうつもりなのだ。

でも、こっちだってひとりじゃないんだ。エラゴンは自分を叱咤激励《しったげきれい》した。〔サフィラ、今だ！〕サフィラの心がエラゴンの心と溶《と》けあった瞬間《しゅんかん》、石がぐっともちあがり、ぴったり目の高さでふるえてとまった。双子たちが目を細め、冷たい表情を浮かべた。

「大変……よろしい」不満げにいった。フレドリックは本物の魔法を目《ま》のあたりにして、うろたえている。「今度は、石を円形に動かせ」ここでもまた双子が妨害《ぼうがい》をしかけ、そしてまた――くやしがる彼らをよそに――エラゴンが勝利した。その後、双子の要求はどんどん複雑《ふくざつ》に、高度になっていった。エラゴンのほうも、どの言葉を使うべきか慎重《しんちょう》に考えなければならない。双子はそのたびに、表情をすこしも変えないまま、執拗《しつよう》なまでに妨害をしかけてきた。

エラゴンがもちこたえていられたのは、サフィラの手助けがあったからにほかならない。途中《とちゅう》、サフィラに呼《よ》びかけた。〔どうしてこんなことを続けるんだろう？　ぼくの力がどのくらいかなんて、このあいだ心のなかで見ていったはずなのに〕サフィラも首をかしげて考えこんだ。〔そうか……〕ふと気づいて、エラゴンは顔をゆがめた。〔あいつら、この機会に、ぼくの使う古代語のなかから自分たちの知らない言葉を盗《ぬす》もうとしてるんだ〕

〔では、小さな声でいいなさい。あいつらに聞こえないように。それと、なるべく単純《たんじゅん》な言葉を使うこと〕

そこから先、エラゴンはいくつかの基本的《きほんてき》な言葉だけで、双子の課題をこなしていった。短い言葉で長い言葉と同じ効果《こうか》を出すには、最大限《さいだいげん》に知恵《ちえ》をしぼらなければならない。だが、裏《うら》をかかれるたびにいらだたしげにゆがむ双子たちの顔を見ると、どんどんやる気が湧《わ》いてきた。双子たちはどんな課題で攻《せ》めても、エラゴンの口から新しい古代語をきき出すことができずにいた。

一時間がすぎても、双子はいっこうにあきらめる気配がなかった。エラゴンは熱くてのどが渇《かわ》いていたが、休みたいとはいわなかった。相手が続けるかぎり、どこまでも受けて立つつもりだった。双子はありとあらゆる要求をつきつけてきた——水をあやつること、火を放つこと、透視《とうし》、石を宙に飛ばすこと、革《かわ》をかたくすること、ものを凍《こお》らせること、飛んできた矢の向きを変えること、傷《きず》を治すこと——エラゴンは、いったいいつになったら種が切れるのだろうと思った。

やがてついに双子が手をあげていった。「次で終わりにする。これは、優秀《ゆうしゅう》な魔術師《まじゅつし》なら、だれでもかんたんにできるはずの魔法だ」双子の片方が銀の指輪を指からはずすと、すました顔でエラゴンにわたした。「銀の本質《ほんしつ》を呼び出すのだ」

エラゴンは困惑《こんわく》の思いで指輪を見つめた。銀の本質？　なにをどうすればいいんだ？　そんなもの、どうやって呼び出せっていうんだ？　サフィラにもわからないようだし、双子が助言をくれる気

配はない。エラゴンは古代語で銀をなんというのか知らなかった。だが、「アージェトラム（銀の手）」の一部だろうと思った。一《いち》か八《ばち》かで、なんとか使えそうな言葉を引っぱり出す。「エスグリ」、すなわち「呼《よ》び出す」という語と、「アージェト」を合体させてみよう。

エラゴンは背筋《せすじ》をのばし、残っている力をすべて集め、言葉をとなえるべく口を開いた。と、とつぜん、澄《す》んだ声があたりに朗々《ろうろう》と響《ひび》きわたった。

「おやめ！」

その声は、冷水のようにエラゴンのほうへおしよせてきた——まるでうろ覚えの旋律《せんりつ》のように、不思議と耳になじんでいる声。うなじがピリピリした。エラゴンはゆっくりと声のするほうに顔をむけた。

うしろに立っていたのは——アーリアだった。額《ひたい》に巻《ま》いた革《かわ》ひもで豊《ゆた》かな黒髪《くろかみ》をおさえ、つやつやとしたその髪を肩《かた》のうしろへ滝《たき》のように流している。腰《こし》には細身の剣《けん》、背中には弓。均整《きんせい》のとれた体を、その美しさには似《に》つかわしくない黒革の衣装《いしょう》で包んでいる。身長はほとんどの男たちより高く、無理のない姿勢《しせい》でゆったりとそこに立っている。傷《きず》ひとつない顔は、むごい拷問《ごうもん》にたえてきたことなど微塵《みじん》も感じさせない。

アーリアの燃《も》えるようなエメラルド色の目は、双子《ふたご》をしっかり見すえていた。双子はおびえ、顔から血の気が失《う》せている。アーリアは足音を立てずに双子に近づき、やわらかいが有無《うむ》をいわせぬ声でいった。「恥《はじ》を知りなさい！　熟練《じゅくれん》の者にしかできぬ技《わざ》を要求するなど、そんな姑息《こそく》な手を使って、恥《は》ずかしいと思わないのですか。アジハドには、エラゴンの力はまるで見当がつかなかったと報告《ほうこく》なさい。彼は有能《ゆうのう》だと証明《しょうめい》されました。おまえたちはもうさがってよい！」つりあがった眉《まゆ》がV字につながるほど眉根をキッとよせ、アーリアはエラゴンの手の上の指輪をさし、さけんだ。「アージェ

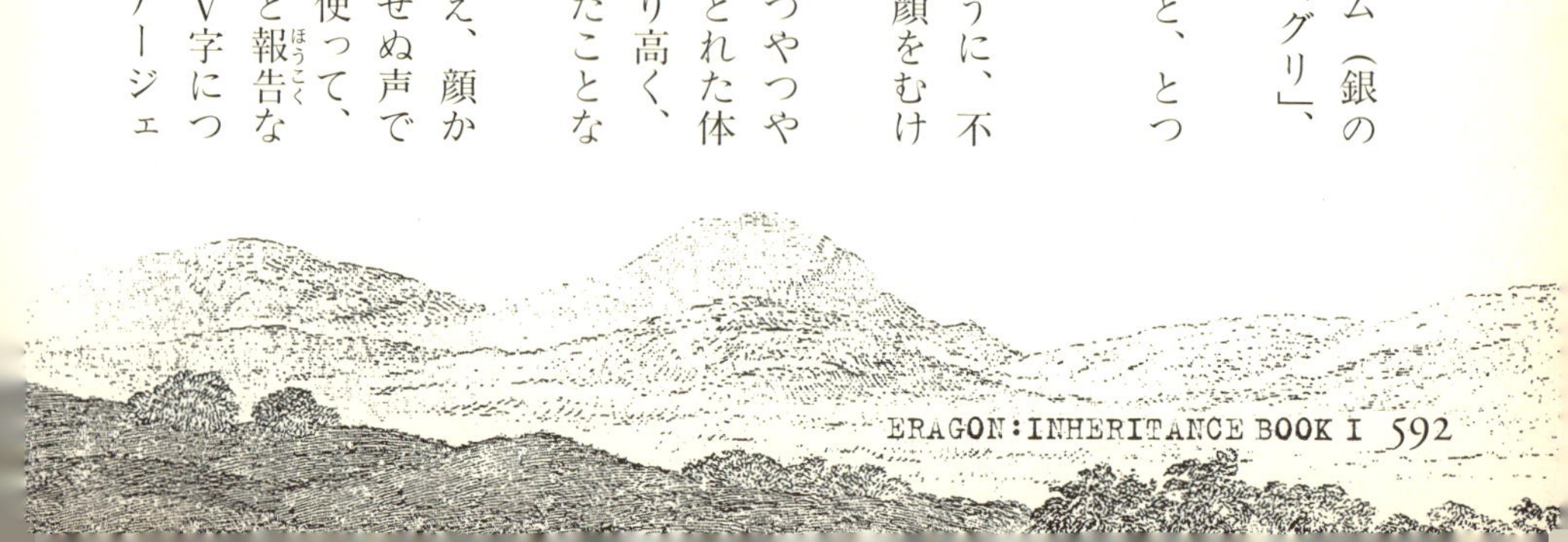

ト！」雷鳴《らいめい》のような声がとどろいた。
銀がちらちらと光り、その横に指輪とそっくり同じ幻影《げんえい》が浮《う》かびあがった。ふたつの指輪はまったく同じに見えるが、幻影のほうが澄んでいて、白い炎《ほのお》のような光を放っている。それを見るなり、双子たちはあわててきびすを返し、ローブを激《はげ》しくはためかせながら逃《に》げていった。本物の指輪だけを残して、幻影はエラゴンの掌《てのひら》から消えた。オリクとフレドリックは立ちあがり、けわしい顔でアーリアを見た。サフィラは体を低くして身がまえた。
エルフはそんな彼らを超然《ちょうぜん》と見まわした。そして最後に、つりあがった目でエラゴンをひたと見すえ、背をむけて訓練場の中央へずんずん歩いていった。兵士たちは訓練をやめ、唖然《あぜん》としてアーリアの姿《すがた》を追っている。彼女の存在感《そんざいかん》に圧倒《あっとう》され、訓練場全体が一瞬《いっしゅん》のうちにしんと静まり返った。
エラゴンもその魅力《みりょく》にみちびかれ、気づかないうちに前へ進み出ていた。サフィラがなにかいったが、ぼうっとしていてそれどころではない。アーリアのまわりには大きな人の輪ができていった。彼女はそのなかのエラゴンだけに目をすえていった。「わたくしがあなたの腕《うで》をためします。さあ、剣をぬきなさい」
〔なんと、ぼくと決闘《けっとう》する気だ！〕
〔でも、あなたを痛《いた》めつけるためではないはず〕サフィラがゆっくりといって、エラゴンを鼻で軽くついた。〔さあ、行って自分の義務《ぎむ》を果たしてくるといい。わたしが見ている〕
エラゴンはしぶしぶ前へ進み出た。魔法《まほう》のせいで疲《つか》れきっているうえ、こんなに大勢《おおぜい》の見物人を前に剣をふるいたくはない。しかも、アーリアは、とても戦える状態《じょうたい》だとは思えない。トゥニヴァース・ネクターを飲んでから、まだ二日しかたっていないのだ。よし、それなら彼女を傷つけないように、こっちが手加減《てかげん》してやればいいんだ。エラゴンはそう心に決めた。

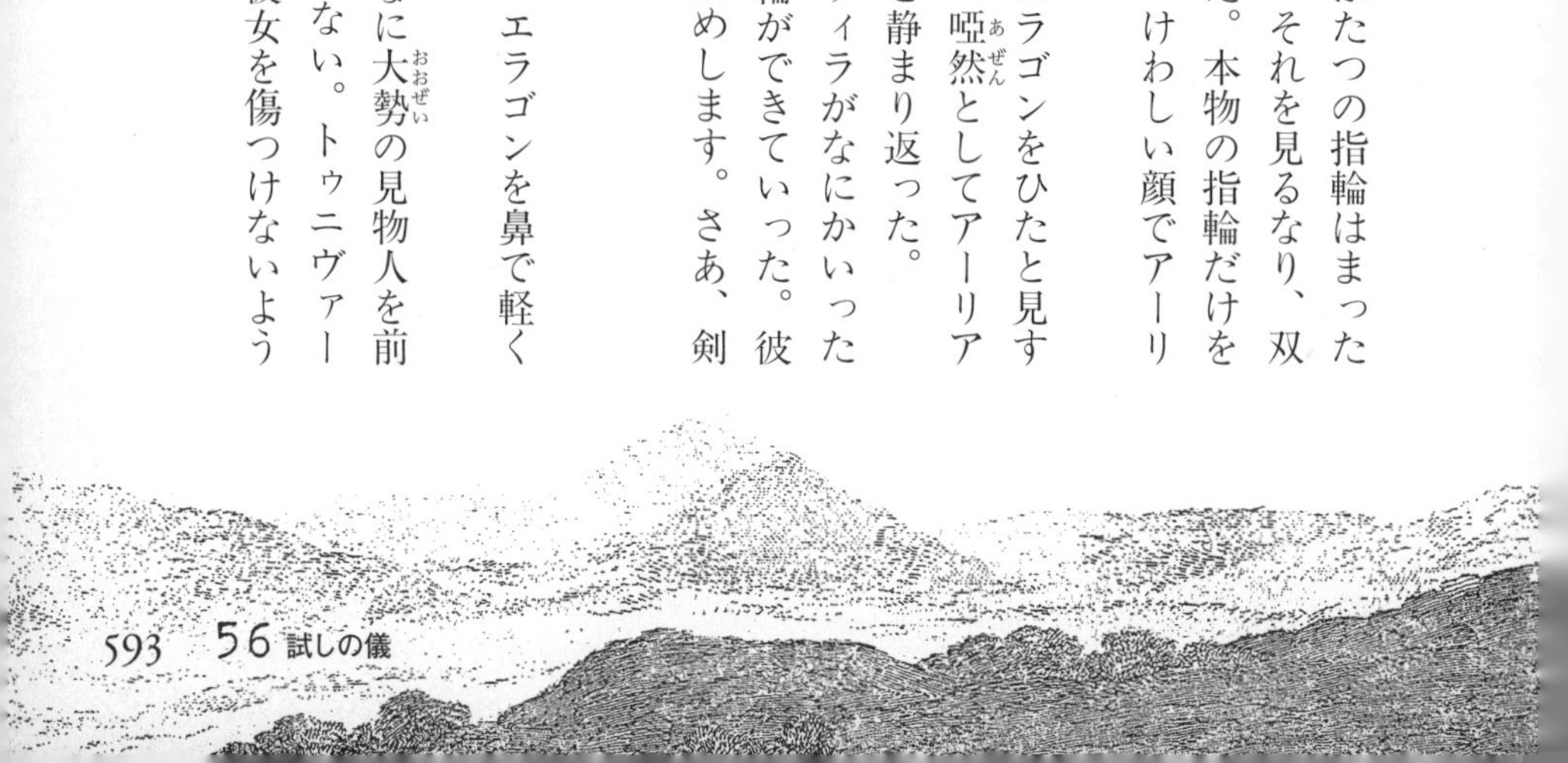

ふたりは兵士たちの輪のなかでむかいあって立った。アーリアは左手で剣《けん》をぬいた。エラゴンの剣よりうすいが、長さや鋭《するど》さは変わらない。エラゴンはみがかれた鞘《さや》からザーロックをぬき、その赤い刀身を下向きにしてわきにかまえた。エルフと人間はただにらみあったまま、長いあいだじっと動かなかった。ふと、ある思いがエラゴンの脳裏《のうり》をよぎった。ブロムと積みかさねてきた剣の稽古《けいこ》は、いつもこんなふうにしてはじまったのだと。

エラゴンは慎重《しんちょう》に足をふみ出した。ぼんやりとした影《かげ》が目の前で動いた瞬間《しゅんかん》、アーリアが前へ飛び出し、肋骨《ろっこつ》を切りつけてきた。エラゴンは反射的《はんしゃてき》にそれをかわした。二本の剣が宙《ちゅう》でぶつかって火花の雨を降《ふ》らせた。エルフの剣でザーロックはまるでハエのように容赦《ようしゃ》なくたたかれていた。アーリアはその攻めをふいに打ち切り、髪《かみ》をなびかせて右へまわり、今度はエラゴンの反対わきを切りつけてきた。エラゴンはかろうじてそれをかわし、エルフの敏捷《びんしょう》さと荒々《あらあら》しさに度肝《どぎも》をぬかれながら、必死であとずさった。

今ごろになってブロムの忠告《ちゅうこく》がよみがえってきた。弱小のエルフであっても、人間などかんたんに打ち負かすことができる、つまり、シェイドをたおすのと同じくらい、アーリアをたおせる可能性《かのうせい》は低いということなのだ。アーリアがまた飛び出してくる。今度は頭だ。エラゴンは剃刀《かみそり》のように鋭い刃《は》をなんとかかいくぐった。だが、なぜ彼女はこんなふうに……もてあそぶようなことをするのか？ 長く感じられる何秒かのあいだ、エラゴンはエルフの攻撃《こうげき》をかわすのに精《せい》いっぱいで思考を集中できなかった。が、やがて気がついた。彼女はぼくがどこまでやれるか、知りたいだけなんだ。

それがわかると、エラゴンは、自分の知っているむずかしい技《わざ》を連続でくり出していくことにした。思いつくかぎりにさまざまな型を組みあわせ、攻撃の手を変える。だがどんなに果敢《かかん》に攻めても、アーリアはかんたんにそれをかわしてしまう。しかも、優雅《ゆうが》な動きで楽々と。

剣の刃をひらめかせながら、彼らの体はついたりはなれたり、激《はげ》しい舞《ま》いをくりひろげた。ときにたがいのはりつめた皮膚《ひふ》がぴたりと出会い、次の瞬間にはパーンとはなれ、またひとつになる。ふたりの体がもつれあうさまは、風にふかれてねじれる煙《けむり》のようだった。

戦いはじめてどれほどの時間がたったのか、エラゴンにはわからなかった。ただひたすら攻めと守りをくり返すだけで、時間の感覚がない。手のなかでザーロックが鉛《なまり》のように重くなり、ふりおろすごとに腕《うで》が燃《も》えるように痛《いた》む。ついにエラゴンが突《つ》きに出たが、アーリアは機敏に横へ逃《に》げ、次の瞬間、剣をふりあげてエラゴンのあごの骨《ほね》に切っ先をあてた。まったく信じられない速さだった。

氷のように冷たい金属《きんぞく》が肌《はだ》に触《ふ》れ、エラゴンの体は凍《こお》りついた。激しい運動のせいで、筋肉《きんにく》がぶるぶるふるえている。朦朧《もうろう》とした頭のなかに、サフィラのさけびと、兵士たちのにぎやかな歓声《かんせい》が響《ひび》いてきた。アーリアは剣をおろし、鞘におさめた。「合格です」騒ぎのなか、エルフが静かにいった。

エラゴンはめまいを感じながら、ゆっくりと背筋《せすじ》をのばした。いつのまにかフレドリックが横に来て、興奮《こうふん》気味に背中をたたいてくる。「すばらしい戦いだった！　あんたたちの動きを見ていて、新しい技まで思いついたぞ。エルフも——あっぱれとしかいいようがない！」

だけど、ぼくは負けた。心のなかで異《い》をとなえた。オリクも満面の笑《え》みで彼の健闘《けんとう》をたたえている。だがエラゴンの目は、ひとり静かにたたずむアーリアの姿《すがた》をとらえたままだ。彼女はほんのわずかに指を動かし、訓練場から一キロ半ほどはなれた小さな丘《おか》を指さすと、背をむけて歩いていった。

エルフが目の前を通ると、人垣《ひとがき》をくずしはじめた人間やドワーフたちが急に静まり返った。

エラゴンはオリクのほうをむいた。「ぼく、ちょっと出かけてくるよ。〈ドラゴンの間〉にはすぐもどるから」すばやく剣をおさめ、サフィラの背中によじのぼった。サフィラが飛び立ったあと、訓練場の人々の顔はいっせいに空をふりあおいでいた。

丘《おか》が近づき、下を走るアーリアの姿《すがた》が見えた。ムダのないさっそうとした走りだった。サフィラがいった。〔魅力的《みりょくてき》だと思っている？〕

〔まあね〕顔を赤くしてこたえる。

〔あの顔、たいていの人間よりは品がある〕サフィラはふんと鼻を鳴らした。〔だが長すぎる。馬のようだ。全体的に見ると、不恰好《ぶかっこう》〕

エラゴンは愉快《ゆかい》そうにサフィラを見た。〔やいてるのか？　そうだろう？〕

〔バカな。やくなんて気持ちはわたしにはない〕サフィラがおこった。

〔今やいてるじゃないか！〕エラゴンはゲラゲラ笑った。

サフィラは音を立ててあごを閉《と》じた。〔ちがう！〕

エラゴンはにやにやしながら首をふり、それ以上つっこむのはやめた。丘の上まで来ると、サフィラはエラゴンの体が前につんのめるほど乱暴《らんぼう》に着地した。エラゴンはとくに文句《もんく》もいわず、背中《せなか》から飛びおりた。

アーリアはすぐうしろにいた。彼女の足は、今まで見たどんな俊足《しゅんそく》の走者より速かった。丘の頂上《ちょうじょう》までやってきても、息はまったくみだれていない。彼女を見たとたん、エラゴンは口がきけなくなり、足もとに視線《しせん》を落とした。アーリアはエラゴンの前を通りすぎ、サフィラに近づいていった。

「スクルブラッカ・エカ・セロブラ・オノ・ウン・ムラブラ・オノ・ウン・オンラ・シャートゥガル・エ・ヘイナ。アントラ・ノス・ウェイセ・フリカイ。（ドラゴン、わたくしはあなたをとても尊敬《そんけい》しています。あなたやライダーのことを、けっして傷《きず》つけたりいたしません。どうぞ仲良くしてください）」

エラゴンにはほとんど理解《りかい》できない言葉だが、サフィラにはあきらかに通じているようだ。翼《つばさ》をぎ

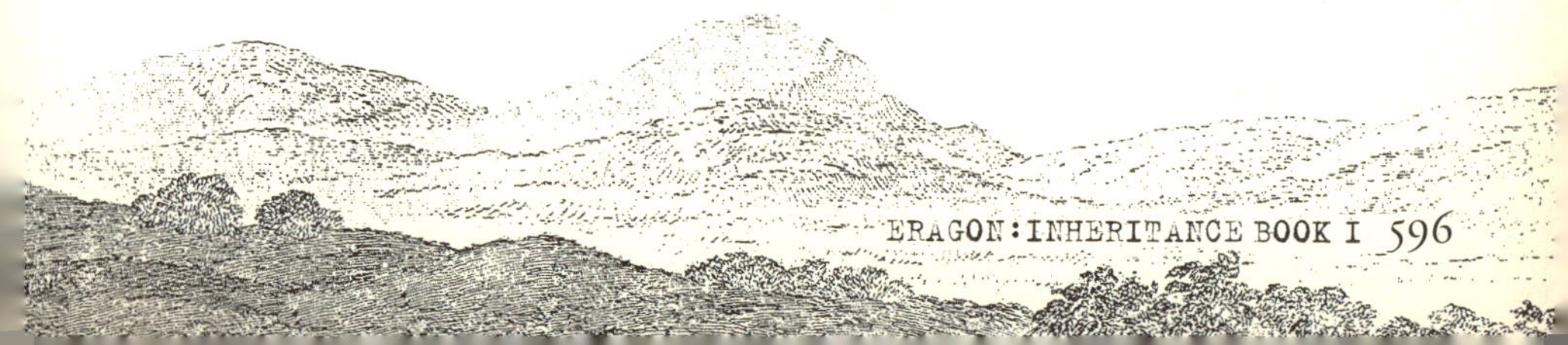

こちなく動かし、アーリアのことをしげしげと観察している。やがてうなずいて、のどの奥《おく》から低いブーンという音を響《ひび》かせた。アーリアがほほえんだ。「あなたが元気になってよかった」エラゴンがいった。「息をふき返すかどうか、すごく心配だったんです」

「今日はそのことでここへ来たのです」アーリアがエラゴンにいった。豊《ゆた》かに響くその声には、異国《いこく》の訛《なま》りがあった。歌をうたうかのように、澄《す》みきった声をかすかにふるわせて話す。「あなたには恩《おん》があります。いつか返さなければなりません。あなたは命の恩人。そのことはけっして忘《わす》れない」

「べつに――たいしたことじゃありません」しどろもどろでこたえながら、その言葉が本心でないことは自分でよくわかっていた。きまりが悪くなり、話題を変えた。「どうしてギリエドで囚《とら》われることになったのですか？」

アーリアの顔が苦々しい思いにかげった。目をそらし、遠くを見つめた。「歩きましょう」彼らは丘をくだり、ファーザン・ドゥアーのほうへゆっくりと歩きだした。エラゴンはアーリアの沈黙《ちんもく》をじゃましなかった。サフィラもふたりの横を静かについてきた。やがてアーリアは顔をあげ、エルフ独《どく》特《とく》の上品な口調で語りはじめた。「サフィラの卵《たまご》が現《あらわ》れたとき、あなたがそばにいたそうですね。アジハドから聞きました」

「ええ」そういってから、エラゴンは初めて気がついた。何キロもはなれたドゥ・ヴェルデン・ヴァーデンからスパインまで卵を移動《いどう》させるには、どれほどの体力を要したことだろう。そんな途方《とほう》もないはなれ業《わざ》は、こころみただけで、死に等しい打撃《だげき》を受けるにちがいない。

アーリアの口から次に出てきたのは重い言葉だった。「では教えてあげましょう。あなたが最初に卵を手に取ったとき、わたくしはダーザにつかまっていました」その声は悲しみと苦しみに満ちていた。「あいつがアーガルを待ちぶせさせ、仲間のフェオリンとグレンウィングを殺させた。なんらか

の方法でわたくしたちの通り道を知ったのです――まったくの不意討《ふいう》ちでした。そして薬を飲まされ、ギリエドに送られた。そこでダーザはガルバトリックスの命により、卵の送り先とエレズメーラの場所をわたくしからきき出そうとしたのです」

アーリアは冷たい目で前方を見つめ、歯を食いしばった。「あいつは何か月もしつこく粘《ねば》りました。そのやり方は……ひどいものでした。拷問《ごうもん》が効《き》かないと悟《さと》ると、兵士たちにわたくしを好きなようにしていいといった。さいわい、まだ多少の力は残っていましたから、兵士たちの心をついて、なにもできなくしてやりましたが。しかしやがて、わたくしをウルベーンによこすようにと、ガルバトリックスから命令が来たのです。それを知ったとき、全身にふるえが走りました。心身ともに衰弱《すいじゃく》しきっているとき、あいつの前に出されたら、抵抗《ていこう》することなどできない。あなたが助けてくれなければ、わたくしは一週間もしないうちに、ガルバトリックスの前に引きずり出されていたでしょう」

エラゴンの体の内側がふるえた。そんな状況《じょうきょう》を彼女が生きぬいたのはまったくおどろくべきことだった。彼女の体に残った傷跡《きずあと》が今も生々しくよみがえってくる。エラゴンがそっといった。「そういうことを、どうしてぼくに話してくれるんですか?」

「わたくしがどんなところから救い出されたのか、あなたに知ってもらうために。あなたのしてくださったことは、とてもないがしろにすることはできません」

エラゴンが謙虚《けんきょ》に頭をさげた。「これからどうするつもりですか? エレズメーラに帰るんですか?」

「いいえ、まだ。この地でやるべきことが山ほどあるのです。ヴァーデンを見すてることはできません――アジハドがわたくしの力を必要としている。あなたの剣《けん》の腕《うで》も魔法《まほう》の力も、ともに今日見せてもらいました。ブロムからしっかり教わったのですね。次の修行《しゅぎょう》に進む準備《じゅんび》はできているようです」

「つまり、ぼくはエレズメーラに行くということですか？」

「そうです」

エラゴンの胸《むね》にいらだちが走った。このことに、自分やサフィラはまったく口出しできないのか？

「それはいつですか？」

「時期はまだ決まっていません。でも数週間は先になるでしょう」

少なくとも、ある程度《ていど》の猶予《ゆうよ》はくれるということか。サフィラが疑問《ぎもん》を投げかけてきた。エラゴンはそれをそのままアーリアに伝えた。「双子《ふたご》はさっき、ぼくになにをさせようとしたんですか？」

アーリアはくっきりした唇《くちびる》をゆがめて嫌悪感《けんおかん》を表した。「彼らにさえできないことを要求したのです。古代語でものの名をとなえれば、その本質《ほんしつ》を呼《よ》び出すことができる。それには何年ものきびしい修行が必要ですが、もしできるようになれば、完全にそのものを支配《しはい》することできる。自分の本当の名をかくしておくべきだというのは、そういうわけなのです。邪悪《じゃあく》な心をもつ者に知られると、自分自身がその者に完全に支配されてしまうから」

「不思議なことがありました」しばらくしてエラゴンがいった。「ギリエドでつかまる前、あなたの姿《すがた》を夢《ゆめ》で見たんです。まるで透視《とうし》してるみたいに——じっさい、あなたを透視することもできた。でもそれ以外は、いつも眠《ねむ》っているときに見たんです」

アーリアは唇を噛《か》んでぼんやりと考えている。「だれかにどこかから見られているような感じがすることがありました。ただ、わたくしはいつも頭が混乱《こんらん》していたし、熱に浮《う》かされてもいましたから。言い伝えにしろ伝説にしろ、眠っているあいだに透視ができるという話は聞いたことがありません」

「自分でもよくわからなくて」エラゴンは両手を見つめた。指にはめたブロムの指輪をくるくるまわ

してみる。「あなたの肩《かた》の刺青《いれずみ》にはどういう意味があるんですか？　見るつもりはなかったんだけど、傷《きず》を治療《ちりょう》するとき目に入ってしまった……ぼくの治療はあまり助けにならなかったようですけど。この指輪の印があなたの刺青と同じなんです」

「ヤーウィ（信頼《しんらい》の証拠《しょうこ》）の指輪をもっているのですか？」

「ブロムからもらったんです。ほら」

エラゴンは指輪をさし出した。アーリアは指輪のサファイアをじっくり見てからいった。「これはエルフの大切な友にしかあたえられないものです。とても貴重《きちょう》なもので、ここ何世紀もずっと使われてなかった――いえ、わたくしはそう思っていました。イズランザディ女王がブロムをこれほど信頼していたとは知りませんでした」

「それなら、ぼくがつけているわけにはいきません」そんな大事なものを、自分がつけるなどおこがましいと思った。

「いえ、もっていてください。エルフの仲間に出会うことがあれば、これが、あなたを守ってくれます。それに女王の恩寵《おんちょう》も得られるかもしれない。刺青のことはだれにもいわないで。知られてはいけないことなのです」

「わかりました」


アーリアとの会話は楽しく、いつまでも話していたかった。彼女と別れたあと、エラゴンはファーザン・ドゥアーを歩きながらサフィラと話をした。どんなにたのんでも、サフィラはアーリアにいわれた言葉の意味を教えてくれなかった。やがてマータグのことに頭が切りかわり、ナスアダにいわれた言葉がよみがえってきた。腹《はら》ごしらえをしたら、マータグに会いに行ってみよう。エラゴンはサフ

ィラにそう伝えた。〔おまえはそのへんで待っててくれるかい？　もどったら、〈ドラゴンの間〉に連れて帰ってほしいから〕

〔わかった、行ってらっしゃい〕サフィラがいった。

感謝《かんしゃ》の笑《え》みを浮《う》かべ、エラゴンはトロンジヒームのなかへ駆《か》けていった。厨房《ちゅうぼう》のすみで食事をすませると、ナスアダに教えられた道をたどった。小さな灰色《はいいろ》の扉《とびら》の前に、人間とドワーフの衛兵《えいへい》がひとりずつ立っていた。エラゴンがなかへ入れてほしいとたのむと、ドワーフが三回扉をたたき、かんぬきをはずした。「出るときは、大声をあげてくれ」男が人なつこい笑顔でいった。

独房《どくぼう》のなかは暖《あたた》かくて明るかった。すみに洗面器《せんめんき》が、もういっぽうのすみに書き物机《づくえ》が置かれ、羽根ペンとインクまで用意されている。天井《てんじょう》は一面、ウルシ塗《ぬ》りの人物彫刻《ちょうこく》がほどこされ、床《ゆか》にはぜいたくな敷物《しきもの》がしかれている。マータグはがんじょうそうなベッドにころがり、巻物《まきもの》を読んでいた。おどろいて顔をあげ、うれしそうにさけんだ。「エラゴン！　会いたかったよ！」

「これはいったい……つまりその——」

「ぼくがネズミ穴《あな》みたいなところに閉《と》じこめられて、かたいパンでもかじってると思ってたんだろう」にやりと笑って体を起こした。「じつは、ぼくの予想も同じだった。でも、めんどうさえ起こさなければ、アジハドはぼくをこんなふうにあつかってくれる。食事はたっぷり運んでくれるし、図書館の本も好きなだけもってきてくれる。気をつけないと、デブの学者になってしまう」

エラゴンは笑った。そしてぎこちない笑顔のまま、マータグのとなりにすわった。「きみはおこってないのか？　こんなふうに囚《とら》われの身になって」

「最初はおこってたさ」マータグが肩をすくめてみせた。「でも考えているうちに、ここは自分には最高の場所だって思えてきたんだ。ここから出されたって、どうせぼくは部屋に閉じこもってばかり

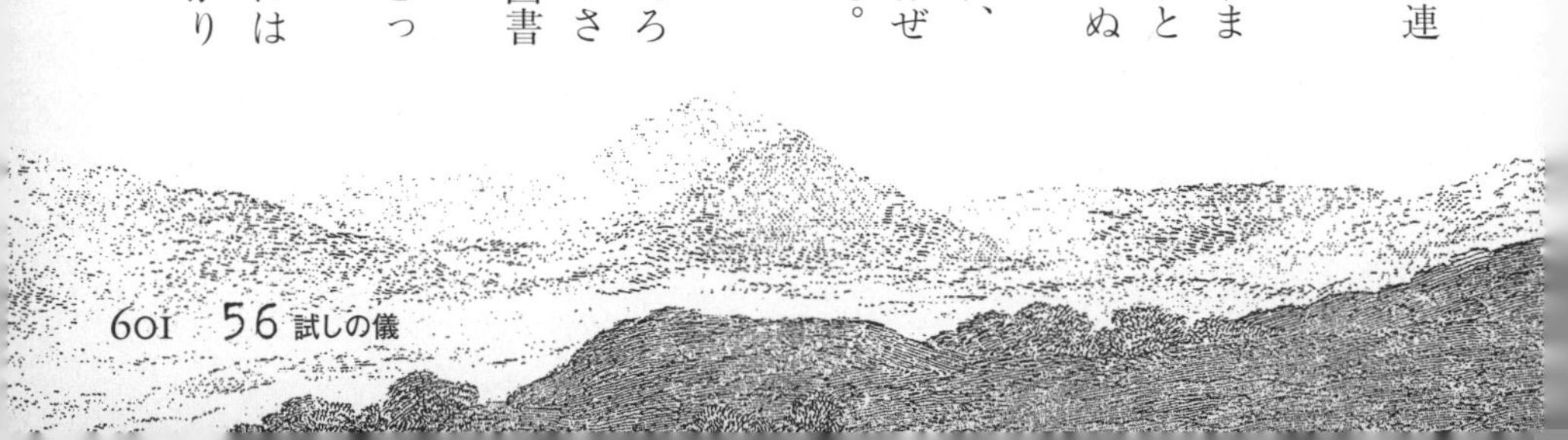

いるだろうから」

「どうして?」

「きみだってわかってるはずだ。素性《すじょう》を知れば、みんなぼくにうろうろされるのをいやがるさ。それに、にらんだり罵倒《ばとう》を浴びせたりするだけじゃ気のすまない連中が、かならず出てくるからね。こんな話はもういいよ。それより新しい情報《じょうほう》が知りたい。どんなことがあった?」

エラゴンはここ二日間の出来事を話して聞かせた。図書館で双子《ふたご》に会ったときのことも忘《わす》れずに話した。すべて聞いたあと、マータグは背《せ》をそらせ、思いにふけるような顔をした。「考えたんだが、アーリアはぼくらが思ってた以上の重要人物かもしれない。わかったことは、剣《けん》がおどろくほど強くて、すごい魔法《まほう》が使えて――そして、とくに重大なのはサフィラの卵《たまご》を守る役をまかされたこと。彼女はふつうの人じゃない。いや、ふつうのエルフじゃないよ」

エラゴンもそう思った。

マータグは天井《てんじょう》を見あげた。「見てのとおり、この囚人《しゅうじん》生活は意外に快適《かいてき》でね。生まれて初めて、なににもおびえずに暮《く》らしてる。いや、わかってるさ……でも、こういう場所にいると、気持ちが楽になるんだ。よく眠《ねむ》れるってこともあるし」

「いいたいことはわかるよ」エラゴンは苦々しげにいうと、ベッドのやわらかい場所にすわり直した。「ナスアダがきみを訪《たず》ねたといっていた。なにか、おもしろい話を聞けたかい?」

マータグは視線《しせん》を遠くにうつし、やがて首をふった。「いや。ただぼくに面会したかっただけみたいだ。彼女、王家の娘《むすめ》みたいじゃないか? あの堂々とした態度《たいど》! 最初なんか、ガルバトリックスの宮廷《きゅうてい》のお偉《えら》いご婦人《ふじん》が現《あらわ》れたかと思ったよ。彼女とくらべたら、宮廷にいる伯爵《はくしゃく》の妻《つま》や娘たちは、ブタ小屋の暮らしのほうがお似合《にあ》いって連中ばかりだったけどね」

エラゴンは胸騒《むなさわ》ぎを覚えながら、マータグのそんな言葉を聞いていた。あれにはなんの意味もなかったんだ。自分にいい聞かせる。早合点《はやがてん》するものじゃない。それでも、あの予言がどうしても頭から出ていかなかった。「マータグ、きみはいつまで囚《とら》われの身でいるつもりだ？　ずっとかくれてもいられないだろう」

　マータグはぞんざいに肩《かた》をすくめた。が、彼の言葉には重苦しさがかくれているように思えた。

「今のところ、のんびりしたこの生活に満足してるんだ。わざわざべつの隠《かく》れ家《が》をさがしに行く理由もないし、双子につかまって審査《しんさ》をせまられたくもない。いつかはこんな生活にも飽《あ》きが来るだろうけど、今は……こうしていたいんだ」

57

長き影《かげ》

エラゴンはサフィラにこづかれて目を覚ました。「痛《いた》い！」かたいあごでたたかれて、血がにじんでいる。洞穴《ほらあな》のなかは暗く、ふたを閉《と》じたランタンから光がもれているだけだ。部屋に目をむけると、イスダル・ミスラムが周囲のランタンに照らされて無数の色を放っている。

洞穴の入口に、ドワーフがそわそわと手をもみしぼりながら待っていた。「すぐにお出ましを、アージェトラム！　一大事です――アジハドが呼《よ》んでいる。時間がないんです！」

「なにごとだい？」

ドワーフは頭とひげをふるばかりだ。「さあ、早く！　カークナ・ブラガ（危険《きけん》がせまっている）」

エラゴンはザーロックを腰《こし》につけ、弓と矢を背負《せお》い、サフィラに鞍《くら》をつけた。サフィラは（せっかくぐっすり眠《ねむ》っていたのに）と文句《もんく》をいいながら、身を低くしてエラゴンを乗せた。サフィラが洞穴から飛び立つと、その背でエラゴンは大きなあくびをした。

トロンジヒームの門の前には、オリクがけわしい表情《ひょうじょう》で待っていた。「早く、みんなが待ってる」

オリクはトロンジヒームに入り、アジハドの書斎《しょさい》にむかって歩きだした。途中《とちゅう》、エラゴンがいくらた

ずねても、同じことをくり返すばかりだ。「わしはよく知らない――アジハドにきくことだ」

大きな書斎の扉《とびら》を、体格《たいかく》のいいふたりの衛兵《えいへい》があけてくれた。アジハドは机《つくえ》の前に立ち、暗い顔で地図をのぞきこんでいた。ほかにアーリアと、しなやかな腕《うで》をした男がひとり。「待っていたぞ、エラゴン。ジョーマンダーを紹介《しょうかい》しよう。わたしの右腕《みぎうで》だ」

ふたりはあいさつをかわし、すぐにアジハドにむき直った。「きみたち五人を起こしたのはほかでもない、大きな危険がせまっているからだ。三十分ほど前、ドワーフがひとり、トロンジヒーム地下の使われていないトンネルから飛び出してきた。体から血を流し、とりみだしていたが、だれにやられたのかを仲間に告げることはできた。アーガル軍だ。歩いて一日たらずの地点にいるらしい」

衝撃《しょうげき》で書斎のなかが静まり返った。やがてジョーマンダーがののしりの声をあげ、オリクとともにあれこれ疑問《ぎもん》を口にしはじめた。アーリアはおしだまったままだ。アジハドが手をあげてふたりを制《せい》した。「静かに！　話はまだある。アーガルは地上じゃなく、地下を使ってきている。トンネルのなかだ……われわれは下から攻撃《こうげき》を受けることになる」

動揺《どうよう》が走るなか、エラゴンが声をあげた。「ドワーフたちはどうして今まで気づかなかったんですか？　それに、アーガルはどうやってトンネルを見つけたんだろう？」

「今気づいただけでも、運がよかったさ！」オリクがうなった。みんなが話をやめて、彼に耳をかたむけた。「ビオア山脈には数百のトンネルが通っている。でもほり終えて以来、だれも住んでいないんだ。あそこにいるのは、他人《ひと》とかかわりたくない変わり者のドワーフくらいなものだ。下手《へた》をすれば、最後までまったく気づかなかったかもしれないんだぞ」

アジハドが地図を指さし、エラゴンはそこに顔をよせた。地図にはアラゲイジアの南半分が描《えが》かれているが、エラゴンのもっている地図とはちがって、ビオア山脈の全域《ぜんいき》がくわしくしめされている。

アジハドは、サーダの東と接《せっ》するビオアの一部を指していった。「そのドワーフは、ここから逃《に》げてきたといっている」

「オシアド！」オリクがさけんだ。ジョーマンダーが首をかしげると、オリクは説明した。「わしらが古代に住んでいた場所だ。トロンジヒームが完成してからはだれも住まなくなったが、当時はドワーフ最大の町だった。数百年ものあいだ、だれも住んでいないはずだ」

「トンネルのいくつかは老朽化《ろうきゅうか》してこわれている。それほど古い町なのだ」アジハドがあとを引きとって続けた。「だから、やつらはこわれたトンネルを地表から発見したのではないかと思う。例のイスロ・ジャーダ（謀反者《むほんしゃ》の命運）という名は、このオシアドのことだったにちがいない。エラゴンとサフィラを追ってきたアーガルも、そこへむかっていたのだろう。そして、アーガルがこのところずっと移動《いどう》していた先も、おそらくそこだったはず。イスロ・ジャーダからなら、ビオア山脈のどこへでも自由に動きまわることができる。つまり、ヴァーデンもドワーフも壊滅《かいめつ》の危機《きき》に瀕《ひん》しているということだ」

ジョーマンダーが地図にかがみこんで、慎重《しんちょう》に目を走らせた。「ここにどのぐらいのアーガルが集結しているんでしょう？　帝国軍《ていこくぐん》もいっしょなんだろうか？　敵《てき》の軍勢《ぐんぜい》の規模《きぼ》がつかめないと、策《さく》の立てようがない」

アジハドが暗い口調でこたえた。「そのへんはわかっていない。だが、われわれの運命は、その問いにかかっている。ガルバトリックスがアーガルの兵に帝国軍をも補強《ほきょう》したとなると、こっちにはもう望みはない。しかし――たとえば、やつがアーガルと同盟《どうめい》を組んだことを公《おおやけ》にしたくないとか、あるいはなんらかの理由で――まだ帝国軍が来ていないとしたら、勝てる見《み》込《こ》みも出てくる。こんなにぎりぎりになってからでは、オーリン王やエルフ族に応援《おうえん》をたのむこともできんしな。それでも、こ

の危機的状況《じょうきょう》を知らせるべく特使は送ってある。これで、少なくとも彼らは、われわれが滅《ほろ》びたときおどろかずにすむだろう」

アジハドは真っ黒な眉《まゆ》を指でぬぐった。「フロスガーとはすでに話をして、いちおうの作戦も立てた。唯一《ゆいいつ》の望みは、アーガルを大きい三本のトンネルに集め、なんとかファーザン・ドゥアーに誘《さそ》いこむこと。そうすれば、連中がトロンジヒームのなかに、イナゴの大群《たいぐん》のようにおしよせてくることをさけられる」

「エラゴン、アーリア。きみたちの力が必要だ。外部から通じるトンネルをこわすのを手伝ってほしい。ふつうのやり方でできる仕事ではないからな。すでにドワーフたちがふた手にわかれてとりかかっている。いっぽうはトロンジヒームの外側から、もういっぽうは地下からだ。エラゴン、きみは外側のドワーフたちを手伝ってほしい。アーリア、きみには地下をお願いしたい。オリクにそこまで案内してもらってくれ」

「大きい三本だけ残したりせずに、全部のトンネルをこわしてしまったらどうなんですか？」エラゴンが疑問《ぎもん》をぶつけた。

「全部のトンネルがこわれれば」オリクがいう。「アーガルは瓦礫《がれき》をかたづけてでも、侵入《しんにゅう》しようとするさ。そしていざかたづけば、こちらの望まぬトンネルで望まぬ方向へ進んでくる。それに、こっちへむかう道を断《た》てば、ひょっとしてビオアにあるべつのドワーフの町へむかうかもしれない——そうなったら、わしらが助けに行くこともできない」

「理由はもうひとつある」アジハドがいった。「フロスガーからいわれているんだ。トロンジヒームの下には無数のトンネルが走っている。それらをすべてこわしてしまえば、町の一部が地下にしずみかねない。それ自身の重みでな。そんな危険《きけん》をおかすわけにはいかないんだ」

じっと話を聞いていたジョーマンダーが口を開いた。「つまり、トロンジヒームのなかで戦闘《せんとう》は起こさないということですね？　アーガル軍は都市の外、ファーザン・ドゥアーに誘導《ゆうどう》すると？」

アジハドがすばやくこたえる。「そのとおり。トロンジヒーム周辺を全部守りぬくことは不可能《ふかのう》だ――われわれにはそれだけの軍備《ぐんび》がない――よって、都市に通じる通路や門をすべて封鎖《ふうさ》する。そうすればアーガルたちは、トロンジヒームの外に残らざるをえなくなる。わが軍もなんとか作戦を立てて戦えるだろう。しかし、アーガルがトンネルの瓦礫《がれき》をかたづける可能性《かのうせい》がある以上、長期戦はぜったいにさけたい。長くなればなるほど、トロンジヒームの床《ゆか》をつきやぶられる危険性《きけんせい》が高まるということだからな。そんなことになれば、われわれは上と下からの挟《はさ》み撃《う》ちにあう。とにかく、トロンジヒームにだけは入れてはならない。ひとたび入りこまれたら、わが軍にはもう追い出すことはできないだろう」

「それで、家族はどうすれば？」ジョーマンダーがきいた。「アーガルたちに妻《つま》や息子《むすこ》を殺されるところなど見たくありません」

深いしわがアジハドの顔にきざまれた。「女性《じょせい》やこどもたちは周囲の谷に避難《ひなん》させるつもりだ。われわれが敗れた場合、しかるべき案内人がサーダまで送りとどけることになっている。この状況下《じょうきょうか》では、こうするよりほかないんだ」

ジョーマンダーは安堵《あんど》をおしかくすようにしていった。「閣下《かっか》、それではナスアダもいっしょに避難されるのですか？」

「あの娘《こ》はいやがっているが、そう、行かせるつもりだ」みんなの視線《しせん》が自分に集中しているのを感じ、アジハドは胸《むね》をはった。「アーガルがやってくるのは時間の問題だ。敵《てき》の数が膨大《ぼうだい》であることも承知《しょうち》の上で、それでもわれわれはファーザン・ドゥアーを守りとおさねばならない。敗れることは、

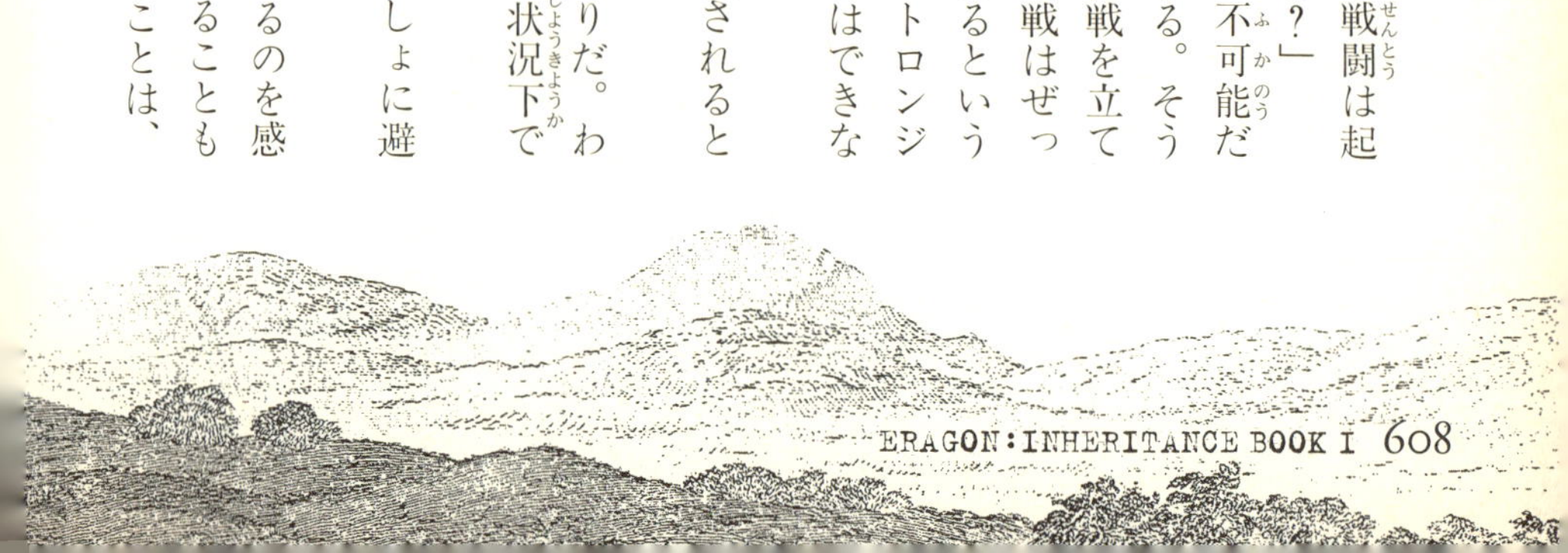

ドワーフ族においては没落《ぼつらく》を、ヴァーデン軍においては死を意味する――そして究極《きゅうきょく》的には、サーダ国とエルフ族の滅亡《めつぼう》にもつながる。なにがなんでも負けるわけにはいかない戦いだ。心して出陣《しゅつじん》し、それぞれの任務《にんむ》を果たすのだ！　ジョーマンダーは兵士たちに準備《じゅんび》をさせてくれ」

彼らは書斎《しょさい》を出て散らばった――ジョーマンダーは兵舎《へいしゃ》にむかい、オリクとアーリアは地下への階《かい》段《だん》をおりていった。そしてエラゴンとサフィラはトロンジヒームの動脈ともいえる四つの通路のほうへむかった。早朝だというのに、〈都市の山〉はアリ塚《づか》のようにたくさんの人であふれている。だれもが大声で言葉をかわしあいながら、荷物の包みをもって駆《か》けまわっている。

エラゴンは過去《かこ》に、戦って敵を殺したことがある。それでも、これからの戦いを思うと、胸にナイフをさしこまれるような戦慄《せんりつ》を覚えた。せまりくる戦闘をじっと待つのは初めての経験《けいけん》だ。まさに恐《きょう》怖《ふ》が全身に満ちてくるようだった。敵が数人なら自信をもって立ちむかえる。アーガルが相手でも三、四人なら、ザーロックと魔法《まほう》でかんたんにたおすことができるだろう――しかし、これだけ大きな戦争となると、なにが起こるか想像《そうぞう》もつかない。

トロンジヒームを出て、自分が力を貸《か》すべきドワーフの一団《いちだん》をさがした。太陽も月も出ていないので、噴火口《ふんかこう》のなかはすすのように真っ暗で、あちこちで突発的《とっぱつてき》に光るランタンだけが唯一《ゆいいつ》の光源《こうげん》だ。

〔ドワーフのいる場所は、トロンジヒームのむこう側だと思う〕サフィラがいった。エラゴンはうなずいて彼女の背《せ》に飛び乗った。

トロンジヒームのまわりをぐるりと飛んでいくと、やがて一か所にかたまるランタンの光が見えてきた。サフィラが体をかたむけ、ささやきほどの小さな音を立てて着地した。せっせとつるはしをふるっていたドワーフの一団が目を見開いた。エラゴンがここに来たわけを手短に説明すると、とがっ

た鼻のドワーフがいった。「トンネルは、ここの四メートルほど下にある。きみが手伝ってくれるなら、こんなにうれしいことはない」

「そこからみんなをどかしてくれれば、どんな手伝いができるかわかると思います」とがった鼻のドワーフはいぶかしげな顔をしながらも、ほかのドワーフたちをトンネルの上から退《ひ》かせてくれた。

エラゴンはゆっくりと呼吸《こきゅう》をして、魔法《まほう》を使う準備《じゅんび》をした。トンネルの上にかぶさっている土を全部はらいのけることもできるが、肝心《かんじん》なときのために体力はできるだけ温存《おんぞん》しておきたい。かわりに、トンネルの天井《てんじょう》の弱い部分をさがし、そこだけに力を加えることにした。

「スライスタ・デロイ（地面よ、縮《ちぢ》め）」つぶやいて、力の触手《しょくしゅ》を土の奥深《おくふか》くにのばしていった。触手はたちまち岩盤《がんばん》にぶつかった。それを無視《むし》し、さらに奥へおりると、トンネルの空洞《くうどう》があった。そこで岩の表面のひびをさがす。ひびが見つかると、それをひとつずつおして、すきまをひろげていく。骨《ほね》の折れる作業だが、手で石を割《わ》る程度《ていど》の体力ですむ。まだ目に見える効果《こうか》はなにもなかった――せっかちなドワーフたちも、あきらかにそれを感じている。

エラゴンはしんぼう強く作業を続けた。まもなく、岩の割れる音が地上にもはっきりと聞こえてきた。キーッという甲高《かんだか》い音が絶《た》え間《ま》なく続き、やがて桶《おけ》から水がこぼれるように、地面が内側にすべりながらしずんでいった。そして、そこには直径七メートルの穴《あな》がぽっかりと口を開けた。

よろこんだドワーフたちがトンネルの入り口を瓦礫《がれき》でふさぎはじめると、エラゴンは鼻のとがったドワーフに次のトンネルへと案内された。今度のトンネルはさらにこわすのがむずかしかったが、やはりさっきと同じ方法を使った。そうして数時間、サフィラの助けを借りながら、ファーザン・ドゥアーの地下のトンネル六本を、次々とふさいでいった。

作業を続けるうちに、頭上の小さな空から光がこぼれてきた。あたりをじゅうぶんに照らすほどで

はないが、エラゴンの自信を高めてくれる光だった。今破壊《はかい》したばかりのトンネルの瓦礫から目をはなし、周辺の様子をながめてみた。

女やこども、そしてヴァーデンの長老たちの集団《しゅうだん》が、トロンジヒームから続々と吐《は》き出されてくる。みな食料や衣類や身のまわりのものを、大きな荷物にして運んでいる。先導《せんどう》しているのは、ほとんど少年と老人の兵士だけで編成《へんせい》された小さな一団だ。

だがなんといっても、いちばんあわただしく動いているのはトロンジヒームのふもとの階だった。ヴァーデンとドワーフの兵士がそこに集結し、大きな三つの部隊に分けられている。どの隊も同じ旗を掲《かか》げている――バラをくわえた白ドラゴン。そして、紫《むらさき》の大地に切っ先をつき立てる剣《けん》――ヴァーデンの軍旗だ。

どの兵士も口を結び、表情《ひょうじょう》はかたい。兜《かぶと》の下から髪《かみ》が無造作《むぞうさ》にたれている。多くの兵士が剣と盾《たて》だけの武装《ぶそう》だが、なかには槍兵《そうへい》もいる。大部隊の後方では、弓矢隊が弦《つる》のはり具合をたしかめている。ドワーフたちは戦闘用《せんとうよう》の重装備《じゅうそうび》に身を包んでいた。上半身からひざにかけてはピカピカの鎖帷子《くさりかたびら》でおおわれ、左手には部族の紋章《もんしょう》入りの円形の分厚《ぶあつ》い盾、右手に金槌《かなづち》か鍬《くわ》、腰《こし》には短剣を差している。さらに頭には鉄兜《てつかぶと》、足は極細《ごくぼそ》の鎖で編んだ帷子、真鍮《しんちゅう》の鋲《びょう》を打ったブーツといういでたちだ。

遠くはなれた集団から小さな人影《ひとかげ》が飛び出し、エラゴンとサフィラのほうへ駆《か》けよってきた。オリクだった。ほかのドワーフたちと同じ装備に身を包んでいる。「アジハドが呼《よ》んでいる。隊に加わってほしいそうだ。こわすトンネルはもうないだろう? ふたりに食事も用意してある」

オリクについてテントのなかに入ると、エラゴンにはパンと水、サフィラには干《ほ》し肉《にく》のごちそうが用意されていた。ふたりは文句《もんく》をいわずに食べた――ひもじい思いをするよりはよほどましだ。

食事が終わると、オリクがふたりに待つようにいって、兵士のなかに消えていった。やがて、大き

な板金鎧《ばんきんよろい》をかかえたドワーフ兵の列をしたがえてもどってきた。オリクが鎧の一部分をもちあげて、エラゴンにわたした。

「なに？」エラゴンがみがきあげられた板金を指でさわってたずねた。彫《ほ》り物《もの》と金線細工《ざいく》のほどこされた複雑《ふくざつ》なつくりの鎧だ。厚《あつ》さ三センチもある部分もあり、ずっしりと重い。こんな重量の鎧をつけて戦える者などいない。それに、ひとりの人間用にしてはずいぶんたくさんの部位にわかれている。

「フロスガーからの贈《おく》り物《もの》だ」オリクが満足げにいう。「ほかの財宝《ざいほう》といっしょに長いことしまいこまれて、ほとんど忘《わす》れられていた。遠い昔、ライダー族が滅《ほろ》びる前につくられたものだ」

「でも、なにに使うの？」エラゴンがきいた。

「決まってるじゃないか、ドラゴンの鎧だよ！　ドラゴンなら武装《ぶそう》をしないで戦場に行けるとでも思っていたのかい？　こうやって完全にそろってるものはめずらしいんだ。つくるのにえらく時間がかかるし、ドラゴンは成長が早いからね。だけど、サフィラならまだじゅうぶんにつけられると思う」

〈ドラゴンの鎧！〉その一部分に鼻をよせるサフィラに、エラゴンはたずねた。〈どうだい？〉

〈つけて〉サフィラの目がギラリと光った。

しばらくの奮闘《ふんとう》ののち、鎧をつけおえたエラゴンとオリクは、うしろにさがってサフィラの装備《そうび》をほれぼれとながめた。首全体が――背中《せなか》の角《つの》以外は――すべて三角形の鱗《うろこ》の鎧で包まれた。腹《はら》と胸《むね》はいちばん重い板金で守られ、しっぽは軽いもので守られている。足と背中もすっぽりおおわれたが、翼《つばさ》だけはそのままだ。顔には成型された板金の面をつけ、下あごだけは自由に動かせるようになっている。

　サフィラは首をためすように弓なりに曲げてみた。鎧はその動きにあわせて体にそって柔軟《じゅうなん》に動いた。〈動きは鈍《にぶ》くなるが、これなら矢が飛んできても安心。どう、おかしくないか？〉

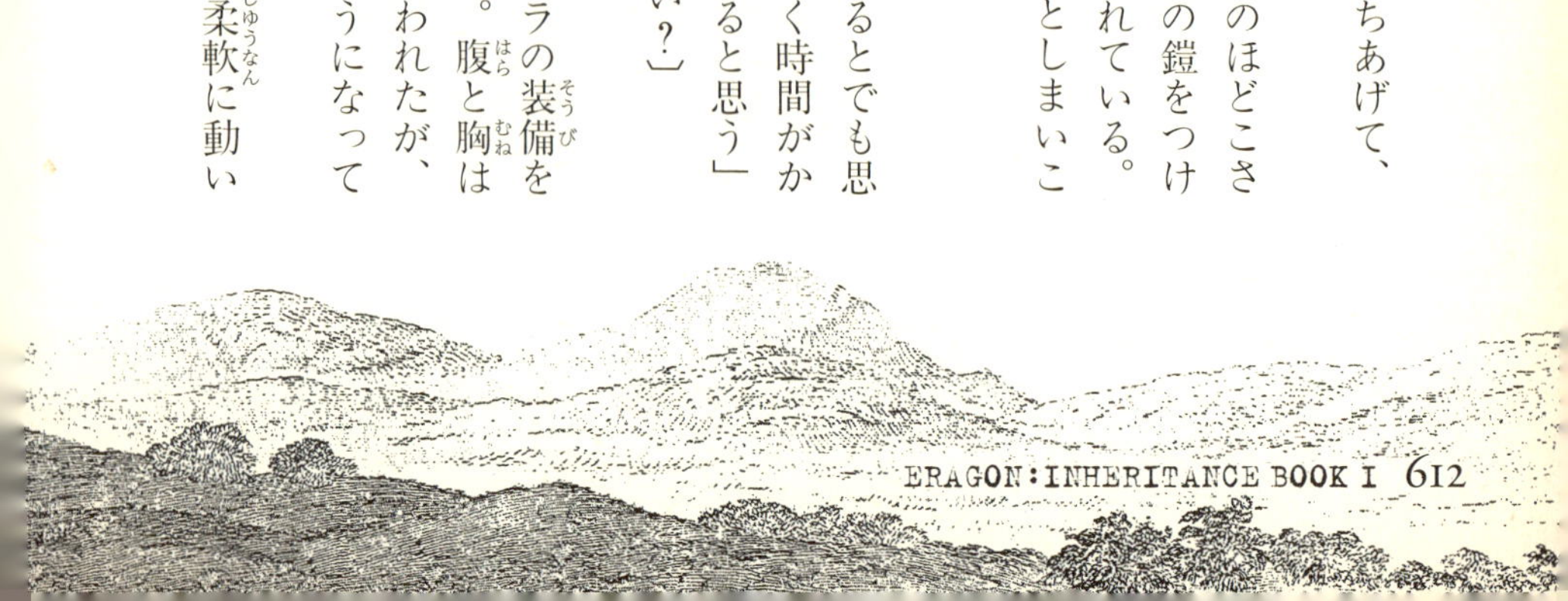

〔すごくこわそうだよ〕エラゴンが思ったままを口にした。サフィラはよろこんでいた。

オリクがまだ残っている鎧を地面から拾いあげた。「きみの分ももってきたんだ。この大きさのをさがすのに苦労したよ。わしらは人間やエルフの鎧はあまりつくらないからな。だれのためにつくったものか知らないが、使った様子はない。きみにぴったりだろう？」

革《かわ》で裏打《うらう》ちされた鎖帷子《くさりかたびら》を頭から通してみると、すそがひざまでとどき、スカートをはいたようになった。肩《かた》にずっしりと重く、動くとチャリチャリ音がする。ベルトをしめてザーロックをつけると、帷子の音がおさまった。頭には革の帽子《ぼうし》、その上から鎖ずきん、さらに金と銀の兜《かぶと》をかぶる。腕《うで》には腕甲《わんこう》、ひざ下にはすね当て、手には鎖を裏打ちした手袋《てぶくろ》。最後に、カシの木の紋章《もんしょう》が入った大きな盾《たて》をオリクがわたしてくれた。

これらがどれほど高価《こうか》な贈り物であるかよくわかったので、エラゴンは頭をさげていった。「すばらしいものをありがとう。フロスガー王にどうかよろしく伝えてください」

「礼をいうのは早いよ」オリクがクックッと笑った。「これに命を助けてもらってからでいい」

集結していた兵士たちがそれぞれの持ち場へと歩きだした。三つの部隊はファーザン・ドゥアー内の別々の場所に配置される。エラゴンはどこへ行けばいいのかわからず、オリクのほうを見た。オリクは肩をすくめた。「あれについていこう」彼らは噴火口《ふんかこう》の壁《かべ》にむかう部隊のあとを追った。エラゴンはアーガルの状況《じょうきょう》をたずねたが、オリクが知っているのは、地下トンネルに配置された偵察兵《ていさつへい》から、まだなんの報告《ほうこく》もないということだけだった。

その部隊はこわれたトンネルのところでとまった。ドワーフたちが積みあげた瓦礫《がれき》のせいで、トンネルのなかにいる者はそこを這《は》いあがらねば出てこられないようになっている。〔こうやってアーガルを地上におびき出すのか……〕サフィラがいった。

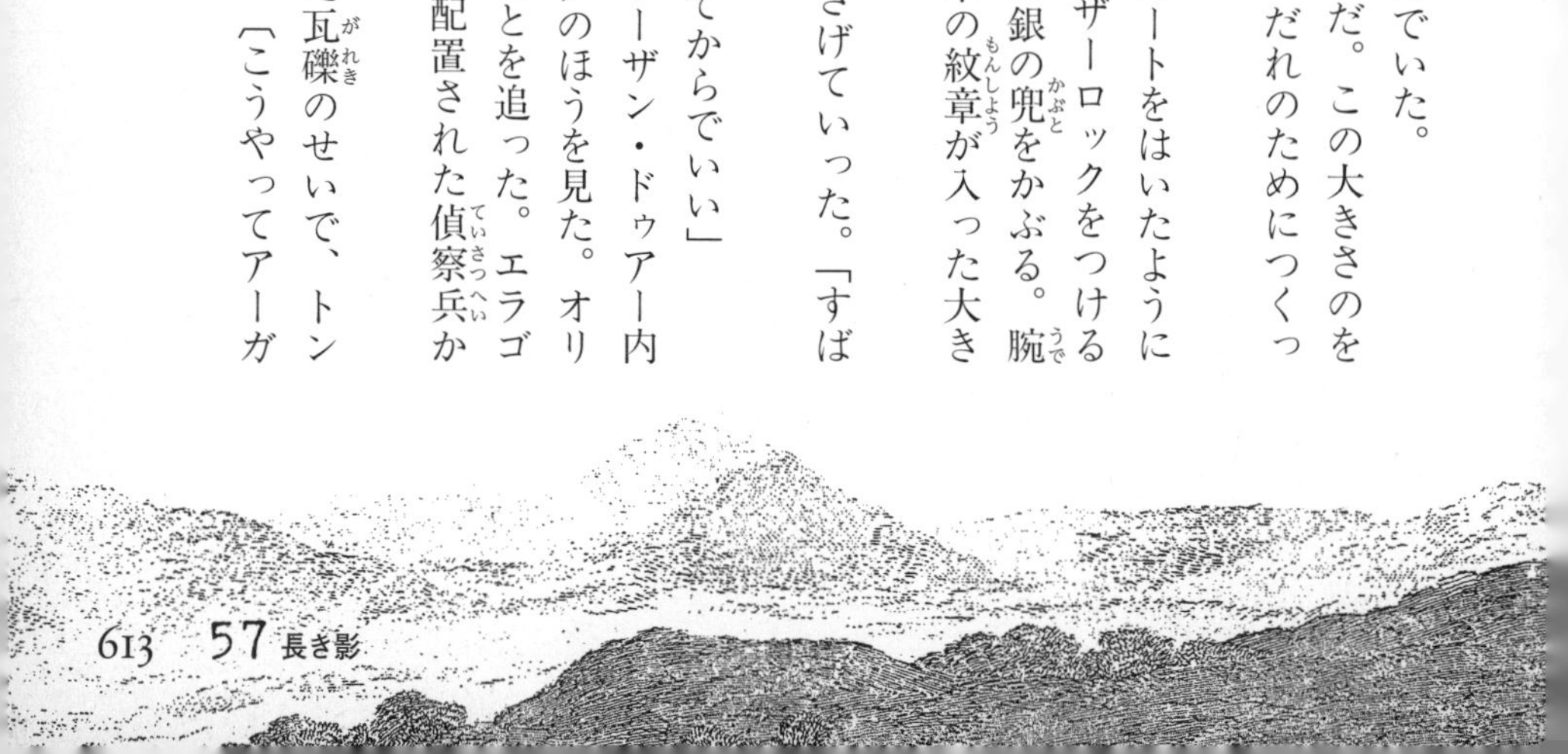

先端《せんたん》にランタンをつるした数百の竿《さお》が、地面につき立てられた。するとそこに、夕方の太陽のように大きな光の海が現《あらわ》れた。トンネルの屋根の縁《ふち》でいくつかの火が焚《た》かれ、その上で、大鍋《おおなべ》に入れた真っ黒なタールがぐつぐつ煮《に》えている。エラゴンは目をそむけ、吐《は》き気《け》をこらえた。相手がだれであろうと、これほど残酷《ざんこく》な殺し方はない。

兵士たちは先をとがらせた若木《わかぎ》を地面につき立て、部隊とトンネルのあいだに柵《さく》をつくっていた。エラゴンも、若木を埋《う》める溝《みぞ》をほるのを手伝うことにした。サフィラも大きな鉤爪《かぎづめ》で土ほりに加わった。オリクはそのあいだに、弓矢隊の防護柵《ぼうごさく》の設置状況《せっちじょうきょう》を監督《かんとく》しに行った。エラゴンは皮袋《かわぶくろ》に入ったブドウ酒がまわってくるたびに、ありがたくのどに流しこんだ。溝をほりおえ、柵が完成すると、サフィラとエラゴンは休憩《きゅうけい》した。

もどってきたオリクがふたりのそばにすわり、額《ひたい》をぬぐいながらいった。「人間もドワーフも兵士たちはみな配置についた。トロンジヒームは完全に封鎖《ふうさ》された。むかって左側の部隊はフロスガーが指揮《しき》し、前方の部隊はアジハドがひきいていく」

「この部隊を指揮するのは？」

「ジョーマンダーだ」オリクは不満げにうなって、金槌《かなづち》を地面に置いた。

サフィラがエラゴンを鼻でつついた。〔あれを！〕エラゴンは思わずザーロックをにぎりしめた。目に飛びこんできたのは、兜《かぶと》をかぶり、ドワーフの盾《たて》と片手半剣《ハンド・アンド・ア・ハーフ》をもち、トルナックに乗って近づいてくるマータグの姿《すがた》だった。

オリクが気色《けしき》ばんで立ちあがったが、マータグはすかさずいった。「心配ない。アジハドが解放《かいほう》してくれたんだ」

「どうしてだ？」オリクが強い口調でたずねた。

マータグは苦笑いをした。「これは、ぼくの誠意《せいい》を証明《しょうめい》するいい機会だといわれてね。どうやらアジハドは、たとえぼくを敵《てき》にまわしても、たいした打撃《だげき》にならないと思ってるようだ」

エラゴンはうれしそうにうなずき、ザーロックをにぎる手をゆるめた。マータグは慈悲《じひ》に流されない有能《ゆうのう》な戦士だ——戦いのとき、いちばんそばにいてほしい人物だった。

「それが嘘《うそ》じゃないと、どうしてわかる？」オリクがいった。

「ぼくがそういうからだ」きっぱりといいきった。ちょうどそこへアジハドが歩いてきた。胸当《むねあ》てと象牙《ぞうげ》の柄《つか》の剣《けん》で武装《ぶそう》したアジハドは、がっしりとした手でエラゴンの肩《かた》をつかみ、ふたりだけで話のできる場所へ彼をつれていった。そして、エラゴンの鎧姿《よろいすがた》をながめていった。「いいじゃないか。オリクが支度《したく》をしてくれたんだな」

「はい……トンネルのなかでなにか変わった様子は？」

「なにもない」アジハドは地面につきさした剣によりかかった。「双子《ふたご》のひとりをトロンジヒームに置いてあるんだ。〈ドラゴンの間〉から下を見張《みは》り、もうひとりを通じてわたしに情報《じょうほう》を伝えることになっている。きみは心のなかで会話ができると聞いている。そこでたのみたい。戦いのさなか、なにか異変《いへん》を感じたら、どんなことでもかならず双子に伝えてほしい。わたしからも彼らを通じてきみに指示《しじ》をあたえる。いいね？」

双子と交信するなど、考えただけで胸が悪くなるが、どうしても必要ならしかたがない。「わかりました」

アジハドが一瞬《いっしゅん》考えた。「きみは歩兵でも騎兵《きへい》でもないし、こういう種類の戦士はいまだかつて指揮したことがない。戦況にもよるだろうが、きみらはとりあえず地上にいたほうが安全だろう。飛びあがれば弓矢の恰好《かっこう》の的になるからな。サフィラの背《せ》で戦った経験《けいけん》は？」

サフィラの背《せ》はおろか、エラゴンは馬の背で戦ったことすらない。「経験《けいけん》というほどのものはありません。カルに石をぶつけたことはあるけど、それ以外は、戦おうにもずっと高いところを飛んでますから」

「カルなら山ほど出てくるぞ。うれしいことではないが」アジハドは背中をのばし、よりかかっていた剣《けん》を地面から引きぬいた。「わたしからひとつ忠告《ちゅうこく》しよう。むやみに危険《きけん》に近づくな。ヴァーデンはきみを失うわけにいかんのだ」アジハドはそういい残し、去っていった。

オリクとマータグのところへもどると、エラゴンはサフィラのとなりに腰《こし》をおろし、盾《たて》をひざにもたせかけた。四人は、数百人の兵士たちといっしょにじっとそのときを待った。ファーザン・ドゥアーの噴火口《ふんかこう》からさしこむ光はしだいに弱くなっている。太陽がその下へゆっくりしずもうとしているのだ。

エラゴンはあたりを見わたし、青ざめた。十メートルほど先に、アーリアが、弓をひざにのせてすわっている。無理とはわかっているが、アーリアもほかの女たちといっしょにファーザン・ドゥアーを脱出《だっしゅつ》してほしかった。エラゴンは思わず彼女に駆《か》けよった。「あなたも戦うんですか？」

「自分の義務《ぎむ》を果たすのです」アーリアの声は落ち着いている。

「でも、危険すぎる！」

アーリアの顔がくもった。「人間よ、わたくしを見くびるでない。エルフは男も女もなく、ともに戦いの訓練を受けている。無力な人間の女たちのように、危険から逃《に》げ出すようなことはしない。わたくしはサフィラの卵《たまご》を守る任務《にんむ》をあたえられ……失敗しました。この戦場であなたたちを守れなければ、わがブリオール（一族）にさらなる不名誉《ふめいよ》をもたらしてしまう。あなたもふくめて、ここには魔法《まほう》の力でわたくしにかなうものはいない。シェイドが現《あらわ》れたとき、わたくし以外にだれがあいつを

たおすのですか？　わたくし以外に、だれにその権利《けんり》があるというのです？」

エラゴンはただアーリアの顔を見つめるしかなかった。彼女のいうことは正しいとわかっているが、その事実が憎《にく》い。「どうか気をつけて」そして、やるせない思いで古代の言葉をつけたしていた。「ヴィオル・ポムヌーリア・イリアン」——ぼくの幸せのために。

アーリアは落ち着かなげに目をそらした。額《ひたい》にかかる前髪《まえがみ》のせいでその表情《ひょうじょう》はよくわからない。よくみがいた弓に手を走らせると、口のなかでつぶやいた。「ここにいるのは、わたくしのウィアダ（運命）。恩《おん》は返さねばならないのです」

エラゴンはなにかをふり切るように、サフィラのもとへもどった。マータグが興味深《きょうみぶか》げにたずねてきた。「なんの話だったんだ？」

「べつに」

のろのろとすぎる時間のなか、兵士たちはそれぞれの思いにひたり、じっとだまりこんでいた。ファーザン・ドゥアーの噴火口はふたたび暗くなり、ランタンの赤い光と、タールの鍋《なべ》をわかす火だけがあたりを闇《やみ》から救っている。エラゴンにはアーリアの様子を盗《ぬす》み見る以外に、鎧《よろい》の鎖《くさり》に目をこらすぐらいしかすることがなかった。オリクは斧《おの》に何度も砥石《といし》をかけながら、刃《は》の具合をたしかめている。石と金属《きんぞく》のこすれる音が耳ざわりに響《ひび》く。マータグはただ遠くを見ているだけだ。

伝令が夜営地《やえいち》を駆《か》けぬけると、兵士たちがいっせいに腰《こし》をあげる。だが、そのどれもがたいした情《じょう》報《ほう》ではなかった。人間もドワーフもみなピリピリしていて、沈黙《ちんもく》をぬってときおり怒声《どせい》が聞こえてくる。ファーザン・ドゥアーの難点《なんてん》は風がないことだ——空気はよどみ、まったく動かない。むしむしして息苦しくて、煙《けむり》が立ちこめていても、それを救ってくれるものはなにもなかった。

戦場の夜はしんしんとふけていった。ずっと同じ姿勢《しせい》でいるので、筋肉《きんにく》がこわばっていた。闇をぼ

んやり見つめていると、徐々《じょじょ》にまぶたが重くなってくる。エラゴンは首をふって眠気《ねむけ》を覚まし、なんとか集中力をたもとうとした。

やがてオリクがいった。「夜も遅《おそ》い。わしらも眠ったほうがいいな。なにかあったら、だれかが起こしてくれるだろう」マータグは不満そうだが、エラゴンは疲《つか》れていて異《い》をとなえる気力もなかった。盾《たて》を枕《まくら》にして、サフィラにもたれて丸くなった。目を閉《と》じたが、アーリアがまだ起きていて、こちらを見守っているのがわかった。

不可解《ふかかい》な夢《ゆめ》を見た。角《つの》の生えたけものや、目には見えない敵《てき》がそこらじゅうにいる。低い声が何度も何度もたずねてくる。「用意はいいか?」だが、彼にはこたえようがない。そんな映像《えいぞう》に苦しめられながら、浅い眠りを続けた。やがて腕《うで》になにかが触《ふ》れ、はっとして目を覚ました。

58

ファーザン・ドゥアーの戦い

「はじまりました」アーリアが悲しげな顔でエラゴンにいった。夜営地《やえいち》の兵士たちはそれぞれに武器《ぶき》を引きよせ、神経《しんけい》をはりつめて立っている。オリクは斧《おの》を素《す》ぶりして、感覚をたしかめている。アーリアは弓に矢をつがえ、いつでも射《う》てる体勢《たいせい》をとった。

「何分か前に偵察兵《ていさつへい》がトンネルから飛び出してきたんだ」マータグがエラゴンにいった。「アーガルが来るぞ」

だれもがみな、兵士たちの隊列と防護柵《ぼうごさく》のむこうに口をあける真っ暗なトンネルを見すえていた。最初の一分がすぎ、また次の一分……そしてもう一分。エラゴンはトンネルの口をにらんだまま、ザーロックの心地《ここち》よい重みを手に感じながら、サフィラの鞍《くら》にのぼった。マータグはその横でトルナックの背《せ》に乗った。ひとりの兵士がさけんだ。「声が聞こえるぞ！」

兵士たちは身をかたくし、武器をにぎりしめた。だれひとり動かない……みな息をつめている。どこからか馬のいななきが聞こえてきた。

耳ざわりなアーガルのさけびが空気をさき、黒い体がトンネルの口から次々と飛び出してきた。号令により大釜《おおがま》がたおされ、沸騰《ふっとう》した液体《えきたい》がトンネルの飢《う》えた口のなかに流しこまれた。怪物《かいぶつ》たちは苦《く》

悶《もん》の声をあげ、腕《うで》をふりまわしている。煮《に》えたぎるタールにたいまつが投げこまれると、脂《あぶら》ぎった朱《しゅ》色《いろ》の火柱がトンネル入口におそいかかり、アーガルたちの体を烈火《れっか》の内にのみこんだ。エラゴンは吐《は》き気《け》をもよおし、目をそらした。ほかのふたつの部隊のところにも同じような火柱があがっている。エラゴンはザーロックを鞘《さや》におさめ、弓に弦《つる》をはった。

あらたなアーガルたちが火をすばやくふみ消し、焼けこげた仲間の死骸《しがい》を乗りこえて、トンネルから躍《おど》り出てきた。怪物《かいぶつ》たちはがんじょうな塀《へい》のようにかたまって、人間やドワーフたちにせまってくる。オリクが設営《せつえい》を手伝った柵《さく》のうしろで、一列めの弓矢隊が矢を放った。エラゴンとアーリアも弓を引き、矢が邪悪《じゃあく》な群《む》れに吸《す》いこまれていくのを見とどけた。

アーガルの隊列がゆらぎ、一瞬《いっしゅん》くずれるかに見えた。しかし敵《てき》はいっせいに盾《たて》をかざし、飛んでくる矢をかわしている。ふたたび弓矢隊が矢を放ったが、アーガルたちは次から次へと、とめどなくトンネルからあふれてくる。

エラゴンはその数を見てぎょっとした。これだけの敵を殺さなくてはならないのか？　正気《しょうき》の沙汰《さた》ではない。せめてもの救いは、ガルバトリックスの兵士が――少なくとも今は――いないことだ。

トンネルから現《あらわ》れる敵兵たちのかたまりは、どこまでも果てしなく続くかのようだった。かたまりのなかで、ぼろぼろの陰気《いんき》な軍旗がはためいている。角笛《つのぶえ》の不吉《ふきつ》な音がファーザン・ドゥアーじゅうに響《ひび》きわたり、アーガル軍がいっせいに獰猛《どうもう》な鬨《とき》の声をあげた。

アーガル兵たちが防護柵《ぼうごさく》にむかって猛然《もうぜん》とつっこんできた。前衛《ぜんえい》の怪物たちが柵に激突《げきとつ》し、とがった杭《くい》は死体と血にまみれた。アーガルの黒い矢が柵をこえ、しゃがんでいる兵士たちにおそいかかってくる。エラゴンは盾のうしろに身をかくし、サフィラは頭を防御した。矢は鎧《よろい》にぶつかってはじけ、サフィラの体に傷《きず》をつけることはなかった。

杭の前で動きをとめられたアーガル軍は、困惑《こんわく》したようにしばしうろうろしていた。ヴァーデン兵はひとかたまりになり、次の攻撃《こうげき》にそなえた。わずかな休止のあと、ふたたび鬨の声があがり、アーガルたちがどっとおしよせてきた。今度の攻撃はすさまじかった。いきおいをつけて防護柵を突破《とっぱ》してくるところを、守りの兵士たちが槍《やり》でめちゃくちゃにつきまくる。しかし槍兵《そうへい》はわずかな時間もちこたえただけで、あふれくるアーガルの不気味な波にあっという間におし流されてしまった。

防衛の最前線がくずれ、ここで初めて本格的《ほんかくてき》な肉弾戦《にくだんせん》となった。耳をろうさんばかりの雄《お》たけびとともに、人間とドワーフの群れが乱闘《らんとう》のなかへつっこんでいく。サフィラが咆哮《ほうこう》をあげて舞《ま》いあがり、修羅場《しゅらば》のなかへ飛びこんでいった。

サフィラは牙《きば》と鉤爪《かぎづめ》で、アーガルをひとり引きさいた。牙は剣《けん》、尾《お》は巨大《きょだい》な鍬《くわ》の役目を果たしている。エラゴンはサフィラの上からアーガルの首領《しゅりょう》のふりおろす斧《おの》をかわし、彼女の無防備《むぼうび》な翼《つばさ》を守った。敵の返り血を浴びて、ザーロックの深紅《しんく》の刀身が歓喜《かんき》の光を放っていた。

目のはしにオリクが見えた。力まかせに斧をふりおろし、アーガルの首をたたき切っている。そのそばには、トルナックの上で剣をふるうマータグ。顔をゆがめ、すさまじい声をあげ、敵の壁《かべ》を次々と切りくずしている。サフィラがくるりとふりむくと、敵の死骸を飛びこえて走るアーリアの姿《すがた》が見えた。

アーガルがひとり、ケガをしたドワーフをおしたおし、サフィラの右の前足を切りつけてきた。剣は火花を散らして鎧の上をすべり落ちた。エラゴンはアーガルの頭にザーロックをふりおろしたが、剣は怪物の角《つの》に引っかかってもぎとられてしまった。エラゴンは悪態《あくたい》をついてサフィラから飛びおり、アーガルの顔に盾をぶつけながら飛びかかっていった。ザーロックを角のあいだから引きぬくと、ひらりと身をかわし、べつのアーガルから逃《に》げた。

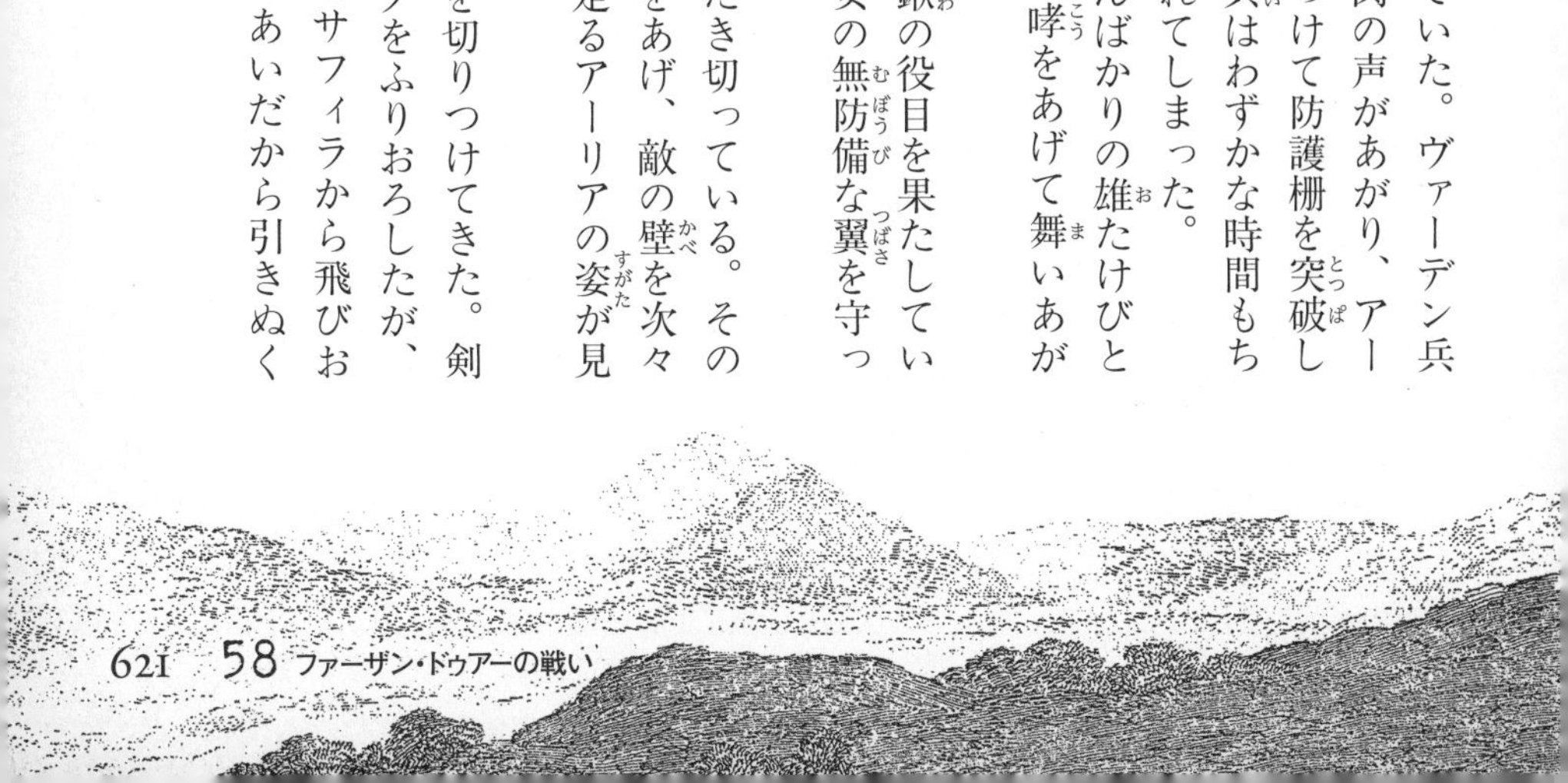

〔サフィラ、こっちだ！〕エラゴンはさけんだが、戦いの波にふたりはすっかり引きはなされている。ふいに巨体《きょたい》のカルが棍棒《こんぼう》をかざして飛びかかってきた。盾《たて》をあげるひまがなく、「ジェルダ（切れろ！）」とさけんだ。鋭《するど》い音を立ててカルの首が折れる。さらに四人のアーガルを血に飢《う》えたザーロックの餌食《えじき》にしたところで、馬に乗ったマータグが敵《てき》をけちらしながら駆《か》けよってきた。

「さあ乗れ！」マータグが手をのばし、エラゴンの体をトルナックの背《せ》に引きあげた。ふたりを乗せたトルナックは、敵の群《む》れの真ん中にいるサフィラのもとへと駆けていった。サフィラは十二人のアーガルにかこまれ、槍《やり》の集中攻撃《こうげき》を浴びていた。すでに両方の翼《つばさ》に傷《きず》が走り、地面に血が飛び散っている。サフィラが敵をひとりつかまえようとするたびに、ほかのアーガルたちがいっせいに目を槍でついてくる。鉤爪《かぎづめ》で槍をはらい落とそうとしても、アーガルたちは飛びのいてうまくそれをよけている。

　サフィラの血を見て、エラゴンは怒《いか》りくるった。絶叫《ぜっきょう》とともにトルナックから飛びおり、いちばん手前のアーガルの胸《むね》に剣《けん》をつきさした。サフィラを助けたい一心で、半狂乱《はんきょうらん》で敵につっこんでいった。エラゴンの猛攻《もうこう》でアーガルたちの気がそれた。そのすきに、サフィラはアーガルをひとり宙《ちゅう》にけり飛ばし、エラゴンに駆けよった。エラゴンはサフィラの首の角《つの》につかまって鞍《くら》に飛び乗った。マータグが手をあげ、またべつのアーガルの群れにむかっていった。

　暗黙《あんもく》の了解《りょうかい》のように、エラゴンを乗せたサフィラはもつれあう兵士たちの頭上へ飛び立った。狂乱の場から一時《いっとき》はなれ、体を休めるためだ。エラゴンの息はふるえていた。次の攻撃にそなえるかのように、筋肉《きんにく》がピンとはりつめている。体じゅうの細胞《さいぼう》に活力が満ち、ぞくぞくしていた。これほどまでに生を実感したのは初めてだった。

　体力が回復《かいふく》するまで空中を旋回《せんかい》すると、サフィラは目立たないよう地面すれすれを飛んで、アーガ

ルに近づいていった。そして敵の射手《しゃしゅ》がかたまっているところへ、背後《はいご》からそっと忍《しの》びよっていった。

アーガルたちが異変《いへん》に気づく前に、エラゴンはふたりの射手の頭を切り落とし、サフィラは三人の腹《はら》をさいた。敵のあいだに警報《けいほう》が発せられると、ふたたび矢のとどかないところまで舞《ま》いあがる。

ふたりは同じ戦法で敵の群れを次々とおそっていった。サフィラの動きが敏捷《びんしょう》でひそやかであることに加え、あたりが暗くてよく見えないので、アーガルたちにはドラゴンがどこから現《あらわ》れるのか予測《よそく》できなかった。エラゴンは空から弓を射《い》つづけていたが、矢はたちまちつきてしまった。あとは魔法《まほう》で攻撃するしかないが、それはいざというときのためにとっておきたかった。

サフィラが上空を飛んでくれるおかげで、エラゴンは地上とはちがう視点《してん》から戦況《せんきょう》を観察できた。戦いは今、ファーザン・ドゥアーの三か所に分かれてくりひろげられている。どれもトンネルの入り口である。兵力を三つに分散したうえ、せまいトンネルから一気に兵を吐《は》き出せないため、アーガル軍は思うような攻撃ができずにいる。しかし、いっぽうのヴァーデンとドワーフ軍も、怪物《かいぶつ》たちの侵《しん》攻《こう》をおさえきれず、じわじわとトロンジヒームのほうへあとずさっている。アーガルの大群《たいぐん》にくらべると、味方の守備《しゅび》はいかにも規模《きぼ》が小さい。しかもアーガル兵は今もなお、とめどなくトンネルから吐き出され、その数をどんどんふやしている。

アーガルはそれぞれの部族の印をつけた軍旗のまわりに集結していた。しかしだれが全体を指揮《しき》しているのかはわからない。それぞれの部族は、ほかの部族にはまったく無関心で、まるでどこかべつのところからの指令で動いているかのようだ。その指揮官がだれかさえわかれば、サフィラとふたりで息の根をとめてやれるのに！

アジハドの指示《しじ》を思い出し、エラゴンは空から見た戦況を双子《ふたご》に伝えることにした。双子は、アー

ガル軍を指揮《しき》する者が見あたらないという事実に関心をもち、くわしい状況《じょうきょう》を知りたがった。短い時間だが、交信は円滑《えんかつ》に進んだ。双子《ふたご》からはアジハドの指示《しじ》が伝えられた。〔フロスガーを応援《おうえん》せよとの命令が出ている。彼の部隊は苦戦を強《し》いられている〕

〔了解《りょうかい》〕エラゴンがこたえた。

サフィラは包囲されたドワーフたちのほうへすばやく移動《いどう》し、フロスガーの頭上をかすめて地面におりた。金の鎧《よろい》に身を包んだフロスガーは、同族たちの小さな一団《いちだん》の前に立っていた。ヴォランド、すなわち先祖《せんぞ》から伝わる大きな槌《つち》をふるっている。王がサフィラを見あげたとき、白いあごひげがランタンの光に赤く照らされた。目には称賛《しょうさん》の光がまたたいている。

サフィラはドワーフたちの横に着地し、せまりくるアーガルたちの前に立ちはだかった。こわいもの知らずといわれるカルでさえ、ドラゴンの獰猛《どうもう》さの前では二の足をふんでいる。そのすきにドワーフ兵がどっと前へ進み出た。エラゴンはできるだけサフィラを守りたかった。彼女の左わきはドワーフ軍がかためているが、前方と右側には敵《てき》の波がおしよせている。エラゴンはそれらに情《なさ》け容赦《ようしゃ》なく剣《けん》をふるい、ザーロックで事足りない場面では魔法《まほう》の力も借りて攻《せ》め立てた。鎧に槍《やり》が一本ぶつかってきて、板金がへこんで肩《かた》が切れた。エラゴンはその痛《いた》みもふり切り、アーガルの脳天《のうてん》をかち割《わ》って、脳みそと骨《ほね》と板金をいっしょくたにした。

エラゴンはフロスガー王に畏怖《いふ》を感じていた——人間はもちろん、ドワーフの基準《きじゅん》からみても、とてつもなく年をとっているにもかかわらず、その戦場での力はいまだおとろえていない。ドワーフの王と側近たちの前には、いかなるアーガルも——カルでさえ——立ちふさがることはできず、生きていることもかなわないのだ。王がヴォランドをふりおろす音は、アーガルにとって死を告げる銅鑼《どら》の音《ね》に等しかった。味方の兵士が槍にたおれると、フロスガーはみずからその槍をつかみ、目にもとま

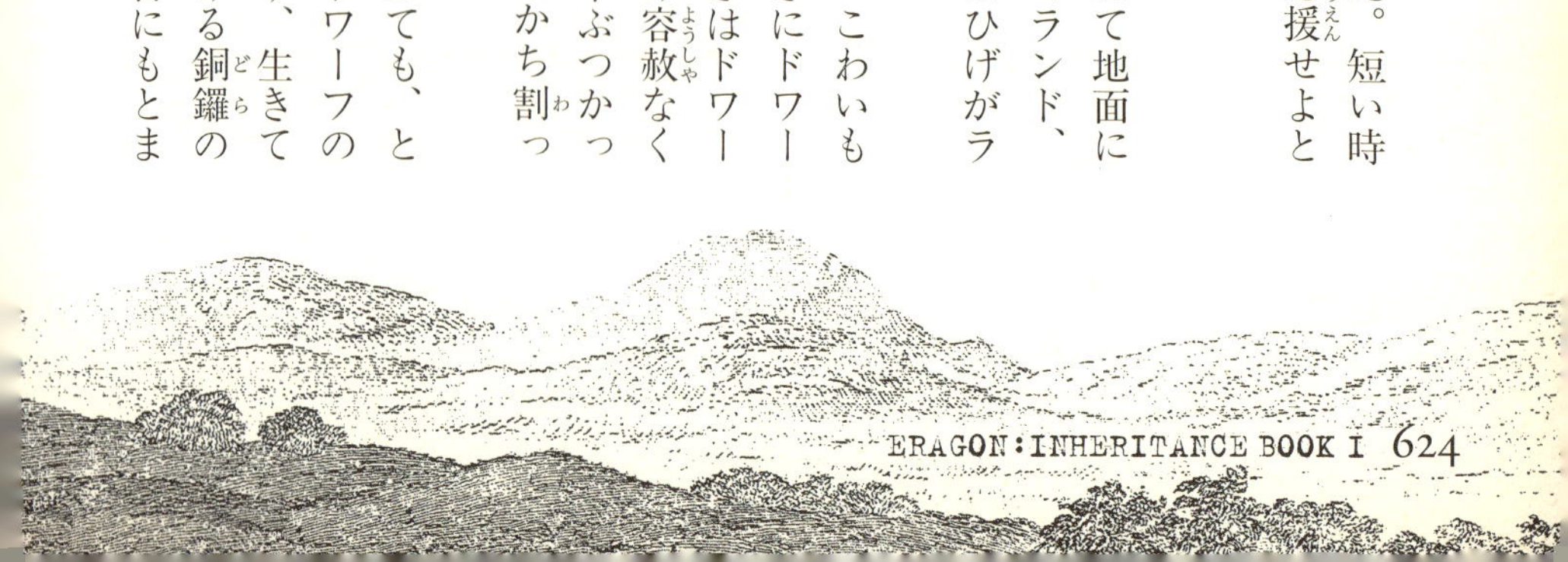

らぬ速さで敵に投げつけた。槍は二十メートル先のアーガルの体をみごとにつらぬいた。エラゴンは偉大《いだい》な王の勇姿《ゆうし》を目《ま》のあたりにして、さらに大きな危険《きけん》に立ちむかっていく勇気を得た。

そしていどんだのは巨大《きょだい》なカルだった。だが剣をつき出しはするものの、相手の体が遠すぎて空《から》ぶりし、サフィラの鞍《くら》からすべり落ちそうになった。カルはサフィラの防御《ぼうぎょ》をものともせず、こちらが体勢《たいせい》を立て直すより早く剣をふりおろしてきた。エラゴンは兜《かぶと》の側面を痛打《つうだ》され、思わずのけぞり、落ちそうになる。目の前がちかちかして、雷《かみなり》のような耳鳴りがした。

呆然《ぼうぜん》としながらも、なんとか体を起こそうとした。カルはすでに剣をふりあげ、飛びかかってこようとしている。その腕《うで》がふりおろされた瞬間《しゅんかん》、カルの胸《むね》から細い鋼《はがね》の刃《は》がぶすりとつき出してきた。怪物《かいぶつ》は怒号《どごう》をあげながら横ざまにたおれた。今までそれが立っていた場所には、アンジェラが立っていた。

アンジェラは、肩《かた》の形がめずらしい黒と緑の風変わりな鎧をつけ、上から長い真っ赤なマントをはおっている。両手でにぎっているのは、奇妙《きみょう》な形の剣だ――にぎりは長い木製《もくせい》で、その両端《りょうたん》から刃がのびている。アンジェラはいたずらっぽくウィンクをすると、踊《おど》りくるう修行僧《しゅぎょうそう》のように長い剣をふりまわしながら突撃《とつげき》していった。そのうしろにぴたりとついているのは、ぼさぼさ髪《がみ》の少年姿《しょうねんすがた》のソレムバンだ。黒い小さな短剣を手に、鋭《するど》い歯をむき出して野獣《やじゅう》のようにうなっている。

カルの一撃でまだ頭がぼうっとしていたが、エラゴンは鞍《くら》の上でなんとか上体を起こした。サフィラは地面から飛び立ち、上空を旋回《せんかい》しながらエラゴンの回復《かいふく》を待つことにした。ファーザン・ドゥアー一帯を見おろし、エラゴンは暗澹《あんたん》たる気持ちになった。三か所の戦場は、どこもあきらかに劣勢《れっせい》を強いられている。アジハドもジョーマンダーもフロスガーも、アーガルの侵攻《しんこう》を食いとめられずにいるのだ。とにかく敵の数があまりにも多すぎた。

エラゴンは、魔法《まほう》で一度に何人のアーガルを殺せるだろうかと考えた。自分の力の限界《げんかい》はよくわかっている。戦況《せんきょう》を好転させるだけの数を殺すとすれば……それは自殺行為《こうい》だ。だが、そうでもしなければ勝つことはできない。

戦いはそれから何時間も果てしなく続いた。疲《つか》れてぼろぼろのヴァーデンとドワーフにくらべ、アーガルには元気な援軍《えんぐん》が続々と送りこまれてくる。

まるで悪夢《あくむ》だった。エラゴンもサフィラも能力《のうりょく》の限界まで戦っているのに、ひとりを殺せばまたすぐそこに新しいアーガルが現《あらわ》れる。エラゴンはどこもかしこも——とくに頭が——痛《いた》くてたまらなかった。魔法を使うたびにじわじわと体力が失われていく。サフィラはさほどひどい状態《じょうたい》ではないが、それでも翼《つばさ》に小さな傷《きず》がたくさんできている。

敵《てき》の剣《けん》をかわしたところで、双子《ふたご》が切羽つまった様子で交信してきた。〈トロンジヒームの地下からすさまじい音が聞こえてくる。アーガルたちが都市に侵入《しんにゅう》しようとしているんだ！　きみとアーリアの力が必要だ。やつらのほっているトンネルをかたっぱしからつぶしてほしい〉

エラゴンは敵をかたづけてからこたえた。〈すぐに行く〉あたりに目を走らせると、アーリアは何人ものアーガルを相手に戦っている最中だった。サフィラがアーガルをふみつぶしながら、エルフのもとへと急行する。「さあ、乗ってくれ！」

アーリアはためらうことなくサフィラの鞍《くら》に飛び乗った。右腕《みぎうで》をエラゴンの腰《こし》にまわし、もう片方《かたほう》の手で剣についた血をふり落とす。サフィラが身をかがめ、飛び立とうとしたとき、吠《ほ》え声《ごえ》とともに現れたアーガルが、サフィラの胸《むね》に斧《おの》をたたきつけてきた。

サフィラは痛みにうなり、前へのめった。足はすでに地面をはなれている。翼をバッとひろげ、落ちないようにたえるが、片側に激《はげ》しくかたむいて右翼《うよく》の先が地面をこする。下ではアーガルが斧を投

げようと、腕をうしろに引いている。アーリアが手をあげてさけんだ。掌《てのひら》からエメラルド色の力の玉がふき出し、アーガルを直撃《ちょくげき》する。サフィラは大きく肩《かた》をもちあげて体勢《たいせい》を立て直し、兵士たちの頭上すれすれをかろうじてこえた。そして、渾身《こんしん》の力をこめて翼を羽ばたかせ、激しい息づかいでなんとか戦場から飛び立った。

〔だいじょうぶか?〕エラゴンが心配してサフィラに声をかけた。アーガルにどこをやられたのかは見ることができない。

〔死にはしない〕サフィラが苦々しげにいった。〔だが鎧《よろい》の前面がつぶされて、胸が痛くて動きにくい〕

〔〈ドラゴンの間〉まで飛べるか?〕

〔……やってみる〕

エラゴンはサフィラの状態をアーリアに伝えた。「おりたら、サフィラのことはわたくしにまかせて。彼女の鎧をはずしてから、あなたに合流します」

「ありがとう」エラゴンがいった。サフィラは翼を動かすのも苦しそうで、なるべく風に乗るようにして飛んでいる。〈ドラゴンの間〉に着くと、イスダル・ミスラムの上にずっしりと体を落とした。そこには戦況を見守る双子がいるはずなのに、部屋のなかは空《から》っぽだった。エラゴンは床《ゆか》に飛びおり、サフィラを見て顔をしかめた。アーガルの一撃のせいで、胸の四枚《まい》の板金が胸にぐしゃりとめりこんでいる。これでは体を曲げるのも息をするのもつらいはずだ。「がんばってくれよ」エラゴンはサフィラのわき腹《ばら》をさすって声をかけ、アーチ道へ駆《か》けだしていった。

エラゴンは足をとめ、思わず自分をののしった。ここはヴォル・トゥリン〈果てしない階段《かいだん》〉のてっぺんだ。サフィラを心配するあまり、どうやって下へおりるか考えていなかった。ふもとの階で

は、今もアーガルが床《ゆか》をつきやぶって侵入《しんにゅう》しようとしている。階段をおりているひまはない。エラゴンはその横のせまい樋《とい》に目をやると、敷《し》き革《がわ》を一枚《まい》引っつかみ、樋に飛びこんだ。

石のすべり台はウルシを塗《ぬ》った木のようにつるつるだった。体の下にしいた革のせいで、たちまち加速がつく。恐《おそ》ろしいほどの速度だ。まわりの壁《かべ》はぼやけ、カーブでは体が樋の縁《ふち》におしつけられる。それでも、最大限《さいだいげん》の速度が出るよう体をまっすぐにしてすべった。すさまじい風がふきつけ、兜《かぶと》が暴風《ぼうふう》のなかの風見鶏《かざみどり》のようにカラカラふるえた。樋はエラゴンの体にはせますぎて、今にも空中に投げ出されそうだが、両手両足を動かさずにいれば安全なようだ。

最大速度でおりても、下に着くまでには十分近くかかった。エラゴンの体は、水平になった樋の先《せん》端《たん》から放り出され、そのまま紅玉髄《こうぎょくずい》の床のなかほどまですべっていった。

体がとまっても、頭がくらくらしてすぐには動けなかった。立とうとすると吐《は》き気《け》がこみあげてくる。頭をかかえて体を丸め、めまいがおさまるのを待った。いくらかよくなると、立ちあがって用心深くあたりを見まわした。

中央塔《ちゅうおうとう》の巨大《きょだい》な広間はがらんとしていて、不気味な静寂《せいじゃく》がひろがっている。バラ色の光がイスダル・ミスラムからしみ出てきている。エラゴンは困惑《こんわく》した――いったいどこへ行けばいいんだろう？　双子《ふたご》と交信をこころみた。なにも返ってこない。ふいに、なにかを打ちつけるような音がトロンジヒームじゅうに響《ひび》きわたった。エラゴンは凍《こお》りついた。

爆発音《ばくはつおん》が空《くう》を切りさいた。長い床石がめくれ、十メートル上までふき飛ばされていく。落下した石が、針《はり》のように割《わ》れてあたりにまき散らされる。エラゴンはよろよろとあとずさり、呆然《ぼうぜん》としながらザーロックをさぐった。床にあいた穴《あな》からアーガルたちが体をねじって這《は》いあがろうとしている。

エラゴンはためらった。逃《に》げるべきか？　それともここに残ってトンネルを閉《と》じるべきか？　だがたとえこの穴を封《ふう》じられたとしても、すでにほかのどこかからアーガルが侵入しているかもしれない。それらをすべて見つけて、〈都市の山〉の占領《せんりょう》をふせぐのは不可能《ふかのう》だ。あるいは、外へ走り出て門のひとつを破壊《はかい》しようか？　そうすれば、そこからヴァーデン兵が入ってこられる。トロンジヒームの占領だけは免《まぬが》れるかもしれない——が、エラゴンが結論《けつろん》を出す前に、トンネルの穴から、真っ黒な鎧《よろい》でおおわれた長身の男が現《あらわ》れた。男はエラゴンをまっすぐに見すえた。

　ダーザだ。

〈シェイド〉ダーザは、アジハドに傷《きず》をつけられた青白い剣《けん》を手にもち、もういっぽうの手には深紅《しんく》の紋章《もんしょう》入りの黒い円形の盾《たて》をつけていた。黒い兜《かぶと》は将軍《しょうぐん》のそれのようにぜいたくな装飾《そうしょく》がほどこされ、背中《せなか》にはヘビ革の長いマントをはおっている。えび茶の目には狂気《きょうき》の炎《ほのお》が見える——強大な力をもち、それを行使できることを自覚している者の狂気だ。

　エラゴンにはわかっていた。今の自分は、この悪魔《あくま》から逃げ出せるほどの力も速さもない。とっさにサフィラに呼《よ》びかけた。だが、彼女が助けに来られないこともわかっている。しゃがみこみ、ブロムの教えを思い出そうとした。ほかの魔術師《まじゅつし》と決闘《けっとう》するときは……しかしそれも今の状況《じょうきょう》ではどうしようもない。アジハドがいっていた。その心臓《しんぞう》をつらぬかないかぎり、シェイドを殺すことはできないのだと。

　ダーザはエラゴンに侮蔑《ぶべつ》の目をむけたまま、アーガルたちに命じた。「カズ・ジティール・トラジッド！　オトラッグ・バフー（攻撃《こうげき》するな！　まわりをかこめ）」アーガルたちはうさんくさそうにエラゴンをにらみ、まわりを大きくとりかこんだ。ダーザが勝ち誇《ほこ》った表情《ひょうじょう》を浮《う》かべて、ゆっくりと近づいてくる。「さて、若《わか》きライダーよ、また会えたね。ギリエドでわたしのもとから逃げ出したのは愚《おろ》かなことだった。おまえの立場を悪くすることにしかならなかった」

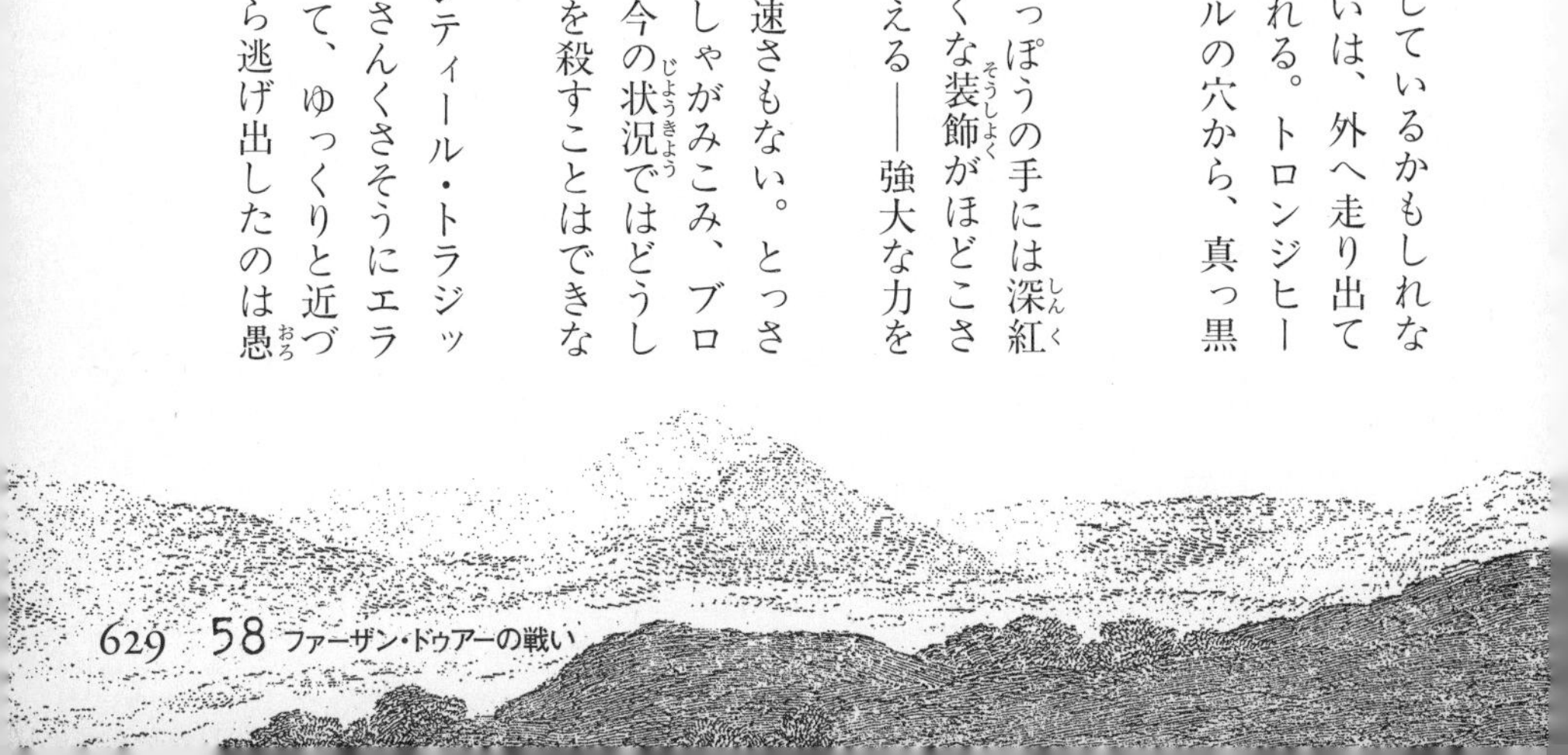

「きさまになんかつかまったりしない」エラゴンがうなった。

「ほう、そうかい？」ダーザが眉《まゆ》をつりあげた。スターサファイアの光を浴びて、肌《はだ》が不気味な色に見える。「今日はお友だちのマータグも、助けに来てはくれないようだな。わたしをとめる者はいない。だれもだ！」

不安がよぎる。〔どうしてマータグのことを知ってるんだ？〕エラゴンは声に精《せい》いっぱいのあざけりをこめていった。「おまえはどこを打たれるのが好きなんだ？」

ダーザの顔がひきつった。「そのせりふの借りは、血で返してもらおう。ところで、ドラゴンはどこにかくれている？」

「教えるものか」

ダーザの表情《ひょうじょう》がかげる。「では、無理やりきき出すしかない！」シェイドの剣《けん》が空《くう》でうなった。盾《たて》でそれを受けとめた瞬間《しゅんかん》、エラゴンはダーザの意識《いしき》が心の奥深《おくふか》くにつきささるのを感じた。それを必死におしもどし、今度は自分の意識でダーザの心を攻撃《こうげき》にかかった。

全身の力をこめてめった打ちしても、ダーザの心をとりかこむ鉄の防壁《ぼうへき》はびくともしなかった。ザーロックを打ちおろし、なんとか相手の気をそらそうとした。ダーザはやすやすとそれをはらいのけ、光のような速さで攻撃に転じる。

ダーザの剣はエラゴンのあばらをついてきた。鎖帷子《くさりかたびら》がつらぬかれ、息がとまる。だが鎖帷子がすべり、切っ先はエラゴンの肌をかすめるだけだ。ダーザもまたこうしてエラゴンの気をそらし、意識に入りこもうとしているのだ。

「やめろ！」エラゴンはさけびながらシェイドに体当たりしていった。顔をゆがめてシェイドに食らいつき、剣をもった腕《うで》をつかみあげた。ダーザはエラゴンの手に剣をふりおろすが、鎖で裏打《うらう》ちされ

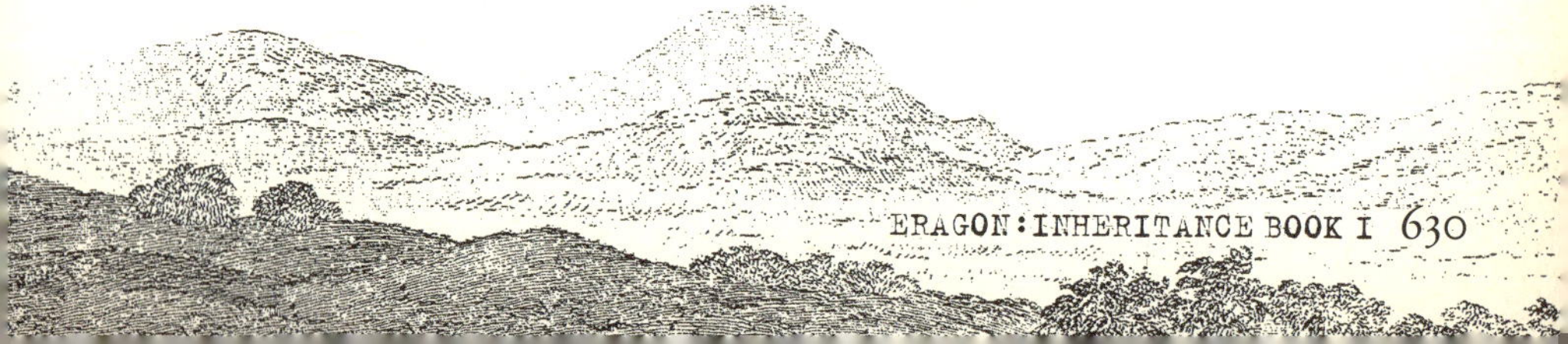

た手袋《てぶくろ》のせいで刃《は》が下にすべった。エラゴンはそのすきに相手の足をけりつけた。ダーザが歯をむいてうなり、黒い盾でエラゴンを床《ゆか》にたたきつける。口のなかで血の味がした。首がズキズキ痛《いた》んだ。だがケガなどはどうでもいい。エラゴンはくるりところがり、ダーザにむかって盾を投げつけた。とっさに身をかわそうとしたダーザの腰《こし》に、重たい盾がぶちあたった。ダーザがよろめいたのを見て、エラゴンはその上腕《じょうわん》にザーロックをつきさした。シェイドの腕を血がすっとひと筋《すじ》流れた。

エラゴンはすかさずシェイドの意識に飛びこみ、弱くなった防壁をつきやぶった。ふいに、さまざまな情景《じょうけい》が、エラゴンの意識の上を洪水《こうずい》のように流れだした――

遊牧民の幼《おさな》い少年ダーザは、父母とともになにもない平原に暮《く》らしている。ダーザの部族は彼の父親に『誓《ちか》いやぶり』の汚名《おめい》を着せ、一家を追放する。彼はそのとき、ダーザではなくカーセイブだった――母親が少年の髪《かみ》をとかしながら、その名をつぶやいている……

シェイドは激《はげ》しく体をゆさぶり、苦痛《くつう》に顔をゆがめている。エラゴンはシェイドの記憶《きおく》の奔流《ほんりゅう》をおさえようとするが、その激しいいきおいはどうすることもできない。

少年は両親の墓《はか》を見おろす丘《おか》に立ち、自分もいっしょに殺されなかったことを嘆《なげ》き悲しんでいる。墓に背《せ》をむけ、行くあてもなくふらふらと歩きだし、やがて砂漠《さばく》へ……

ダーザはエラゴンとむきあった。えび茶の目から恐《おそ》ろしいほどの憎《にく》しみが流れ出ている。エラゴンは自分の意識を必死で守りながら、立ちあがろうと片《かた》ひざをついた――。

砂丘《さきゅう》でたおれ、死にかけたカーセイブを見つけたのは老人だ。数日たって意識《いしき》がもどったとき、魔《ま》術師《じゅつし》に助けられたことを知って恐怖《きょうふ》を覚える。しかしカーセイブは老人に、霊《れい》を支配《しはい》する術《じゅつ》を教えてほしいとうったえる。魔術師ヘイグはようやくうなずき、少年を『砂漠《さばく》のネズミ（デザート・ラット）』と呼《よ》んだ……

エラゴンは立ちあがった。ダーザが剣《けん》をふりあげ……エラゴンにつき進んで……その激《はげ》しさには盾《たて》も効果《こうか》がなく……

焼けつくような太陽のもと、修行《しゅぎょう》をかさねた日々。いつもあたりに目をくばり、空腹《くうふく》をおぎなうためのトカゲをさがしていた。カーセイブの力はゆっくりと高まり、心のなかに自信と誇《ほこ》りが生まれてくる。呪文《じゅもん》の失敗で床《とこ》にふした師を、何週間も看病《かんびょう》した。ヘイグが回復《かいふく》したときのよろこび……

時間がない……反撃《はんげき》する時間が……

深夜、山賊《さんぞく》におそわれ、ヘイグが殺された。カーセイブは憎《にく》しみの炎《ほのお》を燃《も》やし、復讐《ふくしゅう》のために霊を呼《よ》びよせる。だが、霊たちは思っていた以上に強かった。カーセイブにおそいかかり、彼の心と体を支配した。そして彼はさけんだ――わたしはダーザ！

ダーザの剣がエラゴンの背中《せなか》におそいかかり、鎖帷子《くさりかたびら》と皮膚《ひふ》を切りさいた。エラゴンはつきぬける

痛《いた》みに悲鳴をあげた。がくりとひざをつき、痛みに体を折り曲げた。頭のなかが真っ白だった。体がふらつき、遠のいていく意識のなかで、腰《こし》に熱い血が流れ落ちるのだけを感じていた。ダーザがなにかいっているが、まるで聞こえなかった。

激しい苦痛《くつう》のなか、エラゴンは天をあおいだ。涙《なみだ》がとめどなく頬《ほお》を流れている。すべて失敗に終わった。ヴァーデンとドワーフは滅《ほろ》びた。自分は負けた。サフィラはぼくのためにわが身をさし出すだろう——前にもそうだったように。アーリアは囚《とら》われ、あるいは殺される。なぜこんな幕切《まくぎ》れになる？　正義《せいぎ》はどこにある？　すべてはムダなことだったのか？

エラゴンはゆがんだ視界《しかい》の、はるか頭上にあるイスダル・ミスラムを見あげた。と、まばゆい閃光《せんこう》に、一瞬《いっしゅん》目がくらんだ。次の瞬間、耳をつんざくような大音響《だいおんきょう》が中央塔《ちゅうおうとう》の大広間に鳴り響《ひび》いた。そして視界が晴れた。エラゴンは息をのみ、わが目を疑《うたが》った。

スターサファイアが砕《くだ》けた。短剣のようなサファイアの破片《はへん》が、遠い床《ゆか》めがけてドーナツ状《じょう》になって降《ふ》ってくる。壁《かべ》ぎわにはきらきら光る粒《つぶ》が降りそそいでいる。そして中央塔の真ん中を、頭を下にして急降下《きゅうこうか》してくるのは、サフィラ。両あごが大きくあき、そのあいだから巨大《きょだい》な炎《ほのお》の舌《した》がふき出される。あざやかな黄色と、かすかに青がまじる炎。サフィラの背中《せなか》に乗っているのはアーリアだ。髪《かみ》を大きくうねらせ、腕《うで》をふりあげ、掌《てのひら》には緑色の魔法の光輪が輝《かがや》いている。

時間がのろのろとすぎていくように思えた。ダーザが頭をかたむけ、天井《てんじょう》を見あげる。最初は衝《しょう》撃《げき》、次に怒《いか》りで顔がゆがむ。ダーザはふてぶてしい薄笑《うすわら》いを浮《う》かべ、サフィラにむかって手をあげた。そして、なにかつぶやこうと唇《くちびる》を動かしかけた。

その瞬間、エラゴンの体内にかくれていた力、いちばん奥深《おくふか》くからこそげとってきたような力が、いっせいにふきあがってきた。指を曲げ、剣の柄《つか》をにぎりしめた。心の防壁《ぼうへき》をつきやぶり、魔法の力

をしっかりとつかむ。あらゆる痛《いた》みと怒《いか》りを、ひとつの言葉にこめて吐《は》き出した。「ブリジンガー（炎《ほのお》よ）！」

ザーロックが真っ赤に燃《も》えあがり、熱のない炎が刀身を走った……

エラゴンが剣《けん》を前につき出した……

そしてダーザの心臓《しんぞう》をつらぬいた。

ダーザは驚愕《きょうがく》の顔で、自分の胸《むね》からつき出た剣を見おろした。口をあけるが、出てきたのは言葉ではなく、この世のものとは思えないおぞましい咆哮《ほうこう》だ。感覚のなくなった手から剣が落ちる。ザーロックをつかんで引きぬこうとするが、剣はその胸にしっかり食いこんでいる。

そしてダーザの皮膚《ひふ》が透明《とうめい》になった。その下には肉も骨《ほね》もなく、ただ闇《やみ》だけが渦巻《うずま》いている。闇がドクドクと脈を打ち、皮膚を切りさきはじめると、ダーザはさらに大きな悲鳴をあげた。最後の絶叫《ぜっきょう》とともに、頭からつま先まで亀裂《きれつ》が走り、そこから闇が逃《に》げていった。闇は三つにわかれ、トロンジヒームの壁《かべ》の内を飛びまわってから、ファーザン・ドゥアーに飛び出していった。シェイドは消えた。

エラゴンはあらゆる力を失い、両腕《りょううで》を投げ出してたおれこんだ。サフィラとアーリアがもうすぐ床《ゆか》に落ちてくる――ふたりとも、凶器《きょうき》と化したイスダル・ミスラムの残骸《ざんがい》とともに、床《ゆか》にぶつかって砕《くだ》け散ってしまう。うすれゆく視界《しかい》のなか、サフィラもアーリアも無数の破片《はへん》も、すべて落下をやめ、空中で静止した。

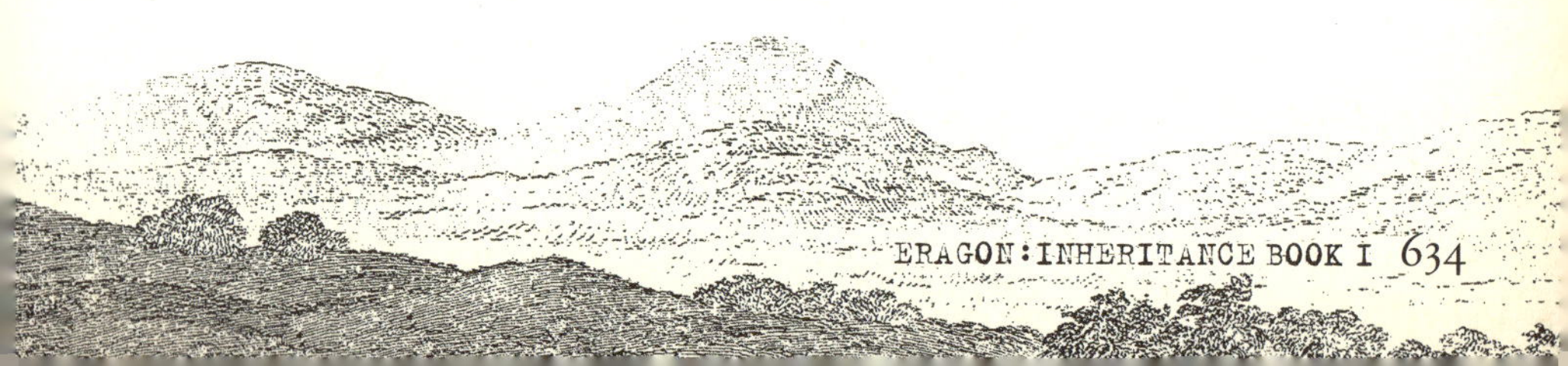

59
嘆《なげ》きの賢者《けんじゃ》

シェイドの記憶《きおく》の断片《だんぺん》が、エラゴンの意識《いしき》のなかをさまよっていた。暗い思い出と激《はげ》しい感《かん》情《じょう》が渦《うず》になっておそいかかり、彼の思考力をふさいでいた。大渦巻《おおうずま》きのなかにのみこまれ、自分がだれであり、どこにいるのかもわからない。体がひどく弱っていて、自分の心をくもらせるよそ者の意識を洗《あら》い流すことができない。シェイドの過去《かこ》にひそむ残酷《ざんこく》な光景が、目の奥《おく》で次々とはじけ、そのおどろおどろしい光景にエラゴンの魂《たましい》は悲鳴をあげた。

累々《るいるい》と積み重なる死体の山……シェイドの命令によって行われた罪《つみ》のない人々の虐殺《ぎゃくさつ》。村全体にあふれる死体の山が目の前にはっきり見える。魔術師《まじゅつし》の技《わざ》や呪文《じゅもん》によって、命をうばわれた死体。エラゴンは、自分をとりかこむ屍《しかばね》から逃《に》げることができない。邪悪《じゃあく》な空気におし流され、ローソクの炎のように体をぐらぐらゆらすばかり。この悪夢《あくむ》のなかから救い出してほしいと願うが、そんな者はどこにもいない。せめて自分が何者であるかさえ思い出せれば——こどもなのか、大人なのか、悪人なのか英雄《えいゆう》なのか。シェイドなのかライダーなのか？　すべてが入りみだれている。なんの意味もなさない錯乱《さくらん》の渦だ。果てしない堂々めぐりのなかで、エラゴンは完全に途方《とほう》に暮《く》れていた。

とつぜん、彼自身の記憶《きおく》が、シェイドの憎悪《ぞうお》が残した暗い雲をつきやぶった。サフィラの卵《たまご》を見つ

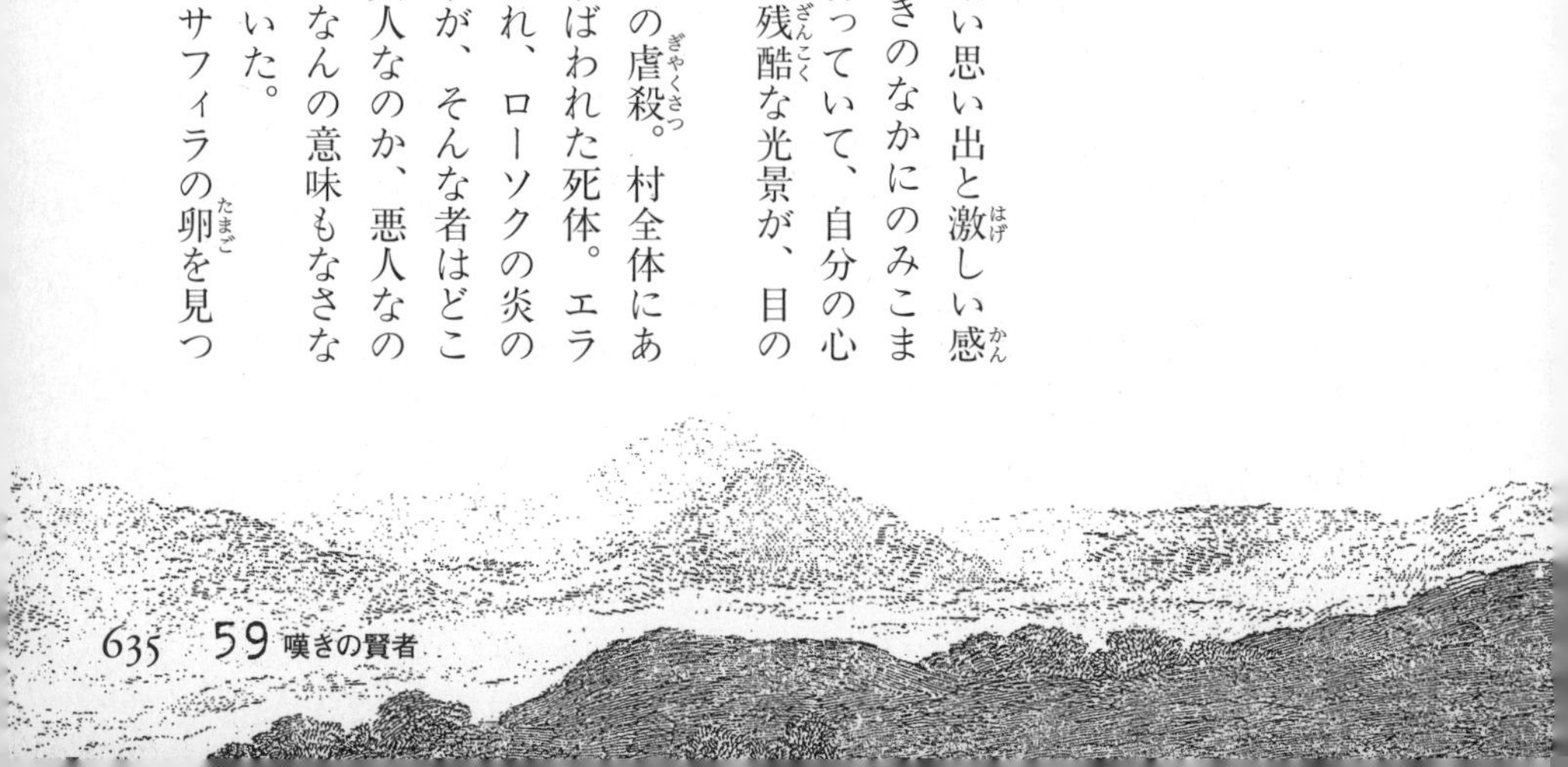

けてからの出来事が、冷たい天啓《てんけい》の光となってさしこんできた。自分がなしとげたこと、失敗したことが、はっきりと見えてきた。大切なものをたくさん失った。しかし運命は、こんな自分にたぐいまれなる才能《さいのう》をあたえてくれた。エラゴンは初めて、自分という存在《そんざい》に誇《ほこ》りを感じた。だが、その一瞬《いっしゅん》の自信に呼応《こおう》するかのように、シェイドの底知れぬ邪悪《じゃあく》さが、またも彼を攻撃《こうげき》してきた。不安と恐怖《きょうふ》に知覚が蝕《むしば》まれ、自分の存在がまたどんどんうつろなものに思えてくる。アラゲイジアの強大な力を打ちたおし、なおも生き続けようと考える自分とは、いったい何者なのか？

　エラゴンはシェイドの邪悪な意識《いしき》と戦った。最初は弱々しく、だが、しだいに強く攻撃《こうげき》していった。古代語をつぶやくと、それらが邪悪な影《かげ》と戦う力をあたえてくれるのを感じた。心の防壁《ぼうへき》は今にもくずれそうだが、彼はゆっくりと、散らばった意識のかけらを集め、心の核《かく》のまわりを明るい意識の殻《から》でとりかこんでいった。心の外側では、自分の体にたえがたい痛《いた》みがおしよせ、命をかき消そうとしていることがわかっていた。しかしなにかが——いや、だれかが——その痛みを瀬戸《せと》ぎわでおしとどめてくれているようだった。

　体が衰弱《すいじゃく》しているせいで、頭のなかの雲をすっきりと追いはらうことはできない。だが、その晴れ間から、カーヴァホールを出てからのことをひとつずつ思い出すことはできた。ぼくはこれからどこへむかえばいいのか……だれがその道をしめしてくれるのか？　ブロム亡《な》きあと、教えみちびいてくれる人などだれもいない。

〔わたしのところへ来なさい〕

　新たな意識の縁《ふち》に触《ふ》れて、エラゴンははっと飛びのいた——目の前にそびえ立つ山のように、広々として強い力をもつ意識。痛みをとめてくれていたのは、これだったのだ。アーリアの意識のなかと同じように、ここにも音楽が流れている——威厳《いげん》と物悲しさを秘《ひ》めたなにかが、濃《こ》い琥珀色《こはくいろ》の弦《げん》をつまびいているような音。
エラゴンは思いきって声をかけてみた。〔あなたは……だれですか？〕
〔助けをあたえるもの――〕言葉ではない一瞬《いっしゅん》の思考が、シェイドの影をクモの巣をはらうように消し去った。重圧《じゅうあつ》から解放《かいほう》され、エラゴンは自分の意識をどこまでもひろげていった。やがて、どうしてもこえられない防壁《ぼうへき》に行きあたった。〔なんとかしておまえを守ろうとしたが、そこはあまりに遠すぎる。わたしには、おまえの痛みをとめて正気にもどしてやることしかできなかった〕
エラゴンがもう一度きく。〔あなたはだれなんですか？〕
低く重々しい声が響《ひび》いた。〔わたしはオシャト・チェトウェイ、すなわち〈嘆《なげ》きの賢者《けんじゃ》〉。エラゴン、わたしのもとへ来るがいい。わたしはおまえの問いのすべてにこたえられる。わたしを見つけるまで、おまえは安全ではない〕
〔でも、どこにいるかわからないのに、どうやってさがせばいいんですか？〕エラゴンが絶望的《ぜつぼうてき》な声できいた。
〔アーリアを信じ、彼女とともにエレズメーラに来なさい――わたしはそこで待っている。もう何年も待ち続けた。だから早く来るのだ。さもなければ手おくれに……。エラゴン、おまえは自分で思う以上に偉大《いだい》なのだ。自分の成したことを思い、よろこぶがいい。おまえはこの地から恐《おそ》ろしい災厄《さいやく》をとりのぞいた。それはだれにもできない偉業だ。民《たみ》ははかり知れない恩《おん》を受けたのだ〕
そのとおりだ。自分は栄誉《えいよ》に値《あたい》することをやってのけた。この先、どんな試練が待っていようと、自分はもう権力《けんりょく》争いのなかの人質《ひとじち》ではない。そんなものは超越《ちょうえつ》した。自分は、なにかちがう者になった。そう、アジハドが望んでいたように、どんな王や支配者《しはいしゃ》の指図も受けない、なにかもっと大きな者になったのだ。

その結論《けつろん》に達したとき、だれかがうなずいてくれるのを感じた。〔よくわかったようだな〕〈嘆《なげ》きの賢者《けんじゃ》〉が、さっきより近いところで声をかけている。そこから、ひとつの映像《えいぞう》が送られてきた——頭のなかにパッと色がひろがり、それがやがて人の姿《すがた》になった。かすかに背中《せなか》を丸め、白い服に身を包み、太陽の光を浴びて崖《がけ》の上に立つ姿。〔エラゴン、そろそろ休みなさい。目が覚めても、だれにもわたしのことをいってはいけない〕人影《ひとかげ》がやさしくいった。銀色の後光で顔がよく見えない。〔よいか、エルフの国にむかうのだ。さあ、もうお休み……〕人影が手をあげた。まるで祝福をあたえられたかのように、エラゴンは体じゅうがおだやかになるのを感じた。

彼が最後に思ったのは、ブロムはきっとぼくを誇《ほこ》りに思ってくれているだろう、ということだった。

「起きなさい」命令するような声が響《ひび》いてきた。「目を覚ましなさい、エラゴン。たっぷり眠《ねむ》ったでしょ」

いうとおりにはしたくないが、しぶしぶ体を動かす。なにか温かいものにくるまれていて、その心《ここ》地《ち》よさからぬけ出すのがいやだ。またしても声が響いた。「起きるのよ、アージェトラム！ みんなが待ってる！」

無理やり目をこじあけた。長いベッドの上で、やわらかい毛布《もうふ》にくるまれているのがわかる。ベッドわきの椅子《いす》にはアンジェラがいて、こちらをじっとのぞきこんでいる。「気分はどう？」アンジェラがきいた。

エラゴンはなにがなんだかわからずに、小さな部屋のなかに視線《しせん》をさまよわせた。「よく……わからない」口が渇《かわ》いてひりひりした。

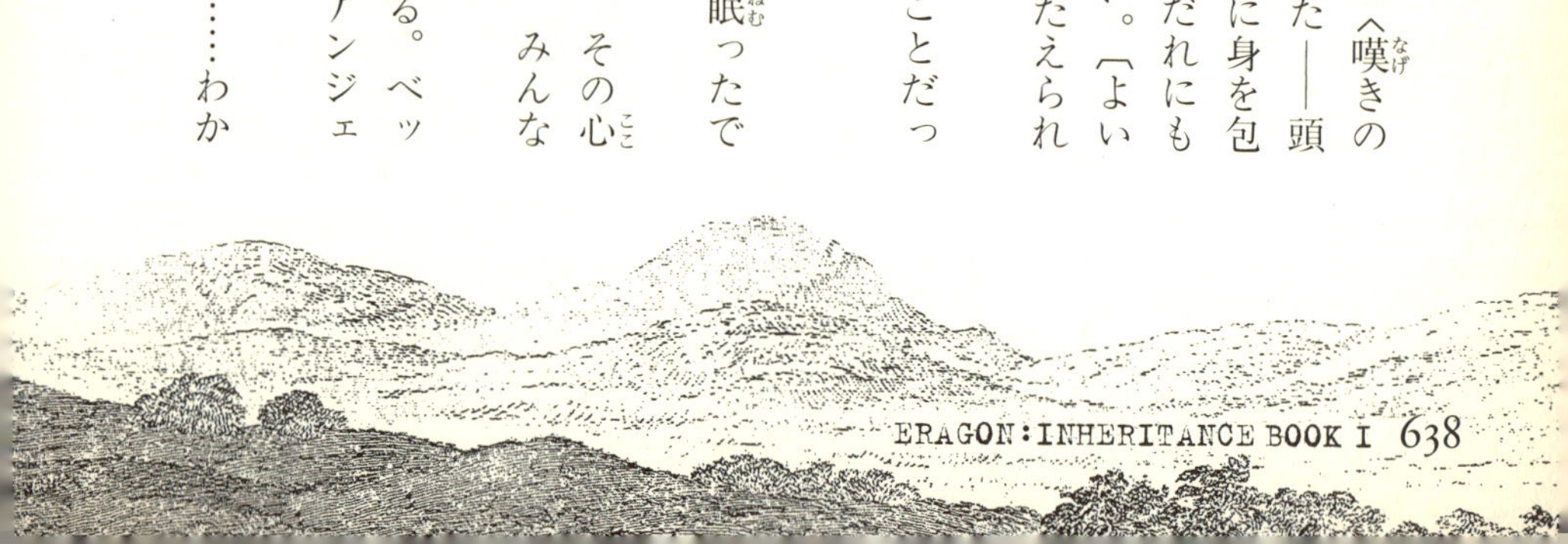

「じゃあ、動かないで。力をためておかなきゃならないんだから」アンジェラは巻《ま》き毛《げ》に手をすべらせた。風変わりな鎧《よろい》をまだ着ている。どういうことだろう？　ふいに激《はげ》しくせきこんだ。頭がくらくらして、体じゅうに痛《いた》みが走る。熱をもった手足が重く感じられる。アンジェラは床《ゆか》から金の角杯《つのさかずき》をとりあげ、エラゴンの口もとに近づけた。「さあ、お飲み」

冷たい蜜酒《みつざけ》がのどをすべりおり、体じゅうを活気づかせようとする。胃のなかが熱くなり、頬《ほお》が上気してきた。咳《せき》をすると、頭痛《ずつう》がもっとひどくなった。ぼくは、どうしてここにいるんだろう？　戦って……負けて……ダーザが……。「サフィラ！」思わずさけんで起きあがった。めまいにおそわれ、目をぎゅっと閉《と》じて、うしろにくずおれた。吐《は》き気《け》がこみあげていた。「サフィラは？　サフィラはどうなったの？　アーガルにやられそうになって……そうだ、サフィラが落ちてきたんだ。アーリアも！」

「みんな無事よ」アンジェラがいった。「あんたが目を覚ますのをずっと待ってたんだから。どう、みんなに会いたい？」エラゴンが小さくうなずいた。アンジェラは立ちあがって扉《とびら》をあけた。アーリアとマータグが部屋に入ってきた。サフィラは戸口から体を入れられず、首だけをくねくねとなかにのばしてきた。胸《むね》をふるわせてブーンという音を響かせ、目をキラキラ輝《かがや》かせている。

エラゴンは顔をほころばせ、安心と感謝《かんしゃ》の思いをサフィラの心に伝えた。〈小さき友よ、元気になってよかった〉サフィラがそっといった。

〈おまえも元気でよかった、でもどうやって――〉

〈それは、ほかの人たちが話したいはず。わたしはゆずる〉

〈おまえは火をふいた！　ちゃんと見たぞ！〉

〈いかにも〉誇らしげにサフィラがいった。

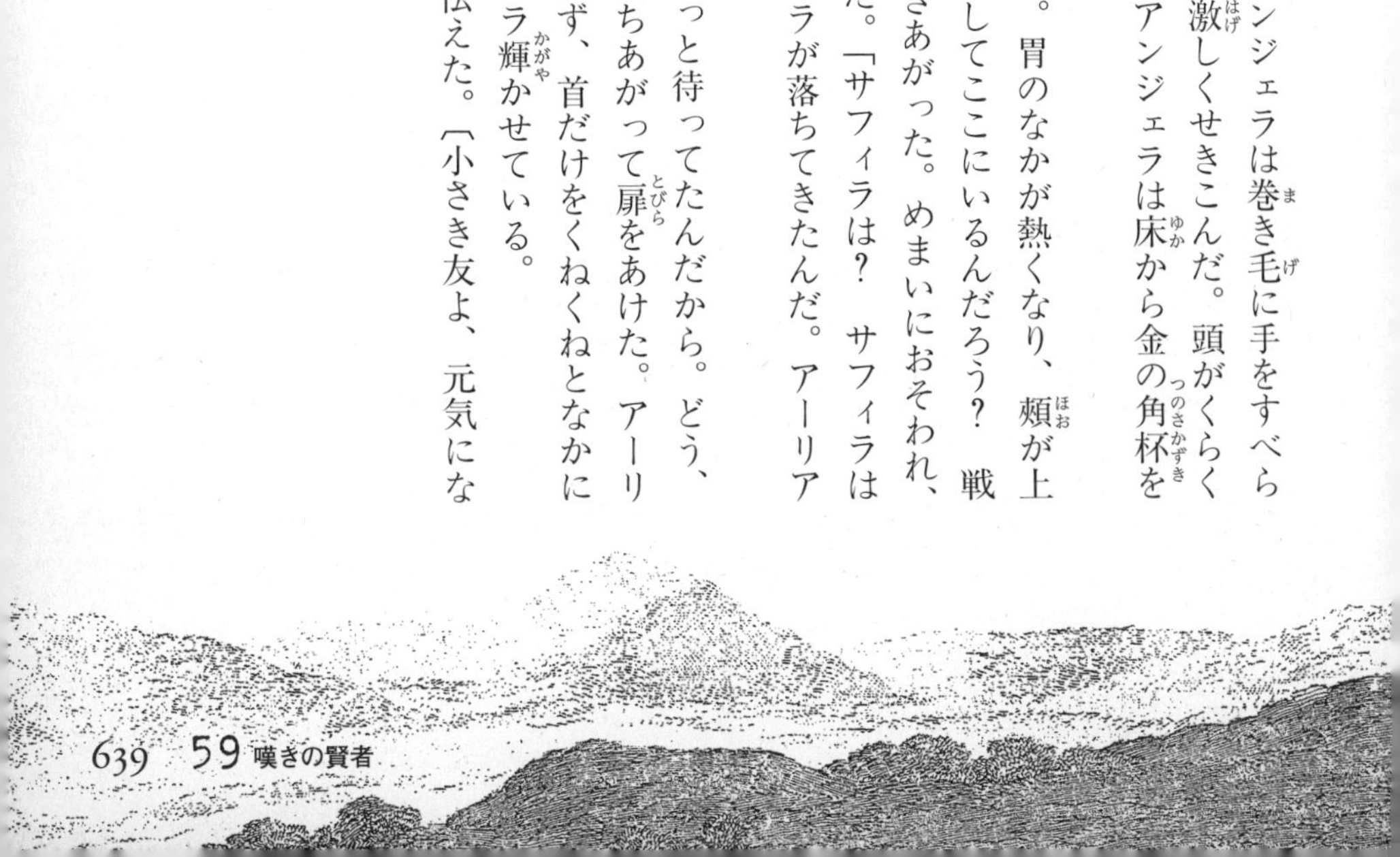

エラゴンは弱々しく笑い、アーリアとマータグを見た。アーリアは腕《うで》に、マータグは頭に包帯を巻《ま》いている。マータグがうれしそうに笑った。「やっと起きたな。廊下《ろうか》にすわって何時間も待ってたんだぞ」

「なにが……あったんだ？」

アーリアは悲しげに見えた。しかし、マータグは誇《ほこ》らしげにいった。「勝ったんだ！　信じられないだろ！　シェイドの霊魂《れいこん》らしきものが、ファーザン・ドゥアーを飛びまわったんだ。アーガルたちは戦いの手をとめて、それに見入っていた。それで、急に呪《のろ》いがとけたみたいに、仲間どうしで争いはじめたんだ。あっという間にアーガル軍全体が分裂《ぶんれつ》した。こっちはそこへ攻《せ》めこんで、徹底的《てっていてき》にたたきつぶした！」

「みんな死んだのか？」エラゴンがきいた。

マータグが首をふった。「いや。多くがトンネルへ逃《に》げこんだ。ヴァーデンとドワーフがさがし出そうとしてるけど、あれは相当かかりそうだな。ぼくも手伝ってたんだが、アーガルに頭をなぐられて、ここへ送られてきた」

「もう独房《どくぼう》にもどらなくていいのか？」

マータグが真剣《しんけん》な顔でいった。「今は、だれもそんなことを気にしちゃいられないんだ。大勢《おおぜい》のヴァーデンとドワーフが命を落としたんだからな。生きのびた者たちも、戦いの疲《つか》れから必死で立ち直ろうとしている。だが、きみはよろこばなけりゃならない。英雄《えいゆう》なんだからな！　ダーザをどうやって殺したか、みんなが話をしてるぞ。きみがいなかったら、ぼくらはきっと負けていた」

エラゴンはとまどったが、それはとりあえずあとで考えることにした。「双子《ふたご》はどこにいた？　いるはずの場所にいなくて――交信できなかったんだ。助けが必要だったのに」

マータグが肩《かた》をすくめた。「本人たちによると、べつのところから侵入《しんにゅう》してきたアーガルたちと勇《ゆう》敢《かん》に戦ってたらしいがな。忙《いそが》しくて交信してるひまがなかったんじゃないか」

なぜか腑《ふ》に落ちなかったが、その理由はわからなかった。エラゴンはアーリアのほうを見た。彼女はきらめく大きな目でエラゴンをずっと見つめていた。「あなたとサフィラは、あんなところから落ちて、どうして……」声が先細りになる。

アーリアがゆっくりと語りだした。「あなたがダーザのことをサフィラに警告《けいこく》してきたとき、わたくしはまだ彼女の鎧《よろい》をはずしている最中でした。はずしおわったとき、ヴォル・トゥリンをおりていくのでは間に合わないと思った――下にたどり着く前に、あなたが捕《と》らえられてしまう。ダーザに殺されてしまうと思ったのです」アーリアはくやしさをにじませていった。「だから、なんとかダーザの注意をそらそうと――スターサファイアを破壊《はかい》したのです」

〔それからわたしが彼女を運んだ〕サフィラが言葉を継《つ》いだ。

理解《りかい》しようともがく頭に、また新たなめまいがおそってきて、エラゴンは目を閉《と》じた。「だけど、どうしてぼくにもあなたにも、あの破片《はへん》がささらなかったんですか?」

「そんなことがあってはいけません。床《ゆか》におりる寸前《すんぜん》、落下してきたものを空中でいったんとめ、ゆっくりと床の上におろしました――そうでなければ、砕《くだ》け散った破片があなたの命をうばっていたでしょう」アーリアは淡々《たんたん》といった。しかしそれは、彼女の〈力〉を如実《にょじつ》に表す言葉だった。

アンジェラが顔をしかめていいそえた。「そうよ。それにアーリア、あんたの命もうばわれるところだった。ふたりの命を助けるのに、わたしの熟練《じゅくれん》の技《わざ》がどれだけ物をいったかわかる?」

不安がエラゴンの心をよぎり、同時に頭のうずきも激《はげ》しくなった。そうだ、背中《せなか》が……しかし、そこに包帯が巻《ま》いてある感じはない。「ぼくはどのくらいこうしていたの?」おそるおそるたずねた。

「たった一日半よ」アンジェラがこたえた。「あたしがそばにいたから、あんたは運がよかった。じゃないと、治るのに何週間もかかってたわ――命があったとしての話だけど」

エラゴンははっとして毛布《もうふ》をおしのけ、体をねじって背中《せなか》をさわった。アンジェラは気づかわしげな目をして、小さな手で彼の手首をつかんだ。「エラゴン……わかってちょうだい。あたしの力は、あんたやアーリアのとはちがうの。たよるものは薬草と水薬。だから限界《げんかい》がある。とくにこんな大きな――」

エラゴンはアンジェラの手をふりほどき、夢中《むちゅう》で背中をさぐった。皮膚《ひふ》はなめらかで温かく、どこにも傷《きず》はない。指の下でかたい筋肉《きんにく》が動くのがわかる。そのまま首の付け根へ手をすべらせると、思いがけず、一センチほどのかたいこぶが指にさわった。そこから背中のほうへ、おずおずと指をおろしていった。右肩《みぎかた》から左の腰《こし》にむかって、ダーザの剣《けん》がエラゴンの背中に大きな縄状《なわじょう》の傷を残していた。

アーリアはいたわりの表情《ひょうじょう》を浮《う》かべ、つぶやいた。「偉大《いだい》な行いのために、大変な代償《だいしょう》を払《はら》うことになってしまいましたね、エラゴン・シェイドスレイヤー（シェイドをしとめたエラゴン）」

マータグが声をあげて笑った。「これできみもぼくと同じになったわけだ」

エラゴンはうろたえ、目をつぶった。一生治らない傷を負ってしまった。そして、意識《いしき》を失っていたときに見たものを思い出した。白い服に身を包んだ人影《ひとかげ》。ぼくを助けてくれるといっていた〈嘆《なげ》きの賢者《けんじゃ》〉――オシャト・チャトウェイ。彼はいっていた――自分の成したことを思い、よろこぶがいい。おまえはこの地から恐《おそ》ろしい災厄《さいやく》をとりのぞいた。それはだれにもできない偉業《いぎょう》だ。民《たみ》ははかり知れない恩《おん》を受けたのだ、と。

〈エラゴン、わたしのもとへ来なさい。わたしはすべての答えをもっている〉

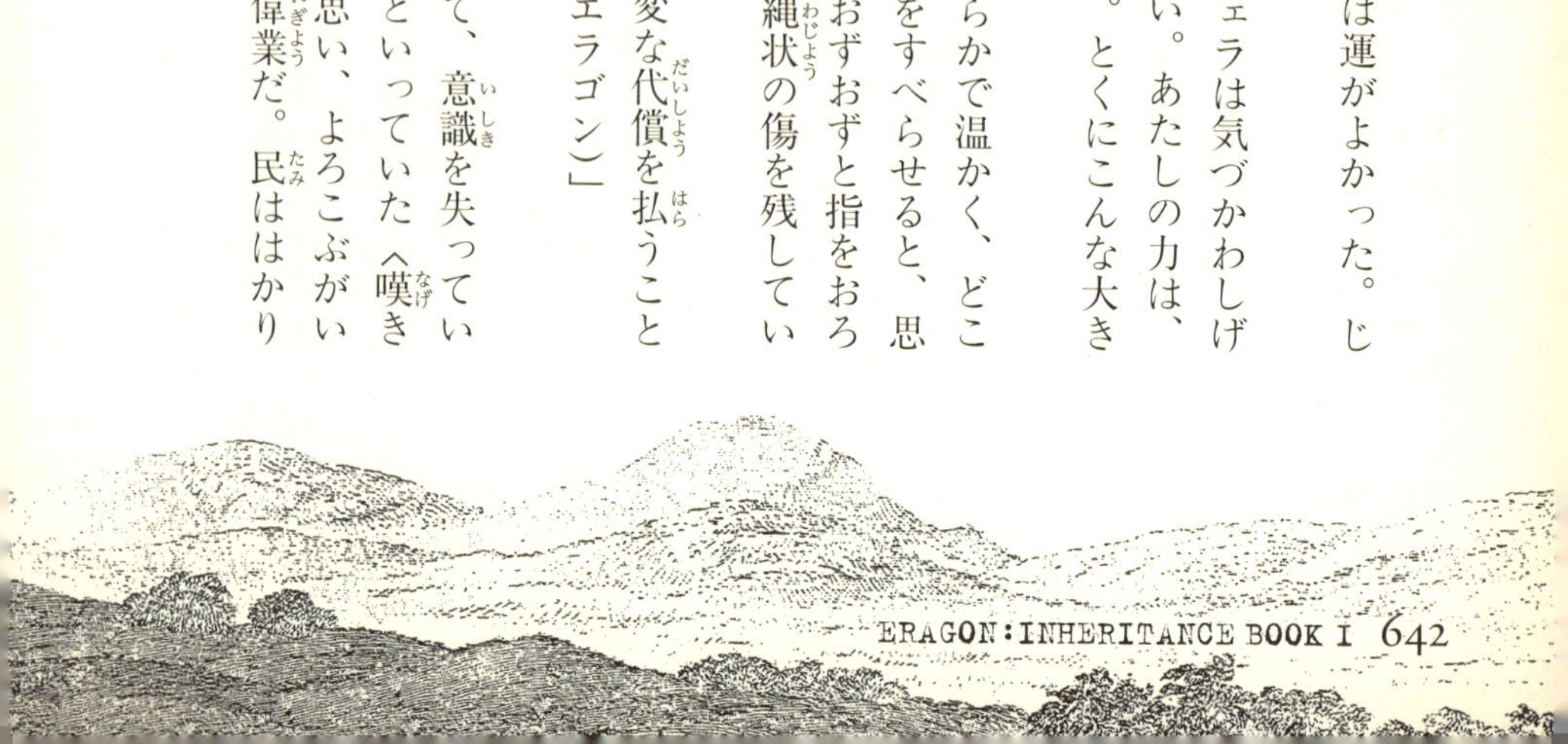

いくらかの安らぎと充足感《じゅうそくかん》が、エラゴンの心をやさしく包みこんだ。
〈ぼくはかならず行く〉

（二巻につづく）

訳者あとがき

昨年の春、本書の出版前の原稿を初めて手にしたとき、「これはスゴイ本かもしれない！」と興奮しながらむさぼるように読んだ。予感は当たり、アメリカでは二〇〇三年八月の出版からわずか半年で、一〇〇万部を越える空前の大ヒット。現在ベストセラーチャートに二六週ランクイン、「ハリー・ポッター」を抜いて堂々の一位である。

とにかく文句なしにおもしろい！

アラゲイジアという架空の世界、貧しい農場で伯父と従兄と暮らす一五歳の少年エラゴンは、ひょんな出会いからドラゴンを育てることになる。少年とドラゴンは心の中で会話を交わせるほどに打ち解けあうが、あるとき何者かが伯父の家を襲撃、伯父は惨殺され、家も焼き払われる。怒りに駆られるエラゴンは、仇《かたき》を討つべく、ドラゴンと共に長い長い旅に出かけることになるが――。

おなじみのエルフ、ドワーフ、ドラゴン、謎の怪物などが共存する異世界を描いた正統派の冒険ファンタジーである。しかしこの作品には、簡単にそういい切れない様々な魅力がちりばめられている。物語の背景にはドラゴンライダー族という悲しい末路をたどった英雄たちの伝説がある。知らず知らずのうちにライダーの運命を託され、帝国を独裁支配する邪悪な王の野望の渦に巻きこまれていく主人公。旅の途中、幾多の苦難に立ち向かうハラハラドキドキの展開はもちろんのこと、エラゴンを教え導く老人ブロムの秘密、旅の道連れとなる謎の青年マータグなど、全編に渡って読みごたえ満点だ。そして何より魅力的なのは、ときに友となり、ときに主人公を叱咤し導く、ドラゴンの存在である。そもそも本書は、著者が空想で作りあげていたドラゴンのイメージが発端になったというだけあって、このドラゴンは、ほかの物語にはない愛すべき素晴らしいキャラクターに仕上がっている。

著者クリストファー・パオリーニは現在二〇歳。イエローストーン国立公園にほど近いモンタナの雄大な自然のなかに、二歳年下の妹と両親とともに暮らしている。一五歳で高校を卒業後、この物語を書きあげた。といっても、そのまますぐに大手からの出版となったわけではない。当初は自費出版し、各地一三〇か所以上、自ら宣伝行脚の旅に出かけた。その結果、自費出版物としては異例の八〇〇〇部を売り上げた。これを見つけて名門クノッフ社に紹介したのが、作家のカール・ハイアセンだった。息子が自費出版の「Eragon」に夢中になっているのを見て、自身も読んでみるとたちまち引き込まれた。興奮してクノッフ社の編集者に紹介したところ、即座に出版の運びとなったという。

パオリーニは、いろいろなことを想像しながら、モンタナの森や山をひとりで散策するのが大好きだそうだ。多くの人をひきつけるみずみずしい文章とイメージの豊かさ、目の前にせまってくるアラゲイジア世界のリアリティも、そこからきているのかもしれない。

嬉しいことに、本作は三部作の第一部だ。現在執筆中の第二部のタイトルは「Eldest」と発表されている。本書では明かされていない残りのドラゴンの運命、エラゴンの出生の秘密、闇の王ガルバトリックスの登場など、語られるのを待っているストーリーが山ほどある。物語はさらにノンストップで盛り上がっていくにちがいない。

最後に、過密スケジュールのなかお手伝いいただいた翻訳家の杉田七重さん、編集担当のリテラルリンクのみなさん、そしてこの素晴らしい本を紹介くださったソニー・マガジンズの鈴木優さんに、この場を借りてお礼申し上げます。

二〇〇四年四月　　大嶌双恵

ERAGON: INHERITANCE BOOK I

エラゴン

遺 志 を 継 ぐ 者

2004年4月10日 初版第1刷発行
2004年6月 7 日 第3刷発行

著者
クリストファー・パオリーニ

訳者
大嶌双恵《おおしまふたえ》

発行人
三浦圭一

発行所
株式会社ソニー・マガジンズ
〒102-8679 東京都千代田区五番町5-1
電話03-3234-5811

印刷所
中央精版印刷株式会社

http://www.sonymagazines.jp
ISBN4-7897-2230-9 Printed in Japan

エレズメーラ
ドゥ・ウェルデンヴァーデンの森
ナーディンデル
ローナ湖
アードウェン湖
シルスリム
カータン
ガエナ川
エルダー湖
セリス
イリア・フェオン
ハダラク砂漠
エッダ川
ヘダース
アズ・ラグニ川
バーラフ
ターナグ
ファーザン・ドゥアー
オシアド
ベアトゥース川
ビオア山脈
ダルゴン
ガルフニ